개념과 정리가 한번에 끝나는 기본서

개념풀

— 한국지리 —

쉽게 풀어 이해가 잘되는

개념책

교재 구성

개념과 정리를
한번에!

쉽게 풀어
이해가 잘 되는
개념책

학습한 개념을
정리해 보는 나만의
정리노트

의구심이
남지 않는 완벽한
정답과 해설

학습 시스템

1st 개념을 익힌다.

한국지리에 나오는 모든 개념을 친절하고 상세한 내용
정리로 술술 익힌다.

준비물 개념책

읽으면, 나도 모르게
개념이 쏙쏙
들어온다~옹!

2nd 개념을 적용한다.

단계별 문제 풀이로 학습한 개념을 적용하고 실력을
다진다.

준비물 개념책, 정답과 해설

개념을 적용해서
문제를 풀면 만점도
맞을 수 있다~옹!

3rd 개념을 완성한다.

정리노트에 학습한 개념을 자기만의 스타일로
정리하여 개념을 완성한다.

준비물 개념책, 정리노트

내 입맛대로
노트를 정리하면,
개념 공부는 끝이다~옹!

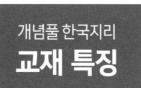

개념풀 한국지리
교재 특징

쉽게 풀어 이해가 잘 되는 개념책

이해하기 쉬운 개념 학습

술술 읽히는 개념과 자료 정리

3종 교과서를 철저하게 비교분석하여 이해하기 쉽게 풀어 정리했습니다.

❶ **핵심 질문으로 흐름잡기** 중요 개념과 흐름을 핵심 질문으로 한눈에 파악

❷ **시험에 잘 나오는 자료** 시험 단골 자료와 꼭 알아야 하는 한줄 분석

❸ **내용 이해를 돕는 팁** 내용 이해에 도움이 되는 Q&A와 용어 정리

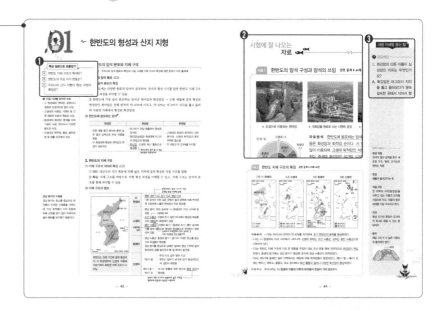

수능 자료로 개념을 다지는 개념 POOL

자주 나오는 수능 기출 자료를 유형별로 상세하게 분석하여 개념을 자료에 적용하는 방법을 알려 주어 수능에도 대비할 수 있습니다.

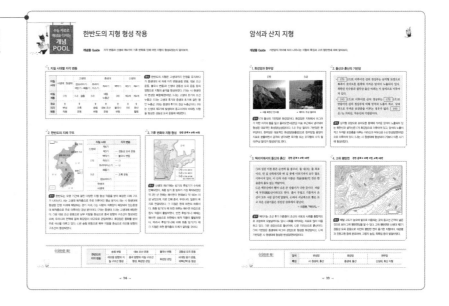

쉽게 풀어 이해가 잘 되는 **개념책**

다양한 유형의 단계별 문제

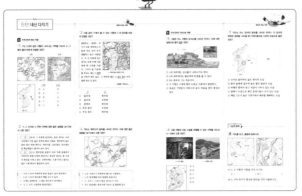

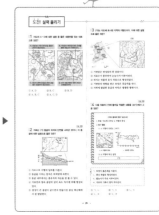

▪ 콕콕! 개념 확인하기

앞에서 정리한 주요 개념을 다시 확인할 수 있습니다.

▪ 탄탄! 내신 다지기

학교 시험 난이도로 구성된 다양한 유형의 문제로 내신에 대비할 수 있고, 출제율이 높아지고 있는 서술형 문제를 연습할 수 있습니다.

▪ 도전! 실력 올리기

고난도 문제와 수능 기출수능 유형 문제로 내신 만점뿐 아니라 수능에도 대비할 수 있습니다.

실전에 대비하는 대단원 학습

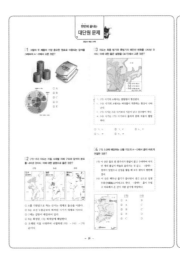

▪ 한눈에 보는 대단원 정리

주요 내용을 중단원별로 정리하여 핵심 내용을 한눈에 파악할 수 있습니다.

▪ 한번에 끝내는 대단원 문제

대단원을 아우르는 문제로 중간기말 고사에 대비할 수 있으며, 출제율이 높아지고 있는 서답형 문제를 연습할 수 있습니다.

학습한 개념을 직접 써 보는 나만의 **정리노트**

정리노트만 있으면
시험 준비 끝!
내가 설명해 줄게.

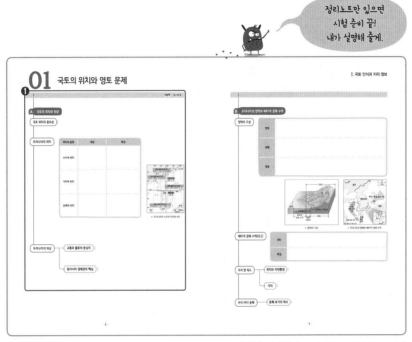

❶ 중단원 내용 구조가 한눈에 보이도록 구성하여 개념책과 교과서를 보면서 빈 공간에
나만의 노트 정리를 할 수 있습니다.

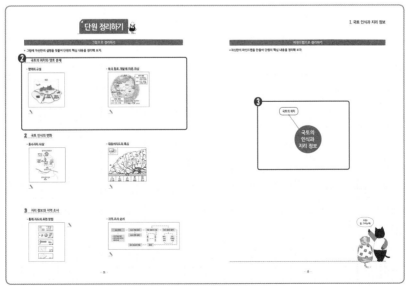

❷ 지도나 그래프 자료를 통해 대단원의 핵심 내용을 다시 한 번 정리할 수있습니다.

❸ 마인드맵을 그려 보면서 대단원의 전체적인 내용과 흐름을 제대로 알고 있는지 확인
해 볼 수 있습니다.

선배들의 정리노트
다운로드 바로 가기

차례

무엇을 공부할지 함께 확인해 볼까~옹?

우리 학교 교과서가 개념풀의 어느 단원에 해당하는지 확인하세요!

교과서랑 비교하며 공부할때 유용하다~옹!

I
국토 인식과 지리 정보

배울 내용 한눈에 보기

01 국토의 위치와 영토 문제

위치와 영역

- 위치와 위상
  - → 수리적 위치
  - → 지리적 위치
  - → 관계적 위치
- 영역
  - → 영토, 영해, 영공
- 독도와 동해
  - → 우리 땅 독도
  - → 우리 바다 동해

우리나라는 냉·온대 기후가 나타나고 표준시가 영국보다 빨라. 영역은 영토, 영해, 영공으로 구성돼!

02 국토 인식의 변화

국토 인식 변화

- 고문헌
  - → 관찬 지리지
  - → 사찬 지리지
- 고지도
  - → 혼일강리역대국도지도
  - → 대동여지도
- 국토 인식 변화
  - → 생태 지향적 국토관

풍수지리 사상, 고문헌, 고지도 등을 통해 우리나라의 전통적인 국토관을 파악할 수 있어!

03 지리 정보와 지역 조사

지리 정보· 지역 조사

- 지리 정보
  - → 지리 정보의 종류와 유형
- 지리 정보 체계(GIS)
  - → 우리 생활과 지리 정보 체계
- 지역 조사
  - → 지역 조사의 목적과 순서

지역 조사를 통해 지리 정보를 수집할 수 있고, 지리 정보 체계(GIS)를 활용함으로써 우리 생활이 편리해지고 있어!

01 ~ 국토의 위치와 영토 문제

핵심 질문으로 흐름잡기

A 우리나라 국토의 위치와 이에 따른 위상은?

B 우리나라의 영역과 배타적 경제 수역의 범위는?

C 독도 수호와 동해 표기의 의의는?

❶ 국토의 의미

• 국민, 주권과 함께 한 국가를 구성하는 기본 요소

• 우리 국민의 다양한 삶이 누적된 공간

• 국민의 행복과 국가의 번영이 실현되는 공간

• 미래 세대에게 물려주어야 하는 공간

❷ 경도와 표준 경선

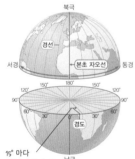

경도는 본초 자오선(경도 0°)을 기준으로 얼마나 떨어져 있는지를 나타낸 것이다. 경도 15°마다 1시간의 시차가 발생하는데, 우리나라의 표준 경선은 135°로, 본초 자오선이 지나는 영국보다 9시간(135°÷15°=9)이 빠르다.

A 국토의 위치와 위상

| 시·험·단·서 | 우리나라의 위치를 수리적 위치, 지리적 위치, 관계적 위치로 나누어 파악하는 문제가 자주 출제돼!

1. 국토❶의 위치

(1) 위치의 중요성: 한 국가의 위치는 자연환경과 역사·문화적 특성, 주변 국가와의 상호 관계를 결정함

(2) 위치 파악의 필요성: 한 국가의 위치를 파악하면 그 국가의 지리적 특성을 이해할 수 있으며, 국가의 과거와 현재를 이해하고 미래를 설계하는 데 도움을 줌

2. 우리나라의 위치

(1) 수리적 위치: 위도와 경도로 표현되는 위치 〔자료1〕

① 위도: 기후, 식생 등에 영향을 줌

• **우리나라의 위도:** 북위 33°~43°에 위치함

• **위도의 영향:** 냉·온대 기후가 나타나고, 계절의 변화가 나타남

② 경도: 시간대를 결정함❷

• **우리나라의 경도:** 동경 124°~132°에 위치함

• **경도의 영향:** 동경 135°선을 표준 경선*으로 사용하여, 본초 자오선이 지나는 영국보다 9시간 빠름

(2) 지리적 위치: 대륙이나 해양, 반도*, 섬 등의 지형·지물을 기준으로 표현하는 위치

① **유라시아 대륙 동안에 위치:** 계절풍의 영향을 받아 여름에는 고온 다습하고, 겨울에는 한랭 건조하며 연교차가 큰 대륙성 기후가 나타남

② **삼면이 바다로 둘러싸인 반도적 위치:** 대륙과 해양 양 방향으로의 진출에 유리하여 임해 공업 발달

(3) 관계적 위치: 주변국과의 정치 및 경제적 관계에 따라 달라지는 상대적인 위치

근대 이전		제2차 세계 대전 이후		오늘날
대륙 세력과 해양 세력이 만나는 곳에 위치하여 중국, 일본, 러시아 등 주변 국가의 영향을 많이 받음	➡	자본주의 진영과 공산주의 진영이 대립하는 공간이었음	➡	경제 성장과 민주주의 발전을 바탕으로 태평양 시대의 중심 국가로 발전하고 있음

3. 위치에 따른 우리나라의 위상

┌ 서울은 동아시아의 주요 도시를 최단 거리와 최단 시간으로 접근할 수 있는 위치에 있어

(1) 교통과 물류의 중심지: 유럽과 아시아, 북아메리카를 잇는 <u>지리적 교차로에 위치</u> 〔자료2〕

① **항공:** 유럽·아시아·북아메리카를 잇는 항공 교통의 교차점

② **해운:** 부산항은 아시아, 북아메리카, 유럽을 연결하는 주요 해상 항로에 위치함 → 북극 항로의 이용이 활성화되면 부산항의 영향력이 커짐 〔자료3〕

③ **도로 및 철도:** 남한의 도로와 철도가 대륙으로 연결되면 한반도가 동북아 중심지로서의 역할을 수행할 수 있게 됨

(2) 동아시아 경제권*의 핵심

① 각종 국제기구에 가입하여 국제 사회에서 중심적인 국가의 역할 수행

② 한류를 통해 우리나라의 문화적 우수성 전파

자료1 우리나라의 수리적 위치 관련 문제 ▶ 18쪽 03번, 20쪽 01번

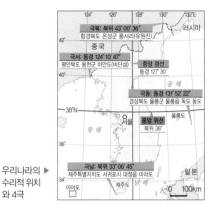

◀ 우리나라의 수리적 위치와 4극

우리나라의 중앙 경선은 동경 127° 30′ 이지만, 다른 나라와의 시간 계산의 편의성 등을 고려하여 동경 135°로 정했어

◀ 우리나라의 표준 경선

자료·분석 • 우리나라는 위도상으로는 북위 33°~43°에 위치한다. 위도는 기후와 관련이 깊은데, 북반구 중위도에 위치한 우리나라는 위도와 관련하여 계절의 변화가 뚜렷한 냉·온대 기후가 나타난다.

• 우리나라의 최동단은 독도, 최서단은 마안도, 최남단은 마라도, 최북단은 유원진이다.

• 우리나라는 경도상으로는 동경 124°~132°에 위치한다. 경도는 표준시와 관련이 깊은데, 우리나라는 표준 경선을 동경 135°로 하여 표준시가 영국 런던보다 9시간 빠르다.

한·줄·핵·심 우리나라는 수리적 위치의 영향으로 냉·온대 기후가 나타나고, 영국보다 9시간 빠르다.

자료2 유라시아 횡단 철도와 주요 항로

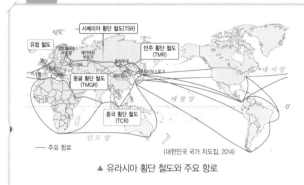

▲ 유라시아 횡단 철도와 주요 항로

(대한민국 국가 지도집, 2014)

자료·분석 남한과 북한 간 경제적 교류가 활성화되면, 남한의 도로·철도가 유라시아 대륙으로 연결되어 대륙으로의 진출이 쉬워지며, 해상 교통도 더욱 발달한다.

한·줄·핵·심 국토 통일이 이루어지면 우리나라는 반도국으로서 지닌 위치적 장점을 극대화할 수 있다.

자료3 북극 항로 개발 관련 문제 ▶ 18쪽 04번

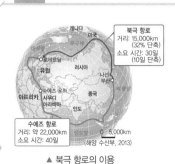

▲ 북극 항로의 이용

(해양 수산부, 2013)

자료·분석 지구 온난화로 북극 일대의 빙하가 줄어들면서 북극 항로의 개발이 활발이 진행되고 있다. 북극 항로를 이용하면 우리나라와 유럽을 연결하는 해상 항로가 기존의 인도양–수에즈 운하–지중해를 이용하는 항로에 비해 거리 및 시간적으로 크게 단축된다. 북극 항로가 상용화되면 우리나라는 세계적인 물류 중심지로 발돋움할 것으로 기대된다.

한·줄·핵·심 북극 항로를 이용하면, 수에즈 운하의 이용보다 거리 및 시간이 크게 단축된다.

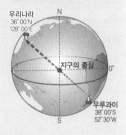

❸ 영역의 구성

영공

영토

영해
(12해리)

배타적
경제수역

- 영토: 땅으로 구성된 국가의 영역을 의미한다.
- 영해: 해안선에서 일정한 범위 내에 있는 바다, 일반적으로 12해리까지 설정한다.
- 영공: 영토와 영해의 수직 상공을 의미한다.

B 우리나라의 영역과 배타적 경제 수역

| 시·험·단·서 | 우리나라의 영토, 영해, 영공의 의미와 배타적 경제 수역의 특징에 대한 문제가 자주 출제돼!

1. 우리나라의 영역 ❸

영토		• 한반도와 그 부속 도서로 구성됨 • 총면적은 약 22.3만 km², 남한의 면적은 약 10만 km² → 간척 사업으로 면적이 확대되고 있음
영해 자료4 자료5	동해안·울릉도·독도·제주도	최저 조위선(썰물 때의 해안선)인 통상 기선*에서 12해리*까지의 범위임
	서·남해안	최외곽의 섬을 연결한 직선 기선*에서 12해리까지의 범위임
	대한 해협	직선 기선에서 3해리까지의 범위임
영공		• 일반적으로 대기권 이내로 한정됨 • 최근 항공 교통이 발달하고 인공위성 및 우주 개발이 활발해지면서 중요성이 증가함

└─ 일반적으로 영해 기선에서 12해리 이내의 수역으로, 영해 기선으로는 통상 기선과 직선 기선이 적용돼

2. 배타적 경제 수역(EEZ) ❹
┌─ 배타적 경제 수역은 국가 영역에는 포함되지 않지만, 영역과 유사하게 인접해 있는 연안국의 독점적인 권리를 인정하는 수역이야

(1) 의미: 영해 기선에서 200해리까지의 수역 중 영해를 제외한 수역 자료5

└─ 200해리에서 영해 12해리를 빼니까 188해리의 범위가 해당해

(2) 특징

① 연안국 해양 자원을 탐사, 개발, 이용, 보전, 관리할 수 있는 권리가 있음

② 다른 국가의 선박과 항공기 등은 자유롭게 통행할 수 있음

③ 인접해 있는 중국, 일본 등과 수역이 상당 부분 겹치기 때문에 국가 간 갈등이 발생함

❹ 배타적 경제 수역 내의 중요한 지역, 이어도

- 위치적 특징: 마라도에서 남서쪽으로 약 149km 떨어진 암초로, 국제법상 우리나라의 배타적 경제 수역에 포함된다.
- 중요성: 다양한 어류가 서식하고 지하자원의 매장 가능성이 높아 2003년 종합 해양 과학 기지가 건설되었다.

C 소중한 우리 영토

| 시·험·단·서 | 독도의 자연환경 및 독도의 가치를 파악하는 문제와 동해 표기의 역사를 묻는 문제가 자주 출제돼!

1. 우리 땅 독도

(1) 위치: 우리나라의 가장 동쪽에 위치

(2) 자연환경: 신생대 제3기 화산 활동으로 형성되었으며, 연중 온화한 해양성 기후가 나타남

(3) 독도의 가치

① **경제적 가치:** 조경 수역으로 어족 자원 풍부, 메탄하이드레이트 매장

② **생태적 가치:** 다양한 동식물 서식, 천연 보호 구역으로 지정

③ **전략적 가치:** 군사적 요충지, 동해상 거점 확보에 유리

울릉도와 가장 가깝게 위치하고 있어

울릉도 87.4 km 독도
130.3 km
죽변 216.8 km 157.5 km
대한민국 동해 오키섬
0 100km 일본

▲ 독도의 위치

(4) 독도를 지키려는 노력: 다양한 고문헌과 고지도 ❺ 등에서 독도가 우리 땅이라는 근거를 다수 발견, 정부 기관·민간단체·개인의 독도 홍보 노력

❺ 독도가 우리 땅이라는 근거

- 세종실록지리지와 팔도총도, 동국지도 등 고문헌과 고지도에 독도가 우리나라의 영토로 기록되었다.
- 삼국접양지도 등 일본에서 제작한 지도에 독도가 우리나라의 영토로 기록되어 있다.

2. 우리 바다 동해 자료6

┌─ 1929년에 세계의 해양과 바다의 경계를 설정하고 고유한 명칭을 붙이기 결의한 회의로, 일제 강점기라는 시대적 상황으로 우리나라는 참석하지 못했어

(1) 위치: 아시아 대륙 북동부에 위치, 한반도·러시아의 연해주·일본 열도로 둘러싸여 있음

(2) 동해 표기의 역사: 삼국사기·광개토대왕릉비 등에 동해 표기, 우리나라뿐 아니라 유럽에서 편찬한 세계 지도 등에도 동해 표기 → 국제 수로 기구 회의에서 일본해로 등록됨

(3) 동해 표기를 위한 노력: 1992년 유엔 지명 표준화 회의에서 동해 표기의 정당성 주장 → 정부와 민간단체의 노력으로 동해 단독 표기 또는 동해와 일본해를 병기하는 지도가 증가함

자료4 영해와 관련된 법 조항 관련 문제 ▶ 19쪽 06번, 20쪽 04번

제1조(영해의 범위) 대한민국의 영해는 기선으로부터 측정하여 그 바깥쪽 12해리의 선까지에 이르는 수역으로 한다. 다만, 대통령령으로 정하는 바에 따라 일정 수역의 경우에는 12해리 이내에서 영해의 범위를 따로 정할 수 있다.

제2조(기선) ① 영해의 폭을 측정하기 위한 통상의 기선은 대한민국이 공식적으로 인정한 대축척 해도에 표시된 <u>해안의 저조선</u>으로 한다. └─ 통상 기선에 해당해

② 지리적 특수 사정이 있는 수역의 경우에는 <u>대통령령으로 정하는 기점을 연결하는 직선</u>을 기선으로 할 수 있다. └─ 직선 기선에 해당해

자료·분석 • 제1조: 우리나라의 영해는 대부분 영해 기선으로부터 12해리이지만, 일본과 가까운 대한 해협에서는 3해리로 영해의 범위를 설정한다는 내용이다.
• 제2조: ①항은 동해안·울릉도·독도·제주도에 적용되는 통상 기선, ②항은 서·남해안에 적용되는 직선 기선에 대한 내용이다.

한·줄·핵·심 영해의 범위는 해안선으로부터 12해리로, 일반적으로 저조선이 영해 설정의 기준이 된다.

❓ 궁금해요

Q. 영해에서 다른 나라의 배가 연안국의 허락을 받지 않고 항해할 수 있나요?

A. 영해는 국가 영역의 일부로서 연안국의 주권이 미치는 곳이지만 국제 교통의 이익을 꾀하기 위해 연안국의 영역권을 어느 정도 제한하고 있어. 즉, 연안국의 안전·평화·질서를 해치지 않는다면, 다른 나라의 배가 영해를 신속하게 통과하는 것은 가능해. 이를 '무해 통항권'이라고 하지.

자료5 우리나라의 영해와 배타적 경제 수역 관련 문제 ▶ 19쪽 08번

▲ 우리나라의 영해와 배타적 경제 수역

자료·분석 • 영해는 영해 기선에서 12해리까지의 수역이고, 배타적 경제 수역은 영해 기선에서 200해리 중 영해를 제외한 수역이다.
• 우리나라는 일본, 중국과 인접해 있어 배타적 경제 수역이 겹친다. 이를 조정하기 위한 어업 협정에 따라 <u>한·일 중간 수역</u>과 <u>한·중 잠정 조치 수역</u>을 설정하고, 해당 수역의 어족 자원을 공동으로 보존·관리하고 있다.

한·줄·핵·심 배타적 경제 수역 내에서 연안국은 해양 자원을 탐사, 개발, 이용, 보전, 관리할 권리가 있다.

간척 사업은 직선 기선 안쪽에서 이루어지므로, 간척 사업으로 인한 영해의 범위 변동은 없어

자료6 삼국사기에 표기된 동해

▲ 『삼국사기』에 표기된 동해(東海)

자료·분석 동해라는 지명은 『삼국사기』에 처음 등장한다. 이후 동해는 2,000년 이상 우리 민족에게 일반화된 고유 명칭이다. 일본국은 8세기에 역사에 등장하였으므로 동해라는 명칭은 일본국의 성립 시간보다 700여 년이나 앞선다. 이 밖에도 아국청도 등의 고지도에서도 동해라는 명칭을 찾아볼 수 있다.

한·줄·핵·심 동해는 오랜 역사적 전통을 지니고 있는 지명이다.

〰 용어 더하기 〰

* **통상 기선**
썰물 때의 해안선인 최저 조위선으로, 해안선이 단조롭거나 섬이 해안에서 멀리 떨어져 있는 경우에 영해의 기준이 된다.

* **해리**
바다에서 거리를 재는 단위로, 1해리는 약 1,852m이다.

* **직선 기선**
해안의 끝이나 최외곽의 섬을 연결한 직선으로, 해안선의 출입이 복잡하거나 섬이 많을 경우에 영해의 기준이 된다.

* **메탄하이드레이트**
천연가스의 주성분인 메탄이 얼음 형태로 고체화된 물질

우리나라의 위치와 영역

개념풀 Guide 주요 지점의 위치에 따른 특색과, 영해와 배타적 경제 수역에서 연안국이 행사할 수 있는 권한을 구분하여 알아보자.

1. 영해와 배타적 경제 수역에서의 활동 범위 관련 문제 ▶ 20쪽 03번

분석 A와 B는 배타적 경제 수역, C는 영해 내의 지점이다.

- 영해는 일반적으로 영해 기선에서 12해리 이내의 수역으로, 외국의 선박이 허가 없이 다니는 것은 불법이다. 그러나 우리나라의 영해에서도 우리나라의 평화, 공공질서 또는 안전 보장을 해치지 않는 범위 내에서는 무해 통항할 수 있다.
- 배타적 경제 수역에서는 수산 자원·해저 자원의 개발이나 어업 활동 등의 경제적 권한이 연안국에게 주어진다. 그러나 영해와 달리 주권을 가지는 수역이 아니므로 배타적 경제 수역에서 다른 나라의 배나 항공기의 이동이 자유로우며, 해저 케이블의 매설 등도 가능하다.

2. 독도와 마라도의 위치와 특징 관련 문제 ▶ 21쪽 07번

구분	(가)	(나)
위치 정보	126° 16′E, 33° 06′N	131° 52′E, 37° 14′N
총면적	0.297km²	0.187km²
형태적 가치	섬 전체가 남북으로 긴 타원의 형태임	두 개의 큰 섬과 수십 개의 암초로 이루어짐
경제적 가치	해안의 기암절벽과 청정 바다의 해양 생태계를 활용한 해양 관광	주변 해역에 메탄하이드 레이트가 매장되어 있으며, 조경 수역이 형성

분석 • (가) 섬은 북위 33° 06′인 것을 토대로, 우리나라의 가장 남쪽에 위치하므로 마라도임을 알 수 있다.

- (나) 섬은 동경 131° 52′인 것을 토대로, 우리나라의 가장 동쪽에 있는 독도임을 알 수 있다. 마라도와 독도는 화산 활동으로 형성된 섬이다. 한편, 독도는 우리나라의 최동단에 위치해 있어 일출 시간이 우리나라에서 가장 이르며, 표준 경선(동경 135°)과의 직선 거리가 가장 짧다.
- (가)와 (나)는 모두 신생대 제3기 말에서 제4기 초에 걸쳐 이루어진 화산 활동에 의해 형성된 섬이다. 또한 영해 설정에 두 섬 모두 통상 기선이 적용된다.

3. 독도와 이어도의 위치와 특징

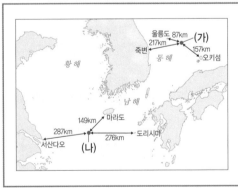

분석 • (가)는 울릉도에서 가장 가깝게 위치한 독도이다. 실제로 울릉도에서는 맑은 날 독도를 볼 수 있지만, 오키섬에서는 볼 수 없다.

- (나)는 마라도에서 가장 가깝게 위치한 이어도이다. 이어도는 국제법상 섬은 아니지만 우리나라가 관할권을 갖고 있다. 우리나라는 이어도에 종합 해양 과학 기지를 설치하여 각종 해양 자료를 관측·수집하고 있다.

이것만은 꼭!

구분	위치	위치에 따른 특색
독도	• 동경 131° 52′, 북위 37° 14′ • 최동단에 위치	• 우리나라에서 일출·일몰 시간이 가장 빠름 • 표준 경선과의 직선 거리가 가장 짧음

A 국토의 위치와 위상

01 지도는 우리나라의 위치를 나타낸 것이다. 내용이 옳으면 ○표, 틀리면 ×표를 하시오.

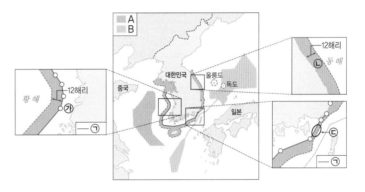

(1) A는 우리나라 표준 경선이다. ( )

(2) 우리나라는 북위 33°~43°에 위치해 있다. ( )

(3) 우리나라는 동경 127°~132°에 위치해 있다. ( )

(4) 우리나라는 삼면이 바다로 둘러싸여 대륙과 해양 양 방향으로의 진출이 유리하다. ( )

(5) B는 우리나라에서 태양의 남중 시각이 가장 이르다. ( )

(6) C에서 가장 가까운 섬은 울릉도이다. ( )

B 우리나라의 영역과 배타적 경제 수역

02 지도를 보고, 물음에 답하시오.

(1) A, B에서 합법적으로 어업 활동을 할 수 있는 국가의 이름을 모두 쓰시오.

A: ( ), B: ( )

(2) 우리나라의 영해를 정하는 기준선 중 최외곽의 섬을 연결한 ㉠의 이름을 쓰시오.

( )

(3) ㉡의 영해 설정에 적용되는 기선의 이름을 쓰시오. ( )

(4) ㉢의 경우 기선에서 몇 해리까지가 영해인지 쓰시오. ( )

(5) 간척 사업은 ㉮에서 이루어지므로, 간척 사업으로 인해 영해의 범위는 (줄어든다, 변화 없다, 증가한다).

C 소중한 우리 영토

03 알맞은 말에 ○표를 하시오.

(1) 독도는 우리나라의 (최동단, 최남단)에 위치한다.

(2) 독도는 (화산, 침식) 활동으로 형성된 섬이다.

(3) 독도 주변 해역이 조경 수역을 이루는 것은 독도의 (경제적 가치, 전략적 가치)에 해당한다.

(4) 한반도, 러시아 연해주, 일본 열도로 둘러싸여 있는 바다는 (동해, 남해)이다.

(5) 세계 각국의 지도에서 동해와 일본해 표기의 병기 비율이 (높아지고, 낮아지고) 있다.

A 국토의 위치와 위상

01 그림의 (가)~(라)와 관련된 옳은 설명만을 〈보기〉에서 있는 대로 고른 것은?

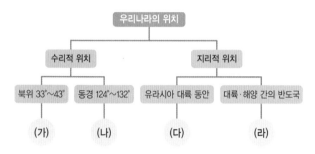

> 보기
> ㄱ. (가) – 계절풍의 영향을 크게 받는다.
> ㄴ. (나) – 표준시가 영국 런던보다 빠르다.
> ㄷ. (다) – 대륙성 기후가 나타난다.
> ㄹ. (라) – 대륙과 해양으로의 진출에 유리하다.

① ㄱ, ㄴ   ② ㄱ, ㄷ   ③ ㄷ, ㄹ
④ ㄱ, ㄴ, ㄹ   ⑤ ㄴ, ㄷ, ㄹ

02 다음 글의 ㉠~㉤에 대한 설명으로 옳지 않은 것은?

> 우리나라는 ㉠경도상으로 대략 동경 124°~132°에 위치한다. 우리나라의 중앙을 통과하는 중앙 경선은 ㉡ 이지만, 표준시의 기준이 되는 ㉢표준 경선은 동경 135°이다. ㉣중앙 경선인 동경 127° 30′을 기준으로 표준시를 정하게 되면 다른 나라와 1시간 간격이 아닌 30분 간격으로 시차가 발생하기 때문에 다른 나라와의 시간 계산의 편의성 등을 고려하여 표준 경선을 동경 135°로 정한 것이다. 이에 따라 우리나라는 영국보다 ㉤ 시간 빠르다.

① ㉠은 시간대를 결정한다.
② ㉡에 들어갈 알맞은 말은 '동경 127° 30″'이다.
③ ㉢은 우리나라 최동단보다 동쪽에 위치한다.
④ ㉣과 같이 정하면, 영국과의 표준시 차이가 커진다.
⑤ ㉤에 들어갈 알맞은 말은 '9'이다.

03 지도에 대한 설명으로 옳은 것은?

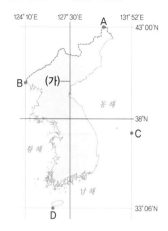

① (가)는 우리나라의 표준 경선이다.
② A는 우리나라에서 일출 시간이 가장 이르다.
③ B는 표준 경선과의 직선 거리가 가장 가깝다.
④ C에는 국토 최동단 표지석이 있다.
⑤ D에는 종합 해양 과학 기지가 설치되어 있다.

04 다음 그림과 관련된 옳은 설명을 〈보기〉에서 고른 것은?

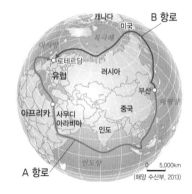

(해양 수산부, 2013)

> 보기
> ㄱ. A 항로는 지구의 기온이 상승하면서 개척되었다.
> ㄴ. B 항로의 이용이 활성화되면 부산항의 영향력은 커진다.
> ㄷ. B 항로를 이용하면, A 항로를 이용할 때보다 거리 및 시간이 증가한다.
> ㄹ. A 항로는 수에즈 항로, B 항로는 북극 항로이다.

① ㄱ, ㄴ   ② ㄱ, ㄷ   ③ ㄴ, ㄷ
④ ㄴ, ㄹ   ⑤ ㄷ, ㄹ

B 우리나라의 영역과 배타적 경제 수역

05 그림은 영역의 구성을 나타낸 것이다. 이에 대한 설명으로 옳은 것은?

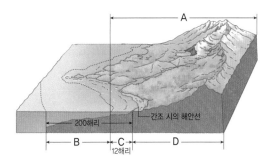

① A는 영해의 상공으로 통상 대기권까지이다.

② B는 배타적 경제 수역으로, 영해가 끝나는 선에서 200해리까지의 바다이다.

③ C 설정 시 우리나라의 동해안은 직선 기선을 적용한다.

④ D는 우리나라의 경우 간척 사업을 통해 넓어졌다.

⑤ B 수역은 C 수역보다 연안국이 가지는 권리가 다양하다.

06 (가), (나)에 해당하는 수역을 지도의 A~C에서 골라 바르게 연결한 것은?

> (가) 지리적 특수 사정이 있는 수역의 경우에는 대통령령으로 정하는 기점을 연결하는 직선을 기선으로 할 수 있다.
>
> (나) 대통령령으로 정하는 바에 따라 일정 수역의 경우에는 12해리 이내에서 영해의 범위를 따로 정할 수 있다.

	(가)	(나)
①	A	B
②	A	C
③	B	A
④	B	C
⑤	C	B

C 소중한 우리 영토

07 지도에 나타난 섬에 대한 설명으로 옳지 <u>않은</u> 것은?

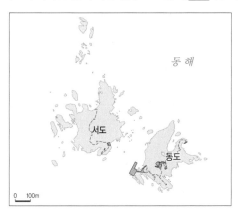

① 화산 활동에 의해 형성된 화산섬이다.

② 동해의 교통 요지로, 거점 역할이 기대된다.

③ 우리나라에서 일출 및 일몰이 가장 이른 곳이다.

④ 주변 해역이 조경 수역으로, 어족 자원이 풍부하다.

⑤ 영해 설정과 관련하여 직선 기선의 기점에 해당한다.

서술형 문제

08 지도에서 ㉠~㉢의 수역을 설정하게 된 배경을 서술하고, 각 수역에서 어업 활동을 할 수 있는 국가를 쓰시오.

▲ 한반도 주변의 수역 현황

도전! 실력 올리기

01 지도는 우리나라의 위치를 나타낸 것이다. 이에 대한 옳은 설명만을 〈보기〉에서 고른 것은?

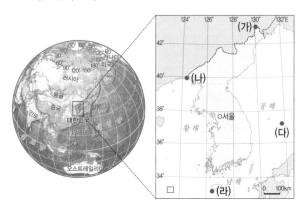

〈보기〉
ㄱ. (나)는 (다)보다 표준 경선에서 멀리 위치한다.
ㄴ. (라)는 (가)보다 타국 영토와의 직선거리가 가깝다.
ㄷ. 기온의 연교차가 큰 해양성 기후가 나타난다.
ㄹ. 대륙과 해양으로 진출할 수 있는 전략적 관문에 해당한다.

① ㄱ, ㄷ   ② ㄱ, ㄹ   ③ ㄴ, ㄷ
④ ㄱ, ㄴ, ㄷ   ⑤ ㄴ, ㄷ, ㄹ

02 다음 A~C에 해당하는 국가를 지도의 (가)~(다)에서 골라 바르게 연결한 것은?

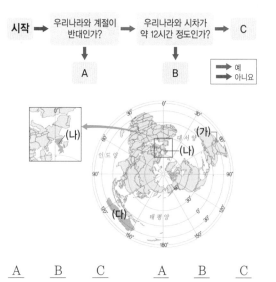

	A	B	C		A	B	C
①	(가)	(나)	(다)	②	(가)	(다)	(나)
③	(나)	(가)	(다)	④	(나)	(다)	(가)
⑤	(다)	(나)	(가)				

03 지도의 A~C 지점에서 이루어질 수 있는 행위로 적절하지 <u>않은</u> 것은? (단, 모든 행위는 국가 간 사전 허가가 없었음을 전제로 함.)

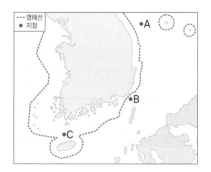

① A - 우리나라 자원 탐사선이 탐사 활동을 함
② B - 외국 화물선이 항해함
③ C - 우리나라 해군 함정이 항해함
④ A, C - 우리나라 어선이 고기잡이를 함
⑤ B, C - 외국이 인공 섬을 설치함

04 다음 글의 ㉠~㉤과 관련된 설명으로 옳지 <u>않은</u> 것은?

제1조(영해의 범위) 대한민국의 ㉠ <u>영해</u>는 기선(基線)으로부터 측정하여 그 바깥쪽 [㉡] 의 선까지에 이르는 수역으로 한다. 다만, 대통령령으로 정하는 바에 따라 ㉢ <u>일정 수역의 경우에는 영해의 범위를 따로 정할 수 있다.</u>
제2조(기선) ① 영해의 폭을 측정하기 위한 통상의 기선은 대한민국이 공식적으로 인정한 대축척 해도(大縮尺海圖)에 표시된 해안의 [㉣] 으로 한다.
② 지리적 특수 사정이 있는 수역의 경우에는 대통령령으로 정하는 기점을 연결하는 ㉤ <u>직선을 기선</u>으로 할 수 있다.

① ㉠은 우리나라의 배타적 경제 수역에 포함되지 않는다.
② ㉡에 들어갈 내용은 '12해리'이다.
③ ㉢과 관련하여 대한 해협에서의 영해는 직선 기선에서 3해리까지의 범위이다.
④ ㉣에 들어갈 내용은 '고조선(高潮線)'이다.
⑤ ㉤은 섬, 만, 반도 등 해안선이 복잡한 해역에서 적용된다.

05 A, B 섬에 대한 설명으로 옳지 **않은** 것은?

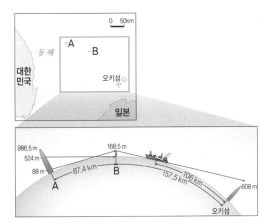

① A는 울릉도, B는 독도이다.
② A가 B보다 일출 및 일몰이 이르다.
③ B에서는 A를 육안으로 볼 수 있다.
④ A, B 모두 화산섬이다.
⑤ A, B 모두 영해 설정 시 통상 기선을 사용한다.

수능 유형

06 (가), (나) 섬에 대한 옳은 설명만을 〈보기〉에서 있는 대로 고른 것은?

(가)   (나)

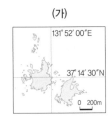

보기
ㄱ. (가)는 천연 보호 구역으로 지정되어 있다.
ㄴ. (나)는 우리나라의 최동단에 위치한다.
ㄷ. (가)는 (나)보다 남쪽에 위치한다.
ㄹ. (가)와 (나)는 모두 화산 활동에 의해 형성된 섬이다.

① ㄱ, ㄴ   ② ㄱ, ㄹ   ③ ㄴ, ㄷ
④ ㄱ, ㄴ, ㄷ   ⑤ ㄴ, ㄷ, ㄹ

수능 유형

07 (가) 지역에 대한 (나) 지역의 상대적 특징을 그림 A~E에서 고른 것은?

〈화산 활동으로 형성된 섬〉

지역	(가)	(나)
위치 정보	126° 16′ E 33° 06′ N	131° 52′ E 37° 14′ N
총면적	0.297km²	0.187km²
형태적 특징	섬 전체가 남북으로 긴 타원의 형태	두 개의 큰 섬과 수십 개의 암초로 이루어짐
경제적 가치	해안의 기암절벽과 청정 바다의 해양 생태계를 활용한 해양 관광	주변 해역에 메탄하이드레이트가 매장되어 있으며, 조경 수역이 형성

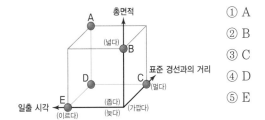

① A
② B
③ C
④ D
⑤ E

08 (가), (나) 지도에 대한 옳은 설명만을 〈보기〉에서 있는 대로 고른 것은?

(가)   (나)

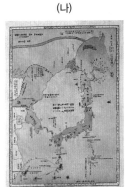

▲ 아국총도   ▲ 삼국접양지도

보기
ㄱ. (가)는 우리나라 동쪽 바다를 동해라고 표기하였다.
ㄴ. (나)에는 울릉도와 독도가 우리나라 영토라고 기록되어 있다.
ㄷ. (가)는 (나)보다 한반도의 형태가 정확하다.
ㄹ. (가)는 일본, (나)는 우리나라에서 제작되었다.

① ㄱ, ㄴ   ② ㄷ, ㄹ   ③ ㄱ, ㄴ, ㄷ
④ ㄱ, ㄴ, ㄹ   ⑤ ㄴ, ㄷ, ㄹ

02 국토 인식의 변화

핵심 질문으로 흐름잡기

A 풍수지리 사상의 명당이란?

B 관찬 지리지와 사찬 지리지의 차이점은?

C 조선 전기와 후기 지도의 특징은?

D 생태 지향적 국토관의 영향은?

❶ 풍수지리 사상에서의 명당

풍수는 장풍득수(藏風得水)의 줄인 말로, 바람을 막고 물을 얻는다는 뜻이다. 풍수지리 사상에서는 땅속의 기(氣)가 산맥을 따라 흐르다가 집중하는 자리를 명당으로 보았다. 조상들은 이곳에 자리를 잡으면 땅의 좋은 기운을 받을 수 있다고 생각하였다.

❷ 지모(地母) 사상

땅이 만물을 낳고 기르기 때문에 땅을 어머니에 비유하여 신성하게 여기는 사상을 말한다.

A 전통적 국토관

| 시·험·단·서 | 풍수지리 사상의 의미와 명당도에 관한 문제가 자주 출제돼!

1. 국토관의 이해

(1) **국토관의 의미**: 국토에 대해 일정하게 형성된 인식 체계를 말함

(2) **국토관의 중요성**: 오늘날 국토를 이해하기 위해서는 우리 조상들이 국토를 어떻게 바라보았는지 알아야 할 필요가 있음

2. 우리 조상들의 국토관을 대표하는 사상－풍수지리 사상 [자료1]

(1) **풍수지리 사상의 의미**: 산줄기의 흐름, 산의 모양, 바람과 물의 흐름을 통해 좋은 터(명당)를 찾는 사상임❶ ── 인간 사회의 모든 현상을 음양과 오행의 변천으로 설명하려는 이론이야

(2) **풍수지리 사상의 형성 배경**: 지모(地母) 사상❷ 과 음양오행설이 결합하여 형성됨

(3) **풍수지리 사상의 영향**: 집터(배산임수), 마을, 도읍지, 묏자리 등의 입지에 영향을 미침

▲ 배산임수 지역(전북 순창군 구미리): 뒤로 산이 자리하고 하천이 흐르는 곳에 마을이 자리함

B 고문헌에 나타난 국토관

| 시·험·단·서 | 관찬 지리지와 사찬 지리지를 비교하는 문제가 자주 출제돼!

1. 조선 전기와 조선 후기의 국토관 변화 [자료2]

조선 전기의 국토 인식을 파악할 수 있는 관찬 지리지	조선 후기의 국토 인식을 파악할 수 있는 사찬 지리지
· 국가 경영과 지방 통치를 위한 기초 자료로 삼기 위해 국가에서 제작함 · 통치에 필요한 다양한 자료를 연혁, 토지, 호구, 성씨, 인물, 물산 등의 항목별로 묶어 백과사전식으로 기술함 · 예 『세종실록지리지』, 『신증동국여지승람』❸ 등	· 실학자들이 국토의 실체를 객관적으로 밝히기 위해 제작함 · 특정 주제를 종합적이고 체계적으로 고찰하여 설명식으로 기술함 · 예 이중환의 『택리지』, 신경준의 『도로고』, 정약용의 『아방강역고』 등

2. 조선 후기의 대표적인 사찬 지리지－택리지

(1) **택리지의 특징**

① 이중환이 저술한 우리나라 최초의 과학적 인문 지리지로, 조선 팔도의 내용이 저술되어 있음

② **구성**: 사민총론, 팔도총론, 복거총론, 총론

③ **복거총론의 '가거지(可居地)'** ── 사람이 살 만한 곳의 조건이 나타나 있어

지리(地理)	풍수지리의 명당을 의미함
생리(生利)	경제적 기반이 유리한 곳을 의미함 → 땅의 비옥도와 물자 교류의 편리성에 대한 내용
인심(人心)	사람들의 인심이 좋은 곳을 의미함 → 당쟁이 없고 이웃이 온순하고 순박한 곳에 대한 내용
산수(山水)	아름다운 경치를 가진 곳을 의미함 → 경치가 좋고 풍류를 즐길 수 있는 곳에 대한 내용

(2) **택리지의 의의**: 우리나라 각 지역의 특성을 인간과 자연의 상호 연관성을 토대로 고찰함

❸ 신증동국여지승람의 특징

『동국여지승람』을 중종 때 개정 증보한 지리지로, 각 지역의 기초 정보가 백과사전식으로 기술되어 있다.

시험에 잘 나오는 자료

자료1 **풍수지리 사상과 명당도** 관련 문제 ▶ 28쪽 어번

자료·분석 풍수지리에서는 땅속을 돌아다니는 생기(生氣)가 있다고 보았으며, 생기가 많이 모이는 곳인 명당은 산의 모양과 기복, 바람과 물의 흐름 등으로 찾는다. 명당 뒤에 있는 산을 주산, 앞에 있는 산을 조산이라고 하며, 주산과 조산 사이에 있는 산을 안산, 주산을 등지고 왼쪽으로 뻗은 산줄기를 청룡, 오른쪽으로 뻗은 산줄기를 백호라고 한다. 일반적으로 풍수지리의 명당은 장풍득수(藏風得水)의 지점으로 차가운 북서 계절풍을 막고 물을 얻기 쉬운 배산임수 지역을 말한다.

한·줄·핵·심 풍수지리 사상에서의 명당은 배산임수 지역을 의미한다.

자료2 **관찬 지리지와 사찬 지리지**

(가) 신증동국여지승람

[건치 연혁] 본래 신라의 옛 수도이다. ……

[풍속] 번화하고 아름다운 남쪽 지방에서 으뜸이다.

[형승] 땅은 산이 험한 데가 많다. …… 산과 물이 빼어나고 기이하다.

[토산] 백반, 사철, 석유황, 전복, 연어, 넙치, 은어 ……

– 제21권 경상도 경주 부 –

(나) 택리지의 가거지 조건

• 지리: …… 먼저 수구(水口)를 보고, 다음 들의 형세를 본다. 다음에 산의 모양을 보고, 다음에는 흙의 빛깔을, 다음은 조산(朝山)과 조수(潮水)를 본다. ……

• 생리: …… 땅이 기름진 것이 제일이고, 배와 수레와 사람과 물자가 모여들어서, 있는 것과 없는 것을 서로 바꿀 수 있는 곳이 그다음이다. ……

• 인심: …… 옳은 풍속을 가리지 아니하면 자신에게만 해로울 뿐 아니라 자손들도 반드시 나쁜 물이 들어서 그르치게 될 근심이 있다. 그러므로 살 터를 정함에 있어서 그 지방의 풍속을 살피지 않을 수 없다. ……

• 산수: …… 산수의 경치가 좋은 곳은 당연히 강원도 영동이 제일이다. 고성(高城) 삼일포(三日浦)는 맑고도 묘한 중에 화려하면서도 그윽하고, 조용하면서도 명랑하다.

자료·분석 • (가)는 조선 전기의 지리지로, 국가에서 제작한 관찬 지리지이다. 전국 각 지역의 연혁, 풍속, 자연 등을 백과사전식으로 나열하였으며, 각 지방의 생산물이 자세히 기록되어 당시 산업의 발달을 고찰하는 데 유용한 자료가 된다.

• (나)는 조선 후기의 지리지로, 실학자들이 제작한 사찬 지리지이다. 복거총론에서 '사람이 살 만한 땅인 가거지(可居地)'를 지리, 생리, 인심, 산수의 네 가지 요소로 설명하였다.

한·줄·핵·심 조선 전기에는 관찬 지리지, 조선 후기에는 사찬 지리지가 편찬되었다.

내용 이해를 돕는 팁

❓ 궁금해요

Q. 관찬 지리지는 왜 백과사전식 구성을 지니고 있나요?

A. 『세종실록지리지』나 『신증동국여지승람』을 편찬한 사람은 일부 중앙 관리이지만, 책에 수록된 내용을 조사하고 기록한 것은 수많은 지방 관리들이야. 여러 사람이 참여하는 책을 만들 때는 내용을 수록하는 틀을 통일해야 했으므로 백과사전식으로 구성되었지.

용어 더하기

* 장풍득수
'감출 장(藏)'과 '바람 풍(風)', '얻을 득(得)'과 '물 수(水)'를 합친 말로, 바람을 피하고 물을 얻는다는 뜻이다.

* 명당(明堂)
풍수지리 사상에서 말하는 좋은 집터나 묏자리를 말한다.

* 생리(生利)
'기름진 땅'을 가장 중요시했지만, 상품 작물의 재배와 그 중요성을 언급하고 물자의 유통, 집산과 관련된 교통의 중요성도 강조했다.

* 인심(人心)
택리지에서 말하는 인심에는 서로 다른 당파의 사람들이 한 고장에 살면서 서로 싸우는 것을 경계해야 한다는 뜻을 포함하고 있다.

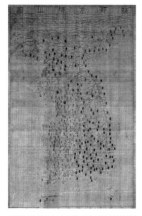

④ 조선 전기의 조선방역지도

전국의 공물 진상 내용을 파악하기 위해 제작하였다. 이 지도에서는 백두산 일대와 만주 지역이 부정확하게 표현되었다.

C 고지도에 나타난 국토관

| 시·험·단·서 | 조선 전기와 조선 후기 고지도의 특징을 비교하는 문제가 자주 출제돼!

1. 조선 시대 고지도의 특징

(1) **조선 전기**: 중앙 집권 체제와 국방 강화를 위해 국가 주도로 제작되었으며, 중화사상이 반영됨 예 『신증동국여지승람』에 삽입된 팔도총도, 조선방역지도④ 등

(2) **조선 후기**: 실학사상의 영향으로 실용적 국토 인식이 확립되었으며, 중화사상에서 탈피함 예 정상기의 동국지도(백리척 도입), 김정호의 청구도와 대동여지도 등
└── 우리나라 최초의 축척 개념으로 100리를 1척(尺, 9.5cm)으로 계산하였어

2. 조선 시대의 주요 고지도

혼일강리역대국도지도 *자료 3*	• 조선 전기 국가 주도로 제작되었으며, 현존하는 우리나라의 가장 오래된 세계 지도임 • 지도의 중앙에 중국이 위치함 → 중화사상 반영 • 조선이 상대적으로 크게 표현되어 있으며, 아시아·유럽·아프리카는 표현되어 있고 아메리카는 없음
천하도⑤	• 조선 중기 이후 민간에서 제작된 관념적인 세계 지도임 • 천원지방의 세계관과 중화사상이 반영됨 • 상상의 국가와 지명이 표현됨 → 도교적 세계관 반영 머리가 셋 달린 사람들이 사는 삼수국, 여인들만 사는 여인국 등 상상의 국가나 지명이 표현되어 있어
대동여지도 *자료 4*	• 조선 후기 실학자 김정호가 각종 전국 지도와 읍(邑) 지도 등을 집대성하여 제작함 • 목판본으로 제작되어 지도의 대량 생산이 가능하고, 분첩 절첩식으로 제작되어 휴대와 열람이 편리함 • 지도표(기호)를 사용하여 좁은 지면에 많은 지리 정보를 수록함
지구전후도 *자료 3*	• 조선 후기 실학자 최한기가 제작한 세계 지도로 '지구전도'와 '지구후도'로 구성됨 • 경·위도가 각각 10° 간격으로 표현되어 있음 • 혼일강리역대국도지도에 나타난 중국 중심의 세계관을 극복함

⑤ 천하도

천하도의 중심에는 중국이 표현되어 있으며, 안쪽부터 바깥쪽으로 가면서 내대륙−내해−외대륙−외해 순서로 위치한다.

D 근대 이후의 국토관 변화

| 시·험·단·서 | 산업화 시대 경제적 관점의 국토관과 생태 지향적 국토관을 비교하는 문제가 자주 출제돼!

1. 일제 강점기의 왜곡된 국토관
일제가 우리 국토를 '갯벌이 많아 쓸모없는 땅', '나약한 토끼 형상을 한 땅' 등 부정적으로 해석하여 자신들의 한반도 침략을 정당화하였음

2. 산업화 시대의 국토관
┌── 국토를 개발의 대상으로 인식했어

(1) **경제적 관점의 국토관**: 국토를 적극적으로 개발·이용함으로써 삶의 질을 높이려는 능동적·진취적인 국토관이 강조됨

(2) **경제적 관점의 국토관의 영향**: 적극적인 국토 개발의 결과 경제적으로 비약적인 성장을 이루었지만, 지역 간 불균형과 환경 오염 등의 문제가 나타남

3. 오늘날의 국토관

(1) **생태 지향적 국토관**: 국토를 자연과 인간이 조화를 이루고, 개발과 보존이 조화와 균형을 이루도록 해야 한다는 국토관이 확산됨

(2) **생태 지향적 국토관의 영향**: 생태 공원 및 생태 하천 조성, 국립 공원 관리, 습지 보호 지역 지정, 하천·갯벌의 복원 등에 노력함

▲ 산업화 시대의 울산 태화강　　▲ 현재의 태화강

자료 3 **조선 시대의 세계 지도**   관련 문제 ▶ 28쪽 04번, 31쪽 05번

(가) 혼일강리역대국도지도

검은 부분은 바다, 하얀 부분은 대륙을 의미해   (나) 지구전후도

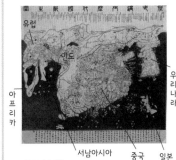

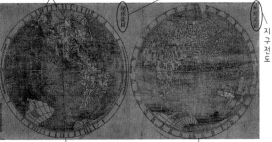

아메리카 등 표현   아시아, 유럽, 아프리카 등 표현

자료·분석

- (가)는 조선 전기에 제작된 지도로, 지도의 중심부에 중국이 그려져 있어 중국 중심의 세계관을 엿볼 수 있으며, 조선을 상대적으로 크게 표현하여 자주적 국토관도 잘 드러난다. 하지만 유럽, 아프리카 등을 축소·왜곡하여 표현하였으며, 지리상의 발견 시대 이전에 만들어진 지도이므로 아메리카와 오세아니아 지역은 표현되어 있지 않다.
- (나)는 조선 후기에 실학자들에 의해 제작된 지도로, 중국 중심의 세계관을 극복한 사실적이고 과학적인 지도로 평가 받고 있다. 지구전도와 지구후도로 나누어져 있으며, 지도에 위도와 경도가 표현되어 있다.

한·줄·핵·심   혼일강리역대국도지도는 중화사상이 반영되었고, **지구전후도는 중국 중심의 세계관을 극복하였다.**

자료 4 **대동여지도**   관련 문제 ▶ 29쪽 05번, 31쪽 06번

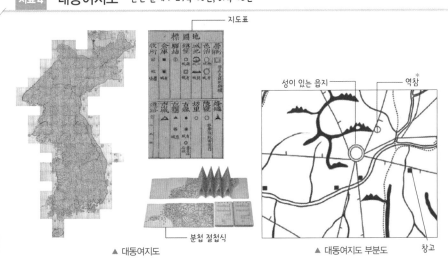

지도표

성이 있는 읍지   역참

▲ 대동여지도   분첩 절첩식   ▲ 대동여지도 부분도   창고

자료·분석   대동여지도는 세로 약 7m, 가로 약 4m의 목판본으로 제작되었고, 해안선의 윤곽이 오늘날의 지도와 상당히 일치한다. 대동여지도는 남북을 120리 간격으로 22단으로 나누고, 동서를 80리 간격으로 19면으로 나누어 병풍처럼 접고 펼 수 있게 만든 분첩 절첩식 지도로, 휴대와 열람이 편리하다. 지도상의 두꺼운 선은 산줄기를 나타낸 것으로, 산줄기는 하천의 분수계를 이룬다. 가는 선은 하천을 나타낸 것으로, 단선으로 이루어진 하천은 배가 다닐 수 없는 하천이고, 쌍선으로 이루어진 하천은 배가 다닐 수 있는 하천이다.

한·줄·핵·심   대동여지도는 목판본, 지도표 사용, 분첩 절첩식 제작 등의 특징이 있다.

조선 시대의 지리지와 지도

개념풀 Guide 조선 전기 지리지와 지도, 조선 후기 지리지와 지도의 특징을 비교하여 알아보자.

1. 신증동국여지승람과 택리지 비교

(가) 【건치연혁】 본래 백제의 남한산성이다. 성종(成宗) 2년에 처음으로 12목(牧)을 두었는데 광주(廣州)는 그 하나이다.
【군명】 남한산·한산주·한주·회안(淮安)·봉국군(奉國軍)
【형승】 한수(漢水)의 남쪽으로 토양이 기름지다. 백제 시조 온조의 말이다. 고적(古跡) 편에 나타나 있다. 면이 모두 높은 산이다.

(나) 여주 서쪽이 광주(廣州)이다. 석성산(石城山)에서 나온 한 가지가 북쪽으로 한강 남쪽에 가서 된 고을인데 읍은 만 길 산꼭대기에 있다. 광주의 서편은 수리산이며 안산(安山) 동쪽에 있다. 여기에서 서북쪽으로 뻗은 산맥이 수리산맥 중에서 가장 긴 맥이다.

분석 지리지의 서술 방식을 통해 제작 시기와 주체를 가늠해 볼 수 있다. 백과사전식으로 제작된 (가)는 조선 전기에 제작된 관찬 지리지, 설명식 서술로 제작된 (나)는 조선 후기의 사찬 지리지이다. 따라서 (가)는 조선 전기에 국가 주도로 제작된 『신증동국여지승람』이고, (나)는 조선 후기에 이중환에 의해 제작된 『택리지』이다.

2. 대동여지도 분석 관련 문제 ▶ 29쪽 05번

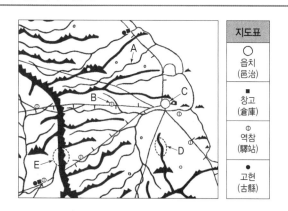

지도표
○ 읍치(邑治)
■ 창고(倉庫)
역참(驛站)
고현(古縣)

분석 강원도 동해안을 나타낸 지도이다. A는 수운 교통로로 이용할 수 없는 하천을 표현한 것인데, 수운 교통로로 이용할 수 있는 하천은 쌍선, 이용할 수 없는 하천은 단선으로 표현한다. B는 역참을, C는 읍치를 표현한 것이다. D와 E는 산줄기를 표현한 것인데, D보다 E가 더 두껍게 표현되었으므로 E는 D보다 규모가 큰 산지임을 알 수 있다. A~E의 기호를 통해 큰 산줄기인 백두대간의 동쪽 지역에 읍치가 발달하였고, 교통 및 통신 시설인 역참이 발달하였음을 파악할 수 있다.

3. 동국지도와 대동여지도의 비교

(가) 정상기가 제작하였고, 8장의 지도를 합치면 전국 지도가 되는 분첩 지도로, 100리를 1척으로 하는 백리척(百里尺)을 사용하였다.

(나) 남북 22단, 동서 19면으로 구성된 분첩 절첩식 지도로, 10리마다 방점을 찍어 거리를 표현하였으며, 필요한 부분만 찍어 낼 수 있는 방식으로 제작하였다.

분석 (가)는 정상기가 제작한 동국지도, (나)는 김정호가 제작한 대동여지도에 대한 설명이다. (가), (나) 모두 조선 후기에 제작되었다.
• 제작 시기: (가)는 18세기 후반(1740년), (나)는 19세기 후반(1861년)에 제작되었다.
• 제작 방식: (가)는 붓으로 그린 것이고, (나)는 목판본으로 제작하여 필요한 만큼 찍어 낼 수 있다.
• 축척: (가)는 백리척을 사용하여 실제 거리를 추정할 수 있었고, (나)는 약 1 : 16만의 축척으로 조선 시대 지도 가운데 가장 큰 대축척 지도에 해당한다.

이것만은 꼭!

대동여지도	목판본 ↓ 대량 생산	지도표 ↓ 다양한 지리 정보 수록	분첩 절첩식 ↓ 휴대와 열람이 편리	방점 사용 ↓ 거리 파악 가능

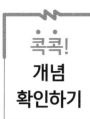
A 전통적 국토관

01 풍수지리 사상에 대한 내용이 옳으면 ○표, 틀리면 ×표를 하시오.

(1) 산줄기의 흐름, 산의 모양, 물의 흐름을 파악하여 좋은 터를 찾으려는 사상이다. (　　)

(2) 명당(明堂)은 배산임수의 특징을 갖춘 곳이다. (　　)

(3) 중화사상과 도교적 세계관에 영향을 받은 사상이다. (　　)

B 고문헌에 나타난 국토관

02 빈칸에 알맞은 말을 쓰시오.

(1) 관찬 지리지는 국가 경영과 지방 통치를 위한 기초 자료로 삼기 위해 □□에서 제작하였다.

(2) 관찬 지리지는 통치에 필요한 다양한 자료를 연혁, 토지, 호구, 성씨, 인물, 물산 등의 항목별로 묶어 □□□□식으로 기술하였다.

(3) 사찬 지리지는 □□□들이 국토의 실체를 객관적으로 밝히기 위해 제작하였다.

03 이중환의 택리지에 제시된 '사람이 살 만한 곳(가거지)'의 조건 네 가지를 쓰시오.

（　　　　　　　　　　　）

C 고지도에 나타난 국토관

04 고지도와 그 특징을 바르게 연결하시오.

(1) 천하도 ・

(2) 대동여지도 ・

(3) 혼일강리역대국도지도 ・

・ ㉠ 민간에서 제작된 관념적인 세계 지도

・ ㉡ 현존하는 우리나라에서 가장 오래된 세계 지도

・ ㉢ 지도표를 활용해 각종 지리적 현상을 좁은 지면에 효과적으로 표현한 지도

D 근대 이후의 국토관 변화

05 근대 이후의 국토관에 대한 내용이 옳으면 ○표, 틀리면 ×표를 하시오.

(1) 산업화 시대에는 국토를 적극적으로 개발·이용하였다. (　　)

(2) 생태 지향적 국토관에서는 자연환경의 효율적 이용을 중요시한다. (　　)

06 다음 글의 ㉠, ㉡에 들어갈 말을 각각 쓰시오.

> 산업화 시대에는 국토를 적극적으로 개발·이용함으로써 삶의 질을 높이려는 능동적·진취적인 ┌㉠┐ 관점의 국토관이 강조되었고, 오늘날에는 국토를 자연과 인간이 조화를 이루고, 개발과 보존이 조화와 균형을 이루도록 해야 한다는 ┌㉡┐ 지향적 관점의 국토관이 강조되고 있다.

㉠: (　　　　　　), ㉡: (　　　　　　)

A 전통적 국토관

01 그림과 관련된 전통 지리 사상에 대한 옳은 설명을 〈보기〉에서 고른 것은?

〈보기〉
ㄱ. 집터와 마을의 입지에 영향을 끼쳤다.
ㄴ. 지모(地母) 사상과 음양오행설에 영향을 받았다.
ㄷ. 우리나라에서 시작되어 중국과 주변 지역으로 전파되었다.
ㄹ. 산업화 시대에 강조되어 지역 개발에 활발히 반영되었다.

① ㄱ, ㄴ ② ㄱ, ㄷ ③ ㄴ, ㄷ
④ ㄴ, ㄹ ⑤ ㄷ, ㄹ

B 고문헌에 나타난 국토관

02 다음 글은 이중환이 쓴 『택리지』의 일부이다. (가)~(다)와 관련이 깊은 가거지(可居地) 조건을 바르게 연결한 것은?

(가) 이곳에는 벼·생선·생강·감자·대나무·감 등이 생산되어 모든 마을이 생필품에 부족함이 없다. 또 서쪽의 사탄으로는 생선과 소금을 실은 배가 다닌다.
(나) 들이 넓으면 해와 달과 별빛이 언제나 환하게 비치고, 비·바람·추위·더위가 순조롭게 알맞기에 인재가 많이 나고 병도 또한 적다.
(다) 풍속이 올바른 곳을 가리지 않으면 자신에게 해로울 뿐만 아니라 자손들도 반드시 나쁜 물이 들어서 그르치게 될 염려가 있다.

	(가)	(나)	(다)
①	지리	인심	생리
②	지리	산수	인심
③	생리	인심	지리
④	생리	지리	인심
⑤	인심	생리	산수

03 자료는 조선 시대에 편찬된 지리지의 일부이다. (가), (나)에 대한 설명으로 옳은 것은? (단, (가), (나)는 신증동국여지승람, 택리지 중 하나임.)

(가) [건치 연혁] 본래 신라의 옛 수도이다.
　　[풍속] 번화하고 아름다운 남쪽 지방에서 으뜸이다.
　　[토산] 백반, 사철, 석유황, 전복, 연어, 넙치, 은어……
(나) 영월의 서쪽에 있는 원주는 감사가 다스리던 곳인데, 서쪽으로 250리 거리에 한양이 있다. …(중략)… 두 메에 가깝기 때문에 난리가 나도 숨어 피하기 쉽고, 한양과 가까워 세상이 평안하면 벼슬길에 나아가기가 쉽기 때문에 한양의 사대부들이 이곳에 살기를 즐겼다.

① (가)는 실사구시를 추구하는 사상이 반영되어 있다.
② (나)는 가거지(可居地) 조건을 담고 있다.
③ (가)는 (나)를 요약 및 정리한 것이다.
④ (나)는 (가)보다 국가 통치에 효율적으로 이용되었다.
⑤ (가)는 설명식, (나)는 백과사전식 서술 특성을 보여준다.

C 고지도에 나타난 국토관

04 (가), (나) 지도에 대한 설명으로 옳은 것은?

(가)

(나)

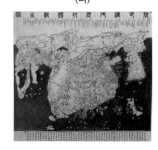

① (가)는 자주적인 국토 인식이 두드러진다.
② (가)는 크리스트교 사상을 반영하고 있다.
③ (나)는 조선 전기 국가 주도로 제작되었다.
④ (나)는 아메리카와 오세아니아를 담고 있다.
⑤ (가), (나) 모두 분첩 절첩식으로 구성되어 있다.

05 지도는 대동여지도 중 제주도 지역에 해당하는 부분이다. 이를 바르게 분석한 내용을 〈보기〉에서 고른 것은?

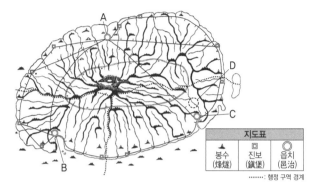

지도표		
봉수 (烽燧)	진보 (鎭堡)	읍치 (邑治)

·······: 행정 구역 경계

보기
ㄱ. D를 따라 나루터 취락이 발달해 있다.
ㄴ. A-B의 도로상 거리는 50리가 넘는다.
ㄷ. B와 C는 서로 다른 행정 구역에 속한다.
ㄹ. A가 B, C보다 겨울에 온화한 기후가 나타난다.

① ㄱ, ㄴ   ② ㄱ, ㄷ   ③ ㄴ, ㄷ
④ ㄴ, ㄹ   ⑤ ㄷ, ㄹ

D 근대 이후의 국토관 변화

06 다음 글은 여러 시기의 국토관을 나타낸 것이다. (가)~(다)에 대한 설명으로 옳은 것은?

(가) 국토는 우리의 삶을 풍요롭게 만들어 주는 근간이다. 따라서 이를 계획적으로 개발하여 빠른 경제 성장을 도모해야 한다.
(나) 국토는 단순한 개발 대상이 아닌 우리가 살아가야 할 삶의 터전이자 인간과 자연이 조화를 이루는 생태 공간으로 바라보아야 한다.
(다) 우리 국토는 전체적으로 힘이 약한 토끼의 형상을 하고 있으며, 아시아 대륙의 동쪽 끝에 있기 때문에 숙명적으로 대륙과 도서국의 침략을 받게 되었다.

① (가)는 효율성보다 형평성을 강조한다.
② (나)는 일제 강점기의 국토관에 해당한다.
③ (다)는 조선 시대의 국토관에 해당한다.
④ (나)는 (가)보다 지속 가능성이 높은 국토관이다.
⑤ (다)가 (나)보다 바람직한 국토관이다.

---

07 다음 자료에 나타난 국토관을 바르게 분석한 내용을 〈보기〉에서 고른 것은?

1970년대는 경제 기반 확충을 위한 개발 사업이 집중적으로 이루어졌다. 남동 임해 지역에 대규모 국가 산업 단지가 개발되었으며, 전국 곳곳에 고속 국도와 다목적 댐이 건설되었다.

제1차 국토 종합 개발 ▶
계획(1972~1981년)

(환경부, 2016)

보기
ㄱ. 인간과 자연의 조화를 강조한다.
ㄴ. 지역 간 불균형 성장과 관련이 깊다.
ㄷ. 국토를 개발과 이용의 관점에서 본다.
ㄹ. 우리 국토를 소극적·부정적으로 본다.

① ㄱ, ㄴ   ② ㄱ, ㄷ   ③ ㄴ, ㄷ
④ ㄴ, ㄹ   ⑤ ㄷ, ㄹ

서술형 문제

08 지도에 표시된 A의 금평 마을과 안말 마을이 갖는 지리적인 장점을 배산임수 촌락의 관점에서 서술하시오.

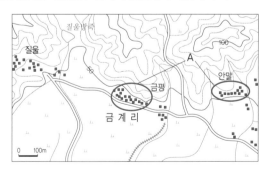

도전! 실력 올리기

01 다음은 한국지리 수업의 한 장면이다. 교사의 질문에 옳게 답한 학생만을 〈보기〉에서 있는 대로 고른 것은?

> 그림은 풍수지리 사상의 관점에서 본 경복궁의 입지를 나타낸 것입니다. 그림과 관련하여 자신의 의견을 말해 볼까요?

보기
- 갑: 경복궁은 배산임수 지역에 위치합니다.
- 을: 한강이 청계천을 통해 경복궁 앞으로 흘러듭니다.
- 병: 경복궁의 동쪽 산지가 서쪽 산지보다 연결성이 뚜렷합니다.
- 정: 북악산은 경복궁의 북쪽, 남산은 경복궁의 남쪽에 위치합니다.

① 갑, 정　　② 을, 병　　③ 갑, 을, 정
④ 갑, 병, 정　　⑤ 을, 병, 정

02 (가)에 들어갈 옳은 내용을 〈보기〉에서 고른 것은?

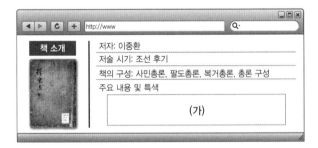

책 소개

저자: 이중환	
저술 시기: 조선 후기	
책의 구성: 사민총론, 팔도총론, 복거총론, 총론 구성	
주요 내용 및 특색	
(가)	

보기
- ㄱ. 실학사상의 영향이 잘 드러난다.
- ㄴ. 도별(道別)로 지도를 수록하였다.
- ㄷ. 사대부가 살 만한 곳의 조건을 제시하였다.
- ㄹ. 국가 통치 자료를 수집 및 정리하기 위해 제작하였다.

① ㄱ, ㄴ　　② ㄱ, ㄷ　　③ ㄴ, ㄷ
④ ㄴ, ㄹ　　⑤ ㄷ, ㄹ

수능 유형

03 조선 시대에 편찬된 (가), (나) 지리지에 대한 옳은 설명을 〈보기〉에서 고른 것은? (단, (가), (나)는 『신증동국여지승람』, 『택리지』 중 하나임.)

> (가) [건치 연혁] 본래 백제의 남한산성이다. 성종 2년에 처음으로 12목(牧)을 두었는데, 광주(廣州)는 그 하나이다.
> [군명] 남한산, 한산주, 한주, 회안, 봉국군
> [형승] 한수(漢水)의 남쪽으로 토양이 기름지다. 백제 시조 온조의 말이다. 고적 편에 나타나 있다. 면이 모두 높은 산이다.
> (나) 여주 서쪽이 광주(廣州)이다. 석성산에서 나온 한 가지가 북쪽으로 한강 남쪽에 가서 된 고을인데 읍은 만 길 산꼭대기에 있다. ㉠광주의 서편은 수리산이며 안산(安山) 동쪽에 있다. 여기에서 서북쪽으로 뻗은 산맥이 수리산맥 중에서 가장 긴 맥이다.

보기
- ㄱ. (가)는 실학사상의 영향을 받아 편찬되었다.
- ㄴ. (가)는 국가 통치 목적으로 편찬 및 사용되었다.
- ㄷ. (가)는 (나)보다 편찬된 시기가 이르다.
- ㄹ. (나)의 ㉠은 가거지의 조건 중 생리(生利)에 해당한다.

① ㄱ, ㄴ　　② ㄱ, ㄷ　　③ ㄴ, ㄷ
④ ㄴ, ㄹ　　⑤ ㄷ, ㄹ

수능 유형

04 다음 ㉠~㉢ 지도에 관한 옳은 설명만을 골라 ○표를 한 학생을 고른 것은?

> ㉠ 조선방역지도　　㉡ 동국대지도　　㉢ 대동여지도

구분	갑	을	병	정	무
㉠은 두 지점 간의 대략적인 거리를 알 수 있다.	○		○	○	
㉡에는 백두대간이 표시되어 있다.	○	○	○	○	○
㉠은 ㉡보다 제작 시기가 이르다.	○	○	○		○
㉢은 ㉠보다 북부 지방이 상세히 표현되어 있다.				○	○

① 갑　　② 을　　③ 병　　④ 정　　⑤ 무

05 다음 글의 밑줄 친 '이 지도'에 해당하는 지도로 옳은 것은?

> 이 지도는 15세기 초에 제작된 지도로 조선, 중국, 일본의 동아시아뿐만 아니라 유럽, 중동, 아프리카까지 포함시켰다는 점에서 역사적 가치가 높다.

①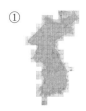

②

③

④

⑤

수능 기출

06 대동여지도의 일부와 지도표를 보고 알 수 있는 내용으로 옳지 <u>않은</u> 것은?

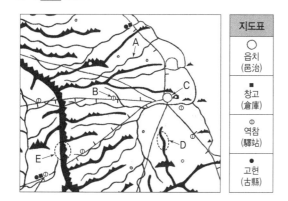

지도표	
○	읍치 (邑治)
■	창고 (倉庫)
⊕	역참 (驛站)
◌	고현 (古縣)

① A는 수운 교통로로 이용되는 하천이다.
② C는 관아가 있는 행정의 중심지이다.
③ E는 하천 유역을 나누는 분수계의 일부이다.
④ B에서 C까지의 거리는 10리 이상이다.
⑤ E는 D보다 규모가 큰 산지이다.

07 (가), (나) 지도에 대한 설명으로 옳은 것은?

(가) 　(나)

① (가)는 천하도이다.
② (가)는 분첩 절첩식으로 구성된 지도이다.
③ (나)는 목판본으로 제작된 지도이다.
④ (가)는 (나)보다 제작 시기가 이르다.
⑤ (나)는 (가)보다 내용이 더 자세하다.

08 (가), (나)에 나타난 국토관과 가장 관련성이 큰 시각 자료를 A~C에서 골라 바르게 연결한 것은?

> (가) 지금 여기 이 준공탑과 정자를 세운 자리는 …(중략)… 황해의 조수가 밀려들면 파도 소리만 요란하고 조수가 물러나면 아낙네들 조개 줍던 여기가 오늘은 씨 뿌리고 김매고 벼 향기 무르익은 양전옥토로 바뀔 줄은 어느 뉘가 알았으랴.
>
> (나) 옛날 우리 선조들은 먼 길을 갈 때, 여러 켤레의 짚신을 마련하였다. 그중 반은 오래 신을 수 있도록 단단하게 삼은 '십합혜'였고, 나머지는 느슨하게 삼은 '오합혜'였다. 산길에서는 오합혜를 신었는데, 개미 같은 작은 벌레를 밟더라도 죽지 않게 하기 위함이었다.

A ▲ 생태 통로　B ▲ 다목적 댐　C ▲ 호랑이 모양의 한반도 지도

	(가)	(나)
①	A	B
②	A	C
③	B	A
④	B	C
⑤	C	A

03 ∿ 지리 정보와 지역 조사

핵심 질문으로 흐름잡기

A 지리 정보를 수집·표현·처리하는 방법은?

B 지역 조사의 목적과 단계는?

❶ 지리 정보의 유형과 표현

공간 정보	점	선	면
	●	●—●	■
속성 정보	인구		900만 명
	면적		605km²
	연평균 기온		12.3℃
	인접성		계층
관계 정보	✳		⋏

┌─ 먼 거리에서 지리 정보를
파악하는 것이야

**❷ 원격 탐사를 통한 지리 정보
수집**

항공기나 인공위성을 이용하여 사람이 접근하기 어려운 지역이나 넓은 지역의 지리 정보를 주기적으로 얻는다.

❸ 중첩 분석

서로 다른 정보를 담고 있는 데이터 층을 결합하여 분석하는 지리 정보 체계(GIS)의 분석 방법 중 하나이다.

A 지리 정보

| **시·험·단·서** | 다양한 지리 정보를 수집·분석·표현하는 방법에 대한 문제가 자주 출제돼!

1. 지리 정보의 유형❶
┌─ 우리가 생활하는 공간과 지역에 관한 정보를 의미해
(1) 공간 정보: 어떤 장소나 현상의 위치 및 형태에 대한 정보

(2) 속성 정보: 장소나 현상의 인문적·자연적 특성을 나타내는 정보

(3) 관계 정보: 다른 장소나 지역과의 상호 작용 및 관계를 나타내는 정보

2. 지리 정보의 수집과 표현
(1) 수집 방법: 지도, 문헌, 통계 자료나 야외 조사 등을 통해 수집하며, 최근에는 원격 탐사❷ 기술의 발달로 항공 및 인공위성 사진 등을 활용함 `자료1`

(2) 표현 방법: 도표, 그래프, 지도 등 다양한 방법으로 표현함
┌─ 다양한 지리 정보를 점, 선, 색상, 도형 등을 이용하여 나타낸 지도야
3. 통계 지도를 이용한 지리 정보의 표현 `자료2`
(1) 점묘도: 통계 값을 일정한 크기의 점으로 찍어 분포를 표현 예 인구 분포

(2) 등치선도: 동일한 값을 가진 지점을 선으로 연결하여 표현 예 벚꽃 개화일

(3) 단계 구분도: 통계 값을 여러 단계로 구분하여 표현 예 지역별 경지 이용률

(4) 도형 표현도: 통계 값을 막대, 원 등의 도형을 이용하여 표현 예 농산물 생산량

(5) 유선도: 지리적 현상의 이동 방향과 이동량을 화살표의 방향과 굵기로 표현

4. 지리 정보 체계
(1) 지리 정보 체계(GIS): 다양한 지리 정보를 컴퓨터에 입력·저장한 후 사용 목적에 따라 처리 및 활용할 수 있도록 만든 종합 정보 시스템

(2) 장점: 사용 목적에 따라 자료를 수집·분석하고 가공할 수 있으며, 신속한 공간적 의사 결정이 가능하고 인력 및 시간·비용을 줄일 수 있음

(3) 활용: 중첩 분석❸을 통한 각종 시설물의 입지 선정, 위치나 이동 경로 파악(길 찾기 서비스 등), 도시 계획 및 관리, 시민 참여형 지도 제작(커뮤니티 매핑) 등

B 지역 조사

| **시·험·단·서** | 지역 조사의 순서와 각 단계별 특징에 대한 문제가 자주 출제돼!

1. 지역 조사의 의미와 필요성: 지역의 다양한 지리 정보를 통해 지역성*을 파악하는 활동으로, 지역의 특성과 문제점을 파악하여 합리적 의사 결정에 도움이 됨

2. 지역 조사의 방법과 순서 `자료3`
(1) 조사 주제 및 지역 선정: 선정한 주제를 잘 설명할 수 있는 지역을 선정함

(2) 지리 정보의 수집: 실내 조사와 야외 조사를 통해 수집함

(3) 조사 정보의 분석: 수집한 지리 정보를 분류·분석 후 도표, 그래프, 지도 등으로 표현함

(4) 보고서 작성: 조사 주제에 대한 결론을 도출하고, 조사 보고서를 작성함

자료1 종이 지도와 위성 사진을 활용한 지리 정보 수집 관련 문제 ▶ 36쪽 02번

▲ 지형도
종이 지도보다 축척의 변화가 쉬워

▲ 위성 사진

자료·분석 • 종이 지도는 문자와 기호로 도로망, 토지 이용, 지형 등의 정보를 얻을 수 있으나, 수시로 변하는 지표 공간의 정보를 곧바로 반영하기는 어렵다.
• 위성 사진은 지표 위의 정보를 실제 모습 그대로 보여 주며, 사람이 접근하기 어려운 지역이나 넓은 지역의 지리 정보를 주기적으로 얻을 수 있다.

한·줄·핵·심 위성 사진은 종이 지도보다 새로운 정보를 파악하는 데 더 유용하다.

자료2 통계 지도의 유형 관련 문제 ▶ 36쪽 04번, 39쪽 05번

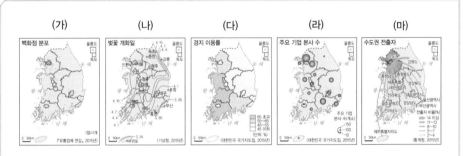

(가)   (나)   (다)   (라)   (마)

자료·분석 (가) 점묘도는 지리 현상의 분포를 표현하는 데 적합하고, (나) 등치선도는 연속적으로 변화하는 지리 현상을 나타내는 데 적합하다. (다) 단계 구분도는 등급을 나눌 수 있는 자료를 표현하는 데 주로 이용되고, (라) 도형 표현도는 자료의 공간적 차이를 표현하는 데 적합하다. (마) 유선도는 화살표의 방향과 굵기를 통해 지역 간 이동 방향과 이동량을 나타낸다.

한·줄·핵·심 자료에 따라 점묘도, 등치선도, 단계 구분도, 도형 표현도, 유선도 등을 사용한다.

자료3 지역 조사의 순서 관련 문제 ▶ 37쪽 06번

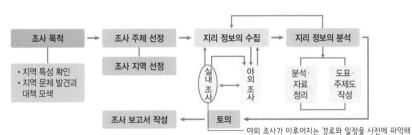

야외 조사가 이루어지는 경로와 일정을 사전에 파악해 두면, 지역 조사에 소요되는 경비와 시간을 줄일 수 있어

자료·분석 지역 조사를 할 때는 조사 주제와 목적을 정한 다음, 조사 주제에 적합한 지역을 선정한다. 지리 정보 수집 방법은 실내 조사와 야외 조사로 나뉘는데, 실내 조사 단계에서는 지도, 문헌, 통계 자료 등을 통해 지리 정보를 수집하고 야외 조사 경로와 일정 등을 계획한다. 야외 조사 단계에서는 관찰, 측정, 면담, 설문, 사진 촬영 등을 통해 지리 정보를 수집한다. 수집된 지리 정보 자료를 분석한 후 이를 주제별로 정리하여 보고서를 작성한다.

한·줄·핵·심 실내 조사와 야외 조사를 통해 지리 정보를 수집한다.

❓ 궁금해요

Q. 통계 자료에 적합한 통계 지도 유형을 어떻게 찾나요?

A. 통계 자료마다 갖는 특성에 따라 통계 지도의 유형을 선택하면 돼. 이동을 나타내는 것은 유선도로, 기후 값과 같이 지역에 따라 순차적인 변화를 보여 주는 자료는 등치선도로, 등급 표현이 쉬운 지도는 단계 구분도로 만들 수 있어. 여러 요소를 한 장의 지도에 수록하려면 도형 표현도를 이용하는 것이 좋단다.

용어 더하기

* **등치선**
동일한 통계 값을 가지는 지역을 연결한 선으로, 등고선과 원리 및 개념이 비슷하다.

* **중첩(重疊)**
거듭 겹치거나 포개어지는 것을 말한다.

* **지역성**
지역의 정체성을 의미하는 말로, 지역의 고유한 속성으로 고정된 것이 아니라 다른 지역과의 교류 과정에서 변화한다.

지리 정보의 표현과 지리 정보 체계

개념풀 Guide   지리 정보를 통계 자료로 표현하는 방법과 중첩 분석에 대해 알아보자.

1. 지리 정보를 통계 지도를 이용하여 표현하는 방법   관련 문제 ▶ 38쪽 02번

호남 지방의 인구 특성을 파악하기 위한 기초 조사로 두 가지 통계 자료를 수집하였다. 먼저 (가) 광주광역시, 전라남도, 전라북도의 연령층 인구 비율을 파악하기 위해 유소년층, 청장년층, 노년층 인구수를 조사하였다. 다음으로 (나) 광주광역시, 전라남도, 전라북도 간 인구 이동 규모를 파악하기 위해 세 지역 간 전입 인구수와 전출 인구수를 조사하였다.

분석   (가) 호남 지방 시·도의 연령층별 인구 조사는 통계 값을 막대 등 도형으로 표현하는 도형 표현도가 적절하다. (나) 호남 지방의 시·도 간 인구 이동 규모는 사람, 물자, 정보 등의 이동 방향과 이동량을 화살표의 방향과 굵기를 통해 표현하는 유선도가 적절하다.

(가)

▲ 도형 표현도

(나)

▲ 유선도

2. 중첩 분석과 최적 입지 찾기   관련 문제 ▶ 38쪽 03번

조건

1. 평가 항목별 점수는 다음 표와 같으며, 각 평가 항목 점수의 합이 가장 큰 곳에 입지함

고도(m)	점수	생태 등급	점수
50 미만	1	2등급	1
50 이상~80 미만	2	3등급	2
80 이상	3	4등급	3

2. 후보지에 이웃한 8개 면의 고도가 후보지보다 모두 높으면 입지하지 못함

〈고도 정보〉

40	45	55	50	40
40	35	60	55	50
55	65	80	75	70
60	50	85	90	85
55	60	85	85	80

〈생태 등급〉

4	4	3	3	3
4	3	3	3	3
4	4	3	3	3
4	4	2	2	2
4	4	2	4	2

〈입지 후보지〉

A		B		
		C		
D		E		

분석   지리 정보 체계(GIS)의 분석 방법 중 중첩 분석을 통해 최적 입지를 찾을 수 있다. 조건에 따라 A~E 지점의 고도 점수, 생태 등급 점수, 합계 점수를 표로 나타내면 오른쪽과 같다. C와 D 지점이 5점으로 합계 점수가 가장 높다. C는 고도가 80 m로 고도 점수 3점, 생태 등급은 3등급으로 생태 등급 점수가 2점이므로 평가 점수의 합은 5점이다. D 지점의 고도는 50 m이며, 이웃한 8개 면의 고도가 D보다 모두 높으므로 최적 지역은 C가 된다.

○○시설 입지 후보지별 점수 분석 ▶

후보지	고도	생태 등급	합계
A	1	2	3
B	2	2	4
C	3	2	5
D	2	3	5
E	3	1	4

이것만은 꼭!

지리 정보	지리 정보 수집	지리 정보 처리	지리 정보 표현
	원격 탐사, 지역 조사	지리 정보 체계(GIS)	통계 지도

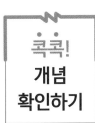
A 지리 정보

01 다음은 지리 정보의 유형을 나타낸 것이다. ㉠~㉢의 빈칸에 들어갈 알맞은 말을 쓰시오.

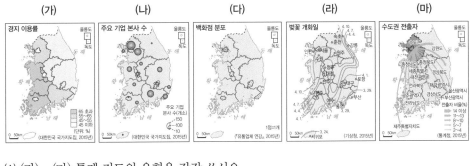

㉠ □□ 정보	점 선 면	㉡ □□ 정보	인구	990만 명	㉢ □□ 정보	인접성	계층
	●━━■		면적	605 km²			
			연평균 기온	12.3℃			

02 (가)~(마)의 통계 지도를 보고, 물음에 답하시오.

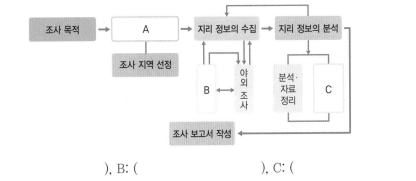

(가) 경지 이용률 / (나) 주요 기업 본사 수 / (다) 백화점 분포 / (라) 벚꽃 개화일 / (마) 수도권 전출자

(1) (가)~(마) 통계 지도의 유형을 각각 쓰시오.

(가): (   ), (나): (   ), (다): (   ), (라):(   ) (마): (   )

(2) 다음 ㉠, ㉡은 어떤 통계 지도로 표현하는 것이 가장 좋을지 (가)~(마)에서 골라 기호를 쓰시오.

㉠ 편의점 분포: (   ), ㉡ 시·도 간 인구 이동: (   )

03 다음 글의 빈칸에 알맞은 말을 쓰시오.

> □□ □□은/는 서로 다른 정보를 담고 있는 데이터 층을 결합하여 분석하는 지리 정보 체계
> (GIS)의 분석 방법 중 하나이다.

B 지역 조사

04 지역 조사 순서의 A~C에 들어갈 알맞은 말을 쓰시오.

조사 목적 → A → 지리 정보의 수집 → 지리 정보의 분석
A → 조사 지역 선정
B ↔ 야외 조사
분석·자료 정리 / C
조사 보고서 작성

A: (   ), B: (   ), C: (   )

05 다음 내용이 옳으면 ○표, 틀리면 ×표를 하시오.

(1) 지역 조사는 지역의 다양한 지리 정보를 통해 지역성을 파악하는 활동이다.　(　　)

(2) 지역 조사에서 설문지를 구성하는 것은 야외 조사 단계이다.　(　　)

(3) 관찰, 실측, 촬영, 면담이 이루어지는 것은 실내 조사 단계이다.　(　　)

A 지리 정보

01 다음 글의 ㉠~㉢에 들어갈 내용을 바르게 연결한 것은?

> 지리 정보는 공간 정보, 관계 정보, 속성 정보로 구분된다. ㉠ 는 지리적 현상의 위치, 모양, 형태 등을 나타내며, 점, 선, 면으로 표현된다. ㉡ 는 지역의 자연적·인문적 특성을 나타내는 자료이며, ㉢ 는 주변 지역과의 상호 관계 즉, 인접성, 계층성, 연결성 등으로 나타내는 정보이다.

	㉠	㉡	㉢
①	공간 정보	관계 정보	속성 정보
②	공간 정보	속성 정보	관계 정보
③	관계 정보	공간 정보	속성 정보
④	관계 정보	속성 정보	공간 정보
⑤	속성 정보	공간 정보	관계 정보

02 (가), (나)에 대한 옳은 설명을 〈보기〉에서 고른 것은?

(가)	(나)

> **보기**
> ㄱ. (가)는 (나)보다 축척의 변화가 쉽다.
> ㄴ. (가)는 (나)보다 학교 이름 파악에 유리하다.
> ㄷ. (나)는 (가)보다 새로운 정보를 확보하는 데 용이하다.
> ㄹ. (나)는 (가)보다 일제 강점기의 지리적 특색을 파악하는 데 유리하다.

① ㄱ, ㄴ   ② ㄱ, ㄷ   ③ ㄴ, ㄷ
④ ㄴ, ㄹ   ⑤ ㄷ, ㄹ

03 (가), (나)에 해당하는 지리 정보의 유형을 바르게 연결한 것은?

(가)

(2016년 8월 기준)

인구 (명)	세대 수 (세대)	순이동 인구 (명)	고령 인구 비율(%)
24,017	11,239	176	16.9

(나)

경도와 위도의 극점		직선거리
지명	극점	
동 – 해안면	128°10′25″ E	
서 – 방산면	127°51′09″ E	• 동서 간 27.0km
남 – 남면	37°59′54″ N	• 남북 간 35.5km
북 – 해안면	38°19′34″ N	

	(가)	(나)
①	공간 정보	관계 정보
②	공간 정보	속성 정보
③	관계 정보	공간 정보
④	속성 정보	공간 정보
⑤	속성 정보	관계 정보

04 (가), (나)를 통계 지도로 나타낼 때 가장 알맞은 유형을 A~C에서 골라 바르게 연결한 것은?

> (가) □□시의 동(洞)별 학생 수
> (나) ○○ 도서관으로부터의 거리

A	B	C

	(가)	(나)			(가)	(나)
①	A	B		②	A	C
③	B	A		④	B	C
⑤	C	A				

05 〈조건〉을 고려할 때, 새로운 커피점을 열기에 가장 적합한 지역을 A~E에서 고른 것은?

조건
- 상주인구가 3,000명/km² 이상일 것
- 간선 도로에 접할 것
- 기존 커피점이 없을 것

〈상주인구〉

3	3	3	5	5
4	4	4	5	5
3	2	5	4	4
2	2	5	4	4
2	1	5	5	4

(단위: 천 명)

〈기존 커피점과 간선 도로〉

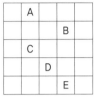

〈입지 후보 지역〉

				A
				B
		C		
			D	
				E

◆ 기존 커피점 ══ 간선 도로

※방안 한 칸은 1km×1km임.

① A ② B ③ C ④ D ⑤ E

B 지역 조사

06 다음은 지역 조사의 단계를 나타낸 것이다. (가) 단계에서 이루어질 수 있는 활동만을 〈보기〉에서 있는 대로 고른 것은?

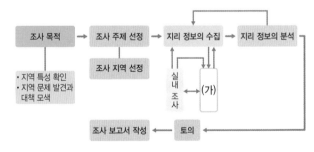

보기
- ㄱ. 현지 사정을 잘 아는 지역 주민과 면담을 진행한다.
- ㄴ. 수집한 통계 자료를 바탕으로 통계 지도를 작성한다.
- ㄷ. 지점별 조사 내용을 결정한 후, 조사 경로도를 작성한다.
- ㄹ. 가장 높은 건물의 옥상에 올라 답사 지역을 전체적으로 조망한다.

① ㄱ, ㄴ ② ㄱ, ㄹ ③ ㄴ, ㄷ
④ ㄱ, ㄴ, ㄹ ⑤ ㄴ, ㄷ, ㄹ

07 자료는 지역 조사 과정의 일부이다. (가), (나)에 대한 옳은 설명을 〈보기〉에서 고른 것은?

(가)　　　　　(나)

보기
- ㄱ. (가)에서는 수집된 자료를 분석하고 정리한다.
- ㄴ. (나)에서는 관찰, 면담, 촬영, 측정이 이루어진다.
- ㄷ. (나)에서는 설문지에 들어갈 문항에 대해 토의할 수 있다.
- ㄹ. (가)는 (나)보다 지역 조사에서 시기적으로 먼저 이루어진다.

① ㄱ, ㄴ ② ㄱ, ㄷ ③ ㄴ, ㄷ
④ ㄴ, ㄹ ⑤ ㄷ, ㄹ

서술형 문제

08 서울시가 실시 중인 시민 참여형 지도 제작에 관한 글이다. 이를 읽고, 물음에 답하시오.

서울시는 시민 참여형 지도 제작 기술을 이용해 지역 곳곳의 불편 사항들을 알리는 '서울시 도시 시설물 관리 커뮤니티 맵'을 시행하고 있다. 움푹 파인 도로, 잘못된 표지판 등 문제점들을 목격한 시민이 직접 인터넷 포털, 각종 SNS를 통해 지도에 표시함으로써 정보 수집과 문제 해결이 신속하게 이루어진다.

(1) 시민 참여형 지도 제작에 이용된 지리 정보 기술의 이름을 쓰시오.

(　　　　　　　)

(2) 시민 참여형 지도가 지닌 장점을 시민 참여 및 비용 절감의 측면에서 서술하시오.

도전! 실력 올리기

수능 기출

01 다음 글의 밑줄 친 ㉠~㉢ 중 속성 정보에 해당하는 내용을 고른 것은?

마라도는 ㉠ <u>북위 33° 06′, 동경 126° 16′ 30″에 위치하며,</u> 행정 구역상으로는 ㉡ <u>제주특별자치도 서귀포시 대정읍 마라리이다.</u> 하늘에서 내려다보면 고구마와 비슷한 모양이다. ㉢ <u>이 섬에서 해발 고도가 가장 높은 곳에 등대가 있고,</u> 섬의 북서쪽에는 가파 초등학교 마라 분교가 위치한다. 인구는 100여 명으로, 사람들은 전복, 소라, 톳 등을 채취하며 관광객들을 위한 민박을 열어 소득을 올린다. ㉣ <u>주변 일대는 천연기념물 제423호로 지정되어 보호</u>하고 있다.

① ㉠, ㉡
② ㉠, ㉢
③ ㉡, ㉢
④ ㉡, ㉣
⑤ ㉢, ㉣

03 다음 〈조건〉을 고려하여 ○○ 시설의 입지를 선정하고자 할 때, 가장 적절한 곳을 후보지 A~E에서 고른 것은?

조건
1. 평가 항목별 점수는 표와 같으며, 각 평가 항목 점수의 합이 가장 큰 곳에 입지함

고도(m)	점수	생태 등급	점수
50 미만	1	2등급	1
50 이상~80 미만	2	3등급	2
80 이상	3	4등급	3

2. 후보지에 이웃한 8개 면의 고도가 후보지보다 모두 높으면 입지하지 못함

〈고도〉

40	45	55	50	40
40	35	60	55	50
55	65	80	75	70
60	50	85	90	85
55	60	85	85	80

〈생태 등급〉

4	4	3	3	3
4	3	3	3	3
4	4	3	3	3
4	4	2	2	2
4	4	2	4	2

〈입지 후보지〉

	A		B	
			C	
	D		E	

① A
② B
③ C
④ D
⑤ E

02 표의 내용을 한 장의 지도로 나타낼 때 이용하기에 적합한 통계 지도의 유형을 〈보기〉에서 고른 것은?

〈2018년 주요 도시의 전입자 수와 전출자 수〉

구분	전입자 수(명)	전출자 수(명)
서울	119,120	126,275
부산	35,923	38,872
대구	28,490	29,154
인천	42,813	40,930

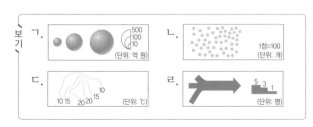

① ㄱ, ㄴ
② ㄱ, ㄷ
③ ㄴ, ㄷ
④ ㄴ, ㄹ
⑤ ㄷ, ㄹ

04 다음 〈조건〉을 고려할 때 복지 시설을 세울 수 있는 가장 적합한 지역을 A~E에서 고른 것은?

조건
노년층 인구 비중 값에 가중치를 3배한 후, 유소년층 인구 비중 값을 더하여 그 값이 최대가 되는 지역에 복지 시설을 세운다.

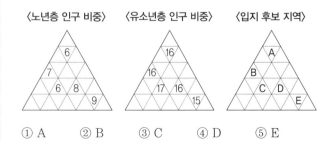

① A
② B
③ C
④ D
⑤ E

정답과 해설 8쪽

수능 유형

05 (가)~(다)를 각각 한 장의 통계 지도로 나타내고자 할 때 적합한 유형을 A~C에서 고른 것은?

> (가) 광주광역시, 전남·전북 간 인구 이동 규모
> (나) 광주광역시, 전남·전북의 연령별 인구 비율
> (다) 광주광역시, 전남·전북의 각 시·군·구의 인구 분포

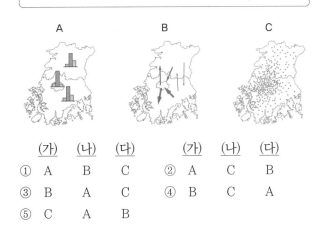

	(가)	(나)	(다)		(가)	(나)	(다)
①	A	B	C	②	A	C	B
③	B	A	C	④	B	C	A
⑤	C	A	B				

06 ㉠~㉣에 대한 옳은 설명을 〈보기〉에서 고른 것은?

보기
ㄱ. ㉠은 지리 정보 중에서 공간 정보에 해당한다.
ㄴ. ㉡은 통계 지도 중 단계 구분도로 표현하는 것이 적절하다.
ㄷ. ㉢은 지역 선정의 단계에 해당한다.
ㄹ. 지역 조사를 할 때 ㉢은 ㉣보다 먼저 실시한다.

① ㄱ, ㄴ　　② ㄱ, ㄷ　　③ ㄴ, ㄷ
④ ㄴ, ㄹ　　⑤ ㄷ, ㄹ

수능 유형

07 자료는 지역 조사의 과정을 나타낸 것이다. ㉠~㉤에 대한 설명으로 옳지 않은 것은?

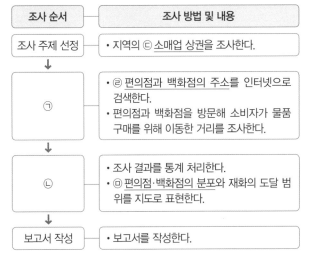

① ㉠은 실내 및 야외 조사의 과정을 포함한다.
② ㉡은 지리 정보의 분석 과정을 포함한다.
③ ㉢은 지역의 유형 중에서 기능 지역에 해당한다.
④ ㉣은 지리 정보 중에서 관계 정보에 해당한다.
⑤ ㉤은 점묘도로 표현할 수 있다.

08 (가), (나)에 대한 설명으로 옳은 것은?

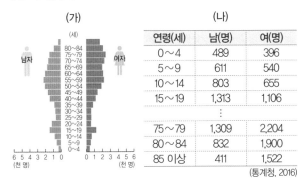

연령(세)	남(명)	여(명)
0~4	489	396
5~9	611	540
10~14	803	655
15~19	1,313	1,106
⋮		
75~79	1,309	2,204
80~84	832	1,900
85 이상	411	1,522

(통계청, 2016)

① (가)를 바탕으로 (나)를 작성한다.
② (가)는 (나)보다 내용 파악에 드는 시간이 적다.
③ (나)는 (가)보다 보고서에 넣기에 적절한 유형의 자료이다.
④ (가), (나) 모두 지리 정보 수집 과정과 관련이 깊다.
⑤ (가), (나)와 관련된 활동은 모두 야외에서 이루어진다.

01
국토의 위치와 영토 문제

A 국토의 위치와 위상

수리적 위치	• 위도와 경도로 표현되는 위치 • 위도: 북위 33°∼43°에 위치, 계절의 변화가 뚜렷한 냉·온대 기후가 나타남 • 경도: 동경 124°∼132°에 위치, 영국의 표준시보다 9시간 빠름
지리적 위치	• 대륙, 해양, 반도, 섬 등의 지형지물로 표현되는 위치 • 유라시아 대륙의 동안: 기온의 연교차가 큰 대륙성 기후, 계절풍 기후가 나타남 • 반도적 위치: 대륙과 해양으로의 진출에 유리
관계적 위치	• 주변 국가와의 관계로 파악되는 상대적인 위치 • 우리나라는 동아시아와 태평양의 중심 국가로 도약하고 있음

B 우리나라의 영역과 배타적 경제 수역

영토	한반도와 그 부속 도서로 구성
영해	• 기선에서 12해리까지의 수역 • 통상 기선에서 12해리까지: 동해안, 제주도(마라도 포함), 울릉도, 독도 • 직선 기선에서 12해리까지: 서·남해안, 동해안 일부 (영일만, 울산만) • 직선 기선에서 3해리까지: 대한 해협의 일정 수역
영공	• 영토와 영해의 수직 상공 • 항공 및 우주 기술의 발달로 중요성이 커짐
배타적 경제 수역	영해 기선에서 200해리까지의 수역 중 영해를 제외한 수역

C 소중한 우리 영토

(1) **우리 땅 독도**: 우리나라 최동단의 섬으로 지리적·역사적·생태적으로 중요한 우리 영토임

(2) **우리 바다 동해**: 우리나라는 한반도 동쪽 바다를 2,000년 이상 동해로 불러왔음

02
국토 인식의 변화

A 전통적 국토관(풍수지리 사상)

의미	산의 흐름과 산의 모양, 바람과 물의 흐름을 통해 좋은 터(명당)을 찾는 사상임
배경	지모(地母) 사상과 음양오행설이 결합하여 발전함
영향	집터, 마을, 도읍지, 묏자리 선정 등에 영향 → 인간과 자연의 조화를 추구함

B 고문헌에 나타난 국토관

관찬 지리지	• 조선 전기 → 국가 통치에 필요한 자료를 수집하여 제작, 각 지역의 연혁·토지·성씨·인물·산물 등을 백과사전식으로 서술함 • 세종실록지리지, 신증동국여지승람 등
사찬 지리지	• 조선 후기 → 주로 실학자들이 국토를 객관적·실용적 관점에서 파악하기 위해 제작, 특정한 주제를 설명식으로 기술하는 형태를 취함 • 택리지: 사민총론, 팔도총론, 복거총론, 총론으로 구성되며 복거총론에는 사람이 살 만한 곳인 '가거지(可居地)'의 조건을 고찰 → 가거지 조건에는 지리(地理), 생리(生利), 인심(人心), 산수(山水)가 있음

C 고지도에 나타난 국토관

혼일강리역 대국도지도	• 우리나라에서 가장 오래된 세계 지도임 • 중화사상, 주체적 국토 인식 표현(조선을 상대적으로 크게 표현) 반영
천하도	• 조선 중기 이후 제작함 • 중화사상, 도교적 세계관, 천원지방 사상 반영
대동여지도	• 조선 후기 실학자 김정호가 제작함 • 목판본으로 제작되어 지도의 대량 생산이 가능함 • 분첩 절첩식으로 제작되어 휴대와 열람이 편리함

D 근대 이후의 국토관 변화

일제 강점기의 왜곡된 국토관	→	산업화 시대 경제적 관점의 국토관	→	생태 지향적 국토관(개발과 보전의 조화와 균형 추구)

03
지리 정보와 지역 조사

A 지리 정보

(1) 지리 정보의 유형

공간 정보	어떤 장소나 현상의 위치 및 형태에 대한 정보
속성 정보	장소나 현상의 인문적·자연적 특성을 나타내는 정보 → 지형·기후·산업·인구 등
관계 정보	다른 장소나 지역과의 관계를 나타내는 정보

(2) 지리 정보의 수집

문헌 조사	각종 서적, 통계 자료 등을 활용
야외 조사 (현지 조사)	설문 조사, 면담, 실측, 촬영 등을 실시
원격 탐사	인공위성을 통해 사람이 직접 접근하기 어려운 지역이나 넓은 지역의 지리 정보를 주기적으로 얻을 수 있음

(3) 통계 지도의 유형

점묘도	통계 값을 일정한 크기의 점으로 표현
등치선도	동일한 값을 가진 지점을 선으로 연결하여 표현
단계 구분도	통계 값을 여러 단계로 구분하여 표현
도형 표현도	통계 값을 막대, 원 등 도형을 이용하여 표현
유선도	통계 값을 화살표를 이용하여 표현

(4) 지리 정보 체계(GIS)

의미	지표면의 다양한 지리 정보를 컴퓨터에 입력·저장한 후 사용 목적에 따라 처리 및 활용할 수 있도록 만든 종합 정보 시스템
활용	• 위치나 이동 경로 파악(길 찾기 서비스 등) • 각종 시설물의 입지 선정 • 도시 계획 및 관리 등

B 지역 조사

조사 주제 및 지역 선정 → 실내 조사 → 야외 조사(현지 조사)

→ 자료의 분석과 정리 → 보고서 작성

자, 핵심 키워드도 모았겠다! 문제 풀러 가자!!!

01 다음은 한국지리 수업의 한 장면이다. A~E에 들어갈 내용으로 옳은 것은?

> 우리나라의 위치에 대한 정보를 조사하기 위한 계획서입니다. 주제별 조사 내용에 대해 발표해 볼까요?

〈우리나라의 위치〉

구분	주제	조사 내용
수리적 위치	북위 33°~43°	A
	동경 124°~132°	B
지리적 위치	유라시아 대륙 동안	C
	반도적 위치	D
관계적 위치	태평양 시대의 중심 국가	E

① A – 유라시아 철도 이용에 따른 한반도 물류 기능 강화
② B – 반도국이 지닌 지리적 장점
③ C – 여름과 겨울의 지배적인 바람의 성격 및 방향 차이
④ D – 일광 시간 절약제 실시에 따른 표준시 변화
⑤ E – 사계절이 우리나라 의복 산업에 미친 영향

02 지도의 (가)~(라) 지역에 대한 설명으로 옳은 것은?

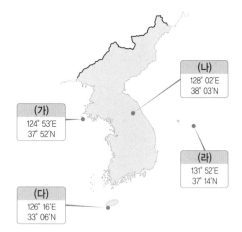

(나)
128° 02′E
38° 03′N

(가)
124° 53′E
37° 52′N

(라)
131° 52′E
37° 14′N

(다)
126° 16′E
33° 06′N

① (가)는 (다)보다 연중 태양의 남중 시각이 이르다.
② (나)는 (라)보다 우리나라 표준 경선과의 직선거리가 멀다.
③ (다)는 (가)보다 황사 발생 빈도가 높다.
④ (라)는 (나)보다 최한월 평균 기온이 낮다.
⑤ (가), (다), (라)는 화산 활동으로 형성된 섬이다.

03 다음 자료의 ㉠~㉢에 대한 옳은 설명을 〈보기〉에서 고른 것은?

〈우리나라의 영역〉

영역	㉠ 영토	한반도와 그 부속 도서
	영해	• 기선에서 12해리까지의 수역 • 대부분의 동해안, ㉡ 은/는 통상 기선을 적용 • ㉢ 서해안, 남해안과 동해안 일부 지역은 직선 기선 적용
	영공	영토와 영해의 상공
배타적 경제 수역(EEZ)		기선에서 ㉣ 까지의 범위 중 영해를 제외한 수역

〈보기〉
ㄱ. ㉠ – 총면적은 약 22.3만 km²이고 남한은 약 10만 km²이다.
ㄴ. ㉡ – 강화도, 거제도가 들어갈 수 있다.
ㄷ. ㉢ – 간척 사업으로 영토가 넓어졌다.
ㄹ. ㉣ – 188해리가 들어갈 수 있다.

① ㄱ, ㄴ   ② ㄱ, ㄷ   ③ ㄴ, ㄷ
④ ㄴ, ㄹ   ⑤ ㄷ, ㄹ

04 (가), (나) 섬에 대한 설명으로 옳은 것은?

(가)	(나)
• 위치: 126° 16′E, 33° 06′N • 면적: 0.3km²	• 위치: 131° 52′E, 37° 14′N • 면적: 0.187km²

① (가)에는 국토 최동단 표지석이 있다.
② (나)는 행정 구역상 강원도에 속한다.
③ (가)는 (나)보다 일출 및 일몰 시각이 이르다.
④ (나)는 (가)보다 최고 지점의 해발 고도가 높다.
⑤ (가), (나) 모두 세계 자연 유산으로 등재되어 있다.

05 지도는 일본에서 제작된 삼국접양지도의 일부이다. 이 지도를 통해 알 수 있는 독도가 우리나라 땅이라는 근거를 〈보기〉에서 고른 것은?

<table>
<tr><td>보기</td><td>

ㄱ. 독도가 울릉도의 서쪽에 표현되어 있다.

ㄴ. 독도가 한반도와 같은 색으로 채색되어 있다.

ㄷ. 울릉도와 독도에 '조선의 것'이라고 적혀 있다.

ㄹ. 독도가 두 개의 큰 섬과 89개의 암초로 나타나 있다.
</td></tr>
</table>

① ㄱ, ㄴ   ② ㄱ, ㄷ   ③ ㄴ, ㄷ

④ ㄴ, ㄹ   ⑤ ㄷ, ㄹ

06 (가)~(다)와 관련이 깊은 가거지 조건을 바르게 연결한 것은?

(가) 집터의 경우, 물은 재물과 녹(祿)을 주관하는 것이기 때문에 큰 물가에는 부유한 집과 이름 있는 마을이 많다. 비록 산속이라도 시내와 간수(澗水)가 모이는 곳이면 여러 대를 이어서 살 수 있다.

(나) 땅이 비옥하다는 것은 오곡과 목화를 경작하기에 알맞은 곳을 말한다. 논에 볍씨 한 말을 심어서 60두(斗)를 수확하는 곳이 제일이고, 40에서 50두를 수확하는 곳이 그 다음이며, ……

(다) 속리산 남쪽에 있는 환적대(幻寂臺)는 만학천봉(萬壑千峰)이 깎아지른 듯 그윽하고 깊어서 사람들이 들어가는 길을 알지 못한다. 이 골짜기의 물이 합류해 조그만 내를 이루어, ……

	(가)	(나)	(다)
①	산수	생리	지리
②	산수	지리	생리
③	생리	지리	산수
④	지리	산수	생리
⑤	지리	생리	산수

07 자료는 조선 시대 때 제작된 지도와 지리지를 나타낸 것이다. (가), (나)에 대한 설명으로 옳은 것은?

(가)

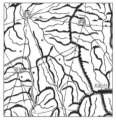

(나)

[관원] 부사·판관·교수 각 1인

[산천] 지리산은 산세가 높고 웅대하여 수백 리에 웅거하였으니, 백두산의 산줄기가 뻗어 내려 여기에 이른 것이다. 그리하여 두류라고도 부른다.

① (가)는 혼일강리역대국도지도의 부분도이다.

② (가)는 배가 다닐 수 있는 하천을 단선으로 나타내었다.

③ (나)는 가거지 조건을 설명하고 있다.

④ (나)는 국가 통치 목적으로 제작되었다.

⑤ (가), (나) 모두 조선 후기에 제작되었다.

08 자료는 대동여지도에 관한 것이다. (가)~(다)와 관련된 설명으로 옳은 것은?

(가)

(나)

(다)

① (가)를 통해 여러 대륙의 표현이 가능하다.

② (가)를 통해 많은 지리 정보를 효과적으로 수록하였다.

③ (나)를 통해 분첩 절첩식 구성임을 알 수 있다.

④ (다)를 통해 지도의 대량 생산이 가능하다.

⑤ (다)를 바탕으로 (나)를 만들었다.

09 다음 자료의 (가)에 들어갈 옳은 설명만을 〈보기〉에서 있는 대로 고른 것은?

원격 탐사는 항공기나 인공위성에 탑재된 감지기로 땅 위의 사정을 파악하는 일이다. 감지기는 지표면에서 나오는 전자파를 탐지하고 분석해 지형을 비롯한 다양한 공간 정보를 제공한다. 특히, 인공위성을 이용한 원격 탐사는
(가)

〈보기〉
ㄱ. 넓은 영역을 한눈에 볼 수 있다.
ㄴ. 누구나 쉽게 자료를 수집 및 분석할 수 있다.
ㄷ. 가뭄이 심한 지역에 인공 강수를 만들 수 있다.
ㄹ. 일정한 주기를 두고 변화하는 지역의 모습을 관찰할 수 있다.

① ㄱ, ㄷ
② ㄱ, ㄹ
③ ㄴ, ㄷ
④ ㄱ, ㄴ, ㄹ
⑤ ㄴ, ㄷ, ㄹ

10 (가), (나)의 밑줄 친 내용을 통계 지도로 나타낼 때 가장 적절한 유형을 A~C에서 고른 것은?

(가) 올해는 9월 말 설악산을 시작으로 중부 지방에서는 10월 16일경, 남부 지방에서는 10월 10~20일경 첫 단풍을 볼 수 있을 것으로 전망된다. 이번 연휴에 단풍 지도를 펴놓고 가족들과 함께 단풍 나들이 계획을 세워 보면 어떨까?
(나) 경기 침체와 아파트 물량 공급 과잉으로 인해 충남·북 등 충청권 공동 주택 공시 가격이 하락한 것으로 나타났다. 특히 서울, 경기 등 수도권 지역은 상승한 반면 대전, 충북 등 충청권의 아파트 가격의 하락세가 지속되고 있다.

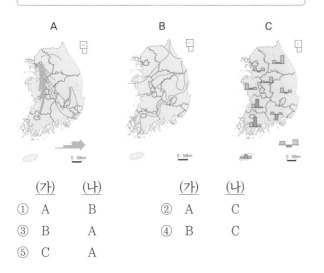

A   B   C

	(가)	(나)		(가)	(나)
①	A	B	②	A	C
③	B	A	④	B	C
⑤	C	A			

11 다음에 제시된 자료를 통해 파악할 수 있는 내용이 **아닌** 것은?

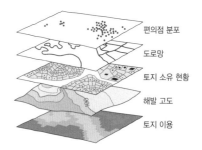

편의점 분포
도로망
토지 소유 현황
해발 고도
토지 이용

① 편의점과 도로와의 거리
② 도로 주변의 토지 이용 현황
③ 해발 고도별 토지 소유 현황
④ 도로 주변의 토지 소유 현황
⑤ 상주인구 50,000명당 편의점 수

12 자료는 지역 조사 순서를 나타낸 것이다. ㉠~㉢에 들어갈 내용을 바르게 연결한 것은?

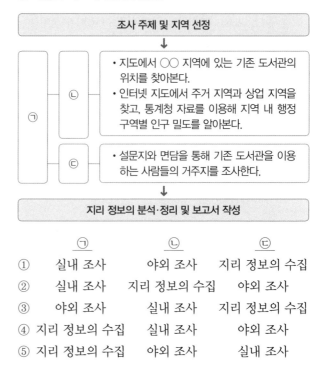

조사 주제 및 지역 선정
↓
㉠
㉡ • 지도에서 ○○ 지역에 있는 기존 도서관의 위치를 찾아본다.
• 인터넷 지도에서 주거 지역과 상업 지역을 찾고, 통계청 자료를 이용해 지역 내 행정 구역별 인구 밀도를 알아본다.
㉢ • 설문지와 면담을 통해 기존 도서관을 이용하는 사람들의 거주지를 조사한다.
↓
지리 정보의 분석·정리 및 보고서 작성

	㉠	㉡	㉢
①	실내 조사	야외 조사	지리 정보의 수집
②	실내 조사	지리 정보의 수집	야외 조사
③	야외 조사	실내 조사	지리 정보의 수집
④	지리 정보의 수집	실내 조사	야외 조사
⑤	지리 정보의 수집	야외 조사	실내 조사

13 그림은 극장 내 위치를 나타낸 것이다. 이를 보고 물음에 답하시오.

(1) A, B와 관련이 깊은 위치의 종류를 각각 쓰시오.

　A:(　　　　　　　), B:(　　　　　　　)

(2) B와 관련하여 우리나라의 위치 특성을 서술하시오.

_____

_____

_____

14 지도를 보고, 물음에 답하시오.

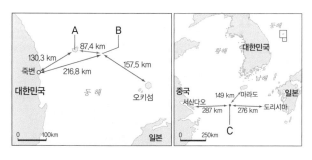

(1) A~C 섬(암초)의 이름을 쓰시오.

　A: (　　　　), B: (　　　　), C: (　　　　)

(2) A, B에서 영해가 어떻게 설정되었는지 서술하시오.

_____

_____

_____

15 조선 시대에 제작된 (가), (나) 지도를 보고 물음에 답하시오.

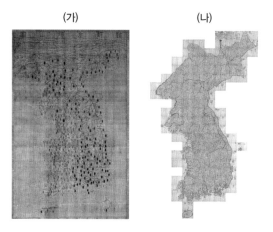

(가)　　　　　　　　(나)

(1) (가), (나) 지도의 이름을 쓰시오.

　(가): (　　　　　　), (나): (　　　　　　)

(2) (나)가 (가)보다 후대에 제작된 지도라는 증거에 대해 서술하시오.

_____

_____

_____

16 지도는 대동여지도의 일부이다. 이를 보고, 물음에 답하시오.

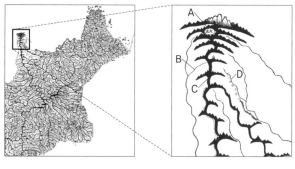

(1) A 호수의 이름을 쓰시오.

　　　　　　　(　　　　　　　　)

(2) B, C, D의 관계를 하천과 분수계의 관점에서 서술하시오.

_____

_____

II
지형 환경과 인간 생활

배울 내용 한눈에 보기

01 한반도의 형성과 산지 지형

한반도의 형성과 산지 모습

- 한반도의 형성 → 지체 구조와 지각 변동
- 산지 지형 → 흙산과 돌산, 고위 평탄면
- 산지 지형의 이용과 변화 → 관광 자원, 산지 지형의 보존

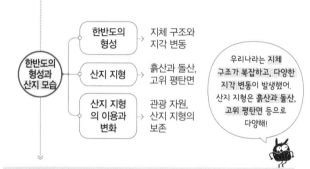

우리나라는 지체 구조가 복잡하고, 다양한 지각 변동이 발생했어. 산지 지형은 흙산과 돌산, 고위 평탄면 등으로 다양해!

02 하천 지형과 해안 지형

하천·해안 지형

- 우리나라 하천의 특색 → 주요 하천의 특징, 큰 하상계수, 감조 현상
- 우리나라의 하천 지형 → 곡류 하천, 선상지, 범람원, 삼각주, 침식 분지
- 우리나라의 해안 지형 → 해안 침식 지형, 해안 퇴적 지형

우리나라의 주요 하천은 황·남해로 흐르고, 하천의 유량 차이가 커. 하천은 범람원, 삼각주, 침식 분지 등 다양한 지형을 만들어!

03 화산 지형과 카르스트 지형

화산·카르스트 지형

- 우리나라의 화산 지형 → 백두산, 제주도, 울릉도, 철원–평강 용암 대지
- 우리나라의 카르스트 지형 → 돌리네, 석회동굴, 밭농사, 시멘트 공업, 관광업

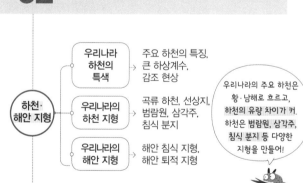

우리나라의 화산 지형과 카르스트 지형은 분포 면적에 비해 그 모습이 독특하여 관광 자원으로 활용되고 있어.

01 ～ 한반도의 형성과 산지 지형

핵심 질문으로 흐름잡기

A 한반도 지체 구조의 특색은?

B 한반도의 주요 지각 변동은?

C 우리나라 산지 지형의 형성 과정과 특징은?

❶ 지질 시대별 암석의 쓰임

• 시·원생대의 편마암: 공원이나 정원의 조경석으로 많이 쓰임

• 고생대의 석회암: 시멘트 등 건축 재료와 비료의 원료로 쓰임

• 중생대의 화강암: 흰색을 띠며 가공이 쉬운 편이어서 다양한 용도로 쓰임

• 신생대의 현무암: 돌담, 돌하르방 등 생활 곳곳에서 쓰임

경상 분지의 수평층

경상 분지는 호소를 중심으로 퇴적층이 두꺼운 수평층을 이루는데, 이는 퇴적층이 지각 운동에 의해 교란을 받지 않아 차곡차곡 쌓여 형태를 유지했기 때문이다.

A 한반도의 암석 분포와 지체 구조

| **시·험·단·서** | 우리나라 암석 분포의 특징과 지질 시대별 지체 구조의 특징에 대한 문제가 자주 출제돼!

1. 한반도의 암석 분포 자료1

(1) 한반도 암석 분포의 특징

① 한반도에는 다양한 종류의 암석이 분포하며, 암석의 형성 시기를 알면 한반도 지체 구조의 형성 과정을 파악할 수 있음

② 한반도에 가장 널리 분포하는 암석은 편마암과 화강암임 → 오랜 세월에 걸쳐 형성된 변성암인 편마암은 전체 면적의 약 40%에 이르고, 약 30%는 마그마가 지각을 뚫고 올라와 지표면 아래에서 형성된 화강암임

(2) 한반도에 분포하는 암석❶

변성암	화성암	퇴적암
• 오랜 세월 동안 땅속에 묻혀 높은 열과 압력으로 변성 작용을 받음 • 시·원생대에 형성된 편마암과 편암이 대표적임	• 마그마가 관입·분출하여 형성된 암석임 • 화강암(심성암): 중생대에 마그마의 관입*으로 형성됨 • 화산암*: 신생대 화산 활동으로 형성됨 ┌ 제주도에서 흔히 볼 수 있는 현무암이 대표적이야	• 고생대와 중생대 퇴적암이 대부분이며, 신생대 퇴적암의 분포 면적은 협소함 • 전 국토의 약 22.6%를 차지함

2. 한반도의 지체 구조

(1) 지체 구조의 의미와 특징 자료2

① **의미**: 대규모의 지각 변동에 의해 넓은 지역에 걸쳐 형성된 지질 구조*를 말함

② **특징**: 지체 구조를 바탕으로 지형 형성 과정을 이해할 수 있고, 지체 구조는 암석의 분포를 통해 파악할 수 있음

(2) 지체 구조의 분포

┌ 한반도에서 생성 시기가 가장 오래된 안정 지괴에 속해

시·원생대	• 평북·개마 지괴, 경기 지괴, 영남 지괴 • 기존 암석이 지하 깊은 곳에서 열과 압력에 의해 변성된 후 지표면에 노출된 편마암이 주로 분포함
고생대 고생대층 상부	• 평남 분지, 옥천 습곡대: 시·원생대의 지괴 사이에 분포함 ┌ 고생대층 하부 • 조선 누층군: 고생대 초기, 얕은 바다에서 형성된 해성층으로 석회암이 매장되어 있음 • 평안 누층군: 고생대 말기~중생대 초기, 해안 습지에 식물 등의 퇴적으로 형성된 육성층으로 무연탄이 매장되어 있음 ┌ 산호초나 조개껍데기 등이 굳어진 것으로 주성분은 탄산 칼슘이야
중생대	• 경상 누층군: 중생대 중기~말기의 거대한 호소를 중심으로 육성층이 형성됨 • 경상 분지를 중심으로 남해안 일대와 영남 지역에 넓게 분포하며, 공룡 발자국과 뼈·알 화석이 발견됨
신생대 제3기 말	• 두만 지괴, 길주·명천 지괴 • 한반도 일부가 바다에 잠겨 형성되었으며, 갈탄이 매장됨
신생대 제3기 말~제4기 초	마그마 분출에 의한 화산과 용암 대지가 형성됨

한반도는 오랜 기간에 걸쳐 형성되어 시·원생대부터 신생대 지층에 이르기까지 복잡한 지체 구조가 나타남

점성이 약한 마그마가 분출하여 넓은 지역을 평탄하게 만들면서 형성된 지형이야

자료1 한반도의 암석 구성과 암석의 쓰임 관련 문제 ▶ 60쪽 02번

▲ 조경으로 이용되는 편마암

▲ 석회암을 원료로 쓰는 시멘트 공장

▲ 현무암이 드러난 제주도 주상 절리

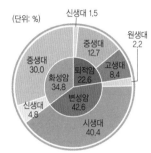
(단위: %)
신생대 1.5
원생대 2.2
중생대 12.7
고생대 8.4
중생대 30.0
퇴적암 22.6
화성암 34.8
변성암 42.6
신생대 4.8
시생대 40.4
(한국 지리지, 2008) ◀ 지질 시대별 암석 구성

자료·분·석 한반도에 분포하는 암석은 변성암이 가장 많고, 그다음은 화성암과 퇴적암 순이다. 시·원생대 변성암은 정원석으로 많이 이용되며, 고생대 퇴적암인 석회암은 시멘트 공업의 원료가 된다. 중생대 화강암은 석가탑, 다보탑 등 불탑의 재료로 이용되었으며, 신생대 현무암은 돌담, 돌하르방 등에 이용된다.

한·줄·핵·심 한반도에 분포하는 암석은 변성암 > 화성암 > 퇴적암의 순이다.

자료2 한반도 지체 구조의 특징 관련 문제 ▶ 57쪽 04번

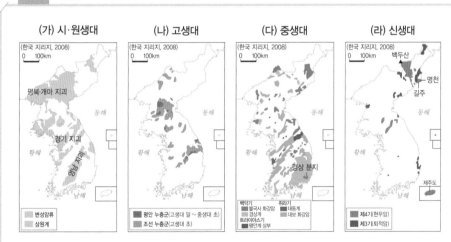

(가) 시·원생대
(한국 지리지, 2008)
0 100km
평북·개마 지괴
경기 지괴
동해
황해
남해
■ 변성암류
■ 상원계

(나) 고생대
(한국 지리지, 2008)
0 100km
동해
황해
남해
■ 평안 누층군(고생대 말 ~ 중생대 초)
■ 조선 누층군(고생대 초)

(다) 중생대
(한국 지리지, 2008)
0 100km
동해
황해
경상 분지
남해
■ 백악기 ■ 불국사 화강암 ■ 쥐라기 ■ 대동계 ■ 경상계 ■ 대보 화강암 트라이아스기 ■ 평안계 상부

(라) 신생대
(한국 지리지, 2008)
0 100km
백두산
명천
길주
동해
황해
제주도
남해
■ 제4기(현무암)
■ 제3기(퇴적암)

자료·분·석 ·(가)는 우리나라 면적의 약 40%를 차지하며, 초기 한반도의 윤곽을 형성하였다.

· (나)는 시·원생대의 지괴 사이에서 나타나며 고생대 하부는 조선 누층군, 상부는 평안 누층군으로 이루어져 있다.

· (다)는 한반도 지체 구조에 가장 큰 영향을 주었던 대보 조산 운동 때에 전국적으로 화강암이 관입하였다. 중생대 말기에는 경상 분지가 형성된 호수에 경상 누층군이 퇴적되었다.

· (라)는 제3기에 동해안 일부 지역에서는 해침에 의해 퇴적암층이 형성되었고, 제3기 말~제4기 초에는 백두산, 제주도, 울릉도, 독도 등지에서 화산 활동이 일어나 다양한 화산암이 형성되었다.

한·줄·핵·심 우리나라는 시·원생대 지층과 이후의 퇴적층이 번갈아 가며 분포한다.

궁금해요

Q. 화강암의 다른 이름이 심성암인 이유는 무엇인가요?

A. 화강암은 마그마가 지각을 뚫고 올라오다가 땅속 깊숙한 곳에서 식어서 형성된 암석이야. 그래서 '깊을 심(深), 이룰 성(成)' 자를 이용하여 심성암이라고도 부르게 된 거야.

용어 더하기

* **변성 작용**
암석이 열과 압력을 받아 새로운 구조, 형태, 조직으로 변하는 작용

* **관입**
꿰뚫어 들어간다는 뜻

* **지질 구조**
한 지역의 지각(땅껍질)을 이루고 있는 지층과 암석을 지질이라 하고, 이들의 분포 상태를 지질 구조라고 한다.

* **지괴**
형성 시기와 특징이 유사하여 하나로 묶을 수 있는 땅덩어리

* **분지**
해발 고도가 더 높은 지형으로 둘러싸인 평지

분지

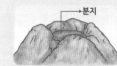

❷ 지질 구조선

(한국지질자원연구원, 2016)

습곡, 단층 등에 의하여 지각이 깨어져 갈라지거나 약해져서 생긴 선으로, 침식이 빨리 이루어져 하천 골짜기가 발달한다. 그래서 지질 구조선을 따라서 산맥의 방향이 결정되는 경우가 있다.

❸ 물리적 풍화 작용과 화학적 풍화 작용

물리적 풍화 작용	암석이 물리적 힘에 의해 작은 입자로 파괴되는 현상 → 한랭 건조한 환경에서 탁월
화학적 풍화 작용	광물 성분의 화학적 변화가 일어나 암석이 붕괴되는 현상 → 고온 다습한 환경에서 탁월

❹ 서·남해안의 복잡한 해안선 형성

약 2만 년 전 최종 빙기는 현재보다 해수면이 약 100m 낮았고, 이후 후빙기에 해수면이 상승하면서 서·남해안에 오늘날과 같은 복잡한 해안선이 형성되었다.

B 한반도의 지형 형성 과정

| 시·험·단·서 | 지질 시대별 주요 지각 변동의 특징과 빙기와 후빙기의 지형에 대한 문제가 자주 출제돼!

1. 한반도의 지각 변동

(1) **한반도 지각 변동의 특징**: 고생대까지 비교적 지각이 안정되어 있었고 중생대에 이르러 큰 지각 변동을 겪었는데, 중생대의 세 차례 지각 변동과 신생대의 경동성 요곡 운동* 등의 영향으로 지형의 골격이 형성됨

(2) **중생대의 지각 변동**

지각 변동	시기	특징
송림 변동	중생대 초기	• 북부 지방 중심의 지각 변동 • 랴오둥(동북동-서남서) 방향의 지질 구조선❷ 형성
⬇ 대보 조산 운동	중생대 중기	• 가장 격렬했던 지각 운동, 중부와 남부 지방을 중심으로 발생 • 중국(북동-남서) 방향의 지질 구조선 형성 • 넓은 범위에 걸쳐 대보 화강암 관입
⬇ 불국사 변동	중생대 말기	영남 지방을 중심으로 불국사 화강암이 관입

(3) **신생대의 지각 변동** 자료3

지각 변동	시기	특징
경동성 요곡 운동*	신생대 제3기	• 동해안에 치우친 비대칭 융기 운동 • 태백산맥, 함경산맥 등 형성, 고위 평탄면, 감입 곡류 하천, 하안 단구 등의 지형 형성
화산 활동	신생대 제3기 말~제4기 초	백두산, 울릉도, 독도, 제주도 등의 화산 지형 형성

지질 시대		5억 7,000만 년 전							2억 4,500만 년 전			6,500만 년 전	
지질 시대	선캄브리아대		고생대							중생대		신생대	
	시생대	원생대	캄브리아기	오르도비스기	실루리아기	데본기	석탄기	페름기	트라이아스기	쥐라기	백악기	제3기	제4기
지층	변성암 복합체 (편마암)		조선 누층군 (석회암)			연천층군	평안 누층군 (무연탄)			대동 누층군 (대보 화강암)	경상 누층군 (불국사 화강암)	제3계	제4계
지각 변동	변성 작용		↑ 조륙 운동							↑송림 변동	↑대보 조산 운동 ↑불국사 변동	↑요곡 단층 운동	↑화산 활동
지체 구조	평북·개마 지괴, 경기 지괴, 영남 지괴		평남 분지, 옥천 습곡대							경상 분지		두만 지괴, 길주·명천 지괴	

▲ 지질 시대별 주요 지각 변동

2. 기후 변화와 지형 형성 자료4

(1) **기후 변화 시기와 영향**: 신생대 제4기에 빙기*와 후빙기*(간빙기)가 반복되면서 해수면 변동이 나타나 지형의 형성과 변화에 영향을 줌 ┌오늘날은 후빙기에 해당해   ┌해수면은 하천 침식이 이루어지는 기준면이야 그래서 침식 기준면이라고도 해

(2) **빙기와 후빙기의 지형 형성**

구분	빙기	후빙기
하천 상류	한랭 건조한 기후로 식생 빈약, 하천 유량 감소, 수분의 동결과 융해 작용으로 암석의 물리적 풍화 작용❸ 활발 → 퇴적 작용 우세	온난 습윤한 기후로 식생 번성, 하천 유량 증가 → 빙기에 퇴적된 물질이 제거되면서 하상이 낮아짐
하천 하류	해수면 하강으로 침식 작용이 활발 → 깊은 골짜기 형성	해수면 상승으로 퇴적 작용이 활발 → 충적 지형, 서·남해안의 리아스 해안과 섬❹, 동해안의 석호 형성

자료3 경동성 요곡 운동 관련 문제 ▶ 61쪽 05번

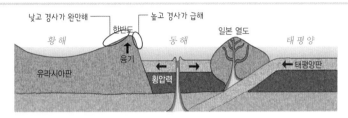

낮고 경사가 완만해 / 높고 경사가 급해
한반도 / 일본 열도
황해 / 동해 / 태평양
유라시아판 / 융기 / 횡압력 / 태평양판

자·료·분·석 신생대 제3기에 한반도와 일본 사이의 동해 지각이 확장되면서 한반도에 강력한 횡압력이 작용하였고, 그 결과 강한 압력을 받은 동해안을 중심으로 지각이 융기하였다. 이로 인해 해발 고도가 높은 태백산맥과 함경산맥은 동해안을 따라 분포하고, 동해로 흐르는 하천은 황·남해로 흐르는 하천에 비해 경사가 급하고 유로가 짧다.

한·줄·핵·심 경동성 요곡 운동으로 인해 동쪽으로 치우친 비대칭적인 지형이 형성되었다.

자료4 신생대 제4기의 기후 변화에 따른 지형 형성 관련 문제 ▶ 61쪽 06번

(가)

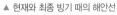

▲ 현재와 최종 빙기 때의 해안선

(나)

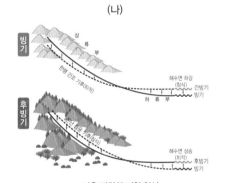

▲ 기후 변화와 지형 형성

구분	빙기	후빙기(간빙기)
기후 변화	한랭 건조	온난 습윤
해수면	하강	상승
풍화 작용	물리적 풍화 작용 우세	화학적 풍화 작용 우세
하천 상류	식생 밀도 및 유량 감소 → 퇴적 작용 우세	식생 밀도 및 유량 증가 → 침식 작용 우세
하천 하류	해수면 하강으로 침식 작용 우세	해수면 상승으로 퇴적 작용 우세
주요 지형	선상지, 감입 곡류 하천 등	범람원, 삼각주, 석호 등

자·료·분·석 • (가)−최종 빙기가 끝나면서 해수면이 상승하였고, 약 6,000여 년 전에 현재의 해수면에 도달하였다.
• (나)−빙기 때는 유량이 감소한 하천의 상류 지역에서 퇴적 작용이 우세하게 나타났고, 하천의 하류 지역에서 해수면이 하강하면서 침식 작용이 활발해졌다. 후빙기 때는 하천의 유량이 증가하여 하천 상류 지역의 하상이 낮아졌고, 하천의 하류 지역에서는 해수면이 상승하면서 퇴적 작용이 활발해졌다.

한·줄·핵·심 후빙기 해수면 상승으로 하천 상류에는 침식 작용이, 하천 하류에는 퇴적 작용이 활발하여 범람원, 삼각주, 석호 등의 지형이 형성되었다.

궁금해요

Q. 동해 형성과 비대칭 융기는 무슨 관련이 있나요?

A. 일본이 유라시아 대륙으로부터 분리되는 과정에서 동해가 형성되었어. 동해가 만들어지면서 동해 중심에서 한반도 쪽으로 미는 힘, 즉 횡압력이 작용했는데, 중국 쪽에서는 미는 힘이 작용하지 않았기 때문에 차별 융기가 일어났고, 그에 따라 동고서저의 비대칭 지형이 형성되었어.

용어 더하기

*경동성 요곡 운동
지형의 한쪽은 높고 급한 면을 이루고, 다른 쪽은 낮고 경사가 완만한 면을 이루는 지형을 형성하는 운동을 말한다.

*빙기
빙하 시대에 기후가 더욱 한랭하여 빙하가 크게 확장되었던 시기

*후빙기
빙기와 다음 빙기 사이의 기간으로, 전후의 빙기에 비해 따뜻한 시기가 비교적 오래 계속되는 시기

❺ 우리나라의 산맥의 방향

- 한국 방향
- 라오둥 방향
- 중국 방향

우리나라의 산맥은 산맥의 방향에 따라 구분하기도 한다.

- 라오둥 방향의 산맥: 중생대 초기 송림 변동 시기에 형성 예 함경산맥, 묘향산맥 등
- 중국 방향의 산맥: 중생대 중기 대보 조산 운동 시기에 형성 예 소백산맥, 차령산맥 등
- 한국 방향의 산맥: 주로 신생대에 형성 예 낭림산맥, 태백산맥 등

❻ 돌산의 형성 과정

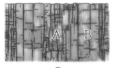

화강암은 강한 압력을 받으면 절리가 잘 발달하는데, 절리의 간격이 좁은 곳(A)은 침식이 깊게 진행되며, 절리의 간격이 넓은 곳(B)은 침식이 덜 진행되어 정상부에 기암괴석이 노출된 형태로 발달한다.

산지 지형의 보전 노력

자연 휴식년제 확대, 생태 통로* 건설, 환경 영향 평가 실시 등

C 산지 지형의 형성과 특징

| 시·험·단·서 | 동고서저의 경동 지형, 흙산과 돌산, 고위 평탄면에 대한 문제가 자주 출제돼!

1. 산지 지형의 형성 과정

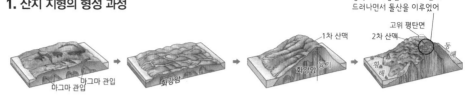

땅속의 화강암이 지표면에 드러나면서 돌산을 이루었어

① 중생대의 대규모 지각 변동으로 형성된 지질 구조선을 따라 지하 깊숙이 마그마가 관입함

② 중생대 지각 변동 이후 오랜 기간 침식 작용을 받아 한반도가 평탄해짐

③ 신생대 제3기 요곡 운동으로 1차 산맥이 형성되었고, 황해 쪽으로는 하곡이 발달함

④ 하곡을 따라 차별 침식이 일어나 2차 산맥을 형성하였고, 땅속의 화강암이 지표로 드러남

2. 1차 산맥과 2차 산맥의 형성❺

1차 산맥	신생대 제3기 이후 경동성 요곡 운동의 영향으로 형성되었으며, 해발 고도가 높고 연속성이 뚜렷함 예 함경산맥, 낭림산맥, 태백산맥 등
2차 산맥	지질 구조선을 따라 차별적 풍화와 침식 작용으로 형성되었으며, 1차 산맥보다 고도가 낮고 연속성이 뚜렷하지 않음 예 강남산맥, 묘향산맥, 멸악산맥, 차령산맥 등

└─ 산줄기가 하천에 의해 끊기는 경우가 많기 때문이야

3. 산지 지형의 특징

(1) 저산성 산지: 해발 고도 200~500m의 저산성 산지가 국토의 약 40% 이상을 차지하고, 1,000m 이상은 약 10% 정도임

(2) 동고서저의 경동 지형: 신생대 제3기 경동성 요곡 운동의 영향으로 함경산맥과 태백산맥의 동쪽은 급경사, 서쪽은 완경사를 이룸

(3) 지질 구조선에 따른 산맥 방향: 오랫동안 침식이 진행되어 구조선 방향으로 산맥이 발달함

4. 주요 산지 지형

(1) 고위 평탄면 자료5

① 형성 과정: 과거 오랜 기간 침식을 받아 평탄해진 곳이 융기 이후에도 남아 있는 지형 → 해발 고도는 높지만 경사가 완만함 예 대관령 일대, 진안고원 등

② 기후 환경: 해발 고도가 높아 연평균 기온이 낮고, 습도가 높음

③ 토지 이용: 목축업 발달, 고랭지 농업 발달, 풍력 발전기 설치

└─ 건조한 봄철에도 눈이 녹으면서 토양에 수분이 안정적으로 공급되어 초지가 형성되기에 유리해

(2) 흙산과 돌산❻ 자료6

구분	흙산	돌산
형성 과정	시·원생대에 형성된 암석이 오랜 시간에 걸쳐 풍화와 침식을 받으면서 두꺼운 토양으로 덮인 산지임	중생대에 관입한 화강암이 오랫동안 침식을 받아 지표에 드러나 형성된 산지로, 뾰족한 봉우리들의 바위로 이루어짐
기반암	변성암(편마암)	화강암
식생 밀도	높음	낮음

5. 산지 지형의 이용

└─ 지역 간의 경계를 이루면서 교류에 장애가 되기도 해

(1) 생활권의 경계: 분수계를 따라 언어, 풍속, 기후 차이가 발생하기 때문에 경계로 이용함

(2) 각종 자원의 보고: 물 자원, 지하자원, 삼림 자원 등을 얻을 수 있음

(3) 관광 자원: 현대인들의 휴식처 역할, 스키장 및 레저 시설 조성 등으로 이용함

자료 5 고위 평탄면의 형성과 토지의 이용 관련 문제 ▶ 59쪽 10번, 12번

신생대 중기 이전까지의 오랜 침식

↓

신생대 중기부터 비대칭 요곡 운동

융기 받기 전의 한반도가 평탄
하였음을 알려 주는 지형이야

고위 평탄면

분수령 부근에서 침식되고 남은 평지

▲ 고위 평탄면의 형성 과정

평창군
삼정평

해발 고도가
높고, 비교적
경사가 완만
해

0 500m

▲ 고위 평탄면의 지형도

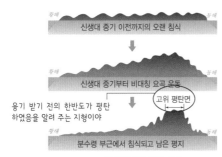

▲ 고랭지 채소밭

▲ 목장

자료·분석 고위 평탄면은 신생대 중기 이전까지 침식을 받아 평탄했던 땅이 경동성 요곡 운동으로 융기한 이후 침식에 견디어 남은 지형이다. 고위 평탄면에서는 목초 재배가 유리하여 목축업이 발달하였으며, 여름철 서늘한 기후를 이용하여 감자, 배추 등의 고랭지 작물 재배가 활발하다.

한·줄·핵·심 고위 평탄면에서는 고랭지 농업과 목축업이 활발하게 이루어진다.

자료 6 흙산과 돌산 관련 문제 ▶ 59쪽 11번

(가)

▲ 흙산(지리산)

(나)

▲ 돌산(설악산)

자료·분석 • (가)는 산세가 부드러운 흙산으로, 기반암인 편마암은 암질이 단단하여 풍화층이 고르게 발달한다.
• (나)는 정상부에 바위가 많이 돌출된 돌산으로, 기반암인 화강암은 지하 깊은 곳에서 관입한 마그마가 굳어 형성된 암석이며 오랜 세월 침식을 받으면서 지표에 노출되었다.

한·줄·핵·심 흙산의 주요 기반암은 편마암이고, 돌산의 주요 기반암은 화강암이다.

? 궁금해요

Q. 지난 여름에 대관령에 갔을 때 비가 많이 내려서 토양이 많이 유실되었던데, 농사를 짓지 못하게 되는 건 아닌가요?

A. 고위 평탄면 지역은 목장이나 농경지로 개발되면서 비가 내리면 토양이 빗물에 많이 쓸려 내려가지. 그래서 농사를 짓기 위해서는 밭에 흙을 보충해 주는 객토 작업을 해야 한단다.

용어 더하기

* **하곡(河谷)**
하천이 흐르는 골짜기

* **고랭지 농업**
산간 지역의 여름철에 나타나는 선선한 기후와 많은 강우량을 활용한 농업 형태로, 해발 고도 400m~1,000m 정도에서 채소, 감자, 화훼류 등을 재배한다.

* **분수계**
하천이 나눠지는 경계

* **생태 통로**
야생 동물이 지나갈 수 있도록 인공적으로 만든 길

* **환경 영향 평가**
대규모 개발 사업 계획을 수립할 때 개발이 환경에 미치는 영향을 사전에 예측, 평가, 검토하여 환경 오염을 예방하는 제도

* **목초**
소, 양 등을 목축하기 위해 키우는 풀

수능 자료로
개념을 다지는
개념 POOL

한반도의 지형 형성 작용

개념풀 Guide 지각 변동과 신생대 제4기의 기후 변화로 인해 어떤 지형이 형성되었는지 알아보자.

1. 지질 시대별 지각 변동

지질 시대	시생대	원생대	고생대			중생대		신생대	
			캄브리아기… 석탄기–페름기	트라이아스기		쥐라기	백악기	제3기	제4기
지질 계통	(가)	(나)	결층	(다)		대동 누층군	(라)	제3계	제4계
주요 지각 변동	↑ 변성 작용	↑ 조륙 운동		↑ 송림 변동	↑ 대보 조산 운동		↑ 불국사 변동	↑ (마)	↑ 화산 활동

분석 한반도의 지형은 고생대까지 안정을 유지하다가 중생대의 세 차례 지각 변동(송림 변동, 대보 조산 운동, 불국사 변동)과 신생대 경동성 요곡 운동 등의 영향으로 지형의 골격을 형성하였다. (가)는 시·원생대의 변성암 복합체(편마암), (나)는 고생대 초기의 조선 누층군, (다)는 고생대 후기와 중생대 초기에 걸친 평안 누층군, (라)는 중생대 후기의 경상 누층군이다. (마)는 신생대 제3기에 발생하여 동고서저의 비대칭 지형을 형성한 경동성 요곡 운동에 해당한다.

2. 한반도의 지체 구조

지질 시대		지각 변동
신생대	제4기	
	제3기	← 경동성 요곡 운동
(가)	백악기	← 불국사 변동
	쥐라기	← ㉠
	트라이아스기	← ㉡
(나)	페름기	
	⋮	← 조륙 운동
	캄브리아기	
원생대		
시생대		

분석 한반도는 오랜 기간에 걸친 다양한 지형 형성 작용을 받아 복잡한 지체 구조가 나타난다. A는 고생대 퇴적층으로 주로 이루어진 평남 분지, B는 시·원생대에 형성된 안정 지괴에 해당하는 경기 지괴, C는 다량의 석회암이 매장되어 있는 중생대 퇴적층으로 주로 이루어진 경상 분지이다. (가)는 중생대, (나)는 고생대에 해당한다. ㉠은 대보 조산 운동으로 남부 지방을 중심으로 중국 방향의 구조선이 형성되었으며, 우리나라 전역에 걸쳐 화강암이 대규모로 관입하였다. 화강암은 풍화를 받아 주로 석산을 이루고 있다. ㉡은 송림 변동으로 북부 지방을 중심으로 랴오둥 방향의 구조선이 형성되었다.

3. 기후 변화와 지형 형성 관련 문제 ▶ 61쪽 06번

· · · · (가) 시기의 해안선
——— (나) 시기의 해안선
〰〰 (나) 시기에 바다에 잠긴 하천의 유로

분석 신생대 제4기에는 빙기와 후빙기가 수차례 반복되었다. 최종 빙기 중 빙하가 가장 확대되었던 약 2만 년 전에는 해수면이 현재보다 약 100m 이상 낮았으며, 이로 인해 중국, 우리나라, 일본이 육지로 연결되었다. ㉠ 지점은 현재 하천의 하류이다. 최종 빙기(가) 때 하천 하류는 해수면 하강으로 침식 작용이 활발하였다. 반면 후빙기(나) 때에는 해수면 상승으로 하천에서 퇴적 작용이 활발하였다. 따라서 후빙기(나)에 비해 최종 빙기(가) 때 ㉠ 지점은 하천 충적층의 두께가 얇았을 것이다.

이것만은 꼭!

한반도의 지각 변동	송림 변동	대보 조산 운동	불국사 변동	경동성 요곡 운동
	랴오둥 방향의 지질 구조선 형성	중국 방향의 지질 구조선 형성, 화강암 관입	화강암 관입	비대칭 융기 운동, 태백산맥 등 형성

암석과 산지 지형

개념풀 Guide 기반암의 차이에 따라 나타나는 지형의 특징과 고위 평탄면에 대해 알아보자.

1. 화강암과 현무암

(가)   (나)

▲ 서울 북한산 인수봉   ▲ 제주도 주상 절리대

분석 (가) 돌산의 기반암은 화강암이다. 화강암은 지하에서 마그마가 약한 지각의 틈을 밀고 올라오면서(관입) 지표 부근에서 냉각되어 형성된 대표적인 화성암(심성암)이다. (나) 주상 절리의 기반암은 현무암이다. 현무암은 대표적인 화성암(분출암)으로 현무암질 용암이 지표로 분출하면서 급격히 냉각되면 육각형 또는 오각형의 수직 절리(주상 절리)가 형성되기도 한다.

2. 돌산과 흙산의 기반암

- (가) (으)로 이루어진 산의 정상부는 삼각형 모양으로 뾰족이 솟아오른 흰색에 가까운 암석이 노출되어 있다. 북한산 인수봉과 설악산 울산 바위는 이 암석으로 이루어져 있다.

- (나) (으)로 이루어진 산의 정상부는 (가) (으)로 만들어진 산의 정상부에 비해 암석의 노출이 적고, 상대적으로 두꺼운 토양층을 이루는 경우가 많다. (나) 은/는 지리산, 덕유산의 기반암이다.

분석 삼각형 모양으로 솟아오른 흰색에 가까운 암석이 노출되어 있는 북한산과 설악산은 (가) 화강암으로 이루어져 있고, 암석의 노출이 적고 두꺼운 토양층을 이루는 지리산과 덕유산은 (나) 변성암(편마암)으로 이루어져 있다. (나)는 시·원생대에 형성되어 (가)보다 이른 시기에 형성되었다.

3. 택리지에서의 돌산과 흙산   관련 문제 ▶ 61쪽 08번

⊙의 일만 이천 봉은 순전히 돌 봉우리, 돌 내(川), 돌 폭포이다. 만 길 산꼭대기와 백 길 못에 이르기까지 모두 돌로 이루어져 있다. 이 산의 다른 이름은 개골(皆骨)인 것은 한 움큼의 흙도 없는 까닭이다.
⊙은 백두산에서 뻗어 나온 큰 산줄기가 다한 곳이다. 까닭에 두류(頭流)산이라고도 한다. 흙이 두텁고 기름져서 온 산이 모두 사람 살기에 알맞다. ⊙에서 서남쪽으로 뻗은 크고 작은 산줄기들은 섬진강 상류에서 끝난다.

– 이중환, 『택리지』 –

분석 택리지는 조선 후기 이중환이 조선의 국토와 사회를 종합적으로 조망하여 오늘날까지도 당시 사회를 파악하는 자료로 많이 이용하고 있다. ⊙은 금강산으로 돌산이며, ⊙은 지리산으로 흙산이다. ⊙의 기반암은 중생대에 마그마 관입으로 형성된 화강암이고, ⊙의 기반암은 시·원생대에 형성된 변성암(편마암)이다.

4. 고위 평탄면

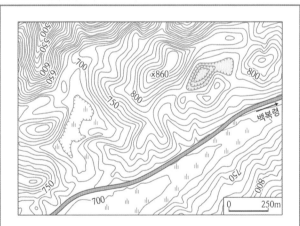

분석 해발 고도가 높으며 밭으로 이용되는 곳의 등고선 간격이 넓은 것으로 보아 고위 평탄면임을 알 수 있다. 고위 평탄면은 신생대 제3기 경동성 요곡 운동으로 이전의 평탄한 면이 융기한 지형이다. 대관령과 진안고원 등에 분포하며, 고랭지 농업, 목축업 등이 발달하였다.

이것만은 꼭!

암석	변성암	화강암	현무암
특징	시·원생대, 흙산	중생대, 돌산	신생대, 화산 지형

A 한반도의 암석 분포와 지체 구조

01 지도는 한반도의 지체 구조를 나타낸 것이다. (1)∼(9)의 설명과 관련이 깊은 지역을 지도의 A∼H에서 있는 대로 골라 기호를 쓰시오.

(1) 갈탄이 매장되어 있다. ( )

(2) 용암 동굴을 볼 수 있다. ( )

(3) 해성층이 주로 나타난다. ( )

(4) 석회암과 무연탄이 분포한다. ( )

(5) 공룡 발자국 화석이 분포한다. ( )

(6) 시·원생대의 지괴 사이에 분포한다. ( )

(7) 변성암이 주로 분포하며, 안정 지괴를 이룬다. ( )

(8) 고생대∼중생대 초의 퇴적층을 볼 수 있다. ( )

(9) 지각 변동의 영향이 크지 않아 수평층을 이루고 있다.

( )

B 한반도의 지형 형성 과정

02 표는 우리나라의 지질 시대별 주요 지각 변동에 관한 것이다. 이를 보고, 물음에 답하시오.

	5억 7,000만 년 전							2억 4,500만 년 전			6,500만 년 전	
지질 시대	선캄브리아대		고생대						중생대		신생대	
	시생대	원생대	캄브리아기	오르도비스기	실루리아기	데본기	석탄기	페름기	트라이아스기	쥐라기	백악기	제3기	제4기
지층	변성암 복합체 (편마암)		A			연천층군		B		대동 누층군 (대보 화강암)	경상 누층군 (불국사 화강암)	제3계	제4계
지각 변동	변성 작용 ↑		조륙 운동 ↑						송림 변동 ↑	대보 조산 운동 ↑	불국사 변동 ↑	요곡 단층 운동 ↑	화산 활동 ↑
지체 구조	평북·개마 지괴,경기 지괴, 영남 지괴		평남 분지, 옥천 습곡대							C		두만 지괴, 길주·명천 지괴	

(1) A, B에 들어갈 고생대∼중생대 초기 지층을 각각 쓰시오.

A: ( ), B: ( )

(2) C에 들어갈 지체 구조를 쓰시오. ( )

(3) 백두산의 형성과 관련이 깊은 지각 변동을 찾아 쓰시오. ( )

(4) 고위 평탄면의 형성과 관련이 깊은 지각 변동을 찾아 쓰시오. ( )

C 산지 지형의 형성과 특징

03 알맞은 말에 ○표를 하시오.

(1) 차령산맥은 (중국, 랴오둥) 방향의 산맥이다.

(2) 흙산인 지리산의 주요 기반암은 (변성암, 화강암)이다.

(3) 태백산맥은 (1차, 2차) 산맥으로 신생대 경동성 요곡 운동으로 형성되었다.

(4) 신생대 제3기에 경동성 요곡 운동으로 형성된 지형은 (침식 분지, 고위 평탄면)이다.

탄탄! 내신 다지기

A 한반도의 암석 분포와 지체 구조

01 ㉠에 들어갈 내용으로 가장 적절한 것은?

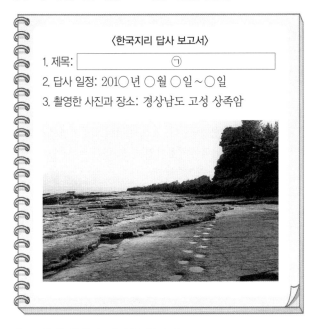

〈한국지리 답사 보고서〉
1. 제목: ㉠
2. 답사 일정: 201○년 ○월 ○일~○일
3. 촬영한 사진과 장소: 경상남도 고성 상족암

① 고생대 석회암 지대를 찾아서
② 중생대 공룡들의 낙원을 찾아서
③ 신생대 화산 활동의 흔적을 찾아서
④ 중생대 마그마가 관입한 지역을 찾아서
⑤ 우리나라에서 가장 오래된 암석을 찾아서

02 그림에 대한 설명으로 옳은 것은? (단, (가)~(다)는 변성암, 화성암, 퇴적암 중 하나임.)

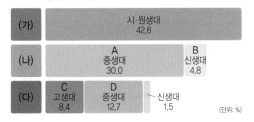

〈한반도에 분포하는 암석의 면적 비율〉

(가)	시·원생대 42.6		
(나)	A 중생대 30.0		B 신생대 4.8
(다)	C 고생대 8.4	D 중생대 12.7	신생대 1.5

(단위: %)

① (나)는 화강암과 화산암으로 이루어져 있다.
② (가)는 변성암, (나)는 퇴적암이다.
③ A 암석은 공룡 발자국 화석이 분포한다.
④ B 암석은 석가탑, 다보탑 등의 재료가 된다.
⑤ C 암석은 D 암석보다 영남 지방에서의 분포 면적이 넓다.

03 (가), (나) 암석과 관련된 설명으로 옳은 것은?

(가)

산호초나 조개껍데기 등이 굳어진 것으로 주성분은 탄산 칼슘임

(나)

화산 활동으로 분출된 마그마가 급격히 식으면서 형성된 것임

① (가)는 제주도에서 흔히 볼 수 있다.
② (가)는 고생대 평안 누층군에 주로 분포한다.
③ (나)는 화석 연료의 한 종류이다.
④ (나)의 표면에는 작은 구멍들이 많다.
⑤ (가)는 (나)보다 형성 시기가 늦다.

04 지도는 고생대의 지체 구조를 나타낸 것이다. A, B 지층에 대한 설명으로 옳은 것은?

A
B
0   100km

동해

황해

남해

(한국 지리지, 2008)

① A는 B보다 형성 시기가 이르다.
② B는 A보다 분포 면적이 좁다.
③ A, B 모두 수평 지층을 이루고 있다.
④ A는 조선 누층군, B는 평안 누층군이다.
⑤ A에는 무연탄, B에는 석회암이 분포한다.

05 (가), (나)와 관계 깊은 지역을 지도의 A~C에서 골라 바르게 연결한 것은?

(가) 시·원생대에 생성된 지각이 오랜 지질 시대를 거치면서 변성 작용을 받아서 형성된 지역으로 편마암이 주를 이룬다. 한반도에서 생성 시기가 가장 오래된 안정 지괴에 속한다.

(나) 지괴 사이의 낮은 부분에 바닷물이 들어와 오랜 시간 퇴적물이 두껍게 쌓인 곳으로, 이 퇴적물들은 시간이 지나면서 암석이 되었고, 오늘날의 퇴적암을 이루고 있다.

	(가)	(나)
①	A	B
②	A	C
③	B	A
④	B	C
⑤	C	A

07 다음 자료의 (가)에 들어갈 알맞은 내용을 〈보기〉에서 고른 것은?

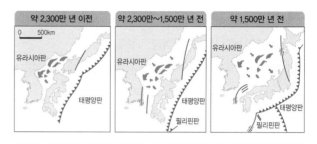

신생대 제3기 이후에 일본이 한반도에서 분리되면서 그 사이에 동해가 형성되었다. 동해 지각이 확장되면서 한반도에는 강한 횡압력이 작용하였고, 그 결과 _____(가)_____

보기
ㄱ. 대규모로 화강암이 관입하였다.
ㄴ. 동고서저의 비대칭 지형이 형성되었다.
ㄷ. 서·남해안에 리아스 해안이 형성되었다.
ㄹ. 고위 평탄면, 감입 곡류 하천 등이 형성되었다.

① ㄱ, ㄴ　　② ㄱ, ㄷ　　③ ㄴ, ㄷ
④ ㄴ, ㄹ　　⑤ ㄷ, ㄹ

B 한반도의 지형 형성 과정

06 (가)~(라) 지각 변동에 대한 옳은 설명을 〈보기〉에서 고른 것은?

고생대			중생대			신생대	
캄브리아기	……	페름기	트라이아스기	쥐라기	백악기	제3기	제4기
	↑		↑	↑	↑	↑	↑
	조륙 운동		(가)	(나)	불국사 변동	(다)	(라)

보기
ㄱ. (가) - 랴오둥 방향의 지질 구조선이 형성되었다.
ㄴ. (나) - 대규모로 마그마가 관입하여 화강암이 형성되었다.
ㄷ. (다) - 제주도의 기생 화산이 형성되었다.
ㄹ. (라) - 태백산맥과 함경산맥이 형성되었다.

① ㄱ, ㄴ　　② ㄱ, ㄷ　　③ ㄴ, ㄷ
④ ㄴ, ㄹ　　⑤ ㄷ, ㄹ

08 지도는 최종 빙기와 후빙기의 해안선을 나타낸 것이다. (가), (나) 시기의 상대적인 특징을 그림으로 나타낼 때, 그림의 A, B에 들어갈 내용을 바르게 연결한 것은?

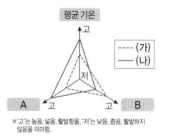

※ '고'는 높음, 넓음, 활발함을, '저'는 낮음, 좁음, 활발하지 않음을 의미함.

	A	B
①	해수면	하천 상류 침식 작용
②	해수면	하천 하류 퇴적 작용
③	화학적 풍화 작용	침식 기준면
④	화학적 풍화 작용	냉대림의 분포 면적
⑤	냉대림의 분포 면적	화학적 풍화 작용

C 산지 지형의 형성과 특징

09 자료는 우리나라의 산지를 나타낸 것이다. 이에 대한 설명으로 옳은 것은?

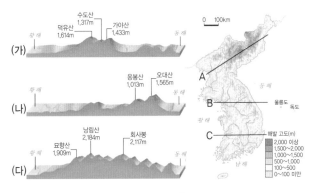

① (가)의 덕유산은 돌산을 이룬다.

② (나)의 오대산은 태백산맥에 위치한다.

③ (다)의 낭림산은 백두대간에서 해발 고도가 가장 높다.

④ B와 C는 A보다 평균 해발 고도가 높다.

⑤ (가)는 A, (나)는 B, (다)는 C의 단면에 해당한다.

10 지도에 표시된 지역으로 가족 여행을 계획하고 있다. ㉠~㉤ 중 옳지 <u>않은</u> 것은?

엄마: 나는 ㉠풍력 발전기를 보고 싶어요. 풍력 발전기가 세워진 언덕에서는 동해 바다도 보인다고 해요.

딸: 저는 ㉡양떼 목장에 가서 양들에게 먹이를 주고 싶어요.

할아버지: 나는 ㉢고랭지 배추밭을 보고 싶구나. 텔레비전에서 본 적이 있는데, 참으로 멋지더구나.

아들: 저는 ㉣석탄 박물관에 가서 옛날 광부들이 어떻게 생활했는지를 보고 싶어요.

아빠: 우리 동계 올림픽이 열렸던 ㉤스키장도 가 봅시다.

① ㉠　　② ㉡　　③ ㉢　　④ ㉣　　⑤ ㉤

11 설악산과 비교한 지리산의 상대적인 특징을 그림의 A~E에서 고른 것은?

〈설악산〉　　〈지리산〉

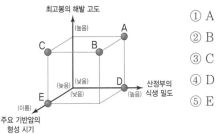

① A
② B
③ C
④ D
⑤ E

---

12 다음 지도를 보고, 물음에 답하시오.

(1) A 지형의 이름을 쓰시오.

(　　　　　　　　　　)

(2) A 지형의 형성 과정과 농업적 토지 이용의 특성을 자연환경과 관련지어 서술하시오.

_____

_____

_____

도전! 실력 올리기

01 (가), (나)와 관련된 설명으로 옳은 것은?

① (가) 산은 주로 변성암으로 이루어져 있다.
② (가) 봉우리는 기반암이 지하수의 용식 작용을 받아 형성되었다.
③ (나) 암석은 대보 조산 운동으로 형성되었다.
④ 기반암의 형성 시기는 (가)가 (나)보다 이르다.
⑤ (가)와 (나)의 기반암은 시·원생대에 만들어졌다.

수능 유형

03 표는 한반도의 지각 변동에 대해 정리한 것이다. (가)~(마)에 들어갈 내용으로 옳은 것은?

구분		내용	영향
지각 변동	송림 변동	중생대 초에 일어난 지각 변동	(가)
	대보 조산 운동	중생대 중엽에 일어난 대규모 지각 변동	(나)
	경동성 요곡 운동	신생대 제3기에 일어난 동해안 쪽에 치우친 융기 운동	(다)
	화산 활동	신생대 제3기 말~제4기 초에 걸쳐 발생	(라)
기후 변화	후빙기 기온 상승	약 18,000년 전부터 해수면 상승함	(마)

① (가) – 충북 단양군의 돌리네와 우발레
② (나) – 경북 울릉군의 나리 분지
③ (다) – 강원 영월군의 동강
④ (라) – 강원 속초시의 영랑호와 청초호
⑤ (마) – 전남 해남군의 공룡 발자국 화석

02 그래프는 한반도의 지질 시대별 암석 구성을 나타낸 것이다. A~C에 대한 설명으로 옳은 것은?

(한국 지리지, 2008)

① A의 중생대 암석은 화산 폭발로 이루어졌다.
② A의 고생대 암석은 변성 작용을 받아 형성되었다.
③ B의 시생대 암석은 대부분 해성층을 이룬다.
④ C의 중생대 암석에는 공룡 발자국 화석이 분포한다.
⑤ C의 신생대 암석은 돌하르방의 재료로 이용되기도 한다.

수능 기출

04 다음 글의 밑줄 친 ㉠~㉢에 대한 설명으로 옳은 것은?

> 한반도는 중생대에 여러 차례 지각 운동을 겪었다. 중생대 초 송림 변동에 이어 중생대 중엽에는 가장 격렬했던 ㉠대보 조산 운동이 일어나 구조선이 만들어졌다. 이 과정에서 마그마의 관입이 일어나 한반도의 ㉡화강암 분포에 영향을 주었다. ㉢관입된 암석과 주변 암석 간의 차별 침식은 특징적인 지형을 만들기도 하였다. 중생대 후기에는 ㉣불국사 변동으로 ㉤경상 분지 곳곳에 마그마가 관입되었다.

① ㉠의 영향으로 남북 방향의 1차 산맥이 형성되었다.
② ㉡이 산 정상부를 이루는 경우 주로 흙산으로 나타난다.
③ ㉢의 결과로 침식 분지가 형성되었다.
④ ㉣은 동고서저 지형 형성의 주요 원인이다.
⑤ ㉤에는 갈탄이 광범위하게 매장되어 있다.

05 자료에 나타난 (가)와 관련된 옳은 설명을 〈보기〉에서 고른 것은?

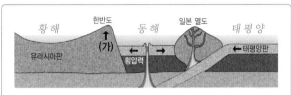

한반도는 신생대 제3기에 동해의 지각이 확장되는 과정에서 동해안에 치우친 비대칭 융기 운동이 일어났다.

보기
ㄱ. 낙동강 하류 일대에 삼각주가 형성되었다.
ㄴ. 태백산맥 가까이에 고위 평탄면이 형성되었다.
ㄷ. 남한강 상류 일대 하천의 하방 침식이 우세해졌다.
ㄹ. 철원 일대에는 좁고 긴 띠 형태의 용암 대지가 형성되었다.

① ㄱ, ㄴ   ② ㄱ, ㄷ   ③ ㄴ, ㄷ
④ ㄴ, ㄹ   ⑤ ㄷ, ㄹ

수능 기출

06 지도는 최종 빙기와 후빙기의 해안선을 나타낸 것이다. (나) 시기와 비교한 (가) 시기 ㉠ 지점의 상대적 특성에 대한 추론으로 가장 적절한 것은?

① 해발 고도가 낮았을 것이다.
② 하천의 유량이 많았을 것이다.
③ 연평균 기온이 높았을 것이다.
④ 하천 충적층의 두께가 얇았을 것이다.
⑤ 화학적 풍화 작용이 활발했을 것이다.

07 자료는 우리나라의 두 산맥에 대한 것이다. 이에 대한 설명으로 옳은 것은? (단, (가), (나)는 지도의 A, B 산맥 중 하나임.)

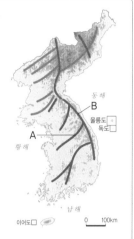

- (가) 산맥은 원산 부근의 추가령 구조곡에서 동해안을 따라 낙동강 하구의 다대포 부근에 이르는 산맥으로, 우리나라에서 가장 긴 남북 방향의 산맥이다.
- (나) 산맥은 (가) 산맥의 오대산 부근에서 갈라져 나와 충청남도 중앙부를 거쳐 서해안의 금강 하구에 이르는 산맥이다.

① (가)는 A, (나)는 B이다.
② (가)는 (나)보다 형성 시기가 이르다.
③ (나)는 (가)보다 평균 해발 고도가 높다.
④ A는 B보다 산맥의 연속성이 뚜렷하다.
⑤ B는 A보다 지역 간 문화적 차이를 크게 유발한다.

수능 유형

08 다음 자료는 산지를 상대적 특성에 따라 구분한 것이다. 이에 대한 설명으로 옳은 것은?

- ㉠ 의 일만 이천 봉은 순전히 돌 봉우리, 돌 내(川), 돌 폭포이다. 만 길 산꼭대기와 백 길 못에 이르기까지 모두 돌로 이루어져 있다. 이 산의 다른 이름은 개골(皆骨)인 것은 한 움큼의 흙도 없는 까닭이다.
- ㉡ 은 백두산에서 뻗어 나온 큰 산줄기가 다한 곳이다. 까닭에 두류(頭流)산이라고도 한다. 흙이 두텁고 기름져서 온 산이 모두 사람 살기에 알맞다. ㉡ 에서 서남쪽으로 뻗은 크고 작은 산줄기들은 섬진강 상류에서 끝난다.

— 이중환, 『택리지』 —

① ㉠은 흙산, ㉡은 돌산이다.
② ㉠의 예로는 지리산, ㉡의 예로는 덕유산이 있다.
③ ㉠의 기반암은 돌하르방을 만드는 데 이용되었다.
④ ㉡의 기반암은 석가탑, 다보탑을 만드는 데 이용되었다.
⑤ 침식 분지에서 ㉡의 기반암은 ㉠의 기반암보다 하천 침식에 잘 견딘다.

02 ~ 하천 지형과 해안 지형

핵심 질문으로 흐름잡기

- A 우리나라에서 발달한 하천 지형은?
- B 우리나라에서 발달한 해안 지형은?
- C 인간 활동에 의한 하천 지형과 해안 지형의 변화는?

❶ 하계망과 분수계

하천은 여러 지류가 합쳐져 하나의 본류를 이루는데, 이를 통틀어 하계망이라고 한다. 하계망을 통해 물이 모여드는 전체 범위를 그 하천의 유역이라고 하며, 유역과 유역의 경계를 분수계라고 한다.

❷ 하천 상·하류의 특성

구분	상류	하류
경사도	급함	완만함
폭과 유량	좁음/적음	넓음/많음
퇴적물 입자	큼	작음
퇴적물 원마도	낮음	높음

하천 퇴적물의 원마도

원마도는 둥근 정도를 말한다. 자갈 등이 하천에 의해 운반될 때 서로 부딪치면서 모서리 부분이 마모되어 둥글게 변하므로 하류 지역의 퇴적물이 상류 지역의 퇴적물보다 원마도가 크다.

A 우리나라의 하천 지형

| 시·험·단·서 | 우리나라 하천의 특색과 하천 유역에서 발달하는 지형에 대한 문제가 자주 출제돼!

1. 하천의 특색

(1) 황해와 남해로 흐르는 주요 하천

① 경동 지형과 남서 방향의 지질 구조선이 하계망❶에 영향을 미침

② 황·남해로 유입하는 하천은 동해로 유입하는 하천에 비해 유로가 길고, 경사가 완만하며, 하구 일대 퇴적물 입자의 평균 크기가 작음

(2) 유량 변화가 큰 하천 [자료 1] ─ 대부분의 큰 하천은 황·남해로 유입하는데, 이는 태백산맥 등 주요 분수계가 동쪽에 치우쳐 있기 때문이야

① 여름철에 홍수가 자주 발생하고, 유역 면적이 좁은 편임

② 계절별 유량 변동이 커 하상계수가 큼

③ 저수지·댐·보 등의 수리 시설 건설, 삼림 녹화(녹색 댐 기능) 등

(3) 바닷물이 역류하는 감조 하천

① 하류에서 조류의 영향을 받아 수위가 주기적으로 변함

② 가뭄 시 바닷물의 역류로 염해가 발생하고, 여름철 집중 호우와 밀물이 겹치면 홍수 발생 가능성이 커짐 ─ 밀물 때 바닷물이 하천을 따라 역류하는 것을 막아 주지

③ 하굿둑을 건설하면 염해 방지, 용수 확보, 교통로 활용 등을 할 수 있음

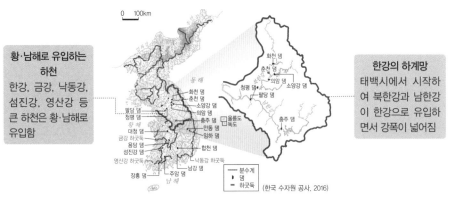

황·남해로 유입하는 하천
한강, 금강, 낙동강, 섬진강, 영산강 등 큰 하천은 황·남해로 유입함

한강의 하계망
태백시에서 시작하여 북한강과 남한강이 한강으로 유입하면서 강폭이 넓어짐

(한국 수자원 공사, 2016)

▲ 우리나라 주요 하천의 분포

2. 하천 중·상류❷에 발달하는 지형 [자료 2] [자료 3]

─ 하방 침식은 하천 바닥을 깎는 작용으로 하천 상류에서 하곡을 깊게 만들어

구분	형성	이용
감입 곡류 하천	신생대 제3기 경동성 요곡 운동으로 지반이 융기함에 따라 하방 침식이 강화되어 형성됨	경관이 수려하여 각종 레포츠나 관광 산업이 발달하고, 댐 건설에 유리함
하안 단구	지반 융기와 하천의 침식으로 과거 하상이 하천 양안에 계단상으로 나타나면서 형성됨	단구면은 고도가 높고 평탄하여 홍수 피해가 적어 농경지, 교통로, 취락이 분포함
침식 분지	두 개 이상의 하천이 합류하거나 화강암이 관입한 지역에서 암석이 차별 침식을 받아 형성됨	주로 취락이나 농경지로 이용되고, 일찍부터 내륙의 중심지로 발달한 곳이 많음
선상지	골짜기 입구의 경사 급변점에서 하천 유속이 감소하며 운반 물질이 퇴적되어 형성됨	선정은 취락이나 소규모 농업, 선앙은 밭농사나 과수원, 선단은 취락이나 논농사 등으로 이용됨

─ 하천이 복류하여 지표수가 부족해 과거에는 논이나 취락이 발달하지 못하였어

시험에 잘 나오는 자료 🐟

자료1 하상계수가 큰 우리나라의 하천 관련 문제 ▶ 71쪽 01번

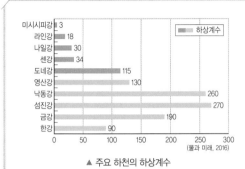

	하상계수
미시시피강	3
라인강	18
나일강	30
센강	34
도네강	115
영산강	130
낙동강	260
섬진강	270
금강	190
한강	90

(물과 미래, 2016)

▲ 주요 하천의 하상계수

자료·분석 우리나라는 여름철에 하천의 유량이 증가하지만, 겨울철이나 가뭄이 지속되는 시기에는 유량이 급감한다. 이처럼 계절에 따라 하천의 최대 유량 비율이 많이 차이가 날 때 하상계수가 크다고 한다. 우리나라 하천은 하상계수가 커서 홍수와 가뭄의 발생 가능성이 높고, 수운 발달과 수력 발전에 불리하며, 물 자원의 안정적 공급이 어렵다.

한·줄·핵·심 우리나라는 계절별 유량 변동이 심하여 하상계수가 크다.

자료2 감입 곡류 하천과 하안 단구, 선상지 관련 문제 ▶ 87쪽 07번

(가) 감입 곡류 하천과 하안 단구

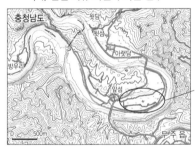

등고선 간격이 주변보다 넓은 것으로 보아 하안 단구임을 알 수 있어

(나) 선상지

계곡물을 이용하며 생활하는 곡구 취락이야

자료·분석 • (가)–감입 곡류 하천은 하천의 중·상류에서 산지 사이를 곡류하며 흐르는 하천이고, 하안 단구는 주로 감입 곡류 하천의 양안에서 나타나는 계단 모양의 지형을 말한다.
• (나)–산지를 흐르던 하천이 갑자기 완만한 평지를 만나면 유속이 감소되면서 운반하던 물질을 쌓으며 부채 모양의 지형인 선상지를 형성하게 된다.
└ 지반 융기나 해수면 변동이 여러 차례 이루어졌기 때문에 계단 모양의 지형이 만들어졌어

한·줄·핵·심 하천 중·상류에는 감입 곡류 하천과 하안 단구가 함께 나타나는 경우가 있으며, 선상지는 골짜기 입구의 경사 급변점에서 형성된다.

자료3 침식 분지의 형성 과정 관련 문제 ▶ 71쪽 03번

부피가 늘어나면서 지각이 갈라짐

시·원생대의 변성암류(편마암) → 중생대의 화강암 관입 → 곡저 평야 / 하안 단구 / 범람원 / 하천 / 산지 / 화강암 / 충적층 / 산지

자료·분석 침식 분지는 시·원생대에 형성된 변성암(편마암)이 기반암을 이루는 곳에 중생대 화강암이 관입한 후, 화강암이 편마암보다 빠르게 침식을 받아 중앙부가 깊게 파여서 형성되었다.

한·줄·핵·심 침식 분지는 화강암이 다른 암석에 둘러싸인 곳이나 하천이 합류하는 지점에서 잘 발달한다.

내용 이해를 돕는 팁

❓ 궁금해요

Q. 돌산의 기반암이 화강암인데, 같은 화강암이 침식 분지에서는 저지대를 이루는 이유는 무엇인가요?

A. 화강암은 땅속에 있다가 그 위에 덮여 있던 암석이 제거되면서 지표에 노출돼. 이때 화강암에 절리가 발달하는데, 환경에 따라 절리의 밀도가 지역에 따라 다르게 나타나. 절리의 밀도가 낮은 지역에서는 화강암이 돌산을 이루는 반면, 절리 밀도가 높은 지역에서는 물이 쉽게 스며들어 화강암 깊은 곳까지 풍화가 진행되어 분지의 저지대를 이루게 되는 것이지.

▲ 양구의 해안 분지 지형도

용어 더하기

＊하상계수
하천의 최소 유량을 1로 했을 때의 최대 유량 비율

＊감조 하천
밀물과 썰물에 따라 하천의 수위가 주기적으로 오르내리는 하천으로 밀물 때 바닷물이 역류하는 하구 부근에 감조 구간이 나타난다.

＊복류
땅 위를 흐르는 물이 어느 구간만 땅속으로 스며드는 물의 흐름을 말한다. 모래와 같이 입자가 큰 조립 물질이 주로 퇴적되어 있는 경우 배수가 잘되어 물이 지하로 쉽게 스며든다.

02 ~ 하천 지형과 해안 지형

❸ 곡류 하천의 변화

곡류의 바깥쪽은 침식이 일어남 / 유속이 빠름 / 유속이 느려 퇴적 작용이 활발함

공격 사면은 유속이 빠르고 침식 작용이 활발하여 수심이 깊고, 퇴적 사면은 유속이 느리고 퇴적 작용이 활발하여 수심이 얕다. 공격 사면에서의 침식 작용과 퇴적 사면에서의 퇴적 작용이 반복되면서 하천의 유로가 바뀐다.

❹ 범람원의 형성 과정

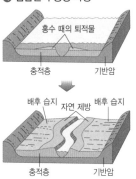

홍수 시 하천 범람에 의해 퇴적물이 주변에 쌓여 형성된다.

---

3. 하천 중·하류에 발달하는 지형 [자료 4]

(1) 자유 곡류 하천❸

측방 침식은 하천 측면을 깎는 작용으로 하천 하류에서 활발해

① 평야를 곡류하는 하천으로 측방 침식이 우세하여 유로 변경이 자유로움

② 우각호*, 구하도*, 하중도* 등이 발달함

(2) 범람원❹

① 하천의 범람에 의해 운반된 물질이 쌓여 형성됨

② 자연 제방, 배후 습지로 구성됨

③ 자연 제방과 배후 습지의 특징

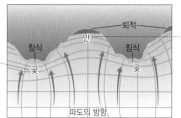

▲ 자유 곡류 하천과 범람원

구분	자연 제방	배후 습지
해발 고도	높음 → 취락 발달 유리	낮음 → 홍수 위험성 큼
토질	모래 중심 → 배수 양호	점토 중심 → 배수 불량
토지 이용	밭, 과수원	논 — 배수 시설 설치 후 논으로 이용해

— 토양의 성질을 의미해

(3) 삼각주: 하천 하구에서 유속의 감소로 토사가 쌓여 형성되는데, 조류에 의해 제거되는 토사의 양보다 하천이 공급한 토사의 양이 많은 곳에 잘 형성됨 — 우리나라 대하천은 대부분 황·남해로 유입하는데, 황·남해는 조차가 커서 조류가 퇴적물을 쓸어가기 때문에 삼각주 발달이 미약해

B 우리나라의 해안 지형

| 시·험·단·서 | 파랑, 연안류, 조류, 바람 등에 의해 만들어진 다양한 해안 지형에 대한 문제가 자주 출제돼!

1. 단조로운 동해안과 복잡한 서·남해안

동해안	해안선과 가까이 평행하게 뻗은 함경산맥과 태백산맥의 영향으로 해안선이 단조롭고 섬이 적음
서·남해안	• 산맥이 해안을 향해 뻗어 있고, 후빙기에 해수면이 상승하여 침수되었기 때문에 복잡한 리아스* 해안과 다도해를 이룸 • 산맥과 해안선이 교차하는 형태로 만나 높은 산지 부분은 곶이나 반도, 섬 등으로 남음

2. 곶과 만에서 발달하는 해안 지형

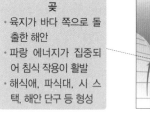

곶
• 육지가 바다 쪽으로 돌출한 해안
• 파랑 에너지가 집중되어 침식 작용이 활발
• 해식애, 파식대, 시 스택, 해안 단구 등 형성

만
• 바다가 육지 쪽으로 들어간 해안
• 파랑 에너지가 분산되어 퇴적 작용이 활발
• 사빈, 해안 사구, 석호, 갯벌 등 형성

3. 해안 침식 지형❺ [자료 5]

해식애	해안에 있는 산지나 구릉이 파랑 에너지에 의해 침식된 절벽
파식대	파랑의 침식으로 해식애 앞에 형성된 침식 평탄면
해식동(해식동굴)	해식애의 약한 틈이 파랑의 침식 작용을 받아 형성된 동굴
시 스택	파랑의 침식 작용으로 파식대에서 분리된 돌기둥
시 아치	해식동이 계속 침식되어 맞뚫릴 경우 생기는 아치 형태의 지형
해안 단구 [자료 6]	파식대가 지반의 융기나 해수면의 하강으로 파식대 형성 당시의 해수면보다 높아지면서 형성된 계단 모양의 지형

— 지반의 융기량이 많았던 동해안에 잘 발달해

❺ 해안 지형의 형성 요인

• 파랑: 곶에서는 파랑의 영향으로 침식 작용이 활발하여 암석 해안이 발달하고, 만에서는 퇴적 작용이 활발하여 모래 해안이나 갯벌 해안이 나타난다.
• 연안류: 해안을 따라 평행하게 이동하는 바닷물의 흐름을 말하며, 곶에서 침식된 물질이나 하천에서 공급된 모래와 자갈을 운반하여 퇴적 지형을 형성한다.
• 조류: 태양과 달의 인력에 의해 발생하는 바닷물의 흐름으로, 조차가 큰 해안에서는 조류에 의해 운반된 물질들이 연안에 퇴적되어 갯벌이 형성된다.

자료4 하천 중·하류의 지형 관련 문제 ▶ 71쪽 05, 06번

(가) 자유 곡류 하천(영산강 일대) (나) 범람원(금강 일대) (다) 삼각주(낙동강 일대)

자료·분석 • (가)—하천의 중·하류 지역에서는 측방 침식이 활발하여 평야 위를 자유롭게 흐르는 자유 곡류 하천이 발달하는데, 최근에는 농경지 보호, 홍수 피해 감소 등의 목적으로 직선화 사업이 진행되고 있다.

• (나)—범람원은 대부분 자연 제방과 배후 습지로 구성되는데, 자연 제방은 배수가 양호하여 밭, 과수원, 취락 등으로 이용되고, 배후 습지는 배수 시설을 갖춘 후 논으로 이용된다.

• (다)—삼각주는 우리나라에서 발달이 미약한 편이나 압록강과 낙동강 하구에 발달한 곳이 있다. 삼각주도 자연 제방과 배후 습지로 구성되는데, 자연 제방에는 취락이, 배후 습지에는 벼농사와 원예 농업이 활발하다.

한·줄·핵·심 하천 중·하류에는 측방 침식이 활발하여 자유 곡류 하천이 나타나며, 범람원, 삼각주와 같은 하천 퇴적 지형도 발달한다.

자료5 암석 해안의 다양한 지형

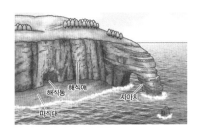

자료·분석 파랑의 작용이 활발한 곳에서는 주로 침식 지형이 나타난다. 해안에 위치한 구릉지가 파랑의 영향으로 침식되면 해식애가 형성되고, 그 전면에 평탄한 파식대가 형성된다. 파랑의 침식으로 해식애가 후퇴하면서 파식대는 점점 넓어지는데, 그 과정에서 침식을 견디고 남은 시 스택, 시 아치가 나타나기도 한다.

한·줄·핵·심 암석 해안에서는 파식대, 해식애, 시 아치 등의 지형이 형성된다.

자료6 동해안의 해안 단구

자료·분석 해안 단구는 파랑의 침식 작용으로 형성된 파식대가 지반의 융기와 해수면 하강에 의해 육지로 드러난 계단 모양의 지형을 말한다. 해안 단구는 융기량이 많았던 동해안에 잘 나타나며, 비교적 평탄하므로 마을이 형성되거나 농경지, 교통로 등으로 이용된다. 동해안의 정동진에는 해발 고도 75~80m에 해안 단구가 발달해 있다.

한·줄·핵·심 해안 단구는 지반 융기와 해수면 하강으로 형성된 계단 모양의 지형이다.

궁금해요

Q. 신생대 제4기 기후 변동과 범람원 지형은 어떤 관련이 있나요?

A. 범람원의 형성에는 후빙기 해수면 상승이 크게 영향을 미쳤어. 해수면이 상승하면 하천의 침식 기준면이 높아지기 때문에 하천 하류 지역에서 퇴적 작용이 활발해지는데, 이와 관련하여 하천 하류 일대에는 대규모 범람원이 만들어진 것이지.

용어 더하기

* **우각호**
하천이 유로를 변경하면서 형성된 소뿔 모양의 호수

* **구하도**
과거에는 하천이 흘렀지만 유로가 변경되어 현재는 하천이 흐르지 않는 곳

* **하중도**
하천의 유속 감소 혹은 유로 변경 과정에서 하천 바닥에 퇴적물이 쌓여 섬으로 남은 곳

* **리아스 해안**
육지의 침강 또는 해수면 상승으로 육지의 일부가 바닷속에 잠겨 이루어진 복잡한 해안

❻ 해안 사구의 역할

다양한 동식물의 서식지가 되며, 파도나 해일 피해를 완화해 주는 자연 방파제 역할을 한다. 사구 밑에는 모래에 의해 정수된 지하수가 고여 있다. 해안 사구에 방풍림을 조성하면 배후 농경지와 마을을 모래바람으로부터 보호하는 역할도 한다.

❼ 간척 사업에 따른 해안선의 길이 변화

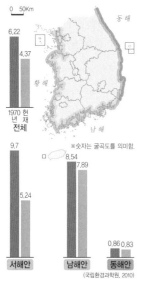

우리나라는 서·남해안의 굴곡이 심하다. 그러나 지난 100년간 매립과 도로 건설 등으로 해안선의 길이가 줄어들고 있다.

❽ 서해안의 항만 시설

서해안은 조차가 커서 갯벌이 발달하였지만, 항구 발달에는 불리하여 특수 시설을 설치한 항구가 있다.

▲ 갑문

▲ 뜬다리 부두

4. 해안 퇴적 지형

사빈	파랑에 의해 침식된 물질이나 하천에 의해 공급된 모래가 해안을 따라 퇴적된 지형
사주	사빈의 모래가 연안류를 따라 이동하여 길게 퇴적된 지형
해안 사구❻	사빈의 모래가 바람에 날려 배후에 퇴적된 지형으로 주로 서해안에 발달함 자료7
육계도	섬과 육지 사이의 얕은 바다에 모래가 퇴적하여 사주를 형성하고, 이 사주가 육지와 연결된 섬
석호 자료8	후빙기 해수면 상승으로 골짜기에 바닷물이 들어와 만이 형성되고, 만의 입구를 사주가 막아 형성된 호수
갯벌	하천에 의해 운반된 물질이 조류에 의해 퇴적되어 형성된 지형

└ 생태계의 보고이며, 오염 물질을 정화시키는 역할을 해

▲ 다양한 해안 지형의 모습

C 하천과 해안 지형의 이용 및 보존을 위한 노력

| 시·험·단·서 | 하천과 해안 지형을 인간이 이용함에 따라 발생하는 문제점에 대한 문제가 자주 출제돼!

1. 하천의 이용과 변화

(1) 하천 중·상류의 댐 건설: 물 자원 확보, 전력 생산 등의 목적으로 건설되었으나, 수몰 지역이 생겨나고 안개가 자주 발생하는 등 다양한 환경 문제가 나타남

(2) 하천 중·하류의 습지 개간: 범람원이 농지 확보를 위해 개간되면서 습지가 파괴되고 생태계 변화가 나타남

(3) 하천 하구의 하굿둑 건설: 용수 확보와 염해 방지를 위해 건설되면서 하천의 흐름을 막아 물 오염이 심해지기도 함

(4) 도시화에 따른 인공 하천화: 콘크리트 제방 공사와 직선화 사업으로 홍수 위험이 증가하고, 각종 시설 건설과 골재 채취 등으로 인해 하천 지형과 생태계가 파괴됨

2. 하천을 보존하기 위한 노력: 생태 공간으로 하천의 역할이 강조되면서 <u>자연 상태의 생태 하천</u>으로 복원하려는 노력이 활발히 진행되고 있음

동물과 식물 생태계가 잘 유지되고 있는 하천이야 ─┘
그래서 생태 하천으로의 복원이 중요해

3. 해안 지형의 이용과 변화

방조제를 건설하여 갯벌을 농경지, 공업 용지 등으로 이용하려는 사업이야 ─┐

(1) <u>간척 사업</u>❼**:** 서·남해안에서 진행된 대규모 간척 사업으로 국토의 면적은 확대되었지만, 갯벌이 감소하여 해양 생태계의 변화가 생겼으며 어족 자원이 감소하였음

(2) 각종 시설❽ **및 관광지 개발:** 방조제와 방파제·해안 도로 등의 각종 시설물이 해안 지형을 크게 변화시켰으며, 사빈과 해안 사구·석호 등이 교통로와 관광지 개발을 목적으로 훼손됨

─ 역간척 사업이라고도 해

4. 해안 지형을 보존하기 위한 노력: 갯벌 복원 사업, 모래 해안에서 모래가 침식되는 것을 막기 위해 모래 포집기 및 그로인 설치, 환경 영향 평가 실시 등을 하고 있음

자료7 해안 사구의 형성

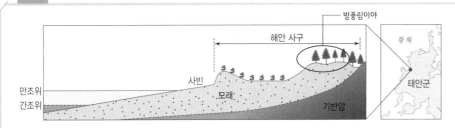

▲ 해안 퇴적 지형의 모식도

자·료·분·석 만에서는 조류, 파랑과 연안류, 바람의 퇴적 작용으로 다양한 지형이 형성된다. 조류의 작용으로 점토 등이 쌓이면 갯벌이 된다. 해안 사구는 파랑에 의해 이동한 사빈이 계절풍이나 해풍 등에 의해 사빈의 배후 지역으로 이동하여 언덕 모양을 이룬 곳이다.

한·줄·핵·심 해안 사구는 바람의 퇴적 작용으로 형성된 지형이다.

자료8 석호의 형성과 변화

〈석호의 형성 과정〉

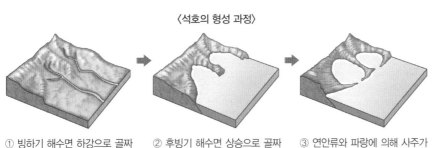

① 빙하기 해수면 하강으로 골짜기 형성

② 후빙기 해수면 상승으로 골짜기 침수

③ 연안류와 파랑에 의해 사주가 성장하여 석호 형성

석호 ▶
지형도

◀ 석호의
변화

자·료·분·석 • 석호의 형성: 빙기에 해수면의 하강으로 하천이 만든 골짜기가 형성된다. 이후 후빙기에 해수면이 상승하면서 골짜기가 침수되어 만이 형성된다. 그리고 연안류와 파랑의 퇴적 작용에 의해 만의 전면부에 사주가 점차 발달하면서 석호가 형성되는 것이다.
• 석호의 이용: 석호로 유입되는 하천이 토사를 퇴적시키면서 시간이 경과하면 석호의 규모는 점차 축소되어 사라지기도 한다. 석호는 동해 바다, 사빈, 해안 사구 등과 어우러져 관광 자원으로 각광받고 있다.

한·줄·핵·심 석호는 만의 입구를 사주가 막아서 형성된 호수이다.

? 궁금해요

Q. 서해안에는 왜 석호가 잘 발달하지 못하나요?

A. 동해안에 석호가 잘 발달한 이유는 조차가 크지 않아 모래 둑이 쉽게 만들어지는 환경이 나타나기 때문이야. 서해안의 경우 밀물 때 바닷물이 육지로 들어왔다가 썰물 때 바닷물이 한꺼번에 빠져나가기 때문에 모래 둑이 잘 형성되지 않아. 하지만 서해안에 석호가 없었던 것은 아니야. 대부분 경작지를 확보하기 위해 간척해 버려서 지금은 볼 수 없지.

용어 더하기

* **방풍림**
바람이 불어오는 것을 막기 위해 조성한 숲

* **골재**
콘크리트나 모르타르(회나 시멘트에 모래를 섞고 물로 갠 것)를 만드는 데 쓰는 모래나 자갈 따위의 재료

* **모래 포집기**
해안 사구의 침식을 막기 위해 나무 울타리 형태로 만든 구조물

* **그로인**
바다 쪽으로 돌출된 인공 구조물로 주로 사빈에 설치하며, 모래 유실을 줄이는 데 목적이 있다.

하천 상류와 하류의 특징

개념풀 Guide 하천 상류와 하류에 발달하는 하천의 특징과 주변 지형에 대해 알아보자.

1. 하천 상·하류의 수위 변화와 퇴적 물질 구성 비율

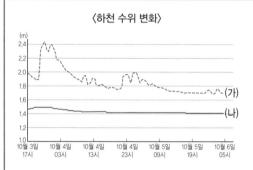

분석 • (가)는 하천의 하류로, 하천의 수위가 주기적으로 변화하며 퇴적 물질 중 실트·점토의 비율이 높은 지점이다. 조차가 큰 황해로 유입하는 하천의 하구 부근에서는 조석의 영향으로 하천 수위가 주기적으로 변화하거나 바닷물이 하천으로 역류하는 감조 구간이 나타난다.
• (나)는 하천의 상류로, 하천 수위가 거의 일정하며 퇴적 물질 중 자갈과 모래의 비율이 높으므로 하천 상류에 위치한 지점이다.
• A는 하천의 하류, B는 하천의 상류 지점이다.

2. 황·남해와 동해로 유입하는 하천의 비교

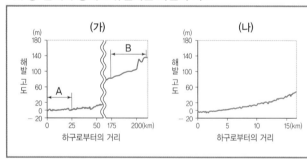

분석 (가), (나) 그래프는 태백산맥으로부터 황해와 동해로 흐르는 두 하천의 일부 구간 바닥 고도를 나타낸 것이다. (가)는 황해로 흐르는 하천이며, A는 하천의 하류, B는 하천의 상류를 나타낸다. (나)는 동해로 흐르는 하천이다. (가)는 하구로부터 50km 떨어진 지점의 해발 고도가 20m 내외에 불과하다. 반면, (나)는 하구로부터 거리가 15km 떨어진 지점의 해발 고도가 60m에 가깝다. 동해로 흐르는 하천은 유로가 짧고 경사가 급하고, 황해와 남해로 흐르는 하천은 유로가 길고 경사가 완만하다.

3. 하천 상·하류에 발달하는 하천과 지형 관련 문제 ▶ 74쪽 02번

하천의 퇴적 작용으로 형성된 충적 평야는 (㉠), (㉡), (㉢)이/가 있다. (㉠)은/는 산지와 평지가 만나는 골짜기 입구에 유속의 감소로 하천이 운반하던 물질이 쌓여 형성된 지형이다. (㉡)은/는 범람에 의해 하천의 양안에 운반된 물질이 쌓여 형성되며, (㉢)은/는 바다로 흘러드는 하천의 하구에 토사가 쌓여 형성된 지형이다. (㉡)와/과 (㉢)은/는 ㉣자연 제방과 ㉤배후 습지로 구성된다.

분석 ㉠은 선상지, ㉡은 범람원, ㉢은 삼각주이다.
• 선상지는 하천 중·상류 골짜기 입구에 형성되며, 주로 자갈과 모래로 이루어졌고 선정, 선앙, 선단으로 구성된다.
• 범람원은 하천의 범람에 의해 하천 양안에 형성되는 지형으로 하천의 범람이 상대적으로 잦은 하류에 대규모로 발달하며, 자연 제방(㉣)과 배후 습지(㉤)로 구성된다.
• 삼각주는 하천에 의한 퇴적물의 공급량이 많고, 하구의 경사가 완만하며, 파랑의 작용은 미약하고, 조차가 작은 지역에서 잘 발달한다.

이것만은 꼭!

→ **황·남해를 흐르는 하천**은 유로가 길고 경사가 완만하며, **동해로 흐르는 하천**은 유로가 짧고 경사가 급하다.
→ 하천 퇴적 작용에 의해 **중·상류**에는 **선상지**를, **중·하류**에는 **범람원**과 **삼각주**를 만든다.

해안 지형의 특징

개념풀 Guide 우리나라 해안에 발달하는 지형의 형성 과정과 특징을 알아보자.

1. 해안 침식 지형과 해안 퇴적 지형 관련 문제 ▶ 75쪽 05번

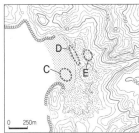

분석 • A는 해안 절벽과 내륙의 산지 사이에 위치한 완경사면이며, 밭으로 이용되므로 해안 단구이다.

• B는 해식애 앞쪽 바다에 위치한 작은 섬으로 차별 침식에 의해 육지에서 분리된 시 스택이다.

• C는 조류에 의해 점토가 퇴적되어 형성된 갯벌이다.

• D는 파랑과 연안류에 의해 모래가 퇴적되어 형성된 사빈이다.

• E는 바람에 의해 사빈의 모래가 이동하여 형성된 해안 사구로, 사빈의 배후에 위치하고 있으며, 사빈에 비해 고도가 상대적으로 높다.

2. 한반도 해안 지형의 형성 과정

우리나라의 동해안과 서·남해안은 서로 다른 특징을 보인다. 동해안은 비교적 ㉠ 단조로운 해안선이 나타나는 반면, 서·남해안은 해안선이 복잡하고 섬이 많이 분포한다. 파랑의 작용이 활발한 동해안은 ㉡ 암석 해안과 ㉢ 사빈 해안이 번갈아 나타난다. 서해안은 조수 간만의 차가 크고, 세계적인 규모의 ㉣ 갯벌이 발달해 있다.

분석 한반도 지형은 신생대 제3기 경동성 요곡 운동의 영향으로 현재와 같은 형태를 갖게 되었으며, 이로 인해 여러 지형들이 형성되었다. 경동성 요곡 운동은 동쪽에 치우쳐 융기한 지각 변동으로 동해로 흐르는 하천과 황해로 흐르는 하천의 크기와 길이가 달라지게 되었다. 즉, 황해로 흐르는 하천은 유로가 길고 유량이 풍부한 반면, 동해로 흐르는 하천은 유로가 짧고 하폭이 좁으며 유량이 적다. 따라서 하천에 의해 해안으로 공급되는 퇴적물의 경우 하천의 길이가 짧은 동해안이 평균 입자 크기가 큰 반면, 하천 길이가 긴 서해안은 평균 입자 크기가 작고 원마도가 크다.

3. 서해안의 해안 지형

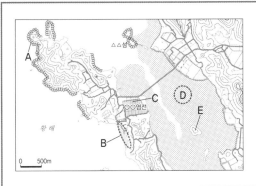

분석 • A는 파랑의 침식 작용으로 형성된 암석 해안, B는 파랑의 퇴적 작용으로 형성된 사빈, C는 갯벌에 방조제를 쌓은 후 형성된 염전, D는 조류의 퇴적 작용으로 형성된 갯벌, E는 갯벌로 둘러싸인 섬이다.

• 밀물 때 E는 바닷물로 둘러싸이고, D는 바다가 되지만, 썰물이 되면 E 주변과 D에는 갯벌이 드러나게 되며, E로부터 북쪽에 위치한 △△섬과도 갯벌로 연결된다. 퇴적물의 평균 입자 크기는 B의 사빈이 D의 갯벌보다 크다. C는 염전으로 방조제가 축조된 이후 조성되어 소금을 생산하고 있다. 염전은 강수량이 적고 증발량이 많은 지역, 그리고 조석 간만의 차가 큰 후미진 해안에 주로 입지한다.

이것만은 꼭!

지형 형성 작용	파랑의 침식 작용	파랑의 퇴적 작용	바람의 퇴적 작용	조류의 퇴적 작용	지반 융기 또는 해수면 변동
발달 지형	파식대, 해식애, 시 스택 등	사빈	해안 사구	갯벌	해안 단구

A 우리나라의 하천 지형

01 다음 (가)~(라) 지도를 보고, 물음에 답하시오.

(가)	(나)	(다)	(라)

 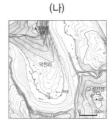  

(1) (가)~(라)에 나타난 지형을 〈보기〉에서 있는 대로 골라 기호를 쓰시오.

> 보 ㄱ. 범람원 　　　　 ㄴ. 선상지 　　　　 ㄷ. 침식 분지
> 기 ㄹ. 하안 단구 　　　 ㅁ. 감입 곡류 하천 　 ㅂ. 자유 곡류 하천

(가): (　　　　), (나): (　　　　), (다): (　　　　), (라): (　　　　)

(2) 알맞은 말에 ○표를 하시오.

　① (가)의 주변 산지는 대체로 (변성암, 화강암)으로 이루어져 있다.

　② (나)의 완경사지에서는 (둥근 자갈, 점토)을/를 발견할 수 있다.

　③ (다)의 지천리와 냉천리는 (선앙, 선단)에 위치한다.

　④ (라)에서는 (석호, 우각호)를 볼 수 있다.

B 우리나라의 해안 지형

02 다음 그림은 다양한 해안 지형을 나타낸 것이다. A~H 지형의 이름을 각각 쓰시오.

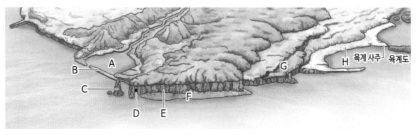

A: (　　　　), B: (　　　　), C: (　　　　), D: (　　　　)

E: (　　　　), F: (　　　　), G: (　　　　), H: (　　　　)

C 하천과 해안 지형의 이용 및 보존을 위한 노력

03 다음 내용이 옳으면 ○표, 틀리면 ×표를 하시오.

(1) 최근 생태 회복을 목적으로 직선화 사업을 하는 하천이 증가하고 있다. 　　　 (　　　)

(2) 서·남해안에서 진행된 대규모 간척 사업으로 해양 생태계가 보존되었다. 　　　 (　　　)

(3) 해안의 침식을 방지하기 위해 모래 포집기나 그로인을 설치하기도 한다. 　　　 (　　　)

A 우리나라의 하천 지형

01 그래프는 우리나라와 세계 주요 하천의 하상계수를 나타낸 것이다. 이를 통해 파악할 수 있는 우리나라 하천의 특징을 〈보기〉에서 고른 것은?

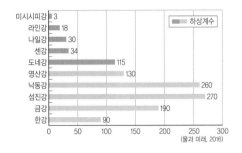

보기
- ㄱ. 유역 면적이 넓은 편이다.
- ㄴ. 계절별 유량 변동의 차이가 크다.
- ㄷ. 저수지, 댐, 보 등의 수리 시설이 필요하다.
- ㄹ. 하천 하구 일대에 넓은 삼각주가 발달하였다.

① ㄱ, ㄴ   ② ㄱ, ㄷ   ③ ㄴ, ㄷ
④ ㄴ, ㄹ   ⑤ ㄷ, ㄹ

02 다음 글의 ㉠~㉢과 관련된 옳은 설명을 〈보기〉에서 고른 것은?

하천은 여러 지류가 합쳐져 하나의 큰 본류를 이룬 후 바다로 빠져나가는데, 이 본류와 지류를 통틀어 ㉠ (이)라고 한다. ㉠ 을/를 통해 물이 모여드는 전체 범위를 하천 유역이라고 하며, 유역과 유역의 경계를 ㉡ (이)라고 한다. 하천은 일반적으로 상류에서 하류로 갈수록 ㉢ .

보기
- ㄱ. ㉠은 '하계망'에 해당한다.
- ㄴ. ㉡을 따라 감입 곡류 하천이 흐른다.
- ㄷ. ㉢에는 '하천의 폭이 넓어진다'가 들어갈 수 있다.
- ㄹ. ㉢에는 '하천 퇴적물의 원마도가 낮아진다'가 들어갈 수 있다.

① ㄱ, ㄴ   ② ㄱ, ㄷ   ③ ㄴ, ㄷ
④ ㄴ, ㄹ   ⑤ ㄷ, ㄹ

03 (가) 지형이 (나) 그림과 같은 과정을 통해 형성된다고 할 때, 이에 대한 설명으로 옳은 것은?

(가)   (나)

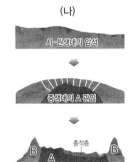

① (가)는 신생대 지반의 융기 작용으로 형성되었다.
② A는 B보다 풍화와 침식에 강하다.
③ B는 A보다 우리나라에 분포하는 면적이 넓다.
④ A는 변성암(편마암), B는 화강암이다.
⑤ 흙산의 기반암은 주로 A, 돌산의 기반암은 주로 B로 이루어져 있다.

04 지도에 나타난 지형에 대한 설명으로 옳은 것은?

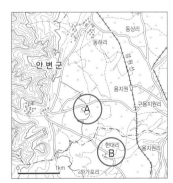

① 자연 제방과 배후 습지로 구성되어 있다.
② A에서는 하천이 복류하여 지표수가 부족하다.
③ B에서 집을 지을 때 터돋움을 하는 경우가 많다.
④ A는 B보다 용수 확보에 유리하다.
⑤ B는 A보다 퇴적물의 평균 입자 크기가 크다.

05 A, B 하천의 특색을 그림으로 나타낼 때 (가), (나)에 들어갈 내용으로 옳은 것은?

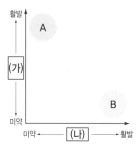

	(가)	(나)
①	하방 침식 작용	측방 침식 작용
②	하천 유로 변화	하방 침식 작용
③	측방 침식 작용	하방 침식 작용
④	측방 침식 작용	하천 유로 변화
⑤	하천 유로 변화	측방 침식 작용

06 (가), (나) 지도의 지형에 대한 설명으로 옳은 것은?

(가)   (나)

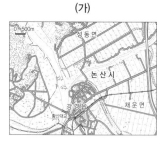 

① (가)의 소규모 하천은 하방 침식력이 우세하다.
② (나)의 퇴적 지형은 주로 자갈과 모래로 이루어져 있다.
③ (가)는 (나)보다 하천 하구와 가까운 곳에서 잘 발달한다.
④ (나)는 (가)보다 우리나라에서 널리 발달해 있다.
⑤ (가), (나) 모두 후빙기 해수면 상승 이후에 발달하였다.

B 우리나라의 해안 지형

07 (가) 해안과 비교한 (나) 해안의 상대적인 특징을 그림의 A~E에서 고른 것은?

(가)   (나)

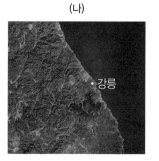

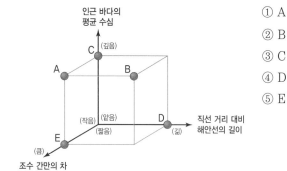

① A
② B
③ C
④ D
⑤ E

08 사진의 A~D 지형에 대한 옳은 설명만을 〈보기〉에서 있는 대로 고른 것은?

보기
ㄱ. A가 육지 쪽으로 후퇴하면 B는 넓어진다.
ㄴ. 지반이 융기하거나 해수면이 변동되면 B는 C가 된다.
ㄷ. A와 D의 절벽은 모두 해식애에 해당한다.
ㄹ. C는 최종 빙기의 극성기에 바다였다.

① ㄱ, ㄴ   ② ㄴ, ㄹ   ③ ㄷ, ㄹ
④ ㄱ, ㄴ, ㄷ   ⑤ ㄱ, ㄷ, ㄹ

09 사진의 호수에 대한 옳은 설명만을 〈보기〉에서 있는 대로 고른 것은?

<보기>
ㄱ. 호수가 바다 및 사주와 어우러져 관광 자원으로 활용된다.
ㄴ. 호수의 수면은 해수면보다 낮으며, 염분 농도는 바닷물보다 높다.
ㄷ. 호수로 유입되는 하천으로 인해 호수의 면적은 점차 커지고 있다.
ㄹ. 후빙기 해수면 상승으로 만들어진 만의 전면부에 사주가 발달하면서 형성되었다.

① ㄱ, ㄹ　　　② ㄴ, ㄹ　　　③ ㄴ, ㄷ
④ ㄱ, ㄴ, ㄷ　　⑤ ㄱ, ㄷ, ㄹ

C 하천 및 해안 지형의 이용 및 보존을 위한 노력

10 (가), (나)는 지도에 표시된 두 지역의 특수 항만 시설을 나타낸 것이다. (가), (나)와 관련된 서해안의 특징으로 옳은 것은?

(가)

(나)

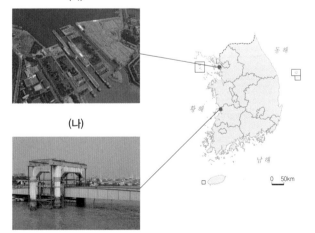

① 해안선이 단조롭다.
② 연안의 수심이 깊다.
③ 바람이 강하게 분다.
④ 조수 간만의 차가 크다.
⑤ 파랑과 연안류의 작용이 활발하다.

---

11 ㉠에 해당하는 적절한 사례를 〈보기〉에서 고른 것은?

해안의 이용은 단기적으로 경제적 이익과 편리함을 주지만, 장기적으로는 생태계에 악영향과 피해를 가져올 수 있다. 무분별한 해안의 개발로 해양 생태계가 파괴되고 있으며, 특히 해안에 설치한 시설물들은 해안 침식을 심화하여 해안 지형을 파괴하고 있다. 따라서 최근에는 ㉠ 해안의 보존을 위해 다양한 노력이 이루어지고 있다.

<보기>
ㄱ. 갯벌 복원 사업을 한다.
ㄴ. 해안 사구 위에 정착한 식생을 제거한다.
ㄷ. 해안을 따라 그로인이나 모래 포집기를 설치한다.
ㄹ. 하천 하구의 위치를 변경하여 퇴적물의 양을 조절한다.

① ㄱ, ㄴ　　　② ㄱ, ㄷ　　　③ ㄴ, ㄷ
④ ㄴ, ㄹ　　　⑤ ㄷ, ㄹ

서술형 문제

12 사진은 어느 해안 지역의 모습이다. A 구조물을 설치한 이유를 서술하시오.

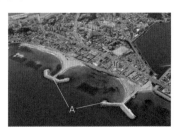

_____

도전! 실력 올리기

01 지도는 한강 유역을 나타낸 것이다. B와 비교한 A 지점의 특징으로 옳지 <u>않은</u> 것은?

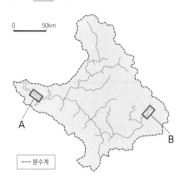

① 유량이 많다.
② 퇴적물이 많다.
③ 하천의 폭이 넓다.
④ 퇴적물의 평균 입자가 크다.
⑤ 하천 수위의 일 변동 폭이 크다.

수능 유형

03 (가), (나) 지역에 대한 설명으로 옳지 <u>않은</u> 것은? (단, (가), (나)는 동일한 하계망에 속함.)

(가)	(나)

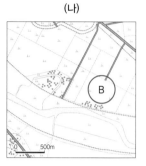

① 하천의 하방 침식은 (나)보다 (가)에서 활발하다.
② A는 과거에 하천의 유로였을 것이다.
③ B는 현재의 충적층이 빙기보다 두껍다.
④ A는 B보다 퇴적물의 평균 입자 크기가 작다.
⑤ B는 A보다 하천 범람의 위험이 크다.

수능 유형

02 다음 글의 ㉠~㉤에 대한 옳은 설명을 〈보기〉에서 고른 것은?

> 하천의 퇴적 작용으로 형성된 충적 평야에는 ㉠ , ㉡ , ㉢ 이/가 있다. ㉠ 은/는 산지와 평지가 만나는 골짜기 입구에 유속의 감소로 하천이 운반하던 물질이 쌓여 형성된 지형이다. ㉡ 은/는 범람에 의해 하천의 양안에 운반된 물질이 쌓여 형성되며, ㉢ 은/는 바다로 흘러드는 하천의 하구에 토사가 쌓여 형성된 지형이다. ㉡ 와/과 ㉢ 은/는 ㉣ 자연 제방과 ㉤ 배후 습지로 구성된다.

보기

ㄱ. ㉠의 선상에서는 하천이 복류(伏流)한다.
ㄴ. ㉡은 ㉢보다 우리나라에 널리 발달하였다.
ㄷ. ㉢은 ㉠보다 퇴적물의 평균 입자 크기가 크다.
ㄹ. ㉣은 주로 논, ㉤은 주로 밭과 과수원으로 이용된다.

① ㄱ, ㄴ   ② ㄱ, ㄷ   ③ ㄴ, ㄷ
④ ㄴ, ㄹ   ⑤ ㄷ, ㄹ

수능 기출

04 다음 자료는 두 지점의 하천 수위 변화와 퇴적 물질 구성 비율을 나타낸 것이다. 이에 대한 설명으로 옳은 것은? (단, (가), (나)는 지도의 A, B 지점 중 어느 하나에 해당됨.)

〈하천 수위 변화〉   〈퇴적 물질 구성 비율〉

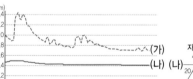
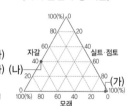
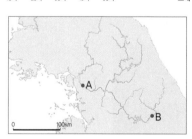

① (가)는 B, (나)는 A에 해당한다.
② (가)는 (나)보다 하방 침식이 우세하다.
③ (가)는 (나)보다 범람원의 면적이 좁다.
④ (가)는 (나)보다 퇴적 물질 중 자갈의 구성 비율이 높다.
⑤ (가)는 현재보다 최종 빙기에 조류의 영향을 적게 받았다.

수능 기출

05 지도의 A~E에 대한 설명으로 옳지 <u>않은</u> 것은?

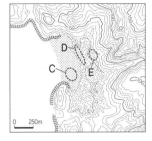

① A는 과거의 파식대가 융기된 지형이다.
② B는 해식애가 후퇴하면서 육지에서 분리된 지형이다.
③ C는 주로 조류에 의해 퇴적되는 지형이다.
④ D는 주로 파랑과 연안류의 퇴적 작용으로 만들어진 지형이다.
⑤ E는 C보다 퇴적물의 평균 입자 크기가 작다.

07 어느 도시에서 하천을 (가)에서 (나)로 바꾸는 사업을 실시할 때 나타날 것으로 예상되는 변화를 그래프의 A~E에서 고른 것은?

(가)   (나)

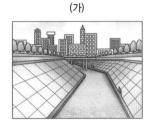
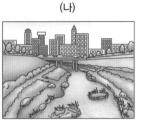

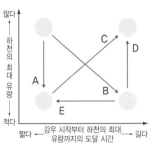

① A   ② B   ③ C   ④ D   ⑤ E

06 다음은 인터넷 검색 화면이다. (가)에 알맞은 지형을 그림의 A~E에서 고른 것은?

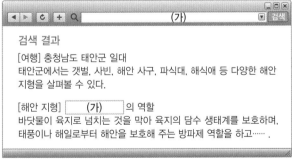

검색 결과
[여행] 충청남도 태안군 일대
태안군에서는 갯벌, 사빈, 해안 사구, 파식대, 해식애 등 다양한 해안 지형을 살펴볼 수 있다.

[해안 지형] __(가)__ 의 역할
바닷물이 육지로 넘치는 것을 막아 육지의 담수 생태계를 보호하며, 태풍이나 해일로부터 해안을 보호해 주는 방파제 역할을 하고…….

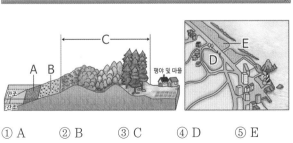

① A   ② B   ③ C   ④ D   ⑤ E

08 지도는 간척 사업에 따른 해안선의 길이 변화를 나타낸 것이다. 이러한 변화에 대한 설명으로 옳지 <u>않은</u> 것은?

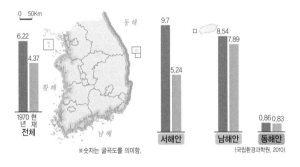

① 우리나라 전체 해안선의 길이가 짧아졌다.
② 현재 해안선이 가장 단조로운 해안은 동해안이다.
③ 해안선의 길이 변화가 가장 큰 해안은 서해안이다.
④ 굴곡도가 높은 해안일수록 간척 사업이 많이 진행되었다.
⑤ 해안의 굴곡도가 변화한 결과 영토 면적이 이전보다 좁아졌다.

❶ 제주도의 취락 형성

제주도는 절리가 많은 현무암이 기반암으로, 빗물이 지하로 쉽게 스며들기 때문에 지하수가 지표로 솟아오르는 해안가의 용천대에 취락이 집중한다.

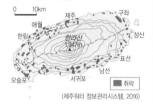

▲ 제주도의 용천대와 취락 분포

화산 지형의 이용

독특하고 다양한 지형 경관을 관광 자원으로 활용하고, 무기질이 풍부한 화산회토를 이용하여 농사를 짓는다.

카르스트 지형의 이용

• 관광 자원으로 활용: 지하에 형성된 자연 경관인 석회동굴은 관광지로 개발되었다.

• 시멘트 공업 발달: 석회암은 주로 시멘트를 만드는 원료와 제철 공업에 이용되지만, 석회암 채굴로 카르스트 지형이 훼손되고 분진과 소음 발생, 수질 오염 등의 문제가 나타나고 있다.

A 우리나라의 화산 지형

|시·험·단·서| 백두산, 제주도, 울릉도, 철원 용암 대지 등에서 발달한 화산 지형의 특징을 묻는 문제가 자주 출제돼!

1. 화산 지형의 형성

(1) 형성 원인: 지하 깊은 곳의 마그마와 가스가 지표로 분출하여 형성됨

(2) 우리나라 화산 지형의 형성: 대부분 신생대 제3기 말~제4기 초에 마그마의 분출로 다양한 화산 지형이 형성됨

2. 주요 화산 지형 자료1

백두산		• 유동성이 큰 현무암질 용암으로 형성된 넓은 용암 대지 위에 백두산이 형성되어 산 정상부를 제외하고 전체적으로 경사가 완만함 • 백두산 정상에는 화산 분화 이후 화구가 함몰된 곳에 생긴 칼데라에 물이 고인 칼데라호(천지)가 있음
제주도❶	한라산	• 현무암질 용암의 수차례 분출로 만들어진 방패 모양의 화산으로 정상부 일부는 종 모양의 화산으로 이루어짐 • 한라산 정상에는 화구에 물이 고여 형성된 화구호(백록담)가 있음
	기생 화산 (오름)	한라산의 산록부에 용암과 화산 쇄설물의 분출로 생긴 작은 화산들이 있음
	용암동굴	용암이 지표면을 흘러내릴 때 상층의 용암은 굳고, 하층 내부는 용암이 계속 흐르면서 동굴이 형성됨
	주상 절리	분출한 용암이 굳는 과정에서 수축이 일어나 다각형의 기둥 모양으로 형성된 절리임
울릉도		점성이 큰 조면암과 화산 쇄설물들로 이루어졌고, 경사가 급한 종 모양의 화산섬이며 이중 화산체임
독도		화산체의 대부분이 해저에 있으며, 해수면 위에 일부가 노출됨
철원−평강 용암 대지		유동성이 큰 현무암질 용암이 지각 운동으로 갈라진 지표면의 틈새를 따라 다량으로 분출하여 기존의 평야와 하천 등을 메워 형성된 대지임

└ 칼데라 분지 안에서 화산이 다시 분출하여 만들어진 화산체를 말해

B 우리나라의 카르스트 지형

|시·험·단·서| 우리나라에 분포하고 있는 카르스트 지형의 형성 과정과 분포를 묻는 문제가 자주 출제돼!

1. 카르스트 지형의 형성과 분포

(1) 형성 과정: 석회암의 주성분인 탄산 칼슘이 빗물과 지하수의 용식 작용을 받아 형성됨

(2) 분포: 고생대 초기의 조선 누층군에 발달하며, 평안남도, 강원도 남부, 충청북도 북동부, 경상북도 북부 일대에 분포함

2. 주요 카르스트 지형❷ 자료2

(1) 석회동굴: 지하로 침투한 빗물과 지하수에 석회암이 용식되고 난 후 지하수가 빠져나가면서 드러난 공간

(2) 돌리네: 석회암 지대에서 빗물이 지하로 스며드는 배수구 주변이 빗물에 용식되어 형성된 깔대기 모양의 오목한 지형

(3) 석회암 풍화토: 석회암이 용식되면서 석회암에 포함된 불순물이 녹지 않고 풍화되면서 형성된 붉은색의 토양

석회암이 용식되고 남은 철분 등이 산화되면 철이 녹이 슬어 붉은색이 되는 거야

❷ 카르스트 지형의 모식도

돌리네 우발레

종유석

석순 석주

자료1 **다양한 화산 지형** 관련 문제 ▶ 80쪽 01, 03번

(가) 제주도의 화산 지형

(나) 울릉도의 화산 지형

(다) 철원 일대의 용암 대지

▲ 오름

▲ 나리 분지

▲ 철원평야

자료·분·석 • (가)에서는 기생 화산의 모습을 확인할 수 있다. 기생 화산은 지형학적 용어로는 측화산
이지만, 제주도에선 '오름' 또는 '악'으로 불린다. 제주도에는 약 360여 개의 기생 화산이 분포한다.

• (나)에서는 울릉도의 칼데라 분지와 이중 화산의 형태를 확인할 수 있다. 섬의 북쪽 중앙부에 칼데라
분지인 나리 분지가 있고, 분지 안에서 알봉이 분화하여 이중 화산의 형태를 띠고 있다.

• (다)에서는 용암 대지 위에 형성된 철원평야를 확인할 수 있다. 철원평야는 하천의 퇴적 작용으로 형
성된 퇴적층으로, 수리 시설을 이용하여 논농사가 이루어진다.

▶ **한·줄·핵·심** 우리나라의 화산 지형은 제주도, 울릉도, 철원 등에 분포한다.

자료2 **카르스트 지형**

▲ 카르스트 지형

자료·분·석 석회암은 빗물이나 지하수의 용식 작용을 받아 지
표에는 돌리네, 지하에는 석회동굴과 같은 독특한 지형을 형성
한다. 돌리네의 내부에는 싱크홀이 발달하며, 빗물의 용식 작
용을 받고 남은 철분 등이 산화되어 붉은색을 띠는 석회암 풍
화토가 발달한다. 돌리네에서는 빗물이 잘 배수되기 때문에 지
표수가 부족하여 밭농사가 주로 이루어지며, 지역에 따라 마
늘, 고추 등의 작물을 재배한다.

한·줄·핵·심 석회암이 빗물이나 지하수의 용식 작용을 받아 카
르스트 지형이 형성된다.

화산 지형과 카르스트 지형

개념풀 Guide 화산 지형과 카르스트 지형의 독특한 지형 모습을 지형도, 단면도, 고문헌을 통해 알아보자.

1. 제주도와 석회암 지대의 특징 　관련 문제 ▶ 83쪽 06번

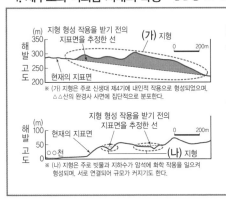

분석 (가) 지형은 한라산의 기생 화산, (나) 지형은 돌리네이다.

- (가) 지형은 신생대 제4기의 화산 활동에 의해 형성되었으며, 한라산의 완경사면(순상 화산체)에 집단적으로 분포한다. 지형 형성 작용을 받기 전 지표면보다 현재 지표면의 고도가 높아졌음을 알 수 있다.
- (나) 지형은 주로 빗물과 지하수가 암석에 용식 작용을 일으켜 형성되며 우발레로 커지기도 한다. 지형 형성 작용을 받기 전 지표면보다 현재 지표면의 고도가 낮아졌음을 알 수 있다. 기생 화산은 소규모 용암 분출이나 화산 쇄설물에 의해 형성되기 때문에 해발 고도를 높이는 역할을 하지만, 돌리네의 경우 기반암이 용식되면서 형성되는 오목한 형태의 와지이므로 해발 고도를 낮추는 역할을 한다.

2. 화산 지형과 카르스트 지형의 지형도 　관련 문제 ▶ 83쪽 07번

분석 • 왼쪽 지형도의 A는 유동성이 큰 현무암질 용암이 굳어 형성된 순상 화산체이며, B는 순상 화산체 위에서 소규모 용암 분출이나 화산 쇄설물이 쌓여 형성된 오름이다.

- 오른쪽 지형도는 돌리네(C)가 분포하는 것으로 보아 카르스트 지형이 발달한 석회암 지대임을 알 수 있다. 우리나라에서 석회암이 널리 분포하는 강원 남부와 충북 북부 일대는 경동성 요곡 운동에 의한 융기의 영향을 받은 곳들이 많기 때문에 감입 곡류 하천과 함께 발달하는 경우가 많다.

3. 고문헌에 나타난 우리나라의 화산 지형

(가) 비록 강원도에 딸렸으나 들판에 이루어진 고을로서 서쪽은 경기도 장단과 경계가 맞닿았다. 땅은 메마르나 들이 크고, 산이 낮아 평탄하며 …(중략)… 벌레 먹은 듯한 검은 돌이 있는데 매우 이상스럽다.

(나) 강원도 삼척부 바다 가운데 있다. 갠 날 높은 데 올라서 바라보면 혹 구름같이 보인다. …(중략)… 장한상이 함경도 안변에서 물의 흐름을 따라 배를 띄워 동남쪽을 향하다가 이틀 만에 비로소 큰 산이 바다 가운데서 솟아 있는 것을 발견하게 되었다. …(중략)… 아마도 이곳이 옛 우산국일 것이다.

(다) 바다 한복판에 있는 산 또한 기이한 곳이 많다. 산 위에 큰 못이 있는데 사람들이 시끄럽게 하면 갑자기 구름과 안개가 크게 일어난다. …(중략)… 옛 탐라국이며 …(중략)… 말을 산에다 놓아 먹여서 목장으로 만들었다. ─ 이중환, 「택리지」 ─

분석 (가)는 철원 지대, (나)는 울릉도, (다)는 제주도 지역이다. (가)의 '벌레 먹은 듯한 검은 돌'은 현무암이며, '들이 크고 산이 낮아 평탄하며'는 용암 대지를 표현한 것이다. (나)의 울릉도는 동해에서 큰 산이 솟아 있으며, 옛날에 우산국이라 불렸다. (다)의 제주도에서 '산 위에 큰 연못'은 백록담이며, 제주도는 말을 기르기 위한 목장이 있었고, 옛날에 탐라국이라 불렸다.

이것만은 꼭!

용암동굴	현무암	제주도	용암이 굳는 과정에서 형성	내부 구조가 단조로움
석회동굴	석회암	강원 남부, 충북 북동부 등	석회암이 용식되어 형성	내부 구조가 복잡함

A 우리나라의 화산 지형

01 (가)~(다) 지도를 보고, 물음에 답하시오.

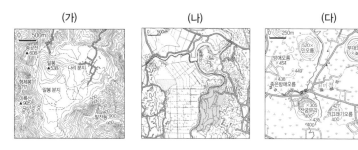

(1) (가)~(다) 지역의 이름을 〈보기〉에서 찾아 쓰시오.

보기 울릉도   제주도   철원-평강 용암 대지

(가): (   ), (나): (   ), (다): (   )

(2) 알맞은 말에 ◯표를 하시오.

① (가)의 (알봉, 나리 분지)은/는 화구의 함몰로 형성되었다.

② (나)의 논농사가 이루어지는 곳의 기반암은 (조면암, 현무암)이다.

③ (다)의 민오름은 (기생 화산, 주상 절리)이다.

B 우리나라의 카르스트 지형

02 지도를 보고, 물음에 답하시오.

(1) A 지형의 이름을 쓰시오.   (   )

(2) A 지형이 발달한 지역의 기반암을 쓰시오.
(   )

(3) A에서 볼 수 있는 토양의 이름과 그 토양의 색깔을 쓰시오.
(   )

(4) A 지형의 기반암이 원료가 되는 대표적인 공업을 쓰시오.
(   )

03 (가), (나) 동굴에 대한 설명의 알맞은 말에 ◯표를 하시오.

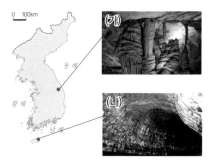

(1) (가)는 (석회, 용암)동굴이고, (나)는 (석회, 용암) 동굴이다.

(2) (가)의 기반암은 (석회암, 현무암)이고, (나)의 기반암은 (석회암, 현무암)이다.

(3) 동굴의 내부 구조는 ((가), (나))가 더 복잡하다.

(4) (가)는 지하수의 (용식, 침식) 작용으로 형성되었다.

A 우리나라의 화산 지형

01 (가), (나)와 같은 지형이 나타나는 지역을 지도의 A~C에서 골라 바르게 연결한 것은?

(가)

(나)

	(가)	(나)
①	A	B
②	A	C
③	B	A
④	C	A
⑤	C	B

02 ㉠, ㉡ 산지와 그 주변 지역에 대한 옳은 설명을 〈보기〉에서 고른 것은?

- ㉠ 와/과 그 주변에 분포하는 용암 대지는 우리나라에서 가장 넓은 면적의 화산 지대로, 현무암의 넓은 용암 대지 위에 백두산, 대연지봉, 남포대산, 북포대산 등 화산체들이 줄지어 솟아 있다.
- ㉡ 은/는 현무암질 용암이 여러 차례 분출하여 이루어진 방패 모양의 화산이나 정상부 일부는 종 모양의 화산을 이루고 있다. 산허리에는 '오름'이라고 불리는 많은 기생 화산이 형성되어 있다.

보기
- ㄱ. ㉠은 ㉡보다 주변부에 용암 동굴이 널리 분포한다.
- ㄴ. ㉡은 ㉠보다 최고봉의 해발 고도가 높다.
- ㄷ. ㉠에는 칼데라호, ㉡에는 화구호가 위치한다.
- ㄹ. ㉠, ㉡ 모두 신생대에 형성되었다.

① ㄱ, ㄴ　　② ㄱ, ㄷ　　③ ㄴ, ㄷ
④ ㄴ, ㄹ　　⑤ ㄷ, ㄹ

03 다음 글은 택리지의 일부이다. ㉠에서 볼 수 있는 지형과 ㉡의 암석을 바르게 연결한 것은?

철원부는 …(중략)… 토지가 비록 척박하나 큰 들과 작은 산이 모두 평활하고 맑고 아름답고, 두 강 안쪽에 있으면서도 또한 두메 가운데에 한 도회를 이룬다. 그러나 들 가운데를 흐르는 내는 ㉠절벽을 이루어 매우 깊고, 그 연안에 쌓은 ㉡검은 돌은 마치 벌레 먹은 것 같다.

▲ 택리지에 표현된 지역

	㉠	㉡
①	돌리네	현무암
②	돌리네	조면암
③	칼데라	현무암
④	주상 절리	조면암
⑤	주상 절리	현무암

04 지도는 제주도의 일부를 나타낸 것이다. 이에 대한 옳은 설명을 〈보기〉에서 고른 것은?

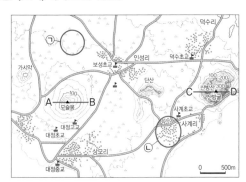

보기
- ㄱ. ㉠은 지표수가 부족하여 밭으로 이용된다.
- ㄴ. ㉡은 용천대를 따라 발달한 촌락이다.
- ㄷ. A–B가 C–D보다 평균 경사도가 크다.
- ㄹ. 인근 동굴에는 종유석과 석순이 잘 발달해 있다.

① ㄱ, ㄴ　　② ㄱ, ㄷ　　③ ㄴ, ㄷ
④ ㄴ, ㄹ　　⑤ ㄷ, ㄹ

B 우리나라의 카르스트 지형

05 그림은 어느 지형의 모식도를 나타낸 것이다. 이에 대한 설명으로 옳지 <u>않은</u> 것은?

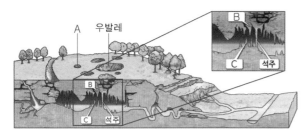

① A의 내부에는 싱크홀이 나타나기도 한다.
② A의 내부에서는 붉은색의 토양을 볼 수 있다.
③ B는 종유석, C는 석순이다.
④ 이 지형은 고생대 평안 누층군 지층에서 발달한다.
⑤ 동굴은 기반암이 지하수의 용식 작용을 받아 형성되었다.

07 지도는 어느 암석의 분포를 나타낸 것이다. 이 암석과 관련된 경관을 나타낼 때 (가)에 들어갈 사진의 모습으로 옳은 것은?

① 산지로 둘러싸인 넓은 평지의 모습
② 밭의 둘레에 검은색 돌로 쌓은 돌담의 모습
③ 파헤친 밭에서 둥근 자갈이 나타나 있는 모습
④ 깔때기 모양으로 패인 웅덩이들이 모여 있는 모습
⑤ 해발 고도가 높은 구릉지에서 배추를 재배하는 모습

06 다음 지형과 산업 시설을 관찰할 수 있는 지역을 지도의 A~E에서 고른 것은?

▲ 고수 동굴

▲ 시멘트 공장

① A
② B
③ C
④ D
⑤ E

서술형 문제

08 지도를 보고, 물음에 답하시오.

(1) A, B 지형의 이름을 각각 쓰시오.

A: (　　　　　　　), B: (　　　　　　　　　)

(2) A, B의 와지가 형성된 원인을 각각 서술하시오.

도전! 실력 올리기

01 지도의 A~D에 대한 옳은 설명만을 있는 대로 고른 것은?

A. 유동성이 작은 현무암질 용암이 굳어져 형성되었다.

B. 기반암이 현무암이지만 관개를 통해 벼농사가 이루어진다.

C. 화산의 중턱에 용암과 화산 쇄설물이 분출하여 형성되었다.

D. 비가 내릴 때에만 물이 흐르는 건천(乾川)이다

① A, D　　　② B, C　　　③ B, D

④ A, B, C　　⑤ A, C, D

수능 유형

02 자료는 (가) 동굴의 위치와 단면을 나타낸 것이다. 이 동굴에 대한 설명으로 옳은 것은?

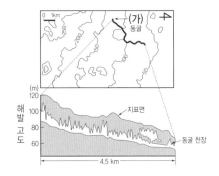

① 카르스트 지형의 일부를 이룬다.

② 동굴을 이루는 암석은 퇴적암에 속한다.

③ 동굴 내부에서는 종유석과 석순을 잘 볼 수 있다.

④ 지표면과 땅속 용암의 냉각 속도 차이에 의해 형성되었다.

⑤ 점성이 큰 용암이 굳으면서 만들어진 종상 화산체에서 잘 발달한다.

03 (가)는 지도에 표시된 지역의 지형도이다. 이에 대한 설명으로 옳은 것은?

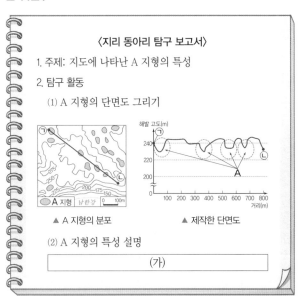

① 기반암은 변성암의 한 종류이다.

② 지표수가 풍부하여 논농사가 이루어진다.

③ 와지는 빗물의 용식 작용으로 형성되었다.

④ 기반암의 영향을 받은 토양은 흑갈색을 띤다.

⑤ 지하에 발달한 동굴의 바닥은 평평한 형태이다.

수능 유형

04 다음 자료의 (가)에 들어갈 적절한 내용을 〈보기〉에서 고른 것은?

〈지리 동아리 탐구 보고서〉

1. 주제: 지도에 나타난 A 지형의 특성

2. 탐구 활동

(1) A 지형의 단면도 그리기

▲ A 지형의 분포　　▲ 제작한 단면도

(2) A 지형의 특성 설명

(가)

〈보기〉

ㄱ. 토양이 붉은색을 이룬다.

ㄴ. 화산 폭발로 형성되었다.

ㄷ. 밭농사가 주로 이루어진다.

ㄹ. 지표의 기복이 점차 작아진다.

① ㄱ, ㄴ　　② ㄱ, ㄷ　　③ ㄴ, ㄷ

④ ㄴ, ㄹ　　⑤ ㄷ, ㄹ

05 지도의 A~C에 대한 옳은 설명을 〈보기〉에서 고른 것은?

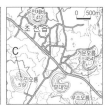

> 보기
> ㄱ. A는 화구의 함몰로 형성된 칼데라호이다.
> ㄴ. B는 빗물의 용식 작용으로 형성된 돌리네이다.
> ㄷ. C는 기생 화산의 정상부에 있는 분화구이다.
> ㄹ. 와지의 기반암 형성 시기는 C가 B보다 이르다.

① ㄱ, ㄴ   ② ㄱ, ㄷ   ③ ㄴ, ㄷ
④ ㄴ, ㄹ   ⑤ ㄷ, ㄹ

수능 기출

06 (가), (나) 지형이 나타난 지역의 공통적인 특징으로 옳은 것은?

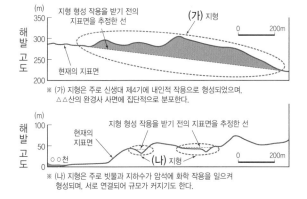

※ (가) 지형은 주로 신생대 제4기에 내인적 작용으로 형성되었으며, △△산의 완경사 사면에 집단적으로 분포한다.

※ (나) 지형은 주로 빗물과 지하수가 암석에 화학 작용을 일으켜 형성되며, 서로 연결되어 규모가 커지기도 한다.

① 기반암의 특성으로 인해 건천이 나타난다.
② 기반암이 용식되어 형성된 동굴이 나타난다.
③ 분화구에 물이 고여 형성된 호수가 나타난다.
④ 기반암이 풍화되어 주로 검은색의 토양이 나타난다.
⑤ (가), (나) 지형의 형성은 해발 고도를 높이는 작용을 한다.

07 지도의 A~C에 대한 옳은 설명만을 〈보기〉에서 있는 대로 고른 것은?

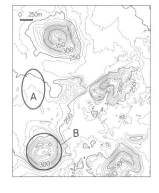

> 보기
> ㄱ. A는 C보다 붉은색의 간대 토양이 널리 분포한다.
> ㄴ. A와 B는 용암의 열하 분출에 의해 형성되었다.
> ㄷ. A는 신생대 화성암, C는 고생대 퇴적암이 기반암을 이룬다.
> ㄹ. A와 C에서는 논농사보다 밭농사가 주로 이루어진다.

① ㄱ, ㄴ   ② ㄱ, ㄷ   ③ ㄷ, ㄹ
④ ㄱ, ㄴ, ㄹ   ⑤ ㄴ, ㄷ, ㄹ

08 다음 자료는 답사 기록의 일부이다. ㉠~㉤에 대한 설명으로 옳은 것은?

1일차	• 양구군－높은 곳에 올라서 내려다보니 마치 커다란 그릇처럼 생긴 ㉠분지 지형이 눈에 들어왔다. • 속초시－㉡설악산에 도착해 등산로를 따라 걷다 보니 뾰족하게 솟아오른 밝은색의 암석들이 보였다. • 강릉시－숙소에서 내려다본 ㉢바다와 연결된 호수에는 달이 비치고 있었다.
2일차	• 동해시－잔잔한 파도가 오르내리는 ㉣모래사장을 걸으며 친구들과 사진을 찍었다. • 삼척시－한참을 걸어 올라 ㉤동굴 입구에 도착하자 종류석과 석순에 대한 안내판이 눈에 띄었다.

① ㉠의 중앙부는 편마암, 주변부는 화강암이 주를 이룬다.
② ㉡은 신생대 화산 활동으로 형성되었다.
③ ㉢은 후빙기 해수면 상승 이후 형성되었다.
④ ㉣은 바람의 침식 작용으로 형성되었다.
⑤ ㉤은 용암의 냉각 속도 차이에 의해 형성되었다.

01
한반도의 형성과 산지 지형

A 한반도의 암석 분포와 지체 구조

시·원생대	• 평북·개마 지괴, 경기 지괴, 영남 지괴 형성 • 지반이 안정적이고, 변성암(편마암)이 분포함
고생대	평남 분지, 옥천 습곡대 → 하부에 조선 누층군(해성층) 형성, 상부에 평안 누층군(육성층) 형성
중생대	• 경상 분지 → 경상 누층군(육성층) 형성 • 공룡 발자국, 뼈·알 화석 발견
신생대	• 두만 지괴, 길주−명천 지괴 형성 • 현무암 분포

B 한반도의 지형 형성 과정

(1) 중생대의 지각 변동

송림 변동	중생대 초 랴오둥 방향의 지질 구조선 형성
대보 조산 운동	중생대 중기 중국 방향의 지질 구조선이 형성, 대보 화강암 관입
불국사 변동	영남 지방 중심으로 불국사 화강암 관입

(2) 신생대의 지각 변동

경동성 요곡 운동	신생대 제3기, 동해안에 치우친 비대칭 융기 운동으로 함경산맥, 태백산맥 등 형성
화산 활동	신생대 제3기 말～제4기 초 제주도, 울릉도 등 형성

C 산지 지형의 형성과 특징

(1) 1차 산맥과 2차 산맥

1차 산맥	경동성 요곡 운동으로 형성 예 함경·낭림·태백산맥
2차 산맥	중생대 지각 운동 이후 차별 침식으로 형성 예 묘향·차령산맥

(2) 고위 평탄면: 경동성 요곡 운동으로 대관령 등에 형성

(3) 흙산과 돌산

흙산	시·원생대 변성암(편마암)으로 이루어진 산지
돌산	중생대 화강암으로 이루어진 산지

02
하천 지형과 해안 지형

A 우리나라의 하천 지형

(1) 하천 중·상류의 지형

감입 곡류 하천	• 산지 사이를 곡류하며 흐르는 하천 • 신생대 지반 융기의 영향으로 형성
하안 단구	• 감입 곡류 하천 주변에 발달하는 계단 모양의 지형 • 신생대 지반 융기의 영향으로 형성

(2) 하천 중·하류의 지형

자유 곡류 하천	• 평야 위를 곡류하며 흐르는 하천 • 측방 침식을 통해 유로 변경이 자유로움
범람원	• 하천의 범람으로 형성 • 자연 제방은 모래 중심(밭농사), 배후 습지는 점토 중심(논농사)으로 구성
삼각주	하구에 하천이 운반하는 토사가 쌓여 형성

B 우리나라의 해안 지형

(1) 해안 침식 지형

파식대	파랑의 침식 작용으로 형성된 완경사면
해식애	파랑의 침식 작용으로 형성된 해안 절벽
해안 단구	파식대 또는 해안 퇴적 지형이 지반의 융기나 해수면 변동에 의해 형성

(2) 해안 퇴적 지형

해안 사구	• 사빈의 모래가 바람에 날려 배후에 퇴적되어 형성 • 방풍림 조성, 지하수 저장
석호	• 후빙기 해수면 상승으로 형성된 만의 입구에 사주가 발달하여 형성된 호수 • 하천의 퇴적 작용으로 축소 및 소멸

C 하천과 해안 지형의 이용 및 보존을 위한 노력

(1) 하천의 이용 및 보존 노력: 댐·하굿둑 건설, 하천 직선화 등 → 생태 하천으로 복원 노력

(2) 해안의 이용 및 보존 노력: 간척 사업, 항구 건설 → 갯벌 복원 사업, 모래 포집기 및 그로인 설치 등

03
화산 지형과 카르스트 지형

A 우리나라의 화산 지형

백두산		• 유동성이 큰 현무암질의 용암으로 형성된 넓은 용암 대지 위에 백두산이 형성 • 산 정상부를 제외하고 전체적으로 완경사
제주도	한라산	현무암질 용암의 수차례 분출로 만들어진 방패 모양의 화산으로, 정상부 일부는 종 모양의 화산
	기생화산	한라산의 산록부에 용암과 화산 쇄설물의 분출로 생긴 작은 화산
	용암동굴	용암이 지표면을 흘러내릴 때 상층의 용암은 굳고, 하층 내부는 용암이 계속 흐르면서 동굴 형성
	주상절리	분출한 용암이 굳는 과정에서 수축이 일어나 다각형의 기둥 모양으로 형성된 절리
울릉도		점성이 큰 조면암과 화산 쇄설물들이 경사가 급한 종 모양으로 형성된 화산섬이며, 이중 화산체임
철원-평강 용암 대지		유동성이 큰 현무암질 용암이 지각 운동으로 갈라진 지표면의 틈새를 따라 다량으로 분출하여 기존의 평야와 하천 등을 메워 형성

B 우리나라의 카르스트 지형

형성	석회암의 주성분인 탄산 칼슘이 빗물이나 지하수의 용식 작용을 받아 형성
분포	고생대 초기의 조선 누층군이 분포하는 강원도 남부, 충북 북동부 등
주요 지형	• 돌리네: 석회암의 용식 작용으로 형성된 움푹 파인 땅, 싱크홀(낙수혈) 발달, 밭농사 • 석회동굴: 석회암의 용식 작용으로 형성된 동굴, 석순·종유석·석주 발달
석회암 풍화토	석회암이 용식된 후 남은 철분 등이 산화되어 형성된 붉은색의 토양
산업	• 관광 산업: 지하에 형성된 자연 경관인 석회동굴을 관광지로 개발 • 시멘트 공업: 시멘트의 주원료인 석회암을 이용하여 발달

자, 핵심 키워드도 모았겠다! 문제 풀러 가자!!!

01 그림의 두 제품의 가장 중요한 원료로 이용되는 암석을 그래프의 A~E에서 고른 것은?

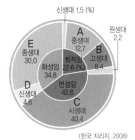

신생대 1.5 (%)
원생대 2.2
A 중생대 12.7
B 고생대 8.4
퇴적암 22.6 (%)
변성암 42.6
E 중생대 30.0
화성암 34.8
D 신생대 4.8
C 시생대 40.4

(한국 지리지, 2008)

① A
② B
③ C
④ D
⑤ E

02 (가)~(다) 지도는 지질 시대별 지체 구조와 암석의 분포를 나타낸 것이다. 이에 대한 설명으로 옳은 것은?

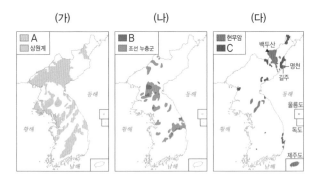

(가) / (나) / (다)

A / 상원계
B / 조선 누층군
현무암 / C

① A를 기반암으로 하는 산지는 대체로 돌산을 이룬다.
② B는 조선 누층군보다 퇴적된 시기가 대체로 이르다.
③ C에는 갈탄이 매장되어 있다.
④ B는 화성암, C는 퇴적암에 해당한다.
⑤ 오래된 지질 시대부터 나열하면 (다) → (나) → (가) 순이다.

03 지도는 최종 빙기와 후빙기의 해안선 변화를 나타낸 것이다. 이에 대한 옳은 설명을 〈보기〉에서 고른 것은?

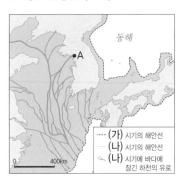

동해
·A

----- (가) 시기의 해안선
—— (나) 시기의 해안선
0 400km
⤹ (나) 시기에 바다에 잠긴 하천의 유로

보기

ㄱ. (가) 시기의 A에서는 범람원이 형성된다.
ㄴ. (나) 시기의 A에서는 바닷물이 역류하는 현상이 나타난다.
ㄷ. (가) 시기는 (나) 시기보다 기온이 낮고 강수량이 적다.
ㄹ. (나) 시기는 (가) 시기보다 물리적 풍화 작용이 활발하다.

① ㄱ, ㄴ　　② ㄱ, ㄷ　　③ ㄴ, ㄷ
④ ㄴ, ㄹ　　⑤ ㄷ, ㄹ

04 (가), (나)에 해당하는 산을 지도의 A~D에서 골라 바르게 연결한 것은?

(가) 이 산은 돌로 된 봉우리가 한없이 맑고 수려하여 마치 만 개의 불길이 하늘로 올라가는 것 같고, …(중략)… 천석이 있었으나 산성을 쌓을 때 모두 깎아서 평탄해졌다.

(나) 이 산은 백두산 줄기가 끝나면서 생긴 산으로 일명 두류산(頭流山)이라고도 한다. …(중략)… 흙이 두텁고 비옥해서 온 산이 사람 살기에 적당하다.

동해
A(837m) ▲　B(984m) ▲
황해
▲C(1915m)
남해
□ ▲D(1950m)　0 50km

	(가)	(나)
①	A	B
②	A	C
③	B	C
④	B	D
⑤	C	D

05 지도는 우리나라 주요 하천 유역을 나타낸 것이다. 이에 대한 설명으로 옳은 것은?

① A에 떨어진 빗물은 금강으로 유입된다.
② B는 하구보다 발원지와의 거리가 가깝다.
③ 영산강은 한강보다 하천 유역이 넓다.
④ 대규모 하천은 주로 동해로 유입된다.
⑤ 다목적 댐이 건설되면 하천의 하상계수가 커진다.

06 지도의 A~C와 관련이 깊은 내용을 〈보기〉에서 골라 바르게 연결한 것은?

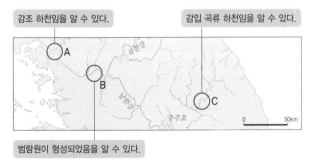

ㄱ. 굽이치는 하천 가까이에 절벽이 나타난다.
ㄴ. 겨울철 하천의 얼음이 상류 쪽으로 이동하고 있다.
ㄷ. 옛 신문 기사에 홍수 발생에 따른 침수 기록이 많다.

	A	B	C		A	B	C
①	ㄱ	ㄴ	ㄷ	②	ㄱ	ㄷ	ㄴ
③	ㄴ	ㄱ	ㄷ	④	ㄴ	ㄷ	ㄱ
⑤	ㄷ	ㄴ	ㄱ				

07 (가), (나) 지형도에 표시된 지역에서 나타나는 지형을 그림의 A~D에서 골라 바르게 연결한 것은?

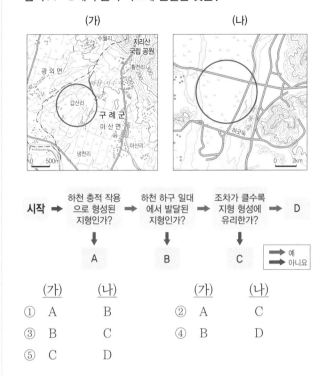

	(가)	(나)		(가)	(나)
①	A	B	②	A	C
③	B	C	④	B	D
⑤	C	D			

08 지도의 A, B 지형에 대한 옳은 설명을 〈보기〉에서 고른 것은?

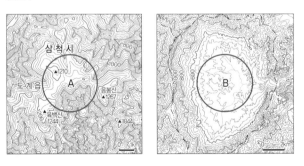

ㄱ. A는 중생대 지각 변동의 영향으로 형성되었다.
ㄴ. B의 기반암은 주변 기반암에 비해 침식에 약하다.
ㄷ. A는 B보다 하계망 발달에 유리하다.
ㄹ. B는 A보다 일교차가 큰 날 안개가 잘 발생한다.

① ㄱ, ㄴ   ② ㄱ, ㄷ   ③ ㄴ, ㄷ
④ ㄴ, ㄹ   ⑤ ㄷ, ㄹ

09 사진과 같은 해안 지형에 대한 설명으로 옳지 <u>않은</u> 것은?

① 바다로 돌출된 지역에서 잘 발달한다.
② 육지와 바다 사이의 생태적 완충지 역할을 한다.
③ 북서 계절풍이 강한 서해안에서 발달이 탁월하다.
④ 지형을 구성하는 물질은 사빈에서 이동해 온 것이다.
⑤ 지형에 포함된 지하수는 해안가의 식수원으로 사용된다.

11 지도의 A~E에 대한 설명으로 옳지 <u>않은</u> 것은?

① A는 수리 시설을 바탕으로 논농사가 이루어지고 있다.
② B는 고생대 퇴적암으로 이루어져 있다.
③ E는 용암, 화산 쇄설물 등의 분출로 형성된 기생 화산이다.
④ C는 D보다 하천의 평균 유량이 많다.
⑤ C, D 모두 하천 양안에 절벽이 발달하였다.

10 사진의 (가), (나) 산에 대한 옳은 설명만을 〈보기〉에서 있는 대로 고른 것은?

(가) 백두산   (나) 한라산

보기
ㄱ. (가), (나) 모두 신생대 화산 활동으로 형성되었다.
ㄴ. (가)의 최고봉은 (나)의 최고봉보다 해발 고도가 높다.
ㄷ. (가), (나)의 산정부는 모두 현무암으로 이루어져 있다.
ㄹ. (가)의 호수는 칼데라호이고, (나)의 호수는 화구호이다.

① ㄱ, ㄴ   ② ㄱ, ㄷ   ③ ㄷ, ㄹ
④ ㄱ, ㄴ, ㄹ   ⑤ ㄴ, ㄷ, ㄹ

12 지도의 A, B 동굴에 대한 설명으로 옳은 것은?

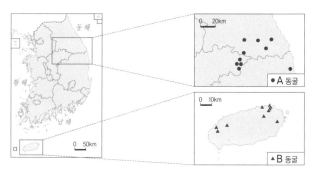

① 기반암의 형성 시기는 A보다 B가 이르다.
② 지하수면의 높이는 A보다 B의 형성에 더 크게 작용한다.
③ 동굴 내부 구조의 복잡한 정도는 B보다 A가 크다.
④ A는 신생대 지층, B는 고생대 지층에 주로 분포한다.
⑤ A 주변에는 흑갈색 토양, B 주변에는 붉은색 토양이 주로 나타난다.

13 자료를 보고, 물음에 답하시오.

▲ 매봉산 일대(강원도 태백)　　▲ 배추밭(강원도 태백)

(1) 자료에 나타난 지형의 이름을 쓰시오.

(　　　　　　　　)

(2) 사진의 배추밭에서 배추를 수확하는 시기와 관련하여 이 지역의 채소 생산이 지니는 경쟁력에 대해 서술하시오.

　　────────────────────

　　────────────────────

　　────────────────────

14 (가)는 지도에 표시된 지역의 단면도이다. 이를 보고 물음에 답하시오.

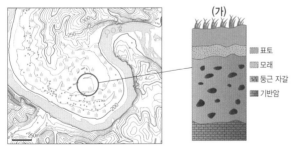

(1) 지도에 표시된 지역에서 볼 수 있는 지형의 이름을 쓰시오.

(　　　　　　　　)

(2) (가)에서 둥근 자갈이 나타나는 이유를 지도에 표시된 지역의 지형 형성 과정과 관련지어 서술하시오.

　　────────────────────

　　────────────────────

　　────────────────────

15 지도를 보고, 물음에 답하시오.

(1) A, B 지형의 이름을 각각 쓰시오.

A: (　　　　　　), B: (　　　　　　)

(2) A 지형의 이용과 B 지형의 해양 생태계 관련 기능을 서술하시오.

　　────────────────────

　　────────────────────

　　────────────────────

16 다음 글은 어느 지형에 대한 설명이다. 이를 보고, 물음에 답하시오.

관서 지방에서는 '덕', 강원도 평창에서는 '구단', 삼척에서는 '움밭', 충북 단양에서는 '못밭'으로, 곳에 따라 불리는 이름이 다르다. 평면의 모양은 타원형이며, 지름은 수 미터에서 수백 미터, 깊이는 1미터 미만에서 100여 미터까지 다양하다. 강원도 정선군의 백복령 부근에는 이와 같은 ⓐ 이/가 원시 상태로 밀집해 있다.

(1) ⓐ에 해당하는 지형의 이름을 쓰시오.

(　　　　　　　　)

(2) ⓐ의 토양 특징과 농업적 토지 이용에 대해 서술하시오.

　　────────────────────

　　────────────────────

III
기후 환경과 인간 생활

배울 내용 한눈에 보기

01 우리나라의 기후와 주민 생활

기후 특성
- 기온 → 냉·온대 기후 / 대륙성 기후
- 강수 → 여름철 집중
- 바람 → 계절풍 기후

주민 생활
- 기온 → 온돌, 대청마루
- 강수 → 터돋움집, 저수지, 우데기
- 바람 → 까대기, 풍력 발전

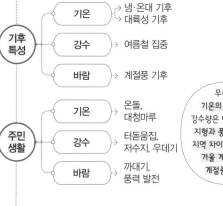

우리나라는 기온의 연교차가 커. 강수량은 여름에 집중되고 지형과 풍향의 영향으로 지역 차이도 크지. 바람은 겨울 계절풍이 여름 계절풍보다 강해.

02 자연재해와 기후 변화

자연재해
- 태풍 → 남부 지방, 여름~초가을
- 호우 → 중부 지방, 여름
- 대설 → 강원·호남 지방, 겨울
- 지진과 화산 활동

기후 변화
- 기온 → 지구 온난화
- 강수 → 강수 일 감소, 집중 호우 빈번

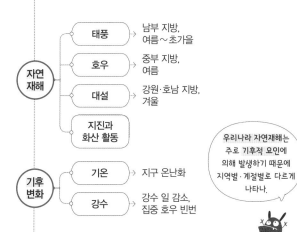

우리나라 자연재해는 주로 기후적 요인에 의해 발생하기 때문에 지역별·계절별로 다르게 나타나.

01 ∿ 우리나라의 기후와 주민 생활

핵심 질문으로 흐름잡기

A 기후 요인이 기후 요소에 미치는 영향은?

B 우리나라의 기온, 강수, 바람의 특성은?

C 우리나라의 계절별 기후 특성은?

D 기후가 주민 생활에 미치는 영향은?

A 기후의 이해와 우리나라의 기후 특성

| 시·험·단·서 | 위도, 해발 고도, 지형 등 기후 요인에 의한 우리나라의 기후 특성에 대한 문제가 자주 출제돼!

1. 기후*의 이해

(1) 기후 요소와 기후 요인

① **기후 요소**: 기후를 구성하는 대기 현상으로 기온, 강수, 바람 등이 있음

② **기후 요인**: 기후 요소의 지역적 차이에 영향을 주는 요인으로 위도, 수륙 분포, 해발 고도, 지형 등이 있음

(2) 기후 요인이 기후 요소에 미치는 영향

위도❶	• 저위도 지역은 태양의 고도가 높아서 기온이 높음 • 고위도로 갈수록 태양의 고도가 낮아지면서 태양 복사 에너지의 양이 줄어들어 기온이 낮아짐
수륙 분포	육지와 바다의 비열 차에 의해 같은 위도상의 내륙 지역은 해안 지역보다 기온의 연교차*가 큼❷
해발 고도	해발 고도가 높아질수록 기온은 낮아지는데, 고도가 높은 산지 지역은 여름에도 서늘하며, 늦가을부터 눈이 내리기도 함
지형 지형은 강수에 큰 영향을 주지	• 일반적으로 산지 지역은 평야 지역보다 강수량이 많음 • 산지 지역 중에서도 비구름이 상승하는 바람받이 사면은 강수량이 많은 반면, 바람그늘 사면은 강수량이 적음 습기를 머금은 공기가 산의 사면을 타고 올라갈 때 비나 눈이 내리게 돼 지형성 강수 ▶ 지표면

└─ 이 밖에 해류, 기단, 전선 등도 기후 요소에 영향을 주는 기후 요인이야

2. 우리나라의 기후 특성

(1) **계절의 변화가 뚜렷한 냉·온대 기후**: 북반구 중위도에 위치하여 태양의 고도가 높은 시기에 태양 복사 에너지의 양이 늘어나 여름이 되고, 태양의 고도가 낮은 시기에 겨울이 됨

(2) **기온의 연교차가 큰 대륙성 기후***: 중위도 대륙의 동쪽에 위치하여 대륙의 서안보다 겨울에는 기온이 낮고, 여름에는 기온이 높음 자료1

(3) **계절에 따라 다른 바람의 영향을 받는 계절풍 기후**: 겨울에는 한랭 건조한 북서 계절풍이 불어오고, 여름에는 고온 다습한 남서·남동 계절풍이 불어옴

B 우리나라의 기후 요소별 특성

| 시·험·단·서 | 우리나라의 기온, 강수, 바람의 지역적 차이에 대한 문제가 자주 출제돼!

┌─ 우리나라의 기온은 남에서 북쪽으로 갈수록,
해안에서 내륙으로 갈수록 대체로 낮아져

동해안은 태백산맥과 함경산맥이 차가운 북서 계절풍을 막아 주고 동해의 수온이 황해의 수온보다 높기 때문이야

1. 우리나라의 기온 특성 자료2

남북 차	국토가 남북으로 길어서 남북 간의 기온 차이가 크며, 위도의 영향으로 남쪽에서 북쪽으로 갈수록 기온이 낮아짐
동서 차	여름철보다는 겨울철에 동서 간의 기온 차이가 크고, 겨울철에 비슷한 위도에서 동해안이 서해안보다 기온이 높음
연교차	• 쉽게 가열되고 냉각되는 내륙 지역이 해안 지역보다 기온의 연교차가 크며, 서해안 지역이 동해안 지역보다 큼 • 남해안에서 북부 내륙 지역으로 갈수록 큼
일교차	봄과 가을의 맑은 날에 크고, 장마철에 작음

---

❶ 위도와 태양 복사 에너지

태양 광선을 비스듬히 받음   **고위도**   90°N(북극)
저온   60°N
태양 광선을 **중위도**   베르호얀스크
약간 비스듬히 받음   -15.3℃   30°N
태양 광선을 **저위도**   고온   상하이   0°
수직에 가깝게 받음   16.2℃
방콕   28.4℃   30°S

※각 도시의 기온은 연평균 기온이며,
1961~1990년 평균값임.   (기상청, 2016)

태양과 지표면이 이루는 각은 저위도에서 고위도로 갈수록 작아진다. 이로 인해 저위도 지역에서 고위도 지역으로 갈수록 햇빛이 넓은 면적에 분산되어 단위 면적에 도달하는 태양 복사 에너지의 양은 줄어든다.

❷ 육지와 바다의 비열차

육지는 바다에 비해 비열이 작기 때문에 쉽게 가열되고 냉각된다. 여름에는 가열되어 기온이 높은 육지에서 상승 기류가 발생하고, 반대쪽의 바다에서는 하강 기류가 발생하여 바다에서 육지 쪽으로 바람이 분다. 겨울에는 반대로 육지에서 바다 쪽으로 바람이 분다.

시험에 잘 나오는 자료

자료1 대륙 서안과 대륙 동안의 기후 관련 문제 ▶ 100쪽 02번

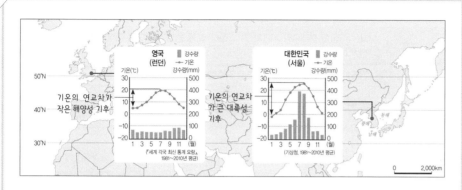

자료·분석 · 런던은 서울보다 고위도에 위치하지만 겨울에 기온이 높고 강수량이 많다. 이는 런던이 대륙 서안에 위치하여 바다로부터 불어오는 편서풍의 영향을 받기 때문이다.

· 서울은 런던보다 겨울 기온이 낮고 강수량이 적다. 이는 서울이 대륙 동안에 위치하여 대륙으로부터 차고 건조한 북서 계절풍의 영향을 받기 때문이다.

한·줄·핵·심 대륙 동안은 대륙의 영향을 크게 받아 기온의 연교차가 큰 대륙성 기후가 나타난다.

자료2 1월 평균 기온과 8월 평균 기온

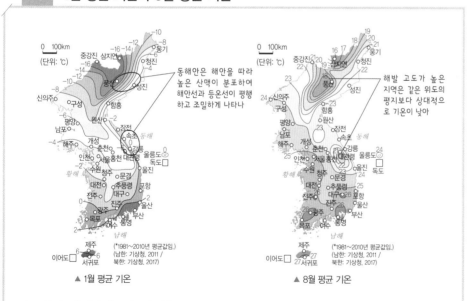

▲ 1월 평균 기온　　　　▲ 8월 평균 기온

자료·분석 우리나라는 여름과 겨울 모두 기온의 남북 차가 기온의 동서 차보다 크게 나타나며, 겨울(1월)이 여름(8월)보다 기온의 지역 차이가 크다.

· 1월 평균 기온의 경우 남쪽의 서귀포와 북쪽 중강진의 기온 차이가 약 22 ℃이다.

· 8월 평균 기온의 경우 남쪽의 서귀포와 북쪽 중강진의 기온 차이가 약 6 ℃이다.

한·줄·핵·심 우리나라는 겨울(1월)이 여름(8월)보다 기온의 남북 차가 크다.

❓ 궁금해요

Q. 기온은 항상 해발 고도가 높아질수록 낮아지나요?

A. 일반적으로 해발 고도가 높아질수록 기온이 낮아져. 하지만 산으로 둘러싸인 분지에서는 차가운 공기가 분지 내에 집적되어 지표면보다 상층부 기온이 더 높은 기온 역전 현상이 나타나기도 해.

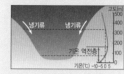

▲ 기온 역전 현상

용어 더하기

* **기후**
어떤 장소에서 오랜 기간에 걸쳐 나타나는 대기 현상의 종합적이고 평균적인 상태를 말한다.

* **기온의 연교차**
최난월 평균 기온과 최한월 평균 기온의 차이를 말한다.

* **대륙성 기후**
대륙의 영향을 많이 받아 여름과 겨울의 기온 차이가 큰 기후를 의미한다.

❸ 강수의 연 변동
여름철은 대체로 강수량이 많지만, 기단의 세력이나 장마 기간, 태풍 발생 정도에 따라 연 변동이 매우 크다. 강수량이 지나치게 많은 해에는 수해를 입고, 지나치게 적은 해에는 가뭄이 발생한다.

❹ 우리나라의 적설량

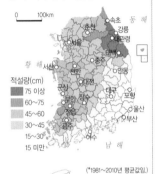

(*1981~2010년 평균값임.)
(기상청, 2012)

• 북동 기류와 산맥의 영향으로 울릉도, 영동 지방, 호남 지방은 강설량이 많다.
• 영남 지방의 남동 해안은 겨울에 비교적 따뜻하기 때문에 강설량이 적고, 제주도의 경우도 1월 강수량이 많은 편이지만 따뜻하기 때문에 강설량이 적다.

❺ 높새바람의 발생 원리

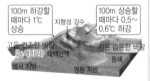

오호츠크해 기단은 고위도에 발달한 해양 기단으로 서늘한 바람을 불어 내는데, 이 바람이 태백산맥을 넘을 때 푄 현상이 일어나 고온 건조한 바람으로 바뀌게 된다.

2. 우리나라의 강수 특성 자료3

(1) 연평균 1,300mm 정도의 강수량: 세계적으로 볼 때 습윤 기후에 속함

(2) 강수의 큰 연 변동: 강수량의 계절차와 연 변동이 큰 편임 ❸

(3) 계절별 차이가 큰 강수 분포 자료3

여름	고온 다습한 북태평양 기단과 장마 전선, 태풍 등의 영향으로 대부분 지역에서 연 강수량의 절반 이상이 내림
겨울	건조한 시베리아 기단의 영향으로 강수량이 적은 편임

(4) 지역적 차이가 큰 강수 분포: 남쪽에서 북쪽으로 가면서 대체로 줄어들지만, 지형과 풍향 등의 영향으로 지역적 차이가 큰 편임

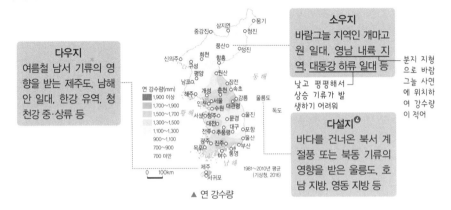

다우지
여름철 남서 기류의 영향을 받는 제주도, 남해안 일대, 한강 유역, 청천강 중·상류 등

소우지
바람그늘 지역인 개마고원 일대, 영남 내륙 지역, 대동강 하류 일대 등
낮고 평평해서 상승 기류가 발생하기 어려워

분지 지형으로 바람그늘 사면에 위치하여 강수량이 적어

다설지 ❹
바다를 건너온 북서 계절풍 또는 북동 기류의 영향을 받은 울릉도, 호남 지방, 영동 지방 등

▲ 연 강수량

3. 우리나라에 영향을 주는 바람의 특성

(1) 편서풍: 중위도의 편서풍대에 위치하고 있어 연중 서풍 계열의 바람이 우세함

(2) 계절풍 자료4

여름	북태평양 고기압의 영향으로 고온 다습한 남풍 계열의 바람이 불어옴
겨울	시베리아 고기압의 영향으로 한랭 건조한 북서풍이 불어옴

(3) 태풍: 필리핀 동부(열대) 해상에서 발생하여 주로 6~9월에 우리나라에 영향을 주는데, 강한 바람과 집중 호우를 동반하여 많은 인명 및 재산 피해가 발생함

(4) 높새바람❺: 영서 지방은 늦봄부터 초여름 사이에 북동풍이 태백산맥을 넘으며 푄 현상이 나타나 고온 건조해지는데, 이때의 고온 건조한 바람을 의미함
└─ 영서 지방에 이상 고온 현상과 가뭄 피해를 발생시키기도 해

C 계절에 따른 기후 특성

| 시·험·단·서 | 우리나라의 계절 변화에 영향을 미치는 기단에 대한 문제가 자주 출제돼!

1. 우리나라에 영향을 주는 기단

기단	성질	시기	영향
시베리아 기단	한랭 건조	겨울(늦가을~초봄)	한파, 삼한 사온, 꽃샘추위
오호츠크해 기단	냉량 습윤	늦봄~초여름	높새바람, 냉해, 장마 전선 형성
북태평양 기단	고온 다습	여름	무더위, 열대야, 장마 전선 형성
적도 기단	고온 다습	여름	태풍

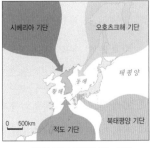

▲ 우리나라에 영향을 주는 기단

내용 이해를 돕는 팁

자료3 계절과 강수량

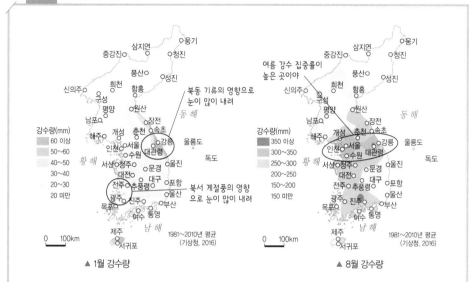

▲ 1월 강수량

▲ 8월 강수량

자료·분석 1월 강수량의 경우 시베리아 기단의 영향을 받아 전체적으로 강수량이 적지만, 울릉도, 영동 지방, 호남 지방은 강설량이 많다. 8월 강수량의 경우 북태평양 기단의 영향으로 강수량이 많으며, 대부분 지역에서 연 강수량의 50 % 이상이 여름에 집중한다.

한·줄·핵·심 겨울(1월)에는 건조한 시베리아 기단의 영향으로 대부분 지역에서 강수량이 적고, 여름(8월)에는 다습한 북태평양 기단의 영향으로 대부분 지역에서 강수량이 많다.

자료4 계절과 바람 관련 문제 ▶ 100쪽 04번, 117쪽 06번

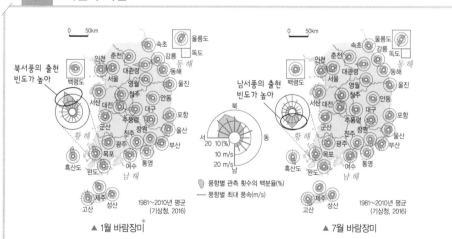

▲ 1월 바람장미

▲ 7월 바람장미

자료·분석 우리나라는 대륙과 해양의 비열 차에 의해 계절에 따라 풍향이 바뀌는 계절풍이 부는데, 여름보다 겨울에 뚜렷하다. 겨울(1월)에는 북서 계절풍이 강하게 불고, 여름(7월)에는 남서·남동 계절풍이 분다.

한·줄·핵·심 겨울에는 북서풍이 불고, 여름에는 남서·남동풍이 분다.

❓ 궁금해요

Q. 한여름에 주변에 큰 산맥도 없고 태풍이나 장마가 온 것도 아닌데, 갑자기 소나기가 내렸다가 그치는 것은 어떤 원리 때문인가요?

A. 우리나라 여름철의 소나기나 동남아시아의 스콜을 대류성 강수라고 해. 대류성 강수는 지면이 가열되면 대류 현상에 의해 강한 상승 기류가 형성되는데, 이때 나타나는 강수 현상이란다.

따뜻한 공기

▲ 대류성 강수

용어 더하기

* **장마 전선**
고온 다습한 북태평양 기단과 냉량 습윤한 오호츠크해 기단이 만나 형성하는 정체성이 강한 전선을 말한다.

* **남서 기류**
우리나라에 저기압이 통과하거나 전선이 걸려 있을 때, 북태평양 고기압에서 우리나라 쪽으로 유입되는 기류이다. 넓은 바다를 지나온 바람으로 습기가 매우 많아 집중 호우를 유발하기도 한다.

* **푄 현상**
습윤한 바람이 높은 산지를 넘으면서 고온 건조해지는 현상이다.

* **바람장미**
관측 지점에서 풍향별 출현 빈도와 최대 풍속을 방사 모양의 그래프로 나타낸 것. 동심원은 바람의 빈도, 막대의 방향은 풍향. 막대의 길이는 최대 풍속을 나타낸다.

❻ 황사 발생 지역과 이동 경로

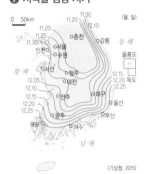

(기상청, 2016)

최근 중국 내륙의 사막화로 황사 발생 빈도가 높아지고 있다. 봄에는 황사 발생이 잦은데, 황사는 눈병과 호흡기 질환을 유발한다.

❼ 지역별 김장 시기

(기상청, 2015)

김장을 담그는 시기와 김치의 맛은 지역적으로 차이가 있었다. 기온이 낮은 북부 지방이 남부 지방에 비해 김장 시기가 빠르며, 비슷한 위도의 경우 내륙 지방이 해안 지방에 비해 김장 시기가 빠르다. 또한 겨울이 비교적 온화한 남부 지방은 김치가 쉽게 시어지기 때문에 짜고 맵게 담그며, 기온이 낮은 북부 지방은 싱겁고 담백하게 담근다.

기후와 경제생활

• 산업: 여름철 고온 다습한 기후와 겨울철 온화한 기후가 나타나는 남부 지방에서는 농업(벼농사) 발달에 유리하고, 맑고 건조한 날씨는 천일제염업에 유리하다. 해발 고도가 높아 서늘한 기후는 목축업과 고랭지 농업 발달에 유리하다.

• 지역 축제와 관광 산업: 지역의 기후 특색을 활용한 지역 축제가 전국 각지에 많이 개최되어 관광객을 모으고 있으며, 스키장은 겨울 스포츠를 즐기기 위한 관광객을 끌어모으고 있다.

2. 계절별 기후 특성

(1) 봄

① **심한 일기 변화**: 이동성 고기압과 저기압이 주기적으로 교차하면서 날씨 변화가 심함

② **꽃샘추위**: 이른 봄철 시베리아 기단의 일시적인 확장으로 반짝 추위 ┐ 이러한 이유로 봄철에 산불이 자주 발생하는 거야

③ **건조 현상**: 겨울보다 강수량이 많지만 기온이 높아 대기가 건조해짐

④ **황사 현상❻**: 중국 내륙 지역에서 발생한 황사 먼지가 편서풍을 타고 날아옴

(2) 여름

┌ 불쾌 지수가 높고, 식중독 발생의 우려가 있어

장마철	장마 전선이 북상하여 흐리거나 비가 내리는 경우가 많으며, 집중 호우가 내리기도 함
한여름	북태평양 기단의 확장 → 고온 다습한 날씨가 지속되면서 폭염·열대야가 발생하고, 강한 일사로 대류성 강수인 소나기가 내림 자료5

└ 일 최저 기온이 25℃ 이상인 날로, 열대의 밤처럼 기온이 높은 밤이라는 의미야

(3) 가을: 이동성 고기압의 영향으로 맑은 날씨가 지속되어 농작물의 결실과 수확에 도움을 줌

(4) 겨울: 시베리아 고기압의 영향으로 삼한 사온 현상*, 한파, 폭설 등이 나타남 자료5

└ 시베리아 고기압의 확장, 제트 기류의 약화로 북극 지방에서 찬공기가 남하하기 때문에 나타나는 거야

D 기후와 주민 생활

| 시·험·단·서 | 기온, 강수, 바람이 주민 생활에 미치는 영향에 대한 문제가 자주 출제돼!

1. 기온과 주민 생활

의생활	• 여름은 통풍이 잘되는 삼베나 모시 등으로 만든 옷을 입음 • 겨울은 보온에 유리한 동물의 털이나 가죽, 솜 등으로 만든 옷을 입음
식생활	• 겨울에는 작물 재배가 어려워 늦가을~초겨울에 김장을 담금 • 남에서 북으로 갈수록 김장 시기가 빨라지고 김장의 간은 싱거워지는 특성이 있음❼
주생활	• 겨울 추위에 대비한 온돌과 여름 더위에 대비한 마루가* 모두 나타남 • 전통 가옥의 구조와 형태는 지역의 기후 특색을 반영하여 지역 차가 뚜렷하게 나타남 자료6

┌ 중부·남부 지방에는 대청마루가 있어서 여름을 시원하게 보낼 수 있어

2. 강수와 주민 생활

다우지의 주민 생활	소우지의 주민 생활	다설지의 주민 생활
터돋움집	염전	투막집과 우데기
범람원에서는 집중 호우가 발생하면 터돋움집을 짓고, 하천 주변의 저지대에서는 제방과 배수 시설을 갖춤	강수량이 적고 일조 시간이 긴 대동강 하구 부근과 전남 해안 지역에서는 천일제염업이 발달하였음	눈이 많이 내리는 울릉도의 전통 가옥에는 생활 공간을 확보하기 위해 방설벽을 설치하였음

3. 바람과 주민 생활

(1) 강풍에 대비한 생활

① 강한 바람이 자주 부는 제주도의 전통 가옥은 그물로 엮은 지붕과 돌담을 설치함

② 호남 해안 지방은 바람과 눈이 들어오는 것을 막기 위해 까대기를 설치함

(2) 바람의 이용: 바람이 강한 해안 지역과 고지대는 풍력 발전에 유리함

(3) 배산임수 지역: 차가운 북서 계절풍을 막아 줌

자료5 겨울과 한여름의 기압 배치 관련 문제 ▶ 101쪽 08번, 117쪽 07번

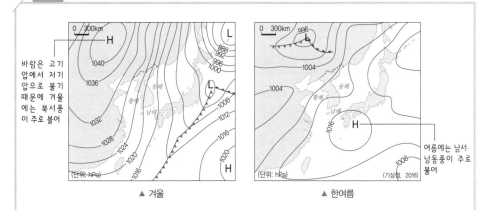

바람은 고기압에서 저기압으로 불기 때문에 겨울에는 북서풍이 주로 불어

여름에는 남서·남동풍이 주로 불어

▲ 겨울 ▲ 한여름
(단위: hPa) (기상청, 2016)

자료·분석 겨울에는 강력한 고기압이 대륙 내부에서 발달하고 바다에는 저기압이 형성되어 서고동저형 기압 배치가 나타난다. 한여름에는 강한 고기압이 북태평양에 위치하고 대륙 내부에 저기압이 발달하여 남고북저형의 기압 배치가 나타난다.

한·줄·핵·심 겨울에는 서고동저형, 여름에는 남고북저형의 기압 배치가 나타난다.

자료6 기후와 전통 가옥 관련 문제 ▶ 101쪽 07번, 117쪽 08번

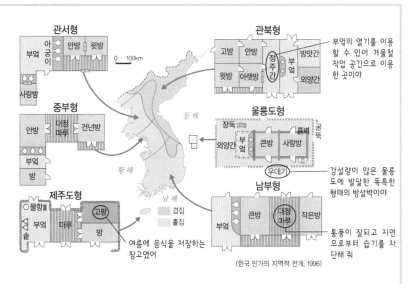

관서형
아궁이
부엌 안방 윗방
사랑방

중부형
안방 대청마루 건넌방
부엌
방

제주도형
물항
솥 마루 고팡
부엌 방

여름에 음식을 저장하는 창고였어

관북형
고방 안방 정주간 방앗간
윗방 아랫방 부엌 외양간

부엌의 열기를 이용할 수 있어 겨울철 작업 공간으로 이용한 곳이야

울릉도형
장독 흙벽 굴뚝
외양간 부엌 큰방 사랑방
우데기

강설량이 많은 울릉도에 발달한 독특한 형태의 방설벽이야

남부형
부엌 큰방 대청마루 작은방

통풍이 잘되고 지면으로부터 습기를 차단해 줘

겹집
홑집

동해
황해
남해

0 100km

(한국 민가의 지역적 전개, 1996)

자료·분석 겨울이 추운 지역은 추위에 대비한 가옥 구조가 나타나고, 겨울이 비교적 따뜻하고 여름이 덥고 습한 지역은 더위에 대비한 가옥 구조가 나타난다. 북동부 산간 지역은 겨울에 춥기 때문에 보온에 유리한 전(田)자형의 폐쇄적인 가옥 구조(겹집)가 나타난다. 남서부 평야 지역은 여름에 덥고 습하기 때문에 통풍에 유리한 일(一)자형의 개방적인 가옥 구조(홑집)가 나타난다.

한·줄·핵·심 북동부 산간 지역은 겨울 추위에 대비한 폐쇄적인 가옥 구조가 나타나고, 남서부 평야 지역은 여름 더위에 대비한 개방적인 가옥 구조가 나타난다.

❓ 궁금해요

Q. 섬이나 해안에서 또아리집이나 까대기를 볼 수 있다는데, 이름도 재미있는 이런 집들은 왜 짓는 것인가요?

A. 또아리집이나 까대기는 모두 겨울철의 북서 계절풍에 대비한 가옥이야. 또아리집은 'ㄷ'자 형태로 가옥을 짓고 마당에 지붕을 씌워 겨울철의 차가운 바람이 집안으로 들어오지 못하게 해. 까대기는 건물이나 담 등에 볏집이나 유리, 비닐 등을 덧대어 만들어 강한 북서풍을 막아 준단다.

▲ 또아리집

▲ 까대기

🌊 용어 더하기

* **삼한 사온 현상**
시베리아 고기압은 발달과 쇠퇴를 반복한다. 이로 인해 추위가 심한 날과 덜한 날이 교대로 나타나게 되어 3일은 춥고 4일은 따뜻하다는 뜻의 삼한 사온 현상이 발생하게 된다.

* **온돌**
우리나라 대부분 지역에서는 겨울철 추위를 이겨 내기 위해 아궁이에 불을 피워 방바닥을 데우는 온돌을 설치하였다.

우리나라의 기후 특성

개념풀 Guide 기후 요소와 기후 요인의 관계를 파악하고, 이를 통해 우리나라의 기후 특성을 알아보자.

1. 비슷한 위도의 지역별 기후 특성 관련 문제 ▶ 102쪽 02번

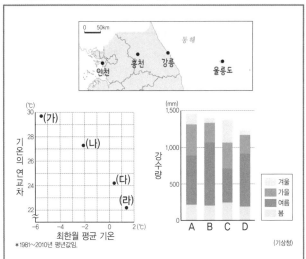

*1981~2010년 평년값임.

분석 기온의 연교차는 내륙 지역이 해안 지역보다 크다. 따라서 홍천>인천>강릉>울릉도 순으로 크다. 따라서 (가)는 홍천, (나)는 인천, (다)는 강릉, (라)는 울릉도임을 알 수 있다. 연 강수량은 강릉>홍천>울릉도>인천 순으로 많으며, 겨울철 강수량은 울릉도>강릉>홍천>인천 순으로 많다. 따라서 A는 강릉, B는 홍천, C는 울릉도, D는 인천임을 알 수 있다.

2. 기온과 강수량의 지역 차 관련 문제 ▶ 102쪽 03번

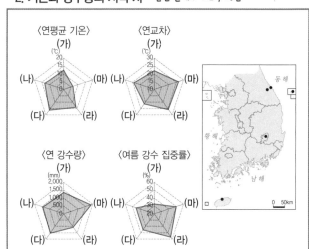

분석 제시된 지역은 대관령, 강릉, 울릉도, 대구, 제주이다. 연평균 기온은 (다)>(라)>(나)>(가)>(마), 연교차는 (마)>(라)>(나)>(가)>(다), 연 강수량은 (마)>(다)>(나)>(가)>(라), 여름 강수 집중률은 (라)>(마)>(다)>(나)>(가) 순으로 높다. 이러한 내용을 종합해 보면 (가)는 울릉도, (나)는 강릉, (다)는 제주, (라)는 대구, (마)는 대관령임을 알 수 있다.

3. 지역별 기후 자료 분석

구분		○월 상순	○월 중순	○월 하순
서울	평균 기온	−2.3	−2.4	−2.5
	강수량	8.7	7.1	5.0
청주	평균 기온	−2.2	−2.3	−2.5
	강수량	9.7	8.8	7.0
부산	평균 기온	3.6	3.2	2.7
	강수량	10.3	12.9	11.2

(단위: ℃, mm)

분석 서울의 1월 평균 기온은 −2.4℃, 청주의 1월 평균 기온은 −2.3℃, 부산의 1월 평균 기온은 3.2℃이다. 자료를 통해 ○월에 세 지역 모두 한 달 내내 기온이 1월 평균 기온과 비슷하게 나타났음을 알 수 있다. 또한 세 지역 모두 상순부터 하순까지의 강수량이 각각 10mm 내외로 강수량이 적었다. 이처럼 기온이 낮으며, 강수량이 적은 시기는 한랭 건조한 시베리아 기단의 영향을 받는 겨울이다.

4. 서해안과 동해안의 강수 특성

분석 A 구간과 B 구간은 비슷한 위도에 위치하는 두 지역을 연결한 것이다. A 구간의 시점은 평양, 종점은 원산이다. B 구간의 시점은 서울, 종점은 대관령이다. 연 강수량은 서해안이 동해안보다 적기 때문에 A 구간과 B 구간의 연 강수량은 시점이 종점보다 적다.

이것만은 꼭!

→ **기온의 연교차는 내륙 지역이 해안 지역보다 크고, 서해안이 동해안보다 크다.**

→ **겨울에는** 한랭 건조한 **시베리아 기단의 영향을** 받기 때문에 **기온이 낮고, 강수량이 적다.**

A 기후의 이해와 우리나라의 기후 특성

01 밑줄 친 부분을 바르게 고쳐 빈칸에 쓰시오.

(1) <u>기후 요인</u>은 기후를 구성하는 대기 현상을 말한다.　　（　　　　　　）

(2) 우리나라는 대륙의 동쪽에 위치하여 <u>해양성 기후</u>가 나타난다.（　　　　　　）

B 우리나라의 기후 요소별 특성

02 자료를 보고, 물음에 답하시오.

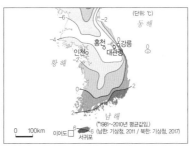

▲ 1월 평균 기온

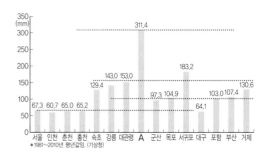

▲ 지역별 겨울 강수량

(1) 인천, 홍천, 대관령, 강릉을 1월 평균 기온이 높은 지역부터 순서대로 쓰시오.

（　　　　　　　　　　）

(2) 겨울 강수량이 가장 많은 A 지역을 쓰시오.　　（　　　　　　　　）

03 호남 지방 주요 도시의 바람장미를 나타낸 지도를 보고, 알맞은 말에 ○표를 하시오.

(가)　　　　　　(나)

(1) (가)는 (여름, 겨울), (나)는 (여름, 겨울)의 바람장미를 나타낸 것이다.

(2) (가)는 (북서, 남서·남동) 계절풍이 탁월하다.

(3) (나)는 (북서, 남서·남동) 계절풍이 탁월하다.

(4) (가)는 (나)보다 평균 풍속이 (강, 약)하다.

C 계절에 따른 기후 특성

04 알맞은 말에 ○표를 하시오.

(1) (장마철, 봄철)에는 기온의 일교차가 작게 나타난다.

(2) 한겨울에는 (서고동저, 남고북저)형의 기압 배치가 나타난다.

(3) 높새바람은 (오호츠크해, 시베리아) 기단의 영향으로 (영서, 영동) 지방에 부는 바람이다.

D 기후와 주민 생활

05 다음 내용이 옳으면 ○표, 틀리면 ×표를 하시오.

(1) 까대기는 울릉도의 전통 가옥에 설치된 외벽을 말한다.　　（　　　）

(2) 김장은 북부 지방이 남부 지방보다 담그는 시기가 늦다.　　（　　　）

(3) 홍수가 자주 발생하는 지역에서는 터돋움집을 짓는 경우가 있다.　　（　　　）

A 기후의 이해와 우리나라의 기후 특성

01 다음은 지학이가 수업 내용을 정리한 것이다. ㉠, ㉡에 들어갈 내용을 바르게 연결한 것은?

> 1. 기후 요소와 기후 요인
> • 기후 요소: (㉠)
> • 기후 요인: 위도, 수륙 분포, 해발 고도 등
> 2. 우리나라의 기후 특성
> • 계절의 변화가 뚜렷한 냉·온대 기후
> • 기온의 연교차가 큰 대륙성 기후
> • 계절에 따라 다른 바람의 영향을 받는 (㉡) 기후

	㉠	㉡
①	강수	편서풍
②	지형	편서풍
③	기온	계절풍
④	해류	계절풍
⑤	연교차	제트 기류

02 (가) 지역과 비교한 (나) 지역의 상대적 특징만을 〈보기〉에서 있는 대로 고른 것은? (단, (가), (나)는 런던, 서울 중 하나임.)

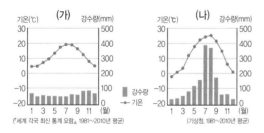

(가) (세계 각국 최신 통계 요람, 1981~2010년 평균)
(나) (기상청, 1981~2010년 평균)

> 보기
> ㄱ. 기온의 연교차가 크다.
> ㄴ. 하천 유량의 연 변화가 크다.
> ㄷ. 해양의 영향을 크게 받는다.
> ㄹ. 겨울에는 대륙에서 바람이 불어온다.

① ㄱ, ㄴ ② ㄴ, ㄷ ③ ㄷ, ㄹ
④ ㄱ, ㄴ, ㄹ ⑤ ㄴ, ㄷ, ㄹ

B 우리나라의 기후 요소별 특성

03 (가)~(다)에 해당하는 지역을 지도의 A~C에서 골라 바르게 연결한 것은?

> (가) 지형이 평탄하기 때문에 지형성 강수가 내리기 어려워 연 강수량이 적다.
> (나) 남서 계절풍이 불면, 바람그늘에 해당하고 연안에 한류가 흘러 여름에 강수량이 적다.
> (다) 북서 계절풍이 불 때 상대적으로 따뜻한 바다를 지나면서 눈구름이 형성되어 눈이 많이 내린다.

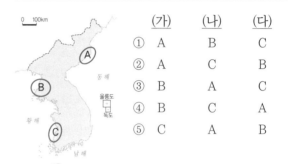

	(가)	(나)	(다)
①	A	B	C
②	A	C	B
③	B	A	C
④	B	C	A
⑤	C	A	B

04 (가), (나)와 같이 바람이 부는 시기에 대한 옳은 설명만을 〈보기〉에서 있는 대로 고른 것은? (단, (가), (나)는 1월, 7월 중 하나임.)

(가) (나)

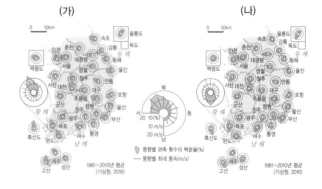

1981~2010년 평균 (기상청, 2016)

> 보기
> ㄱ. (가) 시기에는 한랭 건조한 바람이 분다.
> ㄴ. (나) 시기에는 고온 다습한 바람이 분다.
> ㄷ. (가) 시기에는 남서·남동풍이, (나) 시기에는 북서풍이 분다.
> ㄹ. (나)는 (가) 시기보다 계절풍의 속도가 대체로 세다.

① ㄱ, ㄴ ② ㄴ, ㄷ ③ ㄷ, ㄹ
④ ㄱ, ㄷ, ㄹ ⑤ ㄴ, ㄷ, ㄹ

C 계절에 따른 기후 특성

05 (가), (나) 계절의 특징으로 옳지 <u>않은</u> 것은?

(가)   (나)

① (가)에는 한랭 건조한 북서풍이 불어온다.

② (가)에는 대륙성 기단의 영향을 주로 받는다.

③ (가)에는 시베리아 고기압의 영향으로 서고동저형의 기압 배치가 나타난다.

④ (나)에는 이동성 고기압의 영향으로 맑은 날씨가 지속된다.

⑤ (나)에는 북태평양 기단의 확장으로 폭염과 열대야가 발생하기도 한다.

D 기후와 주민 생활

06 다음은 수행 평가지의 일부이다. ㉠~㉤ 중 감점을 받은 항목을 고른 것은?

> **[수행 평가지]**
> 3학년 ○○반 △△△
>
> ※ 기후와 주민 생활에 대한 물음에 답하시오.
> **1. 기온이 주민 생활에 영향을 미친 사례를 서술하시오.**
> ㉠ 남부 지방은 북부 지방보다 김장을 하는 시기가 늦다.
> ㉡ 대청마루는 북부 지방보다 남부 지방의 전통 가옥에서 잘 나타난다.
> **2. 강수가 주민 생활에 영향을 미친 사례를 서술하시오.**
> ㉢ 울릉도의 전통 가옥에는 방설벽인 우데기가 설치되어 있다.
> ㉣ 범람원에서 집을 지을 때는 터를 돋우고 그 위에 집을 지었다.
> **3. 바람이 주민 생활에 영향을 미친 사례를 서술하시오.**
> ㉤ 대동강 하류와 전남 서해안에는 천일제염업이 발달하였다.

① ㉠   ② ㉡   ③ ㉢   ④ ㉣   ⑤ ㉤

07 (가), (나)는 우리나라 전통 가옥 구조이다. 이에 대한 설명으로 옳은 것은?

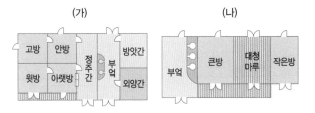

① (가)는 주로 연 강수량이 많은 지역에 분포한다.

② (나)는 주로 겨울에 눈이 많이 내리는 지역에 분포한다.

③ (가)는 (나)보다 개방적이다.

④ (나)는 (가)보다 보온에 유리하다.

⑤ (가)는 겹집, (나)는 홑집 형태의 가옥 구조가 나타난다.

> **서술형 문제**

08 (가), (나)는 어느 계절에 전형적으로 나타나는 일기도이다. 이를 보고, 물음에 답하시오.

(가)   (나)

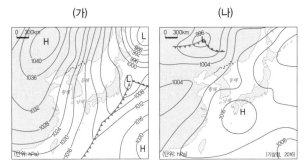

(1) (가), (나)에 해당하는 계절을 쓰시오. (단, (가), (나)는 겨울과 한여름 중 하나임.)

(가): (   ), (나): (   )

(2) (가), (나) 시기에 우리나라에 가장 큰 영향을 미치는 기단의 이름을 쓰시오.

(가): (   ), (나): (   )

(3) (2) 기단의 영향으로 나타나는 (가), (나) 계절의 주요 기후 현상에 대해 서술하시오. (단, <u>두 가지</u> 이상의 기후 현상을 포함함.)

01 (가)~(다) 지역의 상대적인 기후 요소 특성이 그림과 같이 나타날 때, A, B에 들어갈 지표를 바르게 연결한 것은?

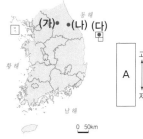

	A	B
①	기온의 연교차	겨울철 강수량
②	기온의 연교차	여름철 강수 집중률
③	겨울철 강수량	최난월 평균 기온
④	겨울철 강수량	여름철 강수 집중률
⑤	최난월 평균 기온	겨울철 강수량

수능 기출

02 그래프는 지도에 표시된 네 지역의 기후 자료이다. 이에 대한 설명으로 옳은 것은? (단, (가)~(라), A~D는 지도에 표시된 지역 중 하나임.)

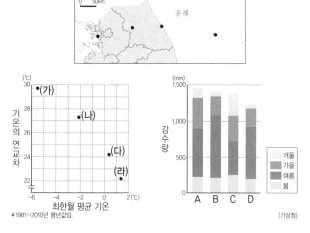

① (다)는 B, (라)는 A이다.
② (가)는 (라)보다 연 적설량이 많다.
③ (다)는 (나)보다 여름 강수 집중률이 높다.
④ A는 D보다 최한월 평균 기온이 낮다.
⑤ D는 C보다 최난월 평균 기온이 높다.

수능 유형

03 그래프는 지도에 표시된 지역의 기후 자료이다. A~E 지역에 대한 설명으로 옳은 것은? (단, A~E는 지도에 표시된 지역 중 하나임.)

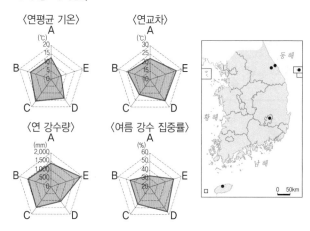

① A는 B보다 최난월 평균 기온이 높다.
② B는 E보다 연평균 풍속이 강하다.
③ C는 D보다 겨울 강수량이 많다.
④ D는 E보다 해발 고도가 높다.
⑤ E는 C보다 최한월 평균 기온이 높다.

04 그래프는 지도에 표시된 네 지점의 월평균 기온을 나타낸 것이다. A~D 지역의 기후 특성에 대한 옳은 설명을 〈보기〉에서 고른 것은?

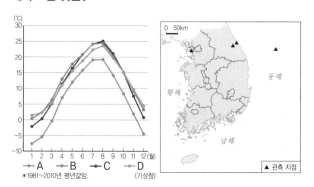

보기
ㄱ. A는 D보다 여름 강수 집중률이 높다.
ㄴ. B는 C보다 연 강수량이 많다.
ㄷ. C는 B보다 노지에서의 농작물 재배 가능 기간이 길다.
ㄹ. D는 A보다 적설 기간이 길다.

① ㄱ, ㄴ   ② ㄱ, ㄷ   ③ ㄴ, ㄷ
④ ㄴ, ㄹ   ⑤ ㄷ, ㄹ

05 지도에 표시된 도착점(종점)이 시작점(시점)보다 수치가 큰 항목만을 〈보기〉에서 있는 대로 고른 것은?

보기
ㄱ. 연 강수량
ㄴ. 여름 강수 집중률
ㄷ. 최난월 평균 기온
ㄹ. 연안 해역의 겨울철 수온

① ㄱ, ㄴ
② ㄱ, ㄹ
③ ㄴ, ㄷ
④ ㄱ, ㄷ, ㄹ
⑤ ㄴ, ㄷ, ㄹ

06 그래프는 A～E 지역의 계절별 강수량을 나타낸 것이다. 이에 대한 옳은 설명만을 〈보기〉에서 있는 대로 고른 것은? (단, A～E는 인천, 강릉, 대구, 서귀포, 울릉도 중 하나임.)

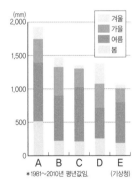

∗1981～2010년 평년값임.
(기상청)

보기
ㄱ. A는 기온의 연교차가 가장 작다.
ㄴ. B는 동해안, C는 서해안에 위치한다.
ㄷ. D는 C보다 최난월 평균 기온이 높다.
ㄹ. E는 영남 내륙 지역에 위치하여 연 강수량이 적다.

① ㄱ, ㄴ
② ㄱ, ㄷ
③ ㄴ, ㄷ
④ ㄱ, ㄴ, ㄹ
⑤ ㄴ, ㄷ, ㄹ

07 다음 자료를 보고, 교사의 질문에 옳게 대답한 사람은?

〈6월 ○일 기상 자료〉

지역	도시	최고 기온 (℃)	최저 기온 (℃)	강수량 (mm)	풍향
A	속초	20.1	17.8	1	북
	강릉	20.9	18.4	4	동북동
B	춘천	30.0	20.0	0	동북동
	원주	30.2	19.6	0	북북동

교사: A, B 지역 간 일 최고 기온의 차이가 나는 이유와 이러한 기온 차이로 인해 주민 생활에 어떤 영향을 미치는지 자유롭게 이야기해 볼까요?

갑: 지역 간 해발 고도가 차이 나기 때문입니다.

을: 건조한 대륙성 기단의 세력이 강화되었기 때문입니다.

병: 바람이 산맥을 넘으면서 고온 건조한 성질로 변화했기 때문입니다.

정: 강릉, 속초 등의 동해안 지역에 가뭄의 피해를 주기도 합니다.

무: 이러한 현상과 관련된 바람은 세기가 강하여 풍력 발전에 이용하기도 합니다.

① 갑
② 을
③ 병
④ 정
⑤ 무

08 (가), (나)와 같은 가옥을 볼 수 있는 지역의 기후 특성에 대한 옳은 설명만을 〈보기〉에서 있는 대로 고른 것은?

(가)

(나)

보기
ㄱ. (가) 지역은 여름철 집중 호우로 홍수가 잦다.
ㄴ. (나) 가옥은 울릉도에 분포하는 전통 가옥에 해당한다.
ㄷ. (가) 지역은 (나) 지역보다 겨울 강설량이 많은 곳이다.
ㄹ. (가) 가옥과 (나) 가옥에는 강수의 특성이 잘 반영되었다.

① ㄱ, ㄴ
② ㄱ, ㄹ
③ ㄴ, ㄷ
④ ㄱ, ㄴ, ㄹ
⑤ ㄴ, ㄷ, ㄹ

02 ~ 자연재해와 기후 변화

핵심 질문으로 흐름잡기

A 우리나라에 영향을 주는 자연재해의 특성은?

B 기후 변화의 원인과 영향은?

C 우리나라 식생과 토양의 분포 특징은?

❶ 태풍의 위험 반원과 가항 반원

태풍 진행 방향의 오른쪽 반원은 태풍의 중심을 향해 불어 들어오는 바람 방향과 편서풍이 부는 방향이 일치하여 풍속이 강한 위험 반원이다.

❷ 지진 발생 규모

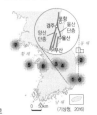

규모
1 **5.8** 2016년 9월 12일 경북 경주시 남남서쪽 8km 지역
2 **5.2** 2004년 5월 29일 경북 울진군 동남동쪽 74km 해역
3 **5.2** 1987년 8월 16일 충북 속리산 부근
4 **5.2** 1978년 9월 16일 경북 상주시 북서쪽 32km 지역
5 **5.1** 2014년 4월 1일 충남 태안군 서격렬비도 서북서쪽 100km 해역
6 **5.0** 2016년 7월 5일 울산 동구 동쪽 52km 해역
7 **5.0** 2003년 3월 30일 인천 백령도 서남서쪽 88km 해역
8 **5.0** 1978년 10월 7일 충남 홍성군 동쪽 3km 지역

우리나라는 대규모 지진의 발생 빈도는 낮지만, 규모 5.0 이상의 지진도 발생하고 있다.

대도시 지역의 기온 변화

기온 변화는 지역별로 서울, 부산, 대구 등 대도시 지역이 촌락 지역보다 기온 상승 정도가 높다. 이는 도시의 열섬 현상을 반영한 것이다. 열섬 현상은 냉·난방, 자동차 등으로 인해 인공 열이 많이 발생하고, 지표가 아스팔트·콘크리트 등 인공 구조물로 많이 덮여 있는 도시 지역에서 잘 나타난다.

A 우리나라의 자연재해

|시·험·단·서| 우리나라에서 계절에 따라 주로 발생하는 자연재해의 특징을 묻는 문제가 자주 출제돼!

1. 기후적 요인의 자연재해 [자료1]
— 우리나라는 기후적 요인에 의한 자연재해가 많아

높은 지대로의 대피, 저수지·댐 등의 건설, 사방 공사 등을 통해 피해를 줄일 수 있어

홍수	비교적 짧은 시간에 많은 비가 내리면서 낮은 지대의 가옥, 농경지, 공업 시설 등에 침수 피해를 발생시키는 자연재해임
태풍❶	주로 여름~초가을에 강풍과 많은 비, 해일로 인한 피해를 발생시키지만, 적조 현상을 완화시키고 지구상의 열 균형을 유지해 줌
대설(폭설)	한꺼번에 많은 눈이 내리는 현상으로, 산간 마을 고립, 교통 혼잡 등의 피해를 발생시키는 자연재해임 —— 시설 재배가 활발한 호남 및 충남 지방의 서해안에서 피해액이 많아
가뭄	장기간 비가 내리지 않아 물이 부족한 현상으로, 주로 봄철에 잘 나타나며 진행 속도는 느리지만 피해 범위가 넓음

2. 지형적 요인의 자연재해

지진❷	땅이 갈라지면서 흔들리는 현상으로, 지각판이 충돌하거나 분리되는 곳에서 자주 발생하는 자연재해임 —— 우리나라에서는 남동쪽 지역의 피해가 커
화산 활동	지구 내부의 마그마가 분출하는 현상으로, 지진과 마찬가지로 지각판이 충돌하거나 분리되는 곳에서 자주 발생하는 자연재해임 —— 우리나라에서는 발생 가능성이 낮아

B 우리나라의 기후 변화

|시·험·단·서| 기후 변화의 발생 원인과 현황에 대해 묻는 문제가 자주 출제돼!

1. 기후 변화의 원인: 산업 발달 및 인구 증가로 화석 연료의 사용량 증가, 가축 사육 증가 등 → 이산화탄소, 메탄 등의 증가로 온실 효과를 가중시켜 지구 온난화 현상이 심화됨 —— 인위적 요인 이외에 태양의 활동 변화, 태양과 지구 간의 주기적 거리 변화 등의 자연적 요인에 의해서도 기후 변화가 일어나

2. 기온과 강수량의 변화

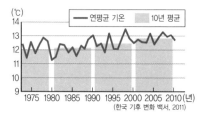

▲ 연평균 기온 변화(1973~2010년)

(1) **기온 변화**: 지난 100년(1912~2011년) 동안 연평균 기온이 약 1.7℃ 상승했는데, 이는 세계 기온 상승 평균치인 0.74℃보다 큰 수치임

(2) **강수량 변화**: 연 강수량은 대체로 증가하고 있으며, 해마다 변동 폭이 커지고 있음
—— 연 강수 일수는 대부분의 지역에서 감소하였으나, 집중 호우의 발생 빈도가 높아졌기 때문이야

3. 기후 변화의 영향 [자료2]

(1) **기후 현상에 미치는 영향**: 폭염, 폭우 등 극한 현상이 증가하고 홍수, 태풍, 사막화 등 자연재해의 강도와 빈도가 증가함 —— 질병 위험 증가, 물 부족, 농업 생산성 저하, 식량 부족 등이 유발됨

(2) **식생에 미치는 영향**: 남해안의 난대림 분포 지역이 북쪽으로 확대, 한라산 식생 분포의 고도 한계 상승, 빨라진 봄꽃 개화 시기, 늦어지는 단풍 시기 등

(3) **농업 활동에 미치는 영향**: 노지 작물의 생육 기간은 길어지고, 농작물의 북한계선은 북상하고 있음

(4) **해양 환경에 미치는 영향**: 바다 수온의 상승으로 한류성 어족인 명태가 거의 잡히지 않고, 난류성 어족인 오징어·멸치 등이 잘 잡힘

자료1 기후적 요인에 의한 자연재해의 피해 관련 문제 ▶ 110쪽 01번

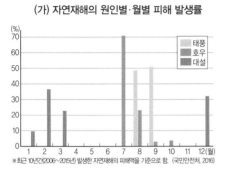

(가) 자연재해의 원인별·월별 피해 발생률

(%)
태풍
호우
대설

※최근 10년간(2006~2015년) 발생한 자연재해의 피해액을 기준으로 함. (국민안전처, 2016)

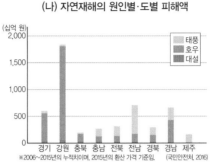

(나) 자연재해의 원인별·도별 피해액

(십억 원)
태풍
호우
대설

경기 강원 충북 충남 전북 전남 경북 경남 제주
※2006~2015년의 누적치이며, 2015년의 환산 가격 기준임. (국민안전처, 2016)

자·료·분·석 기후적 요인에 의한 자연재해는 계절에 따라 발생률의 차이가 크다.

• (가)를 통해 대설은 주로 겨울, 호우는 주로 장마철이 있는 여름, 태풍은 여름에서 가을에 주로 발생한다는 것을 알 수 있다.

• (나)를 통해 경기·강원 등 중부 지방은 호우, 전남·경북·경남·제주는 태풍, 강원·전북·전남 등에서는 대설에 의한 피해액이 상대적으로 많은 것을 알 수 있다.

한·줄·핵·심 대설은 겨울, 호우는 여름, 태풍은 여름에서 가을에 주로 발생하고, 도별로 태풍과 호우의 피해액이 다르다.

자료2 우리나라 기후 변화의 영향 관련 문제 ▶ 110쪽 04번, 118쪽 11번

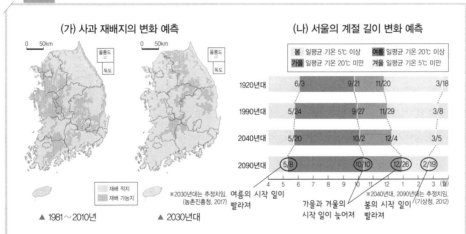

(가) 사과 재배지의 변화 예측

0 50km
울릉도
독도

0 50km
울릉도
독도

재배 적지
재배 가능지

▲ 1981~2010년   ▲ 2030년대

※2030년대는 추정치임. (농촌진흥청, 2017)

(나) 서울의 계절 길이 변화 예측

| 봄 일평균 기온 5℃ 이상 | 여름 일평균 기온 20℃ 이상 |
| 가을 일평균 기온 20℃ 미만 | 겨울 일평균 기온 5℃ 미만 |

1920년대 6/3 9/21 11/20 3/18
1990년대 5/24 9/27 11/29 3/8
2040년대 5/20 10/2 12/4 3/5
2090년대 5/8 10/10 12/26 2/19

4 5 6 7 8 9 10 11 12 1 2 3 (월)

여름의 시작 일이 빨라져
가을과 겨울의 시작 일이 늦어져
봄의 시작 일이 빨라져

※2040년대, 2090년대는 추정치임. (기상청, 2012)

자·료·분·석 지구 온난화의 영향과 인공 열의 증가로 우리나라에서 기온이 상승하면서 계절의 길이 변화, 농작물 재배 북한계선 북상, 농작물 재배 적합 지역의 변화 등 여러 가지 변화가 나타나고 있다.

• (가)를 통해 경북 내륙 지역이 2030년에는 사과 재배 적지에서 제외될 것으로 예측됨을 알 수 있다.

• (나)를 통해 여름은 큰 폭으로 증가하고 겨울은 큰 폭으로 감소할 것으로 예측됨을 알 수 있다.

한·줄·핵·심 기후 변화는 농작물의 재배 적합 지역에 영향을 미쳐 사과 재배 적지가 변화하고, 여름의 길이는 증가하고 겨울의 길이는 감소하는 등 계절의 길이 변화에도 영향을 미친다.

❸ 배출권 거래제

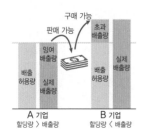

온실가스 의무 감축량을 초과 달성한 국가(기업)가 그 초과분을 의무 감축량을 채우지 못한 국가(기업)에게 팔 수 있도록 한 제도를 말한다.

❹ 자연 생태계

생태계는 자연 생태계와 인간 생태로 나뉘며, 자연 생태계는 토양, 기후 등 비생물 요소와 모든 식물, 동물 등으로 이루어진 생물 요소로 나뉜다. 이들은 서로 유기적으로 연결되어 있어서 하나의 요소가 변하면 생태계의 다른 요소들이 그 영향을 받는다.

❺ 한라산 식생의 수직 분포

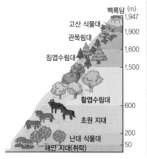

한라산은 저지대에서 고지대로 가면서 난대림, 온대림, 냉대림, 관목림대, 고산 식물대의 순서로 식생의 수직 분포가 나타난다.

식생과 토양
• 식생: 지표를 덮고 있는 식물 집단으로, 식생의 분포와 종류는 기온과 강수 등 기후 특성의 영향을 크게 받는다.
• 토양: 암석이 물리적·화학적 풍화와 함께 생물의 작용을 받아 입자가 작은 흙으로 변한 것을 말하는데, 식물과 동물 등에 물과 양분을 공급함과 동시에 생물의 서식처가 된다.

4. 기후 변화에 대한 대책 전 세계 온실가스 감축을 위해 프랑스 파리에서 맺은 협약이야 산업화 이전 시기 대비 지구 평균 온도의 상승 폭을 1.5℃ 미만으로 제한하는 것이 목표야

국제 사회	인간과 자연의 지속 가능한 발전을 위해 1992년 유엔 기후 변화 협약, 1997년 교토 의정서, 2015년 파리 기후 변화 협약(파리 협정)을 체결함 → 국제적인 차원의 온실가스 감축 노력
정부	배출권 거래제❸ 도입, 에너지 절약형 자동차 도입, 신·재생 에너지 이용 확대, 자원 절약형 산업 육성 등
개인	대중교통 수단 이용, 에너지 효율이 높은 제품 이용, 여름철 냉방 온도 높이기, 겨울철 난방 온도 낮추기 등

C 우리나라의 자연 생태계와 인간 활동

| 시·험·단·서 | 우리나라 식생의 수평·수직적 분포 특징을 묻는 문제가 자주 출제돼!

1. 우리나라의 자연 생태계❹ 자료 3

(1) 식생 분포

① **식생의 수평 분포**: 남부 지방에서 북부 지방으로 가면서 나타나는 식생 분포를 말함

개마고원과 남해안을 제외한 국토 전역에서 나타나

난대림	온대림	냉대림
제주도, 남해안, 울릉도의 저지대에서 동백나무, 후박나무 등의 상록 활엽수가 나타남	난대림과 냉대림 사이에서 낙엽 활엽수와 침엽수가 섞인 혼합림이 나타남	개마고원과 일부 고산 지역에서 전나무, 가문비나무 등의 침엽수가 나타남

위도가 높아질수록 기온이 낮아지기 때문에 난대림 → 온대림 → 냉대림 순으로 나타나는 거야

② **식생의 수직 분포❺**: 해발 고도에 따른 기온 체감으로 인해 나타나며, 제수도의 한라산에서 잘 나타남.

기후에 따라 식생 분포가 달라지고, 기후와 식생의 영향으로 토양의 특성이 변해

(2) 토양 분포

성숙 토양	성대 토양	기후와 식생의 특성을 반영하는 토양으로, 온대림 지역의 갈색 삼림토와 냉대림 지역의 회백색토가 대표적임
	간대 토양	기반암(모암)의 특성을 반영하는 토양으로, 붉은색의 석회암 풍화토와 흑갈색의 현무암 풍화토가 대표적임
미성숙 토양		생성 시기가 짧은 토양으로, 하천 주변에 분포하는 충적토와 간척지에 분포하는 염류토가 대표적임

2. 인간 활동과 자연 생태계

(1) 인간 활동이 자연 생태계에 미치는 영향: 도시 지역의 확대, 도로와 주택 건설, 경작지 확대 등으로 식생과 토양이 파괴되어 도시에 열섬 현상과 도시 사막화 현상이 나타나기도 함

(2) 자연 생태계와 조화를 이루려는 인간의 노력 자료 4

등고선식 경작	마을숲(도시숲)	도시 농업
경사지에 위치한 농경지에서 경사에 직각 방향으로 이랑을 만들어 작물을 재배하는 방식으로 토양 침식을 줄일 수 있음	인공적으로 조성된 숲으로 바람을 막고 홍수를 방지하며, 여름철 더위를 식혀 주는 기능을 함	공터, 텃밭, 아파트 베란다 등의 공간을 이용하여 농작물을 재배하는 농업으로 도시의 온도를 낮추는 기능을 함

시험에 잘 나오는
자료

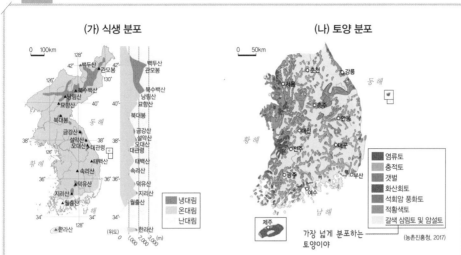

자료3 우리나라의 식생과 토양 분포 관련 문제 ▶ 111쪽 06, 07번

(가) 식생 분포

(나) 토양 분포

가장 넓게 분포하는 토양이야

(농촌진흥청, 2017)

자·료·분·석 • (가)를 통해 식생 분포가 저위도에서 고위도로 가면서 난대림, 온대림, 냉대림 순으로 나타나는 것을 알 수 있다.

• (나)를 통해 염류토는 해안 지역의 간척지에, 충적토는 하천 주변에, 화산회토는 화산 지형의 분포 지역에, 석회암 풍화토는 강원 남부 지역을 중심으로 분포함을 알 수 있다.

한·줄·핵·심 우리나라 식생의 수평 분포는 남쪽에서 북쪽으로 가면서 난대림, 온대림, 냉대림 순으로 나타나며, 토양은 갈색 삼림토 및 암설토가 가장 넓게 분포한다.

자료4 도시 사막화 관련 문제 ▶ 113쪽 06번

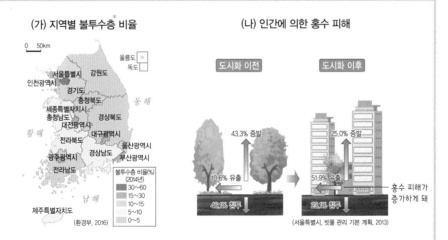

(가) 지역별 불투수층 비율

(나) 인간에 의한 홍수 피해

도시화 이전

도시화 이후

43.3% 증발

25.0% 증발

10.6% 유출

51.9% 유출

46.1% 침투

23.1% 침투

홍수 피해가 증가하게 돼

(서울특별시, 빗물 관리 기본 계획, 2013)

불투수층 비율(%) (2014년)
30~60
15~30
10~15
5~10
0~5

(환경부, 2016)

자·료·분·석 포장 면적이 넓어지면 불투수층이 증가하게 되는데, (가)를 통해 우리나라 대도시에 불투수층이 많은 것과 대도시를 중심으로 도시 사막화가 진행되고 있음을 알 수 있다. (나)를 통해 도시화 이후 비가 내리면 빗물이 땅속으로 흡수되지 못하고 하천으로 흘러 하천 수위가 빠르게 증가하게 된다는 것을 예상할 수 있다.

한·줄·핵·심 우리나라는 대도시를 중심으로 도시 사막화가 진행되고 있으며, 도시화 이후 홍수 피해가 증가하고 있다.

내용 이해를 돕는 팁

❓ **궁금해요**

Q. 2017년에 전라남도의 곡성군 청계동 계곡으로 여름 휴가를 즐기기 위해 갔는데, 자연 휴식년제라며 출입을 금지했어요. 자연 휴식년제는 무엇인가요?

A. 자연 휴식년제는 오염의 정도가 지나치게 심각하거나 황폐화될 우려가 있는 국·공립 공원에 한해 일정 기간 동안 사람의 출입을 통제하여 자연 생태계의 파괴를 막고 복원하기 위한 제도이지. 네가 갔던 계곡은 2019년 6월이면 들어갈 수 있어.

〰️ **용어 더하기**

* **염류토**
나트륨, 마그네슘 등의 염류가 많이 포함된 토양으로 주로 간척지에 분포한다.

* **도시 사막화**
빗물이 땅속으로 스며들지 못하면서 녹지가 메마르고 토지와 환경이 건조한 상태로 황폐해지는 것을 말한다.

* **불투수층**
지하수와 같은 물이 투과하기 어려운 지층으로, 시멘트나 아스팔트로 포장된 지표면은 물이 스며들기 어렵다.

자연재해와 기후 변화

개념풀 Guide 우리나라에서 발생하는 자연재해의 피해와 기후 변화의 원인 및 영향에 대해 알아보자.

1. 우리나라의 주요 자연재해 관련 문제 ▶ 112쪽 02번

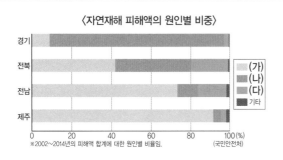

〈자연재해 피해액의 원인별 비중〉

※2002~2014년의 피해액 합계에 대한 원인별 비율임. (국민안전처)

분석 • (가)는 제주의 자연재해 피해액의 대부분을 차지하며 전남, 전북, 경기로 가면서 피해액 비중이 감소하고 있다. 태풍은 우리나라에서 제주도에 가장 먼저 상륙한 다음 고위도로 이동하면서 세력이 약화된다. 따라서 (가)는 태풍이다.

• (나)는 경기의 자연재해 피해액의 대부분을 차지하고 있다. 한강중·상류 일대는 다우지이며 하계 집중률이 높다. 따라서 (나)는 호우이다.

• (다)는 전북과 전남에서 피해액의 비중이 높다. 겨울철 북서 계절풍이 황해를 지나면서 서해안에 많은 눈이 내리며, 노령산맥과 소백산맥의 서사면을 타고 이동하면서 또 많은 눈이 내린다. 따라서 (다)는 대설이다.

4. 계절 길이의 변화 관련 문제 ▶ 112쪽 04번

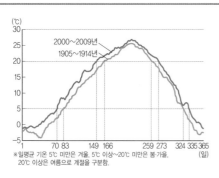

※일평균 기온 5℃ 미만은 겨울, 5℃ 이상~20℃ 미만은 봄·가을, 20℃ 이상은 여름으로 계절을 구분함.

분석 1905~1914년과 비교했을 때, 2000~2009년에는 연평균 기온이 전반적으로 상승했다. 주어진 기간 사이에 봄은 4일 감소, 여름은 31일 증가, 가을은 3일 감소, 겨울은 24일 감소했다.

2. 우리나라의 계절별 자연재해 관련 문제 ▶ 112쪽 03번

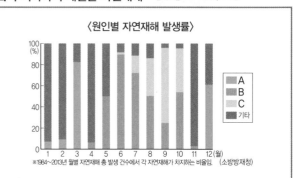

〈원인별 자연재해 발생률〉

※1984~2013년 월별 자연재해 총 발생 건수에서 각 자연재해가 차지하는 비율임. (소방방재청)

분석 A는 대설, B는 호우, C는 태풍이다. 대설은 겨울, 호우는 여름, 태풍은 여름~가을에 주로 발생한다.

3. 겨울 기간의 변화 예측

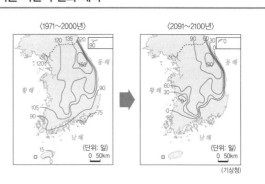

〈1971~2000년〉 〈2091~2100년〉 (기상청)

분석 기온 상승으로 겨울 기간이 짧아질 것으로 예상되며, 특히 제주도에서 재배되는 감귤의 북한계선이 북상할 것으로 예상된다.

5. 지구 온난화와 열섬 현상 관련 문제 ▶ 113쪽 08번

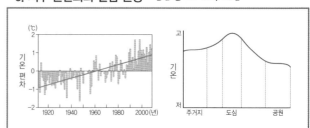

분석 지구 온난화는 온실 기체가 필요 이상으로 늘어남으로써 지구의 기온이 비정상적으로 올라가는 현상이다. 열섬 현상은 도심의 기온이 주변 혹은 교외보다 높게 나타나는 현상이다.

이것만은 꼭!

기온 상승의 영향	열대야	여름	겨울	봄꽃 개화 시기	단풍 시기	냉방 수요
	증가	길어짐	짧아짐	빨라짐	늦어짐	증가

A 우리나라의 자연재해

01 다음은 어떤 자연재해에 대한 설명인지 그래프의 A~C에서 골라 기호를 쓰시오. (단, 대설, 태풍, 호우만 고려함.)

(1) 한꺼번에 많은 눈이 내리는 현상이다. (　　)

(2) 장마 기간의 여름에 주로 피해가 발생한다.

(　　)

(3) 해안 지역에서는 해일로 인한 침수 피해가 발생한다. (　　)

(4) 주로 여름~초가을에 발생하며 강풍과 많은 비를 동반한다. (　　)

(5) 주로 겨울에 시설물 붕괴, 교통 혼잡, 산간 마을 고립 등과 같은 피해가 발생한다. (　　)

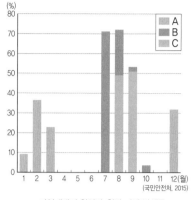

▲ 자연재해의 원인별·월별 피해 발생률

B 우리나라의 기후 변화

02 다음 그래프와 같은 변화로 인해 나타나는 현상을 정리한 것이다. 알맞은 말에 ○표를 하시오.

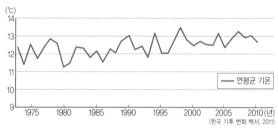

▲ 우리나라의 연평균 기온 변화(1973~2010년)

(1) 한류성 어족의 어획량 비중은 (높아, 낮아)진다.

(2) 고산 식물의 해발 고도 한계는 (높아, 낮아)진다.

(3) 노지 작물의 생육 가능 기간이 (길어, 짧아)진다.

(4) 봄꽃 개화 시기는 (빨라, 늦어)지고, 가을에 단풍 드는 시기는 (빨라, 늦어)진다.

C 우리나라의 자연 생태계와 인간 활동

03 다음 내용이 옳으면 ○표, 틀리면 ×표를 하시오.

(1) 개마고원과 일부 고산 지역에서는 냉대림이 나타난다. (　　)

(2) 하천 주변에 분포하는 충적토와 간척지에 분포하는 염류토는 미성숙 토양이다. (　　)

(3) 성대 토양은 기후와 식생의 특성을 반영하는 토양으로, 붉은색의 석회암 풍화토와 흑갈색의 현무암 풍화토가 대표적이다. (　　)

04 다음 글의 빈칸에 알맞은 말을 쓰시오.

> 산업화 이후 도시 지역의 확대, 도로와 주택 건설, 경작지 확대 등으로 식생과 토양이 많이 파괴되어 □□ □□□ 현상이 나타나는데, 이로 인해 빗물이 땅속으로 스며들지 못하면서 녹지가 메마르고 토지와 환경이 건조한 상태로 황폐해진다.

A 우리나라의 자연재해

01 그래프의 A~C 자연재해에 대한 설명으로 옳지 <u>않은</u> 것은? (단, A~C는 대설, 태풍, 호우 중 하나임.)

〈자연재해의 원인별·월별 피해 발생률〉

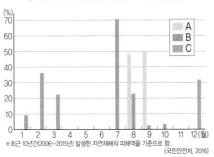

※최근 10년간(2006~2015년) 발생한 자연재해의 피해액을 기준으로 함.
(국민안전처, 2016)

① A는 강풍과 많은 비, 해일로 인한 피해를 일으킨다.
② B는 장마 전선이 정체될 때 잘 발생한다.
③ C는 호남 지방이 영남 지방보다 피해액이 많다.
④ B는 A보다 연평균 발생 횟수가 적다.
⑤ B는 C보다 우리나라의 연 강수량에 미치는 영향이 크다.

02 (가), (나) 자연재해에 대한 옳은 설명을 〈보기〉에서 고른 것은?

(가)	• 우리나라에서는 주로 봄철에 발생함 • 진행 속도는 느리지만 피해 범위가 넓음 • 농작물 성장 저하, 녹조, 산불 등의 피해가 발생함
(나)	• 우리나라에서는 주로 겨울철에 발생함 • 산간 마을 고립, 교통 혼잡 등의 피해가 발생함

보기
ㄱ. (가)의 피해 예방 시설에는 저수지, 보, 댐 등이 있다.
ㄴ. (가)의 피해를 줄이기 위해서는 방한복을 착용하고 외출해야 한다.
ㄷ. (나)의 연평균 피해액은 호남 지방이 영남 지방보다 많다.
ㄹ. (나)는 중국 및 몽골의 사막화로 발생 빈도가 증가하고 있다.

① ㄱ, ㄴ   ② ㄱ, ㄷ   ③ ㄴ, ㄷ
④ ㄴ, ㄹ   ⑤ ㄷ, ㄹ

03 그래프는 어느 자연재해의 월별 발생 횟수를 나타낸 것이다. 이 자연재해에 대한 옳은 설명을 〈보기〉에서 고른 것은?

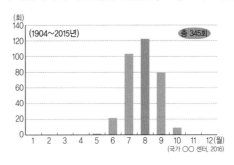

(국가 ○○ 센터, 2016)

보기
ㄱ. 적조 현상을 심화시킨다.
ㄴ. 진행 방향의 오른쪽이 왼쪽보다 피해가 크다.
ㄷ. 중부 지방이 남부 지방보다 연평균 피해액이 많다.
ㄹ. 편서풍의 영향으로 중위도에서 북동 방향으로 이동한다.

① ㄱ, ㄴ   ② ㄱ, ㄷ   ③ ㄴ, ㄷ
④ ㄴ, ㄹ   ⑤ ㄷ, ㄹ

B 우리나라의 기후 변화

04 지도와 같이 사과 재배 지역이 변화할 것으로 예측되는 원인으로 가장 적절한 것은?

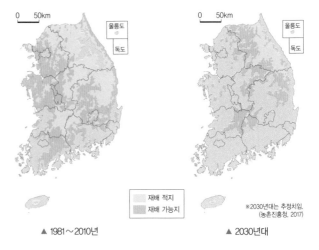

※2030년대는 추정치임.
(농촌진흥청, 2017)

▲ 1981~2010년   ▲ 2030년대

① 온대림과 냉대림의 벌목
② 화석 에너지 소비량 증가
③ 식량 작물의 재배 면적 증가
④ 원자력 발전소 건설과 발전량 증대
⑤ 신·재생 에너지의 개발 및 이용 확대

05 그래프와 같은 변화가 지속될 경우 나타날 변화를 예상한 것으로 옳은 것은?

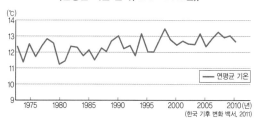

〈연평균 기온 변화(1973~2010년)〉

(한국 기후 변화 백서, 2011)

① 감귤 나무의 북한계선이 남하할 것이다.
② 봄과 여름의 시작 시기가 빨라질 것이다.
③ 남해안의 냉대림 분포 범위가 확대될 것이다.
④ 제주도에서 고산 식물의 분포 면적이 증가할 것이다.
⑤ 대구, 명태 등의 어획량이 증가하고, 오징어, 멸치 등의 어획량이 감소할 것이다.

C 우리나라의 자연 생태계와 인간 활동

06 자료는 우리나라의 식생 분포를 나타낸 것이다. A~C에 대한 옳은 설명만을 〈보기〉에서 있는 대로 고른 것은? (단, A~C는 난대림, 냉대림, 온대림 중 하나임.)

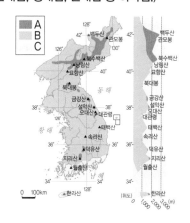

보기
ㄱ. B는 우리나라에서 가장 넓게 분포하는 식생이다.
ㄴ. C는 주로 최한월 평균 기온이 0℃ 이상인 지역에 분포한다.
ㄷ. A의 주요 수종은 침엽수, C의 주요 수종은 상록 활엽수이다.
ㄹ. A~C의 분포는 연 강수량의 영향 때문이다.

① ㄱ, ㄴ   ② ㄱ, ㄹ   ③ ㄱ, ㄴ, ㄷ
④ ㄱ, ㄷ, ㄹ   ⑤ ㄴ, ㄷ, ㄹ

---

07 지도의 A~D 토양에 대한 옳은 설명만을 〈보기〉에서 있는 대로 고른 것은?

(농촌진흥청, 2017)

보기
ㄱ. A는 B보다 가뭄 시 농작물이 염해를 입을 가능성이 높다.
ㄴ. B는 C보다 토양의 생성 기간이 길다.
ㄷ. C 분포 지역의 기반암은 주로 현무암, D 분포 지역의 기반암은 석회암이다.
ㄹ. D는 A보다 토양의 색이 붉은 편이다.

① ㄱ, ㄴ   ② ㄱ, ㄹ   ③ ㄱ, ㄴ, ㄷ
④ ㄱ, ㄷ, ㄹ   ⑤ ㄴ, ㄷ, ㄹ

서술형 문제

08 제주도의 한라산에서 그림과 같이 식생 분포가 나타나는 이유를 서술하시오.

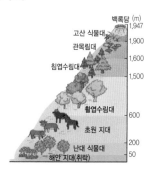

01 다음은 어느 자연재해와 관련된 신문 기사의 일부이다. 이 자연재해에 대한 설명으로 옳은 것은?

○○ 경제   2015년 1월 27일

강원 동해안, 9가구 15명 이재민 발생

강원 동해안 지역에 1m가 넘는 ○○이 내려 9가구 15명의 이재민이 발생했다. 6가구 12명의 주민은 지붕 붕괴가 우려되어 이웃집이나 마을 회관으로 대피했다. 또한 8개 시·군의 공공·사유 시설 등 모두 841곳이 피해를 입었다. …(중략)… 기상청은 "영동 지방은 30cm 이상, 경북 북부 동해안에서도 최고 20cm의 ○○이 예상 된다"고 전했다.

① 장마 전선이 등베이 지방에 정체할 때 잘 나타난다.
② 북동풍이 우리나라로 강하게 유입될 때 자주 나타난다.
③ 남고북저의 기압 배치가 나타나는 시기에 자주 발생한다.
④ 열대 해상에서 발생하여 우리나라로 이동하면서 큰 피해를 준다.
⑤ 중국 내륙의 건조 지역에서 발생하여 우리나라로 날아온 물질이다.

수능 유형

02 (가)~(다) 지역을 지도의 A~C에서 골라 바르게 연결한 것은?

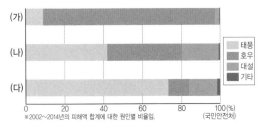

〈자연재해의 원인별 피해액 비율〉
※2002~2014년의 피해액 합계에 대한 원인별 비율임. (국민안전처)

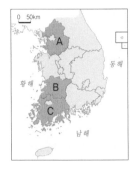

	(가)	(나)	(다)
①	A	B	C
②	A	C	B
③	B	A	C
④	B	C	A
⑤	C	A	B

수능 기출

03 다음은 자연재해에 대한 한국지리 수업 장면이다. 교사의 질문에 옳게 답한 학생을 고른 것은? (단, A~C는 대설, 태풍, 호우 중 하나임.)

〈원인별 자연재해 발생률〉
※1984~2013년 월별 자연재해 총 발생 건수에서 각 자연재해가 차지하는 비율임. (소방방재청)

그래프에 나타난 자연재해 A~C에 대해 발표해 볼까요?

갑: A는 영동 지방의 경우 북동 기류의 유입과 밀접한 관계가 있습니다.

을: B는 북동풍이 태백산맥을 넘을 때 나타나는 푄 현상 때문에 영서 지방에서 주로 발생합니다.

병: C는 주로 열대 해상에서 발생하여 강풍과 많은 비를 동반합니다.

정: A는 C보다 남고북저형 기압 배치가 전형적으로 나타나는 계절에 자주 발생합니다.

① 갑, 을   ② 갑, 병   ③ 을, 병
④ 을, 정   ⑤ 병, 정

04 그래프에 대한 옳은 분석만을 〈보기〉에서 있는 대로 고른 것은?

〈○○ 지역의 일평균 기온 변화〉
※일평균 기온 5℃ 미만은 겨울, 5℃ 이상~20℃ 미만은 봄·가을, 20℃ 이상을 여름으로 계절을 구분함.

보기
ㄱ. 노지 작물의 생육 가능 기간이 길어졌다.
ㄴ. 계절 일수의 변화 폭은 여름이 가장 크다.
ㄷ. 봄은 여름보다 계절의 시작 일이 더 많이 빨라졌다.
ㄹ. 가을은 겨울보다 계절의 시작 일이 더 많이 늦어졌다.

① ㄱ, ㄴ   ② ㄱ, ㄹ   ③ ㄱ, ㄴ, ㄹ
④ ㄱ, ㄷ, ㄹ   ⑤ ㄴ, ㄷ, ㄹ

05 다음 글의 밑줄 친 활동에 해당하는 사례로 적절하지 <u>않은</u> 것은?

> 기후 변화에 대한 국가적 차원의 대응은 적응과 저감의 관점에서 이루어지고 있다. 적응은 기후의 영향에 대해 준비하는 활동이다. 예를 들어 교육, 훈련 등을 통해 기후 변화의 영향에 대한 인식을 높이고, 가뭄에 잘 견디는 종자 개발, 해안선 보호와 같은 기술적 조치를 말한다. 저감은 기후 변화를 막거나 저감하기 위해 <u>대기로 방출되는 온실가스의 양을 줄이는 것</u>이다.

① 에너지 효율이 높은 전자 제품을 만든다.
② 자가용 승용차보다는 대중교통 수단을 이용한다.
③ 해외 유전 개발 사업에 막대한 자본을 투자한다.
④ 정부는 배출권 거래제를 도입하는 등 다양한 정책을 만든다.
⑤ 국제 사회가 환경 문제의 심각성을 인식하고 기후 변화 협약을 체결한다.

수능 기출

06 다음 자료는 ○○ 하천의 (가), (나) 시기 수위 변화를 모식적으로 나타낸 것이다. 이에 대한 옳은 설명을 〈보기〉에서 고른 것은?

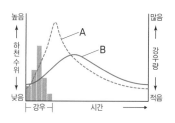

보기
> ㄱ. A는 (나) 시기, B는 (가) 시기의 하천 수위 변화를 나타낸 것이다.
> ㄴ. 최고 수위 도달 시간은 (가) 시기보다 (나) 시기에 빠르다.
> ㄷ. 하천 주변 지표면의 평균 투수율은 (가) 시기보다 (나) 시기에 높다.
> ㄹ. 녹지가 늘어나면 하천 수위는 대체로 B에서 A로 변할 것이다.

① ㄱ, ㄴ   ② ㄱ, ㄷ   ③ ㄴ, ㄷ
④ ㄴ, ㄹ   ⑤ ㄷ, ㄹ

07 지도는 우리나라 식생 분포도의 일부를 나타낸 것이다. A, B에 대한 옳은 설명만을 〈보기〉에서 있는 대로 고른 것은?

(한국 지리지, 2008)

보기
> ㄱ. A의 주요 수종은 낙엽 활엽수이다.
> ㄴ. A에서는 회백색의 성대 토양을 볼 수 있다.
> ㄷ. B에는 상록 활엽수가 분포한다.
> ㄹ. B는 대부분 최한월 평균 기온이 0℃ 이상이다.

① ㄱ, ㄴ   ② ㄱ, ㄹ   ③ ㄱ, ㄴ, ㄷ
④ ㄱ, ㄷ, ㄹ   ⑤ ㄴ, ㄷ, ㄹ

수능 유형

08 다음 글의 ㉠, ㉡ 현상에 대한 설명으로 옳지 <u>않은</u> 것은?

> 세계의 연평균 기온은 ☐㉠ 현상으로 지난 100여 년간 약 0.7℃ 상승하였으며, 우리나라는 그보다 두 배 이상인 1.7℃ 가량 상승하였다. 특히 서울, 부산 등과 같은 대도시의 도심에서는 ☐㉡ 현상까지 더해져 연평균 기온이 약 3℃ 상승하였다.

① ㉠의 주요 원인은 대기 중 이산화 탄소의 농도 증가이다.
② ㉠이 심화되면 고산 식물 분포의 고도 하한선이 높아진다.
③ ㉡은 대도시의 열대야 발생 빈도를 높인다.
④ ㉡이 발생하면 대기가 안정되어 강수량이 감소한다.
⑤ ㉡의 주요 원인은 인공 열의 방출 및 포장 면적 증가이다.

Ⅲ. 기후 환경과 인간 생활

01
우리나라의 기후와 주민 생활

A 기후의 이해와 우리나라의 기후 특성

(1) 기후 요소와 기후 요인

기후 요소	기후를 구성하는 대기 현상으로, 기온, 강수, 바람, 습도, 일사량 등이 있음
기후 요인	• 기후 요소에 영향을 주는 요인으로 위도, 해발 고도, 수륙 분포, 지형, 해류, 격해도, 기단, 전선 등이 있음 • 지역 간의 기후 차이를 발생시키는 원인이 됨

(2) 기후 요인이 기후 요소에 미치는 영향

위도	저위도에서 고위도로 갈수록 기온이 낮아짐
수륙 분포	같은 위도상 내륙은 해안보다 기온의 연교차가 큼
해발 고도	해발 고도가 높아질수록 기온이 낮아짐

(3) 우리나라의 기후 특성

냉·온대 기후	• 북반구 중위도에 위치하여 태양의 고도가 높은 시기에 태양 복사 에너지의 양이 늘어나 여름이 되고, 태양의 고도가 낮은 시기에 겨울이 됨 • 사계절이 뚜렷하며 1월이 겨울, 7월이 여름임
대륙성 기후	• 중위도 대륙의 동쪽에 위치하여 기온의 연교차가 큰 대륙성 기후가 나타남 • 같은 위도의 대륙 서안보다 기온의 연교차가 큼
계절풍 기후	겨울에는 북서 계절풍, 여름에는 남동·남서 계절풍의 영향을 받음

B 우리나라의 기후 요소별 특성

(1) 기온 특성: 남에서 북으로 갈수록, 해안에서 내륙으로 갈수록 대체로 낮아짐

기온 분포의 지역 차	• 겨울이 여름보다 기온의 지역 차이가 큼 • 남북 간의 차이가 동서 간의 차이보다 큼 • 해발 고도가 높은 백두산, 낭림산맥, 개마고원, 태백산맥, 소백산맥 등지는 주변 지역에 비해 기온이 낮음
기온의 연교차	• 쉽게 가열되고 냉각되는 내륙 지역이 해안 지역보다 큼 • 서해안 지역이 동해안 지역보다 큼
기온의 일교차	봄과 가을의 맑은 날에 크고, 장마철에 작음

(2) 강수 특성: 지형과 풍향의 영향으로 강수량의 지역 차이가 큼

다우지	• 습윤한 남서 기류의 바람받이 지역 • 제주도, 남해안 일대, 한강 유역, 청천강 중·상류 등
소우지	• 바람그늘 지역인 개마고원과 영남 내륙 지역 • 평탄하여 지형성 강수 형성이 미약한 대동강 하류
다설지	• 울릉도는 강설량이 매우 많음 • 북동 기류의 영향을 받는 영동 지방, 북서 계절풍의 영향을 받는 충남 및 호남 서해안 지역 등

(3) 바람 특성

편서풍	중위도에 위치한 우리나라는 연중 편서풍의 영향으로 서풍 계열의 바람이 불어옴
계절풍	• 계절에 따라 풍향이 달라지는 바람이 불어옴 • 1월은 북서풍이 탁월하고 7월은 남풍 계열이 많음
높새 바람	• 주로 늦봄에서 초여름 사이에 영서·경기 지방에 부는 바람임 • 영향: 영서 지방에 고온 건조한 날씨가 나타남
태풍	여름~초가을에 강한 바람과 집중 호우를 동반하여 불어오며, 많은 인명 및 재산 피해가 발생함

C 계절에 따른 기후 특성

(1) 우리나라에 영향을 주는 기단

시베리아 기단	한랭 건조	북태평양 기단	고온 다습
오호츠크해 기단	냉량 습윤	적도 기단	고온 다습

(2) 계절별 기후 특성

봄	• 이동성 고기압과 저기압이 주기적으로 교차하면서 날씨 변화가 심함 • 꽃샘추위, 황사 현상이 나타남
여름	• 장마철: 높은 습도, 작은 일교차, 집중 호우 발생 • 한여름: 고온 다습, 폭염·열대야 발생, 소나기
가을	맑은 날씨가 자주 나타나 농작물의 결실과 추수에 유리함
겨울	• 북서풍이 불며 한랭 건조함 • 서고동저형 기압 배치, 심한 삼한 사온 현상, 폭설 등

02 자연재해와 기후 변화

D 기후와 주민 생활

(1) 기온과 주민 생활

의생활	• 여름: 통풍이 잘되는 삼베나 모시 등으로 만든 옷 • 겨울: 보온에 유리한 동물의 털이나 가죽, 솜 등으로 만든 옷
식생활	남에서 북으로 갈수록 김장 시기가 빨라짐

(2) 강수와 주민 생활

터돋움집	범람원에서 홍수에 대비하기 위해 터를 돋우고 그 위에 지은 집
하천 주변의 저지대	제방을 설치하고 배수 시설을 갖춤 예 빗물 펌프장
수리 시설	비가 많이 내릴 때 물을 저장했다가 가뭄 시에 사용하는 시설을 만듦 예 저수지, 보, 댐 등
일사량과 농업	• 천일제염업 발달: 강수량이 적고 일조 시간이 긴 대동강 하구 부근과 전남 해안 지역 • 사과 재배 활발: 강수량이 적고 일조 시간이 긴 영남 내륙 지역

(3) 바람과 주민 생활

강풍에 대한 대비	• 제주도: 전통 가옥의 담과 그물로 엮은 지붕 • 호남 해안 지방: 까대기
바람의 이용	바람이 강한 해안 지역과 고지대는 풍력 발전에 유리함
배산임수	차가운 북서 계절풍을 막아 줌

(4) 지역별 전통 가옥

관북형	• 겨울이 춥고 길기 때문에 가옥 구조가 폐쇄적임 • 보온과 실내 활동에 유리한 정주간이 있음
울릉도형	겨울에 눈이 많이 와서 방설벽인 우데기가 있음
남부형	여름에 덥고 습하기 때문에 통풍에 유리한 대청마루가 발달함
제주도형	겨울에 덜 춥고 여름에 더워 내륙 지역보다 온돌 발달이 미약함

A 우리나라의 자연재해

홍수	비교적 짧은 시간에 많은 비가 내리면서 가옥, 농경지, 공업 시설 등에 침수 피해가 발생함
태풍	주로 여름~초가을에 발생하며 강풍과 많은 비, 해일로 인한 피해가 발생함
대설(폭설)	한꺼번에 많은 눈이 내리는 현상임
가뭄	장기간 비가 내리지 않아 물이 부족한 현상, 진행 속도는 느리지만 피해 범위가 넓음
지진	땅이 갈라지면서 흔들리는 현상임
화산 활동	우리나라에서는 발생 가능성이 낮음

B 우리나라의 기후 변화

원인	산업 발달 및 인구 증가로 화석 에너지 사용량 증가, 가축 사육 증가 등 → 온실가스가 증가함
기후 변화의 영향	냉대림 분포 범위 축소, 난대림 북한계 북상, 여름은 길어지고 겨울은 짧아짐, 봄꽃의 개화 시기는 빨라지고 가을의 단풍 드는 시기는 늦어짐 등

C 우리나라의 자연 생태계와 인간 활동

(1) 식생 분포

냉대림	개마고원과 태백산맥 및 소백산맥 등의 일부 고산 지역
온대림	냉대림과 난대림 사이의 지역
난대림	최한월 평균 기온이 0℃ 이상인 제주도와 남해안 및 울릉도의 저지대

(2) 토양의 종류

성숙토	• 성대 토양: 기후와 식생의 특성을 반영하는 토양 • 간대 토양: 기반암(모암)의 특성을 반영하는 토양
미성숙토	• 충적토: 하천 주변에 분포 • 염류토: 간척지에 주로 분포

(3) 인간 활동과 자연 생태계: 산업화 이후 식생과 토양이 파괴되어 도시에 열섬 현상과 도시 사막화 현상이 나타나기도 함

01 (가) 국가와 비교한 우리나라의 기후 특징으로 옳은 내용만을 〈보기〉에서 있는 대로 고른 것은?

<보기>
ㄱ. 기온의 연교차가 크다.
ㄴ. 계절풍 기후가 나타난다.
ㄷ. 최한월 평균 기온이 높다.
ㄹ. 강수량이 여름에 집중된다.

① ㄱ, ㄷ   ② ㄱ, ㄹ   ③ ㄴ, ㄷ
④ ㄱ, ㄴ, ㄹ   ⑤ ㄴ, ㄷ, ㄹ

02 지도는 1월 평균 기온의 분포이다. A~E에 대한 설명으로 옳지 않은 것은?

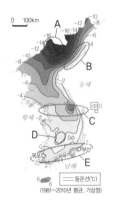

① A - 우리나라에서 해발 고도가 가장 높기 때문에 기온이 낮다.
② B - 함경산맥과 동해의 영향으로 등온선이 해안선과 평행하다.
③ C - 태백산맥과 동해의 영향으로 동해안이 서해안보다 기온이 높다.
④ D - 소백산맥이 위치하여 주변 지역에 비해 기온이 낮다.
⑤ E - 겨울철 동해가 황해보다 수온이 높아 부산이 목포보다 최한월 평균 기온이 높다.

03 지도의 A~D 지역을 기온의 연교차가 큰 지역부터 순서대로 나열한 것은?

① A > C > B > D   ② A > D > B > C
③ B > A > C > D   ④ B > A > D > C
⑤ C > A > D > B

04 그래프의 A~C 지역에 대한 옳은 설명을 〈보기〉에서 고른 것은? (단, A~C는 강릉, 인천, 동두천 중 하나임.)

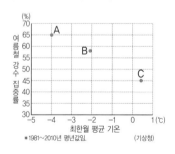

<보기>
ㄱ. A는 인천, B는 동두천이다.
ㄴ. A는 B보다 바다와의 거리가 멀다.
ㄷ. B는 A보다 기온의 연교차가 크다.
ㄹ. C는 A보다 겨울 강수량이 많다.

① ㄱ, ㄴ   ② ㄱ, ㄷ   ③ ㄴ, ㄷ
④ ㄴ, ㄹ   ⑤ ㄷ, ㄹ

05 그래프는 세 지역의 강수량 자료이다. (가)~(다)에 해당하는 지역을 지도의 A~C에서 골라 바르게 연결한 것은?

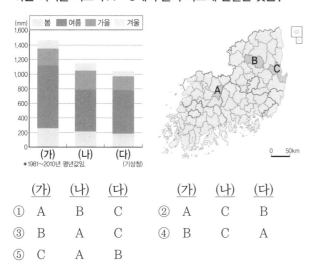

	(가)	(나)	(다)		(가)	(나)	(다)
①	A	B	C	②	A	C	B
③	B	A	C	④	B	C	A
⑤	C	A	B				

07 지도와 같은 기압 배치가 나타나는 계절의 특징으로 옳은 것은?

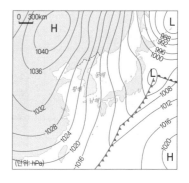

① 이동성 고기압의 영향으로 맑은 날씨가 지속된다.
② 이동성 고기압과 저기압이 주기적으로 교차하면서 날씨 변화가 심하다.
③ 한랭 건조한 북서풍이 불어오고 삼한 사온 현상, 한파, 폭설 등이 나타난다.
④ 북태평양 기단의 확장으로 고온 다습한 날씨가 지속되며 폭염과 열대야가 발생한다.
⑤ 장마 전선이 북상하여 흐리거나 비가 내리는 경우가 많으며, 집중 호우가 내리기도 한다.

06 지도는 두 시기의 풍향을 나타낸 것이다. (가), (나) 시기에 대한 설명으로 옳지 않은 것은? (단, 두 시기는 1월과 7월 중 하나임.)

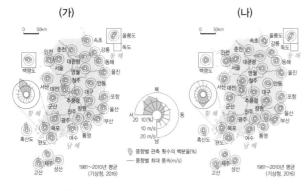

① (가) 시기는 남고북저형의 기압 배치가 잘 나타난다.
② (나) 시기는 고기압이 북태평양에 위치하고 대륙 내부에 저기압이 형성된다.
③ (가) 시기는 (나) 시기보다 평균 풍속이 강하다.
④ (가) 시기는 (나) 시기보다 지역 간의 기온 차이가 크다.
⑤ (나) 시기는 (가) 시기보다 강수량이 많다.

08 그림은 두 지역의 전통 가옥을 나타낸 것이다. (가), (나) 지역에 대한 설명으로 옳지 않은 것은?

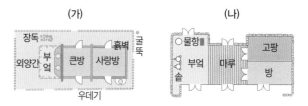

① (가)는 (나)보다 1월 강수량이 많다.
② (나)는 (가)보다 식생의 수직 분포가 잘 나타난다.
③ (가), (나) 모두 난대림이 분포한다.
④ (가), (나) 모두 화산 활동으로 형성되었다.
⑤ (가), (나) 모두 온돌이 발달하지 못하였다.

09 지도에 표시된 두 지역에서 사진과 같은 생활 양식이 나타나게 된 공통적인 기후 특징으로 옳은 것은?

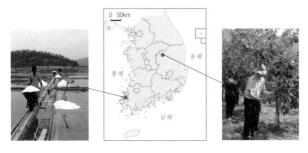

① 최난월 평균 기온이 낮다.
② 강수량이 적고 일조 시수가 길다.
③ 여름과 겨울의 기온 차이가 크다.
④ 남서·남동 계절풍이 뚜렷하게 나타난다.
⑤ 지형성 강수가 자주 내려 연 강수량이 많다.

10 A~C 자연재해에 대한 설명으로 옳지 않은 것은? (단, A~C는 대설, 태풍, 호우 중 하나임.)

〈자연재해 피해 발생 횟수〉

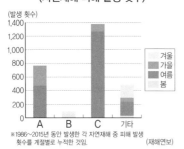

※1986~2015년 동안 발생한 각 자연재해 중 피해 발생 횟수를 계절별로 누적한 것임. (재해연보)

① A는 강풍과 많은 비를 동반한다.
② B는 농작물 재배 시설의 붕괴를 유발한다.
③ C는 장마 전선에 남서 기류가 유입될 때 잘 발생한다.
④ A는 C보다 발생 횟수당 피해액이 많다.
⑤ B는 A보다 제주도에서 피해액 비중이 높다.

11 그래프는 서울의 계절 변화를 나타낸 것이다. 이러한 추세가 지속될 경우 우리나라에 나타날 수 있는 현상으로 적절한 추론만을 〈보기〉에서 있는 대로 고른 것은?

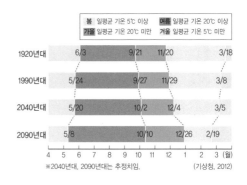

| 봄 일평균 기온 5℃ 이상 | 여름 일평균 기온 20℃ 이상 |
| 가을 일평균 기온 20℃ 미만 | 겨울 일평균 기온 5℃ 미만 |

※2040년대, 2090년대는 추정치임. (기상청, 2012)

〈보기〉
ㄱ. 사과의 재배 적지 면적이 증가할 것이다.
ㄴ. 겨울 김장을 담그는 시기가 늦어질 것이다.
ㄷ. 울릉도의 난대림 분포 고도 한계가 높아질 것이다.
ㄹ. 제주도의 고산 식물 분포 고도 한계가 높아질 것이다.

① ㄱ, ㄷ   ② ㄱ, ㄹ   ③ ㄴ, ㄷ
④ ㄱ, ㄴ, ㄹ   ⑤ ㄴ, ㄷ, ㄹ

12 (가)~(다)에 해당하는 토양을 지도의 A~C에서 골라 바르게 연결한 것은?

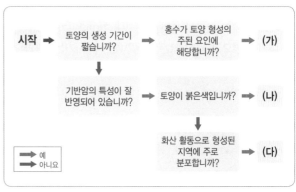

시작 → 토양의 생성 기간이 짧습니까? → 홍수가 토양 형성의 주된 요인에 해당합니까? → (가)
↓
기반암의 특성이 잘 반영되어 있습니까? → 토양이 붉은색입니까? → (나)
↓
화산 활동으로 형성된 지역에 주로 분포합니까? → (다)

⇒ 예
⇒ 아니요

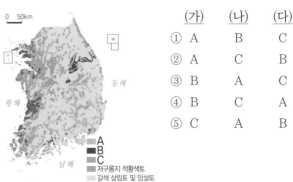

A
B
C
저구릉지 적황색토
갈색 삼림토 및 암설토
염류토
간석지

(국립지원, 1980)

	(가)	(나)	(다)
①	A	B	C
②	A	C	B
③	B	A	C
④	B	C	A
⑤	C	A	B

13 호남 지방의 서해안에 눈이 많이 내리는 이유를 그림에 제시된 측면을 모두 고려하여 서술하시오.

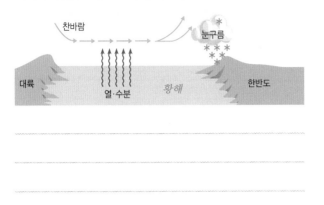

14 지도는 우리나라에 영향을 미치는 기단을 나타낸 것이다. 이를 보고 물음에 답하시오.

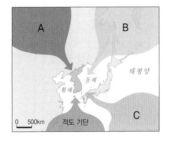

(1) A~C 기단의 특성을 이름과 성질을 중심으로 서술하시오.

(2) A~C 기단과 관련된 기후 현상을 각각 **두 가지**씩 쓰시오.

A	
B	
C	

15 그림은 어느 지역의 해발 고도에 따른 기온 변화를 나타낸 것이다. 이를 보고 물음에 답하시오.

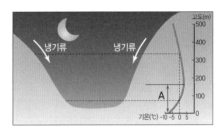

(1) 그림의 A에 해당하는 말을 쓰시오.

(   )

(2) 그림과 같은 현상이 잘 나타나기 위한 조건을 제시된 측면을 모두 고려하여 서술하시오.

> 지형, 계절, 바람, 운량, 낮 혹은 밤

16 자료와 관련된 용어를 쓰고, 빈칸 ㉠에 들어갈 알맞은 말을 서술하시오.

〈월평균 기온〉

서울은 천안보다 북쪽에 위치하지만 기온이 높습니다. 그 이유는 _____㉠_____

IV

거주 공간의 변화와 지역 개발

배울 내용 한눈에 보기

01 촌락의 변화와 도시 발달

촌락과 도시
- 전통 촌락 → 입지, 기능
- 촌락의 변화 → 이촌 향도, 기능 변화
- 도시 발달 → 도시화, 도시 발달 과정
- 도시 체계 → 계층 구조, 도시 체계의 특징

촌락은 산업화 시대를 거치면서 그 기능이 변화되고 도시와의 관계가 밀접해 지고 있어. 한편 도시는 도시화의 과정 속에서 계층 구조가 형성돼.

02 도시 구조와 도시 계획

도시 구조·도시 계획
- 도시 구조 → 지역 분화, 내부 구조
- 대도시권 → 형성 배경, 공간 구조 및 변화
- 도시 계획·도시 재개발 → 철거·보존·수복 재개발

도시는 성장하는 과정에서 기능에 따라 여러 지역으로 나뉘는 지역 분화가 일어나. 도시의 인구가 과밀화 되고, 교통이 발달하면 대도시권이 형성되면서 많은 변화가 나타나지. 한편 지역 개발 방식은 철거 재개발, 수복 재개발, 보존 재개발 등으로 구분할 수 있어.

03 지역 개발과 공간 불평등

국토 개발
- 지역 개발 → 개발 방식, 우리나라의 국토 개발
- 공간 불평등 → 공간·환경 불평등, 지속 가능한 국토

성장 거점 개발을 통해 빠른 경제 성장을 이루었지만, 수도권과 비수도권의 지역 격차가 확대되면서 이를 해결하기 위해 균형 개발 방식이 채택되었어.

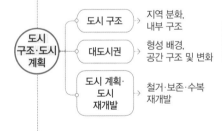

01 촌락의 변화와 도시 발달

핵심 질문으로 흐름잡기

A 전통 촌락의 입지 특색 및 촌락과 도시 간의 관계는?

B 우리나라의 도시 발달 과정과 도시 체계의 특징은?

A 전통 촌락과 촌락의 변화

| 시·험·단·서 | 지도를 통해 집촌과 산촌을 구분하고, 촌락의 특징을 비교하는 문제가 자주 출제돼!

1. 전통 촌락의 특징 ─ 사람이 거주하며 생활하는 공간을 취락이라 하는데, 취락은 인구와 산업 활동 등에 따라 촌락과 도시로 구분해

(1) 주민의 대부분이 농업, 어업 등 1차 산업에 종사함

(2) 국토 공간에서 넓은 면적을 차지하지만, 도시보다 인구 규모가 작고 인구 밀도가 낮음

(3) 자연환경과 전통문화가 잘 보존된 지역으로 도시민들에게 여가 공간을 제공함

2. 전통 촌락의 입지

(1) **입지 조건**: 자연적 조건(물, 지형, 기후 등), 사회·경제적 조건(산업, 교통, 방어 등)

(2) **입지 특징**: 자연적 조건의 영향을 많이 받았고, 배산임수와 같은 풍수지리 사상이 반영됨
  └ 농경지와 농업용수 확보에 유리해

3. 입지 요인과 입지 장소

입지 요인		입지 장소
물	용수 확보	제주도 해안의 용천대❶
	침수 피해 최소화	범람원의 자연 제방
교통	육상 교통	역원 취락❷ 예 조치원, 퇴계원 등
	하천 교통	수운의 요충지, 나루터 취락 예 노량진, 마포 등
방어		방어에 유리한 해안 및 국경 지역 예 통영, 중강진 등

4. 전통 촌락의 기능과 경관

(1) **농촌**: 농업을 기반으로 하며, 주로 농경지와 배후 산지가 만나는 산기슭에 위치함, 가옥이 밀집하여 분포하는 집촌(集村)인 경우가 많음 ─ 벼농사 지역은 협동 노동이 필요하여 집촌이 발달했어

(2) **어촌**: 주로 해안 지역에서 경제 활동을 영위하는 촌락, 항구를 중심으로 가옥이 밀집함, 반농반어촌을 이루는 경우가 많음

(3) **산지촌**: 산간 지역에 위치하는 촌락, 밭농사·임산물 채취·목축업 등이 이루어짐, 경지가 좁아 산촌(散村)을 이루는 경우가 많음❸

5. 촌락의 변화

(1) **원인**: 1960년대 이후 산업화·도시화에 따른 이촌 향도 활발

(2) **대도시와의 접근성이 낮은 촌락** [자료1]

  ① 청장년층 중심의 인구 유출 현상이 뚜렷, 총인구 감소, 노동력의 부족 및 고령화 문제 발생, 노년층 인구 비중이 높아짐 → 정주 기반 약화 ─ 폐교가 증가하는 등 생활 기반 시설의 유지가 어려워졌기 때문이야

  ② 남성보다 여성 인구의 유출이 활발하여 결혼 적령기 연령층의 남초 현상이 심해짐 ─ 국제결혼이 많아지면서 다문화 가정이 증가하는 배경이 되었어

(3) **대도시와의 접근성이 높은 근교 촌락**

  ① 상업적 농업이 확대되면서 시설 재배가 활발해지고 겸업농가 비율이 높아짐

  ② 공장, 물류 창고, 아파트 등이 입지하면서 도시적 경관이 혼합되어 나타남

(4) **최근 촌락의 변화**: 친환경 농작물 재배 증가, 농작물의 다양화, 전자 상거래를 통한 농산물 직거래, 촌락의 전통 경관을 관광 자원화, 촌락 체험 행사 마련 등 [자료2]

---

❶ **제주도의 용천 분포**

0 10km

제주시

서귀포시

■ 용천

(한국 지리지 제주, 2012)

용천(湧泉)이란 물이 솟아나는 샘으로, 제주도의 경우 지하로 스며든 물이 해안 지역에서 지표로 분출한다.

❷ **역원 취락**

역은 말을 갈아타던 장소이고, 원은 공적인 임무를 수행하는 공무 여행자에게 숙식 및 편의를 제공하는 곳이다. 주로 두 기능이 한곳에 모여 있었다.

❸ **집촌과 산촌**

집촌은 가옥 밀집도가 높은 촌락으로 협동 노동이나 공동 방어의 필요성이 큰 곳에서 잘 형성된다. 공동체 의식이 강하고 가옥과 경지의 결합도가 낮다. 산촌은 가옥 밀집도가 낮은 촌락으로 경지가 협소한 곳, 신개척지 등에 분포한다. 집촌에 비해 공동체 의식이 약하고 가옥과 경지의 결합도는 높다.

자료1 우리나라 촌락의 변화 관련 문제 ▶ 130쪽 03번

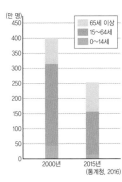

▲ 농가 인구 및 인구 구조

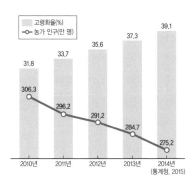

▲ 촌락의 인구 감소와 고령화

자료·분석 왼쪽 그래프를 보면 우리나라 농가 인구는 감소하였다. 특히 청장년층 인구 비율이 낮은 것으로 보아 청장년층 중심의 인구 유출이 이루어지고 있다. 또한, 유소년층 인구는 크게 줄고 65세 이상 인구가 차지하는 비율이 늘어나 고령화 현상이 나타나고 있다. 오른쪽 그래프를 보면 농가 인구가 지속적으로 줄고 있으며, 고령화율이 빠른 속도로 높아지고 있다. 이처럼 청장년층 중심으로 촌락 인구가 감소하면 폐교되는 학교가 늘어나는 등 생활 환경이 악화되어 촌락의 정주 기반이 약화된다.

한·줄·핵·심 촌락은 청장년층 중심의 인구 유출이 활발하였고, 이로 인해 정주 기반이 약화되었다.

자료2 촌락의 다양한 기능 변화

▲ 배추 수확

▲ 고택 체험

▲ 치즈 만들기 체험

▲ 물고기 잡기 체험

자료·분석 촌락은 도시가 유지되는 데 반드시 필요한 물과 식량을 대부분 제공하며, 대기의 질을 개선시키는 숲이 넓게 분포하는 곳이다. 최근 촌락 주민의 전통적인 생활 모습이나 촌락 경관이 관광 자원화되고 농업이나 어업, 전통문화 등을 활용한 다양한 체험 활동 기회를 제공하는 등 도시민의 여가 수요를 충족하는 기능을 하고 있다.

한·줄·핵·심 촌락은 도시에 물, 식량 등을 제공하고, 최근에는 도시민의 여가 수요를 충족시키고 있다.

궁금해요

Q. 촌락에서 청장년층의 성비는 높은데 전체 성비는 낮은 이유는 무엇인가요?

A. 촌락에서 청장년층의 성비가 높은 이유는 남성보다 여성의 인구 유출이 더 활발하게 이루어졌기 때문이야. 한편 촌락은 청장년층 중심의 인구 유출이 활발했기 때문에 노년 인구 비율이 높아. 그런데 평균 수명의 경우 여성이 남성보다 길기 때문에 노인 인구 비율이 높은 촌락은 전체 성비가 낮아.

용어 더하기

*반농반어촌
농업과 어업을 겸하는 촌락으로, 우리나라 대부분의 어촌이 이러한 형태이다.

*정주 기반
정주란 일정한 곳에 자리 잡고 사는 것이고, 정주 기반이란 어떤 곳에 살고 있는 사람들에게 필요한 각종 생활 편의 시설을 말한다.

*겸업 농가
농업 이외의 업종에서도 수입을 얻고 있는 농가

❹ 도농 통합시

□ 도농 통합시   0 ____ 50km

(행정자치부, 2016)

생활권이 같은 도시와 촌락이 하나로 합쳐져 광역 생활권을 갖춘 도시이다.

5. 촌락과 도시의 상호 보완성

(1) 촌락과 도시의 비교

① 촌락: 주로 1차 산업이 발달하였고 인구 밀도가 낮으며, 토지를 조방적으로 이용함, 주민 구성이 동질적이고 공동체 의식이 강함

└ 넓은 면적에 자본과 노동력을 적게 투입하여 면적 대비 낮은 수익을 창출하는 토지 이용 방식이야

② 도시: 2·3차 산업이 발달하였고 인구 밀도가 높으며, 집약적 토지 이용이 나타남

└ 좁은 면적에 많은 자본과 노동력을 집중하여 생산성을 최대한 높이려는 토지 이용 방식이야

(2) 상호 보완적 관계

① 촌락: 도시에 각종 농수산물을 공급하고 휴식 및 여가 공간을 제공함

② 도시: 촌락에 공산품을 비롯한 재화와 서비스를 제공함

③ 도시는 촌락에 재화와 서비스를 제공하는 중심지이고, 촌락은 도시가 제공하는 재화와 서비스를 제공받는 배후지임

(3) 도농 통합시❹: 도시와 촌락의 상호 발전을 위해 만들어짐 예 청주시와 청원군의 통합

B 도시 발달과 도시 체계

| 시·험·단·서 | 우리나라의 도시 발달 과정 및 도시 체계의 특징을 묻는 문제가 자주 출제돼!

1. 도시화와 도시 발달 과정

(1) 도시화: 도시 인구 비율이 높아지고 도시적 생활 양식이 확대되는 현상

(2) 우리나라의 도시 발달 과정❺ 자료3

① 1960년대: 서울, 부산, 대구 등 대도시를 중심으로 인구가 빠르게 증가함

② 1970년대: 대도시의 성장과 함께 울산, 포항, 창원 등 남동 임해 지역의 공업 도시가 빠르게 성장함

└ 울산은 자동차·조선·석유 화학 공업, 포항은 1차 금속 공업, 창원은 기계 공업이 발달했어

③ 1980년대 이후: 서울, 부산, 대구 등 대도시 주변 지역의 위성 도시가 빠르게 성장함

예 서울 주변(성남, 안산, 고양 등), 부산 주변(김해, 양산), 대구 주변(경산)

(3) 우리나라 도시 발달의 특징

① 대도시와 대도시의 위성 도시를 중심으로 성장하면서 지방 중소 도시가 상대적으로 정체되는 현상이 나타남

└ 대도시의 인구·공업·행정 기능을 분담하는 도시로, 인구를 분담하는 도시의 경우 자족 기능이 약해 대도시로 통근하는 비율이 높기 때문에 주간 인구 지수가 낮아

② 주로 수도권과 남동 임해 지역에 대도시가 분포함

❺ 인구 성장에 따른 도시 순위 변화

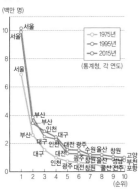

(백만 명)

서울

─○─ 1975년
─●─ 1995년
─●─ 2015년

(통계청, 각 연도)

서울

부산
인천
부산
대구
대구 인천 대전 광주
대구   대전   수원울산 창원   고양
광주 창원울산 성남 부천
인천 광주대전창원   울산전주 포항
(순위)

인구 규모 10위 이내의 도시에서 수도권이 차지하는 비중이 높아졌다.

2. 도시 체계

(1) 의미: 도시 간의 재화와 서비스의 이동, 자본과 정보의 흐름 등에 따라 이루어지는 상호 작용에 의해 나타나는 도시 간의 계층 질서

(2) 도시의 계층 구조 자료4

① 형성: 도시가 보유한 기능에 따라 계층 구조가 형성됨

② 소도시와 대도시의 특징 비교

도시 계층	최소 요구치	재화의 도달 범위	중심지 기능	중심지 수	중심지 간의 거리
소도시	작다	좁다	적다	많다	가깝다
대도시	크다	넓다	많다	적다	멀다

❻ 종주 도시화 현상

인구 규모 1위 도시의 인구가 2위 도시의 인구보다 두 배 이상 많은 현상을 말한다. 개발 도상국은 인구 규모 1위 도시(수위 도시)에 인구가 집중하는 현상이 뚜렷하다.

(3) 우리나라 도시 체계의 특징

① 종주 도시화 현상❻: 서울이 인구와 기능면에서 집중도가 높아 종주 도시화 현상이 뚜렷하게 나타남

② 균형 있는 도시 체계 조성을 위한 노력: 혁신 도시 건설, 중추 도시 생활권 육성 등

자료3 ## 우리나라의 도시 분포 변화 관련 문제 ▶ 128쪽 04번

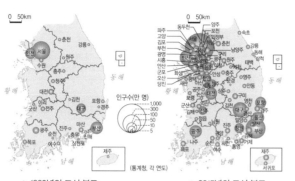

▲ 1960년의 도시 분포 | ▲ 2015년의 도시 분포

(통계청, 각 연도)

자료·분석 도시화율이 1960년에는 약 39.1%였지만 2015년에는 약 91.8%로 도시화율이 급증하였다. 이 과정에서 도시의 수가 많아졌고 인구 규모가 커진 경우가 대부분이다. 하지만 이러한 변화는 지역별로 고르게 나타나지 않았다. 서울, 부산 등의 대도시와 이들 도시의 위성 도시, 남동 임해 지역의 공업 도시 중심으로 성장하였다. 반면 강원, 충북, 경북 내륙 지역 등지의 지방 중소 도시들은 대부분 상대적으로 정체되었다.

한·줄·핵·심 우리나라는 도시화율이 빠르게 높아졌고, 수도권, 경부축에 위치한 도시가 성장하였다.

자료4 ## 중심지 체계 관련 문제 ▶ 129쪽 07번

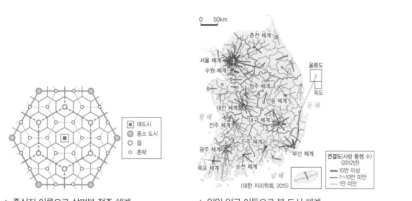

▲ 중심지 이론으로 살펴본 정주 체계 | ▲ 일일 인구 이동으로 본 도시 체계

(대한 지리학회, 2015)

연결도(사람 통행 수) (2012년)
━ 10만 이상
━ 1~10만 미만
━ 1만 미만

범례: ■ 대도시 ● 중소 도시 ○ 읍 ○ 촌락

자료·분석 중심지는 재화와 서비스를 제공하는 중심 기능이 모여 있는 곳이다. 중심지에는 계층이 존재하는데, 이들 간의 상호 작용으로 형성된 계층 구조를 중심지 계층이라고 한다. 계층이 높은 중심지(고차 중심지)는 계층이 낮은 중심지(저차 중심지)보다 보유하고 있는 중심 기능이 다양하기 때문에 보다 넓은 배후지가 필요하다. 따라서 고차 중심지는 저차 중심지보다 그 수가 적고, 배후지의 범위는 넓다. 도시는 중심지에 해당하는데, 대도시는 고차 중심지, 소도시와 읍·면 중심지는 저차 중심지이다. 읍·면 중심지는 대도시보다 보유 기능이 적고 배후지가 좁은 반면, 대도시는 다양한 기능을 보유하며 넓은 배후지를 갖는다.

일일 인구 이동으로 본 도시 체계에서 대도시인 서울, 부산, 대구 등은 중소 도시인 춘천, 안동 등에 비해 주변 지역과 상호 작용이 활발하고 보다 먼 지역까지 영향을 미친다.

한·줄·핵·심 대도시는 소도시보다 배후지의 중심 기능이 다양하고 배후지의 범위가 넓다.

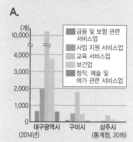

촌락의 변화와 도시 발달 및 도시 체계

개념풀 Guide 지도를 통해 집촌과 산촌을 구분하고 촌락의 변화 모습을 살펴볼 수 있다. 도시 간 인구 이동, 도시 수 및 도시 인구 비중 변화 자료를 통해 도시 체계를 이해해 보자.

1. 집촌과 산촌 관련 문제 ▶ 130쪽 01번

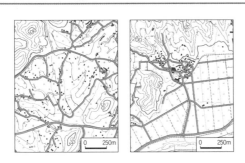

분석 산촌(왼쪽)은 경지가 협소한 곳, 밭농사, 과수원 등지에서 나타나며 가옥과 경지의 결합도가 높다. 집촌(오른쪽)은 협동 노동의 필요성이 큰 곳에 잘 형성되며, 가옥과 경지의 결합도가 낮다.

2. 촌락의 변화 관련 문제 ▶ 130쪽 02번

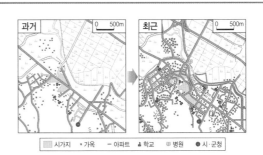

분석 과거와 비교해 최근에는 시가지, 가옥, 아파트, 학교 등이 증가한 반면 농경지는 감소하였다. 이를 통해 도시화가 진행되었음을 알 수 있다.

3. 도시 간 인구 이동 관련 문제 ▶ 131쪽 08번

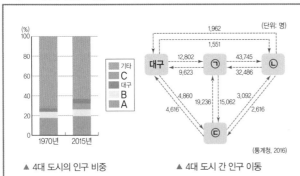

▲ 4대 도시의 인구 비중　　　▲ 4대 도시 간 인구 이동

분석 4대 도시 인구 규모는 2015년 기준 서울>부산>인천>대구의 순이므로 A는 서울, B는 부산, C는 인천이다. 서울은 인구 이동량이 가장 많고 인천에서 서울로의 인구 이동보다 서울에서 인천으로의 인구 이동이 활발하므로 ㉠은 서울, ㉡은 인천, ㉢은 부산이다.

4. 도시 체계 관련 문제 ▶ 131쪽 07번

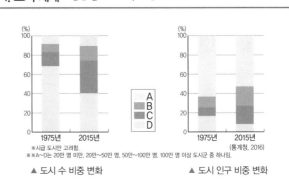

▲ 도시 수 비중 변화　　　▲ 도시 인구 비중 변화

분석 도시 수 대비 인구 규모가 클수록 도시 규모가 큰 것이다. 따라서 A는 100만 명 이상, B는 50만~100만 명, C는 20만~50만 명, D는 20만 명 미만의 도시군이다. 1975~2015년에 도시 인구 비중의 증가 폭은 20만~50만 명이 가장 높다.

5. 지역별 도시 체계

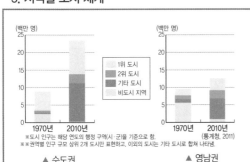

▲ 수도권　　　▲ 영남권

분석 수도권의 1위 도시는 서울, 2위 도시는 인천이다. 영남권의 1위 도시는 부산, 2위 도시는 대구이다.

이것만은 꼭!

→ 촌락은 가옥의 밀집도를 기준으로 **집촌과 산촌**으로 구분할 수 있다.
→ **서울**은 우리나라의 **종주 도시**이다.
→ 수도권의 1위 도시는 **서울**, 영남권의 1위 도시는 **부산**이다.

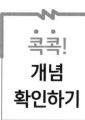

A 전통 촌락과 촌락의 변화

01 빈칸에 알맞은 말을 쓰시오.

(1) 전통 촌락은 주로 북서풍을 막아주고 각종 용수를 얻을 수 있는 남향의 (　　　) 위치에 입지하였다.

(2) 제주도는 지표수가 부족하여 취락은 주로 (　　　)이/가 분포하는 해안 지역에 입지하였다.

(3) 생활권이 같은 도시와 촌락이 하나로 합쳐져 광역 생활권을 갖춘 도시를 (　　　)(이)라고 한다.

02 알맞은 말에 ○표를 하시오.

(1) 전통 사회에서 벼농사가 발달했던 농촌은 (집촌, 산촌), 경지 면적이 좁은 산간 지대나 과수원 지대는 (집촌, 산촌)이 발달하였다.

(2) 촌락은 결혼 적령기 연령층에서 (남초, 여초) 현상이 뚜렷한데, 이는 도시에 비해 국제결혼 비율이 높아지는 배경이 되었다.

(3) 넓은 면적에 자본과 노동력을 적게 투입하여 경지 면적 대비 낮은 수익이 창출되는 토지 이용 방식은 (조방적, 집약적) 토지 이용 방식이다.

(4) 전통 촌락은 도시에 비해 인구 밀도가 (높고, 낮고), (1차, 2·3차) 산업 종사자 비중이 높다.

(5) 대도시와 가깝고 접근성이 좋은 촌락은 대도시와 먼 촌락에 비해 상대적으로 (전업, 겸업) 농가의 비중이 높다.

B 도시 발달과 도시 체계

03 빈칸에 알맞은 말을 쓰시오.

(1) 도시들은 재화와 서비스의 이동, 자본과 정보의 흐름 등에 따라 상호 작용을 하는데, 이러한 도시 간의 계층 질서를 (　　　)(이)라고 한다.

(2) 대도시의 주변에서 대도시의 일부 기능을 분담하는 도시를 (　　　)(이)라고 한다.

(3) 수위 도시의 인구가 인구 규모 2위 도시의 인구보다 두 배 이상 많은 현상을 (　　　) 현상이라고 한다.

04 인구 성장에 따른 도시 순위 변화를 나타낸 그래프이다. 물음에 답하시오.

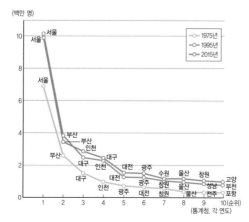

(1) 1975년과 2015년에 수도권에 위치하는 도시를 모두 쓰시오.

① 1975년 (　　　　　　　　　)

② 2015년 (　　　　　　　　　)

(2) 1995～2015년에 인구가 가장 많이 감소한 도시를 쓰시오. (　　　　　　)

(3) 1995～2015년에 인구가 가장 많이 증가한 광역시를 쓰시오. (　　　　　　)

탄탄! 내신 다지기

A 전통 촌락과 촌락의 변화

01 그래프는 임실군의 인구 자료이다. 1990년과 비교한 2015년의 상대적 특징으로 옳은 내용을 〈보기〉에서 고른 것은?

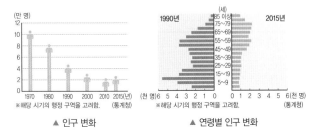

▲ 인구 변화   ▲ 연령별 인구 변화

보기
ㄱ. 초등학교 학생 수가 많다.
ㄴ. 주민의 평균 연령이 높다.
ㄷ. 청장년층의 인구 비중이 높다.
ㄹ. 농가 호당 경지 면적이 증가하였다.

① ㄱ, ㄴ   ② ㄱ, ㄷ   ③ ㄴ, ㄷ
④ ㄴ, ㄹ   ⑤ ㄷ, ㄹ

02 밑줄 친 ㉠~㉣에 대한 옳은 설명을 〈보기〉에서 고른 것은?

1970년대 이후 진행된 도시화로 ㉠ 대도시와 인접한 촌락과 ㉡ 도시에서 멀리 떨어진 촌락에 각기 다른 변화가 나타났다. 또한 촌락이 관광 자원화되어 ㉢ 농업이나 어업, 전통문화 등을 활용한 체험 마을이 늘고 있으며, 최근 ㉣ 촌락은 결혼 이민자 증가로 다문화 가정이 늘고 있다.

보기
ㄱ. ㉠은 겸업농가 비중이 낮아지고 농가 호당 경지 면적은 증가하였다.
ㄴ. ㉡은 학교 및 생필품 판매점이 감소하는 등 정주 기반이 약화되었다.
ㄷ. ㉢으로 인하여 농가 소득원의 다양성이 증가하였다.
ㄹ. ㉣은 촌락의 20~40대 연령층의 낮은 성비와 관계가 깊다.

① ㄱ, ㄴ   ② ㄱ, ㄷ   ③ ㄴ, ㄷ
④ ㄴ, ㄹ   ⑤ ㄷ, ㄹ

03 ㉠~㉣에 대한 옳은 설명만을 〈보기〉에서 있는 대로 고른 것은?

㉠ 촌락 주민들은 1차 산업을 중심으로 생활한다. ㉡ 촌락은 농촌, 어촌, 산지촌 등으로 구분하며 주로 자연환경에 기반을 두고 생산 활동을 한다. 촌락은 주로 남향의 ㉢ 배산임수 입지를 선호한다. 한편 벼농사 지역에서는 협동 노동의 필요성이 크기 때문에 많은 가옥이 한곳에 모인 (㉣)이/가 흔하게 분포한다.

보기
ㄱ. ㉠-주민들 간의 동질성이 크고 공동체 의식이 도시에 비해 강하다.
ㄴ. ㉡-촌락을 생산 기능에 따라 구분한 것이다.
ㄷ. ㉢-농업용수와 생활용수 확보에 유리한 곳이다.
ㄹ. ㉣-경지 내에 가옥이 위치하여 가옥과 경지와의 거리가 가깝다.

① ㄱ, ㄴ   ② ㄷ, ㄹ   ③ ㄱ, ㄴ, ㄷ
④ ㄱ, ㄴ, ㄹ   ⑤ ㄴ, ㄷ, ㄹ

B 도시 발달과 도시 체계

04 밑줄 친 ㉠~㉣에 대한 옳은 설명을 〈보기〉에서 고른 것은?

우리나라는 ㉠ 1960년대부터 도시화가 급속하게 진행되었으며 1970년대에는 ㉡ 울산, 포항, 창원 등의 신흥 공업 도시가 급격히 성장하였다. 1980년대부터는 대도시의 성장이 둔화되고 ㉢ 대도시 주변의 위성 도시들이 발달하였다. 1990년대 이후부터 ㉣ 서울, 부산 등 대도시권에서 중심 도시 인구가 차지하는 비중이 낮아지는 현상도 나타났다.

보기
ㄱ. ㉠-촌락 인구가 도시 인구보다 빠르게 증가하였다.
ㄴ. ㉡-남동 임해 지역에 위치한 중화학 공업 도시이다.
ㄷ. ㉢-대도시에서 주로 노년층 인구의 전입이 활발하였다.
ㄹ. ㉣-대도시의 인구 교외화 현상의 영향에 해당한다.

① ㄱ, ㄴ   ② ㄱ, ㄷ   ③ ㄴ, ㄷ
④ ㄴ, ㄹ   ⑤ ㄷ, ㄹ

05 그래프는 우리나라의 도시화율 변화를 나타낸 것이다. 이에 대한 옳은 설명을 〈보기〉에서 고른 것은?

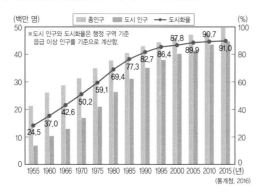

보기
ㄱ. 1960년은 2015년보다 시가지의 면적이 넓다.
ㄴ. 2015년은 1960년보다 2·3차 산업 종사자 비중이 높다.
ㄷ. 1990~2015년은 1970~1990년보다 이촌 향도 현상이 활발하였다.
ㄹ. 2015년에 도시에 거주하는 인구는 촌락에 거주하는 인구보다 5배 이상 많다.

① ㄱ, ㄴ ② ㄱ, ㄷ ③ ㄴ, ㄷ
④ ㄴ, ㄹ ⑤ ㄷ, ㄹ

06 그래프는 우리나라 주요 도시의 인구 증가 추이를 나타낸 것이다. ㉠~㉢에 해당하는 도시로 옳은 것은?

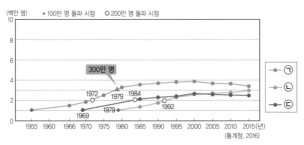

	㉠	㉡	㉢
①	대구	부산	인천
②	대구	인천	부산
③	부산	대구	인천
④	부산	인천	대구
⑤	인천	대구	부산

07 다음 글을 읽고 추론한 내용으로 옳은 것을 〈보기〉에서 고른 것은?

중심지는 주변 지역에 재화나 서비스를 제공하는 중심 기능이 모여 있는 곳으로 학교, 상점, 도시 등이 그 예이다. 중심지에는 계층이 존재하는데 계층이 높을수록 그 수는 적지만 보유하고 있는 기능은 더 많다. 따라서 낮은 계층의 중심지는 높은 계층의 중심지에 기능적으로 의존한다. 정주 체계에서 중소 도시나 읍·면 중심지는 대도시에 비해 저차 중심지에 해당한다.

보기
ㄱ. 읍·면 중심지는 중소 도시보다 배후지의 면적이 넓다.
ㄴ. 대도시는 소도시보다 수가 적고 도시 간의 거리가 멀다.
ㄷ. 중소 도시는 대도시보다 보유한 중심 기능의 종류가 많다.
ㄹ. 중소 도시나 읍·면 중심지는 기능적으로 대도시에 의존한다.

① ㄱ, ㄴ ② ㄱ, ㄷ ③ ㄴ, ㄷ
④ ㄴ, ㄹ ⑤ ㄷ, ㄹ

서술형 문제

08 강원도 내 폐교 현황을 나타낸 지도이다. 이와 같은 현상이 나타나게 된 원인을 인구 측면에서 **두 가지** 서술하시오.

(한국 지리지 강원권, 2015)

01 (가), (나) 촌락의 일반적인 특성에 대한 옳은 설명만을 〈보기〉에서 있는 대로 고른 것은?

수능 유형

(가)   (나)

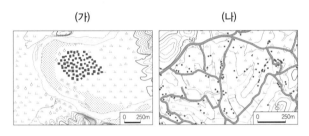

보기
ㄱ. (가)는 배산임수 지역에 입지한 촌락에서 흔히 나타난다.
ㄴ. (나)는 경지가 넓은 평야에서 주로 나타난다.
ㄷ. (가)는 (나)보다 협업 활동에 불리하다.
ㄹ. (나)는 (가)보다 가옥과 경지의 결합도가 높다.

① ㄱ, ㄷ   ② ㄱ, ㄹ   ③ ㄴ, ㄹ
④ ㄱ, ㄷ, ㄹ   ⑤ ㄴ, ㄷ, ㄹ

02 지도는 어느 지역의 토지 이용 변화를 나타낸 것이다. 두 시기의 상대적 특성을 그래프로 나타낼 때, A, B에 들어갈 항목으로 옳은 것은?

수능 기출

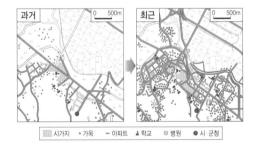

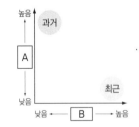

	A	B
①	경지율	전업농 비율
②	인구 밀도	경지율
③	전업농 비율	농업 종사자 비율
④	소득원의 다양성	인구 밀도
⑤	농업 종사자 비율	소득원의 다양성

03 다음 자료는 우리나라 농가 특성의 변화를 나타낸 것이다. 1990년과 비교하여 2016년에 수치가 높은 항목만을 〈보기〉에서 있는 대로 고른 것은?

〈농가 인구와 농가 수〉

구분	1990년	2016년
농가 인구	666	250
농가 수	177	107
전업농가 수	105	60
경지 면적	210	164

(단위: 만 명, 만 가구, 만 ha) (통계청)

〈인구 구조〉

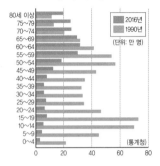

보기
ㄱ. 총 부양비   ㄴ. 겸업농가 수
ㄷ. 농가당 인구   ㄹ. 농가당 경지 면적

① ㄱ, ㄷ   ② ㄱ, ㄹ   ③ ㄴ, ㄹ
④ ㄱ, ㄷ, ㄹ   ⑤ ㄴ, ㄷ, ㄹ

04 지도에 표시된 (가)~(다) 촌락의 특징을 〈보기〉의 A~C에서 골라 바르게 연결한 것은?

보기
A: 주요 도로를 따라서 숙박 기능과 교통 기능을 중심으로 형성되었다.
B: 병영(兵營)이 입지한 곳을 중심으로 방어의 목적으로 형성되었다.
C: 하천이나 좁은 수로 또는 해협을 건너기 위한 지점의 나루터를 중심으로 형성되었다.

	(가)	(나)	(다)		(가)	(나)	(다)
①	A	B	C	②	A	C	B
③	B	A	C	④	B	C	A
⑤	C	A	B				

수능 기출

05 그래프에 표시된 (가)~(다) 지역을 지도의 A~C에서 골라 바르게 연결한 것은?

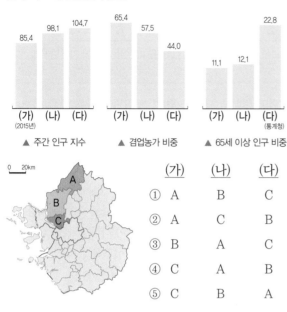

	(가)	(나)	(다)
①	A	B	C
②	A	C	B
③	B	A	C
④	C	A	B
⑤	C	B	A

07 그래프는 우리나라의 인구 규모별 도시 수와 도시 인구 비중 변화를 나타낸 것이다. 이에 대한 옳은 분석만을 〈보기〉에서 있는 대로 고른 것은?

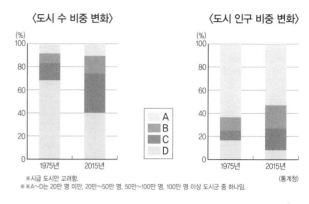

〈보기〉

ㄱ. A는 100만 명 이상, D는 20만 명 미만 도시군에 해당한다.

ㄴ. 100만 명 이상 도시군의 도시 인구 비중은 감소하였다.

ㄷ. 20만 명 미만 도시군의 도시 수 비중은 증가하였다.

ㄹ. 도시 인구 비중의 증가 폭은 C 도시군이 가장 크다.

① ㄱ, ㄴ　　② ㄱ, ㄷ　　③ ㄷ, ㄹ
④ ㄱ, ㄴ, ㄹ　　⑤ ㄴ, ㄷ, ㄹ

06 그래프는 세 지역의 인구 규모별 시·군 순위를 상위 10개 지역만 나타낸 것이다. (가)~(다) 지역을 지도의 A~C에서 골라 바르게 연결한 것은?

수능 유형

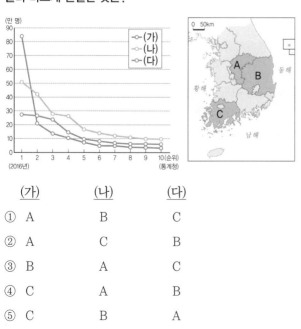

	(가)	(나)	(다)
①	A	B	C
②	A	C	B
③	B	A	C
④	C	A	B
⑤	C	B	A

08 그래프는 우리나라 인구 규모 4대 도시의 인구 비중과 도시 간 인구 이동을 나타낸 것이다. 이에 대한 설명으로 옳지 않은 것은?

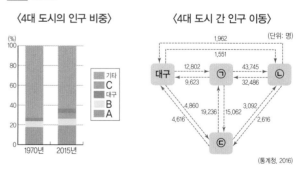

① 1970년, 2015년 모두 종주 도시화 현상이 나타난다.
② ㉠은 우리나라 전체를 배후지로 하는 수위 도시이다.
③ B는 ㉢에 해당하며 항구 도시이다.
④ ㉡은 ㉠보다 주간 인구 지수가 높다.
⑤ ㉡은 ㉢보다 1970~2015년에 인구 증가율이 높았다.

02 ～ 도시 구조와 도시 계획

핵심 질문으로 흐름잡기

A 도시 내부 구조의 특징은 무엇일까?

B 대도시권의 형성 배경은?

C 도시 재개발 방식과 그 영향은?

A 도시의 지역 분화와 내부 구조

|시·험·단·서| 도시 내부의 지역 분화 요인과 도심, 부도심, 주변 지역의 특징을 비교하는 문제가 자주 출제돼.

1. 도시 내부의 지역 분화

(1) **의미**: 도시 내부가 기능에 따라 여러 지역으로 나뉘는 현상 → 지역 분화의 결과 상업 지역, 주거 지역, 공업 지역 등이 형성됨

(2) **지역 분화의 요인**: 지역에 따른 접근성, 지대, 지가의 차이 [자료1]
　　　　　　　　　　　　　　　　　　　　　 └─ 교통이 편리한 지역은 접근성이 높아

① **접근성**: 통행이 발생한 지역으로부터 특정 지역이나 시설로 접근할 수 있는 가능성을 말하며, 거리·교통의 편리성 등의 영향을 받음 ─ 접근성이 높을수록 지대가 높아지는 경향이 나타나

② **지대[1]**: 토지 이용으로 얻는 수익 또는 타인의 토지를 이용할 때 지불해야 하는 비용

③ **지가**: 토지의 가격, 지대와 마찬가지로 접근성과 비례하는 경향이 나타남

(3) **지역 분화의 과정**: 집심 현상과 이심 현상으로 도시 지역의 분화가 이루어짐

① **집심 현상**: 지대 지불 능력이 높은 상업·업무 기능이 도심에 집중하는 현상

② **이심 현상**: 상대적으로 지대 지불 능력이 낮은 주택, 학교, 공장 등이 도심을 떠나 주변으로 분산되는 현상

2. 도시 내부 구조[2] [자료2]
　　　　　　　　 └─ 도심, 부도심, 중간 지역, 주변(외곽) 지역 등으로 구성되어 있어

(1) **도심**

① 주로 도시의 중심부에 위치함

② 접근성이 좋아 토지 이용 경쟁이 치열하기 때문에 지대·지가가 높음 → 건물의 고층화

③ 대기업 본사, 금융 기관 본점 등 중심 업무 기능, 전문 상업 기능이 입지함

④ 주거 기능이 약화되어 인구 공동화 현상[3]이 나타남

⑤ 주간 인구 지수가 높고, 통근 시간대에 교통이 혼잡함
　　└─ 대체로 도심이 가장 높고, 　　　　┌─ 야간 인구에 비해 주간 인구가 매우 많은
　　　　주변(외곽) 지역으로 갈수록 낮아져　　도심은 통근 시간대에 교통이 혼잡해

(2) **부도심**

① 도심과 주변 지역을 연결하는 교통로의 결절점에 형성됨
　　　　　　　　　　　　　　　　　　　└─ 사거리, 오거리와 같이 서로 다른 교통로가 만나거나
② 도심의 상업 및 업무 기능을 분담함　　　서로 다른 교통수단이 만나는 곳이야

③ 도심의 과밀화, 교통 혼잡 문제를 완화시킴

(3) **중간 지역**

① 도심과 주변 지역 사이에 위치하며, 두 지역의 기능이 혼재되어 있는 점이 지대

② 재개발이 이루어지기 전에 일시적으로 주거 환경이 열악한 곳이 되기도 함

(4) **주변(외곽) 지역**: 접근성이 낮은 도시의 변두리 지역으로 상대적으로 지대와 지가가 낮음 → 주택·학교·공장 등이 입지함

(5) **개발 제한 구역**: 도시의 무질서한 팽창을 억제하고 녹지 공간을 보전하기 위해 설정한 구역으로 개인의 재산권 행사가 제한됨

3. 도시 내부 구조의 변화

(1) **도심**: 도시 재개발을 통해 주거용 토지 이용의 비중은 감소하고 상업·업무용 토지 이용의 비중은 증가하고 있음

(2) **주변 지역**: 대중교통의 발달로 대규모 아파트 단지, 대형 쇼핑센터가 입지함

---

❶ 기능별 지대 곡선

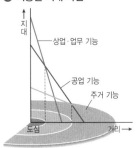

접근성이 좋은 도심은 지대 지불 능력이 크기 때문에 상업·업무 기능이 입지한다. 하지만 주변 지역으로 갈수록 접근성이 나빠지면서 주거 기능이 주로 입지한다.

❷ 도시 내부 구조 모식도

(현대 인문 지리학, 2012)

❸ 인구 공동화

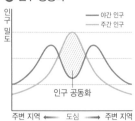

도심에 상업·업무 기능이 집중하면서 주거 기능의 이심 현상이 일어나 도심의 상주인구 밀도가 낮은 현상이다.

시험에 잘 나오는 자료

자료 1 부산의 지가와 도시 구조 관련 문제 ▶ 138쪽 03번

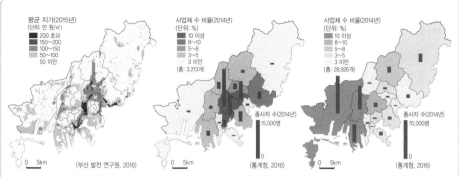

▲ 지역별 지가 분포   ▲ 금융 및 보험업 사업체 수 비율과 종사자 수   ▲ 제조업 사업체 수 비율과 종사자 수

자료·분·석 부산은 부산항을 중심으로 성장하였기 때문에 도심이 지리적 중심부에 위치하는 것이 아니라 항만 근처에 위치한다. 부산에서 평균 지가가 200만 원/㎡ 이상인 곳이 넓게 나타나는 지역은 도심에 해당하는 곳으로, 이곳은 금융 및 보험업 사업체 수 비율이 높고 종사자 수도 많다. 도심에서 멀어질수록 금융 및 보험업 사업체 수 비율이 낮아지는 경향이 나타난다. 부산에서 제조업은 서부 지역을 중심으로 발달하였다.

한·줄·핵·심 도심은 지가가 높고 금융 및 보험업과 같은 생산자 서비스업*이 발달하였다.

자료 2 도시 내부 구조(서울의 토지 이용) 관련 문제 ▶ 138쪽 02번

▲ **도심(중구)** 대기업 본사, 금융 기관 본점 등이 집중되어 있으며 고층 빌딩이 많고 주간 인구 지수가 높다.

▲ **중간 지역(금천구)** 금천구와 구로구 일대는 과거에 구로 공단이었으며, 지금은 첨단 산업이 입지한 서울 디지털 산업 단지가 되었다.

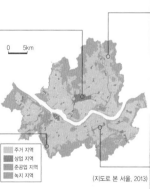

▲ 서울의 토지 이용

▲ **주변 지역(노원구)** 주거 기능이 탁월하게 발달하였으며 주간 인구 지수가 낮다.

▲ **부도심(강남구)** 도심의 기능을 분담하고 있으며, 도심에 버금가는 상업·업무 기능이 집중되어 있다. 서울에서 주간 인구가 가장 많은 구(區)이다.

자료·분·석 서울의 토지 이용을 통해 지역 특징을 파악할 수 있다. 도심인 중구 일대는 대부분이 상업 지역에 속한다. 부도심인 강남구에는 도로변을 따라 상업 지역이 띠를 이루고 있으며, 부도심인 여의도 역시 상업 지역이 넓다. 주변 지역인 노원구는 상주인구 밀도가 높아 대규모 아파트 단지가 조성되어 있다. 서울 디지털 산업 단지와 그 주변에는 준공업 지역이 넓게 분포한다.

한·줄·핵·심 도심은 주간 인구 지수가 높고 주변 지역은 주간 인구 지수가 낮다. 서울에서 주간 인구 지수가 가장 높은 구(區)는 중구이지만, 주간 인구가 가장 많은 구(區)는 강남구이다.

내용 이해를 돕는 팁

❓ 궁금해요

Q. 주간 인구 지수를 통해 무엇을 알 수 있을까요?

A. 주간 인구 지수는 주간 인구를 야간 인구로 나눈 후 100을 곱한 값이야. 주간 인구 지수가 100보다 크다는 것은 지역 내에 일자리가 많다는 것을, 100보다 작다는 것은 일자리가 적다는 것을 의미해. 서울에서 도심이나 부도심이 발달한 구(區)는 주간 인구 지수가 100보다 크고, 주거 기능이 발달한 구(區)는 주간 인구 지수가 100 미만이야.

✎ 용어 더하기

*접근성
여러 지점에서 특정 지역이나 시설에 도달하기 쉬운 쉬운 정도를 말한다. 도시 중심부나 다양한 교통수단을 모두 이용할 수 있는 곳은 접근성이 좋다.

*생산자 서비스업
생산자인 기업을 대상으로 하는 서비스업으로, 금융 및 보험업, 광고업 등이 생산자 서비스업에 속한다.

❹ 교외화
도시의 주거지와 공장 등이 교외 지역으로 확산되는 현상이다.

B 대도시권의 형성과 확대

| 시·험·단·서 | 대도시권에서 중심 도시와 가까운 지역과 멀리 떨어진 지역의 특징을 비교하는 문제가 자주 출제돼!

1. 대도시권의 의미와 형성 배경

(1) **의미**: 대도시의 여러 기능이 영향을 미치는 공간 범위로, 일반적으로 중심 대도시로 통근·통학이 가능한 일일 생활권의 범위를 의미함
대도시와 그 주변 지역은 기능적으로 연결되어 상호 의존 관계를 맺고 있어

(2) **형성 배경** [자료 3]

① 대도시의 행정 구역 경계 밖까지 대도시의 영향력이 확대됨

② **대도시의 과밀화**: 인구 및 시설의 교외화❹ 현상

③ **교통의 발달**: 전철 노선 연장, 버스 노선 확대 등 대도시 중심의 광역 교통망 확충

2. 대도시권의 공간 구조❺: 중심 도시와 통근 가능권으로 구성됨

중심 도시		• 대도시권의 중심이 되는 도시 • 도심과 부도심이 발달한 다핵 구조의 도시
통근 가능권	교외 지역	• 중심 도시와 인접한 지역 • 중심 도시의 주거 기능, 공업 기능 등이 분산 입지함
	대도시 영향권	도시적 경관은 미약하나 통근 형태 및 토지 이용 측면에서 중심 도시의 영향을 받음
	배후 농촌 지역	• 중심 도시로의 최대 통근 가능 지역 • 상업적 원예 농업 발달

❺ 대도시권의 공간 구조

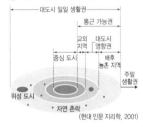

(현대 인문 지리학, 2001)

3. 대도시권의 확대와 변화 [자료 3]

(1) **대도시권의 확대**: 전철 연장 등 교통 노선 연장 및 교통로 신설, 대도시 주변에 대규모 택지 지구인 신도시가 개발되면서 거주지 확대

(2) **대도시와 인접한 촌락의 변화**

① 경지 면적이 감소하고 주거지, 공장 용지, 창고 용지 등 도시적 토지 이용 면적이 증가

② 시설 재배 증가로 토지 이용의 집약도 상승, 겸업농가 비중이 높아짐

C 도시 계획과 도시 재개발

| 시·험·단·서 | 도시 재개발 사례를 통해 해당 도시 재개발 방법의 특징을 묻는 문제가 자주 출제돼!

1. 도시 계획❻

(1) **의미**: 도시에 거주하는 사람들의 주거, 일자리, 문화 등의 환경 개선을 위해 계획을 수립하고 시행하는 것
1981년에는 각 부문별 계획을 통제하여 도시를 종합적으로 개발하기 위해 도시 기본 계획을 제도화하였어

(2) **필요성**: 도시 문제의 완화 또는 해결, 난개발 방지

❻ 우리나라 도시 계획 체계

2. 도시 재개발 [자료 4]

(1) **목적**: 토지 이용의 효율성 증대, 새로운 기능으로의 전환 등

(2) **도시 재개발 방법**

① **철거 재개발**: 기존의 시설을 완전히 철거하고 새로운 시설물로 대체하는 개발 방법으로 원거주민의 낮은 재정착률, 자원 낭비 등의 문제점이 있음

② **보존 재개발**: 역사·문화적으로 보존할 가치가 있는 지역의 환경 악화를 방지하고 유지·관리하는 방법
원거주민의 재정착률은 개발 지역의 원거주민이 개발 후 해당 지역으로 다시 돌아가서 사는 비율을 말해

③ **수복 재개발**: 기존 건물을 최대한 유지하는 수준에서 필요한 부분만 수리·개조하여 부족한 점을 보완하는 방법

자료 3 서울 대도시권의 형성과 확대 관련 문제 ▶ 139쪽 05번

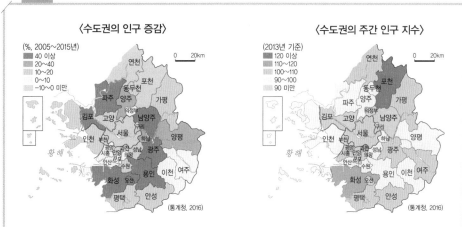

〈수도권의 인구 증감〉

(%, 2005~2015년)
- 40 이상
- 20~40
- 10~20
- 0~10
- −10~0 미만

0 20km

(통계청, 2016)

〈수도권의 주간 인구 지수〉

(2013년 기준)
- 120 이상
- 110~120
- 100~110
- 90~100
- 90 미만

0 20km

(통계청, 2016)

자료·분석 서울의 인구와 기능이 서울 주변으로 이전하면서 서울의 인구가 감소하고 서울 주변 지역의 인구가 증가하는 현상이 나타났다. 하지만 서울 주변 지역 중에서 서울의 주거 기능을 주로 분담하는 도시는 거주 인구에 비해 일자리가 부족하여 서울로 통근하는 사람들이 많다. 이로 인해 서울 주변 지역은 주간 인구 지수가 낮다.

▶ **한·줄·핵·심** 서울, 경기, 인천 중에서 주간 인구 지수는 서울이 가장 높고 경기가 가장 낮다. 경기 중에서도 서울에 인접하고 서울의 주거 기능을 주로 분담하는 도시는 주간 인구 지수가 낮다.

? **궁금해요**

Q. 서울 대도시권이 확장되면서 서울의 주간 인구 지수는 어떻게 변할까요?

A. 서울에서 경기로 인구 교외화가 이루어지면서 서울의 인구가 감소하는 현상이 나타났어. 이 과정에서 인구 이동만큼 일자리가 이동하는 것은 아니었기 때문에 경기에서 서울로 통근하는 사람들이 증가하게 되었고, 이로 인해 서울의 주간 인구 지수는 높아지게 되었어.

자료 4 도시 재개발과 도시 재생

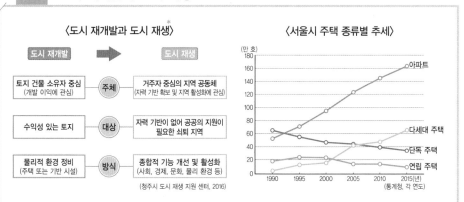

〈도시 재개발과 도시 재생〉

도시 재개발	➡	도시 재생
토지 건물 소유자 중심 (개발 이익에 관심)	주체	거주자 중심의 지역 공동체 (자력 기반 확보 및 지역 활성화에 관심)
수익성 있는 토지	대상	자력 기반이 없어 공공의 지원이 필요한 쇠퇴 지역
물리적 환경 정비 (주택 또는 기반 시설)	방식	종합적 기능 개선 및 활성화 (사회, 경제, 문화, 물리 환경 등)

(청주시 도시 재생 지원 센터, 2016)

〈서울시 주택 종류별 추세〉

(만 호)
- 아파트
- 다세대 주택
- 단독 주택
- 연립 주택

1990 1995 2000 2005 2010 2015(년)

(통계청, 각 연도)

자료·분석 과거의 도시 정비는 토지 및 건물 소유자의 개발 이익에 중심을 두고 노후한 주택이나 기반 시설을 대규모로 철거하는 방식으로 추진되는 경우가 일반적이었다. 이로 인해 공동체 해체 등의 문제가 대두되면서 근래에는 해당 지역에 거주하는 주민 중심의 지역 공동체가 주체적으로 추진하면서 도시 재생으로 도시 계획의 중심이 이동하고 있다. 따라서 최근의 도시 재개발은 낙후된 도시 환경을 개선하고, 토지 이용의 효율성을 높여 지역 경제를 활성화하는 도시 재생을 목적으로 한다. 한편, 서울의 경우 도시 재개발로 아파트의 수가 크게 늘어나고, 단독 주택은 크게 감소하였다.

▶ **한·줄·핵·심** 도시 환경을 보다 살기 좋은 환경으로 만들고 합리적인 도시 재개발 및 정비에 대한 필요성이 높아지면서 도시 재생에 대한 요구가 점차 높아지고 있다.

용어 더하기

* **다핵 구조**
중심이 여러 개인 구조로, 중심이 하나인 것은 단핵 구조, 여러 개인 것은 다핵 구조라고 한다.

* **도시 기본 계획**
도시 기본 구상도를 핵심으로 용도 지역 지정에 지침이 되고 각종 개발 사업을 조절하는 계획

* **도시 재생**
산업 구조의 변화, 신도시 및 신시가지 위주의 도시 확장 등의 영향으로 낙후된 기존 도시에 새로운 기능을 부여함으로써 사회·경제·환경적으로 부흥시키는 것을 의미한다.

도시 내부 구조와 대도시권, 도시 재개발

개념풀 Guide   도심, 부도심, 주변(외곽) 지역 등으로 구성되는 도시 내부 구조와 대도시권의 형성과 확대, 도시 재개발의 특징을 다양한 자료를 통해 알아보자.

1. 부산의 인구와 산업 종사자 현황   관련 문제 ▶ 140쪽 02번

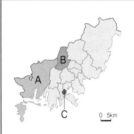

구분	인구(명)		종사자(명)	
	상주인구	통근·통학 순 이동	전체 산업	제조업
A	86,505	79,825	114,531	72,339
B	294,147	-69,623	56,412	2,401
C	43,685	41,683	69,241	1,428

※ 통근·통학 순 이동 = 통근·통학 유입 인구 − 통근·통학 유출 인구
(2015)   (통계청)

분석 A는 주간에 유입되는 인구가 많고 전체 산업에서 제조업이 차지하는 비중이 높으므로 제조업이 발달한 지역, B는 주간에 유출되는 인구가 많은 지역, C는 주간에 유입되는 인구가 많고 전체 산업에서 제조업이 차지하는 비중이 낮다. 따라서 A는 공업 기능, B는 주거 기능, C는 서비스업 기능이 우세한 지역이다.

2. 인구와 도시 내부 구조의 관계

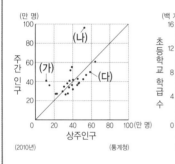

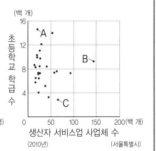

분석 상주인구가 가장 많은 곳은 초등학교의 학급 수가 가장 많을 것이므로 A는 (다)이다. 주간 인구와 상주인구 규모를 보면, (나)가 (가)보다 크므로, 생산자 서비스업 사업체 수와 초등학교 학급 수도 (나)가 (가)보다 많을 것이다. 따라서 B는 (나), C는 (가)에 해당한다.

3. 서울 대도시권의 특성   관련 문제 ▶ 141쪽 07번

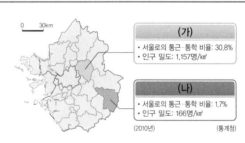

(가)
• 서울로의 통근·통학 비율: 30.8%
• 인구 밀도: 1,157명/㎢

(나)
• 서울로의 통근·통학 비율: 1.7%
• 인구 밀도: 166명/㎢

(2010년)   (통계청)

분석 대도시권에서는 중심 도시에서 멀어질수록 중심 도시로 통근하는 비율이 낮아지는 경향이 나타난다. (가) 남양주는 (나) 여주보다 서울과 가깝기 때문에 1차 산업 종사자 비율은 낮고, 서울로 통근·통학하는 비율은 높다.

4. 도시 재개발   관련 문제 ▶ 141쪽 08번

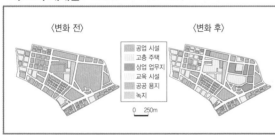

분석 그림은 도시 재개발로 인한 변화를 나타낸 것이다. 그림에 나타난 변화를 통해 재개발로 토지 이용의 집약도가 높아졌음을 알 수 있고, 고층 주택이 증가하였으므로 인구 밀도가 높아졌음을 파악할 수 있다. 또한, 공업 시설의 분포 면적이 감소하였으므로 공업 용지의 면적 비중이 낮아졌음을 알 수 있다.

이것만은 꼭!

도심	접근성 좋음	지대 높음	주간 인구 지수 높음	생산자 서비스업 발달
주변 지역	접근성 낮음	지대 낮음	주간 인구 지수 낮음	주거 기능 발달

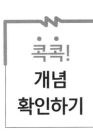
A 도시의 지역 분화와 내부 구조

01 그림은 도시 내부 구조의 모식도를 나타낸 것이다. 다음 설명에 해당하는 지역의 기호를 쓰시오.

(1) 접근성이 좋아 지대가 높고, 중심 업무 기능이 집중되어 있다.
( )
(2) 도심과 주변 지역을 연결하는 교통이 편리한 곳에 주로 형성되며 도심의 과밀화 현상 해결에 도움이 된다. ( )
(3) 상업, 주거, 공업 기능이 혼재되어 있다. ( )
(4) 도시의 무질서한 팽창을 막기 위해 설정한 곳이다. ( )
(5) 주간 인구 지수가 가장 높다. ( )
(6) 도시의 변두리에 위치하며 주택, 학교, 공장 등이 입지한다. ( )
(7) 대도시의 일부 기능을 분담하는 도시이다. ( )

B 대도시권의 형성과 확대

02 그림은 대도시권의 공간 구조를 나타낸 것이다. 이를 보고 물음에 답하시오.

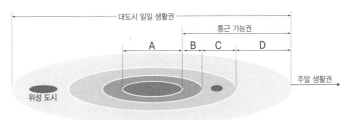

(1) 다음 설명에 해당하는 지역의 기호를 쓰시오.
① 중심 도시와 연속된 지역으로 주거·공업 기능 등이 입지한다. ( )
② 중심 도시로의 최대 통근 가능권 지역으로 상업적 원예 농업이 발달한다. ( )
③ 도시적 경관은 미약하나 통근 형태 및 토지 이용 측면에서 중심 도시의 영향을 받는 지역이다. ( )
④ 대도시권의 중심 지역으로 도심과 부도심이 있는 다핵 구조가 나타난다. ( )
(2) 다음 내용이 옳으면 ○표, 틀리면 ×표를 하시오.
① B는 C보다 대도시로의 통근·통학 인구 비율이 높다. ( )
② B는 C보다 농업 종사자 비중이 높다. ( )
③ D에서는 임야와 농경지 면적보다 도시적 토지 이용 면적이 넓다. ( )

C 도시 계획과 도시 재개발

03 다음 설명에 해당하는 도시 재개발 방법을 쓰시오.

(1) 기존의 시설을 완전히 철거하고 새로운 시설물로 대체하는 개발 방법 ( )
(2) 역사·문화적으로 보존할 가치가 있는 지역의 환경 악화를 방지하고 유지·관리하는 방법
( )
(3) 기존 건물을 최대한 유지하는 수준에서 필요한 부분만 수리·개조하여 부족한 점을 보완하는 방법
( )

A 도시의 지역 분화와 내부 구조

01 (가), (나) 지역에 대한 옳은 설명을 〈보기〉에서 고른 것은? (단, (가), (나)는 도심과 주변 지역 중 하나임.)

(가)   (나)

> 보기
> ㄱ. (가)는 (나)보다 인구 천 명당 사업체 수가 많다.
> ㄴ. (가)는 (나)보다 접근성이 좋아 지대가 높다.
> ㄷ. (나)는 (가)보다 상업 용지의 평균 지가가 높다.
> ㄹ. (나)는 (가)보다 상주인구 대비 주간 인구의 비율이 높다.

① ㄱ, ㄴ   ② ㄱ, ㄷ   ③ ㄴ, ㄷ
④ ㄴ, ㄹ   ⑤ ㄷ, ㄹ

02 표는 지도에 표시된 세 구(區)의 주간 인구 지수와 상주인구를 나타낸 것이다. 이에 대한 옳은 설명을 〈보기〉에서 고른 것은?

구분	주간 인구 지수	상주인구 (만 명)
A	373	12
B	188	53
C	85	55

(2015년)   (통계청)

> 보기
> ㄱ. A는 서울의 성장 과정에서 상주인구 밀도가 지속적으로 증가하였다.
> ㄴ. C는 출근 시간대에 유출 인구가 유입 인구보다 많다.
> ㄷ. B는 C보다 주간 인구가 많다.
> ㄹ. C는 A보다 상업지의 평균 지가가 비싸다.

① ㄱ, ㄴ   ② ㄱ, ㄷ   ③ ㄴ, ㄷ
④ ㄴ, ㄹ   ⑤ ㄷ, ㄹ

03 지도는 부산의 평균 지가를 나타낸 것이다. (가) 지역과 비교한 (나) 지역의 상대적 특징을 그림의 A~E에서 고른 것은?

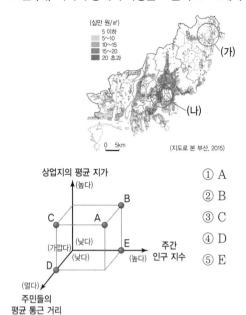

(지도로 본 부산, 2015)

① A
② B
③ C
④ D
⑤ E

04 지도와 같은 현상이 나타나게 된 요인을 〈보기〉에서 고른 것은?

(서울특별시교육청, 2014)

> 보기
> ㄱ. 도심에 대규모 공업 지역이 형성되었다.
> ㄴ. 주변(외곽) 지역에 주거 단지가 조성되었다.
> ㄷ. 도심에서 주거 기능의 이심 현상이 나타났다.
> ㄹ. 부도심의 성장으로 도심의 기능이 쇠퇴하였다.

① ㄱ, ㄴ   ② ㄱ, ㄷ   ③ ㄴ, ㄷ
④ ㄴ, ㄹ   ⑤ ㄷ, ㄹ

B 대도시권의 형성과 확대

05 표의 (가)~(다)에 해당하는 지역을 지도의 A~C에서 골라 바르게 연결한 것은?

(단위: 만 명)

지역	상주 인구	통근·통학 유입 인구	통근·통학 유출 인구
(가)	57.4	21.4	10.7
(나)	41.2	5.1	11.6
(다)	5.7	0.7	0.5

(2015년) (통계청)

	(가)	(나)	(다)
①	A	B	C
②	A	C	B
③	B	A	C
④	C	A	B
⑤	C	B	A

06 다음 자료는 서울과 인접한 ◇◇시의 변화를 나타낸 것이다. 이 도시에서 1980~2015년에 나타난 변화 내용으로 적절한 추론만을 〈보기〉에서 있는 대로 고른 것은?

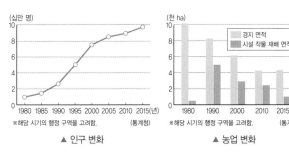

▲ 인구 변화 ▲ 농업 변화

보기
ㄱ. 1차 산업 종사자 비중이 높아졌을 것이다.
ㄴ. 인접한 대도시로 통근하는 인구가 많아졌을 것이다.
ㄷ. 겸업농가 비중이 높아지고 가구당 경지 면적은 감소했을 것이다.
ㄹ. 주민들의 직업 구성이 다양해지고 공동체 의식이 약화되었을 것이다.

① ㄱ, ㄴ ② ㄱ, ㄹ ③ ㄱ, ㄴ, ㄷ
④ ㄱ, ㄴ, ㄹ ⑤ ㄴ, ㄷ, ㄹ

C 도시 계획과 도시 재개발

07 (가), (나) 도시 재개발 방식에 대한 옳은 설명을 〈보기〉에서 고른 것은?

(가) 시가지가 형성된 지 오래되어 노후화된 지역의 건물을 철거하고 새로운 시가지로 조성하는 방식이다. 지역을 빠르고 효율적으로 구조화하여 이용할 수 있다.
(나) 기존의 건물과 환경을 최대한 살리면서 노후·불량화의 요인만을 부분적으로 보수하고 정비하는 방식을 말한다. 지역의 변형을 최소화한다.

보기
ㄱ. (가)는 수복 재개발에 해당한다.
ㄴ. (가)는 (나)보다 개발 전 대비 개발 후 건물의 평균 층수가 높다.
ㄷ. (나)는 (가)보다 투입되는 자본의 규모가 크다.
ㄹ. (나)는 (가)보다 원거주민이 안정적으로 생활할 수 있다.

① ㄱ, ㄴ ② ㄱ, ㄷ ③ ㄴ, ㄷ
④ ㄴ, ㄹ ⑤ ㄷ, ㄹ

서술형 문제

08 그래프는 주요 도시의 도심 지역 상주인구와 주간 인구를 나타낸 것이다. 이를 보고 물음에 답하시오.

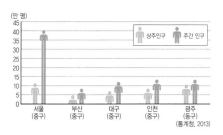

(1) 그래프에 표시된 지역 중 주간 인구 지수가 가장 높은 지역과 가장 낮은 지역은 각각 어디인지 쓰시오.
가장 높은 지역: (   ), 가장 낮은 지역: (   )

(2) 그래프와 같은 현상이 나타나게 된 원인과 이로 인해 발생하는 문제점을 쓰시오.

도전! 실력 올리기

01 그래프는 우리나라 두 대도시의 구(區)별 상주인구와 주간 인구 지수를 나타낸 것이다. 이에 대한 설명으로 옳지 않은 것은?

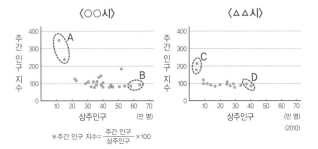

※주간 인구 지수= $\frac{\text{주간 인구}}{\text{상주인구}}$ ×100

① ○○시는 △△시보다 도시의 내부 구조가 뚜렷하다.
② A는 C보다 생산자 서비스업 종사자 수가 많다.
③ B는 A보다 인구 공동화 현상이 뚜렷하다.
④ B는 D보다 출근 시간대에 순 유출 인구가 많다.
⑤ C는 D보다 상업 및 업무 기능의 집심 현상이 뚜렷하다.

03 다음은 도시 단원에 대한 한국지리 수업 장면이다. 발표 내용이 옳지 않은 학생을 고른 것은?

① 갑　② 을　③ 병　④ 정　⑤ 무

02 부산광역시에 위치한 A~C 구(區)의 인구와 종사자 수 현황을 나타낸 것이다. A~C에 대한 옳은 설명을 〈보기〉에서 고른 것은?

구분	인구(명)		종사자(명)	
	상주인구	통근·통학 순 이동	전체 산업	제조업
A	86,505	79,825	114,531	72,339
B	294,147	-69,623	56,412	2,401
C	43,685	41,683	69,241	1,428

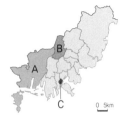

· 통근·통학 순 이동 = 통근·통학 유입 인구-통근·통학 유출 인구
(2015)　　　　　　　　　　　　　(통계청)

보기
ㄱ. A는 B보다 주간 인구가 많다.
ㄴ. B는 C보다 인구 공동화 현상이 뚜렷하다.
ㄷ. C는 A보다 구(區) 내 상업 용지의 면적 비율이 높다.
ㄹ. C는 B보다 생산자 서비스업 종사자 비중이 높다.

① ㄱ, ㄴ　　② ㄱ, ㄷ　　③ ㄴ, ㄷ
④ ㄴ, ㄹ　　⑤ ㄷ, ㄹ

04 대구의 구별 상주인구와 통근·통학 순 유입 인구의 변화를 나타낸 그래프이다. (가), (나) 구(區)에 대한 설명으로 옳지 않은 것은?

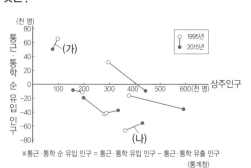

※통근·통학 순 유입 인구 = 통근·통학 유입 인구 − 통근·통학 유출 인구
(통계청)

① (가)는 출근 시간대에 유입 인구가 유출 인구보다 많다.
② (가)에서는 주거 및 공업 기능의 이심 현상이 나타난다.
③ (나)는 상업 및 업무 기능보다 주거 기능이 우세하다.
④ (가)는 (나)보다 1995~2015년에 인구 증가율이 높았다.
⑤ (나)는 (가)보다 주간 인구 지수가 낮다.

05 그래프는 대도시권 A~C의 지역별 인구 비중 변화를 나타낸 것이다. 이에 대한 추론으로 옳지 않은 것은? (단, 수도권, 부산권, 광주권만 고려함.)

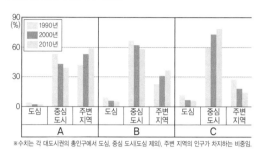

① A의 중심 도시는 B의 중심 도시보다 주간 인구 지수가 높을 것이다.
② A는 C보다 인구 교외화 현상이 뚜렷할 것이다.
③ B는 A보다 인구 교외화로 인한 중심 도시의 인구 감소 현상이 늦게 나타났을 것이다.
④ B는 C보다 중심 도시로의 통근자 수가 많을 것이다.
⑤ C는 A보다 중심 도시의 기능별 지역 분화 현상이 뚜렷하게 나타날 것이다.

06 다음은 대도시권에 대해 정리한 내용의 일부이다. ㉠~㉣에 대한 옳은 설명만을 〈보기〉에서 있는 대로 고른 것은? (단, ㉠~㉣은 교외 지역, 중심 도시, 대도시 영향권, 배후 농촌 지역 중 하나임.)

㉠		도심과 부도심이 발달한 다핵 구조의 도시임
통근 가능권	㉡	㉠과 인접한 지역으로 ㉠의 주거 기능, 공업 기능 등이 분산 입지함
	㉢	도시적 경관은 미약하나 통근 형태 및 토지 이용 측면에서 ㉠의 영향을 받음
	㉣	중심 도시로의 최대 통근 가능 지역, 상업적 원예 농업 발달

〈보기〉
ㄱ. ㉠의 인구가 대도시권 인구에서 차지하는 비중은 대도시권이 확대될수록 높아진다.
ㄴ. ㉣의 범위는 교통이 발달할수록 확대되는 경향이 나타난다.
ㄷ. ㉡은 ㉢보다 도시적 경관이 뚜렷하고 겸업농가 비중이 높다.
ㄹ. ㉣은 ㉡보다 대도시와의 거리가 멀고 주간 인구 지수가 높다.

① ㄱ, ㄴ ② ㄱ, ㄹ ③ ㄴ, ㄷ
④ ㄱ, ㄴ, ㄹ ⑤ ㄴ, ㄷ, ㄹ

07 (가), (나) 지역의 상대적 특성을 옳게 나타낸 것은?

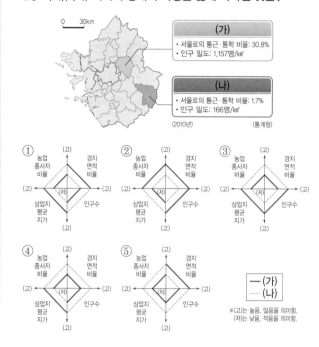

08 지도는 ◎◎시 ◇◇동 일부의 토지 이용 변화를 나타낸 것이다. 이 지역의 변화에 대한 추론으로 적절한 내용만을 〈보기〉에서 있는 대로 고른 것은?

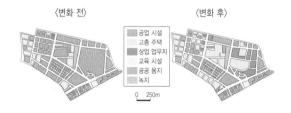

〈보기〉
ㄱ. 인구 밀도가 높아졌을 것이다.
ㄴ. 건축물의 평균 층수가 높아졌을 것이다.
ㄷ. 2차 산업 종사자 수 비중이 높아졌을 것이다.
ㄹ. 상업 업무지의 면적 비중이 증가하였을 것이다.

① ㄱ, ㄴ ② ㄱ, ㄹ ③ ㄴ, ㄷ
④ ㄱ, ㄴ, ㄹ ⑤ ㄴ, ㄷ, ㄹ

03 ~ 지역 개발과 공간 불평등

핵심 질문으로 흐름잡기

A 지역 개발 방식의 특징과 우리나라 국토 개발의 특징은 무엇인가?

B 공간 및 환경 불평등 상황은 어떻게 나타나는가?

A 지역 개발과 우리나라의 국토 개발

| 시·험·단·서 | 우리나라 국토 개발의 시기별 특징을 비교하는 문제가 자주 출제돼!

1. 지역 개발의 의미와 목적

(1) **의미**: 지역이 가진 잠재력을 개발하여 지역 주민의 삶의 질을 높이기 위한 다양한 활동

(2) **목적**: 지역 발전의 극대화 및 지역 격차 완화를 통한 주민 복지 향상과 국토의 균형 발전

2. 지역 개발 방식

구분	불균형 개발 방식(성장 거점 개발 방식)	균형 개발 방식
추진 방식	주로 하향식 개발(중앙 정부 → 지방 정부)	주로 상향식 개발(지방 정부 → 중앙 정부)
채택 국가	주로 투자 재원이 부족한 개발 도상국	주로 선진국
개발 방법	투자 효과가 큰 지역을 선정하여 집중 투자	낙후 지역의 우선 개발
개발 목표	경제 성장의 극대화, 경제적 효율성 추구	지역 간 균형 발전, 지역 주민의 의사 존중
장점	자원을 효율적으로 투자할 수 있음	지역 주민의 의사가 반영됨, 지역 간 균형 발전
단점	• 파급 효과❶가 역류 효과❷ 보다 클 경우 지역 격차가 심화됨 • 지역 주민의 참여도가 낮음	• 투자의 효율성이 낮음 • 지역 이기주의가 초래될 수 있음

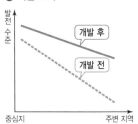

❶ 파급 효과

파급 효과는 집중적 투자가 이루어진 지역(성장 거점)이 발전하면서 그 영향으로 주변부가 발전하는 효과이나.

3. 우리나라의 국토 개발 [자료1] [자료2]

(1) **제1차~제3차 국토 종합 개발 계획**

경북 포항에서 전남 여수에 이르는 지역을 남동 임해 공업 지역이라고 해

구분	개발 방식	특징	주요 정책
제1차 국토 종합 개발 계획	성장 거점 개발	• 산업(생산) 기반 확충 • 수도권과 남동 임해 지역에 대규모의 투자가 이루어짐 • 경부축(서울~부산) 중심의 성장으로 지역 격차 심화	• 수출 주도형 공업화 • 물 자원 종합 개발 • 사회 간접 자본 확충 • 개발 제한 구역 확대 　도로, 전기 등의 사회 기반 시설을 의미해
제2차 국토 종합 개발 계획	광역 개발	• 국토의 다핵 구조 형성과 지역 생활권 조성 • 국토 불균형이 지속됨	• 인구의 지방 분산 유도 • 국민 복지 향상 • 자연환경 보전
제3차 국토 종합 개발 계획	균형 개발	• 지방 분산형 국토 개발 • 환경 보전	• 지방 육성과 수도권 집중 억제 • 신산업 지대 조성

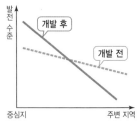

❷ 역류 효과

역류 효과는 성장 거점 지역으로 인구와 자본이 집중되어 주변 지역의 발전을 저해하는 효과이다.

제4차부터는 '개발'이라는 용어가 빠져

(2) **제4차 국토 종합 계획(2000~2020년)**

① **기본 목표**: 균형 국토, 녹색 국토, 개방 국토, 통일 국토

② **주요 개발 전략**: 개방형 통합 국토축 형성, 지역별 경쟁력 고도화

(3) **제4차 국토 종합 수정 계획(2011~2020년)**

① **기본 목표**: 경쟁력 있는 통합 국토, 지속 가능한 친환경 국토, 품격 있는 매력 국토, 세계로 향한 열린 국토

② **주요 개발 전략**: 국토 경쟁력 제고를 위한 지역 특화 및 광역적 협력 강화, 자연 친화적이고 안전한 국토 공간 조성, 쾌적하고 문화적인 도시·주거 환경 조성, 녹색 교통·국토 정보 통합 네트워크 구축, 신성장 해양 국토 기반 구축, 초국경적 국토 경영 기반 구축

자료1 우리나라의 국토 개발 과정　관련 문제 ▶ 150쪽 04번

구분	제1차 국토 종합 개발 계획 (1972~1981년)	제2차 국토 종합 개발 계획 (1982~1991년)	제3차 국토 종합 개발 계획 (1992~1999년)	제4차 국토 종합 계획 (2000~2020년)	제4차 국토 종합 수정 계획 (2011~2020년)
기본 목표	• 사회 간접 자본의 확충 • 국민 생활 환경의 개선 • 국토 이용 관리 효율화	• 인구의 지방 정착 유도 • 개발 가능성의 전국적 확대 • 국토 자연환경의 보존	• 지방 분산형 국토 골격 형성 • 국민 복지 향상 • 남북통일 대비 기반 조성	• 21세기 통합 국토의 실현 • 균형 국토, 녹색 국토, 개방 국토, 통일 국토	• 경쟁력 있는 통합 국토 • 지속 가능한 친환경 국토 • 품격 있는 매력 국토 • 세계로 향한 열린 국토
주요 개발 전략	• 대규모 공업 기반 구축 • 국토 교통, 통신, 물 자원 및 에너지 공급망 정비	• 국토의 다핵 구조 형성과 지역 생활권 조성 • 사회 간접 자본 확충 • 낙후된 지역의 개발 추진	• 수도권 집중 억제 • 환경 부문의 투자 증대 • 남북 교류 지역의 개발 관리 • 통합적 고속 교류망 구축	• 개방형 통합 국토축 형성 • 지역별 경쟁력 고도화 • 건강하고 쾌적한 국토 환경 조성	• 광역적 협력 강화 • 자연 친화적이고 안전한 국토 공간 조성 • 신성장 해양 국토 기반 구축

자·료·분·석　우리나라의 제1차 국토 종합 개발 계획에서는 산업 기반 조성에 초점을 맞추었고 수도권과 남동 임해 지역을 중심으로 성장 거점 개발을 추진하였다. 그러나 대도시 과밀화, 지역 간 격차 심화 등의 문제가 발생함에 따라 제2차 국토 종합 개발 계획에서는 국토의 다핵 구조 형성에 중점을 두고 국토의 균형 발전과 복지 향상을 추구하였다. 제3차 국토 종합 개발 계획에서는 지방을 육성하고 수도권 집중을 억제하는 국토 개발을 추진하였다. 2000년대 이후에는 환경친화적 국토 관리와 지역별 경쟁력 강화를 위한 국토 개발을 추진하고 있다.

한·줄·핵·심　제1차는 성장 거점 개발, 제2차는 광역 개발, 제3차는 균형 개발 방식을 채택하였다.

자료2 주요 국토 개발 사업　관련 문제 ▶ 151쪽 05번

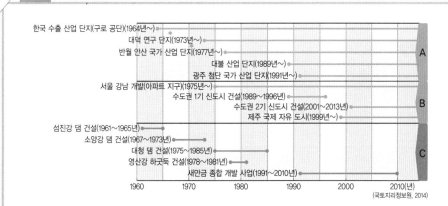

자·료·분·석　국토 개발 사업이 실시되면 그 영향이 오랫동안 지속된다. 토지에 각종 시설물이 들어서게 되면 이를 다시 바꾸는 데 많은 시간과 자본이 투자되기 때문이다. A는 제조업 생산 기반 조성, B는 주거지 개발 및 제주 국제 자유 도시 지정, C는 용수 확보 및 간척 등과 관련된 개발이다.

한·줄·핵·심　국토 계획은 장기적이고 체계적으로 이루어진다.

궁금해요

Q. 제3차 국토 종합 개발 계획에서는 균형 개발 방식을 채택하였는데, 이로 인해 수도권 집중 문제가 해결되었나요?

A. 제3차 국토 종합 개발 계획은 1992~1999년에 이루어졌는데, 이 시기에는 지식과 정보가 산업에 미치는 영향이 더욱 커졌어. 그런데 수도권은 지식과 정보가 집중되어 있기 때문에 첨단 산업은 수도권에 입지하고자 하였고, 그 결과 수도권에 인구와 시설이 집중하는 현상이 지속되면서 수도권 집중 문제가 해결되지 못했어.

용어 더하기

＊대덕 연구 단지
1973년부터 대전 유성에 조성한 과학 기술 연구 단지로, 대학, 민간 기업 연구소가 모여 있어서 과학 기술 정보가 원활하게 교류되고 산업체 연구소와 기업 연구소가 연구 시설, 장비 등을 공동으로 이용하여 연구의 생산성을 높이고 있다. 대덕 연구 단지가 있는 대덕 연구 특구에는 대덕 연구 단지 이외에 대덕 테크노 밸리, 국방 과학 연구소 등이 입지하고 있다.

＊반월 안산 국가 산업 단지
경기도 안산시에 입지한 산업 단지로 수도권에 산재한 중소 공장들을 이전·수용함으로써 인구 및 시설을 분산하기 위해 조성되었다.

❸ **혁신 도시와 기업 도시의 분포**

※원주는 혁신 도시와 기업
도시 모두 해당됨

(지역 발전 위원회, 2016)

● 혁신 도시 10곳
□ 기업 도시 4곳

• **혁신 도시**: 공공 기관의 지방 이전과 기업, 학교, 연구소의 협력으로 지역의 성장 거점 지역에 조성되는 미래형 도시

• **기업 도시**: 특정 기업이 주체적으로 지역을 개발함에 따라 특정 산업을 중심으로 주택, 교육 및 의료 시설, 각종 생활 편의 시설 등이 고루 갖추어진 자급 자족형 도시

B 공간 및 환경 불평등과 지역 갈등

| **시·험·단·서** | 기업 도시, 혁신 도시는 수도권과 비수도권 간의 격차를 줄이기 위한 정책이고, 농공 단지는 도시와 농촌 간의 격차를 줄이기 위한 정책으로, 이와 관련된 문제가 자주 출제돼!

1. 공간 불평등 자료3

(1) 수도권과 비수도권의 격차

① **현황**: 수도권에 인구, 산업, 대학, 의료 등의 중요 기능 집중도가 높음

② **영향**
• **수도권**: 집값 상승, 교통 혼잡 등 집적 불이익 발생
• **수도권 이외의 지역**: 경제 침체 및 인구와 자본의 유출 등이 발생

③ **해결 노력**: 행정 중심 복합 도시, 혁신 도시와 기업 도시❸ 등을 수도권 이외의 지역에 조성하여 수도권의 인구와 기능 분산

(2) 도시와 농촌의 격차

① **현황**: 도시에 인구와 산업이 집중하면서 농촌에서 도시로 청장년층 중심의 인구 유출이 이루어짐

② **영향**: 농촌에서는 노동력의 부족 및 고령화, 생활 기반 시설 부족, 교육 여건 불리 등의 문제가 나타남

┌ 농어촌 지역의 소득을 높이기 위해 조성된 공업 단지인데 도시와
농어촌의 격차를 줄여 경제의 균형 있는 발전을 이루려고 조성했어

③ **해결 노력**: 촌락의 정주 기반 강화 및 소득 향상 방안 모색, 농공 단지 건설, 지역에 맞는 특화된 개발 전략 추진, 농촌 지역에 투자 확대 등

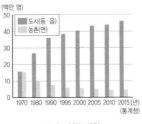

▲ 도·농 인구 변화

▲ 도·농 격차 변화

2. 환경 불평등 자료4 ─ 환경을 매개로 하여 특정 지역 또는 사회 계층이 겪는 불평등

(1) 원인: 오염 물질의 지역 간 이동으로 인해 개발 사업의 경제적 수혜 지역과 환경 오염의 부담 지역이 일치하지 않을 때 발생

(2) 양상: 환경 오염에 대한 대처 능력의 지역 및 계층 간 차이로 불평등이 심화될 수 있음

3. 지역 개발과 지역 갈등

(1) 원인: 지역 개발에 따른 이익과 피해의 발생, 개발로 인한 지역 및 계층 간 격차의 확대, 환경 문제, 개발에 대한 생각의 차이 등

(2) 양상: 님비 현상과 핌피 현상❹

(3) 해결 노력: 객관적인 시각에서 분쟁의 원인을 규명하고 당사자들의 이해관계를 충분히 검토하여 상호 이익이 될 수 있는 최선의 지역 개발 방안을 모색

4. 지속 가능한 국토 공간의 조성

(1) 지속 가능한 발전 중시: 현재 세대의 개발 욕구를 충족시키면서 동시에 미래 세대의 개발 능력을 해치지 않는 발전 중시

(2) 경제 성장, 환경 보전, 사회 통합을 함께 추구할 때 실현 가능함

(3) 지속 가능한 국토 공간 조성을 위한 노력: 탄소 배출량 감소, 친환경 산업 육성 등

(4) 정부, 지역 주민, 전문가, 시민 단체 등이 모두 함께 노력해야 함

❹ **님비 현상과 핌피 현상**

• **님비 현상(NIMBY)**: 하수 처리장, 쓰레기 소각장 등과 같은 시설이 사회에 꼭 필요하다고 여기지만 자기 지역으로 들어오는 것은 반대하는 현상이다.

• **핌피 현상(PIMFY)**: 공원, 지하철역, 행정 기관과 같이 지역 발전에 도움이 된다고 판단되는 시설에 대해서는 서로 유치하려고 하는 현상이다.

자료3 도시와 농촌 간 생활 환경 격차 관련 문제 ▶ 149쪽 05번

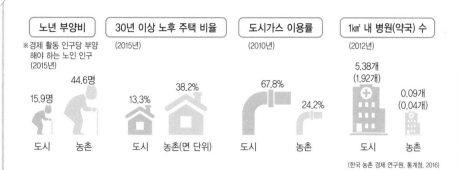

노년 부양비	30년 이상 노후 주택 비율	도시가스 이용률	1km² 내 병원(약국) 수

※경제 활동 인구당 부양해야 하는 노인 인구 (2015년)
(2015년) / (2010년) / (2012년)

15.9명 / 44.6명 — 도시 / 농촌
13.3% / 38.2% — 도시 / 농촌(면 단위)
67.8% / 24.2% — 도시 / 농촌
5.38개 (1.92개) / 0.09개 (0.04개) — 도시 / 농촌

(한국 농촌 경제 연구원, 통계청, 2016)

자료·분석 노년 부양비는 농촌이 도시보다 2배 이상 높다. 이는 청장년층 중심의 인구 유출이 활발했기 때문이다. 농촌은 인구가 감소하는 곳이 많기 때문에 새로운 주택의 신축이 어려워 노후화된 주택 비율이 높다.

농촌은 도시보다 도시가스 이용률이 낮다. 도시가스가 공급되지 않는 농촌은 난방에 석유를 이용하기도 하지만 가격이 비싸기 때문에 연탄을 사용하는 경우도 많다. 연탄을 이용한 난방은 도시가스를 이용한 난방에 비해 가격은 저렴하지만 매우 불편하다. 또한, 농촌은 병원이 매우 적으며, 대중교통도 도시에 비해 편리하지 않고 자가용을 이용한 이동 능력도 도시에 못 미친다.

한·줄·핵·심 농촌은 도시에 비해 노인이 많고 생활 편의 시설을 이용하기 위한 거리도 멀다. 따라서 이러한 문제를 해결하기 위한 교통 정책의 실시가 절대적으로 필요하다.

자료4 국토 개발에 따른 공간 및 환경 불평등

〈1인당 지역 내 총생산〉 〈시·도별 정보 격차〉 〈석탄 화력 발전소 현황〉

자료·분석 1인당 지역 내 총생산이 높은 곳은 울산, 충남, 경북, 전남 등이고 낮은 곳은 대구, 광주, 강원, 전북 등이다. 시·도별 정보 격차에서 인터넷 이용률이 높은 곳은 대도시와 경기, 영남 지방이고 낮은 곳은 강원, 충북 등이다. 석탄 화력 발전소는 수도권 및 충남 해안 지역, 강원 및 영남 해안 지역 등을 중심으로 분포한다.

한·줄·핵·심 시·도 간에 1인당 지역 내 총생산, 인터넷 이용률, 석탄 화력 발전소 분포 등에 차이가 나타나고 있어 지역 소득, 정보, 환경 등의 측면에서 불평등이 지속되고 있다.

내용 이해를 돕는 팁

궁금해요

Q. 농촌이 도시보다 1km² 이내에 병원(약국) 수가 적은 이유는 무엇인가요?

A. 병원이나 약국 기능이 유지되기 위해서는 일정 규모 이상의 소비자가 필요해. 그런데 농촌은 인구 밀도가 낮기 때문에 소비자를 확보하기 위해서는 넓은 배후지가 필요해. 그래서 농촌은 도시보다 약국이나 병원의 분포 밀도가 낮은 편이야.

용어 더하기

* **지역 내 총생산**
시·도 단위별 생산, 소비, 물가 등 기초 통계를 바탕으로 추계한 해당 지역의 부가 가치의 합계로, 지역 경제 상황을 포괄적으로 나타내는 지표이다. 2016년 우리나라 시·도 전체의 지역 내 총생산은 1,636조 원이며, 시도별 규모는 경기(372조 원), 서울(357조 원), 충남(117조 원) 등의 순이다.

지역 개발과 공간 불평등

개념풀 Guide 지역 개발 방식과 바람직한 지역 개발, 공간 불평등을 해결하기 위한 노력 등을 다양한 자료를 통해 알아보자.

1. 성장 거점 개발과 균형 개발 관련 문제 ▶ 157쪽 16번

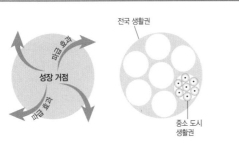

▲ 성장 거점 개발 방식   ▲ 균형 개발 방식

분석 성장 거점 개발 방식은 주로 중앙 정부가 주도하여 하향식 개발로 이루어진다. 단기간에 빠르게 성장을 할 수 있다는 장점이 있지만, 핵심 지역의 성장에만 치우칠 경우 역류 효과가 발생하여 지역 간 격차가 심해진다는 단점이 있다.

균형 개발 방식은 지역 주민의 요구와 참여에 기반을 둔 상향식 개발이다. 이 개발 방식은 성장의 속도가 다소 늦어지더라도 지역 간 고른 성장을 유도할 수 있으나, 지나친 지역 이기주의를 초래할 수 있다는 단점이 있다.

2. 바람직한 지역 개발

- 이천, 광주, 하남, 여주, 양평 등 경기도 동부권 5개 시·군은 생활 쓰레기의 안정적인 처리를 위해 동부권 광역 자원 회수 시설을 공동으로 건립하였다. 부지는 이천시가 제공하고 처리 시설은 나머지 시·군이 비용을 부담하여 건설하였다. 이 시설은 5개 시·군이 공동으로 위원회를 결성하여 운영 및 관리하고 있다.
- 경남의 산청·함양·하동, 전북의 남원·장수, 전남의 구례·곡성 등 7개 지자체는 지리산을 활용하여 지역 발전을 도모하기 위해 '지리산권 관광 개발 조합'을 만들었다. 이를 통해 지리산권에 산재한 관광 자원과 연계하는 관광 코스를 개발하고, 관광 기반 정비, 관광 상품 개발, 마케팅 및 홍보 등의 사업을 공동으로 추진하고 있다.

분석 두 사례는 지역 간 상호 협력과 보완을 통한 지역 개발 사례를 나타낸 것이다.

3. 혁신 도시와 기업 도시 관련 문제 ▶ 151쪽 08번

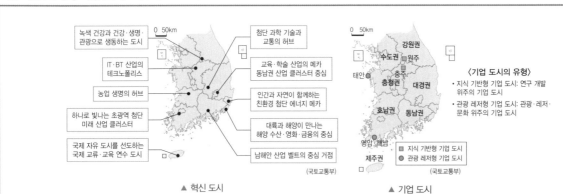

▲ 혁신 도시   ▲ 기업 도시

분석 혁신 도시와 기업 도시는 공통적으로 수도권 집중 문제를 완화하기 위한 정책적 목적이 담겨 있다. 혁신 도시는 우리나라 수도권에 소재하는 공공 기관의 지방 이전을 계기로 지방의 성장 거점 지역에 조성되는 미래형 도시이다. 공공 기관 청사 및 이와 관련된 기업, 학교, 연구소 등이 함께 입지하도록 계획되었다. 기업 도시는 민간 기업이 주도하여 개발하는 도시이며, 산업·연구·관광 등 특정 경제 기능 중심의 자족적 복합 기능을 갖춘 도시이다. 생산 위주의 산업 단지와 달리 주거·생활·교육 시설 등을 함께 개발한다.

이것만은 꼭!

→ **성장 거점 개발**은 단기간에 높은 성장을 할 수 있고, **균형 개발**은 지역 간 고른 성장을 유도한다.

→ 수도권 집중 문제를 완화하기 위해 **혁신 도시**와 **기업 도시**를 추진하고 있다.

A 지역 개발과 우리나라의 국토 개발

01 다음 내용이 불균형 개발 방식에 해당하면 '불', 균형 개발 방식에 해당하면 '균' 이라고 쓰시오.

(1) 주로 하향식 개발이다. ( )

(2) 주로 선진국에서 채택된다. ( )

(3) 투자 효과가 큰 지역을 선정하여 집중 투자한다. ( )

(4) 경제적 형평성보다 경제적 효율성을 추구한다. ( )

(5) 지역 주민의 참여도는 높지만 지역 이기주의가 초래될 수 있다. ( )

(6) 파급 효과보다 역류 효과가 클 경우 지역 격차가 심화될 수 있다. ( )

(7) 우리나라 제3차 국토 종합 개발 계획에서 채택된 방식이다. ( )

02 다음 내용은 제1차~제4차 국토 종합 (개발) 계획 중 어디에 해당하는지 쓰시오.

(1) 균형 개발 방식을 채택하였다. ( )

(2) 수출 주도형 공업화 정책을 실시하였다. ( )

(3) 지방 육성과 수도권 집중 억제 정책을 실시하였다. ( )

(4) 개발 가능성을 전국으로 확대하는 광역 개발 방식을 채택하였다. ( )

(5) 자연 친화적이고 안전한 국토 공간 조성, 지역별 특화 발전을 추구하였다. ( )

03 우리나라의 국토 개발 사업을 나타낸 것이다. 물음에 답하시오.

한국 수출 산업 단지(구로 공단)(1964년~)
대덕 연구 단지(1973년~)
반월 안산 국가 산업 단지(1977년~)
대불 산업 단지(1989년~)
광주 첨단 국가 산업 단지(1991년~)
서울 강남 개발(아파트 지구)(1975년~)
수도권 1기 신도시 건설(1989~1996년)
수도권 2기 신도시 건설(2001~2013년)
제주 국제 자유 도시(1999년~)
섬진강 댐 건설(1961~1965년)
소양강 댐 건설(1967~1973년)
대청 댐 건설(1975~1985년)
영산강 하굿둑 건설(1978~1981년)
새만금 종합 개발 사업(1991~2010년)
1960 1970 1980 1990 2000 2010(년)
(국토지리정보원, 2014)

(1) 호남권에서 이루어진 지역 개발 사례 2개를 쓰시오.
( )

(2) 충청권에서 이루어진 지역 개발 사례 2개를 쓰시오.
( )

B 공간 및 환경 불평등과 지역 갈등

04 다음 설명에 해당하는 용어 및 지역을 쓰시오.

(1) 하수 처리장, 쓰레기 소각장 등과 같은 시설이 사회에 꼭 필요하다고 여기지만 자기 지역으로 들어오는 것을 반대하는 현상 ( )

(2) 오염 물질의 지역 간 이동으로 인해 개발 사업의 경제적 수혜 지역과 환경 오염의 부담 지역이 일치하지 않을 때 발생하는 불평등 문제 ( )

(3) 현재 세대의 개발 욕구를 충족시키면서 동시에 미래 세대의 개발 능력을 해치지 않는 발전 전략 ( )

(4) 시·도 중에서 1인당 지역 내 총생산(2016년 기준)이 가장 많은 지역 ( )

(5) 공공 기관의 지방 이전과 기업, 학교, 연구소의 협력으로 지역의 성장 거점 지역에 조성되는 미래형 도시 ( )

(6) 특정 기업이 주체적으로 지역을 개발함에 따라 특정 산업을 중심으로 주택, 교육 및 의료 시설, 각종 생활 편의 시설 등이 고루 갖추어진 자급자족형 도시 ( )

탄탄! 내신 다지기

A 지역 개발과 우리나라의 국토 개발

01 (가), (나) 지역 개발 방식에 대한 옳은 설명을 〈보기〉에서 고른 것은?

> (가) 투자 효과가 큰 지역을 성장 거점으로 지정하여 집중적으로 투자하는 방식이다.
> (나) 지역 간 균형적인 발전과 경제적 형평성을 이루기 위해 주로 낙후된 지역에 우선적으로 투자하는 방식이다.

보기
> ㄱ. (가)는 선진국보다는 주로 투자 재원이 부족한 개발 도상국에서 채택된다.
> ㄴ. (가)는 자원의 효율적 투자가 가능하여 경제적 효율성이 높다.
> ㄷ. (나)는 주로 중앙 정부가 개발 계획을 수립하여 집행한다.
> ㄹ. (나)는 파급 효과보다 역류 효과가 클 때 지역 격차가 심화되는 단점이 있다.

① ㄱ, ㄴ   ② ㄱ, ㄷ   ③ ㄴ, ㄷ
④ ㄴ, ㄹ   ⑤ ㄷ, ㄹ

02 표는 우리나라 두 시기의 국토 종합 개발 계획을 나타낸 것이다. (가), (나)에 대한 설명으로 옳은 것은?

구분	주요 정책
(가)	• 지방 육성과 수도권 집중 억제 • 신산업 지대 조성 • 남북 교류 지역의 개발 관리
(나)	• 수출 주도형 공업화 • 물 자원 종합 개발 • 사회 간접 자본 확충

① (가) 시기에 개발 제한 구역을 처음으로 설정하였다.
② (나) 시기에 기업 도시, 혁신 도시 정책을 추진하였다.
③ (가)는 (나)보다 시행 시기가 이르다.
④ (나)는 (가)보다 경제적 형평성을 중시한다.
⑤ (가) 시기에는 균형 개발 방식, (나) 시기에는 성장 거점 개발 방식을 채택하였다.

03 다음 자료의 (가)에 들어갈 내용으로 옳지 않은 것은?

> • 비전: 대한민국의 새로운 도약을 위한 '글로벌 녹색 국토'
> • 목표: 경쟁력 있는 통합 국토, 지속 가능한 친환경 국토, 품격 있는 매력 국토, 세계로 향한 열린 국토
> • 추진 전략: [(가)]

① 세계로 열린 신성장 해양 국토 조성
② 자연 친화적이고 안전한 국토 공간 조성
③ 쾌적하고 문화적인 도시·주거 환경 조성
④ 녹색 교통·국토 정보 통합 네트워크 구축
⑤ 사회 간접 자본 확충을 통한 생산적인 국토 조성

B 공간 및 환경 불평등과 지역 갈등

04 그래프는 권역별 지역 내 총생산 비중을 나타낸 것이다. (가)~(다) 권역을 바르게 연결한 것은?

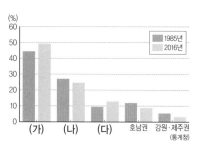

	(가)	(나)	(다)
①	수도권	영남권	충청권
②	수도권	충청권	영남권
③	영남권	수도권	충청권
④	충청권	영남권	수도권
⑤	충청권	수도권	영남권

05 그래프는 도시와 농촌의 가구당 소득 변화를 나타낸 것이다. 이에 대한 옳은 분석을 〈보기〉에서 고른 것은?

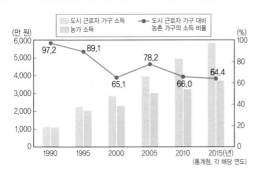

보기
ㄱ. 1990~2015년에 우리나라의 농가 소득은 지속적으로 감소하였다.
ㄴ. 1990~2015년에 우리나라의 가구당 근로 소득은 지속적으로 증가하였다.
ㄷ. 1990년보다 2015년에 도시 근로자 가구와 농촌 근로자 가구의 소득 격차가 크다.
ㄹ. 도시 근로자 가구 소득과 농촌 근로자 가구 소득액의 격차는 2000년이 가장 크다.

① ㄱ, ㄴ   ② ㄱ, ㄷ   ③ ㄴ, ㄷ
④ ㄴ, ㄹ   ⑤ ㄷ, ㄹ

06 다음과 같은 정책을 추진하는 공통적인 목적으로 옳은 것은?

• 공공 기관의 지방 이전과 기업, 학교, 연구소의 협력으로 지역의 성장 거점 지역에 조성되는 미래형 도시
• 특정 기업이 주체적으로 지역을 개발함에 따라 특정 산업을 중심으로 주택, 교육 및 의료 시설, 각종 생활 편의 시설 등이 고루 갖추어진 자급자족형 도시

① 도시와 농촌 간의 소득 격차를 감소시킨다.
② 농촌 지역에 투자를 확대하여 농촌의 경쟁력을 높인다.
③ 촌락의 노동력 부족과 노동력 고령화 문제를 완화한다.
④ 수도권과 수도권 이외의 지역 간 경제적 격차를 줄인다.
⑤ 거점 개발을 통해 광역 행정권 중심 도시의 경제 성장을 추구한다.

07 밑줄 친 ㉠~㉤에 대한 설명으로 옳지 않은 것은?

㉠ 수도권에서는 다양한 기능과 인구의 과도한 집중으로 여러 가지 문제가 발생하고 있다. 반면 ㉡ 비수도권에서는 경제가 침체되거나 인구와 자본의 유출이 심화되는 등의 문제가 나타나고 있다. 특히 ㉢ 급속한 산업화 과정에서 많은 인구가 도시로 이주하였고 특히 ㉣ 청장년층의 인구 유출로 도시와 농촌의 격차가 심해졌다. 최근에는 경제 성장으로 인해 발생한 환경 오염의 피해와 관련하여 ㉤ 환경 불평등 문제가 발생하고 있다.

① ㉠으로 수도권에서는 집값 상승, 교통 혼잡 등 집적 불이익 문제가 발생한다.
② ㉡은 수도권 성장에 따른 파급 효과에 해당한다.
③ ㉢으로 도시화율이 빠르게 높아지게 되었다.
④ ㉣로 인해 농촌에서 노동력 부족, 노동력 고령화 등의 문제가 심화되었다.
⑤ ㉤은 환경을 매개로 하여 특정 지역, 혹은 사회 계층이 겪는 불평등이다.

서술형 문제

08 다음 자료를 보고 물음에 답하시오.

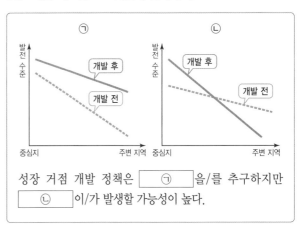

성장 거점 개발 정책은 [㉠]을/를 추구하지만 [㉡]이/가 발생할 가능성이 높다.

(1) ㉠, ㉡에 해당하는 용어를 쓰시오.
　　㉠: (　　　　　　　), ㉡: (　　　　　　　)

(2) ㉡으로 인해 발생하는 문제점을 서술하시오.

01 우리나라의 국토 종합 개발 계획을 나타낸 것이다. (가)~(라)에 대한 옳은 설명을 〈보기〉에서 고른 것은?

수능 유형

구분	1차 국토 종합 개발 계획 (1972~1981년)	2차 국토 종합 개발 계획 (1982~1991년)	3차 국토 종합 개발 계획 (1992~1999년)
개발 방식	(가)	광역 개발	(다)
개발 목표	국토 이용 관리의 효율화	(나)	지방 분산형 국토 개발
주요 개발 전략	사회 간접 자본 확충	인구의 지방 분산 유도	(라)

〈보기〉

ㄱ. (가)는 투자 효과가 큰 지역을 선정하여 집중 투자하는 방식이다.

ㄴ. (나)를 달성하기 위해 1980년대에 기업 도시와 혁신 도시를 육성하였다.

ㄷ. (다)는 (가)보다 지역 간 성장의 형평성을 강조한다.

ㄹ. (라)의 일환으로 1990년대에 중화학 공업 육성을 위한 공업 시설이 남동 임해 공업 지역에 조성되었다.

① ㄱ, ㄴ   ② ㄱ, ㄷ   ③ ㄴ, ㄷ

④ ㄴ, ㄹ   ⑤ ㄷ, ㄹ

02 다음 자료에 해당하는 지역 개발 방식에 대한 설명으로 옳은 것은?

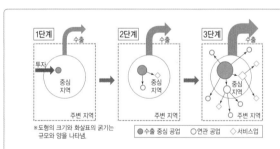

- 1단계: 중심 지역의 수출 중심 공업에 집중적으로 투자
- 2단계: 중심 지역에서 수출 중심 공업이 성장하고 이와 연관된 공업과 서비스업이 발달
- 3단계: 중심 지역의 성장이 주변 지역의 연관된 공업과 서비스업 성장을 유도

① 균형 개발 방식에 해당한다.

② 투자의 형평성보다 효율성을 강조한다.

③ 주로 선진국에서 채택하는 개발 방식이다.

④ 제3차 국토 종합 개발 계획에서 채택 및 시행되었다.

⑤ 주로 지방 자치 단체가 주민들의 동의를 얻어 진행한다.

03 (가), (나) 시기의 국토 종합 개발 계획에 대한 설명으로 옳지 않은 것은?

(가)	• 고도의 경제 성장을 위한 기반 시설 조성을 목표로 수도권과 남동 해안 공업 벨트 중심의 개발 • 울산, 포항, 마산, 창원, 여수 등에 대규모 공업 단지 개발, 고속 국도와 다목적 댐이 다수 건설됨
(나)	• 수도권의 인구 집중, 지역 간 소득 격차, 기반 시설의 부족 등의 국토 문제를 해결하기 위한 방안으로 실시됨 • 수도권 인구 집중 억제, 공업 용지 및 여가 공간의 조성, 통합적 고속 교류망의 구축, 국민 생활 수준의 향상과 국토 자원 관리 등이 이루어짐

① (가) 시기에는 수출 주도형 공업화가 이루어졌다.

② (나) 시기에는 지방 분산형 국토 골격 형성이 목표였다.

③ (가) 시기는 (나) 시기보다 역류 효과의 발생 가능성이 높은 개발 방식이 채택되었다.

④ (나) 시기는 (가) 시기보다 인구와 각종 시설의 수도권 집중도가 낮았다.

⑤ (가) 시기에는 성장 거점 개발 방식, (나) 시기에는 균형 개발 방식을 채택하였다.

수능 기출

04 (가)~(라)에 대한 옳은 설명을 〈보기〉에서 고른 것은?

〈국토 종합 (개발) 계획〉

구분	1차 국토 종합 개발 계획 (1972~1981)	2차 국토 종합 개발 계획 (1982~1991)	3차 국토 종합 개발 계획 (1992~1999)	4차 국토 종합 계획 (2000~2020)
개발 방식	거점 개발	광역 개발	(가)	
기본 목표	사회 간접 자본 확충	인구의 지방 정착 유도	지방 분산형 국토 골격 형성	균형, 녹색, 개방, 통일 국토
개발 전략	(나)	(다)	(라)	개방형 통합 국토축 형성

〈보기〉

ㄱ. (가)-투자 효과가 큰 지역을 선정하여 집중 투자하는 방식이다.

ㄴ. (나)-고속 국도, 항만, 다목적 댐 등을 건설하여 산업 기반을 조성하였다.

ㄷ. (다)-지방의 주요 도시와 배후 지역을 포함한 지역 생활권을 설정하였다.

ㄹ. (라)-혁신 도시와 기업 도시를 지정 및 육성하였다.

① ㄱ, ㄴ   ② ㄱ, ㄷ   ③ ㄴ, ㄷ

④ ㄴ, ㄹ   ⑤ ㄷ, ㄹ

05 그림은 우리나라 주요 국토 개발 사업을 나타낸 것이다. 이에 대한 옳은 설명만을 〈보기〉에서 있는 대로 고른 것은?

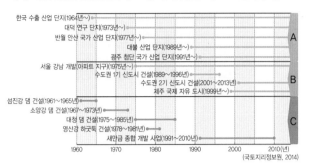

(국토지리정보원, 2014)

보기

ㄱ. A에서 제1차 국토 종합 개발 계획의 시기에 시작된 것은 대덕 연구 단지와 반월 안산 국가 산업 단지이다.

ㄴ. B에는 수도권 집중도를 완화하기 위한 개발이 대부분이다.

ㄷ. C의 개발을 통해 주요 하천의 수질이 개선되었다.

ㄹ. 대덕 연구 단지와 대청 댐 건설은 충청권 개발에 해당한다.

① ㄱ, ㄴ   ② ㄱ, ㄹ   ③ ㄴ, ㄷ

④ ㄱ, ㄴ, ㄷ   ⑤ ㄴ, ㄷ, ㄹ

06 다음 글은 화력 발전소 건설에 대한 것이다. 밑줄 친 ㉠~㉣에 대한 옳은 설명을 〈보기〉에서 고른 것은?

1990년대까지 영흥도는 쇠퇴하는 외딴섬에 불과했지만 최근 10여 년 사이 변화가 나타나고 있다. 1995년 한국남동발전(당시 한국전력공사)이 지역 주민들과의 갈등 속에서 ㉠화력 발전소 건설을 시작하였다. 첫 삽을 뜨기까지 진통이 많았고 ㉡찬성하는 주민들과 ㉢반대하는 주민들 간의 갈등도 있었다. 많은 어려움 끝에 ㉣영흥도에 화력 발전소가 건립되었다.

보기

ㄱ. ㉠은 환경 불평등 발생의 원인이 될 수 있다.

ㄴ. ㉡에 속하는 주민들은 발전소 건설이 지역 상권 활성화에 도움이 된다고 판단했을 것이다.

ㄷ. ㉢에 속하는 주민들은 환경 보호보다 경제적 이익을 우선시했을 것이다.

ㄹ. ㉣의 영향으로 거주지 면적이 줄어들어 영흥도의 상주인구가 감소했을 것이다.

① ㄱ, ㄴ   ② ㄱ, ㄷ   ③ ㄴ, ㄷ

④ ㄴ, ㄹ   ⑤ ㄷ, ㄹ

07 다음과 같은 정책을 실시하는 공통적인 목적으로 가장 적절한 것은?

• 강원도는 학교 통폐합에 따라 지역 내 학교 학생들의 통학 여건을 개선하기 위해 '강원 에듀 버스'를 운영한다.

• 경상북도가 실시하는 '스마트 두레 공동체' 사업은 일손이 부족한 농가와 도시 지역에서 취업에 어려움을 겪는 사람들을 연계해 주는 사업이다.

• 전라남도 영광군에서는 농어촌 지역에서 대중교통 수단을 이용하기 어려운 문제를 해결하기 위해 '행복 택시' 제도를 운용한다. 소액의 비용과 이용권을 지급하면 가까운 지역 중심지까지 택시를 이용할 수 있다.

① 농어촌 지역 주민의 삶의 질을 높인다.

② 도시와 농촌 간의 상호 보완성을 높인다.

③ 도시와 촌락의 환경 불평등 문제를 해결한다.

④ 촌락의 생산 기반 조성을 통해 소득을 향상시킨다.

⑤ 촌락 간의 상호 보완적 개발을 통해 주민 복지를 향상시킨다.

수능 유형

08 지도에 표시된 '○○ 도시' 정책에 대한 옳은 설명을 〈보기〉에서 고른 것은?

〈○○ 도시의 분포〉

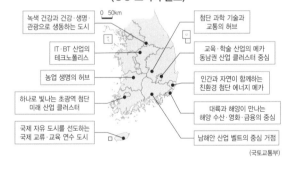

(국토교통부)

보기

ㄱ. 정책 목표는 수도권 과밀 해소, 낙후된 지방 경제 활성화이다.

ㄴ. 공공 기관 청사 및 이와 관련된 기업, 대학, 연구소 등이 함께 입지하도록 계획되었다.

ㄷ. 민간 기업이 주도적으로 개발하며 특정 산업 중심의 자급자족형 복합 도시를 추구한다.

ㄹ. 제2차 국토 종합 개발 계획 때부터 추진되었으며 지역 생활권의 중심 도시를 육성하기 위한 정책이다.

① ㄱ, ㄴ   ② ㄱ, ㄷ   ③ ㄴ, ㄷ

④ ㄴ, ㄹ   ⑤ ㄷ, ㄹ

01
촌락의 변화와 도시 발달

02
도시 구조와 도시 계획

A 전통 촌락과 촌락의 변화

(1) 전통 촌락의 입지

배산임수	겨울철에 차가운 북서풍을 막아 주고 하천이 있어 물을 쉽게 구할 수 있음
자연 제방	범람원에서 비교적 해발 고도가 높고 배수가 양호하여 홍수의 위험이 낮음
용천대	물을 얻기에 유리함, 제주도 해안가

(2) 전통 촌락의 기능

농촌	농업 활동 중심, 벼농사 지역은 협동 노동이 필요하여 집촌(集村) 발달
어촌	어업 활동 중심, 반농반어촌이 많음
산지촌	밭농사·목축업·임업 중심, 산촌(散村) 발달

(3) 전통 촌락의 변화

인구가 감소하는 촌락	대도시와 거리가 먼 지역, 청장년층의 인구 유출로 노년층 인구 비중 증가
인구가 증가하는 촌락	대도시와 가까운 지역, 교외화·산업화로 청장년층의 인구 유입 활발

B 도시 발달과 도시 체계

(1) 도시화: 도시 인구 비율이 높아지고 도시적 생활 양식이 확대되는 현상

(2) 도시 체계: 도시 간 상호 작용에 의해 나타나는 도시 간의 계층 질서

(3) 도시의 계층 구조

구분	고차 기능 도시	저차 기능 도시
중심지 수	적다	많다
기능	많다	적다
최소 요구치	크다	작다
재화의 도달 범위	넓다	좁다
중심지 간 거리	멀다	가깝다

A 도시의 지역 분화와 내부 구조

(1) 도시 내부의 지역 분화

의미	도시가 성장하고 기능이 다양해짐에 따라 도시 내부 지역이 기능에 따라 공간적으로 분화되는 현상
요인	접근성, 지대, 지가의 차이
분화 과정	집심 현상과 이심 현상

(2) 도시 내부 구조

도심	• 도시 중심부: 접근성이 좋아 지가와 지대가 높음, 집약적 토지 이용이 이루어짐. 중심 업무 기능과 전문 상업 기능 입지 • 인구 공동화 현상: 주거 기능의 이심 현상, 주간 인구 지수 높음
부도심	• 도심과 주변 지역을 연결하는 교통이 편리한 곳에 주로 형성됨 • 도심의 기능을 일부 분담하여 도심의 과밀화 해소에 도움을 줌
중간 지역	• 도심과 주변 지역의 기능이 혼재되어 있음 • 주거 환경이 열악한 일부 지역은 재개발 추진
주변 지역	• 도시의 가장자리(변두리)에 위치, 접근성·지가·지대가 낮은 편임 • 상주인구 밀도가 높음
개발 제한 구역	도시의 무질서한 팽창을 막기 위해 개발이 제한되는 구역

B 대도시권의 형성과 확대

중심 도시		• 다핵 구조를 갖춘 대도시권의 중심 지역 • 지역 분화가 뚜렷함
통근 가능권	교외 지역	• 중심 도시와 생활권이 연계됨 • 도시적 경관이 우세
	대도시 영향권	농촌 경관이 나타나며, 교통이 편리한 곳은 신도시로 성장
	배후 농촌 지역	• 상업적 원예 농업 발달 • 중심 도시로의 출퇴근이 가능한 최대 범위

C 도시 계획과 도시 재개발

(1) 도시 계획의 의미와 목적

의미	도시에 거주하는 사람들의 주거, 일자리, 문화 등의 환경 개선을 위해 계획을 수립하고 시행하는 것
목적	도시의 물리적 환경 개선, 토지 이용의 효율화, 경제 활성화 등

(2) 도시 재개발

목적		토지 이용의 효율성 증대, 새로운 기능으로의 전환
방식	철거 재개발	• 건물을 철거하고 새롭게 건설하는 방법 • 시가지 형성이 오래되어 노후화된 주택지의 재개발 시 활용
	보존 재개발	역사·문화적으로 보존할 가치가 있는 지역의 환경 악화를 방지하고 유지·관리하는 방법
	수복 재개발	기존의 건물과 환경을 최대한 살리면서 부분적으로 보수하여 부족한 점을 보완하는 방법

A 지역 개발과 우리나라의 국토 개발

(1) 지역 개발의 의미와 목적

의미	지역이 가진 잠재력을 개발하여 지역 주민의 삶의 질을 높이기 위한 다양한 활동
목적	지역 격차 완화, 국토의 균형 발전

(2) 지역 개발 방식

불균형 개발 (성장 거점 개발)	• 하향식 개발, 경제적 효율성 추구 • 역류 효과 발생 시 지역 격차 심화
균형 개발	• 상향식 개발, 지역 간 균형 발전 추구 • 투자의 효율성이 낮음

(3) 제1차~제4차 국토 종합 (개발) 계획

제1차 국토 종합 개발 계획	• 성장 거점 개발, 생산 기반의 구축 • 효율적 경제 성장 중심
제2차 국토 종합 개발 계획	• 광역 개발, 인구의 지방 분산 유도 • 국토의 불균형 지속
제3차 국토 종합 개발 계획	• 균형 개발, 신산업 지대 조성 • 세계화, 개방화 대비
제4차 국토 종합 계획	• 균형 개발과 발전 중시 • 첨단 과학 및 정보화·개방화 추구 • 개방형 통합 국토축 형성 • 쾌적한 국토 환경 조성

B 공간 및 환경 불평등과 지역 갈등

수도권과 비수도권의 격차	• 수도권 중심으로 경제 개발이 이루어지면서 인구와 기능의 수도권 집중이 심화됨 • 수도권은 집적 불이익 발생, 비수도권은 인구와 자본 유출이 나타남
도시와 농촌의 격차	• 2·3차 산업이 도시 중심으로 발달하면서 이촌 향도 발생 → 청장년층 인구 유출 • 농촌은 고령화, 생활 기반 시설 부족 등의 문제가 발생함
환경 불평등	오염 물질의 지역 간 이동으로 인해 개발 사업의 경제적 수혜 지역과 환경 오염의 부담 지역이 일치하지 않을 때 발생함

한번에 끝내는 대단원 문제

정답과 해설 41쪽

01 다음 글의 밑줄 친 ㉠~㉣에 대한 설명으로 옳지 <u>않은</u> 것은?

> 촌락의 입지에는 ㉠ 물, ㉡ 지형, ㉢ 기후 등의 자연적 조건과 산업, 교통, 방어 등의 사회·경제적 조건이 영향을 끼친다. 우리나라의 전통 촌락은 입지 선정에 ㉣ 용수 확보와 농경지 분포 등 자연적 조건의 영향을 많이 받았으며 배산임수 지역에 입지한 경우가 많다.

① ㉠ – 범람원에서는 생활용수를 확보하기 위해 자연 제방에 취락이 입지한다.

② ㉠ – 제주도에서는 지표수가 부족하기 때문에 용천이 분포하는 해안 지역에 취락이 입지한다.

③ ㉡ – 하천 중·상류의 침식 분지는 전통 사회의 주요 거주지였다.

④ ㉢ – 구릉지에서는 북서풍을 막을 수 있고, 일사량이 풍부한 남향 사면에 취락이 입지한다.

⑤ ㉣ – 농업 활동에 종사하는 주민의 비중이 높았기 때문이다.

02 그래프는 지도에 표시된 두 지역의 인구 구조 변화를 나타낸 것이다. (가), (나) 지역에 대한 설명으로 옳지 <u>않은</u> 것은?

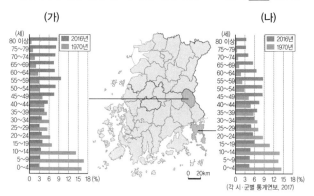

① (가)는 1970~2016년에 폐교되는 초등학교가 나타났다.

② (나)는 1970년에 비해 2016년에 농업 외 소득 비중이 높아졌다.

③ (가)는 (나)보다 1970~2016년에 청장년층 인구 유출이 활발했다.

④ (나)는 (가)보다 2·3차 산업 종사자 수 비중이 높다.

⑤ (나)는 (가)보다 2016년에 농가 호당 경지 면적이 넓다.

03 그래프는 두 지역의 연령층별 농가 인구 구조를 나타낸 것이다. (가), (나) 지역에 대한 옳은 설명을 〈보기〉에서 고른 것은? (단, (가), (나)는 경기, 전남 중 하나임.)

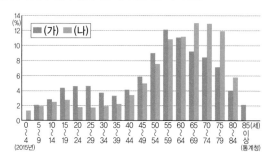

> **보기**
> ㄱ. (가)는 (나)보다 농가 호당 경지 면적이 넓다.
> ㄴ. (가)는 (나)보다 겸업농가 비중이 높다.
> ㄷ. (나)는 (가)보다 논 면적의 비율이 높다.
> ㄹ. (가), (나) 모두 농가 인구의 노령화 지수는 100 미만이다.

① ㄱ, ㄴ ② ㄱ, ㄷ ③ ㄴ, ㄷ
④ ㄴ, ㄹ ⑤ ㄷ, ㄹ

04 그래프는 세 도시의 인구 변화를 나타낸 것이다. (가)~(다) 도시를 지도의 A~C에서 골라 바르게 연결한 것은?

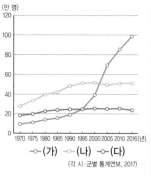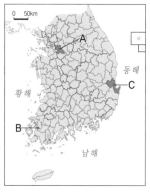

	(가)	(나)	(다)
①	A	B	C
②	A	C	B
③	B	A	C
④	B	C	A
⑤	C	A	B

05 그래프는 인구 증가에 따른 도시 순위 변화를 나타낸 것이다. 이에 대한 분석으로 옳지 <u>않은</u> 것은?

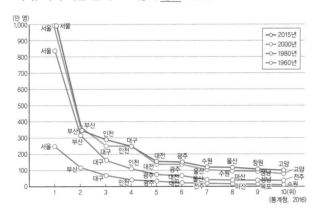

① 네 시기 모두 종주 도시화 현상이 나타났다.
② 10대 도시의 총인구는 지속적으로 증가하였다.
③ 1960∼2015년에 수도권의 10대 도시 수가 증가하였다.
④ 1960∼2015년에 인천은 대구보다 인구 증가율이 높았다.
⑤ 1960∼1980년은 1980∼2015년보다 위성 도시의 인구 증가율이 높았다.

06 표는 지도에 표시된 서울시 세 구(區)의 자료를 나타낸 것이다. A∼C 지역에 대한 옳은 설명을 〈보기〉에서 고른 것은?

행정 구역	인구(명)	초등학교 학급 수(개)	사업체 수(개)
A	161,922	268	40,871
B	134,409	244	66,190
C	495,937	966	24,179

(2016년) (서울 통계 포털)

보기
ㄱ. A는 C보다 시가지의 형성 시기가 이르다.
ㄴ. B는 C보다 거주자의 평균 통근 거리가 가깝다.
ㄷ. C는 A보다 서울에서 접근성이 좋은 곳에 위치한다.
ㄹ. C>A>B 순으로 주간 인구 지수가 높다.

① ㄱ, ㄴ   ② ㄱ, ㄷ   ③ ㄴ, ㄷ
④ ㄴ, ㄹ   ⑤ ㄷ, ㄹ

07 지도의 (가), (나) 지역에 대한 옳은 설명을 〈보기〉에서 고른 것은?

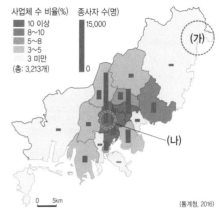

▲ 부산의 금융 및 보험업 사업체 수 비율과 종사자 수(2014년)

보기
ㄱ. (가)는 (나)보다 상업지의 평균 지가가 높다.
ㄴ. (가)는 (나)보다 거주자의 평균 통근 거리가 멀다.
ㄷ. (나)는 (가)보다 거주자 대비 일자리 수가 많다.
ㄹ. (나)는 (가)보다 상업 용지 대비 주거 용지의 비율이 높다.

① ㄱ, ㄴ   ② ㄱ, ㄷ   ③ ㄴ, ㄷ
④ ㄴ, ㄹ   ⑤ ㄷ, ㄹ

08 그래프는 경기도 ○○시의 변화를 나타낸 것이다. 이를 보고 2000년과 비교한 2015년의 변화 특징을 추론한 내용으로 옳지 <u>않은</u> 것은?

〈○○시의 인구 구조 변화〉   〈○○시의 주요 토지 이용 변화〉

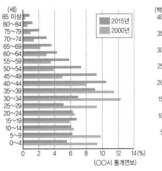
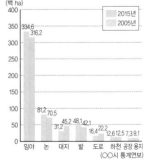

① 시가지 면적이 넓어졌을 것이다.
② 겸업농가 비중이 높아졌을 것이다.
③ 아파트 거주 인구 비율이 높아졌을 것이다.
④ 지역 내의 일자리 수가 증가하였을 것이다.
⑤ 주곡 작물의 재배 면적 비중이 높아졌을 것이다.

09 그림은 대도시권의 공간 구조를 나타낸 것이다. A~D에 대한 옳은 설명을 〈보기〉에서 고른 것은? (단, A~D는 교외 지역, 위성 도시, 중심 도시, 배후 농촌 지역 중 하나임.)

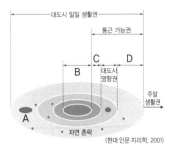

(현대 인문 지리학, 2001)

보기
ㄱ. A는 B의 도심 기능을 분담한다.
ㄴ. C는 D보다 중심 도시로 통근하는 비율이 높다.
ㄷ. D의 범위는 교통이 발달할수록 줄어드는 경향이 나타난다.
ㄹ. 대도시권이 확대될수록 B의 주간 인구 지수는 높아지는 경향이 나타난다.

① ㄱ, ㄴ 　② ㄱ, ㄷ 　③ ㄴ, ㄷ
④ ㄴ, ㄹ 　⑤ ㄷ, ㄹ

10 (가) 지역과 비교한 (나) 지역 도시 재개발의 상대적 특징으로 옳은 설명을 〈보기〉에서 고른 것은?

(가) 경기도 안양시의 덕천 마을은 도시 기반 시설의 노후화를 해결하기 위해 철거 재개발이 진행되면서 노후화된 주택들이 고층 아파트 단지로 변화하였다.
(나) 광주광역시의 도심인 동구 일대는 도심 공동화가 심화되면서 지역이 낙후되는 문제를 안게 되었다. 이를 해결하기 위해 광주광역시 동구 계림 지구는 다양한 주체들이 서로의 이해를 절충하여 지역성과 경관을 보전하는 '푸른 마을 만들기'를 추진하고 있다.

보기
ㄱ. 투입 자본의 규모가 크다.
ㄴ. 기존 건물의 활용도가 낮다.
ㄷ. 원거주민의 재정착률이 높다.
ㄹ. 주민의 공동체 문화가 잘 유지된다.

① ㄱ, ㄴ 　② ㄱ, ㄷ 　③ ㄴ, ㄷ
④ ㄴ, ㄹ 　⑤ ㄷ, ㄹ

11 다음 글의 밑줄 친 ㉠~㉣에 대한 옳은 설명을 〈보기〉에서 고른 것은?

우리나라는 ㉠1970년대에 경제 기반 확충을 위해 수도권과 남동 임해 지역을 중심으로 거점 개발을 추진하였다. 1980년대에는 인구의 지방 분산을 유도하기 위해 광역 개발 정책과 ㉡수도권 정비 계획법 등을 시행하였다. 1990년대에는 산업 지대를 조성하고 지방 도시를 육성하여 지방 분산형 국토 골격을 형성하기 위한 ㉢균형 개발을 시행하였다. 2000년대에는 지역의 균형 발전 정책을 지속적으로 추진하면서 ㉣세계화에 적합한 글로벌 녹색 국토를 실현하고자 노력하고 있다.

보기
ㄱ. ㉠ - 수도권과 남동 연안 지역을 중심으로 제조업이 발달하게 되었다.
ㄴ. ㉡ - 수도 서울의 경쟁력 향상을 위해 집중적 투자를 유도하는 방법이다.
ㄷ. ㉢ - 낙후된 지역에 투자를 하여 지역 간 성장 불균형을 완화하는 정책이다.
ㄹ. ㉣ - 대규모 토목 건설을 통한 국토 경쟁력 향상을 목표로 하였다.

① ㄱ, ㄴ 　② ㄱ, ㄷ 　③ ㄴ, ㄷ
④ ㄴ, ㄹ 　⑤ ㄷ, ㄹ

12 그래프는 농림어업과 제조업의 권역별 생산량 비중을 나타낸 것이다. (가)~(다) 권역을 바르게 연결한 것은?

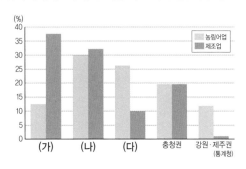

(통계청)

	(가)	(나)	(다)
①	수도권	영남권	호남권
②	수도권	호남권	영남권
③	영남권	수도권	호남권
④	영남권	호남권	수도권
⑤	호남권	수도권	영남권

13 그래프는 전북 임실군의 두 시기 연령층별 인구 구조를 나타낸 것이다. 이를 보고 물음에 답하시오.

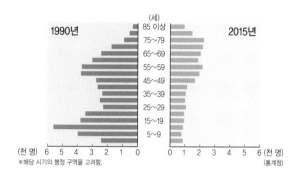

(1) 그래프와 같이 인구 구조가 변한 이유를 서술하시오.

(2) 1990년과 비교한 2015년 임실군의 특징을 추론하여 서술하시오.

14 그래프는 접근성에 따른 도시 내 지대 변화를 나타낸 것이다. 이를 보고 물음에 답하시오.

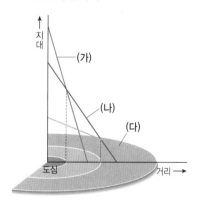

(1) (가)~(다)에 해당하는 기능을 쓰시오.

(가): (   ), (나): (   ), (다): (   )

(2) (가) 기능이 도심에서는 지대 지불 능력이 높은 반면, 주변 지역으로 갈수록 지대 지불 능력이 빠르게 감소하는 이유를 서술하시오.

15 수도권의 인구 증감을 나타낸 지도이다. 이를 보고 물음에 답하시오.

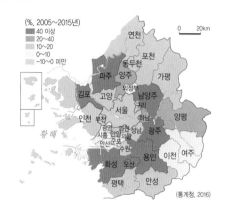

(1) 서울과 서울 주변 지역의 인구 증감 특징을 서술하시오.

(2) (1)과 같은 현상이 나타나게 된 이유를 서술하시오.

16 그림은 지역 개발 방식을 나타낸 것이다. 이를 보고 물음에 답하시오.

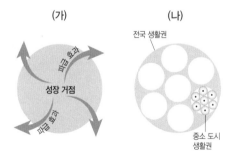

(1) (가), (나)에 해당하는 지역 개발 방식을 쓰시오.

(가): (   ), (나): (   )

(2) 다음 〈조건〉을 모두 포함하여 (가) 개발 방식의 특징을 서술하시오.

조건	
• 추진 방식	• 채택 국가
• 장점 1가지	• 단점 1가지

V
생산과 소비의 공간

배울 내용 한눈에 보기

01 자원의 의미와 자원 문제

자원
- 자원의 특성 → 가변성, 유한성, 편재성
- 광물 자원·에너지 및 전력 자원
- 자원 문제와 대책 → 신·재생 에너지

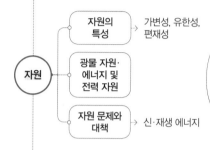 자원은 가변성, 유한성, 편재성 등의 특징이 있어. 광물 자원과 에너지 및 전력 자원은 각각의 특징에 맞게 이용되고, 자원 문제 해결을 위해 다양한 대책이 마련되고 있어.

02 농업의 변화와 농촌 문제

농업
- 농업의 변화 → 농촌 인구, 경지 면적, 영농 방식
- 주요 작물 → 쌀, 맥류, 원예 작물, 목축업
- 농촌 문제 → 도시와 농촌 간 경제 격차, 복잡한 유통 구조, 환경 오염

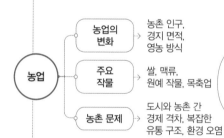 산업화, 도시화가 진행되면서 이촌 향도 현상에 의해 농촌 인구가 감소하고 경지 면적도 감소하는 등 농업 환경이 변하고 있어!

03 공업 발달과 지역 변화

공업
- 공업의 특징 → 고도화, 지역적 편재, 이중 구조, 원료의 해외 의존도 심화
- 공업의 입지 유형 → 원료 지향, 시장 지향, 적환지 지향, 노동 지향, 집적 지향 등
- 공업 지역 → 수도권, 태백산, 충청, 호남, 영남 내륙, 남동 임해 등

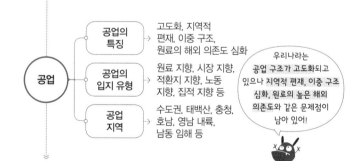 우리나라는 공업 구조가 고도화되고 있으나 지역적 편재, 이중 구조 심화, 원료의 높은 해외 의존도와 같은 문제점이 남아 있어!

04 서비스업의 변화와 교통·통신의 발달

서비스업 교통·통신
- 서비스업 → 소비 공간의 변화, 서비스업의 고도화
- 교통·통신 → 교통수단의 특징, 공간의 변화

상업 및 서비스업은 여러 가지 요인에 의해 입지가 변화하고 있어. 한편, 교통·통신의 발달은 생산과 소비 공간의 변화에 큰 영향을 미치고 있지.

01 ∿ 자원의 의미와 자원 문제

핵심 질문으로 흐름잡기

A 자원의 의미와 특성은?

B 주요 광물 자원의 분포와 특징은?

C 우리나라의 1차 에너지 소비량 비중 순위와 특징은?

D 우리나라의 자원 문제와 해결 방안 및 신·재생 에너지의 특징은?

❶ 기술적 의미의 자원과 경제적 의미의 자원

▲ 자원의 의미

자원은 기술적 의미의 자원과 경제적 의미의 자원으로 나눌 수 있다. 기술적으로는 개발 및 이용이 가능하지만 경제성이 없다면 기술적 의미의 자원에 머물게 되지만, 이후에 이용 기술이 발전하면서 경제성을 갖추게 되면 경제적 의미의 자원이 된다.

❷ 가채 연수

가채 연수는 현재와 같은 수준으로 자원을 생산했을 때 앞으로 사용 가능한 기간을 나타낸 지표이다. 가채 연수가 길다는 것은 현재의 소비량을 유지한다면 앞으로도 더 오랫동안 자원을 채굴 및 이용할 수 있다는 것을 말한다.

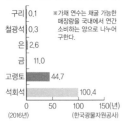

구리	0.1
철광석	0.3
은	2.6
금	11.0
고령토	44.7
석회석	100.4

※가채 연수는 채굴 가능한 매장량을 국내에서 연간 소비하는 양으로 나누어 구한다.

0   50   100   150(년)
(2016년)   (한국광물자원공사)

▲ 우리나라 주요 자원의 가채 연수

❸ 석회석

암석 내 탄산 칼슘(CaCO₃)의 비중이 50%를 넘는 암석을 말하며, 우리나라에서는 주로 고생대의 해성층인 조선 누층군에 매장되어 있다.

A 자원의 의미와 특성 및 분류

| 시·험·단·서 | 자원의 특성과 재생 가능성에 따른 분류와 관련된 문제가 자주 출제돼!

1. 자원의 의미와 특성

(1) 의미❶: 자연물 가운데 인간에게 쓸모가 있으며, 기술적·경제적으로 개발할 수 있는 것

(2) 특성

가변성 _{자료1}	자원을 이용하는 기술적 수준, 경제적 조건, 문화적 배경 등에 따라 자원의 가치가 달라짐
유한성	자원의 매장량이 한정되어 있어 언젠가는 고갈됨 → 가채 연수❷를 통해 나타낼 수 있음
편재성	자원이 일부 지역에 편중되어 분포 → 자원 민족주의가 등장하게 된 배경

2. 자원의 분류

(1) 의미에 따른 분류: 좁은 의미의 자원과 넓은 의미의 자원으로 구분
　　　　　　　　　　　　　　　　　주로 천연자원을 의미해 ┘　　　　└ 천연자원 외에 인적 자원, 문화적 자원도 포함해

(2) 재생 가능성에 따른 분류 _{자료2}

재생 가능한 자원	지속적으로 공급·순환되어 인간이 이용하여도 고갈되지 않는 자원 ⟨예⟩ 수력, 조력, 풍력, 태양광(열) 등
재생 불가능한 자원	점차 고갈되어 재생이 거의 불가능하거나 생성 속도가 매우 느린 자원 → 비재생 자원으로도 불림 ⟨예⟩ 석유, 석탄, 천연가스 등

B 광물 자원의 특징과 분포 및 이용

| 시·험·단·서 | 철광석, 텅스텐, 석회석, 고령토 등 주요 광물 자원의 분포 지역과 특징을 묻는 문제가 자주 출제돼!

1. 우리나라 광물 자원의 특징　　광물 자원은 크게 금속 광물과 비금속 광물로 분류할 수 있어

(1) 금속 광물: 품위가 낮고 매장량이 적음 ⟨예⟩ 철광석, 구리 등

(2) 비금속 광물: 비교적 매장량이 풍부하고 매장 상태도 양호한 편 ⟨예⟩ 고령토, 석회석 등

2. 주요 광물 자원의 분포와 이용 _{자료3}

(1) 철광석

　① 분포: 강원도 홍천, 양양 등

　② 이용 및 특징: 제철 공업의 주원료로 이용, 대부분 북한에 매장되어 있으며 <u>남한에서는 대부분을 수입</u>
　　　　　　　　　　　　　　　└ 주로 오스트레일리아, 브라질 등지에서 수입하고 있어

(2) 텅스텐

　① 분포: 강원도 영월군 상동

　② 이용 및 특징: 특수강 및 합금용 원료로 이용, 값싼 중국산 텅스텐의 수입으로 폐광되었으나 최근 재개발을 추진 중임

(3) 석회석❸

　① 분포: <u>강원도 남부, 충청북도 북부</u> 등 ─── 고생대 조선 누층군 지역에 주로 분포해

　② 이용: 시멘트 공업의 주원료로 이용

(4) 고령토 ─── 백색을 띠거나 정제 후 백색을 갖게 되는 점토 광물을 말해
　　　　　　　　고령토는 도자기 제작이나 종이를 만들 때 발색을 위해 이용되고 있어

　① 분포: 강원도, 경상남도 하동·산청 등

　② 이용: 도자기 및 내화 벽돌, 종이, 화장품의 원료로 이용

자료1 자원의 가변성

최근 곤충이 새로운 식량 자원으로 주목받으면서 관련 시장이 급성장하는 추세이다. 현재 국내의 식용 곤충 시장은 약 90~100억 원 규모이며, 곤충 산업에 대한 관심과 육성 정책이 꾸준히 늘어나고 있다. 곤충 자원의 활용 범위는 식량과 사료, 의약품 소재 등 다양한 분야로 확대되고 있다. – ○○ 뉴스, 2016. 7. 30. –

자료·분석 제시된 기사는 곤충을 식량 자원으로 활용하는 기술이 개발되면서 곤충이 식량 자원으로서의 가치를 인정받고 있다는 내용을 담고 있다. 이와 같이 자원을 이용하는 기술적 수준, 경제적 조건, 문화적 배경 등에 따라 자원의 가치가 달라지는 특성을 자원의 가변성이라고 한다.

▶ **한·줄·핵·심** 기술적 수준, 경제적 조건, 문화적 배경 등에 따라 자원의 가치가 달라진다.

자료2 재생 가능성에 따른 자원의 분류 관련 문제 ▶ 166쪽 01, 02번

자료·분석 그래프는 자원을 재생 가능성에 따라 분류한 것이다. 석유·석탄·천연가스와 같은 화석 연료는 재생 가능성이 낮아 고갈의 위험이 높은 반면, 태양광(열)·조력·수력·풍력과 같은 재생 에너지는 재생 가능성이 높아 고갈의 위험이 낮다. 또한 비금속 광물, 금속 광물은 재생 수준이 사용량과 투자 정도에 따라 달라질 수 있는 자원에 해당한다.

▶ **한·줄·핵·심** 화석 연료는 재생 가능성이 낮아 고갈의 위험이 높다.

자료3 주요 광물 자원의 분포와 특징 관련 문제 ▶ 166쪽 03, 04번

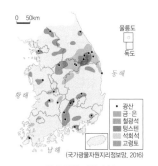

(국가광물자원지리정보망, 2016)
▲ 주요 광물 자원의 분포

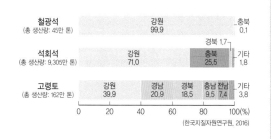
(한국지질자원연구원, 2016)
▲ 주요 광물 자원의 지역별 생산량 비중

자료·분석 제철 공업의 주원료로 이용되는 철광석은 국내 생산량이 매우 적은 편이며, 대부분 강원도(양양)에서 생산되고 있다. 시멘트 공업의 주원료로 이용되는 석회석은 고생대 조선 누층군이 분포하는 강원도 남부(삼척)와 충청북도 북부(단양)에서 생산량 비중이 높다. 도자기, 종이, 화장품 등의 원료로 이용되는 고령토는 강원도와 경상남도(하동, 산청)에서 생산량 비중이 높다.

▶ **한·줄·핵·심** 철광석은 강원도, 석회석은 강원도와 충청북도에서 주로 생산되고 있다.

▲ 동해-1 가스전

울산 남동쪽 58km 지점에 위치한 동해-1, 2 가스전에서 천연가스가 생산되고 있다.

C 에너지 및 전력 자원의 특징

| 시·험·단·서 | 주요 1차 에너지 자원인 석유, 석탄, 천연가스, 원자력, 수력의 지역별 생산·소비 등에 대한 내용을 그래프와 표의 형태로 표현한 문제가 출제돼!

1. 에너지 자원의 특징

(1) 1차 에너지 소비량 비중: 석유 > 석탄 > 천연가스 > 원자력 [자료 4]

(2) 주요 에너지 자원의 특징

┌─ 주로 신생대 지층에 매장되어 있으며, 석탄 액화 공업용으로 이용해
① 석탄: 탄화 정도에 따라 무연탄, 역청탄, 갈탄 등으로 분류

무연탄	• 주로 고생대 평안 누층군에 매장되어 있음 • 석탄 산업 합리화 정책으로 1980년대 후반부터 생산량 급감
역청탄	• 주로 제철 공업 및 화력 발전의 연료로 이용 • 국내 매장량이 적어 전량을 수입에 의존하고 있음

┌─ 우리나라의 1차 에너지 소비 구조에서 차지하는 비중이 가장 높아
② 석유: 주로 화학 공업의 원료 및 수송용 연료로 이용, 대부분을 수입에 의존
┌─ 석탄, 석유에 비해 연소 시 대기 오염 물질 배출량이 적어   ┌─ 국내 생산량이 매우 적기 때문이야
③ 천연가스❹: 주로 가정 및 상업용으로 이용, 대부분을 수입에 의존
　　　　　　　　　　　　　　　　└─ 울산 앞바다(동해-1, 2 가스전)에서 소량 생산해

2. 전력 자원❺의 특징 [자료 5]

구분	수력	화력	원자력
입지	풍부한 유량과 큰 낙차를 확보할 수 있는 곳(하천 중·상류)에 주로 입지	입지 제약은 적은 편이나, 연료 수입에 유리하고 대소비지와 가까운 지역에 주로 입지	지반이 견고하고 다량의 냉각수를 확보할 수 있는 지역에 주로 입지
장점	발전 시 온실가스 배출량이 적고 재생 가능한 에너지를 사용	발전소 건설 비용이 저렴하고 소비지 인근에 입지하여 송전 비용이 적게 듦	발전 효율이 높으며 발전 시 온실가스 배출량이 적음
단점	• 입지가 제한적이고 주요 소비지와 발전소가 떨어져 있어 송전 비용이 많이 듦 • 발전량이 기후 조건의 제약을 많이 받으며, 댐 건설로 인한 기후 및 생태계 변화 발생	• 화석 연료를 발전 에너지원으로 이용하므로 발전 비용이 많이 듦 • 발전 시 온실가스 배출량이 많음	• 발전소 건설 비용이 비쌈 • 발전 후 폐기물 처리 비용이 많이 들고 방사능 유출 위험이 있음

D 자원 문제와 대책

| 시·험·단·서 | 자원 문제와 해결 방안, 신·재생 에너지의 특징과 관련된 문제가 출제돼!

1. 자원 문제: 자원의 고갈 문제, 환경 오염, 자원의 높은 수입 의존도로 인한 비용 문제 등

2. 대책

(1) 신·재생 에너지 개발 확대 [자료 6] ─ 고갈의 위험이 낮고 환경 오염을 적게 유발한다는 장점이 있지만
　　　　　　　　　　　　　　　　　　　화석 연료에 비해 경제적 효율성이 낮다는 단점이 있어

태양광	일사량이 풍부한 지역에서 개발 가능성이 높음 예 함평, 무안, 신안, 진도 등
풍력	바람이 많이 부는 해안, 산지 지역에서 개발 가능성이 높음 예 제주, 대관령, 영덕 등
해양 에너지	• 조력: 조수 간만의 차이를 이용함 예 시화호 조력 발전소 • 조류: 바닷물의 빠른 흐름을 이용 • 파력: 파랑의 운동 에너지를 이용

(2) 기타: 자원 절약 및 재활용 생활화, 자원 절약형 산업 육성, 해외 자원 개발 및 수입국 다변화 등
　　　　　　　　　　　　　　　　　　　　　　　　└─ 자원의 안정적 확보를 위해서야

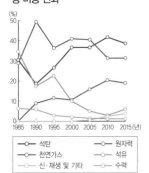

（에너지경제연구원）

2015년 현재 우리나라의 1차 에너지별 발전량 비중은 석탄 > 원자력 > 천연가스 > 석유 순으로 높다.

자료4 1차 에너지 소비 구조의 변화 관련 문제 ▶ 167쪽 05번

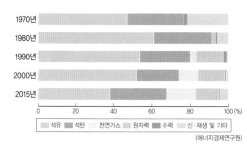

▲ 1차 에너지 소비 구조의 변화

자료·분석 1차 에너지 소비 구조의 변화를 나타낸 그래프를 보면 모든 시기에 소비 비중이 가장 높았던 에너지는 석유이며, 천연가스는 최근 소비 비중이 빠르게 늘고 있다. 2015년 현재 우리나라의 1차 에너지 소비 구조에서 차지하는 비중은 석유>석탄>천연가스>원자력>신·재생 및 기타>수력 순으로 높다.

한·줄·핵·심 2015년 현재 우리나라의 1차 에너지 소비 구조에서 차지하는 비중은 석유>석탄>천연가스>원자력 순으로 높다.

? 궁금해요

Q. 우리나라의 1차 에너지 소비량은 어떻게 변화했을까요?

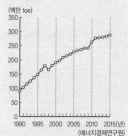

▲ 1차 에너지 소비량 변화

A. 그래프를 보면 1990년 이후 1차 에너지 소비량이 빠르게 증가했음을 알 수 있으며, 이는 산업 발달, 인구 증가 등이 주요 원인이야.

자료5 전력 자원의 특징 관련 문제 ▶ 167쪽 06번

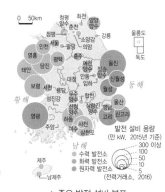

▲ 주요 발전 설비 분포

자료·분석 주요 발전 설비 분포를 나타낸 지도를 보면 화력 발전소는 수도권과 남동 임해 공업 지역과 같은 대소비지 근처에 주로 입지하고 수력 발전소는 한강, 낙동강과 같은 대하천의 중·상류 지역에 입지한다. 원자력 발전소는 냉각수를 얻기 쉬운 해안 지역에 주로 입지해 있는데 울진, 경주(월성), 부산(고리), 영광에 원자력 발전소가 입지해 있으며 지도에는 제시되어 있지 않지만 울산에서도 2016년 12월부터 원자력 발전소의 상업 운전이 시작되었다.

한·줄·핵·심 화력 발전소는 대소비지 근처에, 수력 발전소는 대하천의 중·상류 지역에, 원자력 발전소는 냉각수를 얻기 쉬운 해안에 주로 입지한다.

용어 더하기

* **석탄 산업 합리화 정책**
1989년에 추진된 정책으로, 석탄 소비의 감소에 따라 경제성이 낮은 탄광을 줄이고, 폐광 지역을 새롭게 개발하고자 하는 정책

* **신·재생 에너지**
기존의 에너지를 변환하는 신 에너지와 물, 햇빛, 지열, 생물 유기체 등을 활용하여 에너지를 얻는 재생 에너지로 구분된다.

자료6 주요 신·재생 에너지의 분포 관련 문제 ▶ 167쪽 07번

▲ 주요 신·재생 에너지의 분포

자료·분석 풍력 발전은 대관령(강원)과 같은 고산 지역과 영덕(경북), 제주의 해안 지역에서 생산이 활발하고, 조력 발전은 시화호(경기)에 조력 발전소가 건설되어 있어 국내에서는 이곳에서만 생산이 이루어지고 있다. 태양광 발전은 무안, 신안과 같이 일조량이 풍부한 전남, 전북에서 생산이 활발하다.

한·줄·핵·심 풍력 발전은 강원, 경북, 제주에서 생산이 활발하고, 조력 발전은 경기에서만 생산되고 있으며, 태양광 발전은 전남, 전북에서 생산이 활발하다.

1차 에너지별 특징

개념풀 Guide 다양한 자료를 통해 1차 에너지별 공급량, 소비량, 생산량, 발전량 특징에 대해 자세히 알아보자.

1. 전남, 부산, 경북의 1차 에너지 공급량

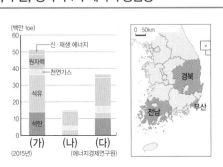

분석 석유 화학 공업이 발달하여 석유 공급량 비중이 높은 (가)는 전남이다. 원자력 공급량이 많은 (다)는 울진·경주 두 곳에 원자력 발전소가 위치한 경북이다. 경북보다 원자력 공급량이 적은 (나)는 부산이다. 부산은 도시 지역이라는 특성상 천연가스 공급량이 많고 석탄 공급량이 적다.

2. 경남, 울산, 충남의 1차 에너지 공급량

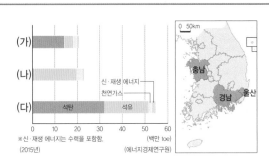

분석 전국의 시·도 중에서 1차 에너지 총 공급량이 가장 많은 (다)는 충남이다. 충남에는 대규모 화력 발전소와 제철소가 위치하여 석탄 소비량이 많다. 충남과 함께 석탄 소비량 비중이 높은 (가)는 대규모 화력 발전소가 위치한 경남이다. 석유 화학 공업이 발달하여 석유 공급량 비중이 높은 (나)는 울산이다.

3. 1차 에너지별 생산량 및 소비량 비중

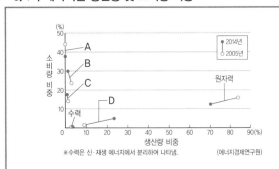

분석 현재 우리나라의 1차 에너지 소비 구조에서 차지하는 비중은 석유(A)>석탄(B)>천연가스(C)>원자력 순으로 높게 나타난다. 생산량은 원자력이 가장 많고, 원자력 다음으로 신·재생 에너지(D)의 생산량이 많다. 석유는 국내에서 거의 생산되지 않고 있다.

4. 1차 에너지의 지역별 생산량 비중   관련 문제 ▶ 169쪽 05번

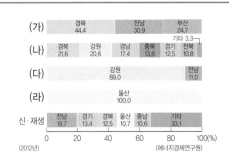

분석 경북(경주, 울진), 전남(영광), 부산에서만 생산되고 있는 (가)는 원자력, 낙동강 중·상류, 한강 중·상류 지역이 포함된 시·도에서 생산량이 많은 (나)는 수력이다. 강원에서 생산량 비중이 높은 (다)는 석탄이고, 울산 앞바다에서만 생산되고 있는 (라)는 천연가스이다.

5. 1차 에너지별 발전량 비중

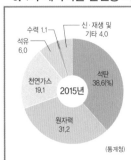

분석 현재 우리나라의 총 발전량에서 차지하는 비중은 석탄>원자력>천연가스>석유>수력 등의 순으로 비중이 높다.

이것만은 꼭!

→ **1차 에너지별 소비량 비중** 순위(2015년)는 **석유>석탄>천연가스>원자력** 순으로 나타난다.

→ **1차 에너지별 발전량 비중** 순위(2015년)는 **석탄>원자력>천연가스>석유** 순으로 나타난다.

→ **충남**은 전국의 시·도 중에서 **1차 에너지 총 공급량(2015년)**이 가장 많은 지역이다.

A 자원의 의미와 특성 및 분류

01 알맞은 설명에 ○표를 하시오.

(1) 자원을 이용하는 기술적 수준, 경제적 조건, 문화적 배경 등에 따라 자원의 가치가 달라지는 자원의 특성을 (가변성, 유한성, 편재성)이라고 한다.

(2) 일부 자원은 특정 지역에 편중되어 분포하는데, 이러한 자원의 특성을 (가변성, 유한성, 편재성)이라고 한다.

(3) 대부분의 자원은 매장량이 한정되어 있어 언젠가는 고갈되는데, 이러한 자원의 특성을 (가변성, 유한성, 편재성)이라고 한다.

B 광물 자원의 특징과 분포 및 이용

02 빈칸에 알맞은 말을 쓰시오.

(1) □□□은/는 제철 공업의 주원료로 이용되며, 남한에서는 대부분을 오스트레일리아, 브라질 등에서 수입하고 있다.

(2) □□□은/는 도자기 및 내화 벽돌, 종이, 화장품의 원료로 이용되는 비금속 광물이다.

(3) □□□은/는 시멘트 공업의 주원료로 이용되며, 고생대 조선 누층군 분포 지역에 많이 매장되어 있다.

C 에너지 및 전력 자원의 특징

03 에너지 및 전력 자원과 관련된 설명을 찾아 바르게 연결하시오.

(1) 석탄 •　　　　　• ㉠ 우리나라의 1차 에너지 소비 구조에서 차지하는 비중이 가장 높다.

(2) 석유 •　　　　　• ㉡ 다량의 냉각수를 확보할 수 있는 지역에 주로 입지한다.

(3) 원자력 •　　　　• ㉢ 우리나라의 총 발전량에서 차지하는 비중이 가장 높다.

D 자원 문제와 대책

04 지도를 보고 물음에 답하시오.

▲ 주요 신·재생 에너지의 분포

(1) (가)~(다)에 해당하는 신·재생 에너지를 쓰시오.

(가): (　　　　　), (나): (　　　　　), (다): (　　　　　)

(2) 다음 글의 ㉠~㉢에 해당하는 신·재생 에너지를 지도의 (가)~(다)에서 고르시오.

(㉠) 발전은 고산 지역과 해안 지역에서 생산이 활발하고 (㉡) 발전은 시화호에 발전소가 건설되어 있어 국내에서는 이곳에서만 생산이 이루어지고 있다. (㉢) 발전은 일조량이 풍부한 전라도의 해안에서 생산이 활발하다.

㉠: (　　　　　), ㉡: (　　　　　), ㉢:(　　　　　)

A 자원의 의미와 특성 및 분류

[01-02] 그래프는 자원을 재생 가능성에 따라 분류한 것이다. 이를 보고 물음에 답하시오.

(가)	식물 동물 삼림 토양	비금속 광물	(나)	대기 물	(다)

← 고갈 가능성   재생 가능성 →

01 (가)~(다)에 해당하는 자원을 바르게 연결한 것은?

	(가)	(나)	(다)
①	석유	태양광	조력
②	석탄	철광석	태양광
③	조력	구리	석탄
④	태양광	조력	천연가스
⑤	천연가스	석탄	석유

02 (가)~(다) 자원에 대한 옳은 설명을 〈보기〉에서 고른 것은?

보기
ㄱ. (가)는 (나)보다 재생 가능성이 낮다.
ㄴ. (다)는 (가)보다 세계의 총 소비량이 적다.
ㄷ. (가)~(다) 중에서 상용화된 시기는 (다)가 가장 이르다.
ㄹ. 풍력은 (가), 석탄은 (다)에 해당한다.

① ㄱ, ㄴ   ② ㄱ, ㄷ   ③ ㄴ, ㄷ
④ ㄴ, ㄹ   ⑤ ㄷ, ㄹ

B 광물 자원의 특징과 분포 및 이용

03 지도는 세 광물 자원의 분포를 나타낸 것이다. (가)~(다) 자원을 바르게 연결한 것은?

(국가광물자원지리정보망, 2016)

	(가)	(나)	(다)
①	고령토	석회석	철광석
②	석회석	고령토	철광석
③	석회석	철광석	고령토
④	철광석	고령토	석회석
⑤	철광석	석회석	고령토

04 그래프는 세 광물 자원의 시·도별 생산량 비중을 나타낸 것이다. (가)~(다) 자원에 대한 설명으로 옳은 것은? (단, (가)~(다)는 고령토, 석회석, 철광석 중 하나임.)

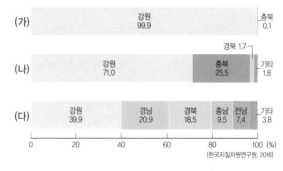

(한국지질자원연구원, 2016)

① (가)는 주로 고생대 조선 누층군에 분포한다.
② (나)는 대부분 제철 공업의 원료로 이용된다.
③ (다)는 주로 도자기 및 내화 벽돌, 종이, 화장품의 원료로 이용된다.
④ (나)는 (가)보다 해외 의존도가 높다.
⑤ (가), (나)는 비금속 광물, (다)는 금속 광물에 해당한다.

C 에너지 및 전력 자원의 특징

05 그래프는 우리나라의 1차 에너지 소비 구조 변화를 나타낸 것이다. (가)~(마) 자원에 대한 설명으로 옳은 것은? (단, (가)~(마)는 석유, 석탄, 수력, 원자력, 천연가스 중 하나임.)

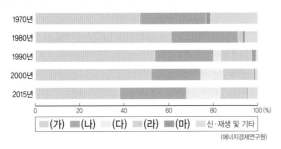

(에너지경제연구원)

① (가)는 (나)보다 연소 시 대기 오염 물질 배출량이 많다.
② (나)는 (다)보다 우리나라에서 상용화된 시기가 늦다.
③ (다)는 (라)보다 우리나라의 총 발전량에서 차지하는 비중이 높다.
④ (라)는 (마)보다 발전에 이용 시 발전량이 기후 조건의 영향을 적게 받는다.
⑤ (마)는 (가)보다 자원의 해외 의존도가 높다.

06 다음 자료에 대한 설명으로 옳은 것은? (단, (가)~(다)는 수력, 화력, 원자력 발전 방식 중 하나이고, A~E는 석유, 석탄, 수력, 원자력, 천연가스 중 하나임.)

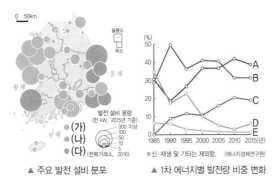

▲ 주요 발전 설비 분포 ▲ 1차 에너지별 발전량 비중 변화

① (가)는 (나)보다 발전 시 온실가스 배출량이 많다.
② (나)는 (다)보다 우리나라의 총 발전량에서 차지하는 비중이 낮다.
③ A는 (나), B는 (다)의 발전 에너지원으로 이용된다.
④ C는 D보다 우리나라의 1차 에너지 소비 구조에서 차지하는 비중이 높다.
⑤ E는 A보다 자원의 고갈 가능성이 높다.

D 자원 문제와 대책

07 지도는 신·재생 에너지의 발전소 분포를 나타낸 것이다. (가)~(다) 에너지에 대한 옳은 설명을 〈보기〉에서 고른 것은? (단, (가)~(다)는 조력, 풍력, 태양광 중 하나임.)

(전력 통계 정보 시스템, 2016)

보기
ㄱ. (가)는 조차가 큰 해안 지역에서 발전 잠재력이 높게 나타난다.
ㄴ. (나)의 발전소 입지 선정 시 가장 중요한 정보는 풍향과 풍속이다.
ㄷ. (나)는 (다)보다 밤 시간대 발전량 대비 낮 시간대 발전량 비중이 낮다.
ㄹ. (다)는 (가)보다 발전 시 소음 발생량이 적다.

① ㄱ, ㄴ ② ㄱ, ㄷ ③ ㄴ, ㄷ
④ ㄴ, ㄹ ⑤ ㄷ, ㄹ

서술형 문제

08 다음은 수업 시간에 학생이 작성한 노트 필기 내용의 일부이다. (가)에 들어갈 내용을 두 가지만 서술하시오.

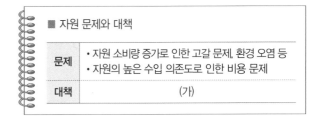

■ 자원 문제와 대책

문제	• 자원 소비량 증가로 인한 고갈 문제, 환경 오염 등 • 자원의 높은 수입 의존도로 인한 비용 문제
대책	(가)

도전! 실력 올리기

01 (가), (나)에 나타난 자원의 의미 변화를 표에서 찾아 바르게 나타낸 것은?

(가) 국제 텅스텐 가격의 상승과 채굴 기술의 발달로 국내에서 생산이 중단되었던 강원도 영월에 위치한 상동 광산의 재개발이 추진되고 있다.

(나) 파력을 이용한 전력 생산은 시험 발전이 진행되고 있었으나 최근 기술 개발과 대규모 투자 등을 통해 발전 비용이 크게 낮아지면서 상용화 단계에 진입하였다.

자원의 의미 / 자원 재생 수준	기술적 의미의 자원	
	경제적 의미의 자원	자원
사용으로 고갈되는 재생 불가능 자원	A	B
재생 수준이 가변적인 자원	C	D
사용량과 무관한 재생 가능한 자원	E	F

	(가)	(나)
①	B → A	F → E
②	C → D	E → F
③	C → D	F → E
④	D → C	E → F
⑤	D → C	F → E

02 그래프는 세 광물 자원의 시·도별 생산량 비중을 나타낸 것이다. (가)~(다) 자원에 대한 설명으로 옳은 것은? (단, (가)~(다)는 고령토, 석회석, 철광석 중 하나임.)

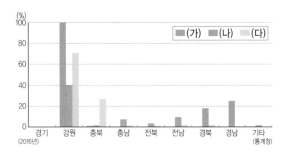

① (가)는 대부분 시멘트 공업의 주원료로 이용된다.
② (나)는 주로 고생대 조선 누층군에 분포한다.
③ (다)는 주로 특수강 및 합금용 원료로 이용된다.
④ (가)는 (나)보다 가채 연수가 짧다.
⑤ (가), (나)는 비금속 광물, (다)는 금속 광물에 해당한다.

03 그래프는 권역별 1차 에너지 공급 구조를 나타낸 것이다. 이에 대한 설명으로 옳지 않은 것은? (단, (가)~(라)는 수도권, 영남권, 충청권, 호남권 중 하나임.)

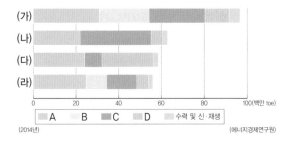

① (가)의 주변 해역에서는 D가 생산되고 있다.
② (나)는 충청권, (다)는 수도권이다.
③ A는 C보다 우리나라 1차 에너지 공급에서 차지하는 비중이 높다.
④ C는 D보다 발전 시 대기 오염 물질의 배출량이 많다.
⑤ 우리나라 1차 에너지원별 발전량은 A>B>D>C 순이다.

04 그래프의 (가)~(마) 에너지에 대한 설명으로 옳은 것은? (단, (가)~(마)는 석유, 석탄, 수력, 원자력, 천연가스 중 하나임.)

〈시·도별 1차 에너지 공급량 비중〉

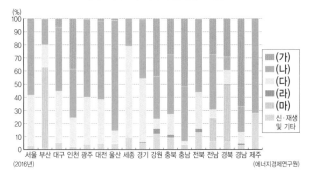

① (가)는 (나)보다 수송용으로 이용되는 비중이 높다.
② (나)는 (다)보다 우리나라의 1차 에너지 소비 구조에서 차지하는 비중이 낮다.
③ (다)는 (라)보다 자원의 해외 의존도가 높다.
④ (라)는 (마)보다 상업적 발전에 이용되기 시작한 시기가 늦다.
⑤ (마)는 (가)보다 발전에 이용 시 온실가스 배출량이 많다.

수능 기출

05 그래프는 우리나라에서 생산되는 1차 에너지에 관한 것이다. 이에 대한 설명으로 옳은 것은?

〈1차 에너지의 유형별 생산 비중〉　〈1차 에너지의 지역별 생산 비중〉

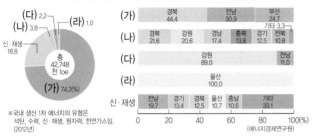

※국내 생산 1차 에너지의 유형은
석탄, 수력, 신·재생, 원자력, 천연가스임.
(2012년)　　　　　　　　　(에너지경제연구원)

① (가)는 주로 내륙 지역에서 생산된다.
② (나)는 (다)보다 에너지 생산 시 대기 오염 물질 배출량이 많다.
③ (라)는 (다)보다 상용화된 시기가 이르다.
④ 1차 에너지의 생산량은 석탄이 수력보다 많다.
⑤ 1차 에너지의 생산량이 가장 많은 지역은 경북이다.

07 지도는 각 도(道)의 발전 방식별 설비 용량을 나타낸 것이다. (가)~(다) 발전 방식에 대한 설명으로 옳은 것은?

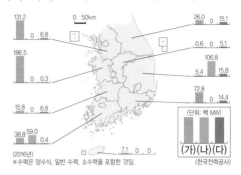

(2016년)
※수력은 양수식, 일반 수력, 소수력을 포함한 것임.

(단위: 백 MW)
(가)(나)(다)
(한국전력공사)

① (가)는 (나)보다 방사성 폐기물 처리 비용이 많이 든다.
② (나)는 (다)보다 상업적 발전이 시작된 시기가 늦다.
③ (다)는 (가)보다 발전 에너지원의 고갈 가능성이 높다.
④ 전국의 발전량은 (나)>(가)>(다) 순으로 많다.
⑤ (가)~(다) 중에서 발전 시 온실가스 배출량은 (다)가 가장 많다.

06 그래프는 (가)~(라) 에너지 자원의 시·도별 생산량을 나타낸 것이다. (가)~(라) 에너지를 바르게 연결한 것은?

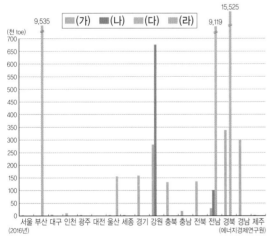

(2016년)　　　　　　　　　(에너지경제연구원)

	(가)	(나)	(다)	(라)
①	석탄	수력	원자력	천연가스
②	석탄	수력	천연가스	원자력
③	수력	석탄	원자력	천연가스
④	수력	석탄	천연가스	원자력
⑤	원자력	천연가스	석탄	수력

08 그래프는 (가)~(라) 신·재생 에너지의 도별 생산량 비중을 나타낸 것이다. (가)~(라) 에너지에 대한 옳은 설명을 〈보기〉에서 고른 것은? (단, (가)~(라)는 수력, 조력, 풍력, 태양광 중 하나임.)

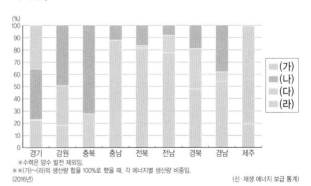

※수력은 양수 발전 제외임.
※※(가)~(라)의 생산량 합을 100%로 했을 때, 각 에너지별 생산량 비중임.
(2016년)　　　　　　　　　(신·재생 에너지 보급 통계)

〈보기〉
ㄱ. (가)는 (나)보다 발전량이 기후 조건의 영향을 많이 받는다.
ㄴ. (나)는 (다)보다 상업적 발전이 시작된 시기가 이르다.
ㄷ. (다)는 (라)보다 발전 시 소음 발생량이 많다.
ㄹ. (라)는 (가)보다 전국의 발전량이 적다.

① ㄱ, ㄴ　　② ㄱ, ㄷ　　③ ㄴ, ㄷ
④ ㄴ, ㄹ　　⑤ ㄷ, ㄹ

02 ~ 농업의 변화와 농촌 문제

핵심 질문으로 흐름잡기

A 농업 구조의 변화와 주요 작물의 생산 및 소비 특징은?

B 농촌의 문제점과 해결 방안은?

A 농업의 변화

| 시·험·단·서 | 도(道)별 주요 농업 특색을 지표별로 비교하는 문제가 자주 출제돼!

1. 농업 구조의 변화 [자료 1]

농촌 인구의 변화	• 이촌 향도에 따른 <u>청장년층 중심의 인구 유출</u> 발생 ─ 인구의 사회적 감소를 유발해 • 노년층 인구 비중 증가로 인한 노동력 부족 문제 발생 • 유소년층 인구 비중 감소로 인한 <u>초등학교 통폐합</u> ─ 교육 여건 악화를 유발해
경지의 변화	• 산업화·도시화로 인한 경지 면적의 감소 • 농가당 경지 면적의 증가 • 노동력 부족에 따른 <u>휴경지 증가, 그루갈이* 감소</u> ─ 경지 이용률 감소를 유발해
영농 방식의 변화	• 영농의 기계화로 인한 농업의 노동 생산성 향상 • <u>전문적 농업 경영 방식의 증가</u> ─ 노동력 부족 문제 해결에 도움이 돼
농업 환경의 변화	농산물 소비 시장의 확대, 영농의 다각화와 상업화, 시설 농업의 증가, 친환경 농산물의 생산 확대 ─ 영농 조합, 농업 회사 법인, 위탁 영농 회사 등

2. 주요 작물의 생산과 소비의 변화❶ [자료 2]

(1) 쌀(벼)

① **재배 지역**: 중·남부의 평야 지역에서 주로 재배

② **최근**: 쌀의 1인당 소비량과 재배 면적은 감소 추세에 있음

(2) 맥류

① **재배 지역**: 보리의 경우 벼의 그루갈이 작물로 남부 지방에서 주로 재배

② **최근**: 수익성 감소, 외국산 수입량 증가로 재배 면적과 생산량이 급감

(3) 원예 작물 ─ 채소, 과일 등이 이에 해당해

① **재배 지역**: 주로 대도시 주변의 근교 농촌에서 시설 재배를 통해 재배 ─ 최근 교통의 발달로 원교 농업 지역에서도 재배가 늘어나고 있어

② **최근**: 식생활 변화에 따른 소비량 증가로 생산량도 크게 증가

(4) 목축업

① 낙농업의 경우 경기도 일대를 중심으로 발달하였음

② 제주도, 대관령 등에는 대규모 육우 단지가 조성되어 있음

B 농촌 문제와 해결 방안

| 시·험·단·서 | 우리나라 농촌(농업)의 문제점과 해결 방안을 연관지어 묻는 문제가 자주 출제돼!

1. 우리나라 농촌의 문제: 산업화 및 도시화 과정에서 인구가 감소하고 고령화가 진행되어 농촌의 기반이 약화됨

2. 농업의 문제점과 해결 방안

문제점	해결 방안
도시와 농촌 간 경제 격차	장소 마케팅, 지리적 표시제, 농산물 브랜드화, 경관* 농업, 지역 축제 활성화 등을 통한 농촌 소득 증대
복잡한 유통 구조 및 불안정한 가격	농산물 유통 구조 개선, 직거래 확대, 로컬 푸드 운동❷ 실시 등
농촌의 생태 환경 파괴	농약 및 비료의 사용 감소, 친환경 농업 방식의 보급 및 확대
농산물 수입 개방	농산물 고급화, 친환경 농업 등을 통한 경쟁력 강화

---

❶ 도(道)별 주요 작물 재배 면적 비중

(2015년) (통계청)
※벼, 맥류, 채소, 과수의 노지 재배 면적의 합을 100%로 한 작물별 재배 면적 비중임.

벼는 충남, 전북, 전남과 같이 평야가 발달한 지역에서 재배 면적 비중이 높다. 맥류는 전북, 전남이 다른 지역에 비해 재배 면적 비중이 높은 편이다. 과수는 경북과 제주에서 재배 면적 비중이 높고, 채소는 강원과 제주에서 재배 면적 비중이 높다.

❷ 로컬 푸드 운동

지역 내에서 생산한 농산물은 가능한 그 지역 안에서 소비하는 것을 촉진하는 활동을 말한다. 로컬 푸드 운동을 통해 농산물 유통 과정에서 발생되는 탄소 배출량을 줄이는 효과도 얻을 수 있다.

자료1 우리나라 농업 구조의 변화 관련 문제 ▶ 174쪽 01, 175쪽 05번

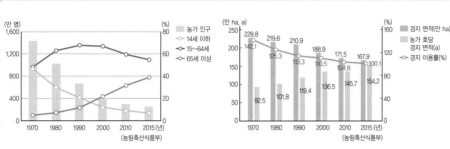

▲ 농가 인구 및 연령층별 농가 인구 비중 변화   ▲ 경지 면적, 농가 호당 경지 면적, 경지 이용률 변화

자료·분석 • 왼쪽 그래프를 보면 1970년 이후 농가 인구는 꾸준히 감소하고 있음을 알 수 있다. 특히 이촌 향도에 따른 청장년층 중심의 농가 인구 유출은 유소년층 농가 인구 비중 감소와 노년층 농가 인구 비중 증가로 이어져 농촌 노동력 부족 문제를 심화시키고 있다.

• 오른쪽 그래프를 보면 1970년 이후 경지 면적은 꾸준히 감소하고 있음을 알 수 있다. 이는 산업화와 도시화로 인해 농경지가 주택, 도로, 공장 등으로 전환되었기 때문이다. 농촌 노동력 부족에 따른 휴경지 증가, 그루갈이 감소 등으로 인해 경지 이용률도 낮아졌다. 한편, 경지 면적의 감소율보다 농가 수의 감소율이 더 커서 농가 호당 경지 면적은 증가했다.

한·줄·핵·심 우리나라의 농가 인구는 감소하고 있으며 고령화 현상이 심각하다. 또한 경지 면적은 감소한 반면 농가 호당 경지 면적은 증가했다.

자료2 주요 작물의 생산과 소비의 변화 관련 문제 ▶ 174쪽 03, 04번, 175쪽 08번

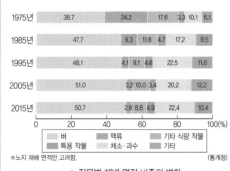

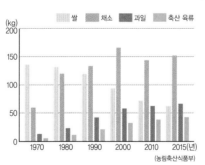

※노지 재배 면적만 고려함.   (통계청)

▲ 작물별 재배 면적 비중의 변화   ▲ 1인당 연간 농산물 소비량의 변화

자·료·분·석 왼쪽 그래프를 보면 모든 시기에 재배 면적 비중이 가장 높은 작물은 우리나라의 주식 작물인 벼이다. 맥류는 1975년에는 재배 면적 비중이 벼 다음으로 높았으나 이후 급격히 감소하였다. 반면 채소·과수의 경우 1975년에 비해 2015년에는 재배 면적 비중이 두 배 이상 증가한 것을 알 수 있다. 이러한 변화의 원인은 오른쪽 그래프를 통해 파악할 수 있다. 그래프를 보면 1970년 이후 쌀의 1인당 연간 소비량은 급격히 감소한 반면 채소·과일 등의 1인당 연간 소비량은 크게 증가한 것을 알 수 있다. 이러한 식생활의 변화는 작물별 재배 면적 비중의 변화에도 영향을 끼쳤다.

한·줄·핵·심 우리나라는 벼의 재배 면적이 가장 넓지만 재배 면적 비중과 1인당 연간 소비량은 감소 추세에 있다. 1970년대 이후 식생활의 변화로 맥류의 재배 면적 비중은 크게 감소한 반면 채소·과수의 재배 면적 비중은 증가하였다.

❓ 궁금해요

Q. 경지 면적은 감소했는데 농가 호당 경지 면적은 증가한 이유가 무엇인가요?

A. 경지 면적과 농가 수 모두 감소했지만 경지 면적의 감소율보다 농가 수의 감소율이 더 크게 나타났기 때문에 농가 호당 경지 면적은 증가한 거야.

용어 더하기

* **그루갈이**
종류가 다른 작물을 같은 경지에서 1년 중 다른 시기에 재배하여 수확하는 농법으로, 남부 지방에서는 벼를 재배한 후에 맥류를 재배하는 방식으로 그루갈이가 많이 이루어지고 있다.

* **노동 생산성**
농업 생산량을 생산하는 데 투입된 노동량으로 나누어 계산한 값으로, 영농의 기계화는 노동 생산성을 높이는 효과를 유발한다.

* **위탁 영농 회사**
노동력이 부족한 농가를 대신하여 농사일을 해 주는 농업 회사

* **시설 농업**
비닐하우스, 유리 온실 등과 같은 시설을 갖추고 작물을 집약적으로 재배하는 농업 방식

* **경관 농업**
농업 경관을 관광 자원으로 활용하여 소득을 창출하는 농업을 말한다. 제주의 유채꽃밭, 고창의 청보리밭, 평창의 메밀꽃밭이 경관 농업의 대표적인 사례이다.

우리나라 농업의 특징

개념풀 Guide 다양한 자료를 통해 우리나라 농업의 변화 모습과 도(道)별 주요 재배 작물 및 농업의 특징에 대해 알아보자.

1. 전통 농업 지역과 시설 농업 지역   관련 문제 ▶ 177쪽 07번

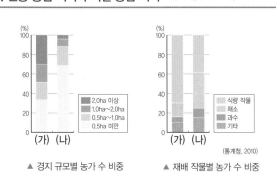

▲ 경지 규모별 농가 수 비중   ▲ 재배 작물별 농가 수 비중

(통계청, 2010)

분석 2.0ha 이상의 대규모 농지를 보유한 농가 수의 비중이 높고 식량 작물을 재배하는 농가가 전체 농가의 절반을 넘는 (가)는 전통 농업 지역이다. 0.5ha 미만의 소규모 농지를 보유한 농가 수의 비중이 50% 이상을 차지하고, 채소와 과수를 재배하는 농가의 비중이 높은 (나)는 시설 농업 지역이다.

2. 도별 전업농가 및 밭의 비율   관련 문제 ▶ 176쪽 03번

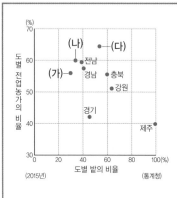

분석 전업농가의 비율은 겸업농가의 비율과 반비례하고, 밭의 비율은 논의 비율과 반비례한다.
전업농가의 비율이 가장 높은 (다)는 경북이다. 밭의 비율이 가장 낮은 (가)는 논의 비율이 가장 높은 충남이다. 논의 비율이 충남에 이어 두 번째로 높으며, 경북에 이어 전업농가의 비율이 두 번째로 높은 (나)는 전북이다. 한편, 제주는 화산 지형의 특성상 밭의 비율이 100%에 가깝다.

3. 도별 농가 수 및 겸업농가 비율   관련 문제 ▶ 177쪽 06번

(2014년)   (통계청)

분석 모든 도(道) 중에서 농가 수가 가장 많은 (가)는 경북이다. 농업이 특화된 전남은 충남보다 농가 수가 많고 겸업농가 비율이 낮다. 따라서 (나)는 전남, (다)는 충남이다. 한편, 관광 산업이 발달한 제주와 수도권에 위치한 경기는 겸업농가 비율이 높은 편이다.

4. 각 도의 주요 작물별 재배 면적 비중   관련 문제 ▶ 176쪽 02번

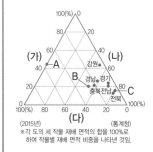

(2015년)   (통계청)
※각 도의 세 작물 재배 면적의 합을 100%로 하여 작물별 재배 면적 비중을 나타낸 것임.

분석 (가)는 강원, A, 경남, 경기 등에서 재배 면적 비중이 높은 것으로 보아 채소임을 알 수 있다. (나)는 전북, C, 전남, 경기 등에서 재배 면적 비중이 높은 것으로 보아 벼임을 알 수 있다. A는 (나) 벼의 재배가 거의 이루어지지 않으므로 제주도임을 알 수 있다. (다)는 A(제주), B, 충북 등에서 재배 면적 비중이 높은 것으로 보아 과수이며, B는 경북임을, 나머지 C는 충남임을 알 수 있다.

이것만은 꼭!

→ **농가 수**가 가장 많은 도는 **경북**이다.

→ **전업농가**의 비율이 가장 높은 도는 **경북**이다.

→ **겸업농가의 비율**이 높은 도는 **제주, 경기**이다.

→ **논 면적 비중**이 높은 도는 **충남, 전북, 전남**이다.

→ **밭 면적 비중**이 높은 도는 **제주, 강원**이다.

→ **과수 재배 면적 비중**이 높은 도는 **경북, 제주**이다.

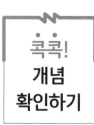

A 농업의 변화

01 알맞은 설명에 ○표를 하시오.

(1) 우리나라 농촌에서는 이촌 향도에 따른 (유소년층, 청장년층, 노년층) 중심의 인구 유출이 발생하였다.

(2) 농촌에서는 (유소년층, 노년층) 인구 비중이 감소한 반면 (유소년층, 노년층) 인구 비중은 증가하여 노동력 부족, 초등학교 통폐합 등의 문제가 발생하였다.

(3) 산업화·도시화로 경지 면적은 (감소, 증가)하였다. 한편, 농가 수의 빠른 감소로 인해 농가당 경지 면적은 (감소, 증가)하였다.

(4) 농가 수가 가장 많은 도(道)는 (경북, 전남)이고, 전업농가의 비율이 가장 높은 도(道)는 (경북, 전남)이다.

02 빈칸에 들어갈 알맞은 말을 쓰시오.

(1) □□은/는 벼의 그루갈이 작물로 주로 재배되는데, 최근 수익성 감소, 외국산 수입량 증가로 재배 면적이 급감하였다.

(2) □은/는 재배 면적이 가장 넓은 작물로 중·남부의 평야 지대에서 주로 재배되는데, 최근 1인당 소비량과 재배 면적이 감소 추세에 있다.

(3) □□ 작물은 주로 대도시 주변의 근교 농촌 지역에서 시설 재배를 통해 재배되는데, 최근에는 교통의 발달로 원교 농업 지역에서도 재배가 늘고 있다.

03 도(道)별 주요 작물 재배 면적 비중을 나타낸 지도이다. 물음에 답하시오.

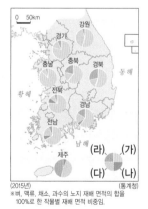

(1) (가)~(라)에 해당하는 작물을 쓰시오.
(가): (   ), (나): (   ), (다): (   ), (라): (   )

(2) (가)의 재배 면적 비중이 가장 낮은 도(道)를 쓰시오.
(   )

(3) 고랭지 채소 재배가 활발하여 (다)의 재배 면적 비중이 높게 나타나는 도(道)를 쓰시오. (   )

B 농촌 문제와 해결 방안

04 농업의 문제점과 이에 대한 해결 방안을 바르게 연결하시오.

(1) 도시와 농촌 간 경제 격차 • • ㉠ 직거래 확대, 로컬 푸드 운동 실시

(2) 농약 및 비료의 과다 사용 • • ㉡ 친환경 농업 방식의 보급 및 확대

(3) 복잡한 유통 구조 • • ㉢ 장소 마케팅, 지리적 표시제, 농산물 브랜드화

A 농업의 변화

01 그래프는 농가 인구 및 연령층별 농가 인구 비중 변화를 나타낸 것이다. 이에 대한 옳은 설명을 〈보기〉에서 고른 것은? (단, (가)~(다)는 14세 이하, 15~64세, 65세 이상 인구 중 하나임.)

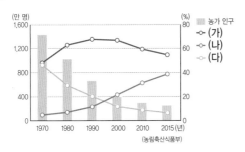

보기
ㄱ. 1970년 이후 청장년층 농가 인구 비중은 꾸준히 증가하였다.
ㄴ. 2015년에는 유소년층 농가 인구보다 노년층 농가 인구가 많다.
ㄷ. 1970년보다 2015년에 유소년층 농가 인구가 많다.
ㄹ. 1970년보다 2015년에 농가 인구의 중위 연령이 높다.

① ㄱ, ㄴ   ② ㄱ, ㄷ   ③ ㄴ, ㄷ
④ ㄴ, ㄹ   ⑤ ㄷ, ㄹ

02 그래프에 대한 설명으로 옳은 것은? (단, (가), (나)와 A, B는 각각 하남시, 김제시 중 하나임.)

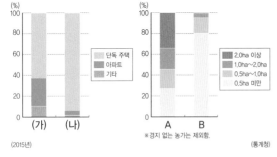

▲ 거처 형태별 농가 수 비중   ▲ 경지 면적별 농가 수 비중

① (가)는 (나)보다 1차 산업 종사자 수 비중이 높다.
② (나)는 (가)보다 서울과의 접근성이 높다.
③ A는 B보다 단독 주택에 거주하는 농가 수 비중이 높다.
④ B는 A보다 농가당 경지 면적이 넓다.
⑤ (가)와 A, (나)와 B는 서로 동일한 지역이다.

[03-04] 그래프는 작물별 재배 면적 비중의 변화를 나타낸 것이다. 이를 보고 물음에 답하시오.

	(가)	(나)	기타 식량 작물	특용 작물	(다)	기타
1975년	38.7	24.2	17.6	3.3	10.1	6.1
1985년	47.7	9.3	11.6	4.7	17.2	9.5
1995년	48.1	4.1	9.1	4.6	22.5	11.6
2005년	51.0	3.2	10.0	3.4	20.2	12.2
2015년	50.7	2.8	8.8	4.9	22.4	10.4

※노지 재배 면적만 고려함.   (통계청)

03 (가)~(다)에 해당하는 작물을 바르게 연결한 것은?

	(가)	(나)	(다)
①	벼	맥류	채소·과수
②	벼	채소·과수	맥류
③	맥류	벼	채소·과수
④	채소·과수	벼	맥류
⑤	채소·과수	맥류	벼

04 (가)~(다) 작물에 대한 설명으로 옳은 것은?

① (가)는 논보다 밭에서 많이 재배된다.
② (나)는 식량 작물 중에서 자급률이 가장 높다.
③ (다)는 최근 1인당 소비량이 감소 추세에 있다.
④ (나)는 주로 (다)의 그루갈이 작물로 재배된다.
⑤ 제주에서는 (다)의 재배 면적보다 (가)의 재배 면적이 좁다.

05 그래프는 우리나라의 경지 면적, 농가 호당 경지 면적, 경지 이용률 변화를 나타낸 것이다. 이에 대한 옳은 설명을 〈보기〉에서 고른 것은?

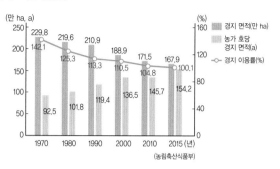

보기

ㄱ. 경지 면적은 1970년 이후 꾸준히 증가하였다.

ㄴ. 경지 이용률은 1970년에 비해 2015년에 낮아졌다.

ㄷ. 농가 호당 경지 면적은 1970년보다 2015년에 두 배이상 넓다.

ㄹ. 1970~2015년에 농가 수의 감소율은 경지 면적의 감소율보다 크다.

① ㄱ, ㄴ   ② ㄱ, ㄷ   ③ ㄴ, ㄷ
④ ㄴ, ㄹ   ⑤ ㄷ, ㄹ

06 그래프는 세 도(道)의 작물별 재배 면적 비중을 나타낸 것이다. (가)~(다) 지역을 지도의 A~C에서 골라 바르게 연결한 것은?

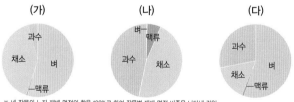

(가)   (나)   (다)

※ 네 작물의 노지 재배 면적의 합을 100%로 하여 작물별 재배 면적 비중을 나타낸 것임.

	(가)	(나)	(다)
①	A	B	C
②	A	C	B
③	B	A	C
④	B	C	A
⑤	C	A	B

B 농촌 문제와 해결 방안

07 다음은 수업 시간에 학생이 작성한 노트 필기 내용의 일부이다. ㉠~㉣ 중 옳은 내용을 고른 것은?

〈우리나라의 농업 문제와 해결 방안〉

문제점	해결 방안
도시와 농촌 간 경제 격차	(가)
복잡한 유통 구조 및 불안정한 가격	(나)
농촌의 생태 환경 파괴	(다)
농산물 수입 개방	(라)

• (가)에는 농약 및 비료 사용량 확대를 통한 농업 생산량 증대가 들어갈 수 있다. ···················· ㉠

• (나)에는 지리적 표시제, 농산물 브랜드화 등을 통한 농촌 소득 증대가 들어갈 수 있다. ············· ㉡

• (다)에는 친환경 농업 방식의 보급 및 확대가 들어갈 수 있다. ·· ㉢

• (라)에는 농산물의 고급화를 통한 농업 경쟁력 강화가 들어갈 수 있다. ····························· ㉣

① ㉠, ㉡   ② ㉠, ㉢   ③ ㉡, ㉢
④ ㉡, ㉣   ⑤ ㉢, ㉣

서술형 문제

08 그래프는 1인당 연간 농산물 소비량의 변화를 나타낸 것이다. 이러한 변화가 나타나게 된 원인을 제시된 작물의 소비량 변화와 연관 지어 서술하시오.

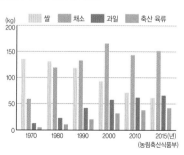

도전! 실력 올리기

01

표는 세 지역의 농업 지표를 나타낸 것이다. (가)~(다) 지역을 지도의 A~C에서 고른 것은?

(단위 : %)

구분	농가 인구 비율	과수 재배 면적 비율	겸업농가 비율
(가)	16.0	33.4	35.6
(나)	13.6	4.8	57.9
(다)	8.9	6.1	40.1

* 농가 인구 비율과 과수 재배 면적 비율은 전국 대비이고, 겸업농가 비율은 해당 지역 내임.
(2015년) (통계청)

	(가)	(나)	(다)
①	A	B	C
②	A	C	B
③	B	A	C
④	C	A	B
⑤	C	B	A

수능 유형

02

그래프는 각 도(道)의 주요 작물별 재배 면적 비중을 나타낸 것이다. (가)~(다) 작물에 대한 옳은 설명을 〈보기〉에서 고른 것은? (단, (가)~(다)는 벼, 과수, 채소 중 하나임.)

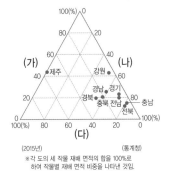

(2015년) (통계청)
※각 도의 세 작물 재배 면적의 합을 100%로 하여 작물별 재배 면적 비중을 나타낸 것임.

보기
ㄱ. (가)는 (나)보다 전국의 재배 면적이 좁다.
ㄴ. (나)는 (다)보다 영농의 기계화에 유리하다.
ㄷ. (가)는 밭에서, (다)는 논에서 주로 재배된다.
ㄹ. (가)~(다) 중에서 시설 재배 면적은 (나)가 가장 넓다.

① ㄱ, ㄴ   ② ㄱ, ㄷ   ③ ㄴ, ㄷ
④ ㄴ, ㄹ   ⑤ ㄷ, ㄹ

수능 유형

03

그래프에 대한 설명으로 옳은 것은? (단, (가)~(다)는 경북, 전북, 충남 중 하나이며, A~C는 과실, 맥류, 쌀 중 하나임.)

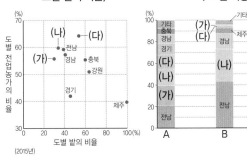

〈도별 전업농가의 비율 및 도별 밭의 비율〉　〈A~C 작물 재배 면적의 시·도별 비중〉

(2015년) (통계청)

① 경북의 맥류 재배 면적은 전북보다 넓다.
② 전북의 과실 재배 면적은 충북보다 넓다.
③ 경지 면적 중 논의 비율은 전북이 충남보다 높다.
④ 밭의 비율이 가장 낮은 도는 전국에서 쌀의 재배 면적이 가장 넓다.
⑤ 전업농가의 비율이 가장 높은 도는 전국에서 과실 재배 면적이 가장 넓다.

04

그래프의 (가)~(라) 도(道)에 대한 옳은 설명을 〈보기〉에서 고른 것은?

〈도별 논, 밭 면적 비중과 총 경지 면적〉

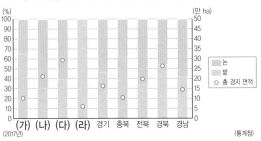

(2017년) (통계청)

보기
ㄱ. (가)는 (다)보다 쌀 생산량이 많다.
ㄴ. (다)는 (라)보다 겸업농가의 비중이 높다.
ㄷ. (라)는 (나)보다 농가 수가 적다.
ㄹ. (가), (나)는 경기도와 지리적으로 서로 맞닿아 있다.

① ㄱ, ㄴ   ② ㄱ, ㄷ   ③ ㄴ, ㄷ
④ ㄴ, ㄹ   ⑤ ㄷ, ㄹ

05 다음 자료에 대한 설명으로 옳은 것은? (단, (가)~(다)는 강원, 전남, 충북 중 하나이며, A~C는 과수, 맥류, 채소 중 하나임.)

〈도별 작물 재배 면적과 농가 수〉

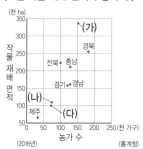

〈(가)~(다)의 작물 재배 면적 비중〉

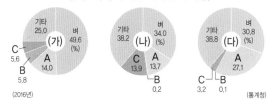

① (가)는 전남, (나)는 강원이다.
② 농가당 작물 재배 면적은 (다)가 (가)보다 넓다.
③ (가)~(다) 중 채소 재배 면적은 전남이 가장 넓다.
④ 도내 과수 재배 면적 비중은 강원이 충북보다 높다.
⑤ 도내 맥류 재배 면적 비중은 충북이 전남보다 높다.

06 그래프는 네 지역의 농가 수와 겸업농가 비중을 나타낸 것이다. (가)~(라) 지역을 지도의 A~D에서 고른 것은?

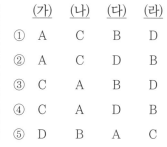

	(가)	(나)	(다)	(라)
①	A	C	B	D
②	A	C	D	B
③	C	A	B	D
④	C	A	D	B
⑤	D	B	A	C

07 그래프는 두 지역의 농업 현황을 나타낸 것이다. (나) 지역과 비교한 (가) 지역의 상대적 특성을 그림의 A~E에서 고른 것은?

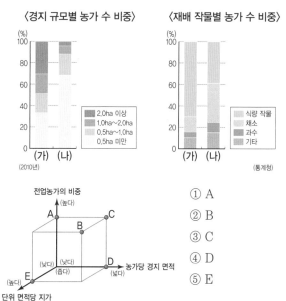

① A
② B
③ C
④ D
⑤ E

08 다음 글의 밑줄 친 ㉠~㉢에 대한 설명으로 적절하지 않은 것은?

㉠농업 인구가 감소하고 ㉡경지 면적이 줄어들면서 농업의 생산 기반이 크게 약화되었고, 이러한 현상은 ㉢농업 노동력 부족을 야기하였다. 또한 농산물 가격에서 유통 비용이 차지하는 비중이 40%를 넘어 ㉣농산물 유통 구조 개선의 필요성이 증가하고 있으며, ㉤농약과 화학 비료 사용으로 인한 수질 오염 및 토양 오염, 농업 폐기물 발생 등의 환경 문제도 심각하다.

① ㉠은 청장년층 인구를 중심으로 이촌 향도 현상이 발생했기 때문이다.
② ㉡은 산업화, 도시화로 인해 경지의 용도 전환이 이루어졌기 때문이다.
③ ㉢의 해결을 위해 영농의 기계화가 추진되고 있다.
④ ㉣의 사례로 직거래 확대, 로컬 푸드 운동 실시 등을 들 수 있다.
⑤ ㉤의 해결을 위해서 지리적 표시제를 확대해야 한다.

03 ~ 공업 발달과 지역 변화

핵심 질문으로 흐름잡기

A 공업의 발달 과정과 공업의 특징은?

B 공업의 입지 유형과 우리나라의 공업 지역별 특징은?

❶ 우리나라 공업 구조의 변화

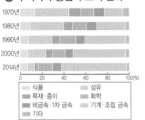

우리나라는 노동 집약적 경공업 중심에서 자본 집약적 중화학 공업 중심으로 발달하였으며, 최근에는 지식·기술 집약적 첨단 산업이 빠르게 성장하고 있다.

❷ 우리나라의 주요 공업 지역

- **수도권 공업 지역**: 최대의 종합 공업 지역, 최근 첨단 산업 발달
- **태백산 공업 지역**: 시멘트 공업 등 원료 지향형 공업 발달
- **충청 공업 지역**: 수도권에서 분산되는 공업 입지
- **호남 공업 지역**: 대중국 교역의 거점, 제2의 임해 공업 지역
- **영남 내륙 공업 지역**: 과거 노동 집약적 공업(섬유, 전자 조립)이 발달하였으며, 최근 첨단 산업 지역으로 변모 중
- **남동 임해 공업 지역**: 최대의 중화학 공업 지역, 원료의 수입과 제품의 수출에 유리

A 공업의 발달과 특징

| 시·험·단·서 | 우리나라의 공업 발달 과정과 공업의 특징에 대한 문제가 자주 출제돼!

1. 공업의 발달 과정❶

1960년대	• 경제 개발 5개년 계획의 추진과 함께 본격적으로 발달하기 시작 • 정부의 수출 주도 정책으로 노동 집약적 경공업이 대도시를 중심으로 발달하기 시작 ┌ 섬유, 신발 공업 등
1970~1980년대	• 정부의 중화학 공업 육성 정책을 통해 자본 집약적인 중화학 공업이 발달함 • 남동 임해 지역을 중심으로 공업이 발달함 └ 철강, 석유 화학, 기계 공업 등
1990년대 이후	• 부가 가치가 높은 지식·기술 집약적인 첨단 산업이 수도권을 중심으로 발달함 • 최근에는 탈공업화 현상이 진행되고 있음 └ 반도체, 컴퓨터, 신소재, 생명 공학 등

2. 공업의 특징 [자료1]

(1) **공업 구조의 고도화**: 노동 집약적 경공업 → 자본 집약적 중화학 공업 → 지식·기술 집약적 첨단 산업 중심으로 변화

(2) **공업의 지역적 편재**: 수도권과 대도시 지역, 남동 임해 지역에 공업이 집중됨 ┌ 지역 불균형 문제를 유발하고 있어

(3) **원료의 높은 해외 의존도**: 원료의 해외 의존도가 높아 가공 무역이 발달함 ┌ 국제 원자재 가격 변동에 민감하게 영향을 받아

(4) **공업의 이중 구조**: 사업체 수와 종사자 수가 적은 대기업이 생산액의 절반 이상을 차지함
→ 대기업과 중소기업 간의 격차가 크게 나타남
   └ 중소기업 육성을 통해 문제를 해결해야 해

B 공업의 입지와 지역 변화

| 시·험·단·서 | 주요 공업의 입지 및 특징, 우리나라 주요 공업 지역의 특징에 대한 문제가 자주 출제돼!

1. 공업의 입지 유형 [자료2]

유형	특징
원료 지향형	• 제조 과정에서 무게나 부피가 감소하는 공업 예 시멘트 • 원료가 쉽게 부패 또는 변질되는 공업 예 통조림
시장 지향형	• 제조 과정에서 무게나 부피가 증가하는 공업 예 가구 • 제품이 변질 및 파손되기 쉬운 공업 예 제빙 • 소비자와 잦은 접촉을 필요로 하는 공업 예 인쇄
적환지 지향형	원료를 해외로부터 수입해야 하는 공업 예 제철, 정유
노동 지향형	노동비가 차지하는 비중이 큰 공업 예 섬유
집적 지향형	• 다양한 부품을 조립하는 공업 예 자동차 • 한 가지 원료에서 여러 제품을 생산하는 공업 예 석유 화학

2. 주요 공업 지역❷ 및 공업 지역의 변화

(1) **주요 공업 지역**: 수도권 공업 지역, 태백산 공업 지역, 충청 공업 지역, 호남 공업 지역, 영남 내륙 공업 지역, 남동 임해 공업 지역으로 구분 → 대부분 정부가 정책적으로 조성

(2) **공업 지역의 변화**
┌ 지방 산업 단지 조성, 산업 클러스터 지정 등
① 수도권 및 남동 임해 공업 지역에서 집적 불이익 발생 → 공업 분산 정책을 추진함
② 수도권 공업 지역은 첨단 산업 중심으로의 전환이 이루어지고 있음
③ 기업의 규모가 성장하면서 공간적 분업이 활발하게 나타남
   └ 일부 기업은 다국적 기업으로 성장하고 있어

자료1 공업의 이중 구조와 지역적 편재 관련 문제 ▶ 182쪽 03, 04번, 183쪽 05번

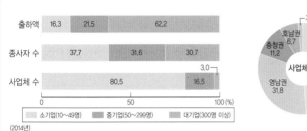

▲ 기업 규모별 제조업 출하액, 종사자 수, 사업체 수 비율

▲ 지역별 제조업 사업체 수, 출하액 비율

자료·분석 • 왼쪽 그래프를 보면 전체 사업체 수의 3%에 불과한 대기업이 종사자 수 비율은 30.7%를, 출하액은 62.2%로 절반 이상을 차지하고 있다. 이와 같은 대기업과 중소기업 간의 격차를 공업의 이중 구조라고 하며, 이러한 문제를 해결하기 위해서는 중소기업에 대한 지원을 강화하고 육성하는 정책을 시행해야 한다.

• 오른쪽 그래프를 보면 수도권과 영남권의 사업체 수와 출하액 비중이 절반 이상을 차지할 정도로 심각한 지역적 편재가 나타나고 있다는 것을 알 수 있다. 이러한 지역적 편재로 인한 지역 간 불균형 문제를 해결하기 위해서는 공업 분산 정책을 시행해야 한다.

한·줄·핵·심 공업의 이중 구조를 해결하기 위해서는 중소기업 육성을, 지역적 편재를 해결하기 위해서 공업 분산 정책을 시행해야 한다.

자료2 주요 공업의 시·도별 생산액과 지역별 종사자 수 비중 관련 문제 ▶ 183쪽 07번

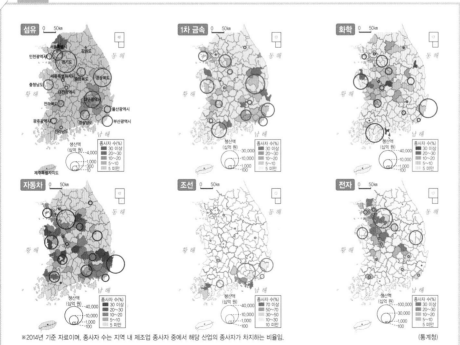

※2014년 기준 자료이며, 종사자 수는 지역 내 제조업 종사자 중에서 해당 산업의 종사자가 차지하는 비율임. (통계청)

자료·분석 생산액 상위 3개 지역을 보면 섬유 제조업은 경기·경북·대구이고, 1차 금속 제조업은 경북·전남·충남이며, 화학 제조업은 울산·전남·충남이다. 자동차 제조업은 경기·울산·충남이고, 조선업은 경남·울산·전남이며, 전자 제품 제조업은 경기, 경북, 충남이다.

한·줄·핵·심 주요 제조업별로 생산액 상위 3개 지역에 대해 알아두어야 한다.

우리나라 공업의 특징

개념풀 Guide 우리나라 공업과 관련된 다양한 지도와 그래프 등을 통해 우리나라 주요 공업의 시·도별 분포 및 특징을 이해해 보자.

1. 주요 지역의 제조업별 출하액 비중 관련 문제 ▶ 184쪽 04번

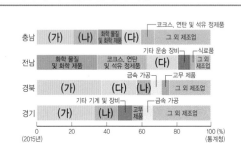

분석 충남, 경북, 경기 세 지역에서 출하액 비중이 가장 높은 (가)는 전자 부품·컴퓨터·영상·음향 및 통신 장비 제조업이다. 충남과 경기에서 두 번째로 출하액 비중이 높은 (나)는 자동차 및 트레일러 제조업이다. 포항에는 대규모 제철소가 입지해 있기 때문에 경북에서 두 번째로 출하액 비중이 높은 (다)는 1차 금속 제조업이다.

2. 주요 제조업의 시·도별 생산액 비중 관련 문제 ▶ 184쪽 03번

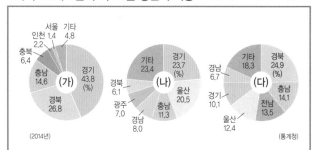

분석 경기, 경북(구미), 충남(아산)의 비중이 높은 (가)는 전자 부품·컴퓨터·영상·음향 및 통신 장비 제조업이다. 경기, 울산, 충남, 경남, 광주의 비중이 높은 (나)는 자동차 및 트레일러 제조업이다. 경북(포항), 충남(당진), 전남(광양), 울산의 비중이 높은 (다)는 1차 금속 제조업이다.

3. 주요 제조업의 특징 관련 문제 ▶ 185쪽 05번

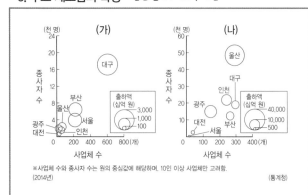

※사업체 수와 종사자 수는 원의 중심값에 해당하며, 10인 이상 사업체만 고려함.
(2014년) (통계청)

분석 (가)는 종사자 수 상위 3개 특별·광역시에 대구, 부산, 서울이 포함되므로 섬유 제품 제조업이고, (나)는 울산, 광주, 인천이 포함되므로 자동차 및 트레일러 제조업이다.

4. 주요 제조업의 종사자 수 및 비중

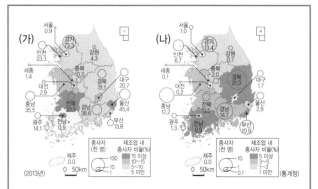

분석 경기(화성, 평택), 울산, 충남(아산)의 종사자 수가 많은 (가)는 자동차 및 트레일러 제조업이다. 경북(포항), 충남(당진), 전남(광양) 등의 종사자 수가 많은 (나)는 1차 금속 제조업이다.

이것만은 꼭!

순위	섬유 제품 (의복 제외)		1차 금속		화학 물질 및 화학 제품(의약품 제외)		자동차 및 트레일러		기타 운송 장비 (선박 포함)	
	시·도	비중(%)	시·도	비중(%)	시·도	비중(%)	시·도	비중(%)	시·도	비중(%)
1	경기	26.5	경북	24.4	울산	26.5	경기	23.1	경남	56.1
2	경북	19.1	전남	14.7	전남	26.4	울산	20.6	울산	29.3
3	대구	15.6	충남	13.1	충남	17.9	충남	11.9	전남	8.6

▲ 주요 공업의 시·도별 출하액 비중 (통계청, 2014)

A 공업의 발달과 특징

01 각 시기별 우리나라 공업 구조의 특징을 바르게 연결하시오.

(1) 1960년대 •　　　　　　　　• ㉠ 첨단 산업이 수도권을 중심으로 발달

(2) 1970~1980년대 •　　　　　　• ㉡ 남동 임해 지역을 중심으로 중화학 공업 발달

(3) 1990년대 이후 •　　　　　　• ㉢ 노동 집약적 경공업이 대도시를 중심으로 발달

02 빈칸에 들어갈 알맞은 말을 쓰시오.

(1) 우리나라는 경공업 → 중화학 공업 → 첨단 산업 순으로 발달하면서 공업 구조가 □□□ 되었다.

(2) 우리나라는 수도권과 대도시 지역, 남동 임해 지역에 공업이 집중 분포하여 공업의 지역적 □□이/가 심하다.

(3) 우리나라는 원료의 해외 의존도가 높아 □□ 무역이 발달하였다.

(4) 우리나라는 사업체 수와 종사자 수가 적은 대기업이 생산액의 절반 이상을 차지하고 있어 공업의 □□ 구조가 뚜렷하게 나타난다.

(5) 공업의 이중 구조를 해결하기 위해서는 □□□□ 육성 정책을, 지역적 편재를 해결하기 위해서는 □□ □□ 정책을 시행해야 한다.

B 공업의 입지와 지역 변화

03 알맞은 설명에 ○표를 하시오.

(1) 제조 과정에서 무게나 부피가 감소하는 공업은 (시장, 원료) 지향형 공업에 해당한다.

(2) 원료를 해외로부터 수입해야 하는 (시멘트, 제철) 공업은 적환지 지향형 공업에 해당한다.

(3) 다양한 부품을 조립하는 (섬유, 자동차) 공업은 집적 지향형 공업에 해당한다.

(4) 가구, 제빙, 인쇄 공업은 대표적인 (시장, 노동) 지향형 공업에 해당한다.

04 지도는 우리나라의 주요 공업 지역을 나타낸 것이다. 각 설명에 해당하는 공업 지역을 지도의 (가)~(바)에서 고르시오.

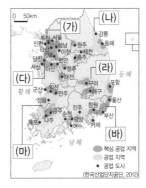

(1) 우리나라 최대의 종합 공업 지역이며, 최근 첨단 산업이 빠르게 발달하고 있다. 　　　　　　　　　　(　　)

(2) 우리나라 최대의 중화학 공업 지역이며, 원료의 수입과 제품의 수출에 유리하다. 　　　　　　　　(　　)

(3) 시멘트 공업과 같은 원료 지향형 공업이 발달해 있다.
　　　　　　　　　　　　　　　　　(　　)

(4) 대중국 교역의 거점으로 제2의 임해 공업 지역으로 발달이 기대되는 지역이다. 　　　　　　　　(　　)

(5) 편리한 교통, 수도권에 인접한 지리적 위치를 바탕으로 수도권에서 분산되는 공업이 입지하고 있다. 　　(　　)

(6) 과거 섬유, 전자 조립 등 노동 집약적 공업이 발달한 곳으로, 최근 첨단 산업 지역으로 변화하고 있다. 　　　　　　　　(　　)

탄탄! 내신 다지기

A 공업의 발달과 특징

01 표는 우리나라의 시기별 공업 구조를 나타낸 것이다. (가)~(다)를 시기가 이른 것부터 순서대로 나열한 것은?

(가)	정부의 중화학 공업 육성 정책을 통해 자본 집약적인 중화학 공업이 발달함
(나)	부가 가치가 높은 지식·기술 집약적인 첨단 산업이 수도권을 중심으로 발달함
(다)	정부의 수출 주도 정책으로 노동 집약적 경공업이 대도시를 중심으로 발달하기 시작

① (가) → (나) → (다) ② (가) → (다) → (나)
③ (나) → (가) → (다) ④ (다) → (가) → (나)
⑤ (다) → (나) → (가)

02 그래프의 (가) 제조업과 비교한 (나) 제조업의 상대적 특징을 그림의 A~E에서 고른 것은? (단, (가), (나)는 섬유, 기계·조립 금속 제조업 중 하나임.)

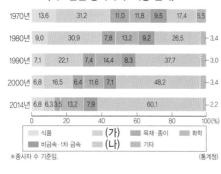

〈제조업별 종사자 수 비중 변화〉

1970년	13.6	31.2	11.0	11.8	9.5	17.4	5.5	
1980년	9.0	30.9	7.8	13.2	9.2	26.5	3.4	
1990년	7.1	22.1	7.4	14.4	8.3	37.7	3.0	
2000년	6.8	16.5	6.4	11.6	7.1	48.2	3.4	
2014년	6.8	6.3 3.5	13.2	7.9	60.1	2.2		

■ 식품 ▨ (가) ▤ 목재·종이 ■ 화학
■ 비금속·1차 금속 ■ (나) □ 기타

※종사자 수 기준임. (통계청)

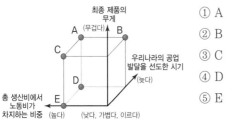

① A
② B
③ C
④ D
⑤ E

[03-04] 그래프는 기업 규모별 제조업 출하액, 종사자 수, 사업체 수 비중을 나타낸 것이다. 이를 보고 물음에 답하시오.

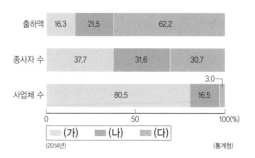

출하액	16.3	21.5	62.2
종사자 수	37.7	31.6	30.7
사업체 수	80.5	16.5	3.0

0　　　　　50　　　　　100(%)
□ (가) ▨ (나) ▤ (다)
(2014년) (통계청)

03 (가)~(다)에 해당하는 기업을 바르게 연결한 것은?

	(가)	(나)	(다)
①	소기업	중기업	대기업
②	소기업	대기업	중기업
③	중기업	소기업	대기업
④	대기업	소기업	중기업
⑤	대기업	중기업	소기업

04 위 그래프를 통해 파악할 수 있는 우리나라 공업의 특징과 이에 대한 대책으로 옳은 것은?

	공업 특징	대책
①	공업의 이중 구조	중소기업 육성
②	공업의 이중 구조	공업의 지방 분산
③	공업 구조의 고도화	첨단 산업 육성
④	공업의 지역적 편재	중소기업 육성
⑤	공업의 지역적 편재	공업의 지방 분산

05 그래프는 지역별 제조업 사업체 수와 출하액 비중을 나타낸 것이다. 이에 대한 옳은 설명을 〈보기〉에서 고른 것은? (단, (가)~(다)는 수도권, 영남권, 충청권 중 하나임.)

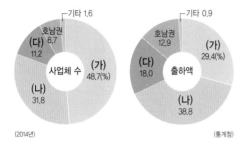

(2014년)　　(통계청)

보기
ㄱ. (나)는 (가)보다 사업체당 출하액이 많다.
ㄴ. (나)의 사업체 수는 (다)의 사업체 수보다 2배 이상 많다.
ㄷ. (가)와 (나)의 출하액 비중의 합은 사업체 수 비중의 합보다 크다.
ㄹ. (가)는 영남권, (나)는 수도권, (다)는 충청권이다.

① ㄱ, ㄴ　　② ㄱ, ㄷ　　③ ㄴ, ㄷ
④ ㄴ, ㄹ　　⑤ ㄷ, ㄹ

B 공업의 입지와 지역 변화

06 (가), (나)에 해당하는 공업 지역을 지도의 A~D에서 골라 바르게 연결한 것은?

(가) 우리나라 최대의 종합 공업 지역으로 최근 반도체, 컴퓨터 등의 첨단 산업이 빠르게 성장하고 있다.
(나) 우리나라 최대의 중화학 공업 지역으로 원료의 수입과 제품 수출에 유리한 임해 지역을 중심으로 대규모 산업 단지가 조성되어 있다.

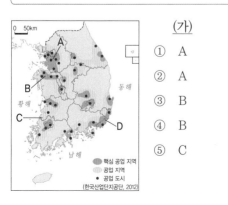

	(가)	(나)
①	A	C
②	A	D
③	B	C
④	B	D
⑤	C	D

---

07 지도는 세 공업의 시·도별 생산액을 나타낸 것이다. (가)~(다) 공업에 대한 설명으로 옳은 것은? (단, (가)~(다)는 섬유, 자동차, 1차 금속 공업 중 하나임.)

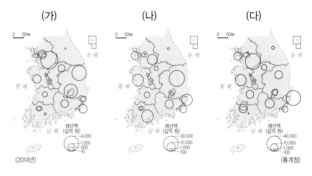

(2014년)　　(통계청)

① (가)는 관련 공업의 집적이 크게 이루어지는 종합 조립 공업이다.
② (나)는 총 생산비에서 노동비가 차지하는 비중이 가장 높다.
③ (다)는 1960년대 우리나라의 공업 발달을 선도하였다.
④ (가)는 (다)보다 최종 제품의 무게가 무겁고 부피가 크다.
⑤ (나)의 최종 제품은 (다)의 생산에 원료로 이용된다.

서술형 문제

08 다음은 수업 시간에 학생이 작성한 노트 필기 내용의 일부이다. (가)~(다)에 들어갈 입지 유형을 쓰고, (가)~(다)에 해당하는 공업의 사례를 각각 한 가지씩 제시하시오.

〈공업의 입지 유형〉

유형	특징
(가)	원료를 해외로부터 수입해야 하는 공업
(나)	제조 과정에서 무게나 부피가 감소하는 공업, 원료가 쉽게 부패 또는 변질되는 공업
(다)	제조 과정에서 무게나 부피가 증가하는 공업, 제품이 변질 및 파손되기 쉬운 공업, 소비자와 잦은 접촉을 필요로 하는 공업

도전! 실력 올리기

01 표의 (가)~(다)에 들어갈 적절한 조사 내용을 〈보기〉에서 골라 바르게 연결한 것은?

탐구 주제	조사 내용
공업의 이중 구조	(가)
공업의 지역적 편재	(나)
공업의 집적 이익	(다)

〈보기〉
ㄱ. 기업 규모별 제조업 사업체 수, 종사자 수, 출하액
ㄴ. 권역별 제조업의 전국 대비 사업체 수, 출하액 비중
ㄷ. 울산시 자동차 부품 제조업체 간 지역 내 정보 교환 및 협업 현황

	(가)	(나)	(다)
①	ㄱ	ㄴ	ㄷ
②	ㄱ	ㄷ	ㄴ
③	ㄴ	ㄱ	ㄷ
④	ㄴ	ㄷ	ㄱ
⑤	ㄷ	ㄴ	ㄱ

02 그래프는 권역별 제조업 사업체 수, 종사자 수, 출하액을 나타낸 것이다. (가)~(라)에 해당하는 권역으로 옳은 것은?

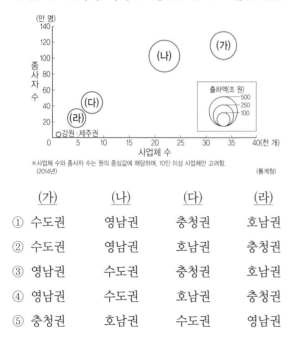

※ 사업체 수와 종사자 수는 원의 중심값에 해당하며, 10인 이상 사업체만 고려함.
(2014년) (통계청)

	(가)	(나)	(다)	(라)
①	수도권	영남권	충청권	호남권
②	수도권	영남권	호남권	충청권
③	영남권	수도권	충청권	호남권
④	영남권	수도권	호남권	충청권
⑤	충청권	호남권	수도권	영남권

수능 유형

03 (가)~(다)에 대한 설명으로 옳은 것은? (단, (가)~(다)는 그래프에 제시된 공업 중 하나임.)

〈주요 공업의 총생산액과 종사자 수〉

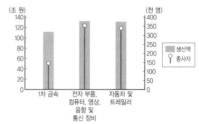

〈(가)~(다)의 지역별 생산액 비중〉

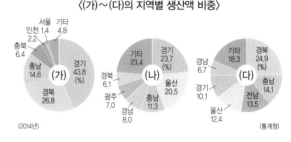

(2014년) (통계청)

① (가)는 한 가지 원료로 여러 제품을 생산하는 계열화된 공업이다.
② (나)는 최종 제품의 제조 과정에서 주요 원료의 무게와 부피가 감소하는 공업이다.
③ (가)는 (다)보다 총생산액이 적다.
④ (나)는 (다)보다 종사자 1인당 생산액이 적다.
⑤ (나)에서 생산된 제품은 (다)의 주요 재료로 이용된다.

수능 유형

04 그래프는 세 지역의 제조업별 출하액 비중을 나타낸 것이다. (가)~(다) 지역을 지도의 A~D에서 고른 것은?

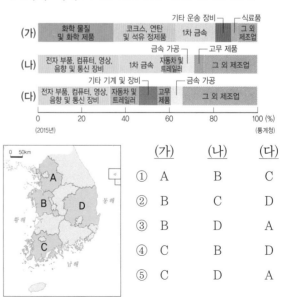

	(가)	(나)	(다)
①	A	B	C
②	B	C	D
③	B	D	A
④	C	B	D
⑤	C	D	A

05 그래프는 특별·광역시별 (가), (나) 제조업의 특성을 나타낸 것이다. 이에 대한 옳은 설명을 〈보기〉에서 고른 것은? (단, (가), (나)는 섬유(의복 제외), 자동차 및 트레일러 제조업 중 하나임.)

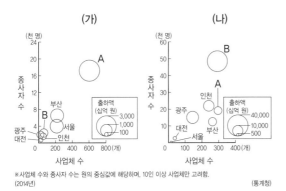

(가)　　　　(나)

※사업체 수와 종사자 수는 원의 중심값에 해당하며, 10인 이상 사업체만 고려함.
(2014년)　　　　(통계청)

보기
ㄱ. A는 울산, B는 대구이다.
ㄴ. (가)의 종사자 1인당 출하액은 서울이 부산보다 많다.
ㄷ. (나)의 사업체당 종사자 수는 광주가 가장 많다.
ㄹ. (가)는 (나)보다 우리나라 공업화를 주도한 시기가 이르다.

① ㄱ, ㄴ　　② ㄱ, ㄷ　　③ ㄴ, ㄷ
④ ㄴ, ㄹ　　⑤ ㄷ, ㄹ

---

06 그래프는 세 지역의 제조업별 생산액 비중을 나타낸 것이다. (가)~(다) 지역에 대한 옳은 설명을 〈보기〉에서 고른 것은? (단, (가)~(다)는 울산, 충남, 전남 중 하나임.)

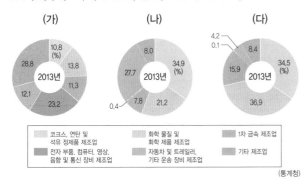

(가)　　　　(나)　　　　(다)

코크스, 연탄 및 석유 정제품 제조업
화학 물질 및 화학 제품 제조업
1차 금속 제조업
전자 부품, 컴퓨터, 영상, 음향 및 통신 장비 제조업
자동차 및 트레일러, 기타 운송 장비 제조업
기타 제조업

(통계청)

보기
ㄱ. (가)는 (나)보다 2차 산업 종사자 수 비중이 높다.
ㄴ. (나)는 (다)보다 제조업 출하액이 많다.
ㄷ. (다)는 (가)보다 수도권과의 지리적 접근성이 높다.
ㄹ. (가), (다)는 도(道), (나)는 광역시에 해당한다.

① ㄱ, ㄴ　　② ㄱ, ㄷ　　③ ㄴ, ㄷ
④ ㄴ, ㄹ　　⑤ ㄷ, ㄹ

---

07 그래프는 두 제조업의 시·도별 생산액과 지역별 종사자 수 비중을 나타낸 것이다. (가) 제조업과 비교한 (나) 제조업의 상대적 특징을 그림의 A~E에서 고른 것은? (단, (가), (나)는 조선, 전자, 자동차, 1차 금속 제조업 중 하나임.)

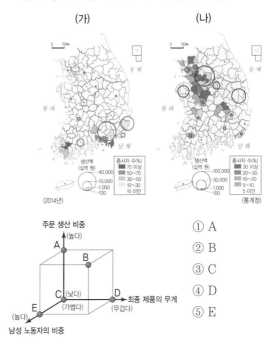

(가)　　　　(나)

(2014년)　　　　(통계청)

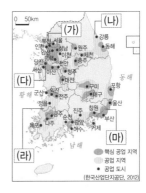

주문 생산 비중
A (높다)
B
C (낮다)
D 최종 제품의 무게 (무겁다)
E (가볍다)
(높다)
남성 노동자의 비중

① A
② B
③ C
④ D
⑤ E

---

08 (가)~(마) 공업 지역에 대한 설명으로 옳은 것은?

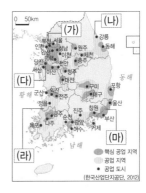

핵심 공업 지역
공업 지역
공업 도시
(한국산업단지공단, 2012)

① (가) – 우리나라 최대의 중화학 공업 지역이다.
② (나) – 대중국 교역의 거점이라는 이점을 바탕으로 임해 지역을 중심으로 공업 입지가 활발하다.
③ (다) – 수도권에서 분산되는 공업이 입지하면서 수도권과 인접한 지역을 중심으로 빠르게 성장하고 있다.
④ (라) – 우리나라 최대의 종합 공업 지역으로 첨단 산업이 발달하고 있다.
⑤ (마) – 풍부한 지하자원을 바탕으로 시멘트 공업과 같은 원료 지향형 공업이 발달해 있다.

04 ~ 서비스업의 변화와 교통·통신의 발달

핵심 질문으로 흐름잡기

A 상업과 소비 공간의 변화 요인과 경향은?

B 우리나라 산업 구조의 변화 과정과 서비스업의 분류 특성은?

C 교통수단별 특징은?

❶ 전자 상거래의 발달

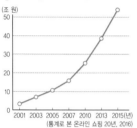

(조 원)
50
40
30
20
10
2001 2003 2005 2007 2010 2013 2015(년)
(통계로 본 온라인 쇼핑 20년, 2016)

▲ 온라인 쇼핑 거래액의 변화

정보 통신 기술의 발달로 온라인 쇼핑 거래액이 빠르게 증가하고 있다.

❷ 오프라인 유통 구조와 온라인 유통 구조의 비교

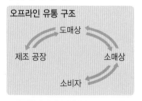

오프라인 유통 구조
제조 공장 → 도매상 → 소매상 → 소비자

온라인 유통 구조
제조 공장 → 유통 센터 → 전자 상거래 사이트 → 소비자

→ 상품 이동   → 정보 이동

오프라인 유통 구조에 비해 온라인 유통 구조는 단계가 간략하여 유통 비용이 절감된다.

A 상업 및 소비 공간의 변화

|시·험·단·서| 소매 업태별 사업체 수와 매출액 및 주요 특징을 비교하는 문제가 자주 출제돼!

1. 상업*의 의미와 기능

(1) 의미: 생산과 소비를 연결하는 여러 가지 유통* 활동

(2) 기능

① **매매 기능:** 매매를 통해 재화의 소유권을 소비자에게로 이전

② **금융과 보험 기능:** 자금 융통(금융)과 유통 중에 발생할 수 있는 경제적 손실을 보상(보험)

③ **정보 통신 기능:** 상품의 유통에 필요한 정보 제공

④ **운송과 보관 기능:** 생산자가 재화를 소비자에게 전달하거나 일정 기간 창고에 보관

2. 상업의 입지: 재화의 도달 범위가 최소 요구치보다 같거나 커야 함 [자료1]

(1) 최소 요구치: 중심지나 상점이 기능을 유지하는 데 필요한 <u>최소한의 수요</u>
   └─ 인구 밀도가 높아지면 축소돼

(2) 재화의 도달 범위: 중심지 기능이 영향을 미치는 <u>최대 공간 범위</u>
   └─ 교통이 발달하면 확대돼

3. 소비 공간의 변화

(1) 소비자 구매 행태의 변화: 소비 증가와 대량 구매 및 구매 품목의 다양화

(2) 전자 상거래*의 발달❶

① **배경:** TV 홈 쇼핑, 인터넷 쇼핑 등의 발달

② **영향:** 유통 단계의 감소❷ 및 택배업 발달

(3) 정기 시장의 상설 시장화: 인구 증가, 교통 발달 등으로 인해 정기 시장이 상설 시장으로 바뀌는 경우가 많아짐 [자료2]

(4) 상권의 확대: 상품 구매 가능 거리의 증가로 인해 대형 상업 시설이 등장함

(5) 다양한 쇼핑 공간의 등장 [자료3]

편의점	• 주로 일상생활 용품을 판매함 • 24시간 영업하는 경우가 많음 ── 골목 상권 및 전통 시장 상권의 침해 논란이 있음
기업형 슈퍼마켓(SSM)	• 대형 마트보다 작고 일반 슈퍼마켓보다는 규모가 큼 • <u>기업의 체인점 형태로 운영함</u>
복합 상업 시설	• 영화관, 식당, 스포츠 센터 등의 다양한 시설이 쇼핑센터와 결합함 • 쇼핑과 문화생활을 동시에 즐길 수 있다는 장점이 있음
직거래 장터	• 생산자와 소비자를 직접 연결해 줌 • 농산물 거래가 주로 이루어짐 ── 불필요한 유통 단계의 단순화

B 서비스 산업의 고도화와 공간 변화

|시·험·단·서| 우리나라의 산업 구조는 1차 산업 중심에서 3차 산업 중심의 탈공업화 사회로 변화했는데, 각 시기별 특징을 비교하는 문제가 자주 출제돼!

1. 우리나라의 산업 구조 변화 [자료4]

	예 농림어업
1960년대 이전	<u>1차 산업</u> 중심의 산업 구조 예 제조업, 광업
1960~1990년대	공업화, 산업화로 <u>2차 산업</u>의 비중이 증가함
1990년대 이후	2차 산업의 비중이 감소하고 3차 산업의 비중이 크게 증가함 → 탈공업화* 현상이 나타남 └── 예 서비스업

시험에 잘 나오는
자료

자료1 최소 요구치와 재화의 도달 범위

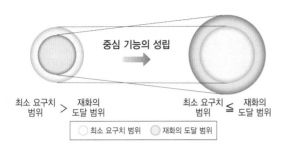

중심 기능의 성립

최소 요구치 > 재화의   최소 요구치 ≤ 재화의
범위   도달 범위   범위   도달 범위

○ 최소 요구치 범위   ○ 재화의 도달 범위

자료·분석 최소 요구치는 상점을 유지하는 데 필요한 최소한의 수요를 말하고, 재화의 도달 범위는 상점으로부터 재화가 도달할 수 있는 최대한의 범위를 말한다. 상점이 유지되기 위해서는 최소 요구치의 범위보다 재화의 도달 범위가 같거나 넓어야 한다.

한·줄·핵·심 상점이 유지되기 위해서는 최소 요구치의 범위보다 재화의 도달 범위가 같거나 넓어야 한다.

자료2 상설 시장의 형성 과정 관련 문제 ▶ 192쪽 02번

행상 → 정기 시장(5일장) → 상설 시장

---- 최소 요구치의 범위   ── 재화의 도달 범위

자료·분석 과거에는 인구 밀도와 구매력이 낮았기 때문에 최소 요구치의 범위가 넓었다. 반면 교통의 발달은 미약하여 재화의 도달 범위가 좁았다. 따라서 최소 요구치의 범위보다 재화의 도달 범위가 좁은 경우가 많았고 이 때문에 상인들이 직접 소비자를 찾아다니는 행상이나 정기적으로 한 장소에서 판매자와 구매자가 모이는 정기 시장이 발달하였다. 인구 증가, 소득 수준의 향상, 교통 발달 등으로 인해 최소 요구치의 범위보다 재화의 도달 범위가 넓어지면서 행상과 정기 시장은 상설 시장으로 변화하게 되었다.

한·줄·핵·심 인구 증가, 소득 수준의 향상, 교통 발달 등으로 인해 최소 요구치의 범위보다 재화의 도달 범위가 넓어지면서 행상과 정기 시장은 상설 시장으로 변화하게 되었다.

자료3 주요 소매 업태별 특징 관련 문제 ▶ 192쪽 03, 04번

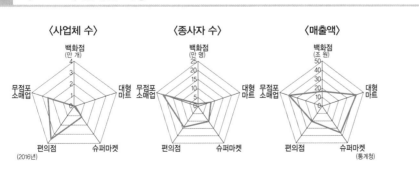

〈사업체 수〉 〈종사자 수〉 〈매출액〉

(통계청)

자료·분석 2016년 기준 사업체 수는 편의점이 가장 많고 백화점이 가장 적다. 종사자 수는 무점포 소매업이 가장 많고, 매출액은 대형 마트가 가장 많다.

한·줄·핵·심 백화점, 대형 마트는 사업체 수가 적지만, 사업체당 매출액이 많다.

내용 이해를 돕는 팁

? 궁금해요

Q. 인구 밀도가 증가하거나 소득 수준이 향상되면 최소 요구치의 범위가 축소되는 이유가 무엇인가요?

A. 인구 밀도가 증가하면 물건을 구매하려는 소비자가 증가해서 예전보다 좁은 범위를 상권으로 두어도 최소 요구치를 충족시킬 수 있게 되지. 또한, 인구 밀도에는 변함이 없더라도 소득 수준이 향상되어 소비자의 구매력이 향상되면 소비자가 증가한 것과 같은 효과가 나타나므로 최소 요구치의 범위가 축소되는 거야.

용어 더하기

＊상업
좁은 의미의 상업은 상품을 사고파는 행위만을 의미하지만 넓은 의미로는 운송업, 보관업, 금융업, 보험업, 정보 통신업, 무역업 등도 상업에 해당한다고 볼 수 있다.

＊유통
재화, 서비스 등이 생산자에서 소비자(수요자)에게 도달하기까지 거치게 되는 여러 단계의 교환 및 분배 활동

＊전자 상거래
인터넷, TV 홈 쇼핑, 전화 등의 정보 통신망을 이용한 상품 거래

＊탈공업화
산업 구조가 2차 산업 중심에서 3차 산업 중심으로 바뀌는 현상이다. 일반적으로 공업화 사회 다음에 탈공업화 사회가 오며 선진국에서 주로 나타난다.

❸ 생산자 서비스업과 소비자 서비스업의 분포

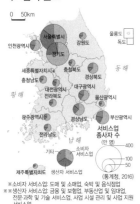

※소비자 서비스업: 도매 및 소매업, 숙박 및 음식점업
※생산자 서비스업: 금융 및 보험업, 부동산업 및 임대업, 전문·과학 및 기술 서비스업, 사업 시설 관리 및 사업 지원 서비스업

모든 시·도에서 소비자 서비스업은 생산자 서비스업보다 종사자 수가 많다. 생산자 서비스업의 종사자 수 비중은 우리나라의 최고차 중심 도시인 서울이 다른 시·도에 비해 높게 나타난다.

2. 서비스업의 분류와 입지 특성
└─ 국가나 공공 단체가 공공의 복리를 위해 제공하는 서비스업(교육, 의료, 경찰 서비스 등)

(1) 공급 주체에 따른 분류: 공공 서비스업, 민간 서비스업
└─ 소매업, 금융업 등

(2) 수요 주체에 따른 분류: 소비자 서비스업, 생산자 서비스업❸

(3) 서비스업의 입지 특성 `자료 5`

① **소비자 서비스업:** 주로 개인 소비자가 이용, 소비자의 이동 거리를 최소화하기 위해 분산 입지하는 경향이 나타남 예 소매업, 숙박 및 음식점업 등

② **생산자 서비스업:** 주로 기업이 이용, 대도시의 도심 또는 부도심에 입지함 예 금융업, 보험업, 부동산업, 전문 서비스업 등

③ **지식 기반 산업:** 지식과 정보를 기반으로 부가 가치를 창출하는 연구 개발, 정보 통신 기술 등과 관련된 산업으로 고급 인력의 확보가 유리한 곳에 입지함
└─ 우리나라의 경우 수도권에 집중 분포해

C 교통·통신의 발달과 공간 변화

|시·험·단·서| 교통수단별 국내 및 국제 수송 분담률 순위와 특징에 대한 문제가 자주 출제돼!

1. 운송비 구조와 교통수단별 특징
└─ 보험료, 터미널 유지비, 하역비 등의 고정 비용

(1) 총 운송비❹ = 기종점 비용 + 주행 비용
└─ 주행 거리에 따라 증가하는 비용

(2) 교통수단별 특징 `자료 6`

교통수단	특징
도로	· 기종점 비용이 가장 저렴, 주행 비용 증가율이 높음 · 기동성과 문전 연결성이 높음
철도	· 기종점 비용과 주행 비용은 도로와 해운의 중간 · 정시성과 안전성이 우수함 · 운행 시 기상 조건의 영향을 적게 받음
해운	· 기종점 비용이 비싸나 주행 비용 증가율이 낮음 ── 대량 화물의 장거리 수송에 유리해 · 운행 시 기상 조건의 제약을 많이 받음 · 국제 화물 수송의 대부분을 분담함
항공	· 기종점 비용이 비싸고, 주행 비용 증가율이 높음 · 운행 시 기상 조건의 제약을 많이 받음 · 평균 운행 속도가 빠름 · 국제 여객 수송과 고부가 가치 화물 수송에 적합함

❹ 운송비 구조

▲ 운송비 구조

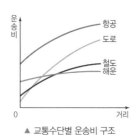

▲ 교통수단별 운송비 구조

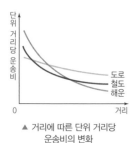

▲ 거리에 따른 단위 거리당 운송비의 변화

2. 교통·통신의 발달에 따른 공간 변화

(1) 시·공간적 제약의 완화: 쇼핑, 교육, 의료, 상거래의 시·공간적 제약이 완화되고 스마트 워크가 가능해짐

(2) 경제 활동의 공간적 변화

① 기업 활동의 공간적 분업이 활발하게 이루어짐

② 경제 활동이 교통의 결절 지역에 집중하거나 주요 교통로를 따라 분산

(3) 전자 상거래의 발달: 무점포 소매업체의 증가 ── 창고업, 택배업 등과 같은 산업이 성장하는 배경이 되었어

(4) 공간의 변화: 유비쿼터스* 환경 조성, 스마트 하이웨이* 등의 등장으로 공간과 생활에 변화가 생김

시험에 잘 나오는 자료

자료4 우리나라의 산업 구조 변화 관련 문제 ▶ 193쪽 06번

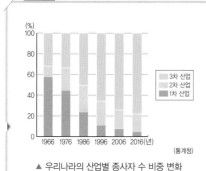

▲ 우리나라의 산업별 종사자 수 비중 변화

자료·분석 1960년대에는 1차 산업 종사자 수 비중이 가장 높았으나 이후 1990년대까지 공업화가 진행되면서 2차 산업 종사자 수 비중이 증가하였다. 최근에는 2차 산업의 비중이 감소하고 3차 산업의 비중이 높아지는 탈공업화 현상이 나타나고 있다.

한·줄·핵·심 우리나라는 1차 산업의 비중이 감소하고 3차 산업의 비중이 높아지는 산업의 고도화 현상이다.

자료5 소비자 서비스업과 생산자 서비스업 관련 문제 ▶ 193쪽 08번

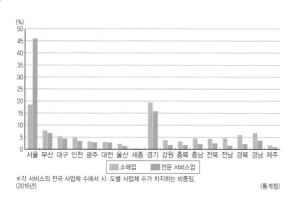

※각 서비스의 전국 사업체 수에서 시·도별 사업체 수가 차지하는 비중임.
(2016년)   (통계청)

자료·분석 그래프는 소비자 서비스업에 해당하는 소매업과 생산자 서비스업에 해당하는 전문 서비스업의 시·도별 사업체 수 비중을 나타낸 것이다. 생산자 서비스업(전문 서비스업)은 소비자 서비스업(소매업)보다 서울에서 사업체 수 비중이 높게 나타나는 것을 알 수 있다. 이처럼 생산자 서비스업은 소비자 서비스업보다 사업체

의 대도시 집중도가 높게 나타나며, 대도시 내에서도 기업의 본사가 주로 입지해 있는 도심과 부도심에 입지하는 경우가 많다.

한·줄·핵·심 생산자 서비스업의 사업체는 대도시의 도심과 부도심에서 집중도가 높게 나타난다.

자료6 교통수단별 여객 및 화물 수송 분담률 관련 문제 ▶ 193쪽 07번

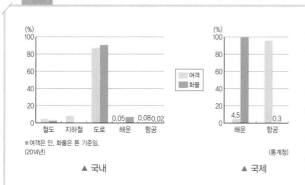

※여객은 인, 화물은 톤 기준임.
(2014년)   (통계청)

▲ 국내   ▲ 국제

자료·분석 국내 여객 수송 분담률('인' 기준)은 도로>지하철>철도>항공>해운 순으로 높고, 국내 화물 수송 분담률('톤' 기준)은 도로>해운>철도>항공 순으로 높으며 지하철은 화물 수송에 이용되지 않는다. 국제 화물 수송의 대부분은 해운이 분담하고, 국제 여객 수송의 대부분은 항공이 분담하고 있다.

한·줄·핵·심 국내 여객 수송 분담률('인' 기준)은 도로>지하철>철도>항공>해운 순으로 높고, 국내 화물 수송 분담률('톤' 기준)은 도로>해운>철도>항공 순으로 높다.

교통수단별 특징

개념풀 Guide 주요 교통수단별 국내 여객 및 화물 수송 분담률, 국제 여객 및 화물 수송 분담률에 대해 알아보자.

1. 국내 여객 및 화물 수송 분담률

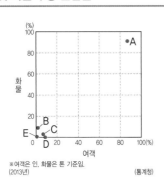

※여객은 인, 화물은 톤 기준임.
(2013년)   (통계청)

분석 국내 여객 수송 분담률과 국내 화물 수송 분담률이 가장 높은 A는 도로이다. 도로 다음으로 국내 화물 수송 분담률이 높은 B는 해운이고, 도로 다음으로 국내 여객 수송 분담률이 높은 D는 지하철이다. 도로, 지하철 다음으로 국내 여객 수송 분담률이 높은 C는 철도이고, 국내 여객 수송 분담률이 낮고, 국내 화물 수송 분담률이 가장 낮은 E는 항공이다.

2. 총 수송 인원 기준과 총 수송 거리 기준의 국내 여객 수송 분담률

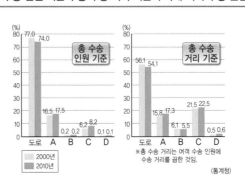

※총 수송 거리는 여객 수송 인원에 수송 거리를 곱한 것임.
(통계청)

분석 총 수송 인원 기준으로 볼 때 도로 다음으로 국내 여객 수송 분담률이 높은 A는 지하철이다. 총 수송 인원 기준일 때 도로, 지하철 다음으로 국내 여객 수송 분담률이 높은 C는 철도이다. B와 D는 해운과 항공 중 하나인데 B는 D보다 총 수송 거리 기준으로 국내 여객 수송 분담률이 높다. 따라서 B는 D보다 장거리 여객 수송이 많은 항공이고, D는 해운이다.

3. 수송 거리 구간별 국내 여객 수송량

〈교통수단별 국내 여객 수송량과 수송 분담률〉
(단위: 만 인·km, %)

수송 거리	구분	(가)	(나)	(다)	(라)
50km 미만	수송량	51,848	17,334	0	48
	분담률	74.9	25.0	0.0	0.1
50~ 200km	수송량	21,176	2,537	42	144
	분담률	88.6	10.6	0.2	0.6
200~ 300km	수송량	10,993	3,433	1,693	55
	분담률	68.0	21.2	10.5	0.3
300km 이상	수송량	4,037	2,596	1,467	30
	분담률	49.6	31.9	18.1	0.4

*지하철은 철도에 포함됨.   (2008년)

분석 모든 수송 거리에서 국내 여객 수송 분담률이 가장 높은 (가)는 도로이다. 도로 다음으로 국내 여객 수송 분담률이 높은 (나)는 철도이다. (다), (라)는 항공, 해운 중 하나인데, (다)는 단거리보다 장거리에서 국내 여객 수송 분담률이 높게 나타나므로 (다)는 항공이고, 나머지 (라)는 해운이다.

4. 국내 여객 및 화물 수송 분담률

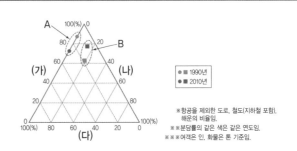

※항공을 제외한 도로, 철도(지하철 포함), 해운의 비율임.
※※분담률의 같은 색은 같은 연도임.
※※※여객은 인, 화물은 톤 기준임.

분석 A, B는 국내 여객 수송 분담률과 국내 화물 수송 분담률 중 하나인데, A는 (나)의 국내 여객 수송 분담률이 0에 가깝다. 따라서 A는 국내 여객 수송 분담률이고, (나)는 해운이다. 나머지 B는 국내 화물 수송 분담률이다. 국내 여객 및 화물 수송 분담률이 모두 가장 높은 (가)는 도로이고, 나머지 (다)는 철도이다.

이것만은 꼭!
→ 주행 비용 증가율이 가장 낮은 교통수단은 **해운**이다.
→ 문전 연결성이 가장 우수한 교통수단은 **도로**이다.
→ 정시성과 안전성이 가장 우수한 교통수단은 **철도**이다.

→ 화물 수송에 이용되지 않는 교통수단은 **지하철**이다.

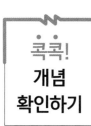

A 상업 및 소비 공간의 변화

01 알맞은 설명에 ○표를 하시오.

(1) 중심지나 상점이 기능을 유지하는 데 필요한 최소한의 수요를 (최소 요구치, 재화의 도달 범위)라고 한다.

(2) 중심지나 상점의 기능이 영향을 미치는 최대의 공간 범위를 (최소 요구치, 재화의 도달 범위)라고 한다.

(3) 상점이 유지되기 위해서는 (최소 요구치의 범위, 재화의 도달 범위)보다 (최소 요구치의 범위, 재화의 도달 범위)가 같거나 넓어야 한다.

02 빈칸에 들어갈 알맞은 말을 쓰시오.

(1) □□□은/는 주로 일상생활 용품을 판매하며, 24시간 영업하는 경우가 많은 소매 업태이다.

(2) □□ □□□은/는 인터넷, TV 홈 쇼핑, 전화 등의 정보 통신망을 이용한 상품 거래를 의미한다.

B 서비스 산업의 고도화와 공간 변화

03 각 서비스업에 해당하는 설명을 찾아 바르게 연결하시오.

(1) 소비자 서비스업 •

(2) 생산자 서비스업 •

• ㉠ 소비자의 이동 거리를 최소화하기 위해 분산 입지

• ㉡ 주로 대도시 도심에 입지하는 경향이 강함

• ㉢ 주로 개인이 이용함

• ㉣ 주로 기업이 이용함

C 교통·통신의 발달과 공간 변화

04 그래프는 교통수단별 국내 여객 및 화물 수송 분담률을 나타낸 것이다. 이를 보고 물음에 답하시오.

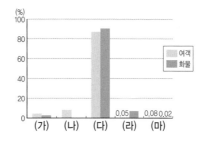

(1) (가)~(마) 교통수단을 쓰시오.

(가): (　　　　), (나): (　　　　), (다): (　　　　), (라): (　　　　), (마): (　　　　)

(2) (가)~(마) 중에서 기종점 비용이 가장 저렴한 교통수단은 무엇인지 쓰시오. (　　　　)

(3) (가)~(마) 중에서 국제 여객 수송 분담률이 가장 높은 교통수단은 무엇인지 쓰시오.

(　　　　)

A 상업 및 소비 공간의 변화

01 다음 글의 (가)~(다)에 들어갈 내용을 바르게 연결한 것은?

> 중심지나 상점의 기능이 영향을 미치는 최대 공간 범위인 재화의 도달 범위는 교통이 발달하면 [(가)] 된다. 중심지나 상점이 기능을 유지하는 데 필요한 최소한의 수요인 최소 요구치는 인구 밀도가 높아지면 [(나)] 된다. 중심지의 기능이 유지되기 위해서는 재화의 도달 범위보다 최소 요구치의 범위가 같거나 [(다)] 한다.

	(가)	(나)	(다)
①	확대	축소	커야
②	확대	축소	작아야
③	확대	확대	커야
④	축소	축소	커야
⑤	축소	확대	작아야

02 다음과 같은 변화의 원인을 〈보기〉에서 고른 것은?

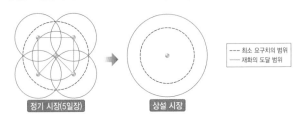

| --- 최소 요구치의 범위 |
| —— 재화의 도달 범위 |

정기 시장(5일장) → 상설 시장

보기
ㄱ. 행상의 증가
ㄴ. 교통의 발달
ㄷ. 인구 밀도의 감소
ㄹ. 소비자의 소득 수준 향상

① ㄱ, ㄴ   ② ㄱ, ㄷ   ③ ㄴ, ㄷ
④ ㄴ, ㄹ   ⑤ ㄷ, ㄹ

[03-04] 그래프는 소매 업태별 사업체 수와 종사자 수를 나타낸 것이다. 이를 보고 물음에 답하시오.

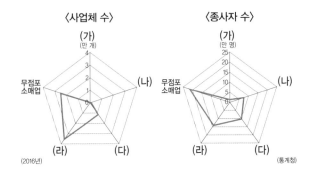

03 (가)~(라) 소매 업태로 옳은 것은?

	(가)	(나)	(다)	(라)
①	백화점	대형 마트	편의점	슈퍼마켓
②	백화점	대형 마트	슈퍼마켓	편의점
③	편의점	슈퍼마켓	백화점	대형 마트
④	대형 마트	백화점	편의점	슈퍼마켓
⑤	대형 마트	백화점	슈퍼마켓	편의점

04 (가)~(라) 소매 업태에 대한 설명으로 옳은 것은?

① (가)는 (나)보다 일상생활 용품의 판매 비중이 낮다.
② (나)는 (다)보다 사업체당 종사자 수가 적다.
③ (다)는 (라)보다 일평균 영업시간이 길다.
④ (라)는 (가)보다 대도시의 도심 집중도가 높다.
⑤ (가)~(라) 중에서 매출액은 (가)가 가장 많다.

05 (가) 유통 구조와 비교한 (나) 유통 구조의 상대적 특징을 〈보기〉에서 고른 것은?

보기
ㄱ. 최근 10년간 매출액 증가율이 높다.
ㄴ. 택배업의 발달에 끼친 영향이 크다.
ㄷ. 상품 구매 활동의 시간적 제약이 크다.
ㄹ. 소비자와 판매자 간의 물리적 접촉 빈도가 높다.

① ㄱ, ㄴ ② ㄱ, ㄷ ③ ㄴ, ㄷ
④ ㄴ, ㄹ ⑤ ㄷ, ㄹ

C 교통·통신의 발달과 공간 변화

07 그래프는 교통수단별 국내 여객 및 화물 수송 분담률을 나타낸 것이다. (가)~(마) 교통수단에 대한 설명으로 옳은 것은?

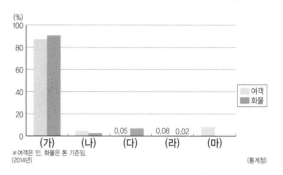

① (가)는 (나)보다 정시성과 안전성이 우수하다.
② (나)는 (다)보다 운행 시 기상 조건의 영향을 적게 받는다.
③ (다)는 (라)보다 국제 여객 수송 분담률이 높다.
④ (라)는 (마)보다 주행 비용 증가율이 낮다.
⑤ (마)는 (가)보다 운행이 최초로 시작된 시기가 이르다.

B 서비스 산업의 고도화와 공간 변화

06 그래프는 우리나라의 산업별 종사자 수 비중 변화를 나타낸 것이다. (가)~(다)에 해당하는 산업을 옳게 연결한 것은?

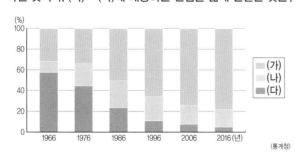

	(가)	(나)	(다)
①	1차	2차	3차
②	2차	1차	3차
③	2차	3차	1차
④	3차	1차	2차
⑤	3차	2차	1차

서술형 문제

08 그래프는 두 서비스업의 시·도별 사업체 수 비중을 나타낸 것이다. (가) 서비스업과 비교한 (나) 서비스업의 상대적 특징을 기업과의 거래액 비중, 사업체당 매출액, 최근 10년간 매출액 증가율 측면에서 비교하여 서술하시오. (단, (가), (나)는 소매업, 전문 서비스업 중 하나임.)

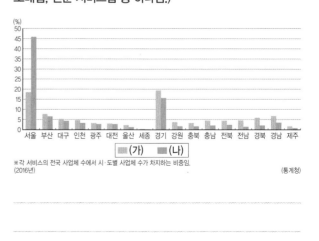

도전! 실력 올리기

01 다음 자료는 국내 소매업의 주요 유형별 현황이다. A~C 유형의 일반적 특성으로 옳은 내용을 〈보기〉에서 고른 것은? (단, A~C는 백화점, 대형 마트, 편의점 중 하나임.)

〈연간 판매액〉 〈사업체 수〉

(단위: 개)

소매업 유형	2005년	2012년
A	307	501
B	79	95
C	9,085	24,559

(대한 상공회의소)

보기
ㄱ. A는 B보다 도심에 입지하는 경향이 강하다.
ㄴ. B는 C보다 고가 제품의 판매 비중이 높다.
ㄷ. C는 A보다 자가용 이용 고객의 비율이 높다.
ㄹ. A~C 중 재화의 도달 범위가 가장 좁은 것은 C이다.

① ㄱ, ㄴ ② ㄱ, ㄷ ③ ㄴ, ㄷ
④ ㄴ, ㄹ ⑤ ㄷ, ㄹ

03 그래프의 (가)~(다) 소매 업태에 대한 설명으로 옳은 것은? (단, (가)~(다)는 무점포 소매업체, 백화점, 편의점 중 하나임.)

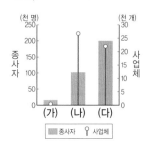 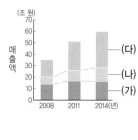

(통계청, 2014)

① (가)는 (나)보다 사업체 간 평균 거리가 멀다.
② (가)는 (다)보다 2008년부터 2014년까지 매출액 증가율이 높다.
③ (나)는 (가)보다 고가 제품의 판매 비중이 높다.
④ (나) 사업체는 (가) 사업체보다 2014년에 전국 대비 특별·광역시에 분포하는 비중이 높다.
⑤ (가)~(다) 중 2014년에 종사자당 매출액은 (다)가 가장 많다.

02 (가), (나) 소매 업태에 대한 옳은 설명을 〈보기〉에서 고른 것은? (단, (가), (나)는 백화점, 대형 마트 중 하나임.)

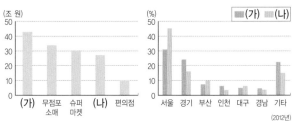

〈소매 업태별 매출액〉 〈(가), (나) 매출액의 시·도별 비중〉

(2012년)

보기
ㄱ. (나)는 수도권의 매출액이 비수도권의 매출액보다 많다.
ㄴ. (가)는 (나)보다 대도시 도심 집중도가 높다.
ㄷ. (가)는 (나)보다 고급 전문 상품의 판매 비중이 낮다.
ㄹ. (나)는 (가)보다 전국의 사업체 수가 많다.

① ㄱ, ㄴ ② ㄱ, ㄷ ③ ㄴ, ㄷ
④ ㄴ, ㄹ ⑤ ㄷ, ㄹ

04 그래프는 시·도별 산업 구조를 나타낸 것이다. (가)~(다) 지역으로 옳은 것은?

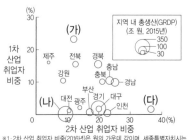

※ 1·2차 산업 취업자 비중(2016년)은 원의 가운데 값이며, 세종특별자치시는 과거 행정 구역을 기준으로 충북 및 충남에 포함함.

(통계청)

	(가)	(나)	(다)
①	서울	울산	전남
②	울산	서울	전남
③	울산	전남	서울
④	전남	서울	울산
⑤	전남	울산	서울

05 그래프는 A~D 지역의 산업별 취업자 수 비중을 나타낸 것이다. 이에 대한 설명으로 옳은 것은? (단, A~D는 서울, 울산, 전남, 제주 중 하나이고, (가)~(다)는 1~3차 산업 중 하나임.)

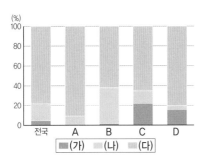

① A는 B보다 제조업 출하액이 적다.
② B는 C보다 1차 산업 취업자 수 비중이 높다.
③ C는 D보다 지역 내 총생산이 적다.
④ A, C는 특별·광역시이고, B, D는 도(道)이다.
⑤ (가)는 3차 산업, (나)는 2차 산업, (다)는 1차 산업이다.

06 지도는 두 서비스업의 시·도별 종사자 수 비중을 나타낸 것이다. (가) 서비스업과 비교한 (나) 서비스업의 상대적 특성을 그림의 A~E에서 고른 것은? (단, (가), (나)는 소비자 서비스업, 생산자 서비스업 중 하나임.)

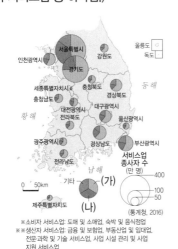

※소비자 서비스업: 도매 및 소매업, 숙박 및 음식점업
※생산자 서비스업: 금융 및 보험업, 부동산업 및 임대업, 전문·과학 및 기술 서비스업, 사업 시설 관리 및 사업 지원 서비스업

① A ② B ③ C ④ D ⑤ E

07 다음 자료에 대한 설명으로 옳은 것은? (단, 교통수단은 도로, 철도, 해운, 항공만 고려함.)

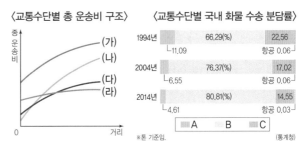

① (가)는 (나)보다 국내 화물 수송 분담률이 높다.
② (다)는 (라)보다 운행 시 기상 조건의 제약을 많이 받는다.
③ A는 B보다 문전 연결성이 우수하다.
④ B는 C보다 대량 화물의 장거리 수송에 유리하다.
⑤ (나)와 B, (다)와 A, (라)와 C는 서로 동일한 교통수단이다.

08 다음 자료에 대한 설명으로 옳은 것은? (단, 교통수단은 도로, 철도, 해운만 고려함.)

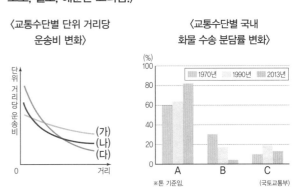

① (가)는 (나)보다 정시성과 안전성이 우수하다.
② (나)는 (다)보다 국내 화물 수송 분담률이 높다.
③ A는 C보다 주행 비용 증가율이 높다.
④ B는 C보다 국내 여객 수송 분담률이 낮다.
⑤ (가)와 A, (나)와 C, (다)와 B는 서로 동일한 교통수단이다.

V. 생산과 소비의 공간

01
자원의 의미와 자원 문제

02
농업의 변화와 농촌 문제

A 자원의 의미와 특성 및 분류

가변성	자원을 이용하는 기술적 수준, 경제적 조건, 문화적 배경 등에 따라 자원의 가치가 달라짐
유한성	자원의 매장량이 한정되어 있어 언젠가는 고갈됨
편재성	자원이 일부 지역에 편중되어 분포함

B 광물 자원의 특징과 분포 및 이용

철광석	• 분포: 강원도 홍천, 양양 등 • 제철 공업의 주원료로 이용됨
텅스텐	• 분포: 강원도 영월군 상동 • 값싼 중국산 텅스텐의 수입으로 폐광, 최근 재개발을 추진 중임
석회석	• 분포: 강원도 남부, 충청북도 북부 등 • 시멘트 공업의 주원료로 이용됨
고령토	• 분포: 강원도, 경상남도 하동·산청 등 • 도자기 및 내화 벽돌, 종이, 화장품의 원료로 이용됨

C 에너지 및 전력 자원의 특징

석탄	• 탄화 정도에 따라 무연탄, 역청탄, 갈탄 등으로 분류됨 • 무연탄은 고생대 평안 누층군에 주로 분포함
석유	• 주로 화학 공업의 원료 및 수송용 연료로 이용 • 대부분을 수입에 의존
천연가스	• 주로 가정 및 상업용으로 이용 • 울산 앞바다에서 소량 생산되나 대부분을 수입에 의존

D 자원 문제와 대책

신·재생 에너지	태양광	일사량이 풍부한 지역에서 개발 가능성이 높음
	풍력	바람이 많이 부는 해안, 산지 지역에서 개발 가능성이 높음
	해양 에너지	• 조력: 조수 간만의 차이를 이용 예 시화호 조력 발전소 • 조류: 바닷물의 빠른 흐름을 이용 • 파력: 파랑의 운동 에너지를 이용

A 농업의 변화

(1) 농업 구조의 변화

농촌 인구의 변화	• 이촌 향도에 따른 청장년층 중심의 인구 유출 발생 • 인구 고령화로 인한 노동력 부족 문제 • 유소년층 인구 비중 감소로 초등학교 통폐합
경지의 변화	• 산업화, 도시화로 인한 경지 면적의 감소 • 농가당 경지 면적의 증가 • 노동력 부족에 따른 휴경지 증가, 그루갈이 감소
영농 방식의 변화	• 영농의 기계화로 인한 농업의 노동 생산성 향상 • 전문적 농업 경영 방식의 증가
농업 구조의 변화	농산물 소비 시장의 확대, 영농의 다각화와 상업화, 시설 농업의 증가, 친환경 농산물의 생산 확대

(2) 주요 작물의 생산과 소비의 변화

쌀 (벼)	• 중·남부의 평야 지역에서 주로 재배 • 최근 쌀의 1인당 소비량과 재배 면적은 감소 추세에 있음
맥류	• 보리의 경우 벼의 그루갈이 작물로 주로 재배 • 최근 수익성 감소, 외국산 수입량 증가로 재배 면적 급감
원예 작물	• 식생활 변화에 따른 소비량 증가로 생산량 증가 • 주로 대도시 주변의 근교 농촌에서 시설 재배를 통해 재배
목축업	• 낙농업의 경우 경기도 일대를 중심으로 발달 • 제주도, 대관령 등에는 대규모 육우 단지가 조성됨

B 농촌 문제와 해결 방안

도시와 농촌 간 경제 격차	장소 마케팅, 지리적 표시제, 농산물 브랜드화, 경관 농업, 지역 축제 활성화 등을 통한 농촌 소득 증대
복잡한 유통 구조 및 불안정한 가격	농산물 유통 구조 개선, 직거래 확대, 로컬 푸드 운동 실시 등
농촌의 생태 환경 파괴	농약 및 비료의 사용 감소, 친환경 농업 방식의 보급 및 확대
농산물 수입 개방	농산물 고급화, 친환경 농업 등을 통한 경쟁력 강화

03
공업 발달과 지역 변화

A 공업의 발달과 특징

(1) 공업의 발달 과정

1960년대	노동 집약적 경공업이 대도시를 중심으로 발달
1970~ 1980년대	정부의 중화학 공업 육성 정책을 통해 자본 집약적인 중화학 공업 발달
1990년대 이후	• 부가 가치가 높은 지식·기술 집약적 첨단 산업이 수도권을 중심으로 발달 • 최근에는 탈공업화 현상이 진행됨

(2) 공업의 특징

공업 구조의 고도화	경공업 → 중화학 공업 → 첨단 산업 중심으로 공업 구조가 고도화됨
공업의 지역적 편재	수도권과 대도시 지역, 남동 임해 지역에 공업이 집중됨
원료의 높은 해외 의존도	원료의 해외 의존도가 높아 가공 무역 발달
공업의 이중 구조	사업체 수와 종사자 수가 적은 대기업이 생산액의 절반 이상을 차지함

B 공업의 입지와 지역 변화

(1) 공업의 입지 유형

원료 지향형	제조 과정에서 무게나 부피가 감소하는 공업, 원료가 쉽게 부패 또는 변질되는 공업 예 시멘트, 통조림
시장 지향형	제조 과정에서 무게나 부피가 증가하는 공업, 제품이 변질 및 파손되기 쉬운 공업, 소비자와 잦은 접촉을 필요로 하는 공업 예 가구, 제빙, 인쇄
적환지 지향형	원료를 해외로부터 수입해야 하는 공업 예 제철, 정유
노동 지향형	노동비가 차지하는 비중이 큰 공업 예 섬유
집적 지향형	다양한 부품을 조립하는 공업, 한 가지 원료에서 여러 제품을 생산하는 공업 예 자동차, 석유 화학

(2) 주요 공업 지역: 수도권, 태백산, 충청, 호남, 영남 내륙, 남동 임해 공업 지역

04
서비스업의 변화와 교통·통신의 발달

A 상업 및 소비 공간의 변화

최소 요구치	중심지나 상점이 기능을 유지하는 데 필요한 최소한의 수요
재화의 도달 범위	중심지 기능이 영향을 미치는 최대 공간 범위
상업의 입지	재화의 도달 범위가 최소 요구치보다 같거나 커야 함

B 서비스 산업의 고도화와 공간 변화

(1) 우리나라의 산업 구조 변화

1960년대 이전	1차 산업 중심의 산업 구조
1960년대 ~1990년대	공업화, 산업화로 2차 산업의 비중 증가
1990년대 이후	2차 산업의 비중 감소, 3차 산업의 비중 증가 → 탈공업화

(2) 서비스업의 분류와 입지 특성

소비자 서비스업	• 주로 개인 소비자가 이용 • 소비자의 이동 거리를 최소화하기 위해 분산 입지하는 경향이 나타남
생산자 서비스업	• 주로 기업이 이용함 • 주로 대도시의 도심 또는 부도심에 입지함

C 교통·통신의 발달과 공간 변화

도로	• 기종점 비용이 가장 저렴, 주행 비용 증가율이 높음 • 기동성과 문전 연결성이 높음
철도	• 정시성과 안전성이 우수함 • 운행 시 기상 조건의 영향이 적음
해운	• 대량 화물의 장거리 수송에 유리 • 운행 시 기상 조건의 제약이 많음 • 국제 화물 수송의 대부분을 분담함
항공	• 기종점 비용이 비싸고, 주행 비용 증가율이 높음 • 운행 시 기상 조건의 제약이 많음 • 평균 운행 속도가 빠름

01 지도는 세 광물 자원의 분포를 나타낸 것이다. (가)~(다) 자원에 대한 설명으로 옳은 것은? (단, (가)~(다)는 고령토, 석회석, 철광석 중 하나임.)

(국가광물자원지리정보망, 2016)

① (가)는 도자기 및 내화 벽돌, 종이, 화장품의 원료로 주로 이용된다.

② (나)는 주로 고생대 평안 누층군에 분포한다.

③ (다)는 대부분 제철 공업의 원료로 이용된다.

④ (가)는 (나)보다 수입 의존도가 높다.

⑤ (가), (나)는 비금속 광물, (다)는 금속 광물에 해당한다.

02 그래프는 각 도(道)의 1차 에너지별 공급량 비중을 나타낸 것이다. (가)~(라) 에너지에 대한 설명으로 옳은 것은? (단, (가)~(라)는 석유, 석탄, 원자력, 천연가스 중 하나임.)

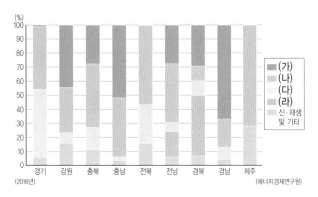

(2016년) (에너지경제연구원)

① (가)는 (나)보다 연소 시 대기 오염 물질 배출량이 적다.

② (나)는 (다)보다 수송용으로 이용되는 비중이 높다.

③ (다)는 (라)보다 총 발전량에서 차지하는 비중이 높다.

④ (라)는 (가)보다 상업적 발전에 이용되기 시작한 시기가 이르다.

⑤ 우리나라의 1차 에너지 소비 구조에서 차지하는 비중은 (나)>(다)>(가)>(라) 순으로 높다.

[03-04] 그래프는 네 신·재생 에너지의 시·도별 생산량 비중을 나타낸 것이다. 이를 보고 물음에 답하시오.

※수력은 양수 발전 제외임.
(2015년) (신·재생에너지보급통계)

03 (가)~(라) 에너지로 옳은 것은?

	(가)	(나)	(다)	(라)
①	수력	조력	태양광	풍력
②	수력	풍력	태양광	조력
③	조력	풍력	수력	태양광
④	태양광	조력	수력	풍력
⑤	태양광	풍력	수력	조력

04 (가)~(라) 에너지에 대한 옳은 설명을 〈보기〉에서 고른 것은?

보기
ㄱ. (가)는 (나)보다 발전 시 소음 발생량이 많다.

ㄴ. (나)는 (다)보다 상업적 발전이 시작된 시기가 늦다.

ㄷ. (다)는 (라)보다 생산량이 기후 조건의 영향을 많이 받는다.

ㄹ. (라)는 (가)보다 신·재생 에너지의 총 생산량에서 차지하는 비중이 높다.

① ㄱ, ㄴ   ② ㄱ, ㄷ   ③ ㄴ, ㄷ

④ ㄴ, ㄹ   ⑤ ㄷ, ㄹ

05 그래프는 세 작물의 시·도별 생산량 비중을 나타낸 것이다. (가)~(다) 작물에 대한 옳은 설명을 〈보기〉에서 고른 것은? (단, (가)~(다)는 쌀, 과실, 맥류 중 하나임.)

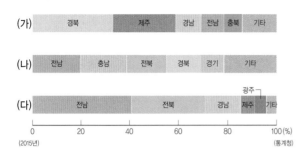

보기

ㄱ. (가)는 (나)보다 영농의 기계화에 유리하다.
ㄴ. (나)는 (다)보다 자급률이 높다.
ㄷ. (다)는 주로 (가)의 그루갈이 작물로 재배된다.
ㄹ. (가)~(다) 중에서 전국의 재배 면적은 (나)가 가장 넓다.

① ㄱ, ㄴ　　　② ㄱ, ㄷ　　　③ ㄴ, ㄷ
④ ㄴ, ㄹ　　　⑤ ㄷ, ㄹ

06 그래프는 도(道)별 농업 특징을 나타낸 것이다. (가)~(다) 지역으로 옳은 것은?

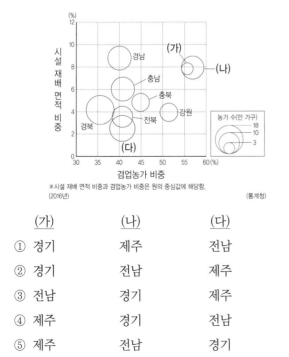

	(가)	(나)	(다)
①	경기	제주	전남
②	경기	전남	제주
③	전남	경기	제주
④	제주	경기	전남
⑤	제주	전남	경기

07 그래프는 지역별 제조업 사업체 수와 출하액 비중을 나타낸 것이다. 이를 통해 파악할 수 있는 우리나라의 공업 특징과 이에 대한 대책으로 옳은 것은?

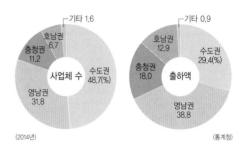

	공업 특징	대책
①	공업의 이중 구조	중소기업 육성
②	공업의 이중 구조	공업의 지방 분산
③	공업 구조의 고도화	첨단 산업 육성
④	공업의 지역적 편재	중소기업 육성
⑤	공업의 지역적 편재	공업의 지방 분산

08 그래프는 세 제조업의 시·도별 출하액 비중을 나타낸 것이다. (가)~(다) 제조업에 대한 설명으로 옳은 것은? (단, (가)~(다)는 1차 금속, 섬유 제품(의복 제외), 화학 물질 및 화학 제품(의약품 제외) 제조업 중 하나임.)

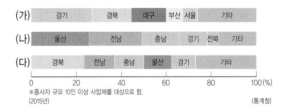

① (가)는 관련 공업의 집적이 크게 이루어지는 종합 조립 공업이다.
② (나)는 1960년대 우리나라의 공업 발달을 선도하였다.
③ (다)의 최종 생산품은 (가)의 생산에 주원료로 이용된다.
④ (나)는 (가)보다 총 생산비에서 노동비가 차지하는 비중이 높다.
⑤ (다)는 (가)보다 최종 제품의 무게가 무겁고 부피가 크다.

09 그래프는 (가), (나) 서비스업의 시·도별 사업체 수 비중을 나타낸 것이다. 이에 대한 설명으로 옳은 것은? (단, (가), (나)는 소매업, 전문 서비스업 중 하나임.)

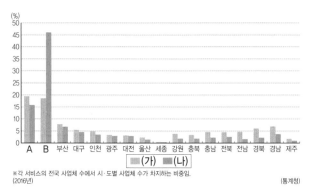

※각 서비스의 전국 사업체 수에서 시·도별 사업체 수가 차지하는 비중임.
(2016년) (통계청)

① (가)는 (나)보다 기업과의 거래액 비중이 높다.
② (가)는 (나)보다 사업체당 매출액이 적다.
③ (나)는 (가)보다 전국의 사업체 수가 많다.
④ A는 서울, B는 경기에 해당한다.
⑤ A는 B보다 3차 산업 취업자 수 비중이 높다.

10 그래프는 우리나라의 산업 구조 변화를 나타낸 것이다. (가)~(다) 산업으로 옳은 것은?

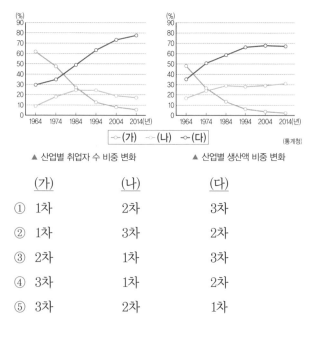

▲ 산업별 취업자 수 비중 변화   ▲ 산업별 생산액 비중 변화

	(가)	(나)	(다)
①	1차	2차	3차
②	1차	3차	2차
③	2차	1차	3차
④	3차	1차	2차
⑤	3차	2차	1차

11 그래프는 각 시·도의 1, 2차 산업 취업자 수 비중을 나타낸 것이다. A~D 지역에 대한 옳은 설명을 〈보기〉에서 고른 것은?

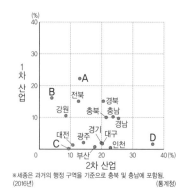

※세종은 과거의 행정 구역을 기준으로 충북 및 충남에 포함됨.
(2016년) (통계청)

보기

ㄱ. A는 B보다 농가 수가 많다.
ㄴ. B는 C보다 3차 산업 취업자 수 비중이 높다.
ㄷ. C는 D보다 제조업 출하액이 적다.
ㄹ. B, C는 특별·광역시, A, D는 도(道)에 해당한다.

① ㄱ, ㄴ   ② ㄱ, ㄷ   ③ ㄴ, ㄷ
④ ㄴ, ㄹ   ⑤ ㄷ, ㄹ

12 그래프는 교통수단별 국내 여객 수송 분담률을 나타낸 것이다. (가)~(마) 교통수단에 대한 설명으로 옳은 것은?

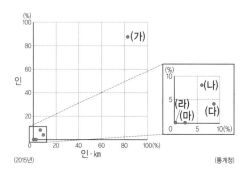

(2015년) (통계청)

① (가)는 (나)보다 정시성과 안전성이 우수하다.
② (나)는 (다)보다 국내 화물 수송 분담률이 높다.
③ (다)는 (라)보다 운행 시 기상 조건의 제약을 적게 받는다.
④ (라)는 (마)보다 대량 화물의 장거리 수송에 불리하다.
⑤ (마)는 (가)보다 기종점 비용이 저렴하다.

13 그래프는 1차 에너지의 월별 소비량을 나타낸 것이다. 이를 보고 물음에 답하시오.

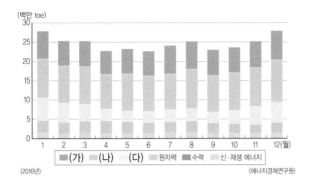

(1) (가)~(다) 에너지를 쓰시오.

(가): (   ), (나): (   ), (다): (   )

(2) (가)~(다) 에너지의 상대적 특징을 연소 시 대기 오염 물질 배출량, 총 발전량에서 차지하는 비중, 수송용으로 이용되는 비중 측면에서 서술하시오.

14 그래프는 우리나라의 농촌 인구 변화를 나타낸 것이다. 이를 보고 물음에 답하시오.

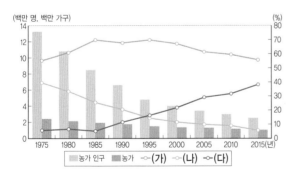

(1) (가)~(다)는 노년층, 청장년층, 유소년층 중 무엇에 해당하는지 쓰시오.

(가): (   ), (나): (   ), (다): (   )

(2) 1975년과 비교한 2015년 우리나라 농촌 인구의 상대적 특징을 중위 연령, 농가당 인구, 농업 노동력 측면에서 서술하시오.

15 그래프는 우리나라 제조업의 기업 규모별 사업체 수, 종사자 수, 출하액 비중을 나타낸 것이다. 이를 보고 물음에 답하시오.

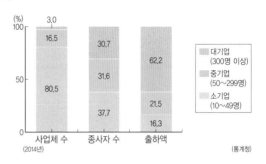

(1) 그래프를 통해 파악할 수 있는 우리나라 공업의 문제점을 쓰시오.

(   )

(2) (1)의 문제점을 해결하기 위한 방안을 한 가지만 서술하시오.

16 그래프는 소매 업태별 종사자 수와 매출액을 나타낸 것이다. 이를 보고 물음에 답하시오.

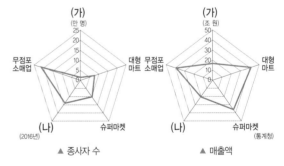

(1) (가), (나) 소매 업태는 백화점과 편의점 중 무엇에 해당하는지 쓰시오.

(가): (   ), (나): (   )

(2) (가) 소매 업태와 비교한 (나) 소매 업태의 상대적 특징을 고급 전문 상품의 판매 비중, 일평균 영업시간, 사업체당 종사자 수 측면에서 서술하시오.

VI

인구 변화와
다문화 공간

배울 내용 한눈에 보기

01 인구 분포와 인구 문제

인구
- 인구 분포 → 인구 성장, 인구 분포, 인구 이동
- 인구 구조 → 연령별 인구 구조, 성별 인구 구조
- 인구 문제 → 저출산, 고령화

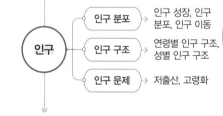
우리나라는 이촌 향도 현상으로 수도권 인구 집중 현상이 심화되었고, 지역마다 인구 구조가 다양하게 나타나고 있어! 최근에는 저출산·고령화 문제가 심각해지고 있어!

02 외국인 이주와 다문화 공간

다문화 공간
- 외국인 이주 → 외국인 근로자, 국제결혼
- 다문화 사회 → 다문화 가정, 다양성 존중, 배려와 이해

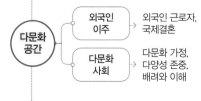
세계화가 빠르게 진행되면서 우리나라에도 많은 외국인이 유입되었고, 다문화 사회로 나아가고 있어!

01 ∿ 인구 분포와 인구 문제

A 인구 성장과 인구 분포 및 인구 이동

|시·험·단·서| 인구의 성장과 분포에 변화를 준 요인들에 관련된 문제가 자주 출제돼!

1. 우리나라의 인구 성장 [자료 1]

조선 시대 이전	질병, 기근, 낮은 토지 생산성 등으로 사망률이 높음
일제 강점기	• 사망률이 낮아짐 • 인구 부양력이 높아짐
광복~ 1960년대 초	• 해외 동포의 귀국과 북한 주민의 월남으로 인구 증가 ┄ 사회적 증가에 해당해 • 출산 붐(Baby Boom) 현상이 나타남
1960년대 중반 ~1980년대	• 출산율을 낮추기 위한 가족계획이 추진됨 • 합계 출산율이 빠르게 낮아지기 시작함
1990년대 이후	합계 출산율이 매우 낮은 상황에 이르면서 저출산·고령화 문제가 나타남

2. 우리나라 인구 분포의 요인과 특징

(1) **자연적 요인**: 기후가 온화한 남서부 평야 지대에 인구 밀집, 북동부 산간 지대는 인구 희박

(2) **사회·경제적 요인**: 산업화, 도시화로 인해 대도시와 공업 지역을 중심으로 인구가 증가함
→ 수도권을 비롯한 대도시, 남동 임해 지역에 인구 밀집

3. 우리나라의 인구 이동 [자료 2]

일제 강점기	광공업이 발달한 북부 지방으로 인구 이동, 일본·중국·러시아 등 해외로 이주함
광복 이후	해외 동포들이 귀국하여 고향이나 도시로 이동함
1960년대 이후	산업화로 인해 이촌 향도 현상이 활발함
1990년대 이후	수도권과 대도시로 인구 집중

❶ 유소년층 인구 비율

유소년 인구 비율(%, 2015년)
(통계청, 2016)
■ 16 이상 ■ 10~12
■ 14~16 ■ 10 미만
■ 12~14

B 인구 구조의 변화

|시·험·단·서| 인구 구조 그래프를 통해 시기별·지역별 인구 구조의 특징을 비교하는 문제가 자주 출제돼!

1. 우리나라의 인구 구조

(1) **연령별 인구 구조**: 출생률 감소로 유소년층 인구 비율❶은 감소하는 반면 사망률이 낮아지면서 노년층 인구 비율은 증가함 ┄ 65세 이상의 인구 ┄ 15세 미만의 인구

(2) **성별 인구 구조❷**: 성비로 나타낼 수 있음 ┄ 출생 시에는 남초 현상이 나타나지만 노년에 이를수록 여초 현상이 나타나

① **남초 지역**: 중화학 공업이 발달한 도시, 휴전선 부근의 군사 도시

② **여초 지역**: 대도시, 관광 도시 등 서비스업이 발달한 지역

2. 우리나라 인구 구조의 변화: 출생률 감소로 중위 연령과 노년 부양비 상승 [자료 3]
┄ 저출산·고령화 문제가 심각해지고 있어

1960년 이전	출생률과 사망률이 높은 피라미드형 인구 구조
1990년대 후반	출생률과 사망률의 감소로 종형 인구 구조
2060년(예상)	노년층이 많은 역피라미드형 인구 구조

❷ 성비

성비(명, 2015년)
(통계청, 2016)
■ 110 이상 ■ 95~100
■ 105~110 ■ 95 미만
■ 100~105

자료 1 우리나라의 인구 성장 관련 문제 ▶ 229쪽 14번

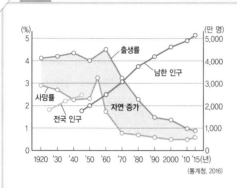

자료·분석 모든 시기에서 출생률이 사망률보다 높았으므로 인구의 자연 증가가 나타났다. 1960~1980년대에 정부 주도의 적극적인 출산 억제 정책이 시행되면서 출생률이 급격히 감소하였으며, 최근에는 출생률이 지나치게 낮아 저출산, 고령화 문제에 대응하기 위해 출산 장려 정책을 시행하고 있다.

▶ **한·줄·핵·심** 최근에는 출생률이 지나치게 낮아지면서 출산 장려 정책을 시행하고 있다.

자료 2 우리나라의 인구 이동 관련 문제 ▶ 211쪽 04번

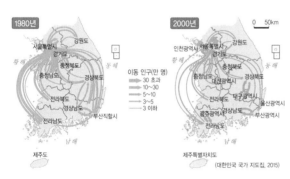

자료·분석 1980년에는 생활 기반과 산업 기반이 잘 갖추어진 수도권으로 인구 유입이 활발하였다. 2000년에는 1980년에 비해 인구 이동량이 감소하였으며, 수도권으로의 인구 유입도 감소하였다. 그러나 수도권으로의 인구 유입이 여전히 지속되면서 수도권 인구 과밀

화 문제는 여전히 해결되지 못한 상황이다.

▶ **한·줄·핵·심** 수도권으로의 인구 유입이 지속되면서 수도권 인구 과밀화 문제가 심화되고 있다.

자료 3 인구 구조의 시기별 변화 관련 문제 ▶ 212쪽 07번

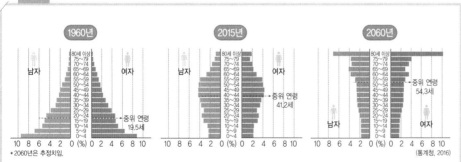

자료·분석 1960년에는 출생률과 사망률이 높은 피라미드형 인구 구조가 나타났으나, 이후 출생률과 사망률이 감소하면서 종형으로 변화하였으며 2015년에는 방추형이 되었다. 이러한 추세가 지속될 경우 2060년에는 노년층 인구 비중이 매우 높은 역피라미드형 인구 구조가 나타날 것으로 예상된다.

▶ **한·줄·핵·심** 우리나라의 인구 구조는 1960년에 피라미드형이었으나, 이후 출생률 및 사망률이 감소하면서 종형, 방추형이 되었다. 2060년에는 역피라미드형 인구 구조가 나타날 것으로 예상된다.

? 궁금해요

Q. 최근에 출생률이 지나치게 낮아지게 된 원인은 무엇인가요?

A. 여성의 사회 진출이 확대되고 자녀에 대한 가치관이 변화한 것이 가장 큰 원인이야. 또한 일찍 결혼하는 경향이 적어지면서 초혼 연령이 상승하여 아이를 한 명 정도만 낳는 경우가 많아졌기 때문이다.

용어 더하기

* **인구 부양력**
한 국가 내에서 그 국가에 살고 있는 사람을 부양할 수 있는, 즉 돌볼 수 있는 능력

* **출산 붐**
출생률이 급격하게 증가하는 시기를 나타내는 용어로, 전쟁이나 불경기가 끝난 후에 사회가 안정되면 출산 붐이 나타나는 경우가 많다.

* **합계 출산율**
여성 한 명이 가임 기간(15~49세) 동안 낳을 것으로 예상되는 평균 출생아 수

* **성비**
여성 100명에 대한 남성의 수

* **중위 연령**
지역이나 국가의 전체 인구를 연령 순서로 세웠을 때 중간에 있는 사람의 연령

* **노년 부양비**
15~64세의 청장년층 인구에 대한 65세 이상의 노년층 인구의 비율
→ $\left(\dfrac{65세\ 이상\ 인구}{15~64세\ 인구} \times 100\right)$

❶ 노년층 인구 비율

노년 인구 비율(%, 2015년)
- 32 이상
- 26~32
- 20~26
- 14~20
- 14 미만

노년층 인구 비율은 전남, 경북과 같이 농업의 비중이 높은 촌락에서 서울과 같은 대도시나 울산과 같은 제조업 발달 지역보다 높게 나타난다.

C 인구 문제와 공간의 변화

|시·험·단·서| 저출산 및 고령화 현상의 원인과 이에 따른 공간의 변화를 묻는 문제가 자주 출제돼!

1. 저출산 현상 [자료4] [자료5]

(1) 과정

① 1960~1980년대: 인구의 급속한 성장으로 강력한 출산 억제 정책 실시

② 2000년대: 출생률이 낮은 상태가 지속되면서 출산 장려 정책 실시

(2) 원인: 여성의 사회 진출 확대, 미혼 인구의 증가, 초혼 연령의 상승, 결혼과 가족에 대한 가치관 변화, 자녀 보육비 및 사교육비 부담 증가 등으로 출산 기피 현상이 심화됨

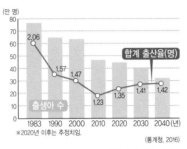

▲ 우리나라 출생아 수 및 합계 출산율 변화

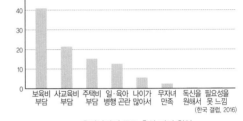

▲ 우리나라의 주요 출산 기피 원인

2. 고령화 현상 [자료4] [자료5]
— 저출산으로 인해 유소년층 인구 비율은 상대적으로 낮아지고 있어

(1) 현상: 노년층 인구 비율❶이 빠르게 증가하고 중위 연령이 높아짐

(2) 원인: 사망률 감소, 기대 수명 증가

3. 저출산·고령화 현상의 문제점

① 청장년층 인구 비율 감소로 총 부양비 증가 ——— 미래 세대의 부담으로 이어져 세대 간의 갈등을 유발할 수 있어

② 연금, 의료, 복지 부문에서 사회적 비용을 증가시켜 국가 재정에 부담을 줌

③ 노동력 부족과 노동 생산성 저하를 유발하여 지속 가능한 발전을 저해함

4. 저출산·고령화에 따른 공간의 변화

(1) 보건·의료 시설, 소비 및 문화·교육 시설 등이 잘 갖추어진 대도시에 인구가 집중하는 현상이 심화됨
— 반면에 고령화가 빠르게 진행되는 일부 촌락 지역과 지방 중소 도시는 사회 기반 시설이 부족하거나 쇠퇴하는 등 정주 여건이 악화되어 인구 감소가 더욱 심화될 수 있어

(2) 노인 복지 시설❷ 등과 같은 고령 친화 산업이 늘어나고 있음

D 인구 문제의 해결을 위한 노력

|시·험·단·서| 저출산·고령화 문제를 해결하기 위한 노력을 묻는 문제가 자주 출제돼!

1. 저출산 문제의 해결을 위한 노력

(1) 여성이 가정과 직장 생활을 병행할 수 있는 환경 조성: 여성의 출산 휴가 및 육아 휴직과 남성의 육아 휴직 보장, 직장 내 보육 시설 활성화

(2) 결혼 장려 정책 시행: 신혼부부의 주택 마련 지원 방안 등

(3) 사회 변화와 지원 노력: 양성평등 문화 확립, 가족 친화적 사회 분위기 조성, 출산과 양육에 대한 가치관의 변화가 필요함

2. 고령화 사회에 대비하기 위한 노력

(1) 노인의 경제 활동 참여율을 높이기 위한 노력: 정년 연장, 재취업 기회 확대, 임금 피크제* 도입 등
——— 자립할 수 있는 토대를 마련할 수 있어

(2) 안정적인 노후 생활을 위한 기반 마련: 지속 가능한 연금 제도의 정착, 노인 복지 정책 및 편의 시설 확대, 실버산업* 육성 등
——— 노인 전문 병원, 요양원 등

❷ 어린이집 및 노인 복지 시설의 변화

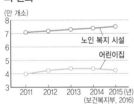

유소년층 인구 비율 감소와 노년층 인구 비율 증가로 인해 저출산·고령화 문제가 심각하다. 이로 인해 현재 노인 복지 시설의 수는 어린이집 수보다 많은 상황이며, 유소년층 인구 감소로 어린이집 수는 감소 추세에 있다.

자료 4 우리나라의 연령층별 인구 비율과 인구 부양비 변화 관련 문제 ▶ 213쪽 09, 10, 12번

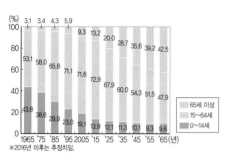

▲ 연령층별 인구 구성비의 변화

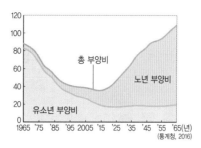

▲ 인구 부양비 변화

자료·분석 연령층별 인구 구성비의 변화를 나타낸 그래프를 보면 1965~2015년에 0~14세의 유소년층 인구 비율은 감소한 반면 65세 이상의 노년층 인구 비율은 증가하였다. 이러한 변화 경향은 2065년에도 지속될 것으로 예상된다. 인구 부양비 변화를 나타낸 그래프를 보면 유소년 부양비는 감소 추세에 있는 반면, 노년 부양비는 증가 추세에 있으며 노년 부양비의 급격한 증가로 인해 총 부양비 또한 증가할 것으로 예상된다. 이러한 경향이 지속되면 저출산·고령화 문제가 심각해지고, 이는 경제와 사회 전반에 성장을 저해하는 요소로 작용할 것이다.

한·줄·핵·심 유소년층 인구 비율 감소와 노년층 인구 비율 증가로 인한 저출산·고령화 문제가 심각해지고 있으며, 이는 경제와 사회 전반에 성장을 저해하는 요소로 작용할 것이다.

자료 5 저출산·고령화 현상의 심화와 영향 관련 문제 ▶ 213쪽 11번

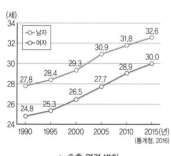

▲ 초혼 연령 변화

▲ 출생아 수와 합계 출산율 변화

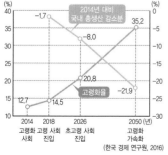

▲ 고령화 심화에 따른 경제적 영향

자료·분석 초혼 연령은 남자와 여자 모두 점차 늦어지고 있으며 이러한 변화는 출생률 감소로 이어지고 있다. 출생아 수와 합계 출산율 변화를 나타낸 그래프를 보면 1975~2015년에 출생아 수와 합계 출산율은 감소 경향을 나타냈으며 이러한 저출산 심화는 상대적으로 노년층 인구 비율을 증가시켜 고령화를 심화시키는 요인으로 작용하기도 하였다. 고령화 심화에 따른 경제적 영향을 나타낸 그래프를 보면 고령화율이 증가하여 고령화가 심화될수록 노동력 부족, 부양 부담 증가 등으로 인해 국내 총생산은 감소할 것으로 예상된다.

한·줄·핵·심 저출산·고령화 현상은 국내 총생산 감소와 같이 경제에 부정적인 결과를 유발할 것이다.

지역별 인구 특징

개념풀 Guide 시·도별 인구 부양비(유소년 부양비, 노년 부양비, 총 부양비) 자료를 분석해 보고, 각 인구 지표의 분포 특징을 알아보자.

1. 경기, 울산, 전남, 충북의 인구 지표 관련 문제 ▶ 214쪽 03번

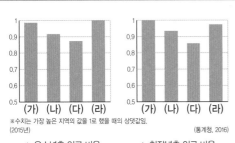

※수치는 가장 높은 지역의 값을 1로 했을 때의 상댓값임.
(2015년)

(통계청, 2016)

▲ 유소년층 인구 비율   ▲ 청장년층 인구 비율

분석 울산은 제조업이 발달한 대도시로 청장년층 인구가 많이 유입되면서 우리나라 시·도 중에서 청장년층 인구 비중이 가장 높다. 따라서 (가)는 울산이다. 이촌 향도 과정에서 많은 청장년층이 유출된 전남은 청장년층 인구 비율이 가장 낮으며, 노년층 인구 비율은 가장 높다. 따라서 (다)는 전남이다. 교외화 현상에 의해 많은 청장년층 인구가 유입되고 있는 경기는 유소년층 인구 비율이 높다. 따라서 (라)는 경기이고, (나)는 충북이다.

2. 성비와 중위 연령의 지역별 분포 관련 문제 ▶ 227쪽 05번

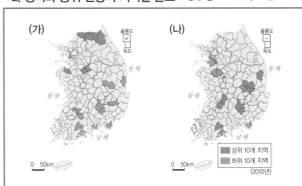

상위 10개 지역
하위 10개 지역
(2010년)

분석 (가)의 상위 10개 지역에는 군사 분계선과 인접한 지역과 중화학 공업이 발달한 지역이 포함되어 있다. (가)의 하위 10개 지역은 주로 촌락 지역으로 청장년층의 유출이 활발하여 노년층 비율이 높고 전체 인구의 성비가 낮게 나타난다. 따라서 (가)는 성비이다. (나)의 상위 10개 지역은 촌락 지역으로 타 지역에 비해 노년층 비율이 높고 청장년층 비율이 낮다. 따라서 (나)는 중위 연령이다.

3. 시·도별 인구 지표 관련 문제 ▶ 215쪽 05번

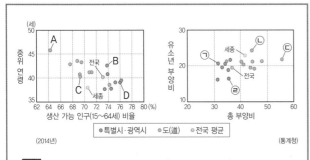

(2014년)

● 특별시·광역시   ● 도(道)   ● 전국 평균

(통계청)

분석 총 부양비는 생산 가능 인구(청장년층 인구)에 대한 노년층 인구+유소년층 인구의 비율로, 생산 가능 인구의 비율과 반비례한다. 시·도별 중위 연령 및 생산 가능 인구 비율을 나타낸 그래프를 보면 생산 가능 인구 비율은 D>B>C>A 순으로 높게 나타나고, 시·도별 인구 부양비를 나타낸 그래프에서 총 부양비는 ㉢>㉡>㉣>㉠ 순으로 높다. 따라서 A는 ㉢, B는 ㉣, C는 ㉡, D는 ㉠이다.

4. 노년 부양비와 유소년 부양비의 지역별 분포

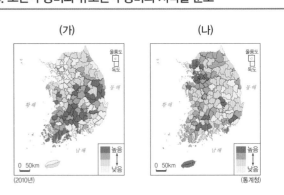

(2010년)

(통계청)

분석 (가)는 대도시가 발달한 수도권보다 경북을 비롯한 농어촌 지역에서 수치가 높게 나타나기 때문에 노년 부양비에 해당한다. (나)는 인구 전입이 활발한 서울 및 부산 등의 대도시 주변 지역에서 수치가 높게 나타나므로 유소년 부양비에 해당한다.

이것만은 꼭!

→ **청장년층 인구(생산 가능 인구) 비율은 총 부양비와 반비례** 관계이다.

→ 대도시, 공업 도시에서는 **청장년층 인구의 비율이 높은** 반면, 촌락 지역에서는 **노년층 인구의 비율이 높다.**

→ **군사 분계선과 인접한 지역**이나 **중화학 공업이 발달한 지역**에서는 **성비가 높은** 편이다.

우리나라의 인구 구조 변화

개념풀 Guide 우리나라의 인구 구조 변화 경향과 저출산·고령화에 따른 대책에 대해 알아보자.

1. 도시와 촌락의 인구 구조 변화 관련 문제 ▶ 214쪽 04번

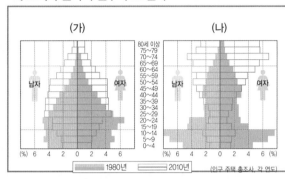

분석 2010년 노년층 비율이 (가) 지역은 7% 이상으로 고령화 사회로 진입하였고, (나) 지역은 20%가 훨씬 넘어 초고령 사회로 진입하였다. (가)는 청장년층 인구 비율이 높으므로 대도시이다. (나)는 1980~2010년에 유소년층과 청장년층 인구 비율은 감소하고, 노년층 인구 비율은 증가했으므로 촌락이다.

2. 우리나라의 연령층별 인구 비율 변화 관련 문제 ▶ 213쪽 09·10번

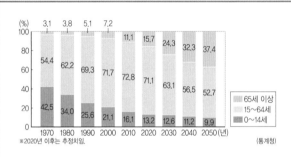

분석 노령화 지수는 '(노년층÷유소년층)×100'으로 나타낸다. 총부양비는 '{(유소년층+노년층)÷청장년층}×100'으로 나타내고 유소년 부양비와 노년 부양비를 합한 값과 같다. 총 부양비는 청장년층 인구 비율과 반비례 관계이다. 중위 연령은 한 지역의 인구를 연령 순서로 나열했을 때 가장 가운데에 있는 인구의 연령을 의미한다. 그래프를 보면 우리나라는 1970년 이후 0~14세의 유소년층 인구 비율은 감소하는 반면, 65세 이상의 노년층 인구 비율은 증가하고 있다. 따라서 중위 연령과 노령화 지수는 높아지고, 총 부양비는 2010년까지는 감소하다가 이후에는 증가하고 있음을 알 수 있다.

3. 지역별 인구 구조 변화 관련 문제 ▶ 215쪽 07번

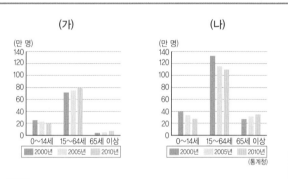

분석 (가)는 2000~2010년에 유소년층 인구는 감소한 반면 청장년층 인구와 노년층 인구는 증가하였다. (나)는 2000~2010년에 유소년층 인구와 청장년층 인구는 감소한 반면 노년층 인구는 증가하였다. 특히 청장년층 인구가 급격히 감소하였다. 노령화 지수는 유소년층 인구가 적고 노년층 인구가 많을수록 높게 나타난다. 그래프에서 2010년에 (가)는 노년층 인구가 유소년층 인구보다 적으므로 노령화 지수는 100 미만이다. 반면, (나)는 노년층 인구가 유소년층 인구보다 많기 때문에 노령화 지수가 100을 넘는다. 따라서 (가)는 (나)보다 2010년의 노령화 지수가 낮다.

이것만은 꼭!

→ **촌락 지역**은 도시 지역보다 유소년층 인구 비율이 낮은 반면 노년층 인구 비율이 높으므로 **중위 연령이 높다.**

→ 우리나라는 1970년 이후 0~14세의 **유소년층 인구 비율은 감소**하는 반면 65세 이상의 **노년층 인구 비율은 증가**하고 있어 **노령화 지수와 중위 연령이 높아지고 있다.**

→ **노령화 지수**는 노년층 인구를 유소년층 인구로 나눈 후 100을 곱하여 구한다. 노령화 지수가 **100을 넘는 지역**은 유소년층 인구보다 **노년층 인구가 많고**, 노령화 지수가 **100 미만인 지역**은 노년층 인구보다 유소년층 인구가 많다.

A 인구 성장과 인구 분포 및 인구 이동

01 알맞은 말에 ○표를 하시오.

(1) 광복 ~ 1960년대 초에 (출산 붐, 저출산) 현상이 나타났다.

(2) 1960년대 이후에는 산업화로 인해 (교외화, 이촌 향도) 현상이 활발했다.

B 인구 구조의 변화

02 다음 설명에 해당하는 용어를 쓰시오.

(1) 여성 한 명이 가임 기간 동안 낳을 것으로 예상되는 평균 출생아 수   (   )

(2) 여성 100명에 대한 남성의 수   (   )

(3) 한 지역의 전체 인구를 연령 순서로 세웠을 때 중간에 있는 사람의 연령   (   )

03 다음 인구 지표의 계산식을 찾아 바르게 연결하시오.

(1) 총 부양비   •   • ㉠ (노년층 인구÷유소년층 인구)×100

(2) 유소년 부양비 •   • ㉡ (노년층 인구 ÷청장년층 인구)×100

(3) 노년 부양비   •   • ㉢ {(유소년층 인구 + 노년층 인구)÷청장년층 인구}×100

(4) 노령화 지수   •   • ㉣ (유소년층 인구÷청장년층 인구)×100

C 인구 문제와 공간의 변화

04 그래프는 우리나라의 시기별 인구 구조를 나타낸 것이다. 이를 보고 물음에 답하시오.

(가) 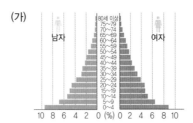 (나)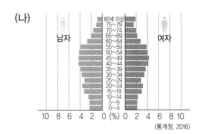

(통계청, 2016)

(1) (가), (나)는 1960년과 2015년 중 어느 시기에 해당하는지 쓰시오.

(가): (   ), (나): (   )

(2) (가) 시기와 비교한 (나) 시기의 상대적 특징으로 옳은 설명을 〈보기〉에서 고르시오.

보기
ㄱ. 중위 연령이 높다.   ㄴ. 노령화 지수가 낮다.
ㄷ. 고령 친화 산업이 증가하였다.   ㄹ. 출산 억제 정책의 필요성이 높다.

(   )

D 인구 문제의 해결을 위한 노력

05 다음 내용이 저출산 문제에 대한 노력이면 '저', 고령화 문제에 대한 노력이면 '고'라고 쓰시오.

(1) 여성이 가정과 직장 생활을 병행할 수 있는 환경 조성   (   )

(2) 정년 연장, 재취업 기회 확대, 임금 피크제 도입   (   )

(3) 양성평등 문화 확립, 가족 친화적 사회 분위기 조성   (   )

탄탄! 내신 다지기

A 인구 성장과 인구 분포 및 인구 이동

01 표는 우리나라의 시기별 인구 성장을 나타낸 것이다. (가)~(라)를 시기가 이른 것부터 순서대로 나열한 것은?

시기	특징
(가)	합계 출산율이 매우 낮은 상황에 이르면서 저출산·고령화 현상이 나타남
(나)	해외 동포의 귀국과 북한 주민의 월남으로 사회적 인구 증가가 뚜렷하게 나타남, 출산 붐 현상이 나타남
(다)	가족계획이 추진되면서 합계 출산율이 빠르게 낮아지기 시작함
(라)	질병, 기근, 낮은 토지 생산성 등으로 사망률이 높음

① (가) → (나) → (다) → (라)
② (나) → (라) → (가) → (다)
③ (나) → (라) → (다) → (가)
④ (라) → (나) → (다) → (가)
⑤ (라) → (다) → (나) → (가)

02 지도는 우리나라의 인구 분포를 나타낸 것이다. 이에 대한 옳은 분석을 〈보기〉에서 고른 것은?

보기
ㄱ. 수도권의 인구 집중도가 높다.
ㄴ. 영남권 인구가 호남권 인구보다 많다.
ㄷ. 태백산맥 일대에 인구가 밀집해 있다.
ㄹ. 충청권에서는 세종의 인구 밀도가 가장 높다.

① ㄱ, ㄴ　　② ㄱ, ㄷ　　③ ㄴ, ㄷ
④ ㄴ, ㄹ　　⑤ ㄷ, ㄹ

03 다음 글의 (가), (나)에 들어갈 내용으로 옳은 것은?

광복 이후에는 해외 동포들이 귀국하여 고향이나 도시로 이동하였으며, 1960년대 이후 산업화가 진행되면서 촌락의 인구가 도시로 이동하는 　(가)　 현상이 활발하였다. 1990년대 이후에는 수도권과 대도시로 인구가 집중하고, 대도시 인구가 외곽으로 이동하는 　(나)　 현상도 함께 나타나고 있다.

	(가)	(나)
①	교외화	출산 붐
②	교외화	이촌 향도
③	출산 붐	교외화
④	이촌 향도	교외화
⑤	이촌 향도	출산 붐

04 지도는 두 시기의 인구 이동을 나타낸 것이다. 이에 대한 옳은 설명을 〈보기〉에서 고른 것은? (단, (가), (나) 시기는 1980년, 2000년 중 하나임.)

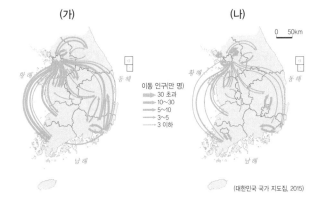

(대한민국 국가 지도집, 2015)

보기
ㄱ. (가) 시기는 (나) 시기보다 총인구가 많다.
ㄴ. (나) 시기는 (가) 시기보다 교외화 현상이 뚜렷하게 나타난다.
ㄷ. (나) 시기는 (가) 시기보다 수도권으로의 인구 이동이 활발하다.
ㄹ. (가) 시기는 1980년, (나) 시기는 2000년이다.

① ㄱ, ㄴ　　② ㄱ, ㄷ　　③ ㄴ, ㄷ
④ ㄴ, ㄹ　　⑤ ㄷ, ㄹ

05 (가), (나) 지도 표현의 기준이 된 항목을 바르게 연결한 것은?

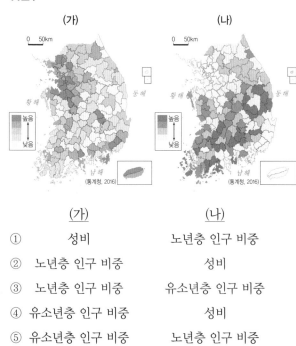

	(가)	(나)
①	성비	노년층 인구 비중
②	노년층 인구 비중	성비
③	노년층 인구 비중	유소년층 인구 비중
④	유소년층 인구 비중	성비
⑤	유소년층 인구 비중	노년층 인구 비중

06 지도는 어느 인구 지표의 분포를 나타낸 것이다. 이 인구 지표의 계산식으로 옳은 것은?

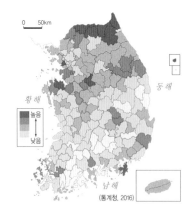

① 유소년 부양비 + 노년 부양비
② (남자의 수 ÷ 여자의 수) × 100
③ (노년층 인구 ÷ 유소년층 인구) × 100
④ (노년층 인구 ÷ 청장년층 인구) × 100
⑤ (유소년층 인구 ÷ 청장년층 인구) × 100

07 그래프는 두 시기의 인구 구조를 나타낸 것이다. 1960년과 비교한 2015년의 상대적 인구 특징을 그림의 A~E에서 고른 것은?

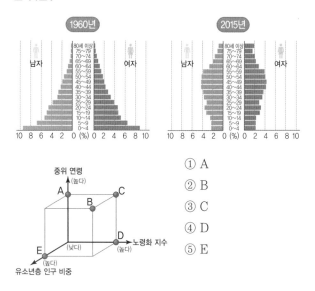

① A
② B
③ C
④ D
⑤ E

08 그래프는 시·도별 인구 부양비를 나타낸 것이다. 이에 대한 설명으로 옳은 것은?

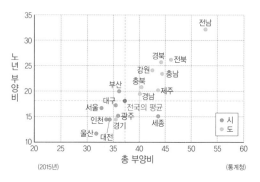

① 부산은 광주보다 중위 연령이 낮다.
② 경북은 충남보다 유소년 부양비가 높다.
③ 경기는 제주보다 노년층 인구 비중이 높다.
④ 울산은 세종보다 청장년층 인구 비중이 높다.
⑤ 모든 도(道)는 전국 평균보다 노년 부양비가 높다.

C 인구 문제와 공간의 변화

[09-10] 그래프는 우리나라의 연령별 인구 비중 변화를 나타낸 것이다. 이를 보고 물음에 답하시오.

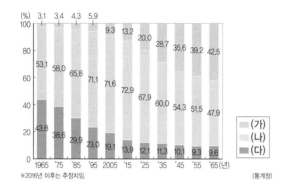

※2016년 이후는 추정치임.

(통계청)

09 (가)~(다)에 해당하는 연령층으로 옳은 것은?

	(가)	(나)	(다)
①	노년층	유소년층	청장년층
②	노년층	청장년층	유소년층
③	유소년층	노년층	청장년층
④	유소년층	청장년층	노년층
⑤	청장년층	노년층	유소년층

10 그래프에 대한 설명으로 옳지 않은 것은?

① 2015년에 노령화 지수는 100 미만이다.
② 1995년보다 2015년에 총 부양비가 낮다.
③ 2015년 이후 노령화 지수는 감소할 것으로 예상된다.
④ 1965년 이후 유소년층 인구 비중은 감소 추세에 있다.
⑤ 그래프와 같은 경향이 지속되면 저출산·고령화 문제가 심각해진다.

D 인구 문제의 해결을 위한 노력

11 그래프와 같은 현상이 심화될 경우 예상되는 인구 문제에 대한 해결 방안으로 옳지 않은 것은?

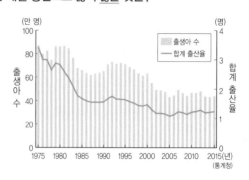

(통계청)

① 직장 내 보육 시설을 활성화한다.
② 연금 제도를 활성화하고 임금 피크제를 도입한다.
③ 여성의 출산 휴가 및 육아 휴직과 남성의 육아 휴직을 보장한다.
④ 신혼부부의 주택 마련 지원 등 결혼을 장려하는 정책을 시행한다.
⑤ 양성평등 의식을 확대하고, 가족 친화적인 사회 분위기를 조성한다.

서술형 문제

12 그래프는 우리나라의 인구 부양비 변화를 나타낸 것이다. (가), (나)는 유소년 부양비와 노년 부양비 중 무엇에 해당하는지 쓰고, (가), (나)의 계산식을 서술하시오.

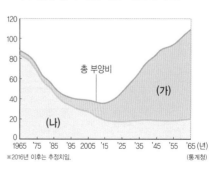

※2016년 이후는 추정치임.

(통계청)

01 그래프는 권역별 인구 이동을 나타낸 것이다. (가)~(다) 권역에 대한 설명으로 옳은 것은? (단, (가)~(다)는 수도권, 영남권, 충청권 중 하나임.)

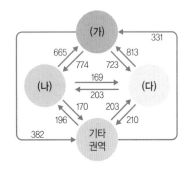

① (가)는 (나)보다 지역 내 총생산이 많다.
② (나)는 (다)보다 제조업 출하액이 많다.
③ (다)는 (가)보다 3차 산업 종사자 수 비중이 높다.
④ (가), (나)는 전입 인구보다 전출 인구가 많다.
⑤ 총인구는 (가)>(나)>(다) 순으로 많다.

03 (가)~(라)에 대한 옳은 설명을 〈보기〉에서 고른 것은? (단, (가)~(라)는 경기, 울산, 전남, 충북 중 하나임.)

〈유소년층 인구 비중〉   〈청장년층 인구 비중〉

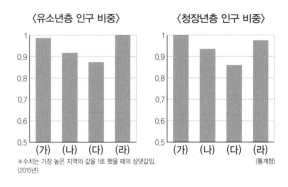

※수치는 가장 높은 지역의 값을 1로 했을 때의 상댓값임.
(2015년)   (통계청)

보기
　ㄱ. (가)는 울산, (나)는 충북이다.
　ㄴ. 총 부양비는 (다)가 가장 높다.
　ㄷ. (가)는 (라)보다 유소년 부양비가 높다.
　ㄹ. (다)는 (라)보다 노령화 지수가 낮다.

① ㄱ, ㄴ　　　② ㄱ, ㄷ　　　③ ㄴ, ㄷ
④ ㄴ, ㄹ　　　⑤ ㄷ, ㄹ

02 그래프에 대한 분석으로 옳은 것은?

〈시·도별 인구 구조〉

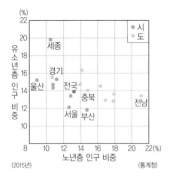

① 세종은 총 부양비가 가장 높다.
② 전남은 노년 부양비가 가장 낮다.
③ 부산은 충북보다 유소년 부양비가 낮다.
④ 경기는 울산보다 청장년층 인구 비중이 높다.
⑤ 모든 광역시는 전국보다 노령화 지수가 높다.

04 그래프는 (가), (나) 지역의 인구 피라미드를 나타낸 것이다. 이에 대한 설명으로 옳은 것은? (단, (가), (나)는 광주광역시, 전라남도 중 하나임.)

(가)　　　　　　　(나)

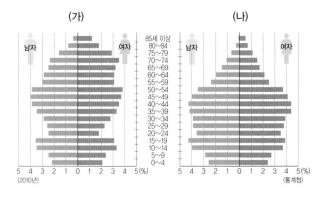

(2010년)   (통계청)

① (가)는 (나)보다 1차 산업 종사자 수 비중이 낮다.
② (가)는 (나)보다 중위 연령이 높다.
③ (나)는 (가)보다 인구 밀도가 낮다.
④ (가), (나)는 모두 노령화 지수가 100을 넘는다.
⑤ (가), (나)는 모두 유소년층 인구의 성비가 100 미만이다.

수능 유형

05 그래프의 (가)~(라) 지역을 A~D에서 골라 바르게 연결한 것은?

〈시·도별 중위 연령 및 생산 가능 인구 비율〉　〈시·도별 인구 부양비〉

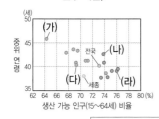
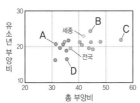

(2014년)　■ 특별시·광역시　● 도(道)　● 전국 평균　(통계청)

	(가)	(나)	(다)	(라)
①	A	B	C	D
②	A	C	D	B
③	C	A	B	D
④	C	D	B	A
⑤	D	B	C	A

수능 유형

06 그래프는 두 지역의 인구 구조를 나타낸 것이다. (가), (나) 지역에 대한 옳은 설명을 〈보기〉에서 고른 것은? (단, (가), (나)는 시(市), 군(郡) 중 하나임.)

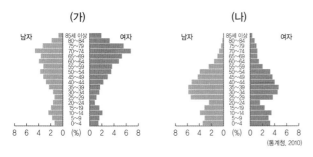

(통계청, 2010)

보기
ㄱ. (가)는 (나)보다 중위 연령이 높다.
ㄴ. (나)는 (가)보다 총 부양비가 낮다.
ㄷ. (가), (나)는 모두 노령화 지수가 100을 넘는다.
ㄹ. (가)는 시(市), (나)는 군(郡)에 해당한다.

① ㄱ, ㄴ　② ㄱ, ㄷ　③ ㄴ, ㄷ
④ ㄴ, ㄹ　⑤ ㄷ, ㄹ

07 그래프는 (가), (나) 지역의 연령층별 인구 변화를 나타낸 것이다. 이에 대한 옳은 설명을 〈보기〉에서 고른 것은? (단, (가), (나)는 시, 도 중 하나임.)

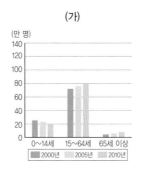
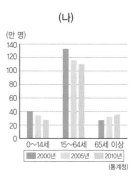

(통계청)

보기
ㄱ. (가)는 2005~2010년에 유소년 부양비가 높아졌다.
ㄴ. (나)는 2000~2005년에 노령화 지수가 낮아졌다.
ㄷ. (가)는 (나)보다 3차 산업 종사자 수 비중이 높다.
ㄹ. (나)는 (가)보다 2015년에 중위 연령이 높다.

① ㄱ, ㄴ　② ㄱ, ㄷ　③ ㄴ, ㄷ
④ ㄴ, ㄹ　⑤ ㄷ, ㄹ

08 그래프는 1980~2050년 우리나라의 유소년층·노년층 인구 비율을 나타낸 것이다. 이에 대한 설명으로 옳은 것은?

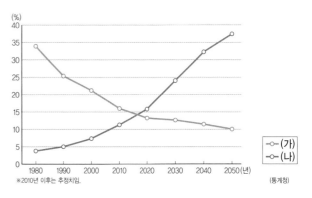

※2010년 이후는 추정치임.　(통계청)

① 저출산 현상의 심화로 (가)와 같은 변화가 나타나게 되었다.
② 1980년은 2010년보다 총 부양비가 낮다.
③ 1980년은 2050년보다 유소년층 인구 비율이 낮다.
④ 2010년과 2020년은 모두 노령화 지수가 100을 넘는다.
⑤ 2020~2050년에 중위 연령은 낮아질 것이다.

02 ~ 외국인 이주와 다문화 공간

핵심 질문으로 흐름잡기

A 외국인 근로자의 유입과 다문화 가정의 증가 배경은?

B 지속 가능한 다문화 사회를 위한 노력은?

A 외국인 근로자의 유입과 다문화 가정의 증가

|시·험·단·서| 외국인 근로자의 유입 및 다문화 가정 증가 요인과 이로 인한 변화에 대한 문제가 자주 출제돼!

1. 외국인 근로자의 유입

(1) 유입 배경

┌─ 저임금 노동력을 필요로 하는 중소기업과 서비스 업계에서 수요가 많아

① 1990년대 이후: 3D 업종*에 대한 기피 현상 심화로 인한 노동력 부족

② 최근: 다국적 기업의 국내 진출 및 국내 기업의 해외 진출 활성화

(2) 유입 외국인의 구성 [자료 1] ── 전문 직종에 종사하는 고임금 외국인 근로자의 유입이 증가하는 원인이 되고 있어

출신 지역❶	중국과 동남아시아 국가의 출신 비중이 높음
체류 유형❷	• 외국인 근로자의 비중이 높음 • 국제결혼에 의한 이민자도 증가 추세에 있음
지역 분포	수도권에 많이 분포함
취업 업종	제조업과 서비스업에 주로 종사함

2. 국제결혼에 따른 다문화 가정의 증가*

(1) 국제결혼의 증가 배경

┌─ 최근에는 도시 지역에서도 국제결혼이 증가하고 있어

① 농촌에서 결혼 적령기 인구의 성비 불균형 현상이 심화됨

② 국내 거주 외국인이 증가하면서 외국인에 대한 거부감이 감소하고, 결혼에 대한 가치관이 변화하면서 다문화 가정이 증가하고 있음

(2) 국제결혼의 분포 특징 [자료 2]

① 인구 대비 국제결혼 비중은 촌락이 도시보다 높음

② 국제결혼 건수는 도시가 촌락보다 많음

B 지속 가능한 다문화 사회를 위한 노력

|시·험·단·서| 다문화 사회에서 바람직한 가치관을 기르는 방안에 대한 문제가 자주 출제돼!

1. 다문화 사회의 영향

┌─ 다문화 가정의 증가로 이주민 공동체가 형성되면서 다문화 공간이 증가하고 있어

(1) 긍정적 영향

① 노동력 유입으로 인한 경제 성장 → 저출산 고령화에 대한 대안이 됨

② 다양한 문화적 자산 공유 및 초국가적 네트워크 형성

└─ 새로운 성장 동력을 확보할 수 있는 기회가 되고 있어

(2) 부정적 영향

① 외국인 근로자와 국내 근로자 간의 일자리 경쟁

② 민족주의와 인종주의에 따른 사회적 편견과 차별

③ 다문화 가정 자녀의 정체성 혼란과 사회 부적응

2. 다문화 사회를 위한 발전 노력 ── 한국인의 다문화 수용성은 여전히 낮은 수준이야

(1) 다문화주의와 문화 상대주의* 관점: 외국인의 문화적 다양성을 존중하며, 배려와 이해를 통해 사회 구성원으로 수용하려는 의식의 변화가 필요함

(2) 정책적 지원

① 전문 기능 인력의 유입 추진 → 다문화 사회의 편익을 높임

② 다문화 가정을 지원하는 사회적 통합 시스템 구축

---

❶ 외국인의 국적별 비중

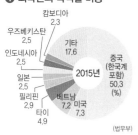

우즈베키스탄 2.5
인도네시아 2.5
일본 2.5
필리핀 2.9
타이 4.9
베트남 7.2
미국 7.3
캄보디아 2.3
기타 17.6
중국(한국계 포함) 50.3(%)
2015년

(법무부)

외국인의 국적별 비중을 보면 중국의 비중이 50%를 넘는데, 이는 한국계 중국인(조선족)의 유입이 활발하기 때문이다. 베트남, 타이, 필리핀, 인도네시아 등과 같은 개발 도상국 출신의 이주민도 많은 편이다.

❷ 외국인 체류 유형

기타 36.7
취업 32.9(%)
유학 5.1
결혼 이민 8.0
재외 동포 17.3
2015년 (1,899,519명)

(출입국외국인정책본부, 2016)

외국인 체류 유형별 비중을 보면 취업 목적의 체류 유형 비중이 가장 높고, 재외 동포, 결혼 이민, 유학 등의 체류 유형이 높게 나타나고 있다.

자료1 우리나라의 외국인 현황 관련 문제 ▶ 220쪽 01, 03, 04번

▲ 행정 구역별 외국인 분포와 비중

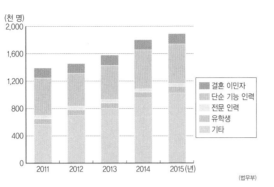

▲ 국내 체류 외국인 현황

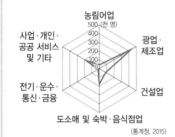

▲ 산업별 외국인 근로자 수

자·료·분·석 행정 구역별 외국인 분포와 비중을 보면 외국인은 서울, 인천, 경기가 속한 수도권에 가장 많다. 이는 경기도에 산업 단지가 많고 서울에 서비스업이 발달하여 외국인 근로자가 필요한 일자리가 풍부하기 때문이다. 국내 체류 외국인 현황을 보면 단순 기능 인력(근로자)이 가장 많고, 그다음으로 결혼 이민자가 많다. 외국인 근로자는 광업·제조업과 서비스업 분야에 취업한 경우가 많다.

▶ **한·줄·핵·심** 외국인은 수도권에 가장 많이 거주하고 있으며 단순 기능 인력인 경우가 많다. 외국인 근로자는 광업·제조업과 서비스업 분야에 취업한 경우가 많다.

자료2 우리나라의 국제결혼 관련 문제 ▶ 221쪽 05, 06번

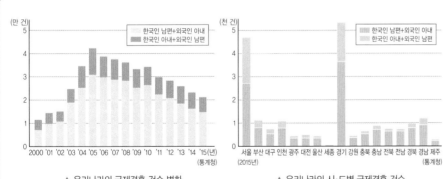

▲ 우리나라의 국제결혼 건수 변화

▲ 우리나라의 시·도별 국제결혼 건수

자·료·분·석 우리나라의 국제결혼 건수 변화를 나타낸 그래프를 보면 2000년에 비해 2015년의 국제결혼 건수는 두 배 가량 큰 폭으로 증가했음을 알 수 있다. 국제결혼 건수는 한국인 남편+외국인 아내가 한국인 아내+외국인 남편보다 많다. 우리나라의 시·도별 국제결혼 건수를 나타낸 그래프를 보면 수도권에 속한 서울, 경기의 국제결혼 건수가 많은데, 이는 이 지역에 외국인 수가 많기 때문이다.

▶ **한·줄·핵·심** 우리나라의 국제결혼 건수는 증가 추세에 있으며, 국제결혼 건수는 '한국인 남편+외국인 아내'가 '한국인 아내+외국인 남편'보다 많다. 수도권에 속한 서울, 경기의 국제결혼 건수가 많은데, 이는 이 지역에 외국인 수가 많기 때문이다.

❓ 궁금해요

Q. 외국인이 광업·제조업과 도소매 및 숙박·음식점업에 많이 취업하는 이유는 무엇인가요?

A. 광업·제조업의 경우 내국인이 3D 업종에 취업하는 것을 기피하는 경우가 많아 개발 도상국 출신의 외국인들에게 취업 기회가 많이 주어졌기 때문이야. 그리고 도소매 및 숙박·음식점업과 같은 서비스업의 경우 숙련된 기술을 필요로 하지 않기 때문에 단순 기능 인력이 많은 외국인에게 선호되는 직종이지.

용어 더하기

＊3D 업종
더럽고(Dirty), 힘들고(Difficult), 위험한(Dangerous) 직종을 말하며, 이러한 직종은 사람들이 취업하기를 기피하는 경향이 있다.

＊다문화 가정
다른 국적, 인종, 문화를 가진 가족 구성원이 포함된 가정

＊다문화 수용성
문화 개방성, 국민 정체성, 고정 관념 및 차별, 세계 시민 행동 등의 여덟 가지 지표와 구성 요소별 측정값을 종합하여 산출한 지표

＊문화 상대주의
문화의 다양성을 인정하고 각 문화의 독특한 환경과 역사적·사회적 상황에서 문화를 이해해야 한다는 견해로, 모든 문화에는 나름대로 존재 이유가 있기 때문에 그 사회의 환경과 맥락을 고려하여 문화를 판단해야 한다는 입장이다.

외국인 이주자의 유입과 분포

개념풀 Guide 다양한 자료를 이용하여 외국인 이주자의 유입 현황과 분포 특징에 대해 알아보자.

1. 등록 외국인 비율 관련 문제 ▶ 222쪽 01번

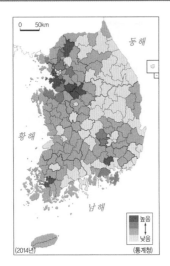

분석 지도를 보면 수도권에 속한 시·군에서 비중이 높게 나타난다. 특히 수도권 시·군 중에서 안산, 화성과 같이 제조업이 발달한 지역에서 비중이 높게 나타나는 것으로 보아 이 지도 표현의 기준이 된 항목은 등록 외국인 비율임을 알 수 있다.

2. 결혼 이민자 비중 관련 문제 ▶ 222쪽 04번

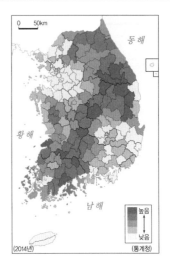

분석 지도를 보면 수도권과 같은 도시 지역보다 촌락 지역에서 비중이 높게 나타난다. 따라서 이 지도 표현의 기준이 된 항목은 외국인 중 결혼 이민자가 차지하는 비중임을 알 수 있다.

3. 국제결혼 이민자의 지역별 현황 관련 문제 ▶ 222쪽 02번

구분	한국 남성		한국 여성	
	국제결혼 건수	국제결혼 비중(%)	국제결혼 건수	국제결혼 비중(%)
동부(洞部)	10,762	4.3	5,230	2.1
읍부(邑部)	1,527	5.8	387	1.6
면부(面部)	2,007	8.9	303	1.6

(2015년) (통계청)

분석 표를 보면 국제결혼 건수는 도시 지역에 속하는 동부가 촌락 지역에 속하는 면부보다 많다. 그러나 국제결혼 비중은 면부가 동부보다 높게 나타나는데, 이는 촌락 지역이 도시 지역보다 인구 규모가 작기때문이다. 촌락 지역에서는 결혼 적령기의 성비 불균형이 심각하여 국제결혼이 증가하였다.

4. 지역별 외국인 취업자 수

(2015년) (통계청)

분석 지역별 외국인 취업자 수를 나타낸 그래프를 보면 전체 외국인 취업자 중 50% 이상이 수도권인 서울, 경기, 인천에 분포하고 있다. 수도권 내에서도 경기, 인천에 많이 분포하는데, 이는 이 지역에 제조업이 발달하여 외국인을 대상으로 하는 일자리가 풍부하기 때문이다.

이것만은 꼭!

→ **등록 외국인 수**가 가장 많은 지역은 **수도권(서울, 경기, 인천)**이다.
→ **국제결혼 이민자 수 비중**이 높은 지역은 **촌락**이나 **국제결혼 건수**가 많은 지역은 **도시**이다.

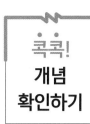
A 외국인 근로자의 유입과 다문화 가정의 증가

01 알맞은 말에 ○표를 하시오.

(1) 최근 우리나라로 유입되는 외국인 수는 (감소, 증가) 추세에 있다.

(2) 우리나라로 유입되는 외국인은 (고학력 전문직, 저임금 노동력)이 대부분이다.

(3) 외국인의 국적별 비중에서 가장 높은 비중을 차지하고 있는 국가는 (미국, 중국)이다.

(4) 촌락과 도시 중 인구 대비 국제결혼 비중은 (촌락, 도시)이/가 높고, 국제결혼 건수는 (촌락, 도시)이/가 많다.

02 빈칸에 들어갈 알맞은 말을 쓰시오.

(1) 외국인의 취업 비중이 높은 □□ 업종은 더럽고(Dirty), 힘들고(Difficult), 위험한 (Dangerous) 직종을 말한다.

(2) □□□ 가정은 다른 국적, 인종, 문화를 가진 가족 구성원이 포함된 가정을 말한다.

(3) □□□ □□□은/는 문화 개방성, 국민 정체성, 고정 관념 및 차별, 세계 시민 행동 등의 여덟 가지 지표와 구성 요소별 측정값을 종합하여 산출한 지표를 말한다.

(4) 문화의 다양성을 인정하고 각 문화의 독특한 환경과 역사적·사회적 상황에서 문화를 이해해야 한다는 견해를 □□ □□□□(이)라고 한다.

03 그래프는 국내 체류 외국인 현황을 나타낸 것이다. 이를 보고 물음에 답하시오.

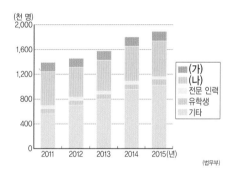

(1) (가), (나)는 결혼 이민자와 단순 기능 인력 중 무엇에 해당하는지 쓰시오.

(가): (   ), (나): (   )

(2) (나)가 가장 많이 취업해 있는 업종을 쓰시오. (   )

(3) 촌락을 중심으로 (가)의 유입이 활발하게 이루어지고 있는 이유를 쓰시오.

(   )

B 지속 가능한 다문화 사회를 위한 노력

04 다문화 사회의 긍정적 영향과 부정적 영향의 사례를 찾아 바르게 연결하시오.

(1) 긍정적 영향 •　　　• ㉠ 다양한 문화적 자산 공유 및 초국가적 네트워크 형성

　　　　　　　　　• ㉡ 다문화 가정 자녀의 정체성 혼란

(2) 부정적 영향 •　　　• ㉢ 저임금 노동력의 유입 증가로 인한 경제 성장

　　　　　　　　　• ㉣ 외국인 근로자와 국내 근로자 간의 일자리 경쟁

A 외국인 근로자의 유입과 다문화 가정의 증가

01 그래프는 국내 체류 외국인 현황을 나타낸 것이다. (가)~(다)에 해당하는 유형을 바르게 연결한 것은?

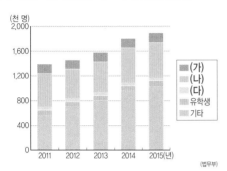

(법무부)

	(가)	(나)	(다)
①	전문 인력	결혼 이민자	단순 기능 인력
②	전문 인력	단순 기능 인력	결혼 이민자
③	결혼 이민자	전문 인력	단순 기능 인력
④	결혼 이민자	단순 기능 인력	전문 인력
⑤	단순 기능 인력	결혼 이민자	전문 인력

02 다음은 학생이 필기한 내용의 일부이다. (가)에 들어갈 내용을 〈보기〉에서 고른 것은?

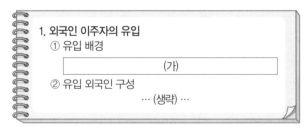

1. 외국인 이주자의 유입
   ① 유입 배경

   (가)

   ② 유입 외국인 구성
   … (생략) …

보기
ㄱ. 민족주의와 인종주의의 심화
ㄴ. 농촌에서 결혼 적령기 인구의 성비 불균형 현상 완화
ㄷ. 3D 업종에 대한 기피 현상 심화로 인한 노동력 부족
ㄹ. 다국적 기업의 국내 진출 및 국내 기업의 해외 진출 활성화

① ㄱ, ㄴ   ② ㄱ, ㄷ   ③ ㄴ, ㄷ
④ ㄴ, ㄹ   ⑤ ㄷ, ㄹ

03 그래프는 산업별 외국인 근로자 수를 나타낸 것이다. (가)~(다)에 해당하는 산업을 〈보기〉에서 골라 바르게 연결한 것은?

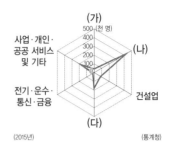

(2015년)   (통계청)

보기
ㄱ. 농림어업   ㄴ. 광업·제조업
ㄷ. 도소매 및 숙박·음식점업

	(가)	(나)	(다)
①	ㄱ	ㄴ	ㄷ
②	ㄱ	ㄷ	ㄴ
③	ㄴ	ㄱ	ㄷ
④	ㄴ	ㄷ	ㄱ
⑤	ㄷ	ㄴ	ㄱ

04 지도는 어떤 인구 관련 지표의 지역별 분포를 나타낸 것이다. 지도 표현의 기준이 된 항목으로 옳은 것은?

(통계청, 2015)

① 노령화 지수
② 노년층 인구 비중
③ 유소년층 인구 비중
④ 지역 내 인구 대비 외국인 비중
⑤ 지역 내 인구 대비 국제결혼 비중

[05-06] 그래프는 우리나라의 시·도별 국제결혼 건수를 나타낸 것이다. 이를 보고 물음에 답하시오.

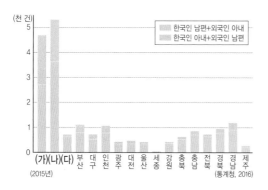

05 그래프의 (가)~(다) 지역을 바르게 연결한 것은?

	(가)	(나)	(다)
①	경기	서울	전남
②	경기	전남	서울
③	서울	경기	전남
④	서울	전남	경기
⑤	전남	경기	서울

06 그래프에 대한 옳은 분석을 〈보기〉에서 고른 것은?

보기
ㄱ. 국제결혼 건수가 가장 많은 지역은 수도권에 속한다.
ㄴ. 국제결혼 건수가 가장 적은 지역은 도(道) 지역에 해당한다.
ㄷ. 한국인 남편과 외국인 아내가 결혼한 건수는 한국인 아내와 외국인 남편이 결혼한 건수보다 많다.
ㄹ. 서울은 전남보다 전체 국제결혼 건수 대비 한국인 남편과 외국인 아내가 결혼한 건수의 비중이 높다.

① ㄱ, ㄴ   ② ㄱ, ㄷ   ③ ㄴ, ㄷ
④ ㄴ, ㄹ   ⑤ ㄷ, ㄹ

B 지속 가능한 다문화 사회를 위한 노력

07 다음 글의 (가) 지역을 지도의 A~E에서 고른 것은?

(가) 은/는 전국의 시·군·구 중에서 외국인 근로자가 가장 많이 거주하는 지역이다. 이곳의 '국경 없는 마을'은 약 50여 개 국가 출신의 외국인을 만날 수 있는 우리나라의 대표적인 다문화 공간이다.

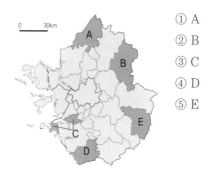

① A
② B
③ C
④ D
⑤ E

서술형 문제

08 다음 글의 (가)에 들어갈 내용을 쓰고, (가)의 긍정적인 영향과 부정적인 영향을 각각 한 가지씩만 서술하시오.

(가) 은/는 한 국가나 한 사회 속에 다른 인종·민족·계급 등 여러 집단이 지닌 문화가 함께 존재하는 사회를 말한다.

01 지도는 어떤 인구 관련 지표의 지역별 분포를 나타낸 것이다. (가), (나)에 해당하는 지표로 옳은 것은?

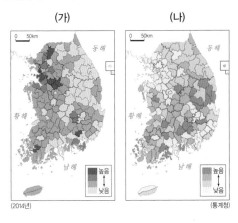

(가)　　　　(나)

(2014년)　　　　(통계청)

	(가)	(나)
①	성비	국제 결혼율
②	노령화 지수	유소년 부양비
③	국제 결혼율	등록 외국인 비율
④	유소년 부양비	성비
⑤	등록 외국인 비율	노령화 지수

02 표는 국제결혼 이민자의 지역별 현황을 나타낸 것이다. 이에 대한 옳은 설명을 〈보기〉에서 고른 것은?

구분	한국의 (가)		한국의 (나)	
	국제 결혼 건수	국제결혼 비중(%)	국제 결혼 건수	국제결혼 비중(%)
동부(洞部)	10,762	4.3	5,230	2.1
읍부(邑部)	1,527	5.8	387	1.6
면부(面部)	2,007	8.9	303	1.6

(2015년)　　　　(통계청)

보기
ㄱ. (가)는 여성, (나)는 남성이다.
ㄴ. 도시는 촌락보다 국제결혼 건수가 많다.
ㄷ. 촌락은 도시보다 국제결혼 비중이 높다.
ㄹ. 촌락은 도시보다 결혼 이민자의 성비가 높다.

① ㄱ, ㄴ　　② ㄱ, ㄷ　　③ ㄴ, ㄷ
④ ㄴ, ㄹ　　⑤ ㄷ, ㄹ

03 지도는 (가), (나) 인구 지표의 상위와 하위 5개 지역을 각각 나타낸 것이다. 이에 대한 설명으로 옳은 것은? (단, (가), (나)는 노년 부양비, 유소년 부양비 중 하나임.)

(가)　　　　　　(나)

(2010년)　　　　(통계청)

① (가)는 유소년 부양비, (나)는 노년 부양비이다.
② A는 B보다 3차 산업 종사자 비율이 높다.
③ B는 D보다 외국인 근로자 수가 많다.
④ C는 A보다 중위 연령이 높다.
⑤ D는 C보다 청장년층 인구 비중이 높다.

04 지도는 어떤 인구 관련 지표의 지역별 분포를 나타낸 것이다. 지도 표현의 기준이 된 항목으로 옳은 것은?

(2015년)　　　　(행정자치부)

① 총인구
② 외국인 수
③ 국제결혼 건수
④ 유소년층 인구 비중
⑤ 외국인 중 결혼 이민자 비중

05 다음 그래프의 (가)~(다) 국가를 바르게 연결한 것은?

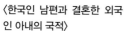

〈한국인 남편과 결혼한 외국인 아내의 국적〉

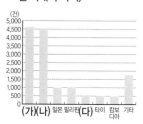

〈한국인 아내와 결혼한 외국인 남편의 국적〉

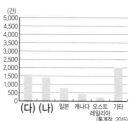

(통계청, 2015)

	(가)	(나)	(다)
①	미국	중국	베트남
②	중국	미국	베트남
③	중국	베트남	미국
④	베트남	미국	중국
⑤	베트남	중국	미국

06 그래프는 (가), (나)의 남녀 인구를 나타낸 것이다. 이에 대한 옳은 설명을 〈보기〉에서 고른 것은? (단, (가), (나)는 결혼 이민자, 외국인 근로자 중 하나이고, A, B는 남성, 여성 중 하나임.)

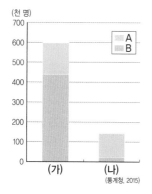

(통계청, 2015)

보기
ㄱ. (가)는 개발 도상국 출신이 대부분이다.
ㄴ. 인구 대비 (나)의 비중은 촌락보다 도시에서 높다.
ㄷ. (가)는 (나)보다 성비가 높다.
ㄹ. (가)는 결혼 이민자, (나)는 외국인 근로자이다.

① ㄱ, ㄴ　　　② ㄱ, ㄷ　　　③ ㄴ, ㄷ
④ ㄴ, ㄹ　　　⑤ ㄷ, ㄹ

07 그래프는 경상남도의 외국인 인구 구조를 나타낸 것이다. 이에 대한 옳은 분석을 〈보기〉에서 고른 것은?

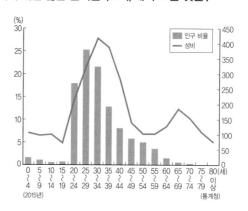

(2015년)　　　　　　　　　　　　　(통계청)

보기
ㄱ. 외국인의 총 부양비는 50을 넘는다.
ㄴ. 외국인의 노령화 지수는 100 미만이다.
ㄷ. 외국인은 내국인보다 중위 연령이 낮다.
ㄹ. 청장년층 외국인은 남성보다 여성이 많다.

① ㄱ, ㄴ　　　② ㄱ, ㄷ　　　③ ㄴ, ㄷ
④ ㄴ, ㄹ　　　⑤ ㄷ, ㄹ

08 밑줄 친 ⊙에 해당하는 내용으로 적절하지 <u>않은</u> 것은?

우리나라는 많은 외국인이 유입되면서 다문화 사회로 변화하고 있다. 최근에는 이러한 변화 경향에 맞추어 ⊙지속 가능한 다문화 사회를 만들기 위한 다양한 노력이 이루어지고 있다.

① 지방 정부의 다문화 공간 조성
② 정부의 다문화 가족 지원법 제정
③ 민족주의 의식을 높이는 교육 확대
④ 외국인 이주자들의 자율 방범대 조직
⑤ 시민 단체의 다문화 가정 자녀를 위한 교육 지원

01
인구 분포와 인구 문제

A 인구 성장과 인구 분포 및 인구 이동

(1) 우리나라의 인구 성장

조선 시대 이전	사망률이 높음
일제 강점기	사망률이 낮아지고, 인구 부양력이 높아짐
광복~ 1960년대 초	• 해외 동포의 귀국과 북한 주민의 월남으로 인구 증가 • 출산 붐(Baby Boom) 현상이 나타남
1960년대 중반 ~1980년대	• 출산율을 낮추기 위한 가족계획이 추진됨 • 합계 출산율이 빠르게 낮아지기 시작함
1990년대 이후	합계 출산율이 매우 낮은 상황에 이르면서 저출산·고령화 문제가 나타남

(2) 우리나라의 인구 분포

자연적 요인	• 기후가 온화한 남서부 평야 지대에 인구 밀집 • 북동부 산간 지대는 인구가 희박함
사회·경제적 요인	수도권을 비롯한 대도시, 남동 임해 지역에 인구 밀집

(3) 우리나라의 인구 이동

일제 강점기	광공업이 발달한 북부 지방으로 인구 이동, 일본·중국·러시아 등 해외로 이주함
광복 이후	해외 동포들이 귀국하여 고향이나 도시로 이동함
1960년대 이후	산업화로 인해 이촌 향도 현상이 활발함
1990년대 이후	수도권과 대도시로 인구 집중, 교외화 현상 발생

B 인구 구조의 변화

연령별 인구 구조	• 출생률의 감소로 유소년층 인구 비중 감소 • 사망률이 낮아지면서 노년층 인구 비중 증가
성별 인구 구조	• 성비로 나타낼 수 있음 • 남초 지역: 중화학 공업이 발달한 도시, 군사 분계선 부근의 군사 도시 • 여초 지역: 대도시, 관광 도시 등 서비스업이 발달한 지역

C 인구 문제와 공간의 변화

(1) 저출산 현상

과정	• 1960~1980년대: 인구의 급속한 성장으로 강력한 출산 억제 정책 실시 • 2000년대: 출생률이 낮은 상태가 지속되면서 출산 장려 정책 실시
원인	여성의 사회 진출 확대, 미혼 인구의 증가, 초혼 연령의 상승, 결혼과 가족에 대한 가치관 변화, 자녀 보육비 및 사교육비 부담 증가 등

(2) 고령화 현상

현상	노년층 인구 비중이 빠르게 증가하고 중위 연령이 높아짐
원인	사망률 감소, 기대 수명 증가
문제점	• 연금, 의료, 복지 부문에서 사회적 비용을 증가시켜 국가 재정에 부담을 줌 • 노동력 부족과 노동 생산성 저하를 유발하여 지속 가능한 발전을 저해함

(3) 저출산·고령화에 따른 공간의 변화: 보건·의료 시설, 소비 및 문화 시설 등이 갖추어진 대도시에 인구가 집중하는 현상이 심화됨, 고령 친화 산업이 늘어나고 있음

D 인구 문제의 해결을 위한 노력

(1) 저출산 문제의 해결을 위한 노력

가정과 직장 생활을 병행할 수 있는 환경	여성의 출산 휴가 및 육아 휴직과 남성의 육아 휴직 보장, 직장 내 보육 시설 활성화 등
결혼 장려 정책	신혼부부의 주택 마련 지원 방안 등
사회 변화와 지원 노력	양성평등 문화 확립, 가족 친화적 사회 분위기 조성, 출산과 양육에 대한 가치관의 변화

(2) 고령화 사회에 대비하기 위한 노력

노인의 경제 활동 참여율 증가	정년 연장, 재취업 기회 확대, 임금 피크제 도입 등
안정적인 노후 생활	지속 가능한 연금 제도의 정착, 노인 복지 정책 및 편의 시설 확대, 실버산업 육성 등

02
외국인 이주와 다문화 공간

기억나는
키워드나 핵심 적어보기

A 외국인 근로자의 유입과 다문화 가정의 증가

(1) 외국인 이주자의 유입 배경: 3D 업종에 대한 기피 현상 심화로 인한 노동력 부족, 다국적 기업의 국내 진출 및 국내 기업의 해외 진출 활성화

(2) 유입 외국인의 구성

출신 지역	중국과 동남아시아 국가의 출신 비중이 높음
체류 유형	• 외국인 근로자의 비중이 높음 • 국제결혼에 의한 이민자도 증가 추세에 있음
지역 분포	경기도는 산업 단지가 많고 서울은 서비스업이 발달하여 외국인 근로자가 필요한 일자리가 풍부하기 때문에 수도권에 많이 분포함
취업 업종	제조업과 서비스업에 주로 종사함

(3) 국제결혼에 따른 다문화 가정의 증가

국제결혼 증가 배경	• 농촌에서 결혼 적령기 인구의 성비 불균형 현상이 심화됨 • 국내 거주 외국인이 증가하면서 외국인에 대한 거부감이 감소하고 결혼에 대한 가치관이 변화함
국제결혼 분포 특징	• 인구 대비 국제결혼 비중은 촌락이 도시보다 높음 • 국제결혼 건수는 도시가 촌락보다 많음

B 지속 가능한 다문화 사회를 위한 노력

(1) 다문화 사회의 영향

긍정적 영향	• 저렴한 노동력 유입으로 인한 경제 성장 • 다양한 문화적 자산 공유 및 초국가적 네트워크 형성
부정적 영향	• 외국인 근로자와 국내 근로자 간의 일자리 경쟁 • 민족주의와 인종주의에 따른 사회적 편견과 차별 • 다문화 가정 자녀의 정체성 혼란과 사회 부적응

(2) 다문화 사회를 위한 발전 노력

다문화주의와 문화 상대주의 관점	외국인의 문화적 다양성을 존중하며, 배려와 이해를 통해 사회 구성원으로 수용하려는 의식
정책적 지원	전문 기능 인력의 유입 추진, 다문화 가정을 지원하는 사회적 통합 시스템 구축

자,
핵심 키워드도 모았겠다!
문제 풀러 가자!!!

01 그래프는 두 시기의 인구 구조를 나타낸 것이다. (가), (나) 시기의 인구 특징에 대한 옳은 설명을 〈보기〉에서 고른 것은? (단, (가), (나) 시기는 1960년, 2015년 중 하나임.)

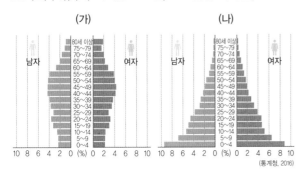

(통계청, 2016)

> 보기
> ㄱ. (가)는 (나)보다 중위 연령이 높다.
> ㄴ. (가)는 (나)보다 합계 출산율이 높다.
> ㄷ. (나)는 (가)보다 유소년 부양비가 높다.
> ㄹ. (가)는 1960년, (나)는 2015년이다.

① ㄱ, ㄴ   ② ㄱ, ㄷ   ③ ㄴ, ㄷ
④ ㄴ, ㄹ   ⑤ ㄷ, ㄹ

02 그래프는 두 지역의 인구 구조를 나타낸 것이다. (가) 지역과 비교한 (나) 지역의 상대적 특징을 그림의 A~E에서 고른 것은?

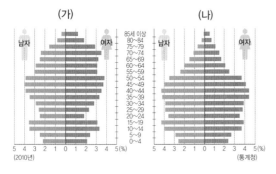

(2010년)   (통계청)

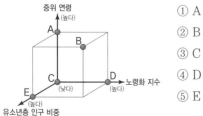

① A
② B
③ C
④ D
⑤ E

[03-04] 그래프는 시·도별 인구 부양비를 나타낸 것이다. 이를 보고 물음에 답하시오. (단, (가), (나)는 총 부양비, 노년 부양비 중 하나임.)

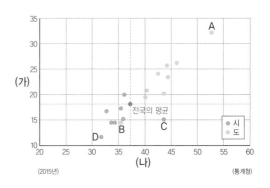

(2015년)   (통계청)

03 A~D 지역을 바르게 연결한 것은?

	A	B	C	D
①	전남	경기	세종	울산
②	전남	경남	울산	세종
③	전북	전남	세종	서울
④	제주	경기	서울	울산
⑤	제주	경남	서울	세종

04 A~D 지역에 대한 옳은 설명을 〈보기〉에서 고른 것은?

> 보기
> ㄱ. A는 B보다 청장년층 인구의 비중이 높다.
> ㄴ. B는 C보다 노령화 지수가 높다.
> ㄷ. C는 D보다 유소년 부양비가 높다.
> ㄹ. D는 A보다 중위 연령이 높다.

① ㄱ, ㄴ   ② ㄱ, ㄷ   ③ ㄴ, ㄷ
④ ㄴ, ㄹ   ⑤ ㄷ, ㄹ

05 지도는 두 인구 지표의 상위 10개 지역을 나타낸 것이다. (가), (나) 인구 지표로 옳은 것은?

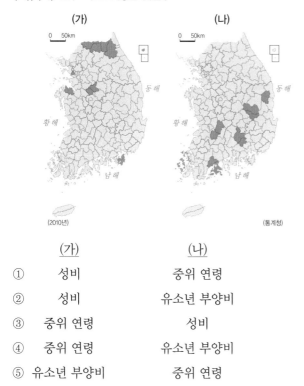

(2010년)　　　　　　　　　(통계청)

	(가)	(나)
①	성비	중위 연령
②	성비	유소년 부양비
③	중위 연령	성비
④	중위 연령	유소년 부양비
⑤	유소년 부양비	중위 연령

06 지도는 어느 인구 지표의 분포를 나타낸 것이다. 이 인구 지표의 계산식으로 옳은 것은?

(2015년)　　　　　　　　　(통계청)

① 유소년 부양비 + 노년 부양비
② (남자의 수 ÷ 여자의 수) × 100
③ (노년층 인구 ÷ 총인구) × 100
④ (유소년층 인구 ÷ 총인구) × 100
⑤ (유소년층 인구 ÷ 청장년층 인구) × 100

[07-08] 그래프는 우리나라의 부양비 변화를 나타낸 것이다. 이를 보고 물음에 답하시오.

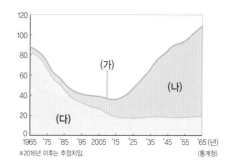

※2016년 이후는 추정치임.　　　　　　　(통계청)

07 (가)～(다)에 해당하는 지표를 바르게 연결한 것은?

	(가)	(나)	(다)
①	총 부양비	노년 부양비	유소년 부양비
②	총 부양비	유소년 부양비	노년 부양비
③	노년 부양비	총 부양비	유소년 부양비
④	노년 부양비	유소년 부양비	총 부양비
⑤	유소년 부양비	노년 부양비	총 부양비

08 그래프에 대한 옳은 분석을 〈보기〉에서 고른 것은?

〈보기〉
ㄱ. 2015년에 노령화 지수는 100 미만이다.
ㄴ. 2015년은 1985년보다 합계 출산율이 높다.
ㄷ. 2065년은 2015년보다 중위 연령이 높을 것이다.
ㄹ. 1965년은 2015년보다 청장년층 인구 비중이 높다.

① ㄱ, ㄴ　　② ㄱ, ㄷ　　③ ㄴ, ㄷ
④ ㄴ, ㄹ　　⑤ ㄷ, ㄹ

09 그래프는 우리나라의 초혼 연령 변화를 나타낸 것이다. 이러한 변화로 인해 나타난 현상으로 적절한 것을 〈보기〉에서 고른 것은?

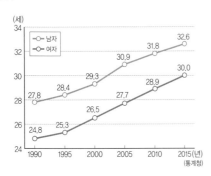

〈보기〉
ㄱ. 사망률이 상승하였다.
ㄴ. 합계 출산율이 하락하였다.
ㄷ. 노년층 인구 비중이 높아졌다.
ㄹ. 출산 억제 정책의 필요성이 커졌다.

① ㄱ, ㄴ   ② ㄱ, ㄷ   ③ ㄴ, ㄷ
④ ㄴ, ㄹ   ⑤ ㄷ, ㄹ

11 다음 자료를 분석한 내용으로 옳은 것은? (단, A, B는 결혼 이민자, 외국인 근로자 중 하나임.)

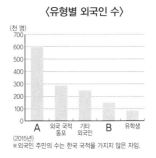

① (가)는 우리나라보다 평균 임금 수준이 높다.
② (나)는 아시아에 위치한 개발 도상국이다.
③ B는 주로 선진국에서 유입되었다.
④ A는 B보다 성비가 높다.
⑤ A는 B보다 평균 체류 기간이 길다.

10 (가), (나) 지도 표현의 기준이 된 항목으로 옳은 것은?

	(가)	(나)
①	등록 외국인 수	결혼 이민자 비중
②	등록 외국인 수	유소년층 인구 비중
③	결혼 이민자 비중	등록 외국인 수
④	결혼 이민자 비중	유소년층 인구 비중
⑤	유소년층 인구 비중	결혼 이민자 비중

12 다음은 학생이 수업 시간에 필기한 내용의 일부이다. 밑줄 친 ㉠~㉢ 중에서 내용이 옳은 것은?

■ 국제결혼에 따른 다문화 가정의 증가
① 국제결혼의 증가 배경
• ㉠농촌에서 결혼 적령기 인구의 성비 불균형이 심화됨
• 국내 거주 외국인 증가, 외국인에 대한 거부감 감소, 결혼에 대한 가치관 변화 등으로 인해 ㉡다문화 가정이 증가하고 있음
② 국제결혼의 분포 특징
• ㉢인구 대비 국제결혼 비중은 도시가 촌락보다 높음
• ㉣국제결혼 건수는 촌락이 도시보다 많음

① ㉠, ㉡   ② ㉠, ㉢   ③ ㉡, ㉢
④ ㉡, ㉣   ⑤ ㉢, ㉣

13 지도는 우리나라의 시기별 인구 이동을 나타낸 것이다. 이를 보고 물음에 답하시오.

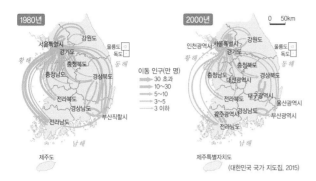

(대한민국 국가 지도집, 2015)

(1) 지도에 나타난 것과 같이 촌락을 떠나 도시로 향하는 인구 이동을 나타내는 용어를 쓰시오.

(   )

(2) 지도와 같은 인구 이동으로 인해 나타나게 된 문제점을 한 가지만 서술하시오.

14 그래프는 우리나라의 인구 변화를 나타낸 것이다. 이를 보고 물음에 답하시오.

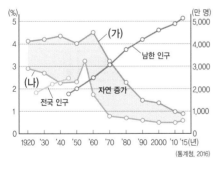

(통계청, 2016)

(1) (가), (나)는 출생률과 사망률 중 무엇에 해당하는지 쓰시오.

(가): (   ), (나): (   )

(2) 1960~1980년대에 (가)가 급격하게 하락한 이유를 한 가지만 서술하시오.

15 그래프는 지역별 중위 연령 변화를 나타낸 것이다. 이를 보고 물음에 답하시오.

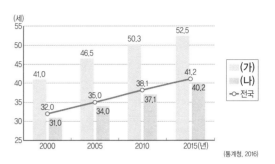

(통계청, 2016)

(1) (가), (나)는 동부(洞部)와 면부(面部) 중 어디에 해당하는지 쓰시오.

(가): (   ), (나): (   )

(2) 2000년 이후 중위 연령이 꾸준히 상승하는 이유를 한 가지만 서술하시오.

16 그래프는 우리나라의 출생아 수 및 합계 출산율 변화를 나타낸 것이다. 이를 보고 물음에 답하시오.

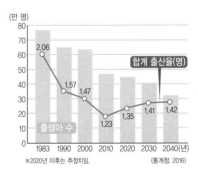

※2020년 이후는 추정치임.   (통계청, 2016)

(1) 그래프와 같은 현상이 심화될 경우 나타날 것으로 예상되는 인구 문제를 쓰시오.

(   )

(2) (1)에서 답한 인구 문제의 해결 방안을 두 가지만 서술하시오.

VII

우리나라의 지역 이해

배울 내용 한눈에 보기

01 지역의 의미와 지역 구분·북한 지역의 특성과 통일 국토의 미래

지역·북한
- 지역의 유형 → 동질 지역, 기능 지역, 점이 지대
- 전통적인 지역 구분 → 관북, 관서, 관동, 해서, 경기, 호서, 호남, 영남
- 북한의 자연환경 → 높은 산지, 대륙성 기후
- 북한의 인문 환경 → 풍부한 자원, 중공업 위주
- 북한의 개방 지역 → 나선, 신의주, 개성, 금강산

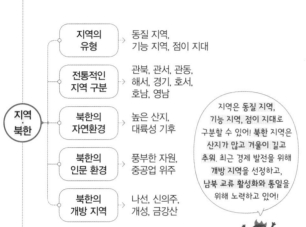
지역은 동질 지역, 기능 지역, 점이 지대로 구분할 수 있어! 북한 지역은 산지가 많고 겨울이 길고 추워. 최근 경제 발전을 위해 개방 지역을 선정하고, 남북 교류 활성화와 통일을 위해 노력하고 있어!

02 인구와 기능이 집중된 수도권

수도권
- 지역 구분 → 서울, 인천, 경기도
- 지역 특징 → 인구와 산업의 집중
- 지역 변화 → 기능의 지방 분산

경제·정치·문화의 중심지인 수도권은 인구와 기능의 과도한 집중에 따른 문제를 해결하기 위해 공간 구조의 변화를 모색하고 있어!

03 동서의 차이가 뚜렷한 강원 지방과 빠르게 성장하는 충청 지방

강원·충청
- 지역 구분 → 강원: 영동·영서 / 충청: 대전, 충청, 세종
- 지역 특징 → 강원: 태백산맥, 동해안 / 충청: 교통 발달
- 지역 변화 → 강원: 관광, 신소재 산업 발달 / 충청: 산업 구조 고도화

강원 지방은 영동 지방과 영서 지방으로 구분되고, 관광 산업이 발달해 있어! 충청 지방은 수도권과의 접근성과 편리한 교통을 바탕으로 성장하고 있어.

04 다양한 산업이 발전하는 호남 지방과 공업과 함께 발달한 영남 지방

호남·영남
- 지역 구분 → 호남: 광주, 전라도 / 영남: 부산, 울산, 대구, 경상도
- 지역 특징 → 호남: 간척 사업, 농업 발달 / 영남: 공업 발달
- 지역 변화 → 호남: 지속 가능한 관광 / 영남: 생태·문화 도시 조성

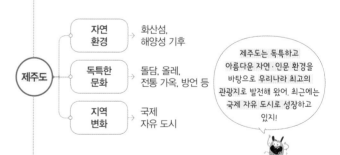
호남 지방은 자연환경을 바탕으로 농·어업 및 관광 산업이 발달하고 있어. 중화학 공업이 발달한 영남 지방은 다양한 특성을 지닌 도시들이 성장해 왔어.

05 세계적인 관광지로 발전하는 제주도

제주도
- 자연 환경 → 화산섬, 해양성 기후
- 독특한 문화 → 돌담, 올레, 전통 가옥, 방언 등
- 지역 변화 → 국제 자유 도시

제주도는 독특하고 아름다운 자연·인문 환경을 바탕으로 우리나라 최고의 관광지로 발전해 왔어. 최근에는 국제 자유 도시로 성장하고 있지!

01 ~ 지역의 의미와 지역 구분·북한 지역의 특성과 통일 국토의 미래

핵심 질문으로 흐름잡기

A 지역의 의미와 지역 구분의 기준은?

B 북한의 자연환경 및 인문 환경은?

❶ 지역성
지역의 자연적·문화적 특성이 오랜 기간 동안 상호 작용하여 형성된 그 지역만의 독특한 성격을 뜻한다.

A 지역의 의미와 유형 및 지역 구분

| 시·험·단·서 | 동질 지역과 기능 지역, 점이 지대의 의미와 각 지역의 사례를 묻는 문제가 자주 출제돼!

1. 지역의 의미와 지역성
(1) **의미**: 다른 곳과 지리적 특성이 구분되는 공간적 범위
(2) **지역성❶**: 다른 지역과 구별되는 그 지역의 고유한 특성 → 시간의 흐름, 교통·통신의 발달, 사람 및 물자의 이동 등에 따라 지역성이 변화함

2. 지역의 유형 자료1
(1) **동질 지역**: 특정한 지리적 현상이 동일하게 분포하는 공간적 범위, 기후 지역·농업 지역·문화 지역 등이 해당됨
 ┌ 중심지와 그 기능의 영향을 받는 주변 지역으로 구성돼
(2) **기능 지역**: 하나의 중심지와 그 영향을 받는 공간적 범위, 상권·통근권·통학권·도시 세력권 등이 해당됨 └ 예를 들면 주택 지역과 상업 지역 사이의 경계에는 주택과 상점이 혼재하는 지역이 존재해
(3) **점이 지대❷**: 인접한 두 지역의 지리적 특성이 혼재되어 나타나는 지역, 경계가 불분명하며 인접한 두 지역의 특성이 뒤섞여 있는 지역이 해당됨

3. 지역 구분
(1) **지역 구분의 필요성**: 각 지역 간의 차이점과 지역성을 파악하기 용이해짐, 지역 문제의 원인 분석이나 해결 방안 모색에 도움을 줌 └ 고개, 산줄기, 대하천 등을 기준으로 구분하기도 해
(2) **다양한 지역 구분 기준**: 지형지물이나 시설물, 행정 구역, 농업의 특성, 언어나 가옥 구조, 도시 영향력이 미치는 범위, 재화의 유통 범위 등
(3) **우리나라의 지역 구분** 자료2
 ① **대지역 구분**: 북부 지방(북한 지역), 중부 지방(수도권, 강원권, 충청권), 남부 지방(영남권, 호남권, 제주권)
 ② **전통적인 지역 구분**

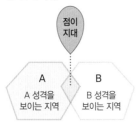

❷ 점이 지대

점이 지대

A
A 성격을 보이는 지역

B
B 성격을 보이는 지역

구분	전통 행정 구역	구분 경계	주요 도시
관북 지방	함경도	철령관의 북쪽	함흥, 경성
관서 지방	평안도	철령관의 서쪽	평양, 안주
관동 지방❸	강원도	철령관의 동쪽	강릉, 원주
해서 지방	황해도	서울을 기준으로 바다(경기만) 건너에 위치	황주, 해주
경기 지방	경기도	왕도인 서울을 둘러싸고 있는 지역	서울
호서 지방	충청도	제천 의림지 서쪽 또는 금강(호강) 서쪽	충주, 청주
호남 지방	전라도	김제 벽골제의 남쪽 또는 금강(호강) 남쪽	전주, 나주
영남 지방	경상도	조령(문경 새재)의 남쪽	경주, 상주

 ③ **정치·행정 기준에 따른 지역 구분**: 조선 시대 → 8도로 구분, 오늘날 → 특별시, 광역시, 특별자치시, 도(道), 특별자치도로 구분

❸ 관동 지방
현재의 강원도가 해당된다. 강원도는 대관령을 기준으로 대관령 서쪽의 영서 지방과 대관령 동쪽의 영동 지방으로 다시 구분된다.

내용 이해를 돕는 팁

자료1 **동질 지역과 기능 지역** 관련 문제 ▶ 238쪽 01·02번, 240쪽 02번

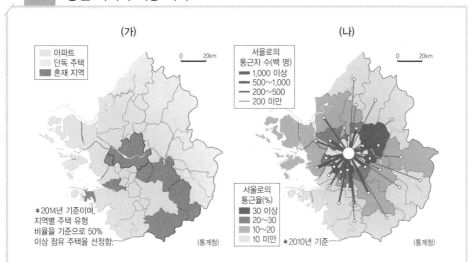

(가)
- 아파트
- 단독 주택
- 혼재 지역

0 ~ 20km

*2014년 기준이며, 지역별 주택 유형 비율을 기준으로 50% 이상 점유 주택을 선정함. (통계청)

(나)
서울로의 통근자 수(백 명)
- 1,000 이상
- 500~1,000
- 200~500
- 200 미만

서울로의 통근율(%)
- 30 이상
- 20~30
- 10~20
- 10 미만

*2010년 기준 (통계청)

자료·분석 (가)는 수도권의 주택 유형을 나타낸 것으로, 동일한 주택 유형이 나타나는 지역을 같은 범위로 묶은 동질 지역에 해당한다. (나)는 서울의 통근권을 나타낸 것으로, 서울의 기능이 경기도나 인천 지역에 미치는 영향력을 통근자 수나 통근율 분포를 통해 표현한 자료로 기능 지역에 해당한다. 기능 지역을 지도로 표현할 때에는 중심지의 영향력이 미치는 범위를 선으로 연결하는 유선도를 주로 사용한다.

한·줄·핵·심 동일한 지리적 특성이 나타나는 지역 범위는 동질 지역, 중심지의 영향력이 미치는 범위는 기능 지역이다.

자료2 **우리나라의 지역 구분** 관련 문제 ▶ 238쪽 03번, 240쪽 01번

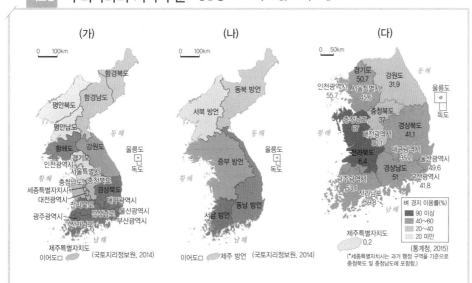

(가) 행정 구역에 따른 구분. (나) 언어(방언) 기준. (다) 벼 경지 이용률 기준.

자료·분석 지역을 구분하는 기준은 다양하다. (가)는 행정 구역에 따라 지역을 구분한 것이며, (나)는 언어(방언)를 기준으로 우리나라를 구분한 것이다. (다)는 벼 경지 이용률을 기준으로 지역을 구분한 것이다. 이외에도 기후, 토지 이용 등 다양한 지표를 기준으로 지역을 구분할 수 있다.

한·줄·핵·심 지역은 기후, 문화적 특징 등 다양한 지표에 의해 구분할 수 있다.

궁금해요

Q. 기능 지역에서 중심지란 어떤 곳인가요?
A. 중심지란 행정, 상업, 산업 등 어떤 기능을 수행하는 핵심 지역을 뜻해. 도시권에서 중심지는 주요 도시이며, 상권에서 중심지는 상업 기능을 수행하는 상점을 뜻하지.

용어 더하기

*기후 지역
기온, 강수량 등 유사한 기후적 특징이 나타나는 공간적 범위

*상권
상품이 유통되는 공간적인 범위

*철령관
철령은 함경남도 안변군과 강원도 회양군 경계에 있는 고개로, 현재의 낭림산맥에 위치해 있다. 이곳은 과거 한양과 북부 지방을 연결하는 중요한 관문이었다.

*조령
충청 지방과 영남 지방의 길목에 위치해 있는 고개로, 현재 경상북도 문경시 문경읍과 충청북도 괴산군 연풍면 사이에 위치해 있다.

*방언
공통어나 표준어와는 다른 어떤 지역의 특유한 단어로, 하나의 언어가 지역적으로 달리 변화하여 지역마다 독특한 언어적 특징을 가지게 될 때, 이를 '방언'이라고 부를 수 있다.

❹ 개마고원

개마고원은 함경도와 평안도 일대에 걸쳐 분포하며 '한반도의 지붕'이라고 불린다. 면적은 약 1만 4,300km²이고 평균 해발 고도가 1,340m에 이른다.

B 북한 지역의 특성과 통일 국토의 미래

| 시·험·단·서 | 기온의 연교차가 큰 대륙성 기후가 나타나며, 산지의 비율이 높은 북한의 자연환경과 신의주, 나선, 금강산, 개성 등 북한의 주요 개방 지역에 대한 문제가 자주 출제돼!

1. 북한의 자연환경과 인문 환경

(1) 북한의 자연환경 자료 3

① **기후:** 기온의 연교차가 큰 대륙성 기후로 남한보다 고위도에 위치하여 대륙성 기후의 특성이 더 강함, 산맥과 바다의 영향으로 동해안이 동위도의 서해안보다 겨울철 기온이 높음, 지형과 풍향의 영향으로 강수량의 지역 차가 큼

② **지형:** 남한에 비해 평균 해발 고도가 높고 산지가 많음, 개마고원❹이 있음

③ **자연환경과 관련된 주민 생활의 특색**

- 논농사보다는 밭농사 중심의 농업 발달 ── 산지가 많기 때문이야
- 관북 지방은 전(田)자형 가옥 구조 발달
  └── 추위에 대비한 폐쇄적인 가옥 구조야

(2) 북한의 인문 환경 자료 4

① **자원**

- **풍부한 지하자원:** 마그네사이트, 텅스텐, 흑연 등
- 석탄 소비량이 많고, 수력 발전 비중이 높음
  └── 높은 산지가 많아서 큰 낙차를 필요로 하는 수력 발전에 유리해

② **인구와 도시** ── 평양, 남포, 개성 등

- **낮은 인구 밀도:** 남한보다 면적은 넓지만 인구는 적음
- 남서부 평야 지역과 동해안 일대에 주요 도시 발달
  ── 원산, 함흥, 청진 등

③ **교통:** 철도 교통 분담률이 높음

④ **산업❺:** 군수 산업 중심의 중화학 공업 비중이 높음, 1·2차 산업 중심의 산업 구조 → 최근 3차 산업의 비율이 증가하고 있음

❺ 북한의 산업 구조

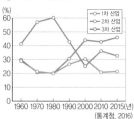

북한은 농림어업과 광공업의 비중이 높은 1·2차 산업 중심의 산업 구조가 나타났으나, 최근에는 서비스업 및 사회 간접 자본 중심의 3차 산업 비중이 증가하고 있다.

2. 북한의 개방 정책과 통일 국토의 미래

(1) 개방 정책 추진 배경: 사회주의 붕괴, 경제 침체 지속 → 1990년 이후 대외 개방 정책 추진

(2) 북한의 주요 개방 지역❻

지역	특징
나선 경제특구	중국·러시아와 인접한 북한 최초의 경제특구, 유엔 개발 계획(UNDP)의 지원
신의주 특별 행정구	중국과의 무역 통로, 홍콩식 경제 개발 추진
금강산 관광특구	· 2002년 관광특구로 지정, 관광객 유치를 통한 외화 획득 추진 · 2008년 이후 우리나라 관광객의 왕래가 중단되었음
개성 공업 지구	· 남북 경제 협력(2016년 2월 이후 협력 사업 중단) · 남한의 자본과 기술 + 북한의 노동력

(3) 남북 교류와 통일 국토

구분	특징
남북 교류 현황	· 교역 초기: 단순 상품 교역 중심 · 현재: 위탁 가공 교역, 대북 직접 투자, 물자 지원 및 사회·문화적 교류 추진
통일 국토의 미래	· 국토 면적 확대와 인구 증가를 통한 국가 경쟁력 제고 · 국토의 효율적 이용과 균형 발전의 계기 마련 · 해양과 대륙으로 진출할 수 있는 위치적 장점 회복: 동북아시아의 물류와 교통의 중심 지역으로 부상 ── 반도적 위치로서의 장점을 회복할 수 있어 · 문화적 동질성 회복

❻ 북한의 주요 개방 지역

시험에 잘 나오는
자료

자료3 북한의 자연환경 관련 문제 ▶ 239쪽 07번, 240쪽 03번

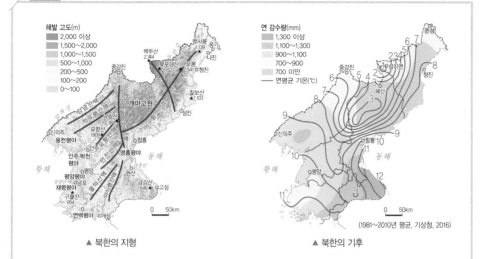

▲ 북한의 지형 ▲ 북한의 기후

자료·분석 북한은 남한에 비해 산지와 고원이 많다. 낭림산맥을 기준으로 북동쪽에는 백두산을 비롯한 높고 험준한 산지가 많고, 고도가 높고 평탄한 개마고원이 분포한다. 반면 낭림산맥의 서남쪽으로 갈수록 해발 고도가 낮아지며, 대동강, 청천강 등의 하천을 따라 서해안에 평야가 발달하였다. 북한은 전체적으로 대륙의 영향을 많이 받아 기온의 연교차가 큰 대륙성 기후가 나타난다. 그리고 지형과 바다의 영향으로 지역마다 기온과 강수량의 차이가 크다.

한·줄·핵·심 북한은 해발 고도가 높은 산지와 고원이 많으며, 기온의 연교차가 큰 대륙성 기후가 나타난다!

자료4 북한의 인문 환경 관련 문제 ▶ 238쪽 04번, 241쪽 06번

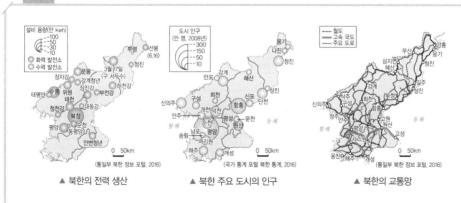

▲ 북한의 전력 생산 ▲ 북한 주요 도시의 인구 ▲ 북한의 교통망

자료·분석 • 북한은 높은 산지가 많아 수력 발전에 유리하다. 압록강, 장진강, 부전강 등지를 비롯하여 곳곳에 수력 발전소가 건설되어 있다.
• 북한은 평야가 넓게 발달한 서부 지역에 인구가 주로 집중해 있으며, 평양을 비롯한 평안도에 전체 인구의 약 40% 이상이 거주하고 있다. 북한의 주요 도시로는 서해안 주변의 평양·남포·개성·신의주, 동해안 주변에 공업이 발달한 청진, 함흥, 원산 등이 있다.
• 북한은 철도가 육상 수송의 중심이며, 도로와 해운 교통이 보조적인 역할을 한다. 서부의 평야 지역을 중심으로 교통망이 발달하였으며, 동부는 해안 지역을 따라 교통로가 분포한다.

한·줄·핵·심 북한은 서해안 주변의 평야 지역을 중심으로 도시와 인구가 분포한다!

❓ 궁금해요

Q. 북한의 동해안과 서해안의 기후 차이는 어떤가요?

A. 지형과 바다의 영향으로 동해안은 서해안보다 겨울철에 기온이 높아. 원산 등 지형의 바람받이 지역은 강수량이 많은 반면, 청진을 비롯한 관북 해안 지역은 지형과 해류의 영향으로 강수량이 적지.

용어 더하기

＊대륙성 기후
비열이 작은 육지의 영향을 받아 기온의 연교차가 큰 기후로, 해양성 기후와 대비되는 특징을 보인다.

＊관북 지방
낭림산맥 동쪽에 위치한 함경도 일대로, 해발 고도가 높은 산지가 많고 겨울이 길고 추운 기후가 나타난다.

＊군수 산업
군대에서 사용되는 각종 물품들과 무기 등을 생산하는 산업

＊경제특구
각종 기반 시설, 세금과 행정적 특혜를 제공하여 외국 자본과 기술을 적극적으로 유치하기 위해 선정한 지역

＊위탁 가공 교역
원자재와 부자재, 설비 등을 제공하고 완제품을 들여오는 교역 방식

북한의 지역 특징

개념풀 Guide 북한의 자연환경과 인문 환경의 특징을 남한과 비교하여 알아보자.

1. 북한의 겨울, 여름 등온선도

(가)

(나)

＊1973~1994년 평년값임.
＊＊(가)의 등치선은 2℃ 간격, (나)의 등치선은 1℃ 간격임.

(기상청)

분석 우리나라는 대륙성 기후로, 겨울철이 여름철보다 기온의 지역 차가 더 크다. (가)는 등치선 간격이 2℃이고, (나)의 등치선 간격은 1℃이므로 (가)가 (나)에 비해 기온의 지역 차가 더 크다는 것을 알 수 있다. 따라서 (가)는 1월(겨울철), (나)는 8월(여름철)에 해당한다.

2. 북한의 주요 도시   관련 문제 ▶ 241쪽 05번, 07번

분석 북한은 서해안의 평야 지역과 동해안을 중심으로 도시가 발달해 있다. A는 신의주, B는 남포, C는 나선, D는 원산이다. 남포는 서해 갑문이 설치되어 있으며, 신의주, 나선, 원산은 개방 지역이다.

3. 북한의 발전 설비 용량   관련 문제 ▶ 238쪽 04번

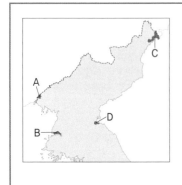

(에너지경제연구원, 2012)

분석 북한은 해발 고도가 높은 내륙의 산지 지역을 중심으로 수력 (나) 발전소가 분포한다. 남한과 달리 수력 발전 비중이 매우 높다. 북한의 전력 생산량은 수력>화력(가) 순이며, 원자력 발전은 이루어지지 않는다.

4. 북한의 1차 에너지 소비 구조 변화

(통계청)

분석 북한은 석탄(A)과 수력(B) 소비량이 상대적으로 많은 반면, 석유(C) 소비 비중이 낮다. 이에 비해서 남한은 석유의 소비 비중이 월등히 높다.

5. 남한과 북한의 발전량 비중 비교

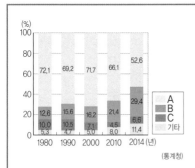

(2016년)   (통계청)

분석 남한은 화력(가) 중심의 전력 생산이 이루어지고 있으며, 북한은 남한에 비해 화력 발전의 비중이 낮고 수력(나) 중심의 전력 생산이 이루어지고 있다.

이것만은 꼭!

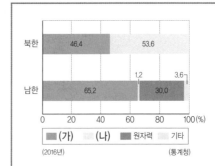

지역	발전량	1차 에너지 소비 구조
북한	수력 > 화력 (원자력 에너지 생산 없음)	석탄 > 수력 > 석유
남한	화력 > 원자력 > 수력	석유 > 석탄 > 천연가스 > 원자력 > 수력 (신·재생 에너지 제외)

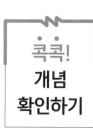
A 지역의 의미와 유형 및 지역 구분

01 지도는 지역의 유형을 나타낸 것이다. 이를 보고 알맞은 말에 ○표 하시오.

(가)   (나)

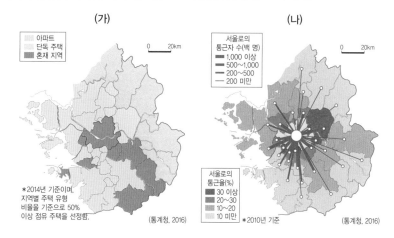

(1) (가)는 (동질 지역, 기능 지역)에 해당한다.

(2) 농업 지역, 문화권은 ((가), (나))와 같은 지역 유형에 해당한다.

(3) 점이 지대는 ((가)에만, (나)에만, (가)와 (나) 모두) 나타날 수 있다.

(4) (나)는 교통과 통신의 발달에 따라 범위가 변할 수 (있다, 없다).

B 북한 지역의 특성과 통일 국토의 미래

02 다음 자료를 보고 물음에 답하시오.

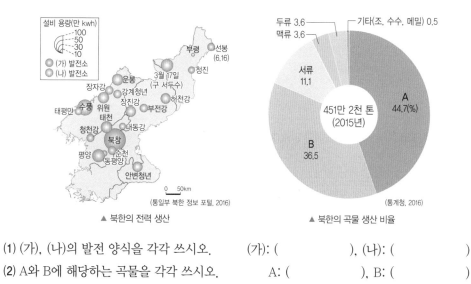

▲ 북한의 전력 생산   ▲ 북한의 곡물 생산 비율

(1) (가), (나)의 발전 양식을 각각 쓰시오.   (가): (   ), (나): (   )

(2) A와 B에 해당하는 곡물을 각각 쓰시오.   A: (   ), B: (   )

03 다음 설명에 해당하는 북한의 개방 지역을 쓰시오.

(1) 북한 최초의 경제특구이며, 유엔 개발 계획의 지원을 받고 있다.   (   )

(2) 홍콩식 경제 개발을 추진하고 있는 북한의 대표적인 개방 지역이다.   (   )

(3) 남한의 자본과 기술, 북한의 노동력이 결합된 남북 경제 협력 지역으로, 현재 협력이 중단된 곳이다.   (   )

A 지역의 의미와 유형 및 지역 구분

01 (가), (나) 지역의 유형에 대한 설명으로 옳은 것은?

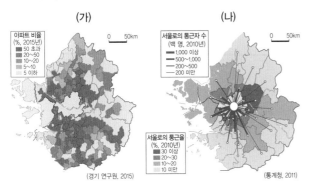

(가)   (나)

(경기 연구원, 2015)   (통계청, 2011)

① (가)는 중심지와 배후지로 지역이 구분된다.
② (나)는 동일한 지리적 현상이 나타나는 범위를 나타낸다.
③ (가)는 (나)보다 교통로 발달이 범위에 미치는 영향이 크다.
④ (나)는 (가)보다 지역 간 상호 작용을 파악하기에 유리하다.
⑤ (가), (나) 모두 점이 지대가 나타나지 않는다.

02 다음 글의 (가)~(다)에 들어갈 말로 가장 적절한 것은?

> 지역은 일반적으로 동질 지역과 기능 지역으로 구분할 수 있다. 기후 지역, 농업 지역, 문화 지역 등은 (가) 에 해당하며, 상권, 통학권, 통근권 등은 (나) 에 해당한다. (다) 은/는 서로 인접한 두 지역의 특성이 함께 섞여 나타나는 지역이다.

	(가)	(나)	(다)
①	기능 지역	동질 지역	점이 지대
②	기능 지역	점이 지대	동질 지역
③	동질 지역	기능 지역	점이 지대
④	동질 지역	점이 지대	기능 지역
⑤	점이 지대	기능 지역	동질 지역

03 지도는 우리나라의 전통적인 지역 구분을 나타낸 것이다. A~D에 대한 옳은 설명을 〈보기〉에서 고른 것은?

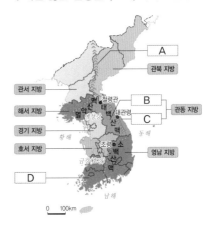

> **보기**
> ㄱ. A: 백두대간에 해당하는 산맥이다.
> ㄴ. B: C보다 기온의 연교차가 크다.
> ㄷ. C: B보다 인구 밀도가 낮다.
> ㄹ. D: 호강의 남쪽이라 하여 호남 지방으로 불린다.

① ㄱ, ㄴ   ② ㄱ, ㄷ   ③ ㄴ, ㄷ
④ ㄴ, ㄹ   ⑤ ㄷ, ㄹ

B 북한 지역의 특성과 통일 국토의 미래

04 지도는 북한의 발전소 분포를 나타낸 것이다. (가), (나) 발전 양식에 대한 설명으로 옳은 것은?

(통일부 북한 정보 포털, 2016)

① (가)는 하천의 중·상류 구간에 주로 입지한다.
② (나)는 주로 석탄을 이용하여 전력을 생산한다.
③ (가)는 (나)보다 북한에서의 발전량이 더 많다.
④ (나)는 (가)보다 발전량의 계절 차가 크다.
⑤ (나)는 (가)보다 발전 과정에서 대기 오염 물질의 배출량이 더 많다.

05 그래프는 북한의 산업 구조 변화를 나타낸 것이다. (가)~(다)에 해당하는 산업으로 옳은 것은?

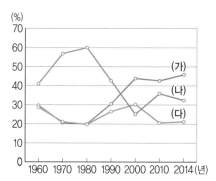

	(가)	(나)	(다)
①	1차 산업	2차 산업	3차 산업
②	2차 산업	1차 산업	3차 산업
③	2차 산업	3차 산업	1차 산업
④	3차 산업	1차 산업	2차 산업
⑤	3차 산업	2차 산업	1차 산업

06 A~D 지역에 대한 옳은 설명을 〈보기〉에서 고른 것은?

보기
> ㄱ. A-홍콩을 모델로 한 경제 개방 정책이 추진되고 있다.
> ㄴ. B-남북 경제 협력 지구로, 현재는 협력 사업이 중단된 상태이다.
> ㄷ. C-북한 최초의 개방 지역이다.
> ㄹ. D-남한과 일본의 관광객 유치를 위해 설치한 개방 지역이다.

① ㄱ, ㄴ　　② ㄱ, ㄷ　　③ ㄴ, ㄷ
④ ㄴ, ㄹ　　⑤ ㄷ, ㄹ

07 다음 글의 ㉠~㉤에 대한 설명으로 옳지 않은 것은?

> 북한은 남한보다 산지가 많으며, ㉠마천령산맥과 ㉡함경산맥의 산줄기를 따라 ㉢백두산을 비롯한 2,000m 이상의 높은 산들이 분포한다. ㉣낭림산맥의 서쪽으로는 산지가 황해를 향해 뻗어 있으며 해안으로 갈수록 해발 고도가 점차 낮아진다. 함경산맥의 동해 쪽 사면은 경사가 대체로 급하지만, 내륙 쪽 사면은 경사가 완만한 편이며, ㉤개마고원이 분포한다.

① ㉠-남북 방향으로 뻗어 있다.
② ㉡-신생대 제3기 경동성 요곡 운동의 영향으로 형성되었다.
③ ㉢-관광객 유치를 위해 관광특구로 지정되었다.
④ ㉣-관북 지방과 관서 지방의 경계가 된다.
⑤ ㉤-한반도의 지붕으로 불린다.

서술형 문제

08 그래프는 품목별 남북 교역 현황을 나타낸 것이다. 이를 토대로 남한과 북한의 반출 품목 및 반입 품목과 이를 통해 추론할 수 있는 남북한의 교역 방식을 서술하시오.

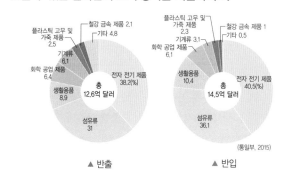

▲ 반출　　　　　　▲ 반입

01 다음 글의 (가)에 해당하는 지역을 지도의 A~E에서 고른 것은?

(가) 은/는 고려 시대 때 설치된 철령관이라는 관문의 서쪽이라는 데에서 지명이 유래되었다. 철령관은 함경도로부터 서울로 들어오는 길목이어서 한강 유역을 지키는 한편 변방에 대한 통행을 제한하던 곳이었다. 이곳을 중심으로 동쪽을 관동, 서쪽을 관서, 북쪽을 관북이라 하였다. 이 지역은 대체로 동쪽이 높고, 서쪽이 낮은 구릉성 산지로 이루어져 있다.

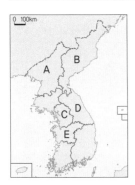

① A
② B
③ C
④ D
⑤ E

02 (가), (나) 지역에 대한 옳은 설명을 〈보기〉에서 고른 것은?

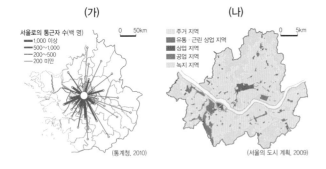

보기
ㄱ. (가)는 중심지와 배후지로 구분된다.
ㄴ. (나)의 지역 유형 사례로는 통근권, 상권 등이 있다.
ㄷ. (가)는 (나)보다 지역 간 계층 구조를 파악하기에 유리하다.
ㄹ. (가)는 동질 지역, (나)는 기능 지역에 해당한다.

① ㄱ, ㄴ   ② ㄱ, ㄷ   ③ ㄴ, ㄷ
④ ㄴ, ㄹ   ⑤ ㄷ, ㄹ

03 그래프는 지도에 표시된 세 지역의 계절별 강수량과 평균 기온을 나타낸 것이다. (가)~(다)에 해당하는 지역을 지도의 A~C에서 고른 것은?

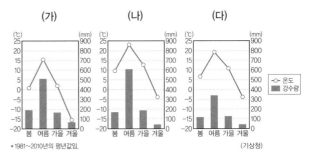

* 1981~2010년의 평년값임.

	(가)	(나)	(다)		(가)	(나)	(다)
①	A	B	C	②	B	A	C
③	B	C	A	④	C	A	B
⑤	C	B	A				

수능 유형

04 다음 자료의 (가)~(다) 지역을 지도의 A~D에서 고른 것은?

지역	특성
(가)	• 홍콩식 경제 개발을 추진하여 자본주의 시장 경제 체제 실험 계획 • 도로 및 철도 교통의 요지
(나)	• 북한의 특별시이며 대표적인 공업 도시 • 갑문 설치 이후 물류 기능 강화
(다)	• 유엔 개발 계획의 지원을 받은 북한 최초의 경제특구 • 금융 기반을 갖춘 국제 교류의 거점 구축 및 외자 유치 계획

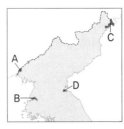

	(가)	(나)	(다)
①	A	B	C
②	A	C	B
③	A	D	B
④	B	C	D
⑤	B	D	A

05 다음 자료의 (가)~(다)에 해당하는 지역을 지도의 A~E에서 고른 것은?

(가)	(나)	(다)
화산 활동으로 형성된 산지이며, 정상부에는 칼데라호가 있음	경원선의 종착지로 일제 강점기부터 공업 도시로 성장함	2002년에 외자 유치 및 교역 확대를 위해 특별 행정구로 지정함

	(가)	(나)	(다)
①	B	A	C
②	B	D	C
③	B	D	E
④	C	D	E
⑤	C	E	A

06 다음 자료에 대한 옳은 설명을 〈보기〉에서 고른 것은?

〈남한의 교통수단별 국내 수송 분담률〉

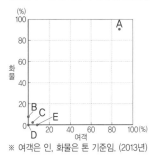

※ 여객은 인, 화물은 톤 기준임. (2013년)

〈남북한의 육상 교통로별 비중〉

(단위: %)

육상 교통로	남한	북한
(가)	96.2	83.0
(나)	3.2	16.9
(다)	0.6	0.1
계	100.0	100.0

* 도로, 지하철, 철도 길이의 합에서 차지하는 비중을 나타냄. (통계청)

보기
- ㄱ. A의 여객 수송 분담률은 남한이 북한보다 높다.
- ㄴ. B, D는 C, E보다 기상 악화에 따른 운행 제약이 크다.
- ㄷ. 북한의 화물 수송 분담률은 (나)를 이용하는 교통수단보다 (가)를 이용하는 교통수단이 높다.
- ㄹ. (가)는 A, (나)는 B, (다)는 C가 이용하는 교통로이다.

① ㄱ, ㄴ   ② ㄱ, ㄷ   ③ ㄴ, ㄷ

④ ㄴ, ㄹ   ⑤ ㄷ, ㄹ

07 다음 자료의 (가)~(다)에 해당하는 지역을 지도의 A~E에서 고른 것은?

지역	특징
(가)	• 경의선 철도의 종착역 • 홍콩식 경제 개발을 도입한 특별 행정구
(나)	• 북한의 최다우지 • 명사십리 해수욕장을 비롯하여 금강산 관광 특구의 관문 도시
(다)	• 유엔 개발 계획의 지원으로 개발된 북한 최초의 경제특구가 위치 • 한류의 영향으로 여름철 기후가 서늘

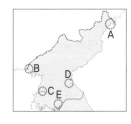

	(가)	(나)	(다)
①	A	C	B
②	A	D	E
③	B	D	A
④	B	E	C
⑤	C	A	B

08 그래프는 남북한의 식량 작물 생산 현황을 나타낸 것이다. 이에 대한 옳은 설명을 〈보기〉에서 고른 것은?

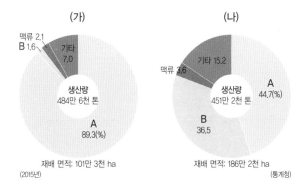

(가) 생산량 484만 6천 톤 / 맥류 2.1 / B 1.6 / 기타 7.0 / A 89.3(%)
재배 면적: 101만 3천 ha (2015년)

(나) 생산량 451만 2천 톤 / 기타 15.2 / 맥류 3.6 / A 44.7(%) / B 36.5
재배 면적: 186만 2천 ha (통계청)

보기
- ㄱ. (가)는 북한, (나)는 남한이다.
- ㄴ. (가)는 (나)보다 토지 생산성이 높다.
- ㄷ. A는 B보다 사료용으로 이용되는 비중이 높다.
- ㄹ. 남한에서 B는 A보다 수입 비중이 높다.

① ㄱ, ㄴ   ② ㄱ, ㄷ   ③ ㄴ, ㄷ

④ ㄴ, ㄹ   ⑤ ㄷ, ㄹ

02 ~ 인구와 기능이 집중된 수도권

핵심 질문으로 흐름잡기

A 수도권의 특성과 공간 구조 변화의 특징은?

B 수도권의 문제와 해결 방안은?

❶ 수도권의 위치

수도권은 한반도의 중서부에 위치하며, 행정 구역상으로는 서울, 인천, 경기도로 구성되어 있다.

❷ 지역별 인구 변화

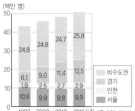

수도권의 인구는 꾸준히 증가하고 있으나, 서울의 인구는 교외화 현상으로 인해 인천이나 경기도로 이동하면서 감소하는 추세이다.

❸ 각종 공연 시설의 분포

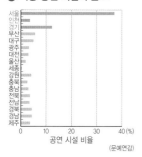

전체 공연 시설의 50% 이상이 수도권에 위치한다.

A 수도권의 특성과 공간 구조 변화

|시·험·단·서| 수도권의 특성 및 공간 변화 과정을 경제적, 문화적 측면에서 묻는 문제가 자주 출제돼!

1. 수도권의 특성

(1) **위치와 범위**: 한반도의 중서부에 위치, ❶ 서울·인천·경기를 범위로 하며, 서울을 중심으로 거대한 대도시권을 형성함

(2) **지역별 특성**

① **서울**: 수도권의 중심부에 위치하며 우리나라의 수도임, 인구와 경제 활동이 집중되는 정치·경제·문화의 중심지

② **인천**: 서해안에 위치하며 서울의 관문 역할을 수행함, 국제 물류의 중심지 역할

③ **경기**: 서울을 둘러싸고 있으며 서울의 배후지 역할을 함, 수도권에서 면적이 가장 넓고 인구도 가장 많음

2. 수도권의 공간 구조 변화 자료1 자료2

> 서울에 집중된 인구가 주변으로 이동하면서 산업 및 문화 시설이 재배치되고 있으며 공간 구조가 다핵화되고 있어

지역 구조의 변화 인천, 수원 등을 들 수 있어	• 통근권의 확대와 거주지의 교외화로 서울을 중심으로 한 대도시권이 형성됨❷ • 서울 주변 도시의 성장으로 공간 구조가 다핵화 됨 • 서울 도심에 위치했던 대기업 본사의 일부가 강남으로 이전함 ← 새로운 중심지가 성장하면서 다핵화, 분산화되고 있어
산업 구조의 변화	• 우리나라 최대의 종합 공업 지역을 이루고 있음 • 1990년대 이후부터 첨단 산업이 발달하고 있음 • 서울의 탈공업화가 진행되고 있음 • 서울의 공업이 경기나 충청권으로 이전하면서 서울 내 공업의 비중이 감소하는 반면, 서비스업의 비중이 증가하고 있음 • 서울은 지식과 정보가 중요시되는 생산자 서비스업이 발달함
문화 산업의 육성	• 문화 산업에 대한 수요가 증가하면서 문화 산업을 육성하는 지역들이 많아짐 • 풍부한 자본력과 넓은 소비 시장 등을 바탕으로 문화적 기능이 집중해 있음❸

> 대형 공연장, 전시장, 경기장 등의 다양한 문화 시설이 서울 외곽 지역이나 경기도 일대에 입지해 있어

B 수도권의 문제와 해결 방안

|시·험·단·서| 수도권의 과도한 집중으로 발생하는 문제점과 해결 방안을 묻는 문제가 자주 출제돼!

1. 수도권의 문제

인구 및 경제력 집중	┌ 국내 총생산의 50% 가까이가 집중되어 있어 • 면적은 우리나라 전체 면적의 약 12%에 불과하나 인구의 50% 가까이가 밀집함 • 금융 및 산업과 더불어 정치, 행정, 교육, 문화 기능이 집중되어 있음
교통 체증	• 인구 증가로 자가용이 증가하고 전국의 교통망이 수도권을 중심으로 연결되면서 교통 체증과 주차난이 심화됨 • 자동차 배기가스 등으로 인한 환경 오염 심화
지가 상승	인구와 기능의 과도한 집중으로 인해 주택 부족 발생 → 지가 상승 유발

> 집적 불이익에 해당하지

2. 수도권 문제의 해결 방안

(1) **정책**: 수도권으로의 과도한 인구 및 기능 집중을 억제하기 위해 과밀 부담금 제도, 수도권 공장 총량제 등을 시행

(2) **기능의 이전**: 세종특별자치시에 중앙 행정 기관의 일부를 이전함, 혁신 도시·기업 도시 등을 건설하여 공공 기관을 이전함

내용 이해를 돕는 팁

자료1 수도권의 집중도 관련 문제 ▶ 246쪽 04번

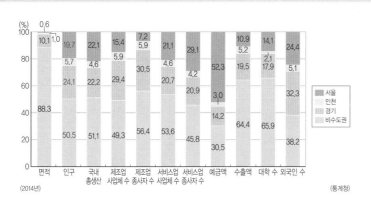

(2014년) (통계청)

범례: 서울 / 인천 / 경기 / 비수도권

자료·분석 수도권의 국토 면적은 우리나라 면적의 약 12%에 불과하지만 인구의 49.5%가 거주하고 있어 인구가 과밀한 상황이다. 이는 우리나라의 산업이 수도권을 중심으로 발전해 왔기 때문이며 그 결과 산업 시설, 금융 기관, 정부 기관 등도 수도권에 몰려 있어 국내 총생산, 예금액, 수출액, 대학 수, 외국인 수 등 대부분의 분야에서 수도권이 가장 높은 비중을 차지하고 있다.

▶ **한·줄·핵·심** 우리나라는 인구, 산업, 경제, 문화 등의 모든 분야에서 수도권에 과도하게 집중되어 있다.

자료2 수도권의 산업 구조 관련 문제 ▶ 246쪽 01번

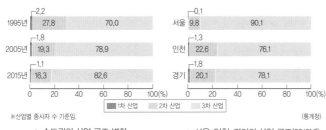

※산업별 종사자 수 기준임. (통계청)

1차 산업 / 2차 산업 / 3차 산업

▲ 수도권의 산업 구조 변화   ▲ 서울·인천·경기의 산업 구조(2015년)

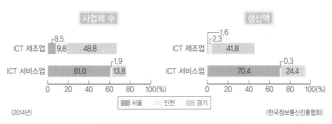

(2014년)   (한국정보통신진흥협회)

서울 / 인천 / 경기

▲ 정보 통신 기술(ICT) 산업의 수도권 비중

자료·분석 수도권은 도시화가 많이 진행된 지역이므로 1차 산업의 비중이 가장 낮은 반면, 3차 산업의 비중이 가장 높게 나타난다. 서울, 인천, 경기의 산업 구조를 비교해 보면 우리나라의 최고차 중심 도시인 서울은 전국의 시도 중에서 3차 산업의 비중이 가장 높고, 세 지역 중에서는 경기가 다른 두 지역보다 1차 산업 비중이 높게 나타난다. 2차 산업은 서울에 비해 인천과 경기의 비중이 높게 나타나는데, 이는 서울의 탈공업화가 진행되면서 서울 내 공업 시설이 인천과 경기로 이전한 결과이다. 정보 통신 기술(ICT) 산업의 경우 서울은 ICT 서비스업이 발달한 반면, 경기는 ICT 제조업이 발달했다.

▶ **한·줄·핵·심** 수도권은 1차 산업의 비중이 낮고 3차 산업의 비중이 높다. 서울, 인천, 경기 중 서울은 3차 산업의 비중이 가장 높고, 인천, 경기는 서울에 비해 2차 산업의 비중이 높다.

❓ **궁금해요**

Q. 수도권에 인구와 산업이 과도하게 밀집하게 된 이유는 무엇인가요?

A. 서울은 역사적으로도 오랜 기간 동안 수도 역할을 해 왔기 때문에 인구가 많은 편이었고, 경제 개발기에 경부축을 중심으로 국토 개발 계획을 시행하면서 수도권 집중도가 더욱 높아지게 되었어.

용어 더하기

* **공간 구조의 다핵화**
도시나 도시 권역에서 활동의 중심이 되는 도심, 부도심 등이 다양하게 나타나는 현상

* **집적 불이익**
과도하게 여러 기능이 한곳에 모여 있어서 발생하게 되는 환경 오염, 교통 체증, 물가 상승 등과 같은 불이익

* **과밀 부담금 제도**
인구 집중을 유발하는 업무 시설이나 상업 시설이 들어설 때 부담금을 부과하게 하는 제도

* **수도권 공장 총량제**
매년 새로 지을 공장 건축 면적을 총량으로 제한하여 이를 초과하는 공장의 건축을 못하도록 규제하는 제도

수도권의 특징

개념풀 Guide 수도권에 해당하는 서울, 인천, 경기의 인구 및 산업 특징에 대해 알아보자.

1. 지역 내 총생산 및 산업별 부가 가치 관련 문제 ▶ 247쪽 02번

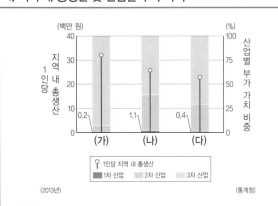

(2013년) (통계청)

분석 서울, 인천, 경기 중 1인당 지역 내 총생산이 가장 많고 3차 산업의 부가 가치 비중이 가장 높은 (가)는 서울이다. 부가 가치 비중은 서울보다 낮지만 다른 두 지역에 비해 1차 산업의 부가 가치 비중이 높은 (나)는 경기이고, 나머지 (다)는 인천이다.

2. 주거·인구의 지역별 특색

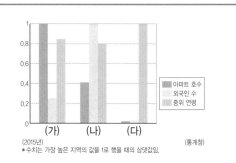

(2015년) (통계청)
＊수치는 가장 높은 지역의 값을 1로 했을 때의 상댓값임.

분석 (가), (나), (다)는 각각 경기도의 고양, 안산, 양평 중 하나이다. 고양(가)은 서울의 주거 기능을 담당하는 침상 도시로서의 성격이 강하다. 서울의 제조업이 이전하면서 빠르게 성장한 안산(나)은 외국인 수가 많다. 농업 종사자 수가 많은 양평(다)은 노년층 인구 비율이 높아 중위 연령이 높다.

3. 수도권의 통근·통학 인구와 주간 인구 지수 관련 문제 ▶ 247쪽 01번

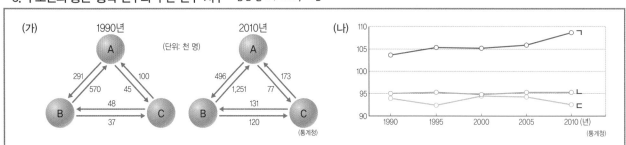

분석 (가): 수도권에서의 통근·통학 이동 규모는 인구 규모가 큰 지역 간의 이동에서 크게 나타나기 때문에 A와 B는 서울 또는 경기에 해당하며, C는 인천이다. A와 B 중 다른 두 지역에서의 유입 인구가 유출 인구보다 많은 A가 서울이며, 인구 이동이 가장 많은 B가 경기이다.
(나): 주간 인구 지수가 100보다 높을수록 지역 내 상업·업무 기능이 집적되어 주간에 유입 인구가 유출 인구보다 많다는 뜻이다. 따라서 주간 인구 지수가 가장 높은 ㄱ은 서울, 가장 낮은 ㄷ은 경기이다. 경기는 위성 도시와 신도시가 발달하였지만, 대부분 침상 도시로 서울로 출·퇴근 하는 사람이 많다. 따라서 ㄱ은 서울, ㄴ은 인천, ㄷ은 경기이다.

이것만은 꼭!

수도권에 속한 서울, 인천, 경기의 비교

총 거주 인구수	경기>서울>인천	지역 내 제조업 비중	인천>경기>서울
제조업 종사자 수	경기>서울>인천	서비스업 사업체 수	서울>경기>인천
제조업 사업체 수	경기>서울>인천	지역 내 서비스업 비중	서울>경기>인천
제조업 생산액 비중	경기>인천>서울	지역 내 총생산	경기>서울>인천

A 수도권의 특성과 공간 구조 변화

01 서울, 인천, 경기의 특징을 바르게 연결하시오.

(1) 서울 •

(2) 인천 •

(3) 경기•

• ㉠ 우리나라의 수도
• ㉡ 국제 물류의 중심지 역할
• ㉢ 역사적으로 서울의 관문 역할
• ㉣ 제조업의 출하액이 가장 많음
• ㉤ 수도권 내에서 인구가 가장 많음
• ㉥ 3차 산업의 취업자 수 비중이 가장 높음

02 빈칸에 알맞은 말을 쓰시오.

(1) □□□은/는 한반도 중서부에 위치하며, 서울·인천·경기로 구성되어 있다.

(2) □□은/는 국제공항과 대규모 항구가 있어 국제 물류의 중심지 역할을 하고 있다.

(3) □□은/는 서울을 둘러싸고 있으며, 수도권에서 면적이 가장 넓고 인구도 가장 많아 서울의 배후지 역할을 하고 있다.

(4) □□은/는 우리나라 정치, 경제, 문화의 중심지 역할을 하고 있다.

03 그래프는 수도권에 속한 세 시도의 산업별 종사자 수 비중을 나타낸 것이다. 물음에 답하시오.

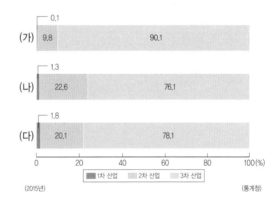

(1) (가)~(다) 지역의 명칭을 각각 쓰시오.　　　(가): (　　　), (나): (　　　), (다): (　　　)

(2) (가)~(다) 중 대도시권의 중심 도시 역할을 하고 있는 곳을 쓰시오.　　　　　　(　　　)

(3) (가)~(다) 중 최근 교외화 현상으로 인해 인구가 감소하는 곳을 쓰시오.　　　　　(　　　)

(4) (가)~(다) 중 정보 통신 기술(ICT) 제조업이 가장 발달한 곳을 쓰시오.　　　　　(　　　)

B 수도권의 문제와 해결 방안

04 알맞은 말에 ○표를 하시오.

(1) 수도권 인구는 (감소, 증가)하는 추세이며, 서울의 인구는 (감소, 증가)하는 추세이다.

(2) 수도권 인구의 과도한 집중으로 주택 가격은 크게 (하락, 상승)하고, 교통 체증은 (완화, 심화)되었다.

(3) 수도권의 과도한 기능 집중 문제를 해결하기 위해 (세종특별자치시, 부산광역시)로 중앙 행정 기관의 일부를 이전하였다.

탄탄! 내신 다지기

A 수도권의 특성과 공간 구조 변화

01 그래프는 수도권에 속한 세 시도의 산업별 종사자 수 비중을 나타낸 것이다. (가)~(다) 지역에 대한 옳은 설명을 〈보기〉에서 고른 것은?

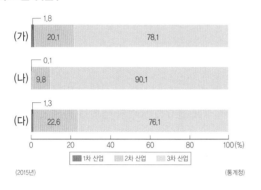

(2015년) ■1차 산업 ■2차 산업 ■3차 산업 (통계청)

보기
- ㄱ. (가)는 (다)보다 지역 내 총생산이 많다.
- ㄴ. (나)는 (가)보다 면적이 좁다.
- ㄷ. (가), (다)는 특별·광역시, (나)는 도(道)에 해당한다.
- ㄹ. 총인구는 (나)>(가)>(다) 순으로 많다.

① ㄱ, ㄴ ② ㄱ, ㄷ ③ ㄴ, ㄷ
④ ㄴ, ㄹ ⑤ ㄷ, ㄹ

02 그래프는 수도권 시도 간 전입 및 전출 인구를 나타낸 것이다. (가)~(다) 지역으로 옳은 것은?

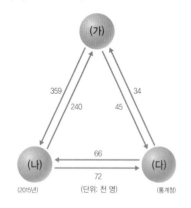

(2015년)　(단위: 천 명)　(통계청)

	(가)	(나)	(다)
①	서울	인천	경기
②	서울	경기	인천
③	인천	경기	서울
④	경기	서울	인천
⑤	경기	인천	서울

03 그래프는 정보 통신 기술 산업의 수도권 시·도별 사업체 수 비중을 나타낸 것이다. (가)~(다) 지역에 대한 옳은 설명을 〈보기〉에서 고른 것은?

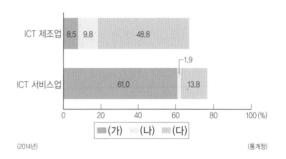

(2014년) ■(가) ■(나) ■(다) (통계청)

보기
- ㄱ. (가)는 (나)보다 총인구가 적다.
- ㄴ. (나)는 (다)보다 제조업 출하액이 적다.
- ㄷ. (다)는 (가)보다 3차 산업 종사자 수 비중이 낮다.
- ㄹ. (가)~(다) 중에서 생산자 서비스업의 업체 수는 (나) 가 가장 많다.

① ㄱ, ㄴ ② ㄱ, ㄷ ③ ㄴ, ㄷ
④ ㄴ, ㄹ ⑤ ㄷ, ㄹ

B 수도권의 문제와 해결 방안

서술형 문제

04 그래프를 통해 파악할 수 있는 수도권의 문제점과 이에 대한 해결 방안을 두 가지 이상 서술하시오.

(2014년) ■서울 ■인천 ■경기 ■비수도권 (통계청)

수능 유형

01 (가)의 ㄱ~ㄷ에 해당하는 지역을 (나)의 A~C에서 고른 것은?

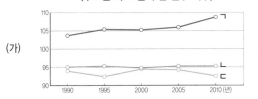

〈수도권 시·도별 주간 인구 지수〉

〈수도권 시·도별 통근·통학자 수〉

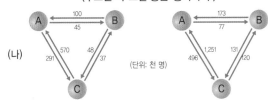

(단위: 천 명)

	ㄱ	ㄴ	ㄷ		ㄱ	ㄴ	ㄷ
①	A	B	C	②	A	C	B
③	B	A	C	④	C	A	B
④	C	B	A				

03 그래프는 수도권 시·도의 산업별 부가 가치 비중을 나타낸 것이다. (가)~(다) 지역에 대한 옳은 설명을 〈보기〉에서 고른 것은?

(%)

※지역 내 총생산에서 해당 산업의 부가 가치가 차지하는 비중임.
(통계청, 2015)

사업 서비스업
제조업
농림어업
기타

보기
ㄱ. (가)는 주간 인구 지수가 100 미만이다.
ㄴ. (나)는 전국의 시도 중에서 인구가 가장 많다.
ㄷ. (다)에는 국제공항과 국제항이 있다.
ㄹ. (가)~(다) 중에서 3차 산업 종사자 수 비중은 (가)가 가장 높다.

① ㄱ, ㄴ   ② ㄱ, ㄷ   ③ ㄴ, ㄷ
④ ㄴ, ㄹ   ⑤ ㄷ, ㄹ

수능 유형

02 그래프의 (가)~(다)에 해당하는 지역으로 옳은 것은?

〈수도권 지역 내 총생산 및 산업별 부가 가치〉

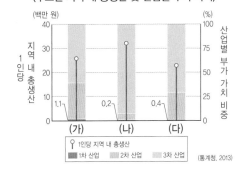

(통계청, 2013)

1인당 지역 내 총생산
1차 산업   2차 산업   3차 산업

	(가)	(나)	(다)
①	서울	인천	경기
②	서울	경기	인천
③	인천	서울	경기
④	경기	서울	인천
⑤	경기	인천	서울

04 다음 자료에 제시된 (가)~(다) 지역의 항목별 순위로 옳지 않은 것은?

〈수도권 시도 간 전입·전출 인구 변화〉

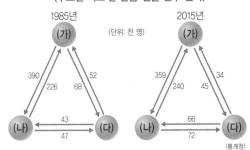

(단위: 천 명)

(통계청)

	항목	순위
①	인구	(나)>(가)>(다)
②	면적	(나)>(다)>(가)
③	제조업 출하액	(나)>(다)>(가)
④	지역 내 총생산	(나)>(가)>(다)
⑤	3차 산업 종사자 비중	(나)>(가)>(다)

03 동서의 차이가 뚜렷한 강원 지방과 빠르게 성장하는 충청 지방

핵심 질문으로 흐름잡기

A 강원도의 산업 구조 변화 양상은?

B 충청 지방 각 지역의 특색은?

❶ 영동 지방과 영서 지방

(한국지리지 강원권, 2015)

강원도는 태백산맥을 경계로 영동 지방과 영서 지방으로 구분된다. 영동 지방은 동해와 인접한 시·군 지역이다.

A 강원도의 지역별 특색과 산업 구조 변화

| 시·험·단·서 | 석탄 생산량이 줄어들고 서비스업, 첨단 산업 등 다양한 산업이 발달하고 있는 강원도의 산업 구조 변화에 대한 문제가 자주 출제돼!

1. 영동 지방과 영서 지방의 차이 [자료1]

(1) 지역 구분❶

① 태백산맥을 경계로 동해안에 위치한 영동 지방과 내륙에 위치한 영서 지방으로 구분됨

② 방언권을 기준으로는 다양하게 구분됨❷

(2) 영동 지방과 영서 지방의 차이

후빙기 해수면 상승으로 형성된 만의 입구가 사주의 발달로 막혀 형성된 호수로, 주로 관광 자원으로 이용돼

하천 주변에 계단 모양으로 발달한 지형으로, 감입 곡류 하천, 고위 평탄면과 함께 동해 쪽에 치우친 융기 운동의 영향으로 발달한 지형이야

구분	영동 지방	영서 지방
지형	• 영서 지방에 비해 급경사 • 하천 유로가 짧음 • 석호 발달 예 경포호, 영랑호 • 사빈 발달	• 고위 평탄면 발달 • 침식 분지 발달 예 춘천, 원주 • 하안 단구, 감입 곡류 하천 발달
기후	• 겨울에 영서 지방보다 따뜻함 • 북동 기류가 유입될 때 바람받이에 해당되어 강설량이 많음	• 겨울에 추움 • 여름철 강수 집중률이 높음 • 고위 평탄면은 여름철에 서늘함
문화	• 오징어, 명태 등 해산물을 이용한 음식 발달 • 영서 지방보다 경상북도 동해안 및 북부 해안 지방과 교류가 활발하여 이들 지역과 언어가 비슷함	• 밭농사 비율이 높아 옥수수, 감자, 메밀 등을 활용한 음식 발달 • 한강을 따라 경기도와 교류가 활발하여 수도권과 언어가 비슷함
기타	• 산과 바다를 관광 자원으로 활용한 관광 산업이 발달함	• 고위 평탄면을 중심으로 고랭지 채소 재배가 활발함

영서 지방은 대부분 한강의 중·상류에 해당되는데, 한강 중·상류는 여름철 강수 집중률이 높아

강원도는 고랭지 채소의 대부분을 생산하는 곳이고, 다른 도(道)에 비해 채소 재배 면적 비율도 높은 편이야

2. 강원도의 산업 구조 변화 [자료2]

(1) 산업 발달 배경: 삼림 자원, 물 자원, 지하자원 등이 풍부함

(2) 산업별 특성

산업	특성
농림어업	• 산지가 많아 밭농사가 활발함(밭 면적 > 논 면적) • 풍부한 임산 자원을 바탕으로 임업 발달 • 동해안을 중심으로 수산업 발달
광업	• 석탄, 석회석, 텅스텐 등이 개발되면서 광업 발달 • 1970년대에는 자원 수송을 위한 산업 철도가 건설되고 탄광이 개발되면서 광업 발달 지역을 중심으로 인구가 증가하였음 • 1980년대 이후 석탄 산업 합리화 정책으로 많은 탄광이 폐광되고, 1994년 텅스텐 광산의 폐광 등으로 광업의 비중이 낮아짐
서비스업	• 폐광 지역의 산업 유산을 관광 자원으로 활용 예 태백 석탄 박물관, 정선 레일 바이크 등 • 아름다운 자연환경, 수도권과의 인접성, 평창 동계 올림픽 개최 및 이에 따른 교통 기반 시설 확대로 관광 산업이 발달 • 관광 산업이 발달하면서 강원 지방의 서비스업 종사자 비율이 높아짐

밭 면적 비율은 제주>강원>충북의 순으로, 강원도는 밭 면적 비율이 비교적 높아

(3) 지역별 주요 성장 전략: 춘천의 바이오 산업, 원주의 의료 산업 클러스터 및 혁신 도시·기업 도시 지정, 강릉의 해양·신소재 산업

❷ 강원도의 방언권

영동 방언권
- 북단 영동 방언권
- 강릉 방언권
- 삼척 방언권
- 서남 영동 방언권

영서 방언권
- 영서 방언권

(한국지리지 강원권, 2017)

강원도의 방언권은 크게 영동 방언권과 영서 방언권으로 구분되는데, 영동 방언권은 다시 강릉 방언권, 삼척 방언권 등으로 구분된다.

시험에 잘 나오는 자료

내용 이해를 돕는 팁

자료1 영동 지방과 영서 지방의 기후 관련 문제 ▶ 255쪽 01번, 03번

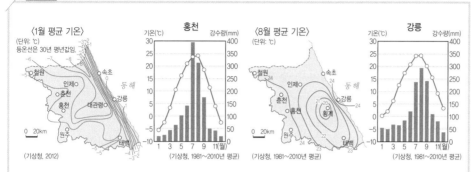

자료·분석 영서 지방은 영동 지방에 비해 북서 계절풍의 영향을 강하게 받고 동해의 영향은 적기 때문에 여름에 덥고 겨울에 춥다. 다만 해발 고도가 높은 지역은 여름과 겨울 모두 영동 지방에 비해 기온이 낮다. 영동 지방은 영서 지방에 비해 북서 계절풍의 영향이 적고 동해의 영향이 크기 때문에 여름에 시원하고 겨울에 따뜻하다. 그리고 겨울철 북동 기류가 올 때 바람받이에 해당하여 눈이 많이 내린다. 늦봄에서 초여름에 오호츠크해 기단이 동해에 정체하고 이 기단으로부터 바람이 불어올 때, 영동 지방은 흐리거나 비가 내리지만 영서 지방은 태백산맥의 영향으로 푄 현상이 나타나 고온 건조한 날씨가 나타난다.

▶ **한·줄·핵·심** 영동 지방은 영서 지방보다 겨울에 기온이 높고 여름에 기온이 낮으며 겨울에 눈이 많이 내려 겨울 강수 집중률이 높다!

자료2 강원도의 산업 구조 변화 관련 문제 ▶ 255쪽 04번

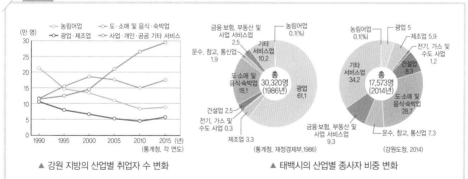

▲ 강원 지방의 산업별 취업자 수 변화   ▲ 태백시의 산업별 종사자 비중 변화

자료·분석 1990년 이후 강원도에서 농림어업과 광업·제조업의 취업자 수 비중이 감소하였다. 강원도의 주요 석탄 생산지였던 강원 남부 지역의 태백, 영월, 정선, 삼척은 석탄 생산량이 증가하면서 인구가 증가하였으나, 석탄 산업 합리화 정책의 실시로 1990년대부터 인구가 감소하고 지역 경제도 침체되었다. 근래 이들 지역은 폐광 시설을 관광 자원으로 개발하고, 새로운 산업을 발전시켜 낙후된 지역 경제를 살리기 위해 노력하고 있다.
석탄 생산이 활발했던 태백시는 1986년에는 총 종사자의 60% 이상이 광업에 종사하였으나, 2014년에는 광업 종사자 비중이 매우 낮아졌다.

▶ **한·줄·핵·심** 강원도는 석탄 생산량 감소로 광업이 쇠퇴하면서 인구가 감소하는 지역이 뚜렷하게 나타났고, 서비스업 취업자 비중이 증가하였다!

궁금해요

Q. 강원도 동해안 지역에서 등온선이 해안선과 평행하게 나타나는 이유는 무엇인가요?

A. 해발 고도가 높아질수록 기온이 낮아져. 그런데 태백산맥이 동해안과 평행하게 분포하기 때문에 내륙으로 갈수록 바다의 영향이 작아지고, 해발 고도가 높아지지. 그래서 등온선이 해안선과 평행하게 분포하는 거야.

용어 더하기

* **북동 기류**
북동 방향에서 우리나라로 유입되는 기류이다. 중부 동해안(강릉~원산) 지역은 북동 기류의 영향을 많이 받으며, 겨울에는 대설, 여름에는 호우가 발생한다.

* **석탄 산업 합리화 정책**
석탄(무연탄)의 가격 경쟁력이 약화되고 국민 소득의 향상으로 에너지 소비 구조가 변하여 석탄 소비량이 감소하자 적절한 생산 기반을 유지하는 수준에서 영세하거나 경영이 부실한 탄광을 정리하고자 실시한 정책

* **산업 클러스터**
클러스터(cluster)는 '모여 있는 무리'라는 뜻이다. 산업 클러스터, 즉 산업 집적지는 비슷한 업종에서 다른 기능을 수행하는 기업과 기관들이 시너지 효과를 내기 위해 한 곳에 모여 있는 것을 말한다.

❸ 교통이 발달한 충청 지방

▲ 우리나라의 주요 교통망

충청 지방은 수도권과 영남 지방 및 호남 지방을 연결하는 중심부에 위치하는 교통의 중심지이다. 근래 행정 중심 복합 도시인 세종특별자치시가 조성되면서 더 큰 변화를 겪고 있다.

B 교통의 발달로 성장하는 충청 지방

| 시·험·단·서 | 자동차 공업과 석유 화학 공업 등이 발달하고 있는 북서 해안 지역, 첨단 산업이 발달하고 있는 청주, 대전 등 지역별 산업 발달 현황과 그에 따른 인구 변화를 묻는 문제가 자주 출제돼!

1. 위치와 지역 특색

(1) 위치와 범위

① 수도권과 호남 지방 및 영남 지방을 잇는 중심부에 위치

② 대전광역시, 세종특별자치시, 충청북도, 충청남도를 포함

(2) 지역 특색

① 철도와 도로 교통의 중심 → 지역 발전의 바탕이 되고 있음

② 조선 시대: 금강 유역의 강경, 공주 등의 나루터가 내륙 수운의 중심지였음

③ 1900년대 이후: 경부선, 호남선 등의 철도가 개통되면서 육상 교통의 중심지로 성장, 근래에는 고속 철도 분기점이 입지하면서 교통 중심지로서의 중요성이 더욱 커짐

(3) 최근의 변화: 수도권으로부터 공업, 행정, 교육 등 각종 기능이 이전해 오면서 빠르게 성장하고 있음

2. 교통의 발달과 충청 지방❸

(1) 교통 발달 현황: 경부 고속 국도, 호남 고속 국도, 서해안 고속 국도 등이 통과하여 교통 중심지로서의 위상이 높음

(2) 수도권과의 접근성 향상: 고속 철도 분기점과 고속 철도역(대전, 아산, 청주, 공주 등) 입지, 수도권 전철 노선 연장으로 수도권으로의 접근성이 향상됨

(3) 교통 발달이 충청 지방에 미친 영향: 물류 센터 입지 증가, 대학 입지 증가 등

3. 고도화되는 산업 [자료 3] [자료 4]

(1) 발달 배경

① 남한에서의 중심적 위치이면서 교통이 편리하여 접근성이 좋음

② 수도권 과밀화에 따른 분산 정책의 시행으로 행정 중심 복합 도시 입지, 혁신 도시* 입지 등 다양한 기능이 충청 지방으로 이동하고 있음❹

③ 경제적으로 부상하고 있는 중국과 지리적으로 가까움

(2) 산업 단지

① 서해안 지역: 서산(석유 화학), 당진(1차 금속), 아산(IT·자동차)을 중심으로 발달

② 내륙 지역: 청주(오송 생명 과학 단지, 오창 과학 단지), 대전(대덕 연구 개발 특구)

4. 충청 지방의 주요 도시

도시	특징
세종특별자치시	• 국토의 균형 발전과 수도권 기능 분산을 위해 조성 • 중앙 행정 기능을 담당하는 복합 도시로 성장함
대전광역시	• 국제 과학 비즈니스 벨트 조성 • 대덕 연구 단지 → 첨단 산업 발달
충남 홍성·예산 내포 신도시	• 대전에 있던 충남도청이 이전하여 입지함 • 상대적으로 낙후된 충남 서북부 내륙 지역의 활성화가 기대됨
충남 태안· 충북 충주	• 태안: 관광 레저형 기업 도시*로 성장하고 있음 • 충주: 지식 기반형 기업 도시로 성장하고 있음
충북 진천·음성	• 수도권에서 이전되는 공공 기관이 입지하면서 혁신 도시로 발달
충남 당진·아산	• 제조업 발달, 항만을 이용한 국제 물류 기능 강화

❹ 충청 지방의 인구 이동

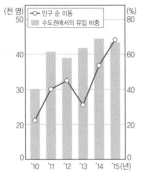

(통계청, 2016 / 코레일, 2015)

인구 유출보다 인구 유입이 많으며 수도권에서의 유입 비중이 높아 2015년에는 60% 이상이 수도권에서 유입되었다.

자료3 충청 지방의 인구와 지역 내 총생산 관련 문제 ▶ 257쪽 09번

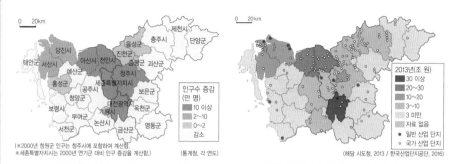

▲ 충청 지방의 인구 증감(2000~2015년)　　▲ 충청 지방의 지역 내 총생산 및 산업 단지 분포

자료·분석 충청 지방은 지역에 따라 인구 성장 및 지역 내 총생산액에 큰 차이가 있다. 수도권과 인접하거나 교통의 요지 등은 성장이 빠른 반면, 수도권에서 멀거나 산간에 위치한 지역은 성장이 느리다. 산업 단지도 수도권과 인접하거나 교통의 요지에 집중된 경향이 나타난다. 2000~2015년에 10만 명 이상 인구가 증가한 지역은 수도권과 인접한 서산, 당진, 아산, 천안 등과 고속 국도의 요충지인 청주, 행정 중심 복합 도시로 개발되고 있는 세종 등이다. 지역 내 총생산액이 많은 곳은 광역시인 대전 이외에 수도권과 인접한 아산, 천안 등이다. 반면 수도권에서 먼 단양, 영동, 서천 등은 인구가 감소하였으며 지역 내 총생산액도 적다.

한·줄·핵·심 충청 지방에서 수도권과 인접한 천안, 아산 등은 인구가 증가하고 지역 내 총생산액도 많지만 수도권에서 멀리 떨어진 단양, 영동 등은 인구가 감소하고 지역 내 총생산액도 적다!

자료4 충청 지방의 산업별 생산액 관련 문제 ▶ 256쪽 06번

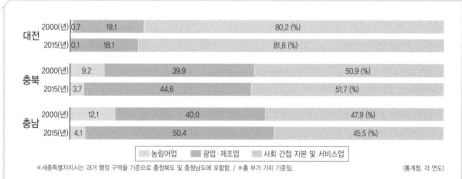

※세종특별자치시는 과거 행정 구역을 기준으로 충청북도 및 충청남도에 포함함. / ※총 부가 가치 기준임.　　(통계청, 각 연도)

자료·분석 충청 지방의 대전, 충북, 충남 모두 농림어업 생산액 비중은 낮아졌는데, 광업·제조업과 사회 간접 자본 및 서비스업의 변화에는 차이가 있다. 대전은 서비스업 생산액 비중이 높아지고 제조업 생산액 비중이 낮아졌다. 충북과 충남의 경우 2000년에는 두 지역의 광업·제조업 생산액 비중이 비슷했는데, 2014년에는 충남의 광업·제조업 생산액이 충북보다 더 높다. 이는 수도권과 인접한 충남 북부 지역을 중심으로 제조업이 발달하였기 때문이다.

한·줄·핵·심 수도권과 인접한 충남 북부 지역을 중심으로 제조업이 발달하면서 충남의 제조업 생산액 비중이 높아졌다!

? 궁금해요

Q. 충청 지방에서 지역에 따라 인구 성장의 차이가 큰 이유는 무엇인가요?

A. 충청 지방에서 수도권과 가까운 지역은 제조업 발달, 첨단 산업 발달 등으로 일자리가 증가하면서 인구가 증가한 반면 수도권에서 먼 지역은 이촌 향도로 인구가 감소하였기 때문이야.

용어 더하기

* **혁신 도시**
수도권에서 이전되는 공공 기관을 수용하여 기업·대학·연구소·공공 기관 등이 긴밀하게 협력할 수 있는 혁신 여건과 수준 높은 주거·교육·문화 등의 정주 환경을 갖추도록 개발하는 미래형 도시

* **기업 도시**
민간 기업이 토지 수용권 등을 갖고 주도적으로 개발한 특정 산업 중심의 자급자족적 복합 기능 도시

강원 지방의 특징

개념풀 Guide 춘천, 강릉, 원주, 태백 등 강원 지방 주요 지역의 특성을 알아보자.

1. 영동 지방과 영서 지방의 기온 차이   관련 문제 ▶ 255쪽 03번

A, B 지역 간 일 최고 기온의 차이가 나타나는 이유는 무엇일까요?

〈6월 ○일 기상 자료〉

지역	도시	최고 기온 (℃)	최저 기온 (℃)	강수량 (mm)	풍향
A	속초	20.1	17.8	1	북
A	강릉	20.9	18.4	4	동북동
B	춘천	30.0	20.0	0	동북동
B	원주	30.2	19.6	0	북북동

분석 A는 영동 지방, B는 영서 지방에 해당한다. 영서 지방은 영동 지방보다 일 최고 기온이 높고 상대적으로 더 건조하다. 또한, 풍향을 보면 북동풍, 동북풍 등 영동 지방에서 영서 지방으로 바람이 불고 있음을 알 수 있다. 영동 지방과 영서 지방의 기온 차이가 나타나는 이유는 습윤한 바람이 태백산맥을 넘을 때 푄 현상으로 인해 고온 건조한 성질로 바뀌었기 때문이다.

2. 산업별 종사자의 시·군별 비중   관련 문제 ▶ 258쪽 01번

(가) (단위: %)

(나) (단위: %)

(다) (단위: %)

(통계청, 2014)

분석 (가)~(다)는 제조업, 공공 및 기타 행정업, 숙박 및 음식 제조업 종사자 중 하나이다. 제조업(가)은 원주의 비중이 매우 높고, 공공 및 기타 행정(나)은 도청이 입지하고 있는 춘천의 비중이 높으며, 숙박 및 음식 제조업(다)은 원주, 춘천, 강릉이 비교적 비슷하다.

3. 시·군별 특징   관련 문제 ▶ 256쪽 05번, 258쪽 02번, 04번

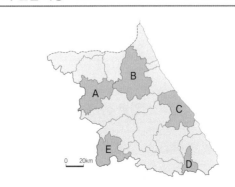

0 20km

분석 침식 분지에 자리 잡은 춘천(A)에는 강원도청이 있으며 수도권과 전철로 연결된다. 인제(B)는 산지가 넓으며 자연환경이 청정하다. 강릉(C)은 영동 지방의 중심 도시이다. 낙동강 유역에 위치하는 태백(D)은 석탄의 주요 생산지였다. 원주(E)는 제조업이 발달하였고, 혁신 도시와 기업 도시로 지정되었다.

이것만은 꼭!

춘천	도청 소재지
원주	혁신 도시 및 기업 도시, 강원도 내 제조업 생산액 최대 도시
동해, 삼척	시멘트 공업 발달 지역

충청 지방의 특징

개념풀 Guide 충청 지방 각 지역의 특징을 산업 특성과 관련지어 알아보자.

1. 충청 지방의 시·군별 특징 관련 문제 ▶ 256쪽 08번, 259쪽 07번

분석	
서산(A)	석유 화학 산업 단지 입지, 서해안 고속 국도의 개통으로 교통 여건 개선
천안(E)	경부선 철도 통과, 수도권 전철 연장 개통으로 인구 증가
보령(D)	과거 석탄 산업 발달, 머드 축제 등 관광 산업 중심지로 변화
단양(H)	시멘트 공업 발달, 카르스트 지형을 이용한 관광지 조성
홍성(C)·예산(B)	충남도청 입지(내포 신도시)에 따른 지역 경제 변화
진천(F)·음성(G)	혁신 도시로 지정

2. 충청 지방의 제조업 발달 지역 관련 문제 ▶ 256쪽 07번, 257쪽 09번

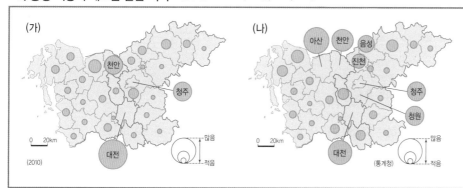

분석 (가)는 총 종사자 수로 대전, 청주, 천안 등과 같이 인구 및 도시의 규모가 큰 지역에서 높게 나타난다. (나)는 제조업 종사자 수로 아산, 천안, 청주, 진천 등과 같이 수도권과 인접해 있어 수도권에서 공장이 이전해 온 지역이나 기존에 공장들이 많이 분포하는 지역에서 많다.

3. 충청 지방의 지역별 산업 구조 관련 문제 ▶ 259쪽 06번

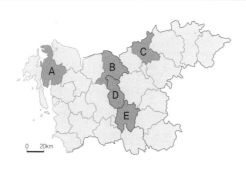

구분	서산	천안	음성	세종	대전
제조업(%)	27.6	32.9	54.2	36.1	10.6
공공 행정(%)	4.2	1.8	3.0	14.8	4.4
과학 및 기술 서비스업(%)	1.8	2.2	1.3	1.0	6.6
⋮	⋮	⋮	⋮	⋮	⋮
전 산업 종사자 수(명)	56,182	232,249	48,099	46,512	521,281

(통계청, 2013)

분석 제조업은 서산(A), 천안(B), 음성(C), 세종(D)에서 높고, 공공 행정은 상대적으로 세종의 비중이 높으며 과학 기술 서비스업은 상대적으로 대전(E)의 비중이 높다. 전 산업의 종사자 수는 대전이 가장 많다.

이것만은 꼭!

충북 청주, 충남 홍성·예산(내포 신도시)	도청 소재지
아산	충청 지방 내 제조업 생산액 최대 도시
단양, 충주	시멘트 공업 발달 지역

A 강원도의 지역별 특색과 산업 구조 변화

01 다음 설명에 해당하는 지역을 지도의 A~F에서 고르고 시·군 명칭을 쓰시오.

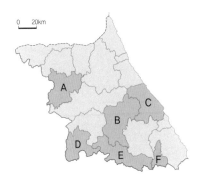

(1) 원주와 태백 사이에 위치하며 석회석 생산량이 많고 동강이 흐른다. ( )

(2) 서울과 전철로 연결되고 강원도청이 있으며, 침식 분지에 위치한다. ( )

(3) 강원도에서 인구와 제조업 생산액이 가장 많으며 혁신 도시와 기업 도시가 조성되고 있다. ( )

(4) 고위 평탄면이 넓은 대관령을 중심으로 대규모 목 축업 및 고랭지 배추 재배, 풍력 발전이 활발하다.
( )

(5) 서울 광화문의 동쪽에 위치하여 이름 붙여진 정동진과 오죽헌, 경포호 등의 관광 자원이 있는 영동 지방의 중심 도시이다. ( )

(6) 석탄 산업 합리화 정책 실시 이전인 1986년에는 광업 종사자 비중이 60% 이상일 정도로 높았으나, 최근에는 5% 미만일 정도로 낮아졌다. ( )

B 교통의 발달로 성장하는 충청 지방

02 다음 설명에 해당하는 지역을 지도의 A~G에서 고르고 시·군 명칭을 쓰시오.

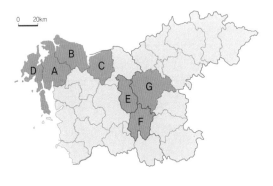

(1) 관광 레저형으로 조성되는 기업 도시가 위치한다. ( )

(2) 대규모 제철소가 입지하여 1차 금속 공업과 금속 가공 공업이 발달하였다. ( )

(3) 경부선과 호남선의 분기점에 위치하며 충청 지방에서 인구가 가장 많고 대덕 연구 개발 특구가 입지하고 있다. ( )

(4) 충북도청이 위치하고 충북에서 인구가 가장 많으며 오송 생명 과학 단지, 오창 과학 산업 단지가 조성되었다. ( )

(5) 대규모 석유 화학 단지가 입지하여 화학 물질 및 화학 제품 제조업과 코크스·연탄 및 석유 정제품 제조업이 발달하였다. ( )

(6) 국토의 균형 발전과 수도권 균형 발전을 위해 조성된 도시로 우리나라의 주요 행정 기능을 담당하는 복합 도시로 발달하고 있다. ( )

(7) 2015년 충청 지방에서 제조업 생산액이 가장 많은 도시로, 수도권과 전철로 연결되며 전자 부품, 컴퓨터, 영상, 음향 및 통신 장비 제조업, 자동차 및 트레일러 제조업이 발달하였다. ( )

A 강원도의 지역별 특색과 산업 구조 변화

01 지도는 강원도의 1월과 8월 평균 기온을 나타낸 것이다. 이에 대한 옳은 설명을 〈보기〉에서 고른 것은?

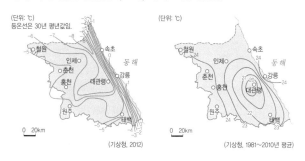

(단위: ℃) 등온선은 30년 평년값임. (기상청, 2012)

(단위: ℃) (기상청, 1981~2010년 평균)

보기
ㄱ. 홍천은 강릉보다 기온의 연교차가 크다.
ㄴ. 대관령은 해발 고도가 높아 주변 지역에 비해 기온이 낮다.
ㄷ. 1월 평균 기온의 지역 간 차이는 영서 지방이 영동 지방보다 크다.
ㄹ. 8월은 1월에 비해 강원도에서 월평균 기온의 지역 간 차이가 크다.

① ㄱ, ㄴ　　② ㄱ, ㄷ　　③ ㄴ, ㄷ
④ ㄴ, ㄹ　　⑤ ㄷ, ㄹ

02 (가)~(다) 그래프는 강원도의 시·군별 비중이다. (가)~(다) 항목으로 옳은 것은?

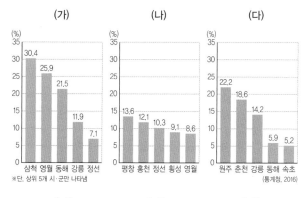

(가) 삼척 30.4 영월 25.9 동해 21.5 강릉 11.9 정선 7.1
※단: 상위 5개 시·군만 나타냄

(나) 평창 13.6 홍천 12.1 정선 10.3 횡성 9.1 영월 8.6

(다) 원주 22.2 춘천 18.6 강릉 14.2 동해 5.9 속초 5.2
(통계청, 2016)

	(가)	(나)	(다)
①	인구수	밭 면적	석회석 생산량
②	인구수	석회석 생산량	밭 면적
③	밭 면적	인구수	석회석 생산량
④	석회석 생산량	인구수	밭 면적
⑤	석회석 생산량	밭 면적	인구수

03 (가), (나) 지역에 대한 옳은 설명을 〈보기〉에서 고른 것은?

(한국지리지 강원권, 2015)

보기
ㄱ. (가)는 (나)보다 여름철 강수 집중률이 높다.
ㄴ. (가)의 방언은 (나)의 방언보다 관북 해안 지방과의 유사성이 크다.
ㄷ. (나)는 (가)보다 높새바람이 불 때 습도가 높다.
ㄹ. (나)는 (가)보다 북동 기류가 유입될 때 강수 확률이 낮다.

① ㄱ, ㄴ　　② ㄱ, ㄷ　　③ ㄴ, ㄷ
④ ㄴ, ㄹ　　⑤ ㄷ, ㄹ

04 그래프는 강원도의 산업별 취업자 수 변화를 나타낸 것이다. (가)~(다) 산업으로 옳은 것을 〈보기〉에서 고른 것은?

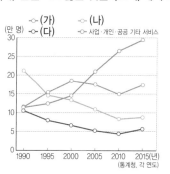

(통계청, 각 연도)

보기
ㄱ. 농림어업　　　　　ㄴ. 광업·제조업
ㄷ. 도·소매 및 음식·숙박업

	(가)	(나)	(다)
①	ㄱ	ㄴ	ㄷ
②	ㄱ	ㄷ	ㄴ
③	ㄴ	ㄱ	ㄷ
④	ㄴ	ㄷ	ㄱ
⑤	ㄷ	ㄴ	ㄱ

05 A~E 지역에 대한 설명으로 옳지 <u>않은</u> 것은?

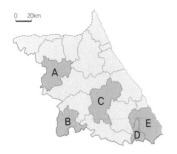

① A – 강원도의 도청 소재지이다.
② B – 혁신 도시와 기업 도시가 조성되고 있다.
③ C – 고위 평탄면에서 고랭지 배추 재배가 이루어진다.
④ D – 석탄 산업 합리화 정책의 실시로 인구가 감소하였다.
⑤ E – 정동진 해안 단구, 오죽헌 등의 관광 자원이 있다.

B **교통의 발달로 성장하는 충청 지방**

06 그래프는 충청 지방에 속하는 (가)~(다) 지역의 산업별 생산액 비중 변화를 나타낸 것이다. (가)~(다) 지역에 대한 설명으로 옳지 <u>않은</u> 것은? (단, 대전, 충북, 충남만 고려함.)

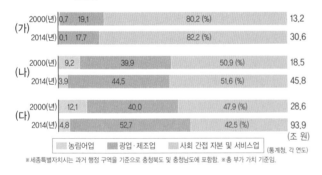

① (가)는 대전, (나)는 충북이다.
② (가)는 (나)보다 생산자 서비스업이 발달하였다.
③ (가)는 (다)보다 지역 내 총생산액이 많다.
④ (나)는 (가)보다 제조업 출하액이 많다.
⑤ (다)는 (나)보다 농림어업 생산액이 많다.

07 그래프는 (가)~(다) 세 지역의 제조업 업종별 출하액을 나타낸 것이다. (가)~(다)에 해당되는 지역을 지도의 A~C에서 고른 것은?

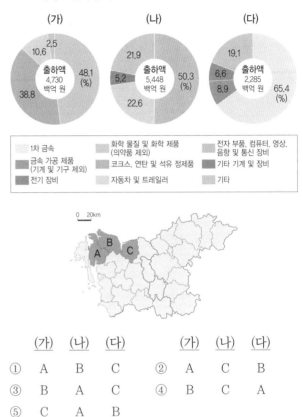

	(가)	(나)	(다)		(가)	(나)	(다)
①	A	B	C	②	A	C	B
③	B	A	C	④	B	C	A
⑤	C	A	B				

08 지도에 표시된 두 지역의 공통점으로 옳은 것은?

① 각 지역이 속한 도(道)의 도청이 입지하였다.
② 석탄 산업이 쇠퇴하면서 탄광 시설이 관광 자원으로 활용되고 있다.
③ 수도권에 있던 공공 기관이 이전해 오면서 지역 경제가 활성화되고 있다.
④ 우리나라의 중앙 행정 기능의 일부를 담당하는 복합 도시로 발달하고 있다.
⑤ 민간 기업이 주도적으로 개발한 특정 산업 중심의 자급자족형 복합 기능 도시가 입지하였다.

09 (가), (나) 지도의 항목으로 옳은 것은?

(가)

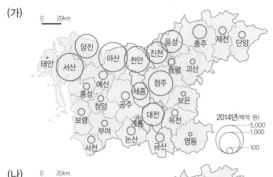

(나)

※세종특별자치시는 지역 내 총생산 자료 없음.　(해당 시도청, 2014 / 한국산업단지공단, 2016)

	(가)	(나)
①	제조업 출하액	지역 내 총생산액
②	제조업 출하액	농림어업 생산액
③	지역 내 총생산액	제조업 출하액
④	지역 내 총생산액	농림어업 생산액
⑤	농림어업 생산액	제조업 출하액

10 (가), (나) 지도에 대한 옳은 해석을 〈보기〉에서 고른 것은?

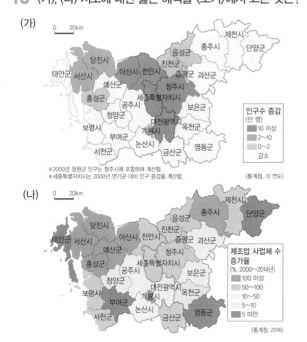

보기

ㄱ. 인구가 감소한 지역은 제조업 사업체 수도 감소하였다.

ㄴ. 시 지역은 인구가 증가하고 군 지역은 인구가 감소하였다.

ㄷ. 수도권과 인접한 지역은 수도권과 먼 지역보다 인구 증가율이 높다.

ㄹ. 제조업 사업체 수가 10% 이상 증가한 지역이 10% 미만 증가한 지역보다 많다.

① ㄱ, ㄴ　　② ㄱ, ㄷ　　③ ㄴ, ㄷ
④ ㄴ, ㄹ　　⑤ ㄷ, ㄹ

서술형 문제

11 충청 지방에서 인구가 20% 이상 증가한 지역을 찾아 해당 지역의 인구가 증가한 요인을 서술하시오. (단, 계룡시는 설명에서 제외함.)

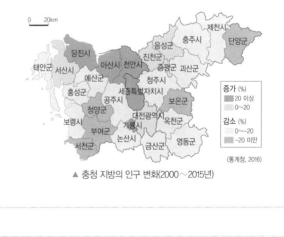

▲ 충청 지방의 인구 변화(2000～2015년)

01 (가)~(다) 그래프는 강원도의 시·군별 지역 내 총생산액 비중을 나타낸 것이다. (가)~(다)에 해당하는 산업으로 옳은 것은?

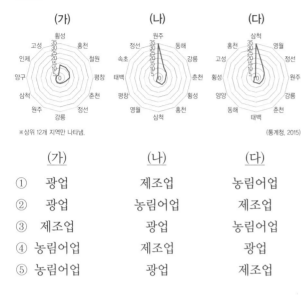

※ 상위 12개 지역만 나타냄.

(통계청, 2015)

	(가)	(나)	(다)
①	광업	제조업	농림어업
②	광업	농림어업	제조업
③	제조업	광업	농림어업
④	농림어업	제조업	광업
⑤	농림어업	광업	제조업

02 지도의 A~E 지역의 특성을 활용한 탐구 주제로 가장 적절한 것은?

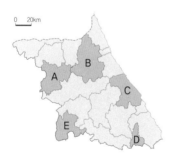

① A - 천연기념물로 지정된 석회 동굴을 활용한 지역 홍보 방안
② B - 석탄 산업 쇠퇴 후 폐광의 관광 자원화 현황
③ C - 조력 발전소 건설 이후 해양 생태계의 변화
④ D - 국토 정중앙 테마 공원 조성을 통한 관광객 유치 방안
⑤ E - 기업 도시 조성 현황과 첨단 의료 복합 도시로의 성장 방안

03 다음 자료는 강원도에 속하는 두 지역의 인구 구조를 나타낸 것이다. (가), (나)의 상대적 특성으로 옳은 것은?

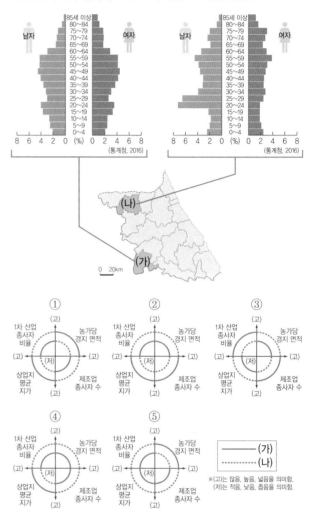

04 (가), (나) 지역을 지도의 A~C에서 고른 것은?

(가)	(나)
• 강원도의 도청 소재지 • 서울과 전철로 연결됨 • 침식 분지에서 발달함	• 한강의 발원지가 위치함 • 석탄 생산량 변화가 인구에 미치는 영향이 큼

	(가)	(나)
①	A	B
②	A	C
③	B	A
④	B	C
⑤	C	A

수능 기출

05 다음 자료에 대한 옳은 설명을 〈보기〉에서 고른 것은? (단, (가)~(다)는 대전, 세종, 충북·충남 중 하나임.)

〈연령별 인구 비중〉

연령＼지역	(가)	(나)	(다)
15세 미만	19.8	14.3	14.6
15~64세	69.7	70.1	74.6
65세 이상	10.5	15.6	10.8

〈산업별 종사자 비중〉

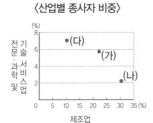

※그래프의 값은 해당 지역의 전체 종사자에서 산업별 종사자가 차지하는 비중임.

(통계청)

보기
ㄱ. (가)는 충북·충남, (나)는 세종이다.
ㄴ. 대전은 세종보다 유소년 부양비가 낮다.
ㄷ. 세종은 충북·충남보다 노령화 지수가 낮다.
ㄹ. 충북·충남은 대전보다 제조업 종사자 비중이 낮다.

① ㄱ, ㄴ　　② ㄱ, ㄷ　　③ ㄴ, ㄷ
④ ㄴ, ㄹ　　⑤ ㄷ, ㄹ

수능 유형

06 그래프는 (가)~(라) 지역의 경제 활동별 지역 내 부가 가치 생산액을 나타낸 것이다. (가)~(라) 지역에 대한 옳은 설명을 〈보기〉에서 고른 것은? (단, (가)~(라)는 대전, 강원, 충북, 충남 중 하나임.)

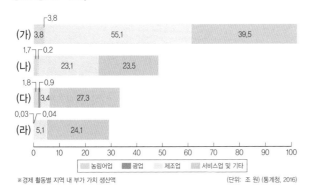

※경제 활동별 지역 내 부가 가치 생산액　　(단위: 조 원) (통계청, 2016)

보기
ㄱ. (가)는 충남, (라)는 대전이다.
ㄴ. (나)는 (가)보다 농림어업의 부가 가치 생산액이 많다.
ㄷ. (나)는 (다)보다 밭 면적 비율이 높다.
ㄹ. (나)는 (다)보다 제조업의 부가 가치 생산액이 많다.

① ㄱ, ㄴ　　② ㄱ, ㄹ　　③ ㄴ, ㄷ
④ ㄴ, ㄹ　　⑤ ㄷ, ㄹ

수능 유형

07 (가)~(다) 지역을 지도의 A~C에서 고른 것은?

(가) 대규모 석유 화학 단지 입지한 곳
(나) 주요 행정 기능을 담당하는 복합 도시
(다) 2015년 충청 지방에서 제조업 생산액이 가장 많으며, 수도권과 전철로 연결된 곳

0 20km

	(가)	(나)	(다)		(가)	(나)	(다)
①	A	B	C	②	A	C	B
③	B	A	C	④	B	C	A
⑤	C	A	B				

수능 유형

08 그래프는 충청 지방에 속하는 (가)~(다) 지역의 인구 변화를 나타낸 것이다. (가)~(다) 지역을 지도의 A~C에서 고른 것은? (단, (가)~(다)는 충주, 천안, 괴산 중 하나임.)

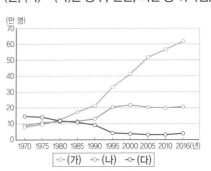

0 20km

	(가)	(나)	(다)		(가)	(나)	(다)
①	A	B	C	②	A	C	B
③	B	A	C	④	B	C	A
⑤	C	A	B				

04 다양한 산업이 발전하는 호남 지방과 공업과 함께 발달한 영남 지방

핵심 질문으로 흐름잡기

A 호남 지방의 농경지 확대 과정은?
B 호남 지방의 산업 구조 변화는?
C 영남 지방의 인구와 산업의 분포는?
D 영남 지방의 주요 도시는?

❶ 우리나라의 논 면적 비중

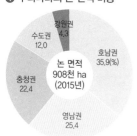

논 면적 908천 ha (2015년)

강원권 4.3
수도권 12.0
호남권 35.9(%)
충청권 22.4
영남권 25.4

(통계청)

우리나라의 논 면적 비중은 호남권>영남권>충청권의 순으로 높다.

❷ 새만금 간척 사업
우리나라 최대의 간척 사업으로, 1991년에 시작된 후 여전히 진행 중이다. 원래 농업 용지 중심으로 개발하려고 계획하였으나, 생태 환경, 공업, 관광, 과학 연구, 신·재생 에너지 개발 등의 용도로 활용할 계획이다.

❸ 광주·전남의 혁신 도시
수도권에 있던 한국 전력 공사, 한국 농촌 공사, 한국 방송 통신 전파 진흥원, 한국 문화 예술 위원회 등 17개의 공공 기관이 이주하여 광주·전남권의 새로운 성장 동력으로 기능하고 있다.

A 호남 지방의 농지 개간과 간척 사업

|시·험·단·서| 넓은 충적 평야와 간척 평야가 있는 호남 지방의 농업에 대한 문제가 자주 출제돼!

1. 호남 지방의 범위와 특징

(1) **범위**: 전라북도·전라남도·광주광역시, 북쪽으로 금강을 경계로 충청 지방과 접하고, 동쪽으로 소백산맥을 사이에 두고 영남 지방과 접함
└ 과거에는 호강으로 불리기도 했는데, 호남 지방은 금강의 남쪽 지방을 의미해

(2) **특징**: 농업과 어업이 발달하여 농산물과 해산물 풍부 → 전통 음식, 판소리, 민속놀이 등 다양한 문화 발달

2. 농지 개간

(1) **우리나라 최대의 곡창 지대❶**: 만경강과 동진강 주변의 호남평야와 영산강 주변의 나주평야를 중심으로 대규모 농경지 분포
└ 곡식을 쌓아 두는 창고라는 뜻으로, 곡식이 많이 생산되는 지방을 비유적으로 이르는 말이야

(2) **농업용수 확보**: 보, 제방, 저수지 등의 소규모 수리 시설을 확충하고 섬진강 상류에 다목적 댐을 건설하여 농업용수를 확보함
└ 용수의 확보 및 이용과 관련된 시설이야

3. 간척 사업 |자료 1|

(1) **농경지 확장**: 김제시 광활면, 부안군 계화도, 영산강 하구 등
└ 일제 강점기에 간척한 평야로, 지평선을 볼 수 있는 곳이야 / 영산강 하굿둑을 건설하고 농경지를 간척했어

(2) **산업 단지 조성**: 금강 하구의 군산, 영산강 하구의 영암, 광양만 일대의 광양 등

(3) **새만금 간척지❷ 조성**: 국내 최대 간척지, 다양한 개발 사업 추진

B 호남 지방의 산업 구조 변화

|시·험·단·서| 호남 지방에서 전통적으로 발달한 농업과 어업 이외에 최근 빠르게 발달하고 있는 공업과 관광 산업에 대한 문제가 자주 출제돼!

1. 1차 산업 중심

(1) 온화한 기후, 비옥한 평야, 넓은 갯벌을 바탕으로 1차 산업이 중심이 됨

(2) 제조업이나 서비스업의 비중은 상대적으로 낮음
└ 1차 산업 비중은 전국 평균보다 높아

2. 발달하는 공업 |자료 2|

(1) **산업 단지 조성**: 1970년대 여수 국가 산업 단지, 1980년대 광양 제철소 조성, 1990년대 군산 국가 산업 단지와 대불 산업 단지 조성
└ 임해 산업 단지의 양호한 입지 여건을 이용하여 종합 석유 화학 산업 단지로 육성했으며, 1970년대 중반에 조성되었어

(2) **사회 간접 자본 개선**: 고속 국도의 확장, 고속 철도의 개통, 컨테이너항 건설 → 접근성 향상, 중국과의 교역 증가로 제조업 성장 기대

(3) **다양한 지역 개발 추진**: 광주의 광(光) 산업, 새만금과 광양만 일대의 경제 자유 지역, 전주·완주와 광주·나주 일대의 혁신 도시❸ 조성

3. 자연과 문화를 바탕으로 한 관광 산업

(1) **관광 산업 발달**: 청정한 자연환경(지리산·덕유산 등의 산지, 다도해 등)과 고유한 문화유산(고인돌 유적지, 판소리 등)을 기반으로 관광 산업 발달
└ 전북 고창, 전남 화순이 대표적이야

(2) **다양한 축제 개최**: 김제 지평선 축제, 남원 춘향제, 보성 다향 대축제 등

(3) **슬로시티 등록**: 전주(한옥 마을 포함), 신안군 증도면, 완도군 청산면 등

자료1 호남 지방의 간척 사업 관련 문제 ▶ 270쪽 01번

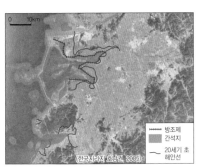

▲ 계화도 간척과 농업용수 확보

▲ 새만금 개발 계획

자료·분석 계화도 간척지는 1965년 섬진강 댐이 건설되면서 삶의 터전을 잃은 사람들을 수용하기 위해 조성되었다. 섬이었던 계화도와 육지인 부안군 동진면을 잇는 방조제가 완공되면서 방조제 안쪽이 광활한 농경지로 변모하였다. 계화도에서 필요한 농업용수는 섬진강 댐에서 공급받고 있다. 새만금 간척지는 우리나라 최대 규모의 간척지로, 아직도 조성 공사가 진행되고 있다. 새만금 간척지는 원래 농업 용지 확보를 위해 개간하였지만, 공업·관광 레저·주거 등 다양한 용도로 사용될 계획이다.

▶ **한·줄·핵·심** 호남 지방에서는 간척 사업을 통해 땅을 넓혀 오고 있다!

자료2 호남 지방의 산업 변화 관련 문제 ▶ 267쪽 04번, 270쪽 03번

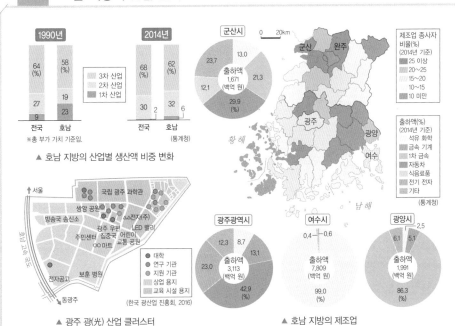

▲ 호남 지방의 산업별 생산액 비중 변화

▲ 광주 광(光) 산업 클러스터

▲ 호남 지방의 제조업

자료·분석 호남 지방은 전통적으로 농업과 어업 중심의 산업 구조를 지니고 있었으나, 산업이 발달하면서 제조업과 서비스업의 비중이 증가하였다. 호남 지방에서 제조업이 크게 발달한 도시는 광주, 여수, 광양, 군산 등지인데, 광주는 자동차 및 광(光) 산업, 여수는 석유 화학, 광양은 철강 공업이 주를 이룬다.

한·줄·핵·심 호남 지방은 농업과 어업에서 탈피하여 제조업과 서비스업이 발달하고 있다!

궁금해요

Q. 호남 지방에서 간척 사업이 활발히 이루어진 이유는 무엇인가요?

A. 우리나라의 서해안과 남해안은 만과 섬이 발달하여 해안선이 아주 복잡할 뿐만 아니라 이들 해안으로 한강, 금강, 만경강, 동진강, 영산강 등 많은 토사를 운반해 오는 하천들이 흘러들고 있어 갯벌이 발달했는데, 방조제 및 하굿둑을 쌓으면서 갯벌을 땅으로 만드는 간척 사업이 이루어졌어.

용어 더하기

* **계화도**
전북 부안군에 있던 작은 섬이었는데, 1960년대 간척 사업이 이루어지면서 육지와 연결되었다.

* **광(光) 산업**
광(光) 기술을 중심으로 한 광통신, 광계측, 광정보 등의 산업 분야이며, 빛을 이용한 모든 산업을 포괄한다. 광주광역시에서는 '빛 고을'이라는 도시의 이미지에 맞는 첨단 산업을 육성하기 위해 이 개념을 사용하고 있으며, 특히 LED 산업의 성장이 두드러진다.

* **섬진강 댐**
1965년에 완공된 우리나라 최초의 다목적 댐이다. 전력 생산과 용수 확보 등을 위해 만들어졌는데, 특히 섬진강 댐에서 얻은 물을 이용하여 계화도 간척지의 농업용수로 이용하고 있다.

❹ 영남 지방의 인구 분포 변화

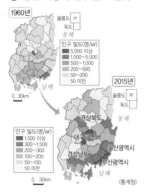

부산, 대구 등 대도시와 남동 임해 공업 지역 등지는 인구가 증가하였으나, 경북 북부 내륙과 경남 서부 지역은 인구가 감소하였다.

❺ 울산
울산광역시는 우리나라 최초로 국가 산업 단지가 조성된 곳이며, 울산광역시 남구의 한 로터리에는 1967년에 세워진 공업탑이 있다. 울산은 산업 단지 건설 당시에는 인구가 약 10만 명이었으나, 1980년에는 인구가 50만 명을 넘어섰고, 현재는 인구 약 120만 명의 도시로 성장하였다.

❻ 유네스코 세계 문화유산으로 등재된 경주 역사 유적 지구
경주 역사 유적 지구는 신라 왕조의 수도로, 남산을 포함한 경주 주변에 우리나라 건축물과 불교 발달에 중요한 유적과 기념물이 많이 있다.

C 영남 지방의 공간 구조

| 시·험·단·서 | 부산, 대구 등의 영남 지방의 주요 도시와 제조업이 발달한 영남 내륙 공업 지역과 남동 임해 공업 지역에 대한 문제가 자주 출제돼!

1. 영남 지방의 범위와 인구 및 도시

(1) 범위
　① 경상북도·경상남도·부산광역시·대구광역시·울산광역시
　② 북쪽과 서쪽으로는 소백산맥을 사이에 두고 강원·충청·호남 지방과 접함, 동쪽과 남쪽에는 바다가 있음

(2) 인구 분포 변화❹
　① 1970년대 이후 영남 내륙 지역과 남동 해안에 산업 단지 형성 → 부산, 대구, 울산, 창원, 포항의 인구 급증
　　└─ 대구와 구미 일대를 중심으로 산업 단지가 조성되었어
　② 경상북도 북부와 경상남도 서부 지역은 인구 유출로 급속한 고령화 현상이 나타남

(3) 도시 발달
　① 부산과 대구*: 영남 지방의 대표 도시
　② 울산: 공업 도시
　③ 최근 부산과 대구의 교외화 현상으로 김해·양산·경산의 인구 성장이 두드러짐
　　　└─ 주거 기능 위주의 비자족 도시에 해당돼

2. 영남 지방의 산업 분포 [자료 3]

　　　　　　　　　┌─ 특히 사과 생산이 활발해
(1) 농업 발달: 북부 내륙 지역을 중심으로 과수 농업 활발, 낙동강 하구 삼각주를 중심으로 시설 원예 농업 발달

(2) 제조업 발달
　　　　　　┌─ 섬유 공업의 비중이 약화되고, 기계 및 자동차 공업의 비중이 증가하고 있어
　① 영남 내륙 공업 지역: 구미 – 전자 공업, 대구 – 기계·섬유 공업 등
　② 남동 임해 공업 지역: 포항 – 철강 공업, 울산 – 석유 화학·조선·자동차 공업, 부산 – 기계·자동차 공업, 창원 – 기계 공업, 거제 – 조선 공업 등

(3) 기타: 부산·대구 등 대도시를 중심으로 상업 및 교육 서비스업 발달, 안동·경주에는 관광·휴양 산업 발달

D 영남 지방의 주요 도시

| 시·험·단·서 | 영남 지방의 거점 도시와 전통문화 도시의 특성에 대한 문제가 자주 출제돼!

1. 산업이 발달한 거점 도시 [자료 4]

(1) 부산
　① 우리나라 최대 무역항, 동북아시아 물류 비즈니스 거점 기능 강화
　② 국제 영화제 개최 → 문화·관광 산업 육성

(2) 대구: 패션과 문화 콘텐츠 산업 발전에 주력, 섬유 공업의 첨단화와 첨단 의료 복합 단지 유치, 대구 테크노폴리스 육성

(3) 울산*❺: 석유 화학·조선·자동차 공업 입지 이후 인구가 급성장하였음

(4) 창원*: 기계 공업 단지, 경상남도 도청 소재지, 2010년 마산·진해와 통합

2. 전통문화 도시

(1) 안동: 조선 시대 고택과 전통 마을을 연계하여 관광 자원으로 활용, 경상북도 도청 이전

(2) 경주
　① 고분과 사찰, 불탑 등이 유네스코 세계 문화유산❻으로 등재
　② 보문 관광 단지를 중심으로 관광 산업 발달

자료3 영남 지방의 제조업 관련 문제 ▶ 268쪽 08번

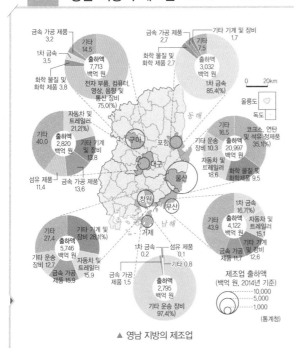

▲ 영남 지방의 제조업

자료·분석 영남 지방에는 부산과 대구와 같은 전통적인 지역 거점 도시가 있다. 그 외에 공업 도시인 울산, 창원, 포항, 구미의 인구 규모가 크며, 대도시의 주거 기능을 분담하는 도시인 김해, 양산, 경산 등이 빠르게 성장하고 있다. 영남 지방에서는 도시별로 발달한 제조업이 뚜렷하게 구분된다. 대구는 자동차·기계, 구미는 전자, 포항은 철강, 울산은 석유 화학·자동차·조선, 창원은 기계, 거제는 조선 공업이 발달하였다.

한·줄·핵·심 영남 지방의 제조업은 영남 내륙 공업 지역과 남동 임해 공업 지역에서 발달하였다.

궁금해요

Q. 경북도청은 왜 안동으로 옮겨졌나요?

A. 경북도청을 유치하기 위해 여러 시·군이 노력하였으나, 산업화 과정에서 낙후된 경북 북부에 위치한 안동 지역으로 이전하게 되었어. 경북도청의 이전을 통해 경상북도는 지역 간 균형 발전을 도모할 수 있게 되었어.

용어 더하기

* 부산과 대구
부산과 대구는 영남 지방의 대표적인 거점 도시이다. 부산은 인구 규모 제2위 도시로, 서울 다음으로 인구가 많은 도시이고, 대구는 인구 규모 제4위 도시로, 인천 다음으로 인구가 많은 도시이다.

* 울산
공업 도시로 시작된 울산시는 1997년 광역시로 승격했다. 울산은 대기업들의 제조업 공장들이 집중된 곳으로, 주민들의 소득 수준이 높은데, 1인당 지역 내 총생산(GRDP)은 광역시 승격 이후 전국 시도 중 줄곧 1위를 기록하고 있다.

* 창원
기계 공업 단지의 조성과 경남도청의 이전으로 성장하였으며, 2010년 진해, 마산과 통합되어 인구 100만 명이 넘는 대도시가 되었다.

자료4 영남 지방의 주요 도시 관련 문제 ▶ 271쪽 07번

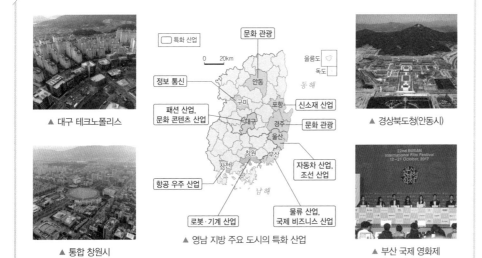

▲ 대구 테크노폴리스

▲ 경상북도청(안동시)

▲ 통합 창원시

▲ 영남 지방 주요 도시의 특화 산업

▲ 부산 국제 영화제

자료·분석 우리나라 최대의 무역항인 부산은 국제 영화제 개최를 비롯하여 문화·관광 산업을 육성하고 있다. 섬유 산업의 메카였던 대구는 패션과 문화 콘텐츠 산업, 의료 산업, 메카트로닉스 산업 육성에 힘쓰고 있다. 전통문화를 바탕으로 관광 산업을 육성하고 있는 안동은 대구로부터 경북도청을 유치하면서 행정 기능이 강화되고 있으며, 경남도청 소재지인 창원은 진해 및 마산과의 통합을 통해 인구 100만 명이 넘는 대도시로서 자리매김하고 있다.

한·줄·핵·심 부산, 대구, 안동, 창원 등은 지역 특성을 반영하여 변화를 모색해 나가고 있다!

호남 지방의 지리적 특색

개념풀 Guide 호남 지방의 지역별 발달 산업, 지역 축제 등을 알아보자.

1. 군산, 전주, 무주, 영광, 보성의 지역 특성 관련 문제 ▶ 270쪽 04번

임금님 수라상에 올랐던 굴비

조차를 극복하기 위한 뜬다리 부두 시설

전통 가옥 양식을 간직한 한옥 마을

청정한 환경을 이용한 반딧불이 축제

지리적 표시제로 등록된 녹차의 생산지

분석

- A는 전남 영광으로 '굴비' 생산으로 유명한 곳이다. 영광에는 원자력 발전소가 위치하기도 한다.
- B는 전북 군산으로 조차 극복을 위한 '뜬다리 부두' 시설로 유명하다. 최근 군산의 근대 문화 거리를 찾는 관광객도 증가하고 있다.
- C는 전북 전주로 한옥 마을과 비빔밥이 유명하다. 전북 전주시는 슬로시티로도 지정되어 있다.
- D는 전북 무주로 '반딧불 축제'가 유명하다.
- E는 전남 보성으로 녹차 생산지로 유명하며, 녹차 축제인 '다향 대축제'가 열린다.

2. 여수, 광양, 광주의 제조업 관련 문제 ▶ 270쪽 03번

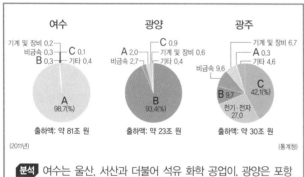

여수
기계 및 장비 0.2
비금속 0.3 ┬ C 0.1
B 0.3 ┴ 기타 0.4
A 98.7(%)
출하액: 약 81조 원

광양
C 0.9
A 2.0 ─ 기계 및 장비 0.6
비금속 2.7 ─ 기타 0.4
B 93.4(%)
출하액: 약 23조 원

광주
기계 및 장비 6.7
A 0.3 ─ 기타 4.6
비금속 9.6
C 42.1(%)
B 9.7
전기·전자 27.0
출하액: 약 30조 원

(2011년) (통계청)

분석 여수는 울산, 서산과 더불어 석유 화학 공업이, 광양은 포항과 함께 제철 공업이 발달하였다. 광주는 울산, 경기와 함께 자동차 공업이 발달해 있다. 따라서 제시된 자료 중 여수에서 가장 큰 비중을 차지하고 있는 A는 석유 화학 공업, 광양에서 가장 큰 비중을 차지하고 있는 B는 제철 공업, 광주에서 가장 큰 비중을 차지하고 있는 C는 자동차 공업이다.

3. 김제, 남원, 보성의 지역 축제 관련 문제 ▶ 270쪽 04번

지역	(가)	(나)	(다)
보고서 내용	삼한 시대에 축조된 벽골제가 있는 이 지역의 지평선 축제에 참가해 농촌 체험을 하였다.	지리산 북서쪽에 위치하고 목기(木器)로 유명한 이 지역에서 열리는 축제에 참가하였다.	지리적 표시제 제1호로 등록된 녹차 관련 축제에서 다향 백일장, 사생 대회에 참가하였다.
지역 축제 포스터	○○지평선축제	춘향제	다향 대축제

분석 지평선 축제는 전북 김제(가), 춘향제는 전북 남원(나), 다향 대축제는 전남 보성(다)의 지역 축제이다.

이것만은 꼭!

지역과 대표 축제	김제	함평	보성	순창
	지평선 축제	나비 축제	다향 대축제	장류 축제

영남 지방의 지리적 특색

개념풀 Guide   영남 지방의 도시별 제조업 특성과 지역별 특징을 알아보자.

1. 광역시의 주민 소득과 제조업 부문별 종사자 수 비중   관련 문제 ▶ 268쪽 08번, 269쪽 09번

〈지역 내 제조업 부문별 종사자 수 비중〉   (단위: %)

순위	A		B		C	
	부문	비중	부문	비중	부문	비중
1	(가)	17.0	(가)	29.2	기타 기계 및 장비	14.9
2	(나)	16.4	기타 운송 장비	28.0	(나)	3.0
3	(다)	15.3	화학 물질 및 화학 제품	9.4	(가)	8.7
4	기타 기계 및 장비	13.3	기타 기계 및 장비	5.8	1차 금속	7.9
5	고무 및 플라스틱 제품	8.1	(나)	5.6	고무 및 플라스틱 제품	7.6

(2014)   (통계청)

* A~C는 영남 지방의 세 광역시 중 하나임.
** 10인 이상 제조업체만 포함되며, 상위 5순위까지만 표시함.
*** 섬유 제품(의복 제외), 금속 가공 제품(기계 및 가구 제외), 화학 물질 및 화학 제품(의약품 제외)

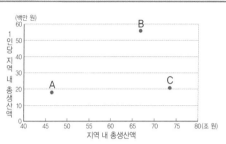

▲ 영남 지방에 위치한 광역시의 주민 소득

분석 영남 지방에 위치한 광역시는 부산, 대구, 울산이다. 이들 중 1인당 지역 내 총생산액이 가장 많은 도시는 울산(B)이다. 부산(C)과 대구(A) 중 지역 내 총생산액은 인구 규모가 큰 부산(C)이 대구(A)보다 많다.

부산과 울산을 제외한 대구(A)에서만 종사자 수 비중이 높은 (다)는 섬유 제품 제조업이다. 울산(B)과 대구(A)에서 종사자 수 비중이 가장 높으며, 부산(C)에서도 종사자 수 비중이 높은 (가)는 자동차 및 트레일러 제조업이다. 나머지 (나)는 금속 가공 제품 제조업이다.

2. 영남 지방과 호남 지방의 지역성 비교   관련 문제 ▶ 271쪽 05번

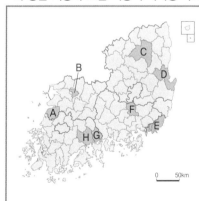

분석 A는 전북 고창, B는 전북 전주, C는 경북 안동, D는 경북 포항, E는 부산광역시, F는 경남 창녕, G는 전남 광양, H는 전남 순천이다.

- 전북 고창: 고인돌 유적지가 유네스코 세계 유산에 등재되었다.
- 전북 전주: 전북도청 소재지이며, 한옥 마을이 관광지로 이용되고 있다.
- 경북 안동: 유교 문화의 전통이 남아 있으며, 경북도청이 이전하였다.
- 경북 포항: 대규모 제철소가 있으며, 호미곶의 해맞이 축제가 유명하다.
- 부산광역시: 우리나라 제2의 도시로, 국제 영화제가 열린다.
- 경남 창녕: 람사르 협약에 등록된 습지인 우포늪이 있다.
- 전남 광양: 대규모 제철소가 있으며, 경제 자유 구역으로 지정되었다.
- 전남 순천: 람사르 협약에 등록된 습지인 순천만 갯벌이 있다.

이것만은 꼭!

	문경	안동	대구	경주
지역 특성	석탄 박물관	하회 마을, 국제 탈춤 페스티벌	섬유 공업, 자동차 공업	양동 마을, 문화 유적

A 호남 지방의 농지 개간과 간척 사업

01 호남 지방의 간척 사업에 대한 설명이 옳으면 ○표, 틀리면 ×표 하시오.

(1) 계화도 간척지는 1965년 금강 상류에 다목적 댐이 건설되면서 삶의 터전을 잃게 된 사람들을 수용하기 위해 만들어졌다. ( )

(2) 새만금 간척지는 애초에 산업 단지로 활용할 계획이었으나, 식량 확보를 위해 농업 용지로 사용할 가능성이 더 높아졌다. ( )

B 호남 지방의 산업 구조 변화

02 다음 글의 (가)~(라)에 알맞은 도시를 〈보기〉에서 골라 쓰시오.

> 호남 지방의 공업은 1970년대 [(가)] 석유 화학 산업 단지, 1980년대 [(나)] 제철소가 조성되면서 발달하기 시작하였다. 1990년대 이후에는 중국과의 교역을 목표로 대불 국가 산업 단지, [(다)] 국가 산업 단지 등이 조성되면서 제조업이 발달하였다. 오늘날 자동차 공업이 발달한 [(라)]에서는 광(光) 산업을 전략적으로 육성하고 있다.

보기 • 광주   • 광양   • 군산   • 여수

C 영남 지방의 공간 구조

03 지도를 보고 알맞은 말 ○에 표 하시오.

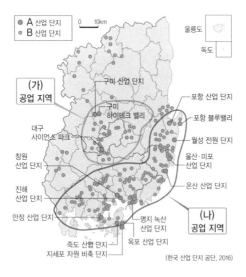

(한국 산업 단지 공단, 2016)

(1) A는 (국가, 일반) 산업 단지이고, B는 (국가, 일반) 산업 단지이다.

(2) (가)는 (영남 내륙, 남동 임해) 공업 지역이고, (나)는 (영남 내륙, 남동 임해) 공업 지역이다.

(3) 영남 내륙 공업 지역에서는 (섬유, 제철) 공업이 발달했다.

(4) 남동 임해 공업 지역에서는 (전자 조립, 조선) 공업이 발달했다.

(5) 온산 국가 산업 단지는 (울산, 부산)에 위치한다.

D 영남 지방의 주요 도시

04 영남 지방 주요 도시의 특징을 바르게 연결하시오.

(1) 부산   • ㉠ 통합 ○○시

(2) 대구   • ㉡ 인구 규모로 우리나라 제2위 도시

(3) 울산   • ㉢ 1인당 지역 내 총생산액 제1위 도시

(4) 창원   • ㉣ 섬유 공업의 첨단화를 추구하는 도시

탄탄! 내신 다지기

A 호남 지방의 농지 개간과 간척 사업

01 지도에 표시된 지역에 대한 설명으로 옳지 <u>않은</u> 것은?

① 전통적으로 호남 지방이라고 불린다.
② 농경지가 넓고 식량 작물 생산이 활발하다.
③ 북쪽 경계는 영산강이고, 동쪽 경계는 소백산맥이다.
④ 전통 음식, 판소리, 민속놀이 등 다양한 문화가 발달하였다.
⑤ 동부의 산지, 서남부의 평야 및 도서 지역으로 이루어져 있다.

02 다음 글의 (가)에 해당하는 지역을 지도의 A~E에서 고른 것은?

> (가) 은/는 조정래 대하소설 『아리랑』의 무대이다. 소설에는 이곳 사람들이 '외에밋들'이라고 일컫는 넓은 평야에 대해 "그 끝이 하늘과 맞닿아 있는 넓디나 넓은 들녘은 어느 누구나 기를 쓰고 걸어도 언제나 제자리에 헛걸음질을 하고 있는 것 같은 착각에 빠지게 만들었다."고 표현되어 있다. (가) 은/는 벽골제의 아리랑 문학비를 시작으로 일제의 수탈 역사를 증명하는 하시모토 농장 사무실, 끝이 보이지 않을 만큼 넓은 광활면의 평야 ……

① A
② B
③ C
④ D
⑤ E

03 그래프는 지역별 논 면적 비중을 나타낸 것이다. A, B 지역에 대한 옳은 설명만을 〈보기〉에서 있는 대로 고른 것은?

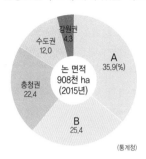

> **보기**
> ㄱ. A는 B보다 맥류 생산량이 많다.
> ㄴ. A는 B보다 지역 내 총인구가 많다.
> ㄷ. B는 A보다 광역시의 수가 많다.
> ㄹ. B는 A보다 과수 재배 면적이 넓다.

① ㄱ, ㄴ
② ㄱ, ㄹ
③ ㄴ, ㄷ
④ ㄱ, ㄷ, ㄹ
⑤ ㄴ, ㄷ, ㄹ

B 호남 지방의 산업 구조 변화

04 그래프는 세 도시의 제조업 업종별 출하액 비중을 나타낸 것이다. (가)~(다)를 지도의 A~C에서 고른 것은?

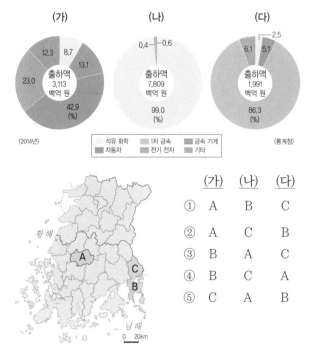

	(가)	(나)	(다)
①	A	B	C
②	A	C	B
③	B	A	C
④	B	C	A
⑤	C	A	B

05 (가), (나)와 관련이 깊은 지역을 지도의 A~D에서 고른 것은?

> (가) 춘향의 절개와 정절을 부덕(婦德)의 상징으로 숭상하고 이를 기리기 위해 ○○에서 춘향제가 매년 개최되고 있다.
>
> (나) □□에서는 '□□ 나비 대축제'가 열린다. 이 축제에서는 나비와 꽃, 곤충을 주제로 한 다양한 전시 및 체험 행사가 마련된다.

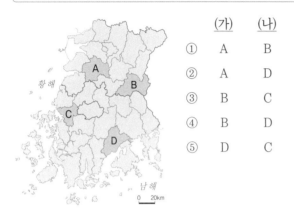

	(가)	(나)
①	A	B
②	A	D
③	B	C
④	B	D
⑤	D	C

06 다음 자료의 밑줄 친 (가)에 들어갈 내용으로 적절하지 않은 것은?

광주·전남 혁신 도시는 수도권에 위치해 있던 한국 전력 공사와 한국 농촌 공사, 한국 방송 통신 전파 진흥원, 한국 문화 예술 위원회 등에 너지와 농업, 정보 통신, 문화 예술 분야 등 17개 공공 기관이 이주하여 광주·전남권의 새로운 성장 동력을 창출하고자 건설되었다. 혁신 도시가 건설되면서 나주 지역은 (가)

① 상주인구가 증가하였다.
② 각종 편의 시설이 증가하였다.
③ 고속철의 운행 횟수가 증가하였다.
④ 지방세 등 세수(稅收)가 증가하였다.
⑤ 거주민의 평균 거주 연수가 증가하였다.

C 영남 지방의 공간 구조

07 그래프는 전국 및 영남 지방의 제조업 관련 자료를 나타낸 것이다. 이를 분석한 내용으로 옳지 않은 것은?

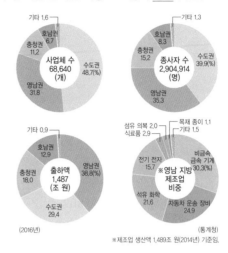

① 우리나라는 공업의 지역적 편재가 심하다.
② 영남권은 경공업보다 중화학 공업의 생산액이 많다.
③ 영남권은 수도권보다 제조업 사업체당 종사자 수가 적다.
④ 영남권은 수도권보다 제조업 종사자 1인당 출하액이 많다.
⑤ 영남권의 제조업 출하액은 충청권과 호남권을 합친 것보다 많다.

08 그래프는 영남 지방에 위치한 세 도시의 제조업 업종별 출하액 비중을 나타낸 것이다. (가)~(다)를 지도의 A~C에서 고른 것은?

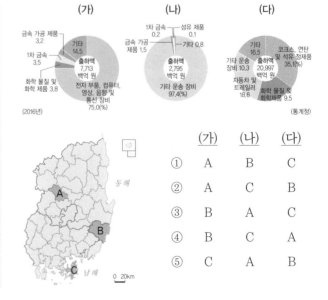

	(가)	(나)	(다)
①	A	B	C
②	A	C	B
③	B	A	C
④	B	C	A
⑤	C	A	B

09 그래프는 두 제조업의 시·도별 출하액 비중을 나타낸 것이다. A~C에 대한 옳은 설명을 〈보기〉에서 고른 것은? (단, A~C는 경남, 울산, 부산 중 하나임.)

〈기타 운송 장비 제조업〉 〈코크스·연탄 및 석유 정제품 제조업〉

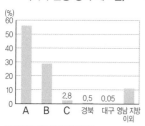 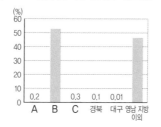

※10인 이상 사업체의 출하액 기준임.
※기타 운송 장비 제조업에는 선박 건조업, 철도 장비 제조업 등이 포함됨.
(통계청, 2014)

보기
ㄱ. A는 B보다 상주인구가 많다.
ㄴ. B는 A보다 1인당 지역 내 총생산액이 많다.
ㄷ. B는 C보다 항만의 컨테이너 운송량이 많다.
ㄹ. C는 B보다 석유 공급량이 많다.

① ㄱ, ㄴ   ② ㄱ, ㄷ   ③ ㄴ, ㄷ
④ ㄴ, ㄹ   ⑤ ㄷ, ㄹ

D 영남 지방의 주요 도시

10 그래프는 인구 규모에 따른 우리나라 도시 순위 변화를 나타낸 것이다. A~D에 대한 옳은 설명만을 〈보기〉에서 있는 대로 고른 것은? (단, A~D는 부산, 대구, 울산, 창원 중 하나임.)

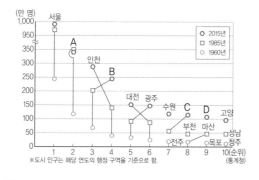

※도시 인구는 해당 연도의 행정 구역을 기준으로 함.
(통계청)

보기
ㄱ. A - 해마다 국제 영화제가 열린다.
ㄴ. B - 최근 다른 공업에 비해 섬유 공업 종사자 수가 많아졌다.
ㄷ. C - 석유 화학, 자동차, 조선 공업이 발달하였다.
ㄹ. D - 옛날 '마산' 지역을 포함하고 있다.

① ㄱ, ㄴ   ② ㄱ, ㄹ   ③ ㄴ, ㄷ
④ ㄱ, ㄷ, ㄹ   ⑤ ㄴ, ㄷ, ㄹ

---

11 다음 글의 밑줄 친 '이 도시'에 대한 설명으로 옳은 것은?

이 도시의 중구는 주요 관공서와 금융 기관 및 각종 상업 시설이 밀집한 중심지이다. 또한 유·무형의 역사·문화 자원이 풍부해 근대 역사 문화유산이 많이 보존된 지역이다. 그러나 1990년대 이후 도심 공동화 현상이 일어나 20만 명에 이르던 주민 등록 인구가 8만 명으로 감소하는 등 어려움을 겪었다. 이에 도심 재개발을 통해 1,000여 개에 달하는 골목 자원에 창조적인 디자인과 스토리텔링을 더한 5개 코스의 '골목 투어' 상품을 개발하였다.
– 「매일경제신문」, 2016. 4. 26. –

① 최근 도청이 이 도시로 이전하였다.
② 이웃한 대표적인 도시로 김해와 양산이 있다.
③ 우리나라에서 가장 큰 규모의 국제 영화제가 개최된다.
④ 우리나라의 광역 자치 단체 중 1인당 지역 내 총생산액이 가장 많다.
⑤ 내륙에 위치한 도시로 폭염이 잦아 최근 '대프리카'라고 불리기도 한다.

서술형 문제

12 다음 글을 읽고 부산과 대구의 제조업 구조가 어떻게 변화하였는지 공통점을 서술하시오.

부산은 우리나라 제2의 도시로 1970~1980년대 신발 산업이 매우 발달하였으나, 국내 임금 상승과 중국 및 동남아시아 신흥 공업국의 성장으로 1990년대 이후 급속한 침체를 겪게 되었다. 최근 부산은 영상 산업, 국제 물류, 금융 산업 중심으로 산업 구조가 변화하고 있다.
대구는 섬유 산업의 경쟁력이 약화되면서 한때 지역 경제가 크게 침체되었다. 이를 극복하기 위해 섬유 공업의 첨단화를 추진하면서 자동차 부품, 금속·기계, 의료 기기 등 부가 가치가 큰 제조업 위주로 산업 구조를 변화시키고 있다.

01 지도는 새만금 개발 계획을 나타낸 것이다. 개발에 따른 지역 변화에 대한 옳은 설명만을 〈보기〉에서 있는 대로 고른 것은?

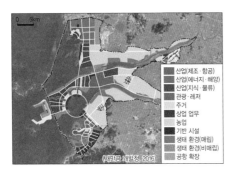

보기
ㄱ. 해안선의 길이가 길어진다.
ㄴ. 지역을 찾는 관광객이 증가한다.
ㄷ. 만경강과 동진강에서 감조 구간이 길어진다.
ㄹ. 새로운 도시가 조성되어 상주인구가 증가한다.

① ㄱ, ㄴ
② ㄱ, ㄷ
③ ㄴ, ㄹ
④ ㄱ, ㄷ, ㄹ
⑤ ㄴ, ㄷ, ㄹ

02 다음 글의 (가)에 해당하는 지역을 지도의 A～E에서 고른 것은?

과거 (가) 은/는 1차 산업 비중이 높은 지역이었다. 1980년 당시 (가) 의 농가 인구는 63,000여 명, 어가 인구는 15,000여 명이었으며, 제조업 종사자는 400여 명에 불과하였다. 그러나 1992년 제철소가 완공됨에 따라 (가) 의 산업 구조는 크게 변화하였다. 2014년 농가 인구는 15,000여 명, 어가 인구는 1,700여 명으로 감소하였고 제조업 종사자는 69,000여 명으로 급증하였다.

① A
② B
③ C
④ D
⑤ E

03 그래프는 호남 지방에 위치하는 세 도시의 제조업 업종별 출하액 비중을 나타낸 것이다. A～C에 대한 옳은 설명을 〈보기〉에서 고른 것은?

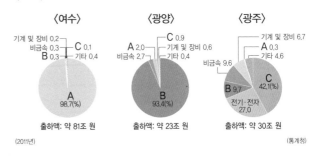

보기
ㄱ. A는 많은 부품을 필요로 하는 조립형 공업이다.
ㄴ. B의 출하액은 광양이 광주보다 많다.
ㄷ. C의 제품은 1960～1970년대 주력 수출 상품이었다.
ㄹ. B의 완제품은 C의 주요 재료로 이용된다.

① ㄱ, ㄴ
② ㄱ, ㄷ
③ ㄴ, ㄷ
④ ㄴ, ㄹ
⑤ ㄷ, ㄹ

04 다음 자료는 학생이 작성한 체험 학습 보고서의 일부이다. (가)～(다) 지역을 지도의 A～C에서 고른 것은?

(가)	(나)	(다)
삼한 시대에 축조된 벽골제가 있는 이 지역의 지평선 축제에 참가해 농촌 체험을 하였다.	지리산 북서쪽에 위치하고 목기(木器)로 유명한 이 지역에서 열리는 춘향제에 참가하였다.	지리적 표시제 제1호로 등록된 녹차 관련 축제에서 다향 백일장, 사생 대회에 참여하였다.

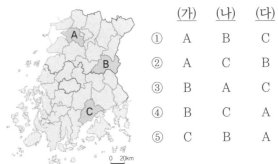

	(가)	(나)	(다)
①	A	B	C
②	A	C	B
③	B	A	C
④	B	C	A
⑤	C	B	A

05 호남 지방의 A~E 지역과 영남 지방의 ㄱ~ㅁ 지역의 공통점을 찾기 위한 학습 주제로 옳은 것은?

지역	학습 주제
① A-ㅁ	하굿둑 건설이 환경에 미친 영향
② B-ㄹ	람사르 등록 습지의 생태학적 의미
③ C-ㄷ	원자력 발전소가 가져온 지역 변화
④ D-ㄴ	세계 문화유산으로 등재된 전통 마을 조사
⑤ E-ㄱ	철강 공업이 청장년층 성비에 미친 영향

06 표는 영남권에 위치한 세 도시의 제조업 업종별 출하액을 나타낸 것이다. (가)~(다)에 대한 설명으로 옳지 <u>않은</u> 것은? (단, (가)~(다)는 대구, 울산, 포항 중 하나임.)

순위	(가)		(나)		(다)	
1	자동차 및 트레일러	21.6	코크스 및 석유 정제품	27.1	1차 금속	82.9
2	기타 기계 및 장비	14.1	자동차 및 트레일러	22.1	비금속 광물 제품	5.3
3	금속 가공 제품	13.8	화학 물질 및 화학 제품	19.6	금속 가공 제품	4.2
4	섬유 제품 (의복 제외)	10.8	기타 운송 정비	12.3	화학 물질 및 화학 제품	2.6

(2015년) (통계청)
※ 종사자 규모 10인 이상 기업체를 대상으로 함.

① (가)는 (나)보다 광역시 승격(개편) 연도가 이르다.
② (가)는 (다)보다 저차 중심지이다.
③ (나)는 (가)보다 제조업 종사자 수 비중이 높다.
④ (나)는 (다)보다 총인구가 많다.
⑤ (다)는 (가)보다 특정 기업에 대한 경제 의존도가 높다.

07 다음 자료의 (가)를 지도의 A~E에서 고른 것은?

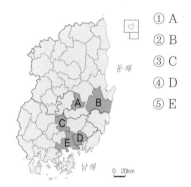

> (1) ☐(가)☐ 시의 특징
> • 대도시의 교외 지역이며, 인구 100만 명 이상의 도시 두 개와 접해 있음
> • 2003년 이후 대규모 택지 개발 실시
> • 과수, 채소 및 화훼 등 원예 농업 발달
> (2) ☐(가)☐ 시의 변화
> • 2000년 약 35만 명이던 인구가 2015년 약 55만 명으로 크게 증가
> • 2000년 10,698ha이던 경지 면적이 2015년에는 8,153ha로 대폭 감소
> • 인근 대도시로 통근 및 통학하는 인구 증가

① A
② B
③ C
④ D
⑤ E

08 다음 자료는 영남 지방에 위치하는 세 도시의 총인구 변화를 나타낸 것이다. (가)~(다)에 대한 설명으로 옳은 것은?

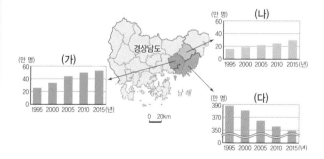

① (가)는 (다)보다 고차 중심지이다.
② (나)는 (다)보다 1995~2015년의 순유입 인구가 적다.
③ (나), (다)는 (가)의 위성 도시에 해당한다.
④ (다)의 교외화 현상은 (가), (나)의 성장에 영향을 주었다.
⑤ (가)-(나) 간 통학·통근 인구보다 (가)-(다) 간 통학·통근 인구가 적다.

05 ∿ 세계적인 관광지로 발전하는 제주도

핵심 질문으로 흐름잡기

A 제주도의 지역 특성은?

B 제주도의 발전을 위한 방안은?

A 제주도의 지역 특성

| 시·험·단·서 | 제주도의 화산 지형, 해양성 기후와 관련된 독특한 섬 문화에 대한 문제가 자주 출제돼!

1. 제주도의 자연환경 〔자료1〕

(1) **위치**: 우리나라에서 가장 큰 섬으로 대륙과 태평양을 연결하는 통로에 위치, 동북아 주요 도시들과의 접근성이 높음

(2) **형성 및 가치**: 신생대 화산 활동으로 형성, 독특하고 아름다운 자연환경을 바탕으로 생물권 보전 지역(2002년), 세계 자연 유산(2007년), ❶ 세계 지질 공원(2010년)으로 등재됨
　　　　　　　　　　　　　　　　　└─ 지질학적으로 뛰어난 지역을 보전하고 관광을 활성화하기 위해 유네스코가 지정해

(3) **다양한 화산 지형**

① 복합 화산(산록은 방패형 화산, 산정부 일부는 용암 돔❷ 화산)

② 기생 화산(오름), 주상 절리 등

(4) **기후 및 식생**: 해양성 기후, 난대성 식물이 자람, 식생의 수직적 분포
　　　　　　　　　└─ 바다의 영향으로 기온의 연교차가 작아

2. 제주도의 독특한 문화 〔자료1〕

(1) **가옥**: 현무암으로 쌓은 돌담, 갈대의 일종인 새(띠)로 엮은 지붕 등으로 강풍에 대비

(2) **음식**: 잡곡(밭농사 발달)과 해산물을 활용한 음식 문화 발달

(3) **기타**: 독특한 방언, 다양한 설화와 민간 신앙, 고유한 세시 풍속 등

❶ 제주 세계 자연 유산

제주도는 2007년 우리나라 최초로 '제주 화산섬과 용암 동굴'이라는 이름으로 세계 자연 유산에 등재되었다. 등재된 지역은 한라산 천연 보호 구역, 성산 일출봉, 거문오름 용암 동굴계로 제주도 전체 면적의 약 10%를 차지한다.

B 제주도의 발전을 위한 노력과 전망

| 시·험·단·서 | 제주도를 세계적인 관광지로 발전시키기 위한 다양한 전략에 대한 문제가 자주 출제돼!

1. 세계적인 관광지로 발전하기 위한 노력 〔자료2〕

(1) **관광 산업 발달에 필요한 조건 구비**: 항공 교통의 발달, 아름다운 화산 지형, 온화한 기후, 독특한 섬 문화 → 관광 산업이 꾸준히 성장하고 있음

(2) **생태 관광 확대**: 올레길 탐방과 같은 생태 관광 프로그램이 생겨나고 있음

(3) **국제 자유 도시와 제주특별자치도 지정**

① **국제 자유 도시 지정(2002년)**: 세계 대부분의 사람들이 무비자 입국 가능, 상품 및 자본
　　　　　　　　　　　　　　　　　└─ 입국 허가를 받지 않은 상태
이동의 확대, 각종 규제 완화 및 조세 혜택

② **제주특별자치도❸ 지정(2006년)**: 국방·외교 등을 제외한 대부분의 자치권 보장, 관광·교육·의료·첨단 산업 등을 핵심 산업으로 육성

2. 제주특별자치도의 발전 전략과 미래 전망

(1) **발전 전략**

① 고부가 가치 관광 산업 확충(마이스 산업,* 스포츠 관광, 의료 및 휴양 관광)

② 수려한 자연환경을 연계한 생태 관광 지대 조성

③ 해녀·돌담·방언 등을 연계한 제주 고유의 문화 콘텐츠 개발

(2) **신·재생 에너지 개발 확대**: 복합형 해상 풍력 발전 단지 건설

(3) **해안과 산지 연계 공간 구조 형성**: 휴양 거점으로서의 제주시와 서귀포시의 기능 강화, 중산간 지역의 교육·휴양·주거 기능 확충

❷ 용암 돔

여러 번의 용암 유출로 형성된 돔 모양의 화산으로, 점성이 큰 용암의 유출로 이루어진다.

❸ 제주특별자치도

자치권이 인정되는 우리나라의 특별 지방 자치 지역으로, 2006년 7월에 출범하였다. 외국인의 투자를 유치하기 위해 교육과 의료, 관광에 대한 규제를 풀어서 외국인의 의료 법인, 국제 고등학교의 설립 및 운영이 가능하도록 하였다.

시험에 잘 나오는 자료

자료1 제주도의 자연환경과 주민 생활 관련 문제 ▶ 276쪽 02번

〈경관〉

▲ 감귤 나무

▲ 돌담과 올레길

〈전통 가옥〉

줄로 엮은 지붕 ▶

물허벅* ▶

풍채* ▶

▲ 외벽 쪽에 설치된 아궁이   ▲ 정낭*

자·료·분·석 우리나라에서 가장 큰 섬인 제주도는 남해상에 위치하여 기온의 연교차가 작고 겨울이 온화한 해양성 기후가 나타난다. 이러한 기후 특성으로 감귤 나무 등의 난대성 식물이 자라며, 온돌 시설의 전파가 늦었다. 제주도는 바람이 강하게 불기 때문에 방풍(防風)을 위해 돌담을 쌓았으며, 지붕은 줄로 엮었다. 제주도는 화산 지대로 물이 부족하기 때문에 용천에서 물을 길러다 사용하였다.

한·줄·핵·심 제주도는 온화한 기후가 나타나는 반면 바람이 강하게 부는 날이 많은데, 전통 가옥에는 이와 같은 지역 특성이 잘 반영되어 있다!

자료2 제주도의 관광 산업과 인구 변화 관련 문제 ▶ 276쪽 03번

2차 산업 3.3
1차 산업 12.6
총 부가 가치 12,909,928 (백만 원)
3차 산업 84.1(%)

(2015년)

▲ 제주도의 산업 구조 (부가 가치 기준)

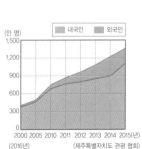

(제주 통계 연보)
(2016년)

▲ 제주도의 방문객 수 변화

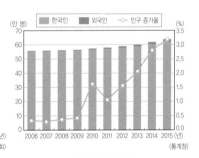

(통계청)

▲ 제주도의 인구 변화

자·료·분·석 제주도는 2차 산업의 발달은 미약하지만 감귤 재배와 원예 농업 등 1차 산업과 관광 산업 등 3차 산업이 발달하였다. 제주도는 유네스코 세계 자연 유산 등재에 따른 인지도 상승과 항공 및 선박 교통편의 확충 등으로 관광객 수가 증가하고 있다. 한편, 제주도의 뛰어난 자연환경과 독특한 섬 문화에 대한 관심이 커지면서 제주도로 이주하는 사람들이 증가하고 있다. 그리고 외국인 관광객의 유입이 증가하고 있으며, 국제 자유 도시가 되면서 제주도에서 거주하는 외국인도 증가하고 있다.

한·줄·핵·심 제주도는 뛰어난 자연환경 덕분에 관광객과 거주민이 증가하고 있다!

내용 이해를 돕는 팁

궁금해요

Q. 제주도의 전통 가옥에서 부엌의 아궁이가 외벽 쪽에 위치하게 된 이유는 무엇인가요?

A. 제주도의 부엌에 설치된 아궁이는 난방이 아닌 취사 목적으로 설치한 것으로, 솥단지를 걸어 밥과 국을 만드는 데 이용해. 제주도는 겨울이 온화하기 때문에 온돌 시설의 전파가 늦었는데, 난방용 아궁이는 부엌에 있지 않고, 구들방 옆에 위치하고 있어.

용어 더하기

마이스(MICE) 산업
회의(Meetings), 포상 여행(Incentives), 국제회의(Conventions), 전시(Exhibitions)의 약자로 이러한 행사를 유치하는 것과 관련된 산업을 말한다.

물허벅
물을 길어 나르는 물항아리를 말한다. 물허벅을 바구니에 넣은 후 밧줄로 등에 져서 이동한다.

풍채
풍채는 햇빛이나 바람을 막아주는 역할을 하는 구조물로, 거센 비바람이나 눈보라를 이겨내기 위해 고안된 장치이다.

정낭
정낭은 집안에 사람이 있는지, 없다면 언제 돌아오는지를 알려주는 제주도의 독특한 대문을 말한다. 정주석에 정낭이 걸려 있지 않으면 집에 사람이 있다는 것을 의미한다.

273

제주도의 자연 및 인문 특색

개념풀 Guide 제주도의 자연환경 및 인문 환경의 지리적 특색을 알아보자.

1. 제주도의 지형 특색 관련 문제 ▶ 277쪽 01번

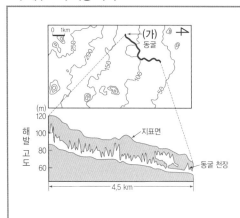

진산은 한라였다. 주의 남쪽에 있는데, 일명 두무악 또는 원산이라고 한다. 그 고을 관원이 제사를 지내는데, 둥그스름하고 높고 크며, 그 꼭대기에는 큰 못이 있다. …… 이상한 일은 고려 목종 5년 탐라산에 구멍 네 개가 뚫려서 시뻘건 물이 치솟아 올랐다.
— 「세종실록지리지」 —

분석 지도의 (가) 동굴은 용암 동굴이다. 동굴의 단면도를 통해 용암이 흘러내리면서 만들어졌음을 알 수 있다. 용암이 흐르는 과정에서 표면이 속보다 먼저 굳어지면서 동굴이 만들어졌으며, 내부 구조가 석회동굴에 비해 단순한 것이 특징이다.

세종실록지리지에 묘사된 제주도에 대한 내용 중 '꼭대기의 큰 못'은 화구호인 백록담을, '시뻘건 물이 치솟아 올랐다'는 용암 분출을 의미한다.

2. 제주도의 기후 특색

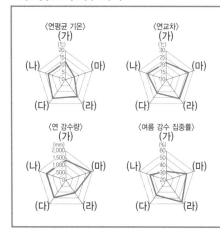

분석 지도에 제시된 지역은 대관령(A), 강릉(B), 울릉도(C), 대구(D), 제주(E)이다. 울릉도는 (가)로, 우리나라에서 겨울 강수 집중률이 가장 높은, 즉 여름 강수 집중률이 가장 낮은 지역이다. 제주는 (다)로, 다섯 지역 중에서 연평균 기온이 가장 높고, 기온의 연교차가 가장 작다. 대구는 (라)로, 다섯 지역 중에서 연 강수량이 가장 적고, 여름 강수 집중률이 가장 높다. 대관령은 (마)로, 다섯 지역 중에서 해발 고도가 가장 높아 연평균 기온이 가장 낮고, 연교차가 가장 크며, 연 강수량이 가장 많다. 강릉은 (나)로, 울릉도 다음으로 여름 강수 집중률이 낮고 울릉도에 비해 연교차가 크다.

3. 제주도의 산업 구조 및 지역 내 총생산 관련 문제 ▶ 277쪽 02번

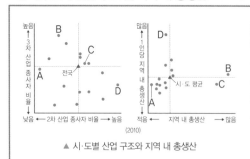

▲ 시·도별 산업 구조와 지역 내 총생산

분석 제주는 2차 산업의 발달이 매우 미약하며, 관광객을 대상으로 하는 소비자 서비스업이 대부분을 차지한다. A는 2차 산업 종사자 비율이 가장 작고, 3차 산업 종사자 비율은 전국 평균에 약간 못 미치는 수준이며, 지역 내 총생산은 가장 적다. 따라서 인구가 다른 시도에 비해 뚜렷하게 적고 제조업 발달이 미약한 제주도가 이에 해당한다. B는 지역 내 총생산이 최고이며, 3차 산업 종사자 비율이 최고이므로 서울이다. D는 1인당 지역 내 총생산이 최고이며, 2차 산업 종사자 비율이 가장 높은 곳으로 울산이다. 나머지 C는 경기이다.

이것만은 꼭!

지표 값 상위	밭 면적 비중	겸업농가 비중	풍력 발전 비중	도시화율
지표 값 하위	논 면적 비중	전업농가 비중	지역 내 총생산	2차 산업 종사자 비중

A 제주도의 지역 특성

01 지도는 제주도의 독특하고 아름다운 자연환경의 가치를 세계적으로 인정 받은 사례를 나타낸 것이다. 빈칸에 들어갈 알맞은 용어를 〈보기〉에서 골라 쓰시오.

(1) ( )   (2) ( )   (3) ( )

| 보기 | ・생물권 보전 지역 | ・세계 지질 공원 | ・세계 자연 유산 |

02 제주도의 지역 특성에 대한 설명이 옳으면 ○표, 틀리면 ×표 하시오.

(1) 한라산은 화산 활동으로 형성되었는데 전체적으로 경사가 완만한 방패 형태를 이루지만, 중앙부는 경사가 급한 돔형을 이룬다. ( )

(2) 제주도는 우리나라에서 연평균 기온이 가장 높으며, 기온의 연교차도 가장 크다. ( )

(3) 제주도는 기반암의 특성상 물이 지하로 잘 스며들지 않는다. ( )

(4) 제주도의 전통 가옥은 주변에서 쉽게 구할 수 있는 현무암을 이용하여 돌담을 쌓는다. ( )

B 제주도의 발전을 위한 노력과 전망

03 자료를 보고 제주도의 관광 산업에 대한 내용이 옳으면 ○표, 틀리면 ×표 하시오.

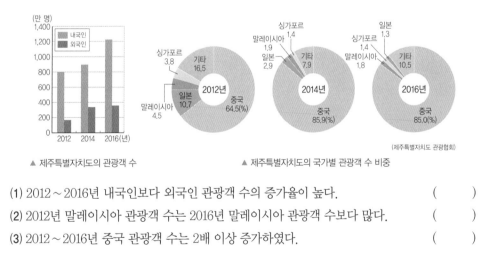

▲ 제주특별자치도의 관광객 수   ▲ 제주특별자치도의 국가별 관광객 수 비중

(1) 2012~2016년 내국인보다 외국인 관광객 수의 증가율이 높다. ( )

(2) 2012년 말레이시아 관광객 수는 2016년 말레이시아 관광객 수보다 많다. ( )

(3) 2012~2016년 중국 관광객 수는 2배 이상 증가하였다. ( )

04 다음 글의 빈칸에 알맞은 용어를 쓰시오.

> 제주도는 2002년 □□ □□ □□(으)로 지정된 이후에 세계 대부분 국가에서 비자 없이 입국할 수 있게 되었고, 상품·자본 등의 이동이 자유로워졌다.

정답과 해설 76쪽

A 제주도의 지역 특성

01 지도에 나타난 제주도와 관련된 옳은 설명을 〈보기〉에서 고른 것은?

보기

ㄱ. 도시화율은 100%이다.

ㄴ. 하천은 대체로 건천(乾川)을 이룬다.

ㄷ. 외교 및 국방 부문의 자치권을 지닌다.

ㄹ. 제주는 서귀포보다 연평균 기온이 높다.

① ㄱ, ㄴ　　② ㄱ, ㄷ　　③ ㄴ, ㄷ

④ ㄴ, ㄹ　　⑤ ㄷ, ㄹ

02 두 사진은 제주도의 모습을 촬영한 것이다. 이에 대한 설명으로 옳은 것은?

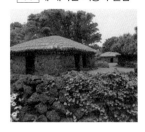

A 에 대비한 지붕과 돌담

돌담으로 둘러싼 무덤과 돌하르방

① A에는 '눈'이 들어갈 수 있다.

② 지붕의 재료로 벼농사의 부산물을 이용하였다.

③ 제주도의 전통 가옥은 중산간 지역에 주로 위치한다.

④ 돌하르방은 점성이 큰 용암이 굳어져 만든 암석으로 만들었다.

⑤ 제주도의 전통 마을 주변에서는 상록 활엽수를 많이 볼 수 있다.

B 제주도의 발전을 위한 노력과 전망

03 표는 제주도의 발전 권역별 핵심 기능을 나타낸 것이다. (가)~(다) 권역을 지도의 A~C에서 고른 것은?

(가) 권역	(나) 권역	(다) 권역
• 물류 중심 지구 • 휴양형 주거 단지 조성 • 국제 교육 도시 • 해양 레저 관광 기능	• 국제적 관광 휴양지 • 국제회의 중심 지구 • 의료 관광 중심 지구 • 친환경 농업 클러스터 조성	• 행정·교육·업무 중심지 • 정보 기술 바이오 에너지 연구 개발 및 사업화 클러스터 조성 • 비즈니스 금융 센터 설치

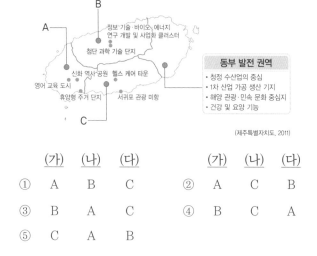

(제주특별자치도, 2011)

	(가)	(나)	(다)		(가)	(나)	(다)
①	A	B	C	②	A	C	B
③	B	A	C	④	B	C	A
⑤	C	A	B				

서술형 문제

04 다음 글은 제주도의 관광 산업에 대한 것이다. (가)에 들어갈 적절한 내용을 서술하시오.

제주도의 관광 산업은 꾸준히 성장하고 있다. 항공 교통의 발달과 더불어 _____(가)_____ 에 이끌려 많은 관광객이 제주도를 찾고 있으며, 3차 산업의 비중이 높아 지역 경제의 중심을 차지하고 있다. 최근에는 올레 탐방과 같은 생태 관광 프로그램을 제공하면서 관광객이 늘어나 관광 수입이 더욱 증가하고 있다.

도전! 실력 올리기

수능 유형

01 사진 (가), (나)의 암석에 대한 옳은 설명만을 〈보기〉에서 있는 대로 고른 것은?

(가)

(나)

▲ 제주도 대포 해안의 주상 절리   ▲ 서울 북한산 인수봉

> **보기**
> ㄱ. (가)는 신생대 화산 활동으로 형성되었다.
> ㄴ. (나)는 오랜 기간 퇴적 과정을 거쳐 형성되었다.
> ㄷ. (가)는 (나)보다 동굴이 분포할 가능성이 높다.
> ㄹ. (가), (나) 모두 지하수의 용식 작용을 잘 받는다.

① ㄱ, ㄷ   ② ㄱ, ㄹ   ③ ㄴ, ㄷ
④ ㄱ, ㄴ, ㄹ   ⑤ ㄴ, ㄷ, ㄹ

수능 기출

02 그래프는 전국 16개 시·도의 산업 구조와 지역 내 총생산에 관한 것이다. A~D에 해당하는 지역으로 옳은 것은?

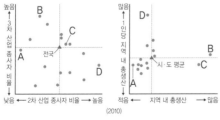

(2010)

	A	B	C	D
①	제주	서울	경기	울산
②	제주	울산	경기	서울
③	전남	경기	서울	울산
④	전남	경기	울산	서울
⑤	전남	서울	경기	울산

03 지도는 제주도의 발전 계획을 나타낸 것이다. A~E와 관련하여 기대할 수 있는 변화로 옳지 않은 것은?

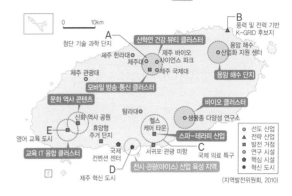

(지역발전위원회, 2010)

① A – 고급 인력의 유입이 증가할 것이다.
② B – 화석 연료에 대한 의존도가 낮아질 것이다.
③ C – 제주도를 찾는 외국인 관광객이 증가할 것이다.
④ D – 서울에 위치하던 중앙 행정 기능이 대거 이전할 것이다.
⑤ E – 초등 및 중·고등학생의 해외 유학을 줄일 수 있을 것이다.

04 다음은 어느 지역의 탄소 제로 프로젝트를 다룬 신문 기사의 일부이다. 밑줄 친 ㉠~㉤에 대한 옳은 설명을 〈보기〉에서 고른 것은?

> ㉠ 은/는 2030년까지 전력 소비량의 100%를 신·재생 에너지로 대체하는 정책을 추진하고 있다. 이를 위해 ㉡ 풍력 발전, ㉢ 태양광 발전, ㉣ 파력 발전 등의 신·재생 에너지 발전 시설을 설치할 계획이다. 또한, ㉠ 에서 운행되는 ㉤ 모든 차량을 전기차로 바꿔 '글로벌 전기차의 메카'로 부상하게 될 것이다.
>
> – ○○ 신문, 2015. 2. 25. –

> **보기**
> ㄱ. ㉠은 우리나라 최동단에 위치한 섬이다.
> ㄴ. ㉣은 발전 방식에 따라 하루에 두 번 또는 네 번 발전이 가능하다.
> ㄷ. ㉤에 따른 변화로 대기 오염 물질 배출량이 줄어든다.
> ㄹ. ㉡은 ㉢보다 발전기 가동 시 소음이 많이 발생한다.

① ㄱ, ㄴ   ② ㄱ, ㄷ   ③ ㄴ, ㄷ
④ ㄴ, ㄹ   ⑤ ㄷ, ㄹ

한눈에 보는
대단원 정리

01
지역의 의미와 지역 구분·북한 지역의 특성과 통일 국토의 미래

A 지역의 의미와 유형 및 지역 구분

(1) 지역의 의미와 지역성

의미	• 다른 곳과 지리적 특성이 구분되는 공간적 범위
지역성	• 다른 지역과 구별되는 그 지역의 고유한 특성 • 시간의 흐름, 교통·통신의 발달, 사람 및 물자의 이동 등에 따라 변화함

(2) 지역의 유형

동질 지역	• 특정한 지리적 현상이 동일하게 분포하는 공간적 범위 • 기후 지역, 농업 지역, 문화 지역 등
기능 지역	• 하나의 중심지와 그 영향을 받는 공간적 범위 • 상권, 통근권, 통학권, 도시 세력권 등
점이 지대	• 인접한 두 지역의 지리적 특성이 혼재되어 나타나는 지역

(3) 우리나라의 지역 구분

구분	전통 행정 구역	구분 경계
관북 지방	함경도	철령관의 북쪽
관서 지방	평안도	철령관의 서쪽
관동 지방	강원도	철령관의 동쪽
해서 지방	황해도	서울을 기준으로 바다(경기만) 건너에 위치
경기 지방	경기도	왕도인 서울을 둘러싸고 있는 지역
호서 지방	충청도	제천 의림지 서쪽 또는 금강(호강) 서쪽
호남 지방	전라도	김제 벽골제의 남쪽 또는 금강(호강) 남쪽
영남 지방	경상도	조령(문경 새재)의 남쪽

B 북한 지역의 특성과 통일 국토의 미래

(1) 북한의 자연환경

기후	• 동해안: 동위도의 서해안보다 겨울철 기온이 높음 • 지형과 풍향의 영향으로 강수량의 지역 차가 큼
지형	• 해발 고도가 높은 산지와 개마고원 분포
주민 생활	• 논농사보다는 밭농사 중심 • 관북 지방은 전(田)자형 가옥 구조 발달

(2) 북한의 인문 환경

자원	• 풍부한 지하자원: 마그네사이트, 텅스텐, 흑연 등 • 석탄 소비량이 많고, 수력 발전 비중이 높음
인구와 도시	• 낮은 인구 밀도: 남한보다 면적은 넓지만 인구는 적음 • 남서부 평야 지역과 동해안 일대에 주요 도시 발달
교통	• 철도 교통의 분담률이 높음
산업	• 경공업보다는 중화학 공업의 비중이 높음

(3) 북한의 주요 개방 지역

나선 경제특구	• 북한 최초의 경제특구 • 유엔 개발 계획(UNDP)의 지원
신의주 특별 행정구	• 중국과의 무역 통로 • 홍콩식 경제 개발 추진
금강산 관광특구	관광객 유치를 통한 외화 획득 추진(2008년 이후 잠정 중단)
개성 공업 지구	• 남북 경제 협력(2016년 이후 협력 사업 중단) • 남한의 자본과 기술 + 북한의 노동력

(4) 남북 교류와 통일 국토의 미래

남북 교류 현황	• 교역 초기: 단순 상품 교역 중심 • 현재: 위탁 가공 교역, 대북 직접 투자, 물자 지원 및 사회·문화적 교류 추진
통일 국토의 미래	• 국토 면적 확대와 인구 증가를 통한 국가 경쟁력 제고 • 국토의 효율적 이용과 균형 발전의 계기 마련 • 해양과 대륙으로 진출할 수 있는 위치적 장점 회복 • 문화적 동질성 회복

02
인구와 기능이 집중된 수도권

A 수도권의 특성과 공간 구조 변화

(1) 수도권의 특성

서울	• 우리나라의 수도 • 우리나라 정치, 경제, 문화의 중심지 역할
인천	• 국제 물류의 중심지 역할 • 역사적으로 서울의 관문 역할 수행
경기	• 수도권에서 면적이 가장 넓고 인구가 가장 많음 • 서울의 배후지 역할

(2) 수도권의 공간 구조 변화

지역 구조의 변화	• 통근권 확대, 거주지의 교외화 → 서울을 중심으로 한 대도시권 형성 • 일부 대기업 본사의 이전(서울 도심 → 서울 강남)
산업 구조의 변화	• 우리나라 최대의 종합 공업 지역 • 1990년대 이후 첨단 산업 발달 • 서울의 탈공업화 진행 → 생산자 서비스업 발달
문화 산업의 육성	• 문화 산업에 대한 수요 증가 • 풍부한 자본력과 넓은 소비 시장을 바탕으로 문화적 기능 집중

B 수도권의 문제와 해결 방안

(1) 수도권의 문제

인구 및 경제력 집중	• 면적 대비 인구 밀집도가 높음 • 금융 및 산업 집중(국내 총생산의 약 50% 차지) • 정치, 행정, 교육, 문화 기능 집중
교통 체증	• 인구 증가로 자가용 증가, 전국의 교통망이 수도권을 중심으로 연결 → 교통 체증, 주차난 심화 • 자동차 배기가스로 인한 환경 오염 심화
땅값 상승	• 인구와 기능의 과도한 집중으로 인해 주택 부족 발생 → 땅값 상승 유발

(2) 수도권 문제의 해결 방안

인구 및 기능 집중 억제	과밀 부담금 제도, 수도권 공장 총량제 등을 시행
공공 기관 이전	세종특별자치시, 혁신 도시 등을 건설

03
동서의 차이가 뚜렷한 강원 지방과 빠르게 성장하는 충청 지방 (1)

A 강원도의 지역별 특색과 산업 구조 변화

(1) 영동 지방과 영서 지방의 차이

지역 구분	• 영동 지방: 태백산맥 동쪽의 동해안 지역 • 영서 지방: 태백산맥 서쪽의 내륙 지역
지형	• 영동 지방: 영서 지방에 비해 급경사이며, 하천의 유로가 짧음, 석호·사빈 발달 • 영서 지방: 고위 평탄면, 침식 분지, 하안 단구, 감입 곡류 하천 발달
기후	• 영동 지방: 겨울에 영서 지방보다 따뜻, 북동 기류 유입으로 강설량 많음 • 영서 지방: 밭농사 비율이 높음. 겨울이 춥고, 여름철 강수 집중률이 높음, 고위 평탄면은 여름철 기후가 서늘함
문화	• 영동 지방: 해산물을 이용한 음식 발달, 경북 동해안 및 북부 해안 지방과 언어 비슷 • 영서 지방: 밭농사 비율이 높아서 옥수수, 감자, 메밀 등을 이용한 음식 발달, 수도권과 언어 비슷

(2) 강원도의 산업 구조 변화

농림어업	• 산지가 많아서 밭농사가 활발 • 풍부한 임산 자원을 바탕으로 임업 발달 • 동해안을 중심으로 수산업 발달
광업	• 석탄, 석회석, 텅스텐 등이 개발되면서 광업 발달 • 1970년대에는 자원 수송을 위한 산업 철도가 건설되고 탄광이 개발되면서 광업 발달 지역을 중심으로 인구가 증가 • 1980년대 이후 석탄 산업 합리화 정책으로 많은 탄광이 폐광되었고, 1994년 텅스텐 광산의 폐광 등으로 광업 비중 감소
서비스업	• 폐광 지역의 산업 유산을 관광 자원으로 활용 → 태백 석탄 박물관, 정선 레일 바이크 등 • 아름다운 자연환경과 수도권과의 인접성 • 평창 동계 올림픽 개최 및 이에 따른 교통 기반 시설 확대로 관광 산업 발달 • 관광 산업이 발달하면서 강원 지방의 서비스업 종사자 비율 증가

VII. 우리나라의 지역 이해

03
동서의 차이가 뚜렷한 강원 지방과 빠르게 성장하는 충청 지방 (2)

B 교통의 발달로 성장하는 충청 지방

(1) 위치와 지역 특색

범위	• 수도권과 남부 지방을 잇는 중심부에 위치 • 대전, 세종, 충남, 충북을 포함
지역 특색	• 철도와 도로 교통의 중심 → 지역 발전의 바탕 • 조선 시대: 금강 유역의 강경, 공주 등의 나루터가 내륙 수운의 중심지 • 1900년대 이후: 경부선, 호남선 등의 철도 개통 이후 육상 교통의 중심지로 성장, 근래에 고속 철도 분기점이 입지하면서 교통 중심지로서의 중요성이 더욱 커짐
최근의 변화	• 수도권의 공업, 행정, 교육 기능 등이 이전해 오면서 빠르게 성장 • 인구가 증가하고 각종 산업 단지가 조성되었음

(2) 교통의 발달

교통 발달 현황	• 경부 고속 국도, 호남 고속 국도, 서해안 고속 국도 등이 통과 • 고속 철도 분기점과 고속 철도역 입지, 수도권 전철 노선 연장 → 수도권으로의 접근성 향상
교통 발달의 영향	물류 센터 및 대학 입지 증가

(3) 산업의 고도화

발달 배경	• 남한에서의 중심적 위치 • 교통이 편리하여 접근성이 좋음 • 수도권 과밀화에 따른 분산 정책의 시행 → 행정 중심 복합 도시, 혁신 도시 등 다양한 기능이 충청 지방으로 이전 • 경제적으로 부상하고 있는 중국과 지리적으로 가까움
지역별 주요 산업	• 서해안 지역: 서산(석유 화학), 당진(1차 금속), 아산(IT 업종과 자동차) 중심으로 발달 • 내륙 지역: 청주(오송 생명 과학 단지, 오창 과학 단지), 대전(대덕 연구 개발 특구)

04
다양한 산업이 발전하는 호남 지방과 공업과 함께 발달한 영남 지방

A 호남 지방의 농지 개간과 간척 사업

범위	• 전라북도·전라남도·광주광역시 • 북쪽으로는 금강을 경계로 충청 지방과 접함 • 동쪽으로는 소백산맥을 사이에 두고 영남 지방과 인접함
특징	• 농업과 어업이 발달하여 농산물과 해산물 풍부 • 예부터 전통 음식, 판소리, 민속놀이 등 다양한 문화 발달
농지 개간	• 곡창 지대: 호남평야와 나주평야 중심, 대규모 농경지 분포 • 농업용수 확보: 보, 제방, 저수지 등의 소규모 수리 시설 확충, 섬진강 상류 등에 다목적 댐 건설
간척 사업	• 농경지 확장: 김제 광활면, 부안군 계화도, 영산강 하구 등 • 산업 단지 조성: 금강 하구의 군산, 영산강 하구의 영암, 광양만 일대의 광양 등 • 새만금 간척지 조성: 국내 최대 간척지, 다양한 개발 사업 추진

B 호남 지방의 산업 구조 변화

1차 산업 중심	온화한 기후, 비옥한 평야, 넓은 갯벌 → 1차 산업 비중은 전국 평균보다 높지만, 제조업이나 서비스업의 비중은 상대적으로 낮음
발달하는 공업	• 산업 단지 조성: 1970년대 여수 국가 산업 단지, 1980년대 광양 제철소, 1990년대 군산 국가 산업 단지와 대불 산업 단지 조성 • 사회 간접 자본 개선: 고속 국도의 확장, 고속 철도의 개통, 컨테이너항 건설 • 광주의 광(光) 산업, 새만금과 광양만 일대의 경제 자유 지역, 전주·완주와 광주·나주의 혁신 도시 조성
관광 산업	• 관광 산업 발달: 청정한 자연환경과 고유한 문화 유산 기반 • 생태 관광 발달: 순천만 갯벌 등 이용 • 다양한 축제 개최: 김제 지평선 축제, 남원 춘향제, 보성 다향 대축제 등 • 슬로시티 등록: 전주(한옥 마을 포함), 신안군 증도면, 완도군 청산면 등

C 영남 지방의 공간 구조

(1) 인구 분포

범위	• 경상북도·경상남도·부산광역시·대구광역시·울산광역시
인구 분포 변화	• 1970년대 이후 영남 내륙 지역과 남동 해안에 산업 단지 형성 → 부산, 대구, 울산, 창원, 포항의 인구 급증 • 경상북도 북부와 경상남도 서부 지역: 인구 유출 심화 → 급속한 고령화 현상
도시 발달	• 부산과 대구: 영남 지방의 대표 도시 • 울산: 공업 도시 • 최근 부산과 대구의 교외화 현상으로 김해·양산·경산의 인구 성장이 두드러짐

(2) 산업 분포

농업 발달	• 북부 내륙 지역을 중심으로 과수 농업 활발 • 낙동강 하구 삼각주를 중심으로 시설 원예 농업 발달
제조업 발달	• 영남 내륙 공업 지역: 구미−전자 공업, 대구−기계·섬유 공업 등 • 남동 임해 공업 지역: 포항−철강 공업, 울산−석유 화학·조선·자동차 공업, 거제−조선 공업 등
기타	• 대도시를 중심으로 상업 및 교육 서비스업 발달 • 안동·경주에는 관광·휴양 산업 발달

D 영남 지방의 주요 도시

부산	동북아시아 물류 비즈니스 거점 기능 강화, 국제 영화제 개최 → 문화·관광 산업 육성
대구	섬유 공업의 첨단화와 첨단 의료 복합 단지 유치, 대구 테크노폴리스 육성
울산	석유 화학·조선·자동차 공업 입지 이후 인구 급성장
창원	기계 공업 단지, 도청 소재지, 2010년 마산·진해와 통합
안동	조선 시대 고택과 전통 마을을 연계하여 관광 자원으로 활용, 경상북도 도청 이전
경주	고분과 사찰, 불탑 등이 세계 문화유산으로 등재, 보문 관광 단지를 중심으로 관광 산업 발달

05
세계적인 관광지로 발전하는 제주도

A 제주도의 지역 특성

(1) 제주도의 자연환경

위치	남해에 위치한 우리나라에서 가장 큰 섬으로 동북아 주요 도시와의 접근성이 높음
형성 및 가치	신생대 화산 활동으로 형성, 독특하고 아름다운 자연환경 → 유네스코 생물권 보전 지역(2002년), 세계 자연 유산(2007년), 세계 지질 공원(2010년)으로 등재
화산 지형	복합 화산(산록은 방패형 화산, 산정부 일부는 용암 돔 화산), 기생 화산(오름), 주상 절리 등
기후 및 식생	해양성 기후, 난대성 식물, 식생의 수직적 분포(한라산)

(2) 제주도의 독특한 문화

가옥	강풍 대비 시설: 현무암으로 쌓은 돌담, 새(띠)로 엮은 지붕 등
음식	잡곡(밭농사 발달)과 해산물을 활용한 음식 문화 발달
기타	독특한 방언, 다양한 설화와 민간 신앙, 고유한 세시 풍속 등

B 제주도의 발전을 위한 노력과 전망

세계적인 관광지	항공 교통의 발달, 아름다운 화산 지형, 온화한 기후, 독특한 섬 문화 → 관광 산업이 꾸준히 성장하고 있음
국제 자유 도시, 특별 자치도 지정	• 국제 자유 도시 지정(2002년): 세계 대부분의 사람들이 무비자 입국 가능, 상품 및 자본 이동의 확대, 각종 규제 완화 및 조세 혜택 • 제주특별자치도 지정(2006년): 국방·외교 등을 제외한 대부분의 자치권 보장, 관광·교육·의료·첨단 산업 등을 핵심 산업으로 육성
발전 전략과 미래	• 고부가 가치 관광 산업 확충(마이스 산업, 스포츠 관광, 의료 및 휴양 관광) • 생태 관광 지대 조성 • 제주 고유의 문화 콘텐츠 개발 • 신·재생 에너지 개발 확대 • 해안과 산지 연계 공간 구조 형성

01 밑줄 친 ⊙∼⑩에 대한 설명으로 옳지 <u>않은</u> 것은?

> ⊙ 지역이란 지리적 특성이 다른 곳과 구별되는 지표상의 공간 범위를 의미하며, 다른 지역과 구별되는 어떤 지역의 고유한 특성을 ⓒ 지역성이라고 한다. 지역은 ⓒ 동질 지역과 ② 기능 지역으로 구분할 수 있으며, 지역과 지역과의 경계에는 ⑩ 점이 지대가 나타난다.

① ⊙ – 동일한 장소라도 구분 기준에 따라 지역의 경계가 달라진다.
② ⓒ – 고정되어 있지 않고 시간의 흐름, 교통과 통신의 발달에 따라 끊임없이 변한다.
③ ⓒ – 각 지역은 서로 대등한 관계이다.
④ ② – 대체로 각 지역의 모양은 중심지로부터 동심원상을 이룬다.
⑤ ⑩ – 서로 인접한 양쪽 지역의 특성이 명확하게 구분된다.

02 지도는 우리나라의 전통적인 지역 구분을 나타낸 것이다. (가)∼(다)에 해당하는 지역으로 옳은 것은?

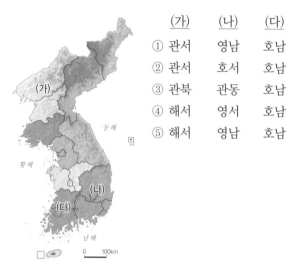

	(가)	(나)	(다)
①	관서	영남	호남
②	관서	호서	호남
③	관북	관동	호남
④	해서	영서	호남
⑤	해서	영남	호남

03 다음 사진의 (가), (나)에 해당하는 지역을 지도의 A∼C에서 고른 것은?

(가)
압록강을 사이에 둔 중국과의 접경 지역으로, 홍콩식 경제 개방 정책을 추진하고 있다.

(나)
남북 합작의 제조업 생산이 이루어지는 대규모 공단이 조성되어 있다.

	(가)	(나)
①	A	B
②	A	C
③	B	A
④	B	C
⑤	C	A

04 그래프는 (가), (나) 지역의 식량 작물별 재배 면적 비중을 나타낸 것이다. A∼C에 해당하는 작물로 옳은 것은?

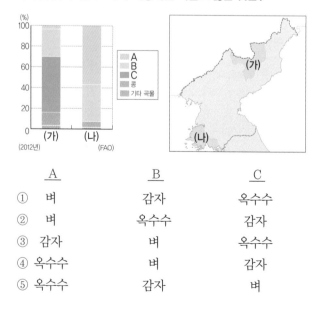

	A	B	C
①	벼	감자	옥수수
②	벼	옥수수	감자
③	감자	벼	옥수수
④	옥수수	벼	감자
⑤	옥수수	감자	벼

[05-06] 표는 수도권 세 시·도의 주요 산업별 생산액을 나타낸 것이다. 이를 보고 물음에 답하시오.

(단위: 십 억 원)

구분	(가)	(나)	(다)
농림어업	251	3,705	394
광업	109	281	87
제조업	19,412	120,979	20,03
사업 서비스업	3,146	3,146	43,401
지역 내 총생산	75,675	352,857	344,426

(2015년) (통계청)

05 (가)~(다) 지역으로 옳은 것은?

	(가)	(나)	(다)
①	서울	경기	인천
②	인천	경기	서울
③	인천	서울	경기
④	경기	서울	인천
⑤	경기	인천	서울

06 (가)~(다) 지역에 대한 옳은 설명을 〈보기〉에서 고른 것은?

보기
ㄱ. (가)는 (나)보다 지역 내 총생산이 많다.
ㄴ. (나)는 (다)보다 생산자 서비스업의 발달 수준이 높다.
ㄷ. (다)는 (가)보다 3차 산업 종사자 수 비중이 높다.
ㄹ. (가), (다)는 특별·광역시, (나)는 도(道)에 해당한다.

① ㄱ, ㄴ ② ㄱ, ㄷ ③ ㄴ, ㄷ
④ ㄴ, ㄹ ⑤ ㄷ, ㄹ

07 그래프는 수도권 세 시도의 통근·통학 유입 및 유출 인구를 나타낸 것이다. (가)~(다) 지역에 대한 설명으로 옳은 것은?

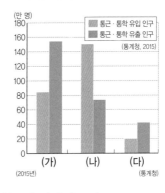

(2015년) (통계청)

① (가)는 (나)보다 면적이 좁다.
② (나)는 (다)보다 인구가 적다.
③ (다)는 (가)보다 제조업 출하액이 많다.
④ 지역 내 총생산은 (나)>(가)>(다) 순으로 많다.
⑤ (가)~(다) 중에서 주간 인구 지수는 (나)가 가장 높다.

08 (가)~(다)에 해당하는 지역을 지도의 A~C에서 고른 것은?

(가) 용암의 열하 분출로 형성된 용암 대지의 평탄한 곳에서는 벼농사가 이루어지고, 하천 양안에는 주상 절리가 분포한다.
(나) 후빙기 해수면 상승으로 형성된 만의 입구를 사주가 발달하면서 막아서 형성된 관동 팔경 중 하나인 경포호가 있다. 정동진 해안 단구와 그 주변의 사빈, 오죽헌 등이 주요 볼거리이다.
(다) 기반암이 용식 작용을 받아 형성된 동굴에서 석순, 석주 등을 볼 수 있다.

	(가)	(나)	(다)
①	A	B	C
②	A	C	B
③	B	A	C
④	C	A	B
⑤	C	B	A

09 표는 강원도 세 지역의 산업 특징을 비교한 것이다. (가) ~(다) 지역을 지도의 A~C에서 고른 것은?

구분	광업 생산액 (억 원)	숙박 및 음식점업 생산액 (억 원)	논 면적 (ha)	밭 면적 (ha)
(가)	3,392	597	1,014	3,195
(나)	100	1,295	452	9,024
(다)	15	304	10,372	2,464

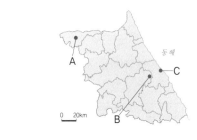

	(가)	(나)	(다)
①	A	B	C
②	A	C	B
③	B	A	C
④	C	A	B
⑤	C	B	A

11 그래프는 (가)~(다)의 충청남도 시·군별 비중을 나타낸 것이다. (가)~(다) 항목으로 옳은 것은?

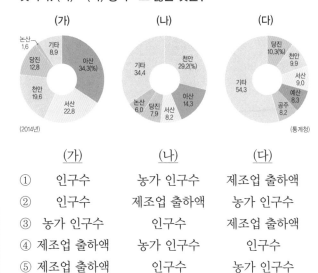

	(가)	(나)	(다)
①	인구수	농가 인구수	제조업 출하액
②	인구수	제조업 출하액	농가 인구수
③	농가 인구수	인구수	제조업 출하액
④	제조업 출하액	농가 인구수	인구수
⑤	제조업 출하액	인구수	농가 인구수

10 그래프는 지도에 표시된 A~C 지역의 기후 자료를 나타낸 것이다. A~C 지역에 대한 옳은 설명을 〈보기〉에서 고른 것은? (단, (가)~(다)는 A~C 지역 중 하나임.)

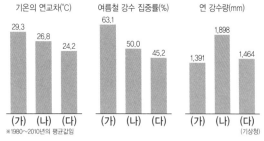

보기
ㄱ. A는 C보다 겨울 강수량이 적다.
ㄴ. B는 A보다 연평균 기온이 높다.
ㄷ. B는 C보다 해발 고도가 높다.
ㄹ. 여름철 강수량은 (가)가 가장 많다.

① ㄱ, ㄴ ② ㄱ, ㄷ ③ ㄴ, ㄷ
④ ㄴ, ㄹ ⑤ ㄷ, ㄹ

12 (가)~(다) 지역을 지도의 A~C에서 고른 것은?

(가)	· 풍부한 석회암을 바탕으로 시멘트 공업 발달 · 카르스트 지형이 발달하여 이를 찾는 관광객이 많음 · 특산물로는 마늘이 유명
(나)	· 충청북도 도청 소재지로 생명 과학 단지가 입지 · 경부 고속 국도, 호남 고속 국도가 지나는 교통의 요지
(다)	· 충청 지방 최대의 석유 화학 산업 단지 입지 · 서해안 고속 국도의 개통으로 교통 조건이 개선

	(가)	(나)	(다)		(가)	(나)	(다)
①	A	B	C	②	A	C	B
③	B	A	C	④	C	A	B
⑤	C	B	A				

13 다음은 한국지리 수업의 일부이다. 교사의 질문에 대한 학생의 대답으로 그 내용이 옳지 <u>않은</u> 것은?

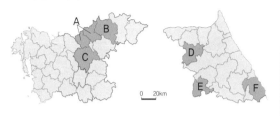

- 교사: 지도의 A∼F 지역 중에서 두 지역을 골라 공통점을 발표해 보세요. 단, 강원과 충북에서 각각 한 지역씩 골라야 합니다.

① 갑: A와 E는 혁신 도시입니다.
② 을: B와 D는 각 도(道)에서 제조업 출하액이 가장 많습니다.
③ 병: B와 E는 기업 도시입니다.
④ 정: B와 F에서는 석회암 지층이 발견됩니다.
⑤ 무: C와 D는 도청 소재지입니다.

14 (가), (나) 지역에 대한 옳은 설명을 〈보기〉에서 고른 것은?

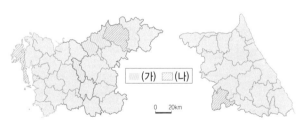

보기
ㄱ. (가)는 제조업 중심의 성장이 이루어지고 있다.
ㄴ. (가)는 수도권의 공공 기관이 이전해 온 지역이다.
ㄷ. (나)는 도청 소재지이다.
ㄹ. (나)는 민간 기업이 주도적으로 개발하는 도시가 위치한다.

① ㄱ, ㄴ   ② ㄱ, ㄷ   ③ ㄴ, ㄷ
④ ㄴ, ㄹ   ⑤ ㄷ, ㄹ

15 지도의 A∼E 지역에 대한 탐구 학습 주제로 옳지 <u>않은</u> 것은?

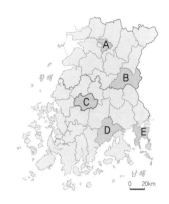

① A−세계 문화유산으로 등재된 한옥 마을이 지역 경제에 미치는 영향
② B−춘향제의 역사와 축제 행사 구성
③ C−호남 지방에서 인구 제1의 도시로 성장한 배경
④ D−녹차의 지리적 표시제 등록이 지역 경제에 미치는 영향
⑤ E−석유 화학 공업 발달에 따른 지역의 산업 구조 변화

16 지도에 표시된 두 지역의 공통적인 지리적 특색을 〈보기〉에서 고른 것은?

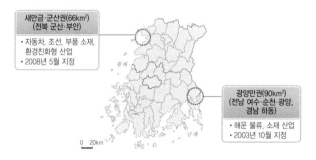

새만금·군산권(66km²)
(전북 군산·부안)
• 자동차, 조선, 부품 소재, 환경친화형 산업
• 2008년 5월 지정

광양만권(90km²)
(전남 여수·순천·광양, 경남 하동)
• 해운 물류, 소재 산업
• 2003년 10월 지정

보기
ㄱ. 국내 기업의 투자를 적극적으로 유치하고 있다.
ㄴ. 각종 용지 확보를 위해 간척 사업이 이루어졌다.
ㄷ. 혁신 도시의 건설로 공공 기관이 유입되고 있다.
ㄹ. 슬로푸드를 바탕으로 슬로시티로 등록되어 있다.

① ㄱ, ㄴ   ② ㄱ, ㄷ   ③ ㄴ, ㄷ
④ ㄴ, ㄹ   ⑤ ㄷ, ㄹ

17 지도는 어느 인구 지표의 지역 차를 나타낸 것이다. (가)에 알맞은 용어에 대한 설명으로 옳은 것은?

〈영남 지방에서 (가) 의 상·하위 5개 지역(2015년)〉

① 여성 100명당 남성의 수
② 유입 인구에서 유출 인구를 뺀 수
③ 가임 여성 1명이 평생 동안 낳는 아이의 수
④ 전체 인구에서 15~64세 인구가 차지하는 비율
⑤ 전체 인구에서 65세 이상 인구가 차지하는 비율

18 그래프는 영남 지방의 도시 인구 규모 변화를 나타낸 것이다. 이에 대한 옳은 설명을 〈보기〉에서 고른 것은?

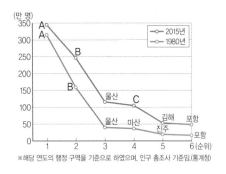

※해당 연도의 행정 구역을 기준으로 하였으며, 인구 총조사 기준임.(통계청)

보기
ㄱ. A는 김해, 울산에 인접해 있다.
ㄴ. C는 내륙에 위치한 광역시이다.
ㄷ. 1980~2015년 B가 A보다 인구 성장률이 높다.
ㄹ. 2015년 영남 지방에서는 종주 도시화 현상이 나타난다.

① ㄱ, ㄴ   ② ㄱ, ㄷ   ③ ㄴ, ㄷ
④ ㄴ, ㄹ   ⑤ ㄷ, ㄹ

19 그래프는 지도에 표시된 두 지역의 제조업별 출하액 비중을 나타낸 것이다. 이에 대한 설명으로 옳은 것은? (단, A, B는 섬유 제품(의류 제외) 제조업, 자동차 및 트레일러 제조업 중 하나임.)

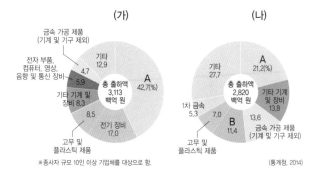

※종사자 규모 10인 이상 기업체를 대상으로 함.

(통계청, 2014)

① (가)는 영남 지방, (나)는 호남 지방에 위치한다.
② (가)는 (나)보다 총인구가 많다.
③ B의 출하액이 가장 많은 시·도는 경상남도이다.
④ B는 A보다 우리나라의 연구 개발비 규모가 크다.
⑤ A의 출하액은 (가)가 (나)의 두 배 이상이 된다.

20 다음은 한국지리 수업의 한 장면이다. 교사의 질문에 옳게 답한 학생을 고른 것은?

- 교사: 자신이 다녀온 제주도의 관광지에 대해 설명해 볼까요?
- 갑: 한라산에는 화구 함몰로 형성된 칼데라호가 있어요.
- 을: 마라도에서는 우리 국토의 가장 남쪽 지역임을 알리는 비석을 볼 수 있어요.
- 병: 성산 일출봉은 과거 섬이었으나, 사주의 발달로 육지가 되었어요.
- 정: 비자림을 이루는 나무는 대부분 침엽수였어요.

① 갑, 을   ② 갑, 병   ③ 을, 병
④ 을, 정   ⑤ 병, 정

21 다음 지도를 보고 물음에 답하시오.

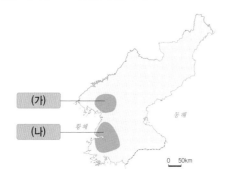

(1) (가), (나) 지역을 다우지와 소우지로 각각 구분하여 쓰시오.

　(가): (　　　　　　　), (나): (　　　　　　　)

(2) (가), (나) 지역이 다우지와 소우지가 된 원인을 각각 서술하시오.

_____

_____

_____

22 지도는 강원도 지역의 1월 평균 기온을 나타낸 것이다. 이를 보고 영동 지방과 영서 지방의 기온 차를 비교하고, 그러한 기온 차이가 발생한 원인을 서술하시오.

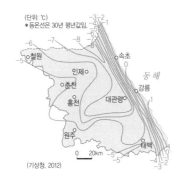

_____

_____

23 다음 자료는 남부 지방에 위치한 어느 도시에서 열리는 대표적인 축제의 모습과 홍보 문구이다. 이를 보고 물음에 답하시오.

축제의 모습과 홍보 문구	 국악을 매개로 함께하는 축제의 장인 대사습놀이 전국 대회로 초대합니다! 축제에 오시면 판소리, 농악 등의 국악을 즐기실 수 있습니다!

(1) 이 도시의 이름을 쓰시오.

　　　　　　　　　　　　(　　　　　　　)

(2) 이 도시를 여행할 때 방문해야 할 대표적인 관광지와 이 지역의 전통 음식을 서술하시오.

_____

_____

24 다음 자료는 제주도의 풍속 중 하나인 정낭에 대한 설명이다. '삼무(三無)의 섬'이라는 제주도의 특성을 정낭과 연결지어 서술하시오.

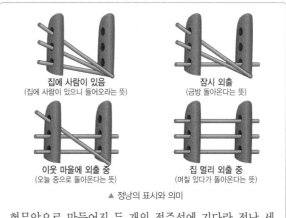

▲ 정낭의 표시와 의미

현무암으로 만들어진 두 개의 정주석에 기다란 정낭 세 개를 끼워 넣는데, 정낭이 걸쳐 있는 숫자에 따라 그 의미가 다르다.

_____

_____

※ 지도를 통해 우리나라 각 지역의 위치를 알아보자.

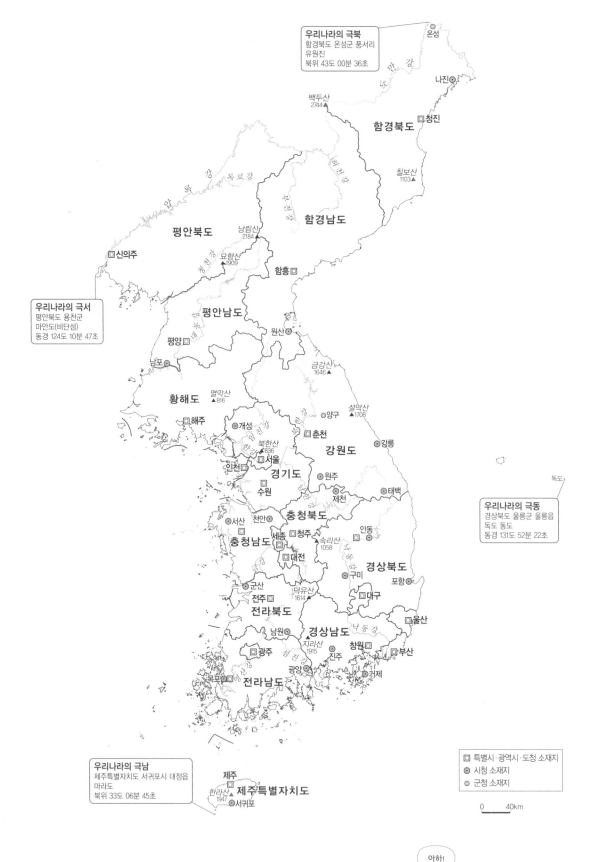

우리나라의 극북
함경북도 온성군 풍서리
유원진
북위 43도 00분 36초

온성

나진

함 경 북 도

청진

백두산
2744▲

칠보산
1103▲

평 안 북 도

낭림산
2184▲

함 경 남 도

신의주

묘향산
▲1909

함흥

우리나라의 극서
평안북도 용천군
마안도(비단섬)
동경 124도 10분 47초

평 안 남 도

원산

평양

남포

금강산
1646▲

황 해 도

멸악산
▲816

양구

설악산
▲1708

해주

개성

춘천

강릉

북한산
▲836

강 원 도

인천

서울

경 기 도

원주

독도

수원

제천

태백

우리나라의 극동
경상북도 울릉군 울릉읍
독도 동도
동경 131도 52분 22초

서산

천안

충 청 북 도

청주

안동

충 청 남 도

세종

속리산
1058

대전

경 상 북 도

구미

포항

군산

덕유산
1614▲

대구

전주

전 라 북 도

울산

남원

경 상 남 도

창원

광주

지리산
1915▲

진주

부산

광양

거제

목포

전 라 남 도

□ 특별시·광역시·도청 소재지
◎ 시청 소재지
○ 군청 소재지

우리나라의 극남
제주특별자치도 서귀포시 대정읍
마라도
북위 33도 06분 45초

제주

한라산
▲1947

제 주 특 별 자 치 도

서귀포

0   40km

아하!

개념 학습과 정리가 한번에 끝나는 기본서

개념풀

한국지리

정답과 해설

개념과 정리가 한번에 끝나는 기본서

개념풀

― 한국지리 ―

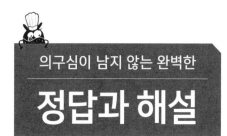

의구심이 남지 않는 완벽한

정답과 해설

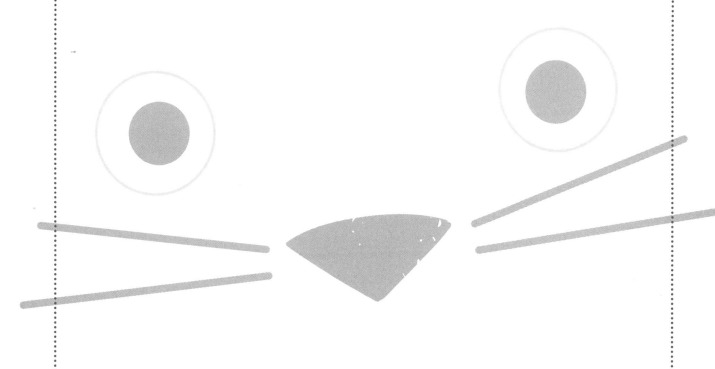

I »》국토 인식과 지리 정보

01 ~ 국토의 위치와 영토 문제

콕콕! 개념 확인하기   17쪽

01 (1) × (2) ○ (3) × (4) ○ (5) × (6) ○
02 (1) A: 대한민국, 중국 B: 대한민국, 일본 (2) 직선 기선
　　 (3) 통상 기선 (4) 3해리 (5) 변화 없다
03 (1) 최동단 (2) 화산 (3) 경제적 가치 (4) 동해 (5) 높아지고

01 (1) A는 우리나라의 중앙을 통과하는 중앙 경선이다.
(3) 우리나라의 최서단에 위치한 마안도의 경도가 동경 124°
이므로, 우리나라는 동경 124°~132°에 위치해 있다.
(5) 우리나라에서 태양의 남중 시각이 가장 이른 지점은 최
동단에 위치한 C이다.
02 (1) A는 한·중 잠정 조치 수역, B는 한·일 중간 수역이다.
(5) 간척 사업은 직선 기선 안쪽에서 이루어지므로 간척이
되더라도 영해의 범위는 변화가 없다.

탄탄! 내신 다지기   18~19쪽

01 ⑤　**02** ④　**03** ④　**04** ④　**05** ④　**06** ②　**07** ⑤
08 해설 참조

01 우리나라의 위치

[선택지 분석]

✗ (가) – 계절풍의 영향을 크게 받는다.
➡ 계절풍은 우리나라가 대륙 동안에 위치하는 지리적 위치와 관
련이 깊다.
ㄴ (나) – 표준시가 영국 런던보다 빠르다. →9시간 빠름
ㄷ (다) – 대륙성 기후가 나타난다.
➡ 대륙 동안에 위치하므로 계절풍 기후, 대륙성 기후가 나타난다.
ㄹ (라) – 대륙과 해양으로의 진출에 유리하다.
➡ 반도국이므로 대륙과 해양으로의 진출에 유리하다.

02 우리나라의 경도에 따른 위치적 특색

[선택지 분석]

① ㉠은 시간대를 결정한다.
➡ 경도상의 위치는 시간대를 결정한다.
② ㉡에 들어갈 알맞은 말은 '동경 127° 30″이다.
➡ 중앙 경선은 중앙을 통과하는 경선을 의미한다.

③ ㉢은 우리나라 최동단보다 동쪽에 위치한다.
➡ 우리나라의 최동단은 독도(약 동경 132°)로, 표준 경선은 독도보
다 동쪽에 위치한다.
✓ ㉣과 같이 정하면, 영국과의 표준시 차이가 **커진다.**
　　　　　　　　　　　　　　　　　　줄어든다
➡ 영국의 표준 경선은 0°로, 표준 경선이 동경 135°인 우리나라와
9시간(135°÷15°=9)이 차이 난다. 하지만 우리나라의 표준시를
동경 127° 30′으로 정하면 8시간 30분이 차이 난다. 즉, 영국과
의 표준시 차이가 30분 줄어든다.
⑤ ㉤에 들어갈 알맞은 말은 '9'이다.
➡ 우리나라의 표준 경선은 동경 135°로, 우리나라보다 서쪽에 위
치한 영국보다 9시간이 빠르다.

03 우리나라의 4극

자료 분석| (가)는 우리나라의 중심을 지나는 중앙 경선이다. A는
우리나라의 최북단인 유원진, B는 최서단인 마안도, C는 최동단인
독도, D는 최남단인 마라도이다.

[선택지 분석]

① (가)는 우리나라의 **표준 경선**이다.
　　　　　　　　　　중앙 경선
② A는 우리나라에서 일출 시간이 가장 이르다.
➡ 가장 동쪽에 위치한 C(독도)의 일출 시간이 가장 이르다.
③ B는 표준 경선과의 직선 거리가 가장 **가깝다.** →중국에 인접
　　　　　　　　　　　　　　　　　　　　멀다
✓ C에는 국토 최동단 표지석이 있다.
⑤ D에는 종합 해양 과학 기지가 설치되어 있다.
➡ D는 마라도로, 종합 해양 과학 기지는 이어도에 설치되어 있다.

04 북극 항로의 활성화

자료 분석| A 항로는 인도양, 수에즈 운하, 지중해를 거쳐 가는 수
에즈 항로이고, B 항로는 북극해를 통과하는 북극 항로이다.

[선택지 분석]

✗ A 항로는 지구의 기온이 상승하면서 개척되었다.
　　　　　　　　　 B 항로
ㄴ B 항로의 이용이 활성화되면 부산항의 영향력은 커진다.
➡ 부산항은 아시아, 북아메리카, 유럽을 연결하는 주요 해상 항로
에 위치하여, 북극 항로의 이용이 활성화되면 그 영향력이 커
질 것이다.
✗ B 항로를 이용하면 A 항로를 이용할 때보다 거리 및
시간이 **증가한다.**
　　　감소한다
➡ 북극 항로(B 항로)는 수에즈 항로(A 항로)에 비해 거리가
7,000km 정도 짧아, 이동 시간이 10일 정도 단축된다.
ㄹ A 항로는 수에즈 항로, B 항로는 북극 항로이다.
➡ B 항로가 활성화되면 우리나라는 유럽, 아시아, 북아메리카를
잇는 지리적 교차로에 위치한 이점을 활용하여 동북아시아 교
통의 허브 역할을 하고 있다.

05 영역의 구성

자료 분석| A는 영공, B는 배타적 경제 수역, C는 영해, D는 영토
이다.

[선택지 분석]

① A는 ~~영해와 상공~~으로 통상 대기권까지이다.
    영토와 영해의 상공

② B는 배타적 경제 수역으로, 영해가 끝나는 선에서 200
    해리까지의 바다이다.   188해리

➡ 배타적 경제 수역은 영해 기선(시작선)에서 200해리까지의 바
    다 중 영해(12해리)를 제외한 수역이다.

③ C 설정 시 우리나라의 동해안은 ~~직선 기선~~을 적용한다.
    통상 기선

✅ D는 우리나라의 경우 간척 사업을 통해 넓어졌다.

➡ 남한의 면적은 간척 사업을 통해 약 9.9만 km^2에서 약 10만
    km^2가 되었다.

⑤ ~~B 수역~~은 ~~C 수역~~보다 연안국이 가지는 권리가 다양하다.
    C 수역   B 수역

➡ 영해는 주권을 가지는 수역으로, 경제적 권한만 있는 배타적
    경제 수역에 비해 연안국이 가지는 권리가 다양하다.

06 영해 설정의 지역 차

자료 분석 | (가)는 해안선의 출입이 복잡하거나 섬이 많은 등 지리
적인 특수 사정이 있는 지역에서는 직선 기선을 적용한다는 내용으
로, 우리나라의 서·남안에 해당된다. (나)는 일정 수역에서는 12
해리보다 좁은 범위로 영해를 정한다는 내용으로, 일본과의 거리가
가까운 대한 해협이 해당된다.

[선택지 분석]

✅ (가)-A, (나)-C

➡ A는 직선 기선으로부터 12해리를 적용하는 서해안이고, B는 통
    상 기선으로부터 12해리를 적용하는 동해안이며, C는 직선 기
    선으로부터 3해리를 적용하는 대한 해협이다.

07 독도의 지리적 특색

[선택지 분석]

① 화산 활동에 의해 형성된 화산섬이다.
    → 신생대 제 3기에 해저에서 용암이 솟아올라 형성된 화산섬

② 동해의 교통 요지로, 거점 역할이 기대된다.
    → 독도의 전략적 가치

③ 우리나라에서 일출 및 일몰이 가장 이른 곳이다.
    → 가장 동쪽에 위치하기 때문

④ 주변 해역이 조경 수역으로, 어족 자원이 풍부하다.
    → 독도의 경제적 가치

✅ 영해 설정과 관련하여 ~~직선 기선의 기점에 해당한다.~~
    독도는 통상 기선을 적용한다.

08 배타적 경제 수역(EEZ)

[예시 답안] ㉠~㉢의 수역을 설정한 이유는 우리나라와 중
국, 우리나라와 일본의 배타적 경제 수역(EEZ)의 범위가
겹치기 때문이고, 이 문제를 해결하기 위해 어업 협정을
통해 수역을 정하였다. ㉠에서는 우리나라와 중국, ㉡과
㉢에서는 우리나라와 일본이 어업 활동을 할 수 있다.

채점 기준	상	㉠~㉢ 수역의 설정 배경과 어업 활동이 가능한 국가를 정확히 서술한 경우
	하	㉠~㉢ 수역의 설정 배경과 어업 활동이 가능한 국가 중 한 가지만을 포함하여 서술한 경우

01 ②   02 ④   03 ⑤   04 ④   05 ②   06 ②   07 ⑤
08 ③

01 우리나라의 수리적 위치와 지리적 위치

자료 분석 | 왼쪽 지도를 통해 우리나라가 유라시아 동안에 위치하
고, 삼면이 바다로 둘러싸인 반도에 위치한다는 것을 알 수 있다.
오른쪽 지도는 우리나라의 4극을 나타낸 것으로, (가)는 최북단인
유원진, (나)는 최서단인 마안도, (다)는 최동단인 독도, (라)는 최남
단인 마라도이다.

[선택지 분석]

㉠ (나)는 (다)보다 표준 경선에서 멀리 위치한다.

➡ 마안도(나)가 서쪽에 위치하기 때문에 독도(다)보다 표준 경선
    에서 멀리 위치한다.

✗ (라)는 (가)보다 타국 영토와의 직선거리가 ~~가깝다.~~ 멀다.

➡ 유원진(가)은 중국과의 접경 지대에 위치한다.

✗ 기온의 연교차가 큰 ~~해양성~~ 기후가 나타난다.
    대륙성

➡ 유라시아 대륙 동안에 위치하여, 여름에는 고온 다습하고 겨울
    에는 한랭 건조하여 연교차가 큰 대륙성 기후가 나타난다.

㉣ 대륙과 해양으로 진출할 수 있는 전략적 관문에 해당
    한다.

➡ 삼면이 바다로 둘러싸인 반도국으로 대륙과 해양 양 방향으로
    진출하기 유리하다.

02 여러 나라의 위치

자료 분석 | (가)는 우루과이, (나)는 영국, (다)는 오스트레일리아이
다. 우리나라와 계절이 같은 국가는 북반구에 위치한 (나)이고, 우
리나라와 계절이 반대인 국가는 남반구에 위치한 (가)와 (다)이다.
(가) 국가는 우리나라와 경도상으로 반대쪽에 있는 나라로, 약 12시
간의 시차가 발생한다. (다) 국가는 우리나라와 비슷한 경도상에 위
치한 나라로, 우리나라와는 약 1시간의 시차가 발생한다.

[선택지 분석]

✅ A-(나), B-(다), C-(가)

➡ 우리나라와 계절이 반대인가? 질문에 '아니요'에 해당하는 A 국가
    는 (나) 영국이다. 우리나라와 시차가 약 12시간 정도인가? 질문에
    '아니요'에 해당하는 B 국가는 (다) 오스트레일리아이고, '예'에 해
    당하는 C 국가는 (가) 우루과이이다.

03 영해와 배타적 경제 수역(EEZ)

자료 분석 | A와 B는 배타적 경제 수역, C는 영해에 해당한다.

[선택지 분석]

① A-우리나라 자원 탐사선이 탐사 활동을 함

➡ A는 우리나라의 배타적 경제 수역(EEZ)이므로 우리나라 자원
    탐사선이 탐사 활동을 할 수 있다.

② B-외국 화물선이 항해함

➡ B는 우리나라의 영해가 아니므로 외국 화물선이 항해할 수 있다.

③ C – 우리나라 해군 함정이 항해함

➡ C는 우리나라의 영해이므로 우리나라의 해군 함정이 항해할 수 있다.

④ A, C – 우리나라 어선이 고기잡이를 함

➡ A는 우리나라의 배타적 경제 수역(EEZ), C는 영해이므로 우리나라 어선이 고기잡이를 할 수 있다.

✔ ⑤ B, C – 외국이 인공 섬을 ~~설치함~~
　　　　　　　　　　설치할 수 없음

➡ B는 우리나라의 배타적 경제 수역(EEZ)이고, C는 우리나라의 영해이므로 외국이 인공 섬을 설치할 수 없다.

04 우리나라의 영해 설정

[선택지 분석]

① ㉠은 우리나라의 배타적 경제 수역에 포함되지 않는다.

➡ 배타적 경제 수역은 영해 기선에서 200해리의 수역 중 영해를 제외한 수역이다. 따라서, 배타적 경제 수역에는 영해가 포함되지 않는다.

② ㉡에 들어갈 내용은 '12해리'이다.

➡ 영해의 범위는 해안선으로부터 12해리까지이다.

③ ㉢과 관련하여 대한 해협에서의 영해는 직선 기선에서 3해리까지의 범위이다.

➡ 대한 해협에서는 직선 기선 3해리까지가 우리나라의 영해이다.

✔ ④ ㉣에 들어갈 내용은 '~~고조선(高潮線)~~'이다.
　　　　　　　　　　　저조선(低潮線)

➡ 통상 기선을 적용할 때의 기준은 해안의 저조선(低潮線)이다. 따라서 ㉣에는 '저조선(低潮線)'이 들어갈 수 있다.

⑤ ㉤은 섬, 만, 반도 등 해안선이 복잡한 해역에서 적용된다.

➡ 직선 기선은 복잡한 해안선이 펼쳐진 곳인 서해안, 남해안, 동해안 일부 해안에서 적용된다.

05 울릉도와 독도

자료 분석 | A는 울릉도이고, B는 독도이다. 울릉도에서는 독도를, 독도에서는 울릉도를 맑은 날 육안으로 볼 수 있다. 반면, 일본 오키섬에서는 독도를 볼 수 없고, 독도에서도 오키섬을 볼 수 없다. 이는 독도가 우리 땅이라는 증거의 하나로 채택되고 있다.

[선택지 분석]

① A는 울릉도, B는 독도이다.

➡ A는 울릉도, B는 독도이다. 독도가 울릉도보다 남동쪽에 위치한다.

✔ ② A가 B보다 일출 및 일몰이 ~~이르다.~~
　　　　　　　　　　　　　　　늦다

➡ 동쪽에 위치한 독도(B)가 울릉도(A)보다 일출 및 일몰이 이르다.

③ B에서는 A를 육안으로 볼 수 있다.

➡ 독도(B)에서는 울릉도(A)를 육안으로 볼 수 있다.

④ A, B 모두 화산섬이다.

➡ 울릉도와 독도는 모두 신생대 화산 활동으로 형성되었다.

⑤ A, B 모두 영해 설정 시 통상 기선을 사용한다.

➡ 울릉도와 독도에서는 모두 통상 기선을 사용한다. 두 섬 모두 외딴 섬이기 때문이다.

06 독도와 마라도의 위치 특성

자료 분석 | (가)는 동경 131° 52'에 위치하며 두 개의 주요 섬으로 이루어져 있는 독도이며, (나)는 북위 33° 06'에 위치하며 남북으로 타원형으로 이루어진 마라도이다.

[선택지 분석]

㉠ (가)는 천연 보호 구역으로 지정되어 있다.

➡ 독도(가)는 환경 및 생태적으로 가치가 뛰어나 천연기념물 제336호 독도 천연 보호 구역으로 지정되어 특별하게 관리·보호되고 있다.

✘ (나)는 우리나라의 ~~최동단~~에 위치한다.
　　　　　　　　　　　최남단

➡ 마라도(나)는 북위 33° 06'인 것을 토대로, 우리나라의 가장 남쪽에 위치한다.

✘ (가)는 (나)보다 ~~남쪽~~에 위치한다.
　　　　　　　　　　북쪽

➡ (가)는 북위 약 37°에 위치하고 (나)는 북위 약 33°에 위치하므로, (가)가 (나)보다 고위도, 즉 북쪽에 위치한다.

㉣ (가)와 (나)는 모두 화산 활동에 의해 형성된 섬이다.

➡ 독도와 마라도는 모두 신생대 화산 활동으로 형성된 섬이다.

07 마라도와 독도

자료 분석 | (가)는 마라도, (나)는 독도이다. 마라도와 독도의 상대적인 비교를 해 보면, 다음과 같다.

구분	마라도	독도
총면적	넓다	좁다
일출 시간	늦다	이르다
표준 경선과의 거리	멀다	가깝다

[선택지 분석]

✔ E

➡ 독도는 마라도보다 총면적은 좁고, 일출 시간은 이르고, 표준 경선과의 거리는 가깝다.

08 아국총도와 삼국접양지도

자료 분석 | (가) 아국총도는 정상기의 동국지도에 영향을 받아 제작된 지도로, 우산도가 독도라는 인식이 반영되어 있으며, 동해를 동해(東海)라고 표기하였다. (나)는 일본에서 제작된 삼국접양지도로, 울릉도와 독도가 조선의 것이라고 적혀 있다.

[선택지 분석]

㉠ (가)는 우리나라 동쪽 바다를 동해라고 표기하였다.

➡ 아국총도(가)에는 동해가 '동해(東海)'라고 적혀 있다.

㉡ (나)는 울릉도와 독도가 우리나라 영토라고 기록되어 있다.

➡ 삼국접양지도에는 울릉도와 독도가 '조선의 것'이라고 적혀 있다.

㉢ (가)는 (나)보다 한반도의 형태가 정확하다.

➡ 한반도의 형태는 아국총도(가)가 삼국접양지도(나)보다 정확하다.

✘ (가)는 ~~일본~~, (나)는 ~~우리나라~~에서 제작되었다.
　　　　　우리나라　　　　　　일본

➡ 아국총도(가)는 우리나라, 삼국접양지도(나)는 일본에서 제작되었다.

02 ~ 국토 인식의 변화

콕콕! 개념 확인하기   27쪽

01 (1) ○ (2) ○ (3) ✕
02 (1) 국가 (2) 백과사전 (3) 실학자
03 지리, 생리, 인심, 산수
04 (1) ㉠ (2) ㉢ (3) ㉡
05 (1) ○ (2) ✕
06 ㉠: 경제적 ㉡: 생태

01 (3) 풍수지리 사상은 지모 사상, 음양오행설 등에 영향을 받았다.

05 (2) 자연환경의 효율적 이용은 산업화 시대 경제적 관점의 국토관과 관계가 깊다.

탄탄! 내신 다지기   28~29쪽

01 ①   **02** ④   **03** ②   **04** ③   **05** ③   **06** ④   **07** ③
08 해설 참조

01 풍수지리 사상

[선택지 분석]

㉠ 집터와 마을의 입지에 영향을 끼쳤다.
➡ 풍수지리 사상은 집터, 마을, 묏자리의 입지에 영향을 미쳤다.

㉡ 지모(地母) 사상과 음양오행설에 영향을 받았다.
➡ 풍수지리 사상과 관련이 깊다.

✕ 우리나라에서 시작되어 중국과 주변 지역으로 전파되었다.
➡ 중국에서 우리나라로 들어온 사상이다.

✕ 산업화 시대에 강조되어 지역 개발에 활발히 반영되었다.
➡ 산업화 시대의 지역 개발과는 무관하다.

02 택리지와 가거지 조건

[선택지 분석]

✓ (가) – 생리, (나) – 지리, (다) – 인심
➡ (가)는 생필품에 부족함이 없고, 생선과 소금을 실은 배가 다닌다고 표현하고 있어 경제(생리)와 관련된 내용을 담고 있다. (나)는 자연 조건이 인재가 많이 나도록 한다는 내용을 표현하고 있어 풍수지리적 요소를 담고 있다. (다)는 올바른 풍속을 강조하고 있으므로 인심과 관련된 내용을 담고 있다.

03 신증동국여지승람과 택리지

자료 분석 | (가)는 백과사전식·나열식 서술 특성을 지닌 관찬 지리지인 신증동국여지승람으로, 조선 전기에 제작되었다. (나)는 설명식 서술 특성을 지닌 사찬 지리지인 택리지로, 조선 후기에 제작되었다.

[선택지 분석]

① (가)는 실사구시를 추구하는 사상이 반영되어 있다.
➡ 조선 전기에는 사회에서 성리학이 지배적이었다.

✓ (나)는 가거지(可居地) 조건을 담고 있다.
➡ 이중환의 택리지는 복거총론에서 가거지의 네 가지 조건에 대해 설명하였다.

③ (가)는 (나)를 요약 및 정리한 것이다.
➡ (가)가 (나)보다 제작 시기가 이르다.

④ (나)는 (가)보다 국가 통치에 효율적으로 이용되었다.
➡ 국가 통치 목적으로 제작된 것은 (가)의 관찬 지리지이다.

⑤ (가)는 설명식, (나)는 백과사전식 서술 특성을 보여 준다.
     백과사전식   설명식

04 천하도와 혼일강리역대국도지도

자료 분석 | (가)는 조선 중기 이후 민간에서 제작된 천하도이고, (나)는 조선 전기 국가 주도로 제작된 혼일강리역대국도지도이다. (가)는 도교 사상의 영향으로 상상의 국가 및 지명이 많이 나타나는 반면, (나)는 조선 전기 당시의 세계 인식 범위가 담겨 있다. 두 지도 모두 중화사상이 나타난다.

[선택지 분석]

① (가)는 자주적인 국토 인식이 두드러진다.
➡ 혼일강리역대국도지도(나)에 조선이 크게 표현되어 있다. 이를 통해 자주적 국토 인식이 나타났음을 알 수 있다.

② (가)는 크리스트교 사상을 반영하고 있다.
     도교
➡ 삼수국(三首國, 머리가 셋 달린 사람들의 나라) 등 상상의 나라가 수록되어 있다.

✓ (나)는 조선 전기 국가 주도로 제작되었다.
➡ 혼일강리역대국도지도는 조선 전기에 국가 주도로 제작되었다.

④ (나)는 아메리카와 오세아니아를 담고 있다.
     있지 않다
➡ 신항로 개척 이전에 만들어졌기 때문이다.

⑤ (가), (나) 모두 분첩 절첩식으로 구성되어 있다.
     있지 않다
➡ 분첩 절첩식은 대동여지도에 해당한다.

05 대동여지도

[선택지 분석]

✕ D를 따라 나루터 취락이 발달해 왔다.
     있지 않다
➡ D는 단선이므로 배가 다닐 수 없다. 따라서 나루터 취락이 발달해 있지 않다.

㉡ A–B의 도로상 거리는 50리를 넘는다.
➡ 방점이 5개 이상 표시되어 있다.

㉢ B와 C는 서로 다른 행정 구역에 속한다.
➡ B와 C 사이에는 행정 구역의 경계를 의미하는 점선이 있다.

✕ A가 B, C보다 겨울에 온화한 기후가 나타난다.
     추운

06 우리나라의 국토관

[선택지 분석]

① (가)는 ~~효율성~~보다 ~~형평성~~을 강조한다.
       형평성   효율성
  ➡ 빠른 경제 성장은 효율성을 의미한다.

② (나)는 ~~일제 강점기의 국토관~~에 해당한다.
    우리가 지향해야 할 국토관
  ➡ 생태 지향적 국토관, 지속 가능한 국토관이다.

③ (다)는 ~~조선 시대~~의 국토관에 해당한다.
    일제 강점기
  ➡ 국토를 소극적·부정적으로 바라본다.

✔ (나)는 (가)보다 지속 가능성이 높은 국토관이다.
  ➡ (나)는 생태 지향적 국토관이다.

⑤ ~~(다)~~가 ~~(나)~~보다 바람직한 국토관이다.
  (나)   (다)

07 제1차 국토 종합 개발 계획

자료 분석 | 자료는 `산업화 시대의 국토관`을 바탕으로 한 제1차 국토 종합 개발 계획을 나타낸 것이다. `제1차 국토 종합 개발 계획`은 1970년대에 실시된 것으로 빠른 경제 발전을 위해 주요 `고속 국도와 다목적 댐`을 건설함은 물론, 전국의 주요 지역에 `산업 단지 및 공업 단지`를 건설하였다.

[선택지 분석]

✘ 인간과 자연의 조화를 강조한다.
  ➡ 인간을 자연에 앞세우는 유형의 국토관이다.

ⓛ 지역 간 불균형 성장과 관련이 깊다.
  ➡ 거점 지역에 대한 집중 투자에 대한 내용이 있다.

ⓒ 국토를 개발과 이용의 관점에서 본다.
  ➡ 국토의 효율적인 이용을 강조한다.

✘ 우리 국토를 소극적·부정적으로 본다.
  ➡ 일제 강점기의 국토관에 해당한다.

08 배산 임수 취락

[예시 답안] 금평과 안말은 마을 뒤에 산이 있고, 마을 앞에 하천과 경지가 있는 배산임수 촌락이다. 마을 뒤의 산은 차가운 북서풍을 막아 주고 땔감을 공급해 주는 역할을 하며, 마을 앞의 하천과 경지는 농업 활동을 가능하게 해 준다.

채점기준		
	상	배산에 따른 마을 입지의 장점과 임수에 따른 마을 입지의 장점을 모두 잘 서술한 경우
	하	배산과 임수에 따른 마을 입지의 장점 중 한 가지만을 서술한 경우

도전! 실력 올리기   30~31쪽

01 ①   **02** ②   **03** ③   **04** ⑤   **05** ③   **06** ①   **07** ②
08 ③

01 서울과 풍수지리 사상

[선택지 분석]

㉮ 경복궁은 배산임수 지역에 위치합니다.
  ➡ 경복궁 뒤에는 북악산이 위치하고, 앞쪽으로는 청계천이 흐르므로 배산임수 지역에 위치한다.

✘ 한강이 청계천을 통해 경복궁 앞으로 흘러듭니다.
  ➡ 청계천이 한강의 지류 하천이므로 청계천이 한강으로 흘러든다.

✘ 경복궁의 ~~동쪽~~ 산지가 ~~서쪽~~ 산지보다 연결성이 뚜렷합니다.
            서쪽   동쪽
  ➡ 제시된 자료를 통해 경복궁의 서쪽 산지(인왕산 줄기)가 동쪽 산지(낙산 줄기)보다 연결성이 뚜렷함을 알 수 있다.

㉱ 북악산은 경복궁의 북쪽, 남산은 경복궁의 남쪽에 위치합니다.
  ➡ 북악산은 경복궁의 북쪽에 위치하는 주산(主山)이고, 남산은 경복궁의 남쪽에 위치하는 안산(案山)이다.

02 택리지의 특색

[선택지 분석]

㉠ 실학사상의 영향이 잘 드러난다.
  ➡ 택리지는 실학사상의 영향이 잘 드러나는 지리지이다.

✘ 도별(道別)로 지도를 ~~수록하였다.~~
                   수록하지 않았다
  ➡ 도별 지도를 수록한 것은 관찬 지리지인 신증동국여지승람이다.

㉢ 사대부가 살 만한 곳의 조건을 제시하였다.
  ➡ 택리지는 가거지의 네 가지 조건, 즉 지리·생리·산수·인심을 제시하였다.

✘ ~~국가 통치 자료를 수집 및 정리하기 위해~~ 제작하였다.
  실학사상을 바탕으로 한 개인적인 관심에서
  ➡ 국가 통치 자료를 수집 및 정리하기 위해 제작한 것은 관찬 지리지이다.

03 관찬 지리지와 사찬 지리지

자료 분석 | (가)는 백과사전식·나열식 서술 방식을 보여 주는 관찬 지리지로 `신증동국여지승람`이다. (나)는 설명식 서술 방식을 보여 주는 사찬 지리지로 `택리지`이다.

[선택지 분석]

✘ (가)는 실학사상의 영향을 받아 편찬되었다.
  ➡ 조선 전기의 지배적인 사상은 성리학이다.

ⓛ (가)는 국가 통치 목적으로 편찬 및 사용되었다.
  ➡ 국가 통치 목적으로 편찬 및 사용된 관찬 지리지이다.

ⓒ (가)는 (나)보다 편찬된 시기가 이르다.
  ➡ 신증동국여지승람(가)이 택리지(나)보다 편찬 시기가 이르다.

✘ (나)의 ㉠은 가거지의 조건 중 생리(生利)에 해당한다.
  ➡ (나)의 ㉠은 고을 주변의 산(山)에 대한 설명이므로, 가거지 조건 중 생리(生利)에 해당하지 않는다.

04 조선 시대의 지도

[선택지 분석]

✔ 무

➡ ㉠은 조선 전기, ㉡, ㉢은 조선 후기에 제작되었다. ㉠이 ㉡보다 제작 시기가 이르다. 조선 전기에 제작된 ㉠은 북부 지방이 간략히 표현되어 있고, 조선 후기에 제작된 ㉢는 북부 지방이 상세히 표현되어 있다. 따라서 무가 옳은 설명에 모두 ○표를 하였다.

05 혼일강리역대국도지도

자료 분석 | 15세기 초(조선 전기)에 제작된 혼일강리역대국도지도로, 동아시아뿐만 아니라 유럽, 중동, 아프리카까지 표현하였다.

[선택지 분석]

① 대동여지도 ➡ 김정호가 제작한 우리나라 지도이다.

② 천하도 ➡ 도교 사상의 영향을 받은 관념적인 지도이다.

✔ 혼일강리역대국도지도

➡ 조선 전기에 제작된 세계 지도이다.

④ 팔도총도 ➡ 신증동국여지승람에 실린 우리나라 지도이다.

⑤ 지구전후도 ➡ 조선 후기 실학자들이 제작한 지도이다.

06 대동여지도

[선택지 분석]

✔① A는 ~~수운 교통로로 이용되는 하천이다.~~
　수운 교통로로 이용되지 못하는 하천
➡ A는 단선으로 표현된 하천이므로, 수운 교통로로 이용되는 하천이 아니다.

② C는 관아가 있는 행정의 중심지이다.
➡ C는 읍치로, 읍치는 관아가 있는 행정 중심지이다.

③ E는 하천 유역을 나누는 분수계의 일부이다.
➡ E는 산줄기로, 하천의 유역을 나누는 경계인 분수계에 해당한다.

④ B에서 C까지의 거리는 10리 이상이다.
➡ B~C 사이에 방점이 두 개 있으므로, 두 지점 간의 거리는 10리 이상이다.

⑤ E는 D보다 규모가 큰 산지이다.
➡ E 산줄기가 D 산줄기보다 두꺼우므로, E가 D보다 규모가 큰 산지이다.

07 대동여지도와 동국지도

[선택지 분석]

① (가)는 ~~천하도이다.~~
　　　대동여지도
➡ (가)는 대동여지도이다.

✔② (가)는 분첩 절첩식으로 구성된 지도이다.
➡ 대동여지도는 분첩 절첩식으로 구성되어 휴대 및 열람이 편리하다.

③ (나)는 목판본으로 제작된 ~~지도이다.~~
　　　　　　　　　　　　지도가 아니다
➡ (나) 동국지도는 붓으로 그린(필사한) 지도이다.

④ (가)는 (나)보다 제작 시기가 ~~이르다.~~
　　　　　　　　　　　　　　늦다

⑤ (나)는 (가)보다 내용이 ~~더~~ 자세하다.
　　　　　　　　　　　덜
➡ 동국지도보다 대동여지도가 더 크다. 따라서 대동여지도가 더 자세하다는 것을 알 수 있다.

08 근대 이후의 국토관

자료 분석 | (가)는 전북의 계화 지구 간척 사업을 기념하는 탑에 쓰여진 글로, 산업화 시대 경제적 관점의 국토관을 보여 준다. (나)는 우리 조상의 자연에 대한 외경심을 나타낸 내용으로, 선조들의 국토관인 동시에 우리가 지향해 나아가야 할 생태 지향적인 국토관을 보여 준다.

[선택지 분석]

✔ (가) – B, (나) – A

➡ A는 생태 지향적 국토관, B는 산업화 시대 경제적 관점의 국토관, C는 일제 시대의 왜곡된 국토관을 벗어난 후의 국토관과 관련이 있는 자료이다.

---

03 ~ 지리 정보와 지역 조사

콕콕! 개념 확인하기　　　　　　35쪽

01 ㉠ 공간 ㉡ 속성 ㉢ 관계

02 (1) (가): 단계 구분도 (나): 도형 표현도 (다): 점묘도
　(라): 등치선도 (마): 유선도 (2) ㉠: (다) ㉡: (마)

03 중첩 분석

04 A: 조사 주제 선정 B: 실내 조사 C: 도표·주제도 작성

05 (1) ○ (2) × (3) ×

---

05 (2) 지역 조사에서 설문지 구성은 실내 조사에서 한다.

(3) 관측, 실측, 촬영, 면담은 야외 조사에서 한다.

탄탄! 내신 다지기　　　　　　36~37쪽

01 ② 　02 ③ 　03 ④ 　04 ② 　05 ④ 　06 ② 　07 ②

08 해설 참조

01 지리 정보의 유형

[선택지 분석]

✔ ㉠ – 공간 정보, ㉡ – 속성 정보, ㉢ – 관계 정보

➡ 지리적 현상의 위치, 모양, 형태 등을 나타내는 지리 정보는 공간 정보이고, 지역의 자연적·인문적 특성을 나타내는 지리 정보는 속성 정보이다. 주변 지역과의 상호 관계를 나타내는 정보는 관계 정보이다.

02 종이 지도와 위성 사진

자료 분석 | (가)는 종이 지도 중 하나인 **지형도**이고, (나)는 **인공위성에서 촬영한 위성 사진**이다. 위성 사진이 종이 지도에 비해 다양한 정보를 담고 있으나, 지명, 건물명, 도로명 등의 요소는 담고 있지 않다.

[선택지 분석]

✗ (가)는 (나)보다 축척의 변화가 쉽다.
　　　　　　　　　　　　　　어렵다
➡ 종이 지도는 축척의 변화가 어려운 반면, 위성 사진은 쉽다.

ⓛ (가)는 (나)보다 학교 이름 파악에 유리하다.
➡ 종이 지도에는 학교 이름이 담겨 있지만, 위성 사진에는 담겨 있지 않다.

ⓔ (나)는 (가)보다 새로운 정보를 확보하는 데 용이하다.
➡ 새로운 정보를 확보하는 데는 위성 사진이 유리하다.

✗ (나)는 (가)보다 일제 강점기의 지리적 특색을 파악하는 데 유리하다.
　　　　　　　　　　불리
➡ 과거의 자료는 종이 지도를 통해 파악하기 쉽다.

03 속성 정보와 공간 정보

자료 분석 | (가)는 어느 지역의 인구, 세대 수, 순이동 인구, 고령 인구 비율 등을 나타낸 것이고, (나)는 어느 지역의 극점별 경도 및 위도, 지역의 동서 및 남북 간 직선거리를 나타낸 것이다.

[선택지 분석]

✅ (가) – 속성 정보, (나) – 공간 정보
➡ 인구, 세대 수 등 인문 정보를 나타낸 것은 속성 정보이고, 지역의 극점을 경도와 위도로 나타낸 것은 공간 정보이다.

04 통계 지도의 유형

[선택지 분석]

✅ (가) – A, (나) – C
➡ (가)는 동별 학생 수를 한눈에 비교할 수 있는 도형 표현도가 알맞고, (나)는 도서관으로부터의 거리가 같은 지점을 연결하여 표현하는 등치선도가 알맞다. A는 도형 표현도, B는 유선도, C는 등치선도이다.

05 지리 정보 체계(GIS)를 이용한 적합 지역 찾기

[선택지 분석]

① A → 간선 도로에 접해 있지 않음

② B → 기존 커피점이 있음

③ C → 상주인구가 부족함

✅ D → 상주인구가 3,000명/㎢ 이상이고, 간선 도로에 접해 있으며, 기존 커피점이 없음

⑤ E → 기존 커피점이 있음

06 야외 조사의 특징

자료 분석 | 지역 조사는 조사 주제 및 지역 선정 → 지리 정보의 수집 → 지리 정보의 분석 → 보고서 작성의 단계로 이루어진다. 지리 정보의 수집 단계에서는 실내 조사와 야외 조사가 이루어진다. (가)는 야외 조사 단계이다.

[선택지 분석]

ⓛ 현지 사정을 잘 아는 지역 주민과 면담을 진행한다.
→ 야외 조사, 면담이 이루어짐

✗ 수집한 통계 자료를 바탕으로 통계 지도를 작성한다.
→ 지리 정보의 분석 단계

✗ 지점별 조사 내용을 결정한 후, 조사 경로도를 작성한다.
→ 실내 조사 단계

ⓔ 가장 높은 건물의 옥상에 올라 답사 지역을 전체적으로 조망한다. → 야외 조사, 관찰이 이루어짐

07 지역 조사의 단계

[선택지 분석]

ⓛ (가)에서는 수집된 자료를 분석하고 정리한다.
➡ 지리 정보의 분석 단계에 해당한다.

✗ (나)에서는 관찰, 면담, 촬영, 측정이 이루어진다.
➡ 실내 조사에서는 문헌 분석, 지도 분석, 설문지 구성, 조사 경로도 작성 등이 이루어지며, 관찰, 면담 등은 야외 조사 단계에서 이루어진다.

ⓔ (나)에서는 설문지에 들어갈 문항에 대해 토의할 수 있다.
➡ 실내 조사에서는 설문지를 구성한다.

✗ (가)는 (나)보다 지역 조사에서 시기적으로 먼저 이루어진다.
➡ (나)가 (가)보다 먼저 이루어진다.

08 시민 참여형 지도 제작

(1) 지리 정보 체계(GIS)

(2) [예시 답안] 시민 참여형 지도 제작은 일반 시민들이 핸드폰 등을 이용하여 참여함으로써 이루어지는 것이고, 시민들의 자발적인 참여로 지도가 만들어지고 공유되므로 비용이 적게 든다.

채점기준		
	상	시민 참여형 지도 제작의 장점을 두 가지 측면에서 모두 잘 서술한 경우
	하	시민 참여형 지도 제작의 장점을 한 가지 측면에서만 잘 서술한 경우

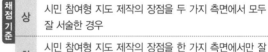

> **도전! 실력 올리기**　　　　　　　　38~39쪽
>
> **01** ⑤　**02** ①　**03** ③　**04** ⑤　**05** ③　**06** ④　**07** ④
> **08** ②

01 속성 정보와 공간 정보

[선택지 분석]

✗ 북위 33° 06′, 동경 126° 16′ 30″에 위치
➡ 경·위도는 위치를 나타내는 공간 정보이다.

✗ 제주특별자치도 서귀포시 대정읍 마라리
➡ 주소는 위치를 나타내는 공간 정보이다.

ⓔ 이 섬에서 해발 고도가 가장 높은 곳에 등대가 있고
➡ 마라도의 특성이 나타나므로 속성 정보이다.

② 주변 일대는 천연기념물 제423호로 지정되어 보호

➡ 마라도의 특성이 나타나므로 속성 정보이다.

02 통계 지도의 유형

[선택지 분석]

㉠ 총 전입자 수와 총 전출자 수를 서로 다른 도형을 이용하여 도형 표현도로 나타낼 수 있다.

㉡ 총 전입자 수와 총 전출자 수를 서로 다른 색깔의 점을 이용하여 점묘도로 나타낼 수 있다.

✗ 등치선도는 기후 자료 등을 나타내는 데 주로 이용한다.

✗ 제시된 자료의 경우 이동에 관한 내용은 없으므로 유선도로 나타낼 수 없다.

03 지리 정보를 이용한 적합 지역 찾기

[선택지 분석]

① A ➡ 해발 고도 1점, 생태 등급 2점, 합계 3점으로 적합하지 않은 곳이다.

② B ➡ 해발 고도 2점, 생태 등급 2점, 합계 4점으로 적합하지 않은 곳이다.

✅ C ➡ 해발 고도 3점, 생태 등급 2점, 합계 5점, 주변에 해발 고도가 C보다 낮은 면이 있으므로 적합한 곳이다.

④ D ➡ 해발 고도 2점, 생태 등급 3점, 합계 5점, 주변에 해발 고도가 D보다 낮은 면이 없으므로 적합하지 않은 곳이다.

⑤ E ➡ 해발 고도 3점, 생태 등급 1점, 합계 4점으로 적합하지 않은 곳이다.

04 지리 정보를 이용한 적합 지역 찾기

[선택지 분석]

① A ➡ 노년층 인구 비중 6×3=18, 유소년층 인구 비중 16, 합계 34

② B ➡ 노년층 인구 비중 7×3=21, 유소년층 인구 비중 16, 합계 37

③ C ➡ 노년층 인구 비중 6×3=18, 유소년층 인구 비중 17, 합계 35

④ D ➡ 노년층 인구 비중 8×3=24, 유소년층 인구 비중 16, 합계 40

✅ E ➡ 노년층 인구 비중 9×3=27, 유소년층 인구 비중 15, 합계 42 → E가 가장 적합한 지역이다.

05 인구 자료와 통계 지도

[선택지 분석]

✅ (가)-B, (나)-A, (다)-C

➡ 인구 이동은 유선도로, 연령별 인구 비율은 도형 표현도로, 인구 분포는 점묘도로 표현하는 것이 가장 적합하다.

06 지역 조사의 단계

자료 분석 | 왼쪽 위의 말풍선은 지역 조사의 **조사 주제 선정**이고, 오른쪽 위의 말풍선과 왼쪽 아래의 말풍선은 **실내 조사**에서 이루어지는 내용이고, 오른쪽 아래 말풍선의 설문 조사는 **야외 조사**에서 이루어진다.

[선택지 분석]

✗ ㉠은 지리 정보 중에서 공간 정보에 해당한다.
  속성 정보

➡ 시설 재배는 속성 정보에 해당한다. 공간 정보는 위치 정보에 해당한다.

㉡ ㉡은 통계 지도 중 단계 구분도로 표현하는 것이 적절하다.

➡ 재배 면적을 급간으로 나누어 단계 구분도로 표현하는 것이 적절하다.

✗ ㉢은 지역 선정의 단계에 해당한다.
  실내 조사

➡ 논문에 대한 검색 및 열람은 실내 조사에서 이루어진다.

㉣ 지역 조사를 할 때 ㉢은 ㉣보다 먼저 실시한다.

➡ 논문을 먼저 찾고, 설문을 하는 것이 바람직하다. 논문 찾기는 실내 조사, 설문은 야외 조사에서 이루어지기 때문이다.

07 지역 조사의 순서 및 내용

[선택지 분석]

① ㉠은 실내 및 야외 조사의 과정을 포함한다.

➡ ㉠은 지리 정보의 수집 단계로, 실내 조사와 야외 조사의 과정을 포함한다.

② ㉡은 지리 정보의 분석 과정을 포함한다.

➡ ㉡은 지리 정보의 분석 및 정리 단계로, 지리 정보의 분석 과정을 포함한다.

③ ㉢은 지역의 유형 중에서 기능 지역에 해당한다.

➡ 소매업의 상권은 소매점에서 상품이 판매되는 범위로, 기능 지역에 해당한다.

✅ ㉣은 지리 정보 중에서 관계 정보에 해당한다.

➡ 편의점과 백화점의 주소는 공간 정보에 해당한다.

⑤ ㉤은 점묘도로 표현할 수 있다.

➡ 편의점과 백화점의 분포를 점으로 찍어서 표현할 수 있다.

08 인구 피라미드와 인구 통계

자료 분석 | (가)는 인구 피라미드이고, (나)는 인구 통계이다. (나)의 인구 통계를 바탕으로 (가) 인구 피라미드를 작성한다.

[선택지 분석]

① (카)를 바탕으로 (나)를 작성한다.
  (나)   (가)

➡ (나)를 바탕으로 (가)를 작성한다.

✅ (가)는 (나)보다 내용 파악에 드는 시간이 적다.

➡ 통계 자료를 그래프로 나타내면 통계 자료의 내용을 쉽게 파악할 수 있다.

③ (나)는 (카)보다 보고서에 넣기에 적절한 유형의 자료이다.
  (가)   (나)

➡ 인구 피라미드로 작성하면 자료 파악이 수월하다.

④ (카), (나) 모두 지리 정보 수집 과정과 관련이 깊다.
  (가)는 지리 정보의 분석 및 정리, (나)는 실내 조사

➡ 실내 조사에서 통계 자료를 수집하고, 지리 정보의 분석 및 정리를 통해 인구 피라미드를 작성할 수 있다.

⑤ (가), (나)와 관련된 활동은 모두 야외에서 이루어진다.
  실내

➡ 실내 조사와 지리 정보의 분석과 정리는 모두 실내에서 이루어진다.

01 우리나라의 위치

[선택지 분석]

① A – 유라시아 철도 이용에 따른 한반도 물류 기능 강화
  E
  ➡ 유라시아 철도 이용은 북한 및 주변국과의 정치 및 경제적 관계와 관련이 깊다.

② B – 반도국이 지닌 지리적 장점
  D
  ➡ 반도국이 지닌 지리적 장점은 반도적 위치와 관련이 깊다.

✅ C – 여름과 겨울의 지배적인 바람의 성격 및 방향 차이
  ➡ 우리나라는 대륙 동안에 위치하기 때문에 계절풍이 분다.

④ D – 일광 시간 절약제 실시에 따른 표준시 변화
  B
  ➡ 표준시와 관련이 깊은 것은 경도이다.

⑤ E – 사계절이 우리나라 의복 산업에 미친 영향
  A
  ➡ 우리나라가 사계절이 뚜렷한 것은 중위도에 위치하기 때문이다.

02 백령도, 양구, 마라도, 독도

자료 분석 | (가)의 백령도는 북한 지역에 가까이 위치한 섬이고, (나)의 양구는 4극을 기준으로 본 국토 정중앙이다. (다)의 마라도는 국토 최남단에 있는 섬이고, (라)의 독도는 국토 최동단이다.

① (가)는 (다)보다 연중 태양의 남중 시각이 이르다.
                                          늦다
  ➡ 태양의 남중 시각은 남쪽에 위치한 마라도(다)가 백령도(가)보다 이르다.

✅ (나)는 (라)보다 우리나라 표준 경선과의 직선거리가 멀다.
  ➡ (나)의 양구가 (라)의 독도보다 우리나라 표준 경선과의 직선거리가 멀다.

③ (다)는 (가)보다 황사 발생 빈도가 높다.
                              낮다
  ➡ 황사 발생 빈도는 황사 발원지에 가까이 위치하는 백령도(가)가 마라도(다)보다 더 높다.

④ (라)는 (나)보다 최한월 평균 기온이 낮다.
                                  높다
  ➡ 최한월 평균 기온은 동해상에 위치하는 독도(라)가 양구(나)보다 높다.

⑤ (가), (다), (라)는 화산 활동으로 형성된 섬이다.
  백령도는 아님
  ➡ 마라도(다)와 독도(라)는 화산섬이고, 백령도(가)는 화산섬이 아니다.

03 우리나라의 영역

[선택지 분석]

ㄱ ㉠ – 총면적은 약 22.3만 km²이고 남한은 약 10만 km²이다.
  ➡ 총면적은 북한을 포함한 면적이다.

✗ ㉡ – 강화도, 거제도가 들어갈 수 있다.
              들어갈 수 없다
  ➡ 강화도, 거제도 인근 해역에서는 직선 기선을 적용한다. 그 이유는 섬, 만, 반도가 많아 해안선이 복잡하기 때문이다.

ㄷ ㉢ – 간척 사업으로 영토가 넓어졌다.
  ➡ 서해안의 내수(內水) 해역에서 간척 사업이 이루어져 우리나라의 영토가 넓어졌다.

✗ ㉣ – 188해리가 들어갈 수 있다.
       200해리
  ➡ 배타적 경제 수역(EEZ)은 영해 기선으로부터 200해리 중 영해를 제외한 수역이다.

04 마라도와 독도

[선택지 분석]

① (가)에는 국토 최동단 표지석이 있다.
  (나)

② (나)는 행정 구역상 강원도에 속한다.
                      경상북도

③ (가)는 (나)보다 일출 및 일몰 시각이 이르다.
  (나)   (가)
  ➡ 동쪽에 위치한 독도(나)가 마라도(가)보다 일출 및 일몰 시각이 이르다.

✅ (나)는 (가)보다 최고 지점의 해발 고도가 높다.
  ➡ 독도(나)의 최고 지점이 마라도(가)의 최고 지점보다 해발 고도가 높다.

⑤ (가), (나) 모두 세계 자연 유산으로 등재되어 있다.
  ➡ 우리나라에서는 제주도의 일부가 세계 자연 유산으로 등재되어 있다.

05 삼국접양지도

자료 분석 | 삼국접양지도는 일본의 하야시 시헤이가 1785년에 편찬한 『삼국통람도설(三國通覽圖說)』의 부도이다. 이 지도에는 울릉도와 독도는 '조선의 것[朝鮮ノ持ニ]'이라고 적혀 있다.

[선택지 분석]

✗ 독도가 울릉도의 서쪽에 표현되어 있다.
                    동쪽

ㄴ 독도가 한반도와 같은 색으로 채색되어 있다.
  → 독도가 한반도와 같은 색으로 채색됨

ㄷ 울릉도와 독도에 '조선의 것'이라고 적혀 있다.
  → 울릉도와 독도에 '조선의 것'이라고 적혀 있음

✗ 독도가 두 개의 큰 섬과 89개의 암초로 나타나 있다.
       한 개의 섬으로 그려짐

06 택리지의 가거지 조건

자료 분석 | (가)는 집터의 좋고 나쁨을 재물과 연결지었고, (나)는 비옥한 땅의 중요성을 강조하였으며, (다)는 속리산의 아름다움에 대해 설명하였다.

[선택지 분석]

✅ (가) – 지리, (나) – 생리, (다) – 산수
  ➡ (가)는 자연환경이 부(富)에 영향을 미친다는 내용이므로 지리, (나)는 토질에 따라 수확량이 달라진다는 내용으로 생리, (다)는 속리산의 아름다움을 나타낸 것으로 산수에 해당한다.

07 대동여지도와 신증동국여지승람

[선택지 분석]

① (가)는 혼일강리역태국도지도의 부분도이다.
　　　　　　　대동여지도

② (가)는 배가 다닐 수 있는 하천을 <s>단선</s>으로 나타내었다.
　　　　　　　　　　　　　　　　쌍선

③ (나)는 가거지 조건을 설명하고 있다.
　　→ 가거지 조건은 택리지와 관련

✔(나)는 국가 통치 목적으로 제작되었다. → 관찬 지리지에 속함

⑤ (가), (나) 모두 조선 후기에 제작되었다. → (나)는 조선 전기

08 대동여지도

[선택지 분석]

① (가)를 통해 여러 대륙의 표현이 가능하다.
　　➡ 대동여지도는 우리나라만 나타낸 지도이다

✔(가)를 통해 많은 지리 정보를 효과적으로 수록하였다.
　　➡ 지도표를 통해 많은 지리 정보를 효과적으로 수록할 수 있다.

③ (나)를 통해 <s>분첩·절첩식 구성</s>임을 알 수 있다. → 대량 생산 가능
　　　　　　　　목판본

④ (다)를 통해 지도의 <s>대량 생산이 가능</s>하다.
　　　　　　　　　휴대와 열람이 편리

⑤ <s>(다)</s>를 바탕으로 <s>(나)</s>를 만들었다.
　　(나)　　　　　　　(다)

09 원격 탐사

[선택지 분석]

㉠ 넓은 영역을 한눈에 볼 수 있다.
　　➡ 원격 탐사는 광범위한 지역의 지리 정보 수집에 용이하다.

✘ 누구나 쉽게 자료를 수집 및 분석할 수 있다.
　　➡ 전문가만 가능하다.

✘ 가뭄이 심한 지역에 인공 강수를 만들 수 <s>있다</s>.
　　　　　　　　　　　　　　　　　　없다

㉣ 일정한 주기를 두고 변화하는 지역의 모습을 관찰할 수 있다.
　　➡ 원격 탐사는 지역의 주기적인 변화를 관찰할 수 있다.

10 통계 지도의 유형

[선택지 분석]

✔(가) – B, (나) – C
　　➡ (가) 단풍 지도는 등치선도, (나) 아파트 가격의 상승 및 하락은 도형 표현도로 표현하는 것이 적합하다. A는 유선도, B는 등치선도, C는 도형 표현도이다.

11 중첩 분석

[선택지 분석]

① 편의점과 도로와의 거리 → 편의점 분포 + 도로망 이용

② 도로 주변의 토지 이용 현황 → 도로망 + 토지 이용

③ 해발 고도별 토지 소유 현황 → 해발 고도 + 토지 소유 현황 이용

④ 도로 주변의 토지 소유 현황 → 도로망 + 토지 소유 현황 활용

✔상주인구 50,000명당 편의점 수 → 상주인구 자료 없음

12 지역 조사의 단계

[선택지 분석]

✔㉠ – 지리 정보 수집, ㉡ – 실내 조사, ㉢ – 야외 조사
　　➡ 지역 조사 순서는 조사 주제 및 지역 선정 → 지역 정보 수집 → 지리 정보의 분석 및 정리 → 보고서 작성이다. ㉠의 지리 정보 수집, ㉡은 실내 조사, ㉢은 야외 조사에 해당한다.

13 우리나라의 위치

(1) A: 지리적 위치, B: 수리적 위치

(2) [예시 답안] 우리나라는 북위 33°~43°에 위치하여 계절 변화가 뚜렷한 냉·온대 기후가 나타난다. 동경 124°~132°에 위치하며, 동경 135°선을 표준 경선으로 하여 표준시가 영국보다 9시간 빠르다.

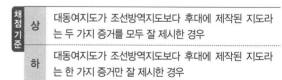

채점 기준	
상	우리나라의 위도적 위치와 경도적 위치를 모두 잘 서술한 경우
하	우리나라의 위도적 위치와 경도적 위치 중 한 가지만 서술을 한 경우

14 울릉도, 독도, 이어도

(1) A: 울릉도, B: 독도, C: 이어도

(2) [예시 답안] 울릉도와 독도에서는 통상 기선에서 12해리까지가 우리나라의 영해이다.

채점 기준	
상	A~C 세 지역의 영해 설정에 대해 모두 잘 서술한 경우
중	A~C 중 두 지역의 영해 설정에 대해 잘 서술한 경우
하	A~C 중 한 지역의 영해 설정에 대해서만 잘 서술한 경우

15 우리나라 고지도

(1) (가): 조선방역지도, (나): 대동여지도

(2) [예시 답안] 대동여지도는 북부 지방의 지리 정보가 부족한 조선방역지도보다 북부 지방과 해안선의 형태가 정확하다.

채점 기준	
상	대동여지도가 조선방역지도보다 후대에 제작된 지도라는 두 가지 증거를 모두 잘 제시한 경우
하	대동여지도가 조선방역지도보다 후대에 제작된 지도라는 한 가지 증거만 잘 제시한 경우

16 대동여지도 분석

(1) 천지

(2) [예시 답안] C의 산줄기가 B 하천과 D 하천의 분수계를 이룬다.

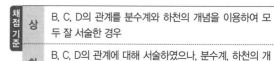

채점 기준	
상	B, C, D의 관계를 분수계와 하천의 개념을 이용하여 모두 잘 서술한 경우
하	B, C, D의 관계에 대해 서술하였으나, 분수계, 하천의 개념 중 한 가지 측면에서만 잘 서술한 경우

II ≫ 지형 환경과 인간 생활

01 ~ 한반도의 형성과 산지 지형

콕콕! 개념 확인하기   56쪽

01 (1) B (2) H (3) C, E (4) C, E (5) G (6) C, E (7) A, D, F
      (8) C, E (9) G

02 (1) A: 조선 누층군 B: 평안 누층군 (2) 경상 분지
      (3) 화산 활동 (4) 요곡·단층 운동(경동성 요곡 운동)

03 (1) 중국 (2) 변성암 (3) 1차 (4) 고위 평탄면

02 (1) 고생대 초기(A)에는 조선 누층군, 고생대 말기와 중생대
     초기(B)에는 평안 누층군이 형성되었다.
     (3) 백두산은 화산 활동으로 형성되었다.

탄탄! 내신 다지기   57~59쪽

01 ②   **02** ①   **03** ④   **04** ⑤   **05** ①   **06** ①   **07** ④
08 ④   **09** ②   **10** ④   **11** ②   **12** 해설 참조

01 경상 분지와 공룡 화석

자료 분석 | 중생대 중기부터 말기에는 거대한 호수였던 경상 분지를 중심으로 두꺼운 육성층인 경상 누층군이 형성되었다. **경상 누층군에서는 중생대에 살던 공룡의 발자국과 뼈·알 화석 등이 발견**된다. 경남 고성의 상족암에서는 중생대 공룡의 발자국을 볼 수 있다.

[선택지 분석]

① 고생대 석회암 지대를 찾아서 → 충북 북동부 등

✔ 중생대 공룡들의 낙원을 찾아서 → 중생대의 경상 분지

③ 신생대 화산 활동의 흔적을 찾아서 → 제주도 등

④ 중생대 마그마가 관입한 지역을 찾아서 → 경상도 일대 등

⑤ 우리나라에서 가장 오래된 암석을 찾아서 → 경기도 등

02 한반도의 암석 분포

자료 분석 | 시·원생대에 분포하는 (가)는 변성암이고, 중생대와 신생대에 분포하는 (나)는 화성암이며, 고생대~신생대에 분포하는 (다)는 퇴적암이다. 우리나라에 분포하는 암석의 비중은 변성암 > 화성암 > 퇴적암 순이다.

[선택지 분석]

✔ (나)는 화강암과 화산암으로 이루어져 있다.

    ➡ 화성암은 중생대 화강암과 신생대 화산암으로 구성된다.

② (가)는 변성암, (나)는 퇴적암이다.
                   (다)

    ➡ 퇴적암은 고생대, 중생대, 신생대 퇴적암으로 구성된다.

③ Ⓐ 암석은 공룡 발자국 화석이 분포한다.
    D

    ➡ 공룡 발자국은 중생대 퇴적암 지층에서 볼 수 있다.

④ Ⓑ 암석은 석가탑, 다보탑 등의 재료가 된다.
    A

    ➡ 중생대 화성암인 화강암으로 만든다.

⑤ Ⓒ 암석은 Ⓓ 암석보다 영남 지방에서의 분포 면적이 넓다.

    ➡ 영남 지방에 널리 분포하는 경상 분지는 중생대 퇴적층으로 이루어져 있다.

03 석회암과 현무암

자료 분석 | (가)는 석회암, (나)는 현무암이다.

[선택지 분석]

① (가)는 제주도에서 흔히 볼 수 있다.
       강원 남부 등

    ➡ 석회암은 강원 남부, 충북 북동부 등의 옥천 습곡대에 많이 분포한다.

② (가)는 고생대 **평안** 누층군에 주로 분포한다.
                     조선

    ➡ 조선 누층군에는 석회암, 평안 누층군에는 무연탄이 매장되어 있다.

③ (나)는 화석 연료의 한 종류이다.

    ➡ 현무암은 화석 연료가 아니다.

✔ (나)의 표면에는 작은 구멍들이 많다. → 현무암은 다공질 암석

⑤ (가)는 (나)보다 형성 시기가 늦다.
   (나)   (가)

    ➡ (가)는 고생대, (나)는 신생대 때 형성되었다.

04 고생대 지층

자료 분석 | A는 평안 누층군, B는 조선 누층군이다. 북한의 평남 분지와 남한의 옥천 습곡대는 고생대 퇴적층으로 이루어져 있다. 이들 중 분포 면적이 넓은 것은 석회암이 매장되어 있는 조선 누층군이고, 분포 면적이 좁은 것은 무연탄이 매장되어 있는 평안 누층군이다.

[선택지 분석]

① A는 B보다 형성 시기가 이르다.
   B   A

② B는 A보다 분포 면적이 좁다.
   A   B

③ A, B 모두 수평 지층을 이루고 있다.
                       있지 않다

    ➡ 수평 지층은 경상 분지이다.

④ A는 조선 누층군, B는 평안 누층군이다.
   B   A

✔ A에는 무연탄, B에는 석회암이 분포한다.

    ➡ A 평안 누층군에는 무연탄이 매장되어 있고, B 조선 누층군에는 석회암이 매장되어 있다.

05 한반도의 지체 구조

자료 분석 | (가)는 시·원생대 지층으로, 평북-개마 지괴, 경기 지괴, 영남 지괴가 이에 해당한다. (나)는 고생대 지층으로, 평남 분지

와 옥천 습곡대가 이에 해당한다. 지도에서 A는 경기 지괴, B는 옥천 습곡대, C는 경상 분지이다.

[선택지 분석]

	(가)	(나)
✓	A → 경기 지괴	B → 옥천 습곡대

➡ (가)의 시·원생대 지층은 A의 경기 지괴, (나)의 고생대 지층은 B의 옥천 습곡대이다.

06 지각 운동

자료 분석 | (가)는 송림 변동, (나)는 대보 조산 운동, (다)는 요곡 단층 운동(경동성 요곡 운동), (라)는 화산 활동에 해당한다.

[선택지 분석]

ㄱ (가) – 랴오둥 방향의 지질 구조선이 형성되었다.
➡ 송림 변동으로 랴오둥 방향의 지질 구조선이 형성되었다.

ㄴ (나) – 대규모로 마그마가 관입하여 화강암이 형성되었다.
➡ 대보 조산 운동으로 대규모로 화강암 관입하였다.

✗ (타) – 제주도의 기생 화산이 형성되었다.
(라)
➡ 신생대 제4기 화산 활동으로 제주도의 기생 화산이 형성되었다.

✗ (라) – 태백산맥과 함경산맥이 형성되었다.
(다)
➡ 신생대 제3기 경동성 요곡 운동에 의해 함경·낭림·태백산맥 등이 형성되었다.

07 경동성 요곡 운동

자료 분석 | 신생대 제3기 한반도와 붙어 있던 일본 열도가 한반도로부터 분리되기 시작하였다. 이 시기에 한반도의 동해안 쪽이 강한 횡압력을 받으면서 차별 융기에 따른 동고서저의 경동 지형이 형성되었다.

[선택지 분석]

✗ 대규모로 화강암이 관입하였다.
➡ 화강암 관입은 중생대 지각 변동과 관련이 있다.

ㄴ 동고서저의 비대칭 지형이 형성되었다.
➡ 경동성 요곡 운동으로 동고서저 지형이 형성되었다.

✗ 서·남해안에 리아스 해안이 형성되었다.
➡ 리아스 해안은 후빙기 해수면 상승과 관련이 있다.

ㄹ 고위 평탄면, 감입 곡류 하천 등이 형성되었다.
➡ 경동성 요곡 운동으로 고위 평탄면, 감입 곡류 하천이 형성되었다.

08 최종 빙기와 후빙기

자료 분석 | (가)는 최종 빙기, (나)는 후빙기이다.

[선택지 분석]

	A	B
✓	화학적 풍화 작용 → 후빙기에 활발	냉대림의 분포 면적 → 최종 빙기에 넓음

➡ 후빙기는 화학적 풍화 작용이 활발하고, 최종 빙기는 냉대림의 분포 면적이 넓다.

09 우리나라의 산지 지형

자료 분석 | (가)는 남부 지방인 C의 단면이다. 최고 지점이 소백 산지이다. (나)는 중부 지방인 B의 단면이다. 최고 지점이 태백 산지이다. (다)는 북부 지방인 A의 단면이다. 이곳에서는 개마고원 지역에서 해발 고도 2,000m 이상의 산지가 나타난다.

[선택지 분석]

① (가)의 덕유산은 돌산을 이룬다.
흙산

✓ (나)의 오대산은 태백산맥에 위치한다.
➡ 중부 지방의 동쪽에 있는 오대산은 태백산맥에 위치한다.

③ (다)의 낭림산은 백두대간에서 해발 고도가 가장 높다.
➡ 백두대간에서는 백두산의 해발 고도가 가장 높다.

④ B와 C는 A보다 평균 해발 고도가 높다.
낮다

⑤ (가)는 A, (나)는 B, (다)는 C의 단면에 해당한다.
  C   A

10 강원도 평창의 산지 지형

[선택지 분석]

① ㄱ → 대관령 일대에 풍력 발전기가 있음

② ㄴ → 대관령 지역에 양떼 목장이 있음

③ ㄷ → 대관령 가까이의 고위 평탄면에 고랭지 배추밭이 있음

✓ ㄹ → 석탄 박물관은 태백에 위치함

⑤ ㅁ → 대관령 용평 지역 등지에 스키장이 있음

11 돌산과 흙산

자료 분석 | 설악산은로 돌산이며, 화강암으로 이루어져 있다. 지리산은 흙산이며, 변성암으로 이루어져 있다.

[선택지 분석]

✓ B
➡ 지리산은 설악산에 비해 최고봉의 해발 고도가 높고, 기반암의 형성 시기가 이르며, 산정부의 식생 밀도가 높다.

12 고위 평탄면

(1) 고위 평탄면

(2) [예시 답안] 고위 평탄면은 신생대 경동성 요곡 운동에 따른 지반 융기로 형성되었다. 해발 고도가 높아 여름에 서늘하기 때문에 주로 고랭지 농업이 이루어진다.

채점 기준	상	고위 평탄면의 형성 과정과 농업적 토지 이용을 모두 잘 서술한 경우
	하	고위 평탄면의 형성 과정과 농업적 토지 이용 중 한 가지만 잘 서술한 경우

도전! 실력 올리기		60~61쪽

01 ④	02 ⑤	03 ③	04 ③	05 ③	06 ④	07 ⑤
08 ⑤

01 우리나라의 여러 암석

자료 분석 | (가)는 북한산 인수봉, (나)는 제주도 주상 절리이다.

[선택지 분석]

① (가) 산은 주로 ~~변성암~~으로 이루어져 있다.
　　　　　　　　　　화강암
　➡ (가)의 북한산은 돌산으로, 화강암으로 이루어져 있다.

② (가)의 봉우리는 기반암이 지하수의 용식 작용을 받아
　형성되었다.
　➡ (가)의 봉우리는 화강암이 오랫동안 침식을 받아 지표에 드러
　난 것이다.

③ (나) 암석은 ~~태보 조산 운동~~으로 형성되었다.
　　　　　　　　화산 활동
　➡ 제주도의 현무암은 신생대 제3기 말~제4기 초 화산 활동으로
　형성되었다.

☑ 기반암의 형성 시기는 (가)가 (나)보다 이르다.
　➡ (가)는 중생대 지각 운동으로, (나)는 신생대 제3기 말~제4기
　초의 화산 활동을 통해 형성되었다.

⑤ (가)와 (나)의 기반암은 시·원생대에 만들어졌다.
　➡ (가)의 화강암은 중생대에, (나)의 현무암은 신생대에 만들어 졌다.

02 우리나라의 암석 구성

자료 분석 | A는 퇴적암, B는 변성암, C는 화성암이다. 한반도에 분포하는 암석은 시·원생대에 형성된 편마암이 가장 많고, 그 다음은 중생대에 관입한 화강암과 고생대에서 신생대에 형성된 퇴적암 순이다.

[선택지 분석]

① A의 중생대 암석은 화산 폭발로 이루어졌다.
　➡ A의 중생대 암석은 경상 분지 일대에 분포하는 퇴적암이다.

② A의 고생대 암석은 변성 작용을 받아 형성되었다.
　➡ A의 고생대 암석은 평남 분지, 옥천 습곡대에 분포하는 퇴적암
　이다.

③ B의 시생대 암석은 대부분 해성층을 이룬다.
　➡ B의 시생대 암석은 변성암이다. 해성층을 이루는 것은 고생대
　퇴적암의 일부이다.

④ C의 중생대 암석에는 공룡 발자국 화석이 분포한다.
　➡ C의 중생대 화강암은 마그마의 관입으로 형성된 암석으로, 공
　룡 발자국이 분포하지 않는다.

☑ C의 신생대 암석은 돌하르방의 재료로 이용되기도 한다.
　➡ C의 신생대 암석은 현무암이나 조면암으로, 현무암은 돌하르
　방의 재료이다.

03 우리나라의 주요 지각 변동

[선택지 분석]

① (가) - 충북 단양군의 돌리네와 우발레
　➡ 돌리네와 우발레는 석회암이 빗물이나 지하수의 용식 작용을
　받아 형성되었다.

② (나) - 경북 울릉군의 나리 분지
　➡ 나리 분지는 화산 활동으로 형성된다.

☑ (다) - 강원 영월군의 동강
　➡ 강원도 영월군의 동강은 남한강 상류에 위치한 감입 곡류 하천
　으로, 경동성 요곡 운동의 영향으로 형성되었다.

④ (라) - 강원 속초시의 영랑호와 청초호
　➡ 석호는 후빙기 해수면 상승과 사주 발달로 형성되었다.

⑤ (마) - 전남 해남군의 공룡 발자국 화석
　➡ 공룡 발자국 화석은 중생대 퇴적층에 분포한다.

04 중생대의 지각 변동

[선택지 분석]

① ㉠의 영향으로 남북 방향의 1차 산맥이 형성되었다.
　➡ 대보 조산 운동으로 중국 방향의 지질 구조선이 형성되었다.
　이는 2차 산맥과 관련이 깊다.

② ㉡이 산 정상부를 이루는 경우 주로 ~~흙산~~으로 나타난다.
　　　　　　　　　　　　　　　　　돌산
☑ ㉢의 결과로 침식 분지가 형성되었다.
　➡ 중생대에 관입된 화강암과 주변 암석인 변성암 간의 차별 침식
　으로 침식 분지가 형성되었다.

④ ㉣은 동고서저 지형 형성의 주요 원인이다.
　➡ 불국사 변동과 동고서저 지형의 형성은 무관하다. 동고서저 지
　형은 신생대 경동성 요곡 운동에 의해 형성되었다.

⑤ ㉤에는 갈탄이 광범위하게 매장되어 있다.
　➡ 갈탄은 신생대 제3기에 형성된 두만 지괴, 길주-명천 지괴 등
　지에 분포한다.

05 동해안 지형 형성에 영향을 미친 작용

[선택지 분석]

✕ 낙동강 하류 일대에 삼각주가 형성되었다.
　➡ 낙동강 삼각주는 후빙기 해수면 상승 이후 하천의 퇴적 작용으
　로 형성되었다.

Ⓛ 태백산맥 가까이에 고위 평탄면이 형성되었다.
　➡ 경동성 요곡 운동으로 태백 산지와 소백 산지 서쪽 지역에 고
　위 평탄면이 형성되었다.

Ⓒ 남한강 상류 일대 하천의 하방 침식이 우세해졌다.
　➡ 경동성 요곡 운동으로 지반이 융기하면서 하천의 하방 침식이
　우세해졌다.

✕ 철원 일대에 좁고 긴 띠 형태의 용암 대지가 형성되었다.
　➡ 경동성 요곡 운동과 용암 대지는 서로 관련이 없다.

06 최종 빙기와 후빙기의 지형 형성 작용

자료 분석 | (가)는 현재의 해수면보다 약 120m 정도 낮았던 최종 빙기의 해안선이고, (나)는 오늘날의 해안선과 비슷한 후빙기의 해안선이다. ㉠은 하천의 하류 지점으로, 빙기에는 침식 작용, 후빙기에는 퇴적 작용이 활발하였다.

① 해발 고도가 ~~낮았을~~ 것이다. → 해수면이 낮았기 때문에
　　　　　　　　높
② 하천의 유량이 ~~많았을~~ 것이다. → 강수량이 적었기 때문에
　　　　　　　　적었
③ 연평균 기온이 ~~높았을~~ 것이다. → 빙기이기 때문에
　　　　　　　　낮
☑ 하천 충적층의 두께가 얇았을 것이다.
　→ 침식 작용이 활발했기 때문에
⑤ ~~화학적~~ 풍화 작용이 활발했을 것이다.
　물리적

07 태백산맥과 차령산맥

자료 분석 | (가) 산맥은 원산 부근에서 부산 다대포에 이르는 긴 산맥으로, 남한의 대표적인 1차 산맥인 태백산맥이다. (나) 산맥은 오대산에서 금강 하구에 이르는 산맥으로, 2차 산맥인 차령산맥이다.

[선택지 분석]

① (가)는 ~~A~~, (나)는 ~~B~~이다.
      B   A

② (가)는 (나)보다 형성 시기가 ~~이르다~~.
                             늦다

③ (나)는 (가)보다 평균 해발 고도가 ~~높다~~.
                                  낮다
  ➡ 1차 산맥인 태백산맥(가)이 2차 산맥인 차령산맥(나)보다 평균 해발 고도가 높다.

④ A는 B보다 산맥의 연속성이 ~~뚜렷하다~~.
                            뚜렷하지 않다

✅ B는 A보다 지역 간 문화적 차이를 크게 유발한다.
  ➡ 태백산맥(B)이 차령산맥(A)보다 지역 간 문화적 차이를 크게 유발한다.

08 흙산과 돌산

자료 분석 | ㉠은 돌산, ㉡은 흙산이다. 흙산에는 지리산, 덕유산 등이 있으며, 돌산에는 금강산, 설악산 등이 있다. 돌산은 주로 화강암, 흙산은 주로 변성암으로 이루어져 있다.

[선택지 분석]

① ㉠은 ~~흙산~~, ㉡은 ~~돌산~~이다.
        돌산   흙산
  ➡ ㉠은 산정부가 바위로 노출되어 있으므로 돌산이고, ㉡은 산정부가 나무로 덮여 있으므로 흙산이다.

② ㉠의 예로는 ~~지리산~~, ㉡의 예로는 덕유산이 있다.
                 금강산, 설악산 등

③ ㉠의 기반암은 돌하르방을 만드는 데 이용되었다.
  ➡ 돌하르방을 만드는 데 이용된 암석은 현무암이다.

④ ~~㉡~~의 기반암은 석가탑, 다보탑을 만드는 데 이용되었다.
  ㉠

✅ 침식 분지에서 ㉡의 기반암은 ㉠의 기반암보다 하천 침식에 잘 견딘다.
  ➡ 침식 분지에서는 변성암이 화강암보다 하천 침식에 잘 견디어 산지를 이룬다.

02 ~ 하천 지형과 해안 지형

콕콕! 개념 확인하기   70쪽

01 (1) (가): ㄷ (나): ㄹ,ㅁ (다) ㄴ (라): ㄱ, ㅂ
    (2) ① 변성암 ② 둥근 자갈 ③ 선단 ④ 우각호
02 A: 석호 B: 사주 C: 시 스택 D: 해식동굴 E: 해식애
    F: 파식대 G: 해안 단구 H: 사빈
03 (1) × (2) × (3) ○

03

(1) 하천 직선화 사업은 홍수 피해를 줄이기 위해 자유 곡류 하천의 유로를 직선화하는 공사이다. 최근에는 생태 회복을 위해 자연 상태의 생태 하천으로 복원하려는 노력이 활발히 진행되고 있다.

(2) 서·남해안에서 진행된 대규모 간척 사업으로 국토의 면적은 확대되었지만, 갯벌이 감소하여 해양 생태계에 변화가 생겼다.

탄탄! 내신 다지기   71~73쪽

01 ③	02 ②	03 ③	04 ②	05 ①	06 ⑤	07 ③
08 ④	09 ①	10 ④	11 ②	12 해설 참조		

01 우리나라 하천의 하상계수

[선택지 분석]

✖ 유역 면적이 넓은 편이다.
  ➡ 제시된 그래프를 통해 유역 면적을 알기는 어렵다.

㉡ 계절별 유량 변동의 차이가 크다.
  ➡ 하상계수는 하천의 최소 유량을 1로 했을 때의 최대 유량 비율을 나타내는 것이므로, 우리나라는 하상계수가 커 계절별 변동이 심함을 알 수 있다.

㉢ 저수지, 댐, 보 등의 수리 시설이 필요하다.
  ➡ 하상계수가 크면 물 자원을 안정적으로 공급하기 어렵기 때문에 수리 시설이 필요하다.

✖ 하천 하구 일대에 넓은 삼각주가 발달하였다.
  ➡ 삼각주의 발달과 하상계수는 관련이 없다.

02 하천과 하계망

[선택지 분석]

㉠ ㉠은 '하계망'에 해당한다.
  ➡ 본류와 지류를 합친 하천 유로를 하계망이라고 한다.

✖ ㉡을 따라 감입 곡류 하천이 흐른다.
  ➡ ㉡은 분수계이고, 유역과 유역의 경계인 분수계에는 하천이 흐르지 않는다.

㉢ ㉢에는 '하천의 폭이 넓어진다'가 들어갈 수 있다.
  ➡ 하천의 폭은 하류로 가면서 넓어진다.

✖ ㉣에는 '하천 퇴적물의 원마도가 ~~낮아진다~~'가 들어갈 수 있다.
                                        높아진다
  ➡ 하류가 상류보다 퇴적물의 원마도가 높다.

03 침식 분지

자료 분석 | 자료는 침식 분지를 나타낸 것이다. 침식 분지는 중생대에 마그마가 관입한 후 화강암이 지표로 드러나는 과정에서 화강암이 주변의 암석과 차별 침식을 받아 형성되었다. 침식 분지의 중앙 저지대를 이루는 암석은 대체로 화강암(A)이고, 주변 산지를 이루는 암석은 대체로 변성암(편마암)(B)이다.

① (가)는 신생대 지반의 융기 작용으로 형성되었다.

➡ 침식 분지는 하천의 차별 침식으로 형성되었다.

② A는 B보다 풍화와 침식에 ~~강하다.~~
　　　　　　　　　　　　　 약하다

➡ 화강암(A)이 절리가 발달하여 풍화와 침식에 약하다.

❸ B는 A보다 우리나라에 분포하는 면적이 넓다.

➡ 변성암(B)이 화강암(A)보다 분포 면적이 넓다.

④ A는 ~~변성암(편마암)~~, B는 ~~화강암~~이다.
　　　 화강암　　　　　　 변성암(편마암)

⑤ 흙산의 기반암은 주로 ~~A~~, 돌산의 기반암은 주로 ~~B~~로 이
　　　　　　　　　　　 B　　　　　　　　　　　　 A
루어져 있다.

➡ 주로 흙산의 기반암은 변성암(편마암)이고 돌산의 기반암은 화
강암이다.

04 선상지

자료 분석 | 지도에 나타난 지형은 선상지이다. 선상지는 선정, 선
앙, 선단으로 구성되는데, A는 선앙, B는 선단이다.

05 감입 곡류 하천과 자유 곡류 하천

자료 분석 | A는 산지 사이를 곡류하는 감입 곡류 하천이고, B는 평
야 지대를 곡류하는 자유 곡류 하천이다. A는 하방 침식이 측방 침
식보다 우세하고, B는 측방 침식이 하방 침식보다 우세하다.

06 범람원과 삼각주

자료 분석 | (가) 지도에서는 범람원, (나) 지도에서는 삼각주가 나
타나 있다. 두 지형 모두 후빙기 해수면 상승 이후에 발달하였다.

[선택지 분석]

① (가)의 소규모 하천은 ~~하방~~ 침식력이 우세하다.
　　　　　　　　　　　　 측방

② (나)의 퇴적 지형은 주로 ~~자갈과 모래~~로 이루어져 있다.
　　　　　　　　　　　　　　 점토

③ ~~(카)~~는 ~~(나)~~보다 하천 하구와 가까운 곳에서 잘 발달한다.
　 (나)　 (가)

④ ~~(나)~~는 ~~(카)~~보다 우리나라에서 널리 발달해 있다.
　 (가)　 (나)

❺ (가), (나) 모두 후빙기 해수면 상승 이후에 발달하였다.

➡ 하천 퇴적 지형은 후빙기 해수면 상승 이후에 발달하였다.

07 서해안과 동해안의 특성 비교

자료 분석 | (가)는 서해안(충청남도 일대), (나)는 동해안(강원도 일
대)이다. 서해안은 산맥이 해안을 향해 뻗어 있고, 후빙기 해수면
상승으로 침수되었기 때문에 복잡한 리아스 해안과 다도해를 이루
고 있다. 동해안은 해안선과 가까이 평행하게 뻗은 함경산맥과 태
백산맥의 영향으로 해안선이 단조롭고 섬이 적다.

08 해안 침식 지형

자료 분석 | 두 사진 모두 곶에서 발달한 암석 해안을 나타낸 것으
로, A와 D는 해식애, B는 파식대, C는 해안 단구이다. A, B, D는 파
랑의 침식 작용으로 형성되었고, C는 지반의 융기 작용으로 형성되
었다.

[선택지 분석]

㉠ A가 육지 쪽으로 후퇴하면 B는 넓어진다.

➡ 해식애가 해식동굴의 발달로 무너져 내려 육지 쪽으로 후퇴하
면 파식대가 넓어진다.

㉡ 지반이 융기하거나 해수면이 변동되면 B는 C가 된다.

➡ 파식대는 지반 융기나 해수면 변동으로 해안 단구가 된다.

㉢ A와 D의 절벽은 모두 해식애에 해당한다.

➡ A, D의 절벽은 모두 해식애이다.

✗ C는 최종 빙기의 극성기에 바다였다.

➡ 빙기에는 해수면이 내려갔으므로 C의 해발 고도가 더 높았다.

09 석호의 특징과 변화

[선택지 분석]

㉠ 호수가 바다 및 사주와 어우러져 관광 자원으로 활용
된다. → 아름다운 경관 → 관광 자원

✗ 호수의 수면은 해수면보다 ~~낮으며~~, 염분 농도는 바닷
　　　　　　　　　　　　 높으며
물보다 ~~높다~~. 　낮다

✗ 호수로 유입되는 하천으로 인해 호수의 면적은 점차
~~커지고~~ 있다. → 하천의 토사 유입으로 호수의 면적이 점차 작아짐
작아지고

㉣ 후빙기 해수면 상승으로 만들어진 만의 전면부에 사주
가 발달하면서 형성되었다. → 만+사주 발달 → 석호

10 서해안의 큰 조차와 그 영향

[선택지 분석]

① 해안선이 단조롭다. → 해안선이 복잡한 편임

② 연안의 수심이 깊다. → 연안의 수심이 얕은 편임

③ 바람이 강하게 분다. → 특수 항만 시설과 무관

❹ 조수 간만의 차가 크다.
　→ 특수 항만 시설은 큰 조차를 극복하기 위한 것

⑤ 파랑과 연안류의 작용이 활발하다. → 특수 항만 시설과 무관

11 해안 지형을 보존하기 위한 노력

자료 분석 | 해안 지형의 보존을 위해서는 무질서한 개발을 억제하
고 개발 이전의 상태로 복원하거나 해안 지형이 훼손되는 것을 적
극적으로 방지하려는 등의 노력이 필요하다.

[선택지 분석]

㉠ 갯벌 복원 사업을 한다.

➡ 갯벌 복원 사업은 역간척 사업이라고도 하는데, 생태계의 보고
인 갯벌을 개발 이전의 상태로 돌리기 위한 노력이다.

✗ 해안 사구 위에 정착한 식생을 제거한다.

➡ 해안 사구 위의 식생을 제거하게 되면 사구가 파괴될 가능성이
높아진다.

㉢ 해안을 따라 그로인이나 모래 포집기를 설치한다.

➡ 해안을 따라 그로인이나 모래 포집기를 설치하면 해안 지형의
훼손을 막는 데 도움이 될 수 있다.

✗ 하천 하구의 위치를 변경하여 퇴적물의 양을 조절한다.

➡ 하천 하구의 위치를 변경하게 되면 하천에 의해 유입되는 퇴적물
의 양이 달라지기 때문에 주변 지형에 큰 변화가 나타날 수 있다.

12 인간 생활과 해안 지형

[예시 답안] 파랑의 작용을 약화시켜 사빈의 침식을 줄이기 위해 해안 침식 방지 시설(T형 헤드랜드)을 설치하였다.

채점기준	
상	해안 침식 방지 시설(T형 헤드랜드)을 설치한 이유를 원인과 기능 측면에서 모두 잘 서술한 경우
중	해안 침식 방지 시설(T형 헤드랜드)을 설치한 이유를 원인과 기능 측면 중 한 가지만 잘 서술한 경우
하	해안 침식 방지 시설(T형 헤드랜드)을 설치한 이유를 원인과 기능 측면에서 정확하게 서술하지 못한 경우

01 하천 상류와 하류 비교

자료 분석 | A는 하천의 하류, B는 하천의 상류를 나타낸 것이다.

[선택지 분석]

☑ 퇴적 물질의 평균 입자가 크다.
➡ 하천의 상류에서 하류로 갈수록 퇴적 물질의 평균 입자가 작아진다.

02 하천 퇴적 지형

자료 분석 | ㉠은 선상지, ㉡은 범람원, ㉢은 삼각주이다.

[선택지 분석]

㉠ ㉠의 선앙에서는 하천이 복류(伏流)한다.
➡ 선상지의 선앙은 퇴적 물질의 입자가 크기 때문에 하천이 복류한다.

㉡ ㉡은 ㉢보다 우리나라에 널리 발달하였다.
➡ 범람원이 삼각주보다 우리나라에 널리 발달하였다.

✗ ㉢은 ㉠보다 퇴적물의 평균 입자 크기가 크다.
　 ㉠　 ㉢
➡ 하천 상류에 주로 분포하는 선상지가 하천 하구 일대에 분포하는 삼각주보다 퇴적물의 평균 입자 크기가 크다.

✗ ㉣은 주로 논, ㉤은 주로 밭과 과수원으로 이용된다.
　 ㉤　 ㉣
➡ 배후 습지는 점토의 비중이 높아 배수 시설 설치 후 주로 논으로, 자연 제방은 모래의 비중이 높아 주로 밭으로 이용된다.

03 하안 단구와 범람원

자료 분석 | (가)에는 하천 중·상류 지역에 주로 분포하는 감입 곡류 하천이 나타나고, (나)에는 하천 중·하류 지역에 주로 분포하는 자유 곡류 하천이 나타난다. A는 하안 단구, B는 범람원이다.

[선택지 분석]

① 하천의 하방 침식은 (나)보다 (가)에서 활발하다.
➡ 하천의 하방 침식은 하천 중·상류인 (가)에서 활발하다.

② A는 과거에 하천의 유로였을 것이다.
➡ A의 하안 단구는 과거에 하천이 흘렀던 곳이며, 그 증거로 둥근 자갈이 분포한다.

③ B는 현재의 충적층이 빙기보다 두껍다.
➡ 빙기에 하천 중·하류 지역에서는 하천의 침식 작용이 활발했기 때문에 B는 현재의 충적층이 빙기보다 두껍다.

☑ A는 B보다 퇴적물의 평균 입자 크기가 작다.
　 B　 A

⑤ B는 A보다 하천 범람의 위험이 크다.
➡ 하천 범람의 위험이 큰 곳은 B의 범람원이다.

04 하천 상류와 하류의 비교

자료 분석 | (가)는 하천 수위가 주기적으로 변화하며 퇴적 물질 중 실트, 점토의 비율이 높으므로 하천 하류에 위치한 지점이다. 조차가 큰 황해로 유입하는 하천의 하구 부근에서는 조석의 영향으로 하천 수위가 주기적으로 변화하거나 바닷물이 하천으로 역류하는 감조 구간이 나타난다. (나)는 하천 수위가 거의 일정하며 퇴적 물질 중 자갈과 모래의 비율이 높으므로 하천 상류에 위치한 지점이다.

[선택지 분석]

① (가)는 B, (나)는 A에 해당한다.
➡ (가)는 하천 하류이므로 A, (나)는 하천 상류이므로 B에 해당한다.

② (가)는 (나)보다 하방 침식이 우세하다.
➡ 하류에 위치한 (가)는 상류에 위치한 (나)보다 측방 침식이 우세하다.

③ (가)는 (나)보다 범람원의 면적이 좁다.
➡ 범람원은 하천 중·하류의 자유 곡류 하천 주변에 주로 발달하는 충적 평야이다. 따라서 (가)는 (나)보다 범람원의 면적이 넓다.

④ (가)는 (나)보다 퇴적 물질 중 자갈의 구성 비율이 높다.
➡ (가)는 (나)보다 퇴적 물질 중 조립질에 해당하는 자갈의 구성이 낮고 미립질에 해당하는 실트, 점토의 비율이 높다.

☑ (가)는 현재보다 최종 빙기에 조류의 영향을 적게 받았다.
➡ 최종 빙기는 현재보다 해수면이 낮았으며 황해의 대부분은 육지였다. 따라서 (가) 즉 A 지역은 최종 빙기 때 바다와의 거리가 멀어 조류의 영향을 적게 받았을 것이다.

05 동해안과 서해안의 여러 해안 지형

[선택지 분석]

① A는 과거의 파식대가 융기된 지형이다.
➡ A는 해안 단구로, 과거의 파식대가 융기되면서 형성되었다.

② B는 해식애가 후퇴하면서 육지에서 분리된 지형이다.
➡ B는 시 스택으로, 해식애가 후퇴하면서 만들어진 지형이다.

③ C는 주로 조류에 의해 퇴적되는 지형이다.
➡ C는 갯벌로, 조류에 의해 퇴적된 지형이다.

④ D는 주로 파랑과 연안류의 퇴적 작용으로 만들어진 지형이다.
➡ D는 사빈으로, 파랑과 연안류의 퇴적 작용으로 형성되었다.

☑ E는 C보다 퇴적물의 평균 입자 크기가 작다.
　 크다

06 서해안과 동해안의 해안 퇴적 지형

[선택지 분석]

① A → A는 갯벌, 조류의 퇴적 작용으로 형성

② B → B는 사빈, 파랑 및 연안류의 퇴적 작용으로 형성

✓③ C → C는 해안 사구, 육지의 담수 생태계를 보호하는 역할을 함

④ D → D는 석호, 만의 전면부에 사주가 발달하여 형성

⑤ E → E는 사빈

07 생태 하천으로의 변화

자료 분석 | (가)는 하천의 유로를 직선화하고 하천 주변을 콘크리트로 만든 하천으로, 하천 정비 이전보다 하천의 최대 유량이 증가하고, 강우 시 최대 유량까지의 도달 시간이 짧아진다. (나)는 자연 상태로 되돌린 생태 하천으로, 이러한 변화 과정에서 하천의 최대 유량이 감소하고, 강우 시작부터 최대 유량까지의 도달 시간이 길어진다.

08 간척 사업으로 인한 변화

자료 분석 | 우리나라에서 간척 사업이 가장 많이 진행된 서해안은 굴곡도의 감소 폭이 가장 크고, 간척 사업을 하기 어려운 동해안의 변화는 미미한 편이다.

[선택지 분석]

① 우리나라 전체 해안선의 길이가 짧아졌다.

➡ 간척 사업을 하면 복잡한 해안선이 단조로워지면서 해안선의 길이가 짧아진다.

② 현재 해안선이 가장 단조로운 해안은 동해안이다.

➡ 우리나라는 서·남해안의 해안선은 복잡하고, 동해안의 해안선은 단조롭다.

③ 해안선의 길이 변화가 가장 큰 해안은 서해안이다.

➡ 서해안에서 가장 활발하게 간척 사업을 하여 해안선의 길이 변화가 가장 크게 나타난다.

④ 굴곡도가 높은 해안일수록 간척 사업이 많이 진행되었다.

➡ 굴곡도가 높으면 해안선이 복잡하여 간척 사업이 이루어지기에 유리하다.

✓⑤ 해안의 굴곡도가 변화한 결과 영토 면적이 이전보다 ~~좁아졌다.~~ 넓어

---

03 ⌁ 화산 지형과 카르스트 지형

콕콕! 개념 확인하기   79쪽

01 (1) (가): 울릉도 (나): 철원–평강 용암 대지 (다): 제주도

(2) ① 나리 분지 ② 현무암 ③ 기생 화산

02 (1) 돌리네 (2) 석회암 (3) 석회암 풍화토(테라로사), 붉은색

(4) 시멘트 공업

03 (1) 석회, 용암 (2) 석회암, 현무암 (3) (가) (4) 용식

02

(3) 주로 회백색을 띠는 석회암이 풍화되면 붉은색의 석회암 풍화토가 형성되는데, 이는 석회암에 섞여 있던 철 성분이 산화 반응을 일으키기 때문이다.

탄탄! 내신 다지기   80~81쪽

01 ⑤   **02** ⑤   **03** ⑤   **04** ①   **05** ④   **06** ③   **07** ④

08 해설 참조

01 제주도와 울릉도의 화산 지형

자료 분석 | (가)는 기생 화산, 즉 오름이 있으므로 제주도(C), (나)는 알봉과 나리 분지가 있으므로 울릉도(B)이다.

02 백두산과 제주도의 화산 지형

[선택지 분석]

자료 분석 | ㉠은 백두산, ㉡은 한라산이다.

✗ ㉠은 ㉡보다 주변부에 용암동굴이 널리 분포한다.
　　　㉡　　㉠

➡ 용암동굴은 제주도에 널리 분포한다.

✗ ㉡은 ㉠보다 최고봉의 해발 고도가 높다.
　　㉠　　㉡

➡ 백두산이 한라산보다 최고봉의 해발 고도가 높다.

㉢ ㉠에는 칼데라호, ㉡에는 화구호가 위치한다.

➡ 백두산 천지는 칼데라호, 한라산 백록담은 화구호가 위치한다.

㉣ ㉠, ㉡ 모두 신생대에 형성되었다.

➡ 백두산, 제주도는 모두 신생대 화산 활동으로 형성되었다.

03 철원–평강 용암 대지

자료 분석 | 제시된 글은 이중환이 택리지에서 철원 지역에 대해 서술한 부분이다. 이중환은 택리지에서 철원의 지세를 전체적으로 설명한 후 용암 대지, 용암 대지를 흐르는 한탄강, 현무암 등을 잘 설명하였다. ㉠은 주상 절리, ㉡은 현무암에 해당한다.

04 제주도의 화산 지형

[선택지 분석]

㉠ ㉠은 지표수가 부족하여 밭으로 이용된다.

➡ 지표수가 부족하여 밭농사가 활발하다.

㉡ ㉡은 용천대를 따라 발달한 촌락이다.

➡ 해안의 용천대를 따라 촌락이 발달하였다.

✗ A—B가 ~~C—D~~보다 평균 경사도가 크다.
　　C-D　　A-B

➡ 등고선이 조밀한 C—D의 경사도가 더 크다.

✗ 인근 동굴에는 종유석과 석순이 ~~발달해 있다.~~
　　　　　　　　　　　　　　발달해 있지 않다

➡ 용암동굴에는 종유석과 석순이 발달하지 않는다.

05 카르스트 지형

[선택지 분석]

① A의 내부에는 싱크홀이 나타나기도 한다.
➡ 돌리네 내부에는 싱크홀이 발달하는데, 싱크홀은 물이 빠져 나가는 구멍을 말한다.

② A의 내부에서는 붉은색의 토양을 볼 수 있다.
➡ 석회암 풍화토는 붉은색을 띤다.

③ B는 종유석, C는 석순이다.
➡ 천장에서 자라는 것은 종유석, 동굴 바닥에서 자라는 것은 석순이다.

✔ 이 지형은 고생대 ~~평안~~ 조선 누층군 지층에서 발달한다.
➡ 카르스트 지형은 고생대 조선 누층군에서 발달한다.

⑤ 동굴은 기반암이 지하수의 용식 작용을 받아 형성되었다.
➡ 석회동굴은 지하수의 용식 작용을 받아 형성되었다.

06 카르스트 지형의 분포

[선택지 분석]

① A → 강원도 철원, 용암 대지 분포

② B → 충남 보령, 머드 축제가 열림

✔ C → 고수 동굴, 시멘트 공장을 관찰할 수 있는 지역은 충북 단양

④ D → 전남 담양, 대나무가 유명

⑤ E → 경남 창녕, 우포늪이 있음

07 카르스트 지형의 경관

자료 분석 | 지도는 고생대 조선 누층군의 석회암 분포를 나타낸 것이다. 조선 누층군은 평남 분지와 옥천 습곡대에 널리 분포한다.

[선택지 분석]

① 산지로 둘러싸인 넓은 평지의 모습
→ 침식 분지, 울릉도의 나리 분지

② 밭의 둘레에 검은색 돌로 쌓은 돌담의 모습
→ 제주도에서 볼 수 있는 모습

③ 파헤친 밭에서 둥근 자갈이 나타나 있는 모습
→ 하안 단구, 해안 단구

✔ 깔때기 모양으로 패인 웅덩이들이 모여 있는 모습
→ 석회암 지대에서 볼 수 있는 돌리네의 모습

⑤ 해발 고도가 높은 구릉지에서 배추를 재배하는 모습
→ 고위 평탄면에서 볼 수 있는 모습

08 화산 지형과 카르스트 지형

(1) A: 기생 화산(의 화구), B: 돌리네

(2) [예시 답안] A의 기생 화산의 와지는 화산 폭발로 형성되었고, B의 돌리네는 석회암이 빗물의 용식 작용을 받아 형성되었다.

채점기준		
상	기생 화산의 와지와 돌리네의 와지가 형성된 원인을 모두 잘 서술한 경우
하	기생 화산의 와지와 돌리네의 와지가 형성된 원인 중 한 가지만 잘 서술한 경우

01 제주도와 철원─평강 용암 대지

[선택지 분석]

✘ 유동성이 ~~작은~~ 큰 현무암질 용암이 굳어져 형성되었다.
➡ A의 제주도 산록 지역은 유동성이 큰 현무암질 용암이 굳어져 형성되었다.

Ⓑ 기반암이 현무암이지만 관개를 통해 벼농사가 이루어진다.
➡ B는 용암 대지로 관개를 통해 벼농사가 이루어진다.

Ⓒ 화산의 중턱에 용암과 화산 쇄설물이 분출하여 형성되었다.
➡ C는 기생 화산으로, 소규모 화산 폭발로 형성되었다.

✘ 비가 내릴 때에만 물이 흐르는 건천(乾川)이다.
➡ D의 한탄강은 용암 대지를 흐르지만 하천 바닥의 기반암이 화강암이나 변성암이기 때문에 건천을 이루지 않는다.

02 용암동굴

자료 분석 | 지도에서 등고선들이 모여 있는 곳은 오름이며, 동굴의 바닥면은 비교적 평평한 형태로 완경사를 이루고 있는 것을 알 수 있다. 이와 같은 특성을 지닌 동굴은 용암동굴이다.

[선택지 분석]

① ~~카르스트~~ 화산 지형의 일부를 이룬다.

② 동굴을 이루는 암석은 ~~퇴적암~~ 화성암에 속한다.
➡ 동굴의 기반암은 현무암이므로 화성암에 속한다.

③ 동굴 내부에서는 종유석과 석순을 잘 볼 수 ~~있다~~ 없다.
➡ 종유석과 석순을 볼 수 있는 곳은 석회동굴이다.

✔ 지표면과 땅속 용암의 냉각 속도 차이에 의해 형성되었다.
➡ 용암동굴은 지표면과 땅속 용암의 냉각 속도 차이에 의해 형성되었다.

⑤ 점성이 큰 용암이 굳으면서 만들어진 종상 화산체에서 잘 발달한다.
➡ 점성이 큰 종상 화산체에서는 용암이 빨리 굳어 용암동굴이 잘 형성되지 않는다.

03 카르스트 지형

[선택지 분석]

① 기반암은 ~~변성암~~ 퇴적암의 한 종류이다.
➡ 석회암은 고생대 조선 누층군에 분포하는 퇴적암이다.

② 지표수가 ~~풍부하여 논농사~~ 부족하여 밭농사가 이루어진다.
➡ 카르스트 지형에서는 빗물이 땅속으로 스며들어 지표수가 부족하다.

✔ ③ 와지는 빗물의 용식 작용으로 형성되었다.
　➡ 카르스트 지형의 와지인 돌리네는 빗물의 용식 작용으로 형성
　　되었다.
④ 기반암의 영향을 받은 토양은 ~~흑갈색~~을 띤다.
　　　　　　　　　　　　붉은색
　➡ 카르스트 지형의 토양은 붉은색의 석회암 풍화토이다.
⑤ 지하에 발달한 동굴의 바닥은 ~~평평한~~ 형태이다.
　　　　　　　　　　　　울퉁불퉁한
　➡ 석회동굴은 용식 작용을 받아 바닥과 천장이 모두 울퉁불퉁하다.

04 돌리네

[선택지 분석]

㉠ 토양이 붉은색을 이룬다.
　➡ 카르스트 지형의 돌리네에는 붉은색의 석회암 풍화토가 분포
　　한다.
✘ ~~화산 폭발~~로 형성되었다.
　용식 작용
㉢ 밭농사가 주로 이루어진다.
　➡ 지표수가 부족하여 밭농사가 주로 이루어진다.
✘ 지표의 기복이 점차 ~~작아진다~~.
　　　　　　　　　커진다

05 화산 지형과 카르스트 지형

[선택지 분석]

✘ A는 화구의 함몰로 형성된 ~~칼데라호~~이다.
　　　　　　　　　　　화구호
㉡ B는 빗물의 용식 작용으로 형성된 돌리네이다.
　➡ 돌리네는 빗물의 용식 작용으로 형성되었다.
㉢ C는 기생 화산의 정상부에 있는 분화구이다.
　➡ 민오름은 기생 화산으로, 기생 화산의 정상부에는 분화구가
　　있다.
✘ 와지의 기반암 형성 시기는 ~~C~~가 ~~B~~보다 이르다.
　　　　　　　　　　　　　　B　　C
　➡ 와지의 기반암 형성 시기는 고생대 퇴적층에 형성된 돌리네가
　　신생대 화산 활동으로 만들어진 분화구보다 오래되었다.

06 기생 화산과 돌리네

자료 분석 | (가)는 신생대 화산 활동으로 형성된 제주도의 완경사
지에 집중적으로 분포하는 기생 화산이다. (나)는 주로 빗물과 지하
수에 의해 용식 작용을 받아 형성된 돌리네이다.

[선택지 분석]

✔ ① 기반암의 특성으로 인해 건천이 나타난다.
　➡ 현무암 지대와 석회암 지대에는 모두 건천이 나타난다.
② 기반암이 용식되어 형성된 동굴이 나타난다.
　➡ (가)의 용암동굴을 이루는 현무암은 용식 작용을 받지 않는다.
③ 분화구에 물이 고여 형성된 호수가 나타난다.
　➡ (나)의 카르스트 지형에서는 분화구가 나타나지 않는다.
④ 기반암이 풍화되어 주로 검은색의 토양이 나타난다.
　➡ (나)의 카르스트 지형에 분포하는 석회암 풍화토는 붉은색을
　　띤다.
⑤ (가), (나) 지형의 형성은 해발 고도를 높이는 작용을
　한다.
　➡ (나)의 카르스트 지형은 해발 고도를 낮추는 작용을 한다.

07 제주도와 카르스트 지형

[선택지 분석]

✘ A는 C보다 ~~붉은색~~의 간대 토양이 널리 분포한다.
　　　　　　흑갈색
　➡ A의 제주도에는 흑갈색의 현무암 풍화토, C의 돌리네에는 붉
　　은색의 석회암 풍화토가 분포한다.
✘ A와 B는 용암의 열하 분출에 의해 형성되었다.
　➡ 두 지역 모두 용암의 열하 분출과는 무관하다. 용암의 열하 분
　　출로 형성된 지형은 용암 대지이다.
㉢ A는 신생대 화성암, C는 고생대 퇴적암이 기반암을 이
　룬다.
　➡ A의 제주도는 신생대 화성암인 현무암, C의 카르스트 지형은
　　고생대의 퇴적암인 석회암이 기반암을 이룬다.
㉣ A와 C에서는 논농사보다 밭농사가 주로 이루어진다.
　➡ 제주도와 카르스트 지형이 나타나는 지역에서는 지표수가 부
　　족하기 때문에 밭농사가 주로 이루어진다.

08 우리나라의 다양한 지형

[선택지 분석]

① ㉠의 중앙부는 ~~편마암~~ 주변부는 ~~화강암~~이 주를 이룬다.
　　　　　　　화강암　　　　　　　변성암(편마암)
② ㉡은 ~~신생대 화산 활동~~으로 형성되었다.
　　　　중생대 지각 운동
✔ ③ ㉢은 후빙기 해수면 상승 이후 형성되었다.
　➡ 강릉시의 석호인 경포호는 후빙기 해수면 상승 이후 전면부의
　　사주 발달로 형성되었다.
④ ㉣은 ~~바람~~의 침식 작용으로 형성되었다.
　　　　파랑 및 연안류의 퇴적
⑤ ㉤은 ~~용암의 냉각 속도 차이에 의해~~ 형성되었다.
　　　　기반암인 석회암이 용식 작용을 받아

---

01 우리나라의 주요 암석

자료 분석 | 연탄의 주요 원료는 고생대 말기~중생대 초기의 무연
탄이고, 시멘트의 원료는 고생대 초기의 석회암이다.

02 지질 시대별 지층과 암석

자료 분석 | (가)는 시·원생대 지층이고, (나)는 고생대 지층이며,
(다)는 신생대 지층이다. A는 변성암이고, B는 평안 누층군이며, C
는 신생대 제3기 지층이다.

[선택지 분석]

① A를 기반암으로 하는 산지는 대체로 돌산을 이룬다.
　　　　　　　　　　　　　　　　　　흙산

② B는 조선 누층군보다 퇴적된 시기가 대체로 ~~이르다.~~
　　　　　　　　　　　　　　　　　　　　　　늦다

　➡ 조선 누층군은 고생대 초기의 퇴적층이며, 평안 누층군은 고생
　　대 말기~중생대 초기의 퇴적층이다.

☑ C에는 갈탄이 매장되어 있다.

　➡ C는 두만 지괴, 길주-명천 지괴 일대로, 갈탄이 매장되어 있다.

④ B는 화성암, C는 퇴적암에 해당한다.
　　　　　　　퇴적암

⑤ 오래된 지질 시대부터 나열하면 (다) → (나) → (가) 순
　이다.　　　　　　　　　　　　　(가) → (나) → (다)

03 최종 빙기와 후빙기

자료 분석 | (가)는 현재보다 해수면이 낮았던 최종 빙기이고, (나)
는 현재와 해수면이 비슷한 후빙기이다. A는 하천 하류 지점이다.
하천 하류 지역에서는 빙기에는 침식 작용, 후빙기에는 퇴적 작용
이 활발하였다.

[선택지 분석]

✗ (가) 시기의 A에서는 범람원이 형성된다.
　(나)

ⓛ (나) 시기의 A에서는 바닷물이 역류하는 현상이 나타난다.

　➡ 후빙기에 A에서는 바닷물이 역류하는 감조 현상이 나타난다.

ⓒ (가) 시기는 (나) 시기보다 기온이 낮고 강수량이 적다.

　➡ 최종 빙기는 후빙기보다 기온이 낮고 강수량이 적다.

✗ (나) 시기는 (가) 시기보다 물리적 풍화 작용이 활발하다.
　　　　　　　　　　　　　　　화학적

　➡ 후빙기는 최종 빙기보다 고온 다습하므로 화학적 풍화 작용이
　　활발하다.

04 북한산과 지리산

자료 분석 | (가)는 돌산이고, (나)는 흙산이다. A는 서울과 경기에
걸쳐 있는 북한산이고, B는 울릉도의 성인봉이며, C는 경남, 전북,
전남에 걸쳐 있는 지리산이다. D는 제주도의 한라산이다.

05 하천과 하천 유역

[선택지 분석]

① A에 떨어진 빗물은 금강으로 ~~유입된다.~~
　　　　　　　　　　　　　유입되지 않는다.

　➡ A는 금강 유역이 아니다. A에 떨어진 빗물은 아산만 쪽으로 흘
　　러드는 작은 하천으로 유입된다.

☑ B는 하구보다 발원지와의 거리가 가깝다.

　➡ B는 하천 상류로, 하구보다 발원지와의 거리가 가깝다

③ 영산강은 한강보다 하천 유역이 넓다.
　한강　　　영산강

④ 대규모 하천은 주로 ~~동해로~~ 유입된다.
　　　　　　　　　황해나 남해

　➡ 남한에서는 동해로 유입되는 큰 하천이 없다.

⑤ 다목적 댐이 건설되면 하천의 하상계수가 ~~커진다.~~
　　　　　　　　　　　　　　　　　작아진다

　➡ 다목적 댐이 건설되면 갈수기의 유량이 많아지고 홍수기의 유
　　량이 감소하므로 하천의 하상계수는 작아진다.

06 하천 지형

[선택지 분석]

A	B	C
☑ ㄴ → 감조 현상	ㄷ → 하천 범람	ㄱ → 감입 곡류

07 선상지와 삼각주

자료 분석 | (가)는 하천 상류에서 부채꼴 모양으로 토사가 퇴적되
어 형성된 선상지이고, (나)는 하천 하구에서 유속의 감속으로 토사
가 퇴적되어 형성된 삼각주이다.

[선택지 분석]

	(가)	(나)
①	A → 하천 충적 지형이 아님	B
☑	B → 선상지	C → 삼각주

　➡ (가)는 선상지, (나)는 삼각주이다. 선상지는 충적 지형이지만
　　하구 일대에 발달하지 않으므로 B, 삼각주는 충적 지형이고 하
　　구 일대에서 발달하지만, 조차가 크면 형성에 불리하므로 C
　　이다.

08 고위 평탄면과 침식 분지

자료 분석 | A는 고위 평탄면, B는 침식 분지이다.

[선택지 분석]

✗ A는 ~~중생대~~ 지각 변동의 영향으로 형성되었다.
　　　　　신생대

　➡ 신생대 경동성 요곡 운동으로 고위 평탄면이 형성되었다.

ⓛ B의 기반암은 주변 기반암에 비해 침식에 약하다.

　➡ B의 화강암은 주변 산지의 변성암(편마암)보다 침식에 약
　　하다.

✗ A는 B보다 하계망 발달에 ~~유리하다.~~
　　　　　　　　　　　　불리

　➡ 고위 평탄면은 하천이 잘 형성될 수 없다.

ⓔ B는 A보다 일교차가 큰 날 안개가 잘 발생한다.

　➡ 일교차가 큰 날에는 침식 분지에서 기온 역전 현상에 따른 안개
　　가 잘 발생한다.

09 해안 사구

자료 분석 | 사진의 지형은 사빈의 모래가 바람에 날아가 쌓여 형성
되는 해안 사구이다. 사구는 바람이 강하게 부는 만입부에 발달한
사빈의 배후에 잘 형성된다.

[선택지 분석]

☑ ~~바다로 돌출된~~ 지역에서 잘 발달한다.
　바다의 만입부

② 육지와 바다 사이의 생태적 완충지 역할을 한다.

　➡ 해안 사구는 육지와 바다를 연결해 주는 생태적 완충지이다.

③ 북서 계절풍이 강한 서해안에서 발달이 탁월하다.

　➡ 해안 사구는 바람의 퇴적 작용으로 형성되기 때문에 북서 계절
　　풍이 강한 서해안에서 특히 잘 발달한다.

④ 지형을 구성하는 물질은 사빈에서 이동해 온 것이다.

　➡ 해안 사구의 구성 물질은 모래가 대부분이며, 모래는 사빈에서
　　날아온 것이다.

⑤ 지형에 포함된 지하수는 해안가의 식수원으로 사용된다.

➡ 해안 사구의 지하수는 담수로, 염도가 높지 않아 식수원으로 사용된다. 해안 사구는 두터운 모래층이 해수의 유입을 막아 주고, 물을 정화해 주어 많은 양의 담수를 저장하고 있다.

10 백두산과 한라산

[선택지 분석]

㉠ (가), (나) 모두 신생대 화산 활동으로 형성되었다.

➡ 백두산과 한라산은 모두 신생대 화산 활동으로 형성되었다.

㉡ (가)의 최고봉은 (나)의 최고봉보다 해발 고도가 높다.

➡ 백두산이 한라산보다 해발 고도가 높다.

✗ (가), (나)의 산정부는 모두 현무암으로 이루어져 있다.

➡ 백두산과 한라산의 산정부는 모두 점성이 큰 조면암으로 이루어져 있다.

㉢ (가)의 호수는 칼데라호이고, (나)의 호수는 화구호이다.

➡ 백두산 천지는 칼데라호이고, 한라산 백록담은 화구호이다.

11 철원-평강 용암 대지와 제주도

[선택지 분석]

① A는 수리 시설을 바탕으로 논농사가 이루어지고 있다.

➡ A는 용암 대지로 관개 시설을 이용하여 벼농사가 이루어지고 있다.

✓ B는 고생대 퇴적암으로 이루어져 있다.

➡ 시·원생대 변성암 또는 중생대 화강암으로 이루어져 있다.

③ E는 용암, 화산 쇄설물 등의 분출로 형성된 기생 화산이다.

➡ 개오름은 기생 화산이다.

④ C는 D보다 하천의 평균 유량이 많다.

➡ C는 하천수가 흐르고, D는 건천을 이룬다.

⑤ C, D 모두 하천 양안에 절벽이 발달하였다.

➡ 하천의 하방 침식 활발하며 양안에 주상 절리가 발달하였다.

12 석회동굴과 용암동굴

자료 분석 | A는 석회동굴, B는 용암동굴이다.

[선택지 분석]

① 기반암의 형성 시기는 A보다 B가 이르다.
    B   A

➡ 석회암이 현무암보다 이르다.

② 지하수면의 높이는 A보다 B의 형성에 더 크게 작용한다.
                  B   A

➡ 지하수의 영향은 석회동굴이 더 크다.

✓ 동굴 내부 구조의 복잡한 정도는 B보다 A가 크다.

➡ 석회동굴이 용암동굴보다 내부 구조가 복잡하다.

④ A는 신생대 지층, B는 고생대 지층에 주로 분포한다.
     고생대   신생대

➡ 석회동굴은 고생대 조선 누층군에, 용암동굴은 신생대 화산 지대에 분포한다.

⑤ A 주변에는 흑갈색 토양, B 주변에는 붉은색 토양이 주
          붉은색 토양   흑갈색 토양
로 나타난다.

13 고위 평탄면과 고랭지 농업

(1) 고위 평탄면

(2) [예시 답안] 고위 평탄면에서는 배추 수확이 늦여름이나 초가을에 이루어진다. 따라서 배추의 수확 시기가 평지와 다르기 때문에 배추의 출하 가격이 높다.

채점기준		
	상	배추의 수확 시기와 경쟁력을 모두 잘 서술한 경우
	중	배추의 수확 시기와 경쟁력을 모두 서술하였으나 미흡한 경우
	하	배추의 수확 시기와 경쟁력 중 한 가지만 잘 서술한 경우

14 하안 단구

(1) 하안 단구

(2) [예시 답안] 하안 단구는 과거 범람원 또는 하천이 흘렀던 곳이 융기한 후 계단 형태의 지형을 이룬 곳이다. 따라서 하안 단구에서는 과거에 하천이 흘렀던 증거가 되는 둥근 자갈이 나타난다.

채점기준		
	상	(가)에서 둥근 자갈이 나타나는 이유를 지형의 형성 과정과 관련지어 잘 서술한 경우
	하	(가)에서 둥근 자갈이 나타나는 이유를 지형의 형성 과정과 관련지어 설명하였으나, 일부 오류가 있는 경우

15 해안 지형

(1) A: 사빈, B: 갯벌

(2) [예시 답안] A 지형은 해수욕장으로 주로 이용된다. B 지형은 생태계의 보고로 어패류 산란장 기능을 하고, 해수 정화 기능 등도 한다.

채점기준		
	상	A 지형의 이용과 B 지형의 기능을 모두 잘 서술한 경우
	중	A 지형의 이용과 B 지형의 기능을 모두 서술하였으나 미흡한 경우
	하	A 지형의 이용과 B 지형의 기능 중 한 가지만 잘 서술한 경우

16 카르스트 지형

(1) 돌리네

(2) [예시 답안] ㉠의 토양은 석회암이 용식되고 남은 잔존물 내의 철분이 산화되어 붉은색을 띠는 석회암 풍화토이다. 석회암 풍화토가 분포하는 지역은 배수가 잘 이루어져 주로 밭으로 이용된다.

채점기준		
	상	㉠의 토양 특징과 농업적 토지 이용을 모두 잘 서술한 경우
	중	㉠의 토양 특징과 농업적 토지 이용을 모두 서술하였으나 미흡한 경우
	하	㉠의 토양 특징과 농업적 토지 이용 중 한 가지만 잘 서술한 경우

III »» 기후 환경과 인간 생활

01 ~ 우리나라의 기후와 주민 생활

콕콕! 개념 확인하기   99쪽

01 (1) 기후 요소 (2) 대륙성 기후
02 (1) 강릉, 인천, 홍천, 대관령 (2) 울릉도
03 (1) 겨울, 여름 (2) 북서 (3) 남서·남동 (4) 강
04 (1) 장마철 (2) 서고동저 (3) 오호츠크해, 영서
05 (1) × (2) × (3) ○

02 (1) 비슷한 위도에서 1월 평균 기온은 동해안이 서해안보다 높다.
  (2) 울릉도는 눈이 많이 내리기 때문에 겨울 강수량이 많다.
03 (가)는 북서풍이 많이 불어오기 때문에 겨울, (나)는 남서·남동풍이 많이 불어오기 때문에 여름이다.
05 (1) 울릉도의 전통 가옥에 설치된 외벽은 우데기이다.
  (2) 김장은 겨울철 저장 식품이기 때문에 추운 북부 지방이 따뜻한 남부 지방보다 담그는 시기가 이르다.

탄탄! 내신 다지기   100~101쪽

01 ③   **02** ④   **03** ③   **04** ①   **05** ④   **06** ⑤   **07** ⑤
08 해설 참조

01 기후 요소와 우리나라의 기후 특성

자료 분석 | ㉠은 기후 요소에 해당하는 기온, 강수, 바람, 습도 등이 들어가야 하고, ㉡은 우리나라가 유라시아 대륙 동안에 위치하여 계절풍의 영향을 강하게 받는다는 내용인 계절풍 기후가 들어가야 한다.

02 대륙 서안과 대륙 동안의 기후 차이

자료 분석 | (가)는 연중 강수량이 고르고 여름과 겨울의 기온 차이가 작은 영국 런던의 기후 그래프, (나)는 여름에 강수량이 집중되고 여름과 겨울의 기온 차이가 큰 우리나라 서울의 기후 그래프이다.
[선택지 분석]
㉠ 기온의 연교차가 크다.
  ➡ 우리나라는 기온의 연교차가 큰 대륙성 기후가 나타난다.
㉡ 하천 유량의 연 변화가 크다.
  ➡ 여름에 강수량이 집중되고, 겨울에 강수량이 적으므로 하천 유량의 연 변화가 크다.
✗ 해양의 영향을 크게 받는다.
    대륙

㉣ 겨울에는 대륙에서 바람이 불어온다.
  ➡ 겨울에는 대륙에서 북서 계절풍이, 여름에는 바다에서 남서·남동 계절풍이 불어온다.

03 강수량의 지역 분포

자료 분석 | (가)는 대동강 하류 일대, (나)는 관북 해안 지역, (다)는 충남 및 호남 서해안 지역에 대한 내용이다.
[선택지 분석]
✓ (가)는 B, (나)는 A, (다)는 C이다.
  ➡ 지도의 A는 관북 해안 지역, B는 대동강 하류 일대, C는 충남 및 호남 서해안 지역이다. 관북 해안 지역은 연안에 한류가 흐르고, 대동강 하류는 지형적인 영향으로 강수량이 적다. 충남 및 호남 서해안 지역은 다설지이다.

04 여름과 겨울의 바람 특성

자료 분석 | (가)는 북서풍 계열의 바람이 강하게 자주 나타나므로 겨울(1월), (나)는 남풍 계열의 바람이 자주 나타나므로 여름(7월)의 바람장미이다.
[선택지 분석]
㉠ (가) 시기에는 한랭 건조한 바람이 분다.
  ➡ 겨울에 부는 바람은 한랭 건조한 북서풍이다.
㉡ (나) 시기에는 고온 다습한 바람이 분다.
  ➡ 여름에 부는 바람은 고온 다습한 남서·남동풍이다.
✗ (가) 시기에는 ~~남서·남동풍~~이, (나) 시기에는 ~~북서풍~~이 분다.
    북서풍   남서·남동풍
✗ (나)는 (가) 시기보다 계절풍의 속도가 대체로 세다.
  ➡ 여름보다 겨울에 풍향이 일정하고 풍속도 대체로 세다.

05 계절별 기후 특징

자료 분석 | (가)는 스키를 즐기는 사람들이 있는 겨울의 모습, (나)는 무더위를 피해 한강으로 나온 사람들이 있는 여름의 모습이다.
[선택지 분석]
① (가)에는 한랭 건조한 북서풍이 불어온다.
  ➡ 겨울에는 시베리아 기단의 영향으로 한랭 건조한 북서풍이 분다.
② (가)에는 대륙성 기단의 영향을 주로 받는다.
  ➡ 시베리아 기단은 대륙성 기단이고, 북태평양 기단은 해양성 기단이다.
③ (가)에는 시베리아 고기압의 영향으로 서고동저형의 기압 배치가 나타난다.
  ➡ 겨울에는 시베리아 고기압이 발달하고 바다에 저기압이 발달하여 한반도를 기준으로 서고동저형의 기압 배치가 나타난다.
✓ (나)에는 이동성 고기압의 영향으로 맑은 날씨가 지속된다.
  ➡ 대륙 내부에서 발생한 이동성 고기압의 영향으로 맑은 날이 지속되는 계절은 가을이다.
⑤ (나)에는 북태평양 기단의 확장으로 폭염과 열대야가 발생하기도 한다.
  ➡ 여름에는 장마철이 지나고 북태평양 기단이 확장되면 폭염, 열대야 등이 나타난다.

06 기후와 주민 생활

[선택지 분석]

① ㉠ 남부 지방은 북부 지방보다 김장을 하는 시기가 늦다.

➡ 기온이 낮은 북부 지방이 남부 지방보다 김장을 일찍 한다.

② ㉡ 대청마루는 북부 지방보다 남부 지방의 전통 가옥에서 잘 나타난다.

➡ 남부 지방의 겨울 기온이 상대적으로 높기 때문이다.

③ ㉢ 울릉도의 전통 가옥에는 방설벽인 우데기가 설치되어 있다.

➡ 강설량과 관련된 주민 생활 모습이다.

④ ㉣ 범람원에서 집을 지을 때는 터를 돋우고 그 위에 집을 지었다.

➡ 터돋움집은 강수와 관련된 주민 생활 모습이다.

☑ ㉤ 대동강 하류와 전남 서해안에는 천일제염업이 발달였다.

➡ 바람이 아니라 강수와 관련된 주민 생활 모습이다.

07 관북 지방과 남부 지방의 전통 가옥

자료 분석 | (가)는 정주간과 겹집 구조가 나타나므로 겨울이 춥고 긴 관북 지방의 전통 가옥 구조, (나)는 대청마루가 발달하였으므로 남부 지방의 전통 가옥 구조이다.

[선택지 분석]

① (가)는 주로 연 강수량이 <s>많은</s> 지역에 분포한다.
　　　　　　　　　　　　　　　적은

② (나)는 주로 겨울에 눈이 많이 내리는 지역에 분포한다.

➡ 남부 지방은 겨울에 따뜻하여 대부분 눈이 많이 내리지 않는 지역이 많다. 하지만 남부 지방 중에서 호남 지방의 서해안은 겨울에 강설량이 많은 편이다.

③ (가)는 (나)보다 <s>개방적</s>이다.
　　　　　　　　　폐쇄적

④ (나)는 (가)보다 보온에 <s>유리</s>하다.
　　　　　　　　　　　　　불리

☑ (가)는 겹집, (나)는 홑집 형태의 가옥 구조가 나타난다.

➡ 관북 지방은 폐쇄적인 가옥 구조의 겹집 형태, 남부 지방은 개방적인 가옥 구조의 홑집 형태가 나타난다.

08 겨울과 한여름의 일기도와 기후 현상

(1) (가) 겨울, (나) 한여름

(2) (가) 시베리아 기단, (나) 북태평양 기단

(3) [예시 답안] 시베리아 기단의 영향으로 겨울에는 한파·폭설 등이 나타나고, 북태평양 기단의 영향으로 한여름에는 폭염·열대야 등이 나타난다.

채점 기준		
	상	기단의 이름을 포함하여 (가), (나) 계절에 나타나는 기후 현상을 각각 두 가지씩 모두 정확하게 서술한 경우
	중	기단의 이름을 포함하여 (가), (나) 계절에 나타나는 기후 현상을 각각 한 가지씩만 정확하게 서술한 경우
	하	기단의 이름 및 (가), (나) 계절에 나타나는 기후 현상을 틀린 내용을 포함하여 서술한 경우

---

01 ①　**02** ⑤　**03** ③　**04** ①　**05** ②　**06** ④　**07** ③
08 ④

01 지역별 기후 요소의 특성

자료 분석 | 지도의 (가)는 홍천, (나)는 대관령, (다)는 울릉도이다. A는 홍천>대관령>울릉도 순으로 기후 요소의 수치가 높은 항목, B는 울릉도>대관령>홍천 순으로 수치가 높은 항목이 들어가야 한다.

[선택지 분석]

☑ A는 기온의 연교차, B는 겨울철 강수량이다.

➡ · 기온의 연교차는 홍천>대관령>울릉도 순으로 높다.
　· 겨울철 강수량은 울릉도>대관령>홍천 순으로 많다.
　· 최난월 평균 기온은 홍천>울릉도>대관령 순으로 높다.
　· 여름철 강수 집중률은 홍천>대관령>울릉도 순으로 높다. 따라서 A에는 기온의 연교차, 여름철 강수 집중률이 해당되고, B에는 겨울철 강수량이 해당된다.

02 기온 및 강수 분포 특성

자료 분석 | 지도에 표시된 지역은 비슷한 위도에 위치한 인천, 홍천, 강릉, 울릉도이다. 연교차는 홍천>인천>강릉>울릉도 순으로 크다. 따라서 (가)는 홍천, (나)는 인천, (다)는 강릉, (라)는 울릉도임을 알 수 있다. 연 강수량은 강릉>홍천>울릉도>인천 순으로 많으며 겨울철 강수량은 울릉도>강릉>홍천>인천 순으로 많다. 따라서 A는 강릉, B는 홍천, C는 울릉도, D는 인천임을 알 수 있다.

[선택지 분석]

① (다)는 B, (라)는 A이다.

➡ (다)는 A, (라)는 C이다.

② (가)는 (라)보다 연 적설량이 많다.

➡ 연 적설량은 홍천보다 울릉도가 많다.

③ (다)는 (나)보다 여름 강수 집중률이 높다.

➡ 여름 강수 집중률은 인천이 강릉보다 높다.

④ A는 D보다 최한월 평균 기온이 낮다.

➡ 강릉은 인천보다 최한월 평균 기온이 높다. 강릉의 최한월 평균 기온은 약 0.4℃, 인천은 약 −2.1℃이다.

☑ D는 C보다 최난월 평균 기온이 높다.

➡ 인천은 울릉도보다 최난월 평균 기온이 높다. 인천은 최난월 평균 기온이 약 25.2℃, 울릉도는 약 22.6℃이다.

03 지역별 기후 특성

자료 분석 | 지도에 표시된 지역은 대관령, 강릉, 울릉도, 대구, 제주이다. A~E 중에서 기후 요소가 뚜렷한 지역을 먼저 찾는다. 대관령은 해발 고도가 높기 때문에 연평균 기온이 가장 낮고 연 강수량이 가장 많으므로 그래프의 E이다. 울릉도는 기온의 연교차가 작고 여름 강수 집중률이 가장 낮으므로 A이다. 대구는 연 강수량이 매우 적으므로 그래프의 D이다. 제주는 연평균 기온이 가장 높고 기온의 연교차가 가장 작으므로 그래프의 C이다. 나머지 B는 강릉이다. 즉, A는 울릉도, B는 강릉, C는 제주, D는 대구, E는 대관령이다.

[선택지 분석]

① A는 B보다 최난월 평균 기온이 높다.
　　　　　　　　　　　　　　　낮다
➡ 울릉도는 동해상에 위치하여 해양의 영향을 크게 받기 때문에
　비슷한 위도의 강릉보다 최난월 평균 기온이 낮다.

② B는 E보다 연평균 풍속이 강하다.
　　　　　　　　　　　　약하다
➡ 해발 고도가 높은 대관령 일대는 일정한 방향의 바람이 꾸준히
　불어온다.

☑ C는 D보다 겨울 강수량이 많다.
➡ 다우지인 제주는 소우지인 대구보다 겨울 강수량이 많다.

④ D는 E보다 해발 고도가 높다.
　　　　　　　　　　　　낮다

⑤ E는 C보다 최한월 평균 기온이 높다.
　　　　　　　　　　　　　　낮다

04 중부 지방의 기후 특성

자료 분석 | 우리나라의 지역 간 기온 차이는 여름보다 겨울에 뚜렷하다. 따라서 네 지역의 1월 평균 기온을 토대로 해당 지역을 찾을 수 있다. 지도의 네 지점은 인천, 대관령, 강릉, 울릉도이다. A는 1월과 7월 모두 평균 기온이 가장 낮으므로 대관령, D는 1월에 가장 높고, 7월에 대관령을 제외하면 가장 낮으므로 울릉도이다. B와 C 중에서 1월 평균 기온이 높은 B는 강릉, 나머지 C는 인천이다. 즉, A는 대관령, B는 강릉, C는 인천, D는 울릉도이다.

[선택지 분석]

㉠ A는 D보다 여름 강수 집중률이 높다.
➡ 울릉도는 해양의 영향을 크게 받기 때문에 여름 강수 집중률이
　우리나라에서 가장 낮은 편이다.

㉡ B는 C보다 연 강수량이 많다.
➡ 강릉은 인천보다 연 강수량이 많다.

✗ C는 B보다 노지에서의 농작물 재배 가능 기간이 길다.
　　　　　　　　　　　　　　　　　　　　　　　짧다
➡ 겨울에 강릉이 인천보다 따뜻하므로 노지에서의 농작물 재배
　가능 기간이 길다.

✗ D는 A보다 적설 기간이 길다.
　　　　　　　　　　　짧다
➡ 강설량은 울릉도가 대관령보다 많지만, 적설 기간은 추운 대관
　령이 울릉도보다 길다.

05 서해안과 동해안의 기후 특성

자료 분석 | A의 시점은 인천, 종점은 강릉, B의 시점은 목포, 종점은 부산이다.

[선택지 분석]

㉠ 연 강수량 → 종점＞시점

✗ 여름 강수 집중률 → 종점＜시점

✗ 최난월 평균 기온 → 종점＜시점

㉣ 연안 해역의 겨울철 수온 → 종점＞시점

06 주요 지역의 계절별 강수 분포 특징

자료 분석 | 강릉, 대구, 인천, 서귀포, 울릉 중에서 연 강수량이 가장 많은 곳은 서귀포, 가장 적은 곳은 대구, 사계절의 강수량 차이가 가장 적은 곳은 울릉도이다. 남은 두 지역 중에서 강릉이 인천보다 연 강수량이 많다. 따라서 A는 서귀포, B는 강릉, C는 인천, D는 울릉도, E는 대구이다.

[선택지 분석]

㉠ A는 기온의 연교차가 가장 작다.
➡ 서귀포는 한라산 남쪽에 위치하여 위도가 낮고, 연중 난류가
　흘러 기온의 연교차가 작다.

㉡ B는 동해안, C는 서해안에 위치한다.
➡ 강릉은 동해안, 인천은 서해안에 위치한다.

✗ D는 C보다 최난월 평균 기온이 높다.
　　　　　　　　　　　　　　　　　낮다
➡ 인천이 울릉도보다 최난월 평균 기온이 높다.

㉣ E는 영남 내륙 지역에 위치하여 연 강수량이 적다.
➡ 영남 내륙 지역은 태백산맥과 소백산맥으로 둘러싸인 분지 지
　역에 위치하여 지형성 강수가 상대적으로 적기 때문에 주변 지
　역에 비해 연 강수량이 적은 소우지이다.

07 푄 현상으로 인한 바람과 주민 생활

자료 분석 | A(속초와 강릉)는 영동 지방, B(춘천과 원주)는 영서 지방에 해당한다. 영동 지방과 영서 지방의 기온과 강수량의 차이는 바람이 태백산맥을 넘을 때 푄 현상으로 인해 고온 건조한 성질로 변화하는 높새바람과 관련 있다.

[선택지 분석]

① 갑: 지역 간 해발 고도가 차이 나기 때문입니다.
➡ 높새바람으로 나타나는 기온 차이는 해발 고도와 관련이 없다.

② 을: 건조한 대륙성 기단의 세력이 강화되었기 때문입니다.
➡ 건조한 대륙성 기단은 겨울철이나 봄철에 잘 나타나며 산불,
　가뭄 등에 영향을 준다.

☑ 병: 바람이 산맥을 넘으면서 고온 건조한 성질로 변화했기 때문입니다.
➡ 초여름 영서 지방의 고온 건조한 현상은 푄 현상의 영향으로
　높새바람이 불어 나타나는 현상이다.

④ 정: 강릉, 속초 등의 동해안 지역에 가뭄의 피해를 주기도 합니다.
➡ 푄 현상으로 인한 높새바람의 가뭄 피해는 영서 지방에 나타
　난다.

⑤ 무: 이러한 현상과 관련된 바람은 세기가 강하여 풍력 발전에 이용하기도 합니다.
➡ 우리나라에서 풍력 발전은 대관령과 같은 고지대나 바닷가, 섬
　등지에서 강한 바람을 이용한다.

08 가옥과 기후 특성

[선택지 분석]

㉠ (가) 지역은 여름철 집중 호우로 홍수가 잦다.
➡ (가) 가옥은 여름철 집중 호우에 따른 홍수에 대비하여 터를 높
　였다.

㉡ (나) 가옥은 울릉도에 분포하는 전통 가옥에 해당한다.
➡ 우데기 시설은 울릉도의 전통 가옥에 해당한다.

✗ (가) 지역은 (나) 지역보다 겨울 강설량이 많은 곳이다.
➡ (가) 지역은 여름 강수량이, (나) 지역은 겨울 강설량이 많은 곳
　이다.

㉣ (가) 가옥과 (나) 가옥에는 강수의 특성이 잘 반영되었다.
➡ (가)는 홍수, (나)는 많은 눈에 대비한 시설이므로 강수의 특성
　이 잘 반영되었다고 할 수 있다.

콕콕! 개념 확인하기 109쪽

01 (1) A (2) B (3) C (4) C (5) A

02 (1) 낮아 (2) 높아 (3) 길어 (4) 빨라, 늦어

03 (1) ○ (2) ○ (3) ✕

04 도시 사막화

01 A는 대설, B는 호우, C는 태풍이다.

02 그래프는 지구 온난화를 나타낸 것이다. 지구 온난화가 지속될 경우 가을과 겨울의 시작 시기가 늦어지고, 한류성 어족의 어획량 비중은 낮아지며, 노지 작물의 생육 가능 기간은 길어진다. 또한, 고산 식물의 해발 고도 한계는 높아지고, 난대림의 북한계가 북상하며, 봄꽃 개화 시기는 빨라지고, 가을에 단풍 드는 시기는 늦어진다.

03 (3) 성대 토양은 온대림 지역의 갈색 삼림토와 냉대림 지역의 회백색토가 대표적이다.

탄탄! 내신 다지기 110~111쪽

01 ④ **02** ② **03** ④ **04** ② **05** ② **06** ③ **07** ④

08 해설 참조

01 자연재해의 원인별·월별 피해 발생률

자료 분석 | 대설, 태풍, 호우 중에서 대설은 주로 겨울철에 발생한다. 태풍과 호우는 주로 여름철에 발생하는데, 호우가 주로 장마 전선이 정체되는 7월에 피해 발생률이 높은 반면, 태풍은 한여름에서 초가을 사이에 발생률이 높다. 태풍은 수온이 높이 올라갈 때 발생하기 때문에 초여름에는 우리나라에 내습하는 경우가 거의 없다. 또한 저기압이기 때문에 강력한 고기압이 자리 잡고 있는 중심부를 지나기 어렵다. 그래서 태풍 피해 발생률은 늦여름에서 초가을에 많다. 따라서 A는 태풍, B는 호우, C는 대설이다.

[선택지 분석]

① A는 강풍과 많은 비, 해일로 인한 피해를 일으킨다.

② B는 장마 전선이 정체될 때 잘 발생한다. → 태풍

➡ 호우란 짧은 시간에 많은 양의 비가 내리는 현상으로, 장마 전선이 정체될 때 잘 발생한다.

③ C는 호남 지방이 영남 지방보다 피해액이 많다.

➡ 호남 지방의 서해안은 시베리아 기단으로부터 강한 북서풍이 불어올 때 상대적으로 따뜻한 황해를 지나면서 형성되는 눈구름에 의한 강설량이 많다.

✔④ B는 A보다 연평균 발생 횟수가 ~~적다.~~
　　　　　　　　　　　　　　　많다

⑤ B는 C보다 우리나라의 연 강수량에 미치는 영향이 크다.

➡ 우리나라 대부분의 지역에서 호우에 의한 강수량이 대설에 의한 강수량보다 훨씬 더 많다.

02 가뭄과 대설의 특징

자료 분석 | (가)는 발생 시기가 주로 봄철이고, 산불 등의 피해가 발생한다는 것을 통해 가뭄이라는 것을 알 수 있다. (나)는 주로 겨울철에 발생하고, 산간 마을의 고립, 교통 혼잡 등의 피해가 발생한다는 것을 통해 대설임을 알 수 있다.

[선택지 분석]

㉠ (가)의 피해 예방 시설에는 저수지, 보, 댐 등이 있다.

→ 비가 많이 내릴 때 물을 저장했다가 가뭄 시에 이용하는 시설

✕ (가)의 피해를 줄이기 위해서는 방한복을 착용하고 외출해야 한다. → 한파

㉢ (나)의 연평균 피해액은 호남 지방이 영남 지방보다 많다. → 호남 지방 서해안은 다설지임

✕ ~~(나)~~는 중국 및 몽골의 사막화로 발생 빈도가 증가하고 있다. → 황사

03 태풍의 특징

자료 분석 | 발생 횟수와 발생 시기를 통해 태풍임을 알 수 있다. 여름철에 주로 발생하는 자연재해는 호우, 태풍, 폭염, 열대야 등이 있는데, 그래프와 같은 횟수와 월별 분포를 나타내는 것은 태풍이다.

[선택지 분석]

✕ 적조 현상을 ~~심화~~시킨다.
　　　　　　완화

㉡ 진행 방향의 오른쪽이 왼쪽보다 피해가 크다.

➡ 진행 방향의 오른쪽은 위험 반원, 왼쪽은 가항 반원이라고 한다. 위험 반원이 가항 반원보다 풍속이 강하다.

✕ ~~중부 지방이 남부 지방보다~~ 연평균 피해액이 많다.
　남부 지방이 중부 지방보다

㉣ 편서풍의 영향으로 중위도에서 북동 방향으로 이동한다.

➡ 태풍이 우리나라로 이동해 올 때 편서풍의 영향을 받는다.

04 사과 재배 지역의 변화

자료 분석 | 지도는 현재와 달리 2030년대에 영남 내륙 지역이 사과 재배 적지에서 제외될 것으로 예측된다. 이는 지구의 평균 기온이 상승하는 지구 온난화 현상 때문이다.

[선택지 분석]

① 온대림과 냉대림의 벌목

➡ 삼림 벌채 면적이 증가하면 이산화 탄소 흡수 능력의 감소로 지구 온난화 현상에 영향을 주지만, 화석 에너지 소비에 따른 온실가스 증가보다는 지구 온난화에 미치는 영향이 매우 작다.

✔② 화석 에너지 소비량 증가

➡ 지구 온난화는 화석 에너지 소비량 증가에 따른 이산화 탄소와 같은 온실가스 배출량 증가가 가장 중요한 원인이다.

③ 식량 작물의 재배 면적 증가

➡ 지구 온난화 현상의 주요 원인이 아니다.

④ 원자력 발전소 건설과 발전량 증대

➡ 원자력 발전은 온실가스 배출량이 적다.

⑤ 신·재생 에너지의 개발 및 이용 확대

➡ 화석 에너지 소비량을 감소시킬 수 있으므로, 온실가스 배출량을 줄일 수 있다.

05 우리나라의 연평균 기온 상승에 따라 나타나는 변화 예측

자료 분석ㅣ 그래프는 우리나라의 연평균 기온이 상승하는 것을 보여 준다. 기온 상승이 지속되면 식생 분포에 큰 변화가 나타날 것이다.

[선택지 분석]

① 감귤 나무의 북한계선이 남하할 것이다.
　　　　　　　　　　　　북상
✔ 봄과 여름의 시작 시기가 빨라질 것이다.
　→ 지구 온난화의 영향
③ 남해안의 냉대림 분포 범위가 확대될 것이다.
　　　　　난대림
④ 제주도에서 고산 식물의 분포 면적이 증가할 것이다.
　　　　　　　　　　　　　　　　　감소할
　➡ 고산 식물은 한반도가 한랭할 때 서식하던 식물로, 기온이 상
　　승하면 서식하기 어렵다.
⑤ 대구, 명태 등의 어획량이 증가하고, 오징어, 멸치 등의
　　　　　　　　　　　감소
　어획량이 감소할 것이다.
　　　　　증가

06 우리나라의 식생 분포 특징

자료 분석ㅣ 자료에서 A는 냉대림, B는 온대림, C는 난대림이다. 냉대림 분포의 하한 고도는 고위도로 가면서 낮아진다.

[선택지 분석]

㉠ B는 우리나라에서 가장 넓게 분포하는 식생이다.
　➡ 우리나라에서는 온대림이 가장 넓게 분포한다.
㉡ C는 주로 최한월 평균 기온이 0℃ 이상인 지역에 분포한다.
　➡ 난대림은 최한월 평균 기온이 0℃ 이상 지역에 분포한다.
㉢ A의 주요 수종은 침엽수, C의 주요 수종은 상록 활엽수이다.
　➡ 냉대림의 주요 수종은 침엽수, 난대림의 주요 수종은 상록 활엽수이다.
✘ A~C의 분포는 연 강수량의 영향 때문이다.
　　　　　　　　기온

07 우리나라의 토양 분포 특징

자료 분석ㅣ A는 해안 지역을 중심으로 분포하므로 염류토, B는 주로 대하천의 유로를 따라 분포하므로 충적토, C는 화산 활동으로 형성된 지역에 분포하므로 화산회토, D는 고생대 조선 누층군 분포 지역과 비슷하므로 석회암 풍화토이다.

[선택지 분석]

㉠ A는 B보다 가뭄 시 농작물이 염해를 입을 가능성이 높다.
　➡ 염류토는 충적토보다 가뭄 시 농작물이 염해를 입을 가능성이 높다.
✘ B는 C보다 토양의 생성 기간이 길다.
　　　　　　　　　　　　　　　짧다
　➡ 미성숙토인 충적토는 성숙토인 화산회토보다 토양의 생성 기간이 짧다.
㉢ C 분포 지역의 기반암은 주로 현무암, D 분포 지역의 기반암은 석회암이다.
　➡ 화산회토(현무암 풍화토) 분포 지역의 기반암은 주로 현무암, 석회암 풍화토 분포 지역의 주요 기반암은 석회암이다.
㉣ D는 A보다 토양의 색이 붉은 편이다.
　➡ 석회암 풍화토는 염류토보다 토양의 색이 붉다.

08 한라산의 식생 분포 특징

[예시 답안] 식생 분포는 기온의 영향을 크게 받는다. 해발 고도가 높아질수록 기온이 낮아지기 때문에 제주도의 한라산에서는 해발 고도가 높아지면서 난대림, 온대림, 침엽수림, 관목림대, 고산 식물대 순으로 식생의 수직 분포가 뚜렷하게 나타난다.

채점기준		
	상	식생 분포에 영향을 미치는 기후 요소와 해발 고도에 따른 식생 분포를 정확하게 서술한 경우
	하	식생 분포에 영향을 미치는 기후 요소와 해발 고도에 따른 식생 분포 중에서 하나만 정확하게 서술한 경우

도전! 실력 올리기 　　　　　　112~113쪽

01 ②　02 ①　03 ②　04 ③　05 ③　06 ①　07 ⑤
08 ④

01 대설의 특징

자료 분석ㅣ 신문 기사를 통해 겨울에 자주 발생하며 시설 붕괴와 같은 피해가 발생함을 알 수 있다. 대설은 짧은 시간에 많은 양의 눈이 오는 현상이다.

[선택지 분석]

① 장마 전선이 동베이 지방에 정체할 때 잘 나타난다.
　➡ 장마 전선이 동베이 지방에 정체할 때는 북태평양 고기압이 우리나라에 지배적인 영향력을 미치는 한여름이다.
✔ 북동풍이 우리나라로 강하게 유입될 때 자주 나타난다.
　➡ 강원도 동해안 지역에 대설이 내리는 경우는 북동풍이 우리나라로 강하게 유입될 때 동해에서 공급된 수증기가 눈구름으로 형성되기 때문이다.
③ 남고북저의 기압 배치가 나타나는 시기에 자주 발생한다.
　➡ 남고북저의 기압 배치가 나타나는 시기는 여름철이다.
④ 열대 해상에서 발생하여 우리나라로 이동하면서 큰 피해를 준다.
　➡ 열대 해상에서 발생하여 우리나라로 이동하면서 큰 피해를 주는 것은 태풍이다.
⑤ 중국 내륙의 건조 지역에서 발생하여 우리나라로 날아온 물질이다.
　➡ 중국 내륙의 건조 지역에서 발생하여 우리나라로 날아온 물질은 황사이다.

02 경기, 전북, 전남 지역의 자연재해

자료 분석ㅣ 우리나라의 주요 자연재해 중에서 태풍은 남부 지방에서 피해가 크고 대설은 강원 및 호남 지방 등에서 피해가 크며, 호우는 상대적으로 중부 지방에서 피해가 크다. (가)는 경기, (나)는 전북, (다)는 전남이다. A는 경기, B는 전북, C는 전남이다.

(가) ➡ 호우의 피해액 비율이 가장 높으므로 세 지역 중에서 경기(A)
　　　이다.

(나) ➡ 경기에 비해 호우의 피해액 비율은 낮고 태풍의 피해액 비율
　　　은 높으며 다른 두 지역에 비해 대설의 피해액 비율이 높으
　　　므로 전북(B)이다.

(다) ➡ 세 지역 중에서 태풍의 피해액 비율이 가장 높으므로 전남(C)
　　　이다.

03 우리나라의 주요 자연재해 특징

자료 분석 | A는 주로 겨울과 3월에 발생률이 높으므로 대설, B는
여름에 발생률이 높으므로 호우, C는 여름~가을에 발생률이 높으
므로 태풍이다.

[선택지 분석]

㉮ A는 영동 지방의 경우 북동 기류의 유입과 밀접한 관
　계가 있습니다.

➡ 영동 지방은 겨울에 북동 기류가 유입될 때 눈이 많이 내린다.

✖ B는 북동풍이 태백산맥을 넘을 때 나타나는 푄 현상
　때문에 영서 지방에서 주로 발생합니다.

➡ 북동풍이 태백산맥을 넘을 때 나타나는 푄 현상 때문에 영서
　지방에서 주로 발생하는 것은 가뭄이다.

㉲ C는 주로 열대 해상에서 발생하여 강풍과 많은 비를
　동반합니다.

➡ 태풍은 주로 열대 해상에서 발생하여 강풍과 많은 비를 동반
　한다.

✖ A는 C보다 ~~남고북저형~~ 기압 배치가 전형적으로 나타
　　　　　　서고동저형
나는 계절에 자주 발생합니다.

➡ 남고북저형의 기압 배치가 전형적으로 나타나는 계절에 자주
　발생하는 것은 대설보다 태풍이다. 대설은 서고동저형의 기압
　배치가 전형적으로 나타나는 겨울에 자주 발생한다.

04 기온 변화의 영향

자료 분석 | 2000~2009년은 1905~1914년보다 일평균 기온이 높
다. 이러한 현상은 지구 온난화 현상을 반영한 것이다.

[선택지 분석]

㉠ 노지 작물의 생육 가능 기간이 길어졌다.

➡ 노지 재배는 기온이 낮아지면 어려워진다. 따라서 겨울이 짧아
　지면 노지 재배 가능 기간은 길어지게 된다.

㉡ 계절 일수의 변화 폭은 여름이 가장 크다.

➡ 계절 변화의 변화 폭은 그래프 상의 X축에 표시된 선의 폭을
　비교하여 파악할 수 있다. 여름은 시작 일이 17일 빨라지고, 끝
　나는 날이 14일 늦어졌기 때문에 총 31일이 길어졌다.

✖ ~~봄은 여름보다~~ 계절의 시작 일이 더 많이 빨라졌다.
　여름(17일)이 봄(13일)보다

㉢ 가을은 겨울보다 계절의 시작 일이 더 많이 늦어졌다.

➡ 가을은 14일 늦어졌고 겨울은 11일 늦어졌으므로 가을이 겨울
　보다 계절의 시작 일이 더 많이 늦어졌다.

05 지구 온난화의 대책

자료 분석 | 제시된 자료는 지구 온난화의 대책에 관한 것이다. 지
구 온난화를 막기 위해서는 인간 활동에 의해 발생하는 온실가스의
양을 줄여야 한다.

[선택지 분석]

① 에너지 효율이 높은 전자 제품을 만든다.

➡ 기업의 제조 공정을 개선하여 에너지 효율을 높이면 화석 에너
　지를 적게 쓰게 된다.

② 자가용 승용차보다는 대중교통 수단을 이용한다.

➡ 자가용 승용차보다 대중교통 수단을 이용하는 것은 화석 에너
　지의 소비를 감소시켜 온실가스 발생을 줄인다.

✅ 해외 유전 개발 사업에 막대한 자본을 투자한다.

➡ 해외 유전 개발 사업은 지각 내부에 있던 석유를 채굴하여 사
　용하려는 목적이므로 이러한 사업은 대기 중의 온실가스를 늘
　리게 된다.

④ 정부는 배출권 거래제를 도입하는 등 다양한 정책을 만
　든다.

➡ 배출권 거래제는 온실가스 의무 감축량을 초과 달성한 국가(기
　업)가 그 초과분의 의무 감축량을 채우지 못한 국가(기업)에게
　팔 수 있도록 한 제도이다.

⑤ 국제 사회가 환경 문제의 심각성을 인식하고 기후 변화
　협약을 체결한다.

➡ 국제적인 차원의 온실가스 감축 노력이다.

06 도시화가 하천 수위에 미치는 영향

자료 분석 | (가) 시기는 도시화 이전의 시기로 산림이나 녹지 면적
이 넓기 때문에 투수율이 높다. 이로 인해 비가 내리면 빗물이 대부
분 지하로 흡수되고 하천으로 유입되는 물의 양이 적다. (나) 시기
는 도시화 이후의 시기로 식생 피복이 줄어들고 콘크리트 건물과
아스팔트로 포장된 면적이 늘어나 비가 내리면 빗물이 지하로 흡수
되지 못하고 하천으로 유입되는 양이 많아 강수 시 하천의 최고 수
위는 도시화 이전보다 높아지게 된다.

㉠ A는 (나) 시기, B는 (가) 시기의 하천 수위 변화를 나타
　낸 것이다.

➡ 도시화가 이루어지면 인공 피복이 증가함에 따라 평균 투수율
　이 낮아져 하천 최고 수위가 높아진다. 하천 최고 수위가 상대
　적으로 높은 A가 도시화 이후인 (나) 시기, 상대적으로 낮은 B
　가 도시화 이전인 (가) 시기의 하천 수위를 나타낸 것이다.

㉡ 최고 수위 도달 시간은 (가) 시기보다 (나) 시기에 빠
　르다.

➡ 지표면이 아스팔트나 콘크리트로 덮여 있으면 빗물이 지하로
　침투하기 어렵기 때문에 지표 유출량이 늘어나면서 최고 수위
　가 높아지며, 최고 수위에 도달하는 시간도 빨라진다.

✖ 하천 주변 지표면의 평균 투수율은 ~~(가) 시기보다 (나)~~
　　　　　　　　　　　　　　　　　　　(나) 시기보다 (가) 시기에
시기에 높다.

✖ 녹지가 늘어나면 하천 수위는 대체로 ~~B에서 A로~~ 변할
　　　　　　　　　　　　　　　　　　　 A에서 B로
것이다.

➡ 녹지가 늘어나면 투수율이 높아지기 때문에 하천 수위가 천천
　히 높아지고 최고 수위가 낮아진다.

07 냉대림과 난대림의 분포 특징

자료 분석 | A는 북부 내륙 지역을 중심으로 분포하므로 냉대림 지역, B는 남해안과 제주도, 울릉도를 중심으로 분포하므로 난대림 지역이다.

[선택지 분석]

✗ A의 주요 수종은 <del>낙엽 활엽수</del>이다.
　　　　　　　　　침엽수
➡ 냉대림의 주요 수종은 소나무, 전나무 등 침엽수이다. 낙엽 활엽수는 주로 온대림 지역에 분포한다.

ㄴ A에서는 회백색의 성대 토양을 볼 수 있다.
➡ 냉대림 분포 지역의 성대 토양은 회백색이다.

ㄷ B에는 상록 활엽수가 분포한다.
➡ 난대림 지역에는 상록 활엽수가 분포한다. 난대림은 열대와 온대의 경계부에 있는 삼림으로 동백나무, 호랑가시나무 등 상록 활엽수로 이루어져 있다.

ㄹ B는 대부분 최한월 평균 기온이 0℃ 이상이다.
➡ 식생의 북한계는 최한월 평균 기온의 영향을 크게 받는다. 난대림은 주로 최한월 평균 기온이 0℃ 이상인 지역을 중심으로 분포한다.

08 지구 온난화와 열섬 현상의 특성

자료 분석 | ㉠은 지구 온난화 현상이며, ㉡은 열섬 현상이다. 우리나라의 기온은 지속적으로 높아지는 추세이고, 도심은 주변 지역에 비해 기온이 높다.

[선택지 분석]

① ㉠의 주요 원인은 대기 중 이산화 탄소의 농도 증가이다.
➡ 지구 온난화의 주요 원인은 온실가스의 증가이며, 지구 온난화에 가장 큰 영향을 미치는 온실가스는 이산화 탄소이다.

② ㉠이 심화되면 고산 식물 분포의 고도 하한선이 높아진다.
➡ 삼림 한계선보다 높은 지점에서 자라는 식물을 고산 식물이라고 한다. 고산 식물의 한계는 저위도 지역에서는 높고, 고위도 지역에서는 낮다. 지구 온난화가 진행되면 삼림 한계선의 해발 고도가 높아지고, 이에 따라 고산 식물 분포의 고도 하한선도 높아진다.

③ ㉡은 대도시의 열대야 발생 빈도를 높인다.
➡ 열대야란 일 최저 기온이 25℃ 이상인 현상이다. 열섬 현상은 대도시의 기온을 높이기 때문에 열대야 발생 빈도를 높인다.

✔ ㉡이 발생하면 대기가 안정되어 <del>강수량이 감소한다</del>.
　　　　　　　　　　　　　　　증가할 가능성이 크다
➡ 대기가 안정된다는 것은 대기의 하층 기온이 상층 기온보다 높아지는 현상으로 기온 역전 현상이 나타날 때 대기가 안정된다. 열섬 현상이 발생하면 대기의 기온이 상승하여 상승 기류가 발생하기 쉽기 때문에 대기가 불안정해지고 운량과 강수 확률이 증가하게 된다.

⑤ ㉡의 주요 원인은 인공 열의 방출 및 포장 면적 증가이다.
➡ 열섬 현상의 주요 원인은 인공 열의 방출 및 포장 면적 증가이다.

---

01 우리나라와 대륙 서안 지역의 기후 비교

자료 분석 | 지도에 표시된 (가) 국가는 대서양 연안에 위치한 포르투갈이다.

[선택지 분석]

ㄱ 기온의 연교차가 크다.
➡ 대륙 동안에 위치하는 우리나라는 동위도의 대륙 서안 지역보다 기온의 연교차가 크다.

ㄴ 계절풍 기후가 나타난다.
➡ 우리나라는 겨울에는 북서 계절풍, 여름에는 남서·남동 계절풍의 영향을 받는 계절풍 기후가 나타난다.

✗ 최한월 평균 기온이 <del>높다</del>.
　　　　　　　　　　　낮다

ㄹ 강수량이 여름에 집중된다.
➡ 우리나라는 여름에 강수량이 집중되고 겨울에 강수량이 적어 강수량의 계절 차이가 크다.

02 우리나라 1월 평균 기온의 분포 특징

자료 분석 | 우리나라의 1월 평균 기온은 해안 지역이 내륙 지역보다 높고, 비슷한 위도에서는 동해안이 서해안보다 높다. 이는 태백산맥과 함경산맥이 차가운 북서 계절풍을 막아 주고 동해의 수온이 황해의 수온보다 높기 때문이다.

[선택지 분석]

✔ A – 우리나라에서 해발 고도가 가장 높기 때문에 기온이 낮다.
➡ 우리나라에서 해발 고도가 가장 높은 곳은 백두산이다. 중강진(A)은 고위도 내륙에 위치하여 겨울 기온이 낮다.

② B – 함경산맥과 동해의 영향으로 등온선이 해안선과 평행하다.
➡ 관북 지방의 동해안 지역은 함경산맥과 동해의 영향으로 등온선이 해안선과 평행하다.

③ C – 태백산맥과 동해의 영향으로 동해안이 서해안보다 기온이 높다.
➡ 태백산맥이 차가운 북서 계절풍을 막아 주고, 동해의 수온이 황해의 수온보다 높기 때문에 동해안이 서해안보다 기온이 높다.

④ D – 소백산맥이 위치하여 주변 지역에 비해 기온이 낮다.
➡ 소백산맥은 해발 고도가 높기 때문에 주변 지역에 비해 기온이 낮다.

⑤ E – 겨울철 동해가 황해보다 수온이 높아 부산이 목포보다 최한월 평균 기온이 높다.
➡ 겨울철에는 수심이 깊은 동해의 수온이 황해의 수온보다 높기 때문에 부산이 목포보다 최한월 평균 기온이 높다.

03 지역별 기온의 연교차

자료 분석 | 지도에서 A는 평양, B는 원산, C는 서울, D는 울릉도이다. 기온의 연교차는 저위도에서 고위도로 갈수록 커지며, 비슷한 위도에서는 내륙>서해안>동해안 순으로 크다. 따라서 평양>서울>원산>울릉도 순으로 크다.

04 중부 지방의 기후 요소 분포 파악

자료 분석 | A는 여름철 강수 집중률이 가장 높고 최한월 평균 기온이 가장 낮으므로 동두천, C는 여름철 강수 집중률이 가장 낮고 최한월 평균 기온이 가장 높으므로 강릉, B는 인천이다.

[선택지 분석]

✗ A는 인천, B는 동두천이다.
　　A는 동두천, B는 인천
➡ 내륙에 위치한 동두천이 서해안에 위치한 인천보다 여름철 강수 집중률이 높고 최한월 평균 기온이 낮다.

Ⓛ A는 B보다 바다와의 거리가 멀다.
➡ 동두천은 바다에 인접한 인천보다 바다와의 거리가 멀다.

✗ B는 A보다 기온의 연교차가 크다.
　　　　　　　　　　　　　　작다
Ⓔ C는 A보다 겨울 강수량이 많다.
➡ 강릉은 동두천보다 겨울 강수량이 많다.

05 기후 요소의 분포

[선택지 분석]

(가)	(나)	(다)
✓ A	C	B

➡ (가)~(다)는 장수, 의성, 포항 중 하나이다. 지도에서 A는 장수, B는 의성, C는 포항이다. (가)는 연 강수량이 가장 많으므로 장수, (다)는 영남 내륙 지역에 위치하여 연 강수량이 가장 적은 의성, (나)는 의성보다 연 강수량 및 겨울 강수량이 많은 포항이다.

06 우리나라의 1월과 7월의 기후 특징

자료 분석 | (가)는 (나) 시기에 비해 북서풍 계열 바람의 풍속이 강하고 관측 횟수 비율이 높으므로 1월, (나)는 (가) 시기에 비해 남풍 계열 바람의 관측 횟수 비율이 높으므로 7월이다.

[선택지 분석]

✓ (가) 시기는 남고북저형의 기압 배치가 잘 나타난다.
　　　　　　　서고동저형
➡ 남고북저형의 기압 배치는 여름에, 서고동저형의 기압 배치는 겨울에 잘 나타난다.

② (나) 시기는 고기압이 북태평양에 위치하고 대륙 내부에 저기압이 형성된다.
➡ 7월에는 북태평양 고기압의 영향으로 남고북저의 기압 배치가 나타난다.

③ (가) 시기는 (나) 시기보다 평균 풍속이 강하다.
➡ 우리나라는 겨울이 여름보다 평균 풍속이 강하다. 평균 풍속은 겨울이 가장 세고, 여름이 가장 약하다.

④ (가) 시기는 (나) 시기보다 지역 간의 기온 차이가 크다.
➡ 기온의 지역 차이는 겨울이 여름보다 크다.

⑤ (나) 시기는 (가) 시기보다 강수량이 많다.
➡ 여름(7월)은 겨울(1월)보다 강수량이 많다.

07 겨울철의 기후 특성

자료 분석 | 겨울에는 강력한 고기압이 대륙 내부에서 발달하고 바다에는 저기압이 형성되어 서고동저형 기압 배치가 나타난다.

[선택지 분석]

① 이동성 고기압의 영향으로 맑은 날씨가 지속된다.
➡ 가을에는 이동성 고기압의 영향으로 맑은 날씨가 지속되어 농작물의 결실과 수확에 도움을 준다.

② 이동성 고기압과 저기압이 주기적으로 교차하면서 날씨 변화가 심하다.
➡ 봄에는 이동성 고기압과 저기압이 주기적으로 교차하면서 날씨 변화가 심하다.

✓③ 한랭 건조한 북서풍이 불어오고 삼한 사온 현상, 한파, 폭설 등이 나타난다.
➡ 겨울에는 시베리아 고기압의 영향으로 한랭 건조한 북서풍이 분다.

④ 북태평양 기단의 확장으로 고온 다습한 날씨가 지속되며 폭염과 열대야가 발생한다.
➡ 한여름에는 북태평양 기단의 확장으로 고온 다습한 날씨가 지속된다.

⑤ 장마 전선이 북상하여 흐리거나 비가 내리는 경우가 많으며, 집중 호우가 내리기도 한다.
➡ 장마철에는 장마 전선이 우리나라에 위치하며 흐리거나 비가 오는 날이 많다.

08 울릉도와 제주도의 전통 가옥 및 지역 특성

자료 분석 | (가)는 우데기가 있으므로 울릉도, (나)는 고팡, 물항 등이 있으므로 제주도의 전통 가옥이다.

[선택지 분석]

① (가)는 (나)보다 1월 강수량이 많다.
➡ 울릉도는 제주도보다 1월 강수량이 많다.

② (나)는 (가)보다 식생의 수직 분포가 잘 나타난다.
➡ 제주도는 울릉도보다 식생의 수직 분포가 잘 나타난다.

③ (가), (나) 모두 난대림이 분포한다.
➡ 울릉도, 제주도 모두 최한월 평균 기온이 0℃ 이상인 지역을 중심으로 난대림이 분포한다.

④ (가), (나) 모두 화산 활동으로 형성되었다.
➡ 울릉도, 제주도 모두 화산 활동으로 형성되었다.

✓⑤ (가), (나) 모두 온돌이 발달하지 못하였다.
➡ 울릉도의 가옥 구조를 보면 부엌이 방과 연결되어 있다. 이는 온돌이 발달했음을 의미한다. 제주도에도 온돌이 있지만 내륙 지역에 비해서는 미약한 편이다.

09 강수량과 주민 생활과의 관계

자료 분석 | 왼쪽 사진은 전남 신안의 염전 모습이다. 염전은 갯벌이 넓게 발달하고 일조 시수가 길며 일사량이 많은 곳이 입지에 유리하다. 오른쪽 사진은 경북 문경의 사과 재배 모습이다. 사과는 토양의 물 빠짐이 좋고 일사량이 풍부하며 기온의 일교차가 큰 지역이 입지에 유리하다.

[선택지 분석]

① 최난월 평균 기온이 낮다.

➡ 강수량이 적고 일사량이 많은 곳이 유리하다.

✔ 강수량이 적고 일조 시수가 길다.

➡ 염전과 사과 재배 모두 강수량이 적고 일조 시수가 긴 곳이 유리하다.

③ 여름과 겨울의 기온 차이가 크다.

➡ 사과 재배는 기온의 연교차보다 일교차가 큰 지역이 입지에 유리하다.

④ 남서·남동 계절풍이 뚜렷하게 나타난다.

➡ 우리나라의 여름철 기후 특징이다.

⑤ 지형성 강수가 자주 내려 연 강수량이 많다.

➡ 염전과 사과 재배 모두 강수량이 적은 곳에서 유리하다.

10 대설, 태풍, 호우의 특징

자료 분석 ❘ A∼C 중에서 A는 발생 횟수가 C 다음으로 많고 여름, 가을에 발생하므로 태풍, B는 발생 횟수가 가장 적고 겨울과 봄에 발생하므로 대설, C는 발생 횟수가 가장 많고 대부분 여름에 발생하므로 호우이다.

[선택지 분석]

① A는 강풍과 많은 비를 동반한다. → 태풍

② B는 농작물 재배 시설의 붕괴를 유발한다.

➡ 대설로 축사나 비닐하우스와 같은 시설이 무너지기도 한다.

③ C는 장마 전선에 남서 기류가 유입될 때 잘 발생한다.

➡ 호우는 장마 전선에 남서 기류가 유입될 때 잘 발생한다.

④ A는 C보다 발생 횟수당 피해액이 많다.

➡ 태풍은 호우보다 발생 횟수당 피해액이 많다.

✔ B는 A보다 제주도에서 피해액 비중이 높다.
　　　　　　　　　　　　　　　　　　낮다

11 기온 변화의 영향

자료 분석 ❘ 1920년대∼2090년대 동안 서울에서 겨울은 짧아지고 여름은 길어질 것으로 예상된다. 이는 지구 온난화로 인해 우리나라의 기온이 상승할 것임을 의미한다.

[선택지 분석]

✘ 사과의 재배 적지 면적이 증가할 것이다.
　　　　　　　　　　　　　　 감소할 것이다.

ⓛ 겨울 김장을 담그는 시기가 늦어질 것이다.

➡ 겨울의 시작 일이 늦어지기 때문이다.

ⓒ 울릉도의 난대림 분포 고도 한계가 높아질 것이다.

➡ 기온이 상승하면서 난대림 분포 고도 한계가 높아진다.

ⓔ 제주도의 고산 식물 분포 고도 한계가 높아질 것이다.

➡ 기온이 상승하면서 고산 식물 분포 고도 한계가 높아진다.

12 우리나라의 토양 분포 특징

자료 분석 ❘ 홍수가 토양 형성의 주된 요인에 해당하는 것은 충적토(가)이다. 토양의 생성 기간이 길면서 기반암의 특성이 잘 반영된 토양은 간대 토양으로 석회암 풍화토, 화산회토(현무암 풍화토) 등이 이에 해당한다. 이 중에서 토양이 붉은색인 것은 석회암 풍화토(나)이다. 화산 활동으로 형성된 지역에 주로 분포하는 것은 화산회토(현무암 풍화토)(다)이다.

[선택지 분석]

✔ (가)는 A, (나)는 B, (다)는 C이다.

➡ 지도의 A는 충적토, B는 석회암 풍화토, C는 화산회토이다.

13 호남 지방에 눈이 많이 내리는 이유

[예시 답안] 차가운 북서풍이 상대적으로 따뜻한 황해를 건너오는 과정에서 열과 수분을 공급받아 눈구름이 만들어진다. 이 눈구름이 육지에 도달하고, 지형적 요인으로 눈구름이 더욱 발달하면서 많은 눈이 내리게 된다.

채점기준	상	그림에 제시된 요인을 모두 활용하여 호남 지방 서해안에 눈이 많이 내리는 요인을 정확하게 서술한 경우
	중	그림에 제시된 요인 중 두 가지만 활용하여 서술한 경우
	하	그림에 제시된 요인 중 한 가지만 활용하여 서술한 경우

14 우리나라에 영향을 미치는 기단

(1) [예시 답안] A는 시베리아 기단으로 한랭 건조하고, B는 오호츠크해 기단으로 냉량 습윤하며, C는 북태평양 기단으로 고온 다습하다.

채점기준	상	A∼C 기단의 이름과 성질을 정확하게 서술한 경우
	중	A∼C 중 두 가지만 정확하게 서술한 경우
	하	A∼C 중 한 가지만 정확하게 서술한 경우

(2) [예시 답안]

A	한파, 삼한 사온, 꽃샘추위 등
B	높새바람, 냉해, 장마 전선 형성 등
C	무더위, 폭염, 열대야, 장마 전선 형성 등

15 해발 고도에 따른 기온 변화

(1) 기온 역전층

(2) [예시 답안] 분지 지형이나 산간 지역의 계곡에서 가을에서 봄 사이에 바람이 없고 맑은 날 밤에 잘 형성된다.

채점기준	상	제시된 다섯 가지 측면을 모두 고려하여 서술한 경우
	중	제시된 측면 중 3∼4가지 측면만 고려하여 서술한 경우
	하	제시된 측면 중 1∼2가지 측면만 고려하여 서술한 경우

16 열섬 현상

[예시 답안] 열섬 현상, 서울은 천안에 비해 포장 면적이 넓고 고층 건물과 자동차 통행량이 많기 때문에 인공 열이 많이 발생할 뿐만 아니라, 고층 건물에 막혀 대기 중으로 열이 방출되기가 어렵기 때문에 천안보다 기온이 높다.

채점기준	상	열섬 현상이라는 용어를 쓰고, 열섬 현상의 원인을 모두 정확하게 서술한 경우
	중	용어를 쓰고, 열섬 현상의 원인을 한 가지만 서술한 경우
	하	용어를 쓰거나 열섬 현상의 원인을 한 가지만 서술한 경우

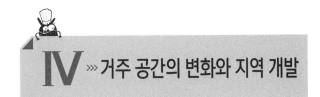

IV ≫ 거주 공간의 변화와 지역 개발

01 ~ 촌락의 변화와 도시 발달

콕콕! 개념 확인하기   127쪽

01 (1) 배산임수 (2) 용천 (3) 도농 통합시
02 (1) 집촌, 산촌 (2) 남초 (3) 조방적 (4) 낮고, 1차 (5) 겸업
03 (1) 도시 체계 (2) 위성 도시 (3) 종주 도시화
04 (1) ① 서울, 인천 ② 서울, 인천, 수원, 고양 (2) 부산 (3) 인천

01 (1) 배산임수의 촌락은 농경지와 농업용수 확보에 유리하다.
02 (3) 촌락은 토지 이용이 조방적이고, 도시는 집약적이다.
04 우리나라에서 인구 규모가 가장 큰 도시는 서울이고, 우리나라는 수위 도시가 인구 규모 2위 도시보다 인구가 두 배이상 많은 종주 도시화 현상이 나타난다.

탄탄! 내신 다지기   128~129쪽

01 ④   02 ③   03 ③   04 ④   05 ④   06 ④   07 ④
08 해설 참조

01 인구 유출이 활발한 촌락의 특징

자료 분석 ㅣ 임실군은 인구가 크게 감소하였고, 인구 구조에서 노년층 인구 비중이 두드러지게 높아진 반면 청장년층 인구 비중과 유소년층 인구 비중은 감소하였다. 이러한 인구 구조는 인구 유출이 활발했던 촌락에서 전형적으로 나타난다.

[선택지 분석]

✗ 초등학교 학생 수가 많다.
　　　　　　　　　적다
ⓛ 주민의 평균 연령이 높다. → 노년층 인구 비중 증가
✗ 청장년층의 인구 비중이 높다.
　　　　　　　　　　　낮다
ⓔ 농가 호당 경지 면적이 증가하였다.
　➡ 농가 호당 경지 면적은 경지 면적을 농가 호수로 나누어 구한다. 임실군은 인구가 빠르게 감소하였으므로 농가 호당 경지 면적은 증가하게 된다.

02 촌락의 변화

[선택지 분석]

✗ ㉠의 영향으로 겸업농가 비중이 낮아지고 농가 호당 경지 면적은 증가하였다.
　➡ 대도시와 인접한 촌락은 인구 유입으로 겸업농가 비중이 높아지고 농가 호당 경지 면적은 감소한다.
ⓛ ㉡의 영향으로 학교 및 생필품 판매점이 감소하는 등 정주 기반이 약화되었다.
　➡ 대도시와 멀리 떨어진 촌락에서는 인구 유출로 학교 및 생필품

판매점이 감소하는 등 정주 기반이 약화되었다.
ⓒ ㉢으로 인하여 농가 소득원의 다양성이 증가하였다.
　➡ 체험 마을로 인하여 농가 소득원의 다양성이 증가하였다.
✗ ㉣은 촌락의 20~40대 연령층의 낮은 성비와 관계가 깊다.
　➡ 촌락은 인구 유출 과정에서 남성보다 여성 인구의 전출이 활발하여 20~40대 연령층에서 성비가 매우 높아졌고, 이는 국제결혼이 증가하는 요인으로 작용하였다.

03 촌락의 기능과 입지 특성

[선택지 분석]

ⓛ ㉠ – 주민들 간의 동질성이 크고 공동체 의식이 도시에 비해 강하다.
　➡ 촌락은 1차 산업 중심이기 때문에 주민들 간의 동질성이 크고 공동체 의식이 도시에 비해 강하다. 같은 공간에서 오랫동안 협농 노동을 통해 농업, 어업 등을 하게 되면 동질성이 커지고 공동체 의식도 형성된다.
ⓛ ㉡ – 촌락을 생산 기능에 따라 구분한 것이다.
　➡ 농촌, 어촌, 산지촌으로 구분하는 것은 촌락을 생산 기능에 따라 구분한 것이다.
ⓒ ㉢ – 농업용수와 생활용수 확보에 유리한 곳이다.
　➡ 배산임수는 산지와 평지가 만나는 산기슭이기 때문에 농업용수와 생활용수를 확보하기에 유리하다.
✗ ㉣ – 경지 내에 가옥이 위치하여 가옥과 경지와의 거리가 가깝다.
　➡ 집촌은 가옥이 한곳에 모여 있어 가옥과 경지와의 거리가 멀다. 경지 내에 가옥이 위치하는 것은 산촌이다.

04 지역에 따른 도시 성장의 차이

[선택지 분석]

✗ ㉠ – 촌락 인구가 도시 인구보다 빠르게 증가하였다.
　➡ 1960년대에는 도시화율이 빠르게 높아졌으므로 도시 인구가 촌락 인구보다 빠르게 증가하였다.
ⓛ ㉡ – 남동 임해 지역에 위치하며 중화학 공업이 발달하였다.
　➡ 울산, 포항, 창원은 모두 남동 임해 지역에 위치하며 중화학 공업이 발달하였다. 울산은 자동차·조선·석유 화학 공업, 포항은 1차 금속(제철) 공업, 창원은 기계 공업이 발달하였다.
✗ ㉢ – 대도시에서 주로 **노년층** 인구의 전입이 활발하였다.
　　　　　　　　　　　　　청장년층
　➡ 대도시에서 대도시 교외 지역으로의 인구 이동은 청장년층에서 활발하였다.
ⓔ ㉣ – 대도시의 인구 교외화 현상의 영향에 해당한다.
　➡ 대도시권에서 중심 도시 인구가 차지하는 비중이 낮아지는 것은 대도시의 인구 교외화 현상의 영향에 해당한다.

05 우리나라의 도시화 과정 이해

자료 분석 ㅣ 우리나라는 총인구, 도시 인구, 도시화율이 꾸준하게 증가하였다.

[선택지 분석]

✗ 1960년은 2015년보다 시가지의 면적이 넓다.
~~넓다~~ 좁다

ⓛ 2015년은 1960년보다 2·3차 산업 종사자 비중이 높다.
→ 도시에 거주하는 인구가 많아지면서 2·3차 산업 종사자 비중이 높아짐

✗ 1990~2015년은 1970~1990년보다 이촌 향도 현상이 활발하였다.
➡ 도시화의 종착 단계에 이른 1990년대 이후에는 도시화율이 완만하게 상승하였다.

ⓔ 2015년에 도시에 거주하는 인구는 촌락에 거주하는 인구보다 5배 이상 많다. → 도시화율이 91.0%임

06 광역시의 인구 변화 특징

자료 분석 | 우리나라 인구 규모 2위 도시는 부산이고, 근래 인천의 인구가 빠르게 증가하면서 대구보다 많아졌다.

[선택지 분석]

✓⊙은 모든 시기에서 세 지역 중 인구가 가장 많았으므로 부산, ⓛ은 인구 규모 4위에서 근래 3위가 된 인천, ⓒ은 대구이다.

07 중심지 체계

[선택지 분석]

✗ 읍·면 중심지는 중소 도시보다 배후지의 면적이 넓다.
~~넓다~~ 좁다
➡ 배후지의 면적은 인구 규모가 큰 중소 도시가 인구 규모가 상대적으로 작은 읍·면 중심지보다 넓다.

ⓛ 대도시는 소도시보다 수가 적고 도시 간의 거리가 멀다. → 계층이 높을수록 수는 적고 도시 간의 거리가 멀

✗ 중소 도시는 대도시보다 보유한 중심 기능의 종류가 많다.
~~많다~~ 적다

ⓔ 중소 도시나 읍·면 중심지는 기능적으로 대도시에 의존한다. → 낮은 계층의 중심지는 높은 계층의 중심지에 의존함

08 강원도의 폐교 발생 원인

[예시 답안] 청장년층 중심의 이촌 향도 현상과 합계 출산율 감소로 인해 폐교가 증가하였다.

채점기준		
상	이촌 향도, 합계 출산율 감소를 모두 포함하여 정확하게 서술한 경우	
하	이촌 향도, 합계 출산율 감소 중 한 가지만 포함하여 서술한 경우	

> **도전! 실력 올리기**　　　　　130~131쪽
>
> **01** ②　**02** ⑤　**03** ②　**04** ②　**05** ⑤　**06** ①　**07** ④
> **08** ④

01 집촌과 산촌의 특징

자료 분석 | (가)는 가옥이 한곳에 모여 있으므로 집촌(集村), (나)는 가옥이 흩어져 있으므로 산촌(散村)이다.

[선택지 분석]

⊙ (가)는 배산임수 지역에 입지한 촌락에서 흔히 나타난다.
➡ 배산임수 지역에서 촌락이 입지하기에 좋은 곳은 산기슭이기 때문에 그곳에 가옥이 모이면서 집촌이 형성된다.

✗ (나)는 경지가 넓은 평야에서 주로 나타난다.
　　　　　　　　 좁은 산간 지역
➡ 산촌은 경지가 좁아 여러 가구가 모여 살기 어려운 산간 지역에서 발달한다.

✗ (가)는 (나)보다 협업 활동에 불리하다.
　　　　　　　　　 유리하다
➡ 집촌은 산촌보다 가옥이 모여 있어 협동 노동에 유리하다.

ⓔ (나)는 (가)보다 가옥과 경지의 결합도가 높다.
➡ 산촌은 경지 내에 가옥이 위치하므로 집촌에 비해 가옥과 경지의 결합도가 높다.

02 촌락의 변화

자료 분석 | 과거에 비해 경지 면적은 감소하였고 시가지, 가옥, 아파트 등은 증가하였다. A에는 과거에 높은 항목, B에는 최근에 높은 항목이 들어가야 한다.

[선택지 분석]

✓ 과거에는 경지율, 전업농 비율, 농업 종사자 비율이 높았고, 최근에는 인구 밀도, 소득원의 다양성이 높다.

03 농가 특성의 변화

자료 분석 | 1990년에 비해 2016년은 농가 인구와 농가 수가 감소하였고, 전업농가 수도 감소하였다.

[선택지 분석]

⊙ 총 부양비
➡ 청장년층 인구 비중과 반비례한다. 2016년이 1990년보다 청장년층 인구 비중이 낮으므로 총 부양비는 증가하였다.

✗ 겸업농가 수
➡ 전체 농가 수에서 전업농가 수를 빼고 남은 수치가 겸업농가 수이다. 1990년은 72만 가구였고, 2016년이 47만 가구이므로 겸업농가 수는 2016년이 더 적다.

✗ 농가당 인구
➡ 농가 인구 감소에 비해 농가 수는 덜 감소하였으므로 농가당 인구는 감소하였다.

ⓔ 농가당 경지 면적
➡ 경지 면적 감소에 비해 농가 수가 더 크게 감소하였으므로, 농가당 경지 면적은 증가하였다.

04 전통 촌락의 입지 특징

자료 분석 | 지도의 (가)는 역원 취락, (나)는 수운과 관련된 취락, (다)는 병영 취락이다.

[선택지 분석]

✓ A는 역원 취락, B는 병영 취락, C는 수운과 관련된 취락이다. 따라서 (가)는 A, (나)는 C, (다)는 B이다.

05 대도시권의 공간 구조

자료 분석 | 지도에 표시된 세 지역은 연천(A), 파주(B), 고양(C)이다. 경기도는 서울의 대도시권에 해당한다. 그래서 경기도의 촌락들은 대도시의 영향력에 따라 서로 다른 특성을 가진다. 주간 인구 지수와 65세 이상 인구 비중은 서울과 가까운 지역에서 낮게 나타난다. 겸업농가 비중은 서울과 가까운 곳에서 높고, 서울과 먼 곳에서 낮다.

[선택지 분석]

(가)	(나)	(다)
✔ C	B	A

➡ (가)는 주간 인구 지수가 가장 낮고, 겸업농가 비중은 가장 높으며 65세 이상 인구 비중이 낮으므로 서울과 가까워 서울로의 통근 비중이 높은 고양(C)이다.
(나)는 세 지역 중에서 주간 인구 지수, 겸업농가 비중, 65세 이상 인구 비중이 모두 중간 값이므로 고양보다 멀지만 연천보다 가까운 파주(B)이다.
(다)는 주간 인구 지수가 가장 높고 겸업농가 비중이 가장 낮으며 65세 이상 인구 비중이 가장 높으므로 서울에서 가장 먼 연천(A)이다.

06 충북, 경북, 전남의 도시 체계

[선택지 분석]

(가)	(나)	(다)
✔ A	B	C

➡ 충북, 경북, 전남 세 지역을 통틀어서 인구 규모 최대의 도시가 있지만 그 외 지역들은 인구 규모가 작은 (가)는 충북(A)이다.
(다)는 (나)에 비해 인구 규모가 작은 도시가 주로 분포하는 전남(C)이며, 나머지 (나)는 경북(B)이다.

07 우리나라의 도시 체계

자료 분석 | 도시 수 비중 변화 그래프에서 일반적으로 도시 규모가 작을수록 도시 수가 많다. 따라서 A에서 D로 갈수록 도시 규모가 작아진다. 두 그래프의 비교를 통해서도 도시 규모를 파악할 수 있다. A는 도시 수에 비해 도시 인구 비중이 매우 높으므로 100만 명 이상 도시군이다. B는 50만~100만 명 도시군, C는 20만~50만 명 도시군, D는 도시 수 비중은 높은데, 도시 인구 비중은 낮으므로 20만 명 미만의 도시군이다.

[선택지 분석]

ㄱ. A는 100만 명 이상, D는 20만 명 미만 도시군에 해당한다.
➡ A에서 D로 갈수록 도시 규모가 작아진다.

ㄴ. 100만 명 이상 도시군의 도시 인구 비중은 감소하였다. → A의 도시 인구 비중은 감소했음

✘ 20만 명 미만 도시군의 도시 수 비중은 증가하였다.
감소

ㄹ. 도시 인구 비중의 증가 폭은 C 도시군이 가장 크다.
→ A, D는 감소했고, B, C 중에서 C의 증가 폭이 더 큼

08 주요 도시 간의 상호 작용

자료 분석 | 2015년 기준 4대 도시의 인구 순위는 서울>부산>인천>대구이다. 따라서 A는 서울, B는 부산, C는 인천이다. 4대 도시 간 인구 이동 그래프에서 다른 지역과의 인구 이동 규모가 가장 큰 곳이 서울이므로, ㉠은 서울이다. 서울과 인구 이동이 가장 활발한 ㉡은 인천, 따라서 나머지 ㉢은 부산이다.

[선택지 분석]

① 1970년, 2015년 모두 종주 도시화 현상이 나타난다.
➡ 두 시기 모두 서울이 부산보다 인구 규모가 2배 이상 많으므로 종주 도시화 현상이 나타난다.

② ㉠은 우리나라 전체를 배후지로 하는 수위 도시이다.
→ 서울

③ B는 ㉢에 해당하며 항구 도시이다.
➡ B와 ㉢은 우리나라의 대표적인 항구 도시인 부산이다.

✔ ④ ㉡은 ㉠보다 주간 인구 지수가 높다.
낮다
➡ 주간 인구 지수는 야간 인구 대비 주간 인구 비율이다. 서울은 수도권의 중심 도시로 주변 지역에서 통근하는 사람이 많다. 따라서 서울이 인천보다 주간 인구 지수가 높다.

⑤ ㉡은 ㉢보다 1970~2015년에 인구 증가율이 높았다.
➡ 인천은 부산보다 1970~2015년에 인구 증가율이 높았다.

---

02 ~ 도시 구조와 도시 계획

콕콕! 개념 확인하기   137쪽

01 (1) A (2) B (3) C (4) E (5) A (6) D (7) F
02 (1) ① B ② D ③ C ④ A (2) ① ○ ② × ③ ×
03 (1) 철거 재개발 (2) 보존 재개발 (3) 수복 재개발

01 A는 도심, B는 부도심, C는 중간 지역, D는 주변 지역, E는 개발 제한 구역, F는 위성 도시이다.

02 A는 중심 도시, B는 교외 지역, C는 대도시 영향권, D는 배후 농촌 지역이다.

탄탄! 내신 다지기   138~139쪽

01 ⑤ **02** ③ **03** ② **04** ③ **05** ⑤ **06** ⑤ **07** ④
08 해설 참조

01 도심과 주변 지역의 특징

자료 분석 | (가)는 주거 지역이 넓게 분포하므로 주변 지역, (나)는 금융 기관, 상가 등이 많으므로 도심이다.

[선택지 분석]

✘ (가)는 (나)보다 인구 천 명당 사업체 수가 많다.
적다

✘ (가)는 (나)보다 도시 전체에서 접근성이 좋아 지대가
~~(가)~~ ~~(나)는 (가)~~
높다.

ⓒ (나)는 (가)보다 상업 용지의 평균 지가가 높다.
→ 도심은 상업 용지의 평균 지가가 높음

ⓔ (나)는 (가)보다 상주인구 대비 주간 인구의 비율이 높다.
➡ 도심은 일자리가 많아 주간 인구 지수(상주인구 대비 주간 인
구의 비율)가 높다.

02 도시 내부 구조

자료 분석 | 지도의 세 지역은 주변 지역인 노원구, 도심인 중구, 부
도심이 있는 강남구이다. 도심, 부도심, 주변 지역 중에서 주간 인
구 지수는 도심>부도심>주변 지역 순으로 높다. 따라서 A는 중
구, B는 강남구, C는 노원구이다.

[선택지 분석]

✘ A는 서울의 성장 과정에서 상주인구 밀도가 지속적으
로 증가하였다.
➡ 중구는 서울의 성장 과정에서 상주인구 밀도가 감소하는 현상
이 나타났다. 도심은 도시 성장 과정에서 주거 기능의 이심 현
상이 발생하여 상주인구 밀도가 낮아지는 현상이 나타난다.

ⓛ C는 출근 시간대에 유출 인구가 유입 인구보다 많다.
➡ 주간 인구 지수가 100 미만이라는 것은 출근 시간대에 유출 인
구가 유입 인구보다 많다는 의미이다. 따라서 노원구는 출근
시간대에 유출 인구가 유입 인구보다 많다.

ⓒ B는 C보다 주간 인구가 많다.
➡ 주간 인구는 상주인구에 주간 인구 지수를 곱한 후 100으로 나
눈 값이다. 강남구와 노원구는 상주인구는 비슷한데, 주간 인
구 지수는 강남이 두 배 이상 높으므로 주간 인구는 강남구가
노원구보다 많다.

✘ C는 A보다 상업지의 평균 지가가 ~~비싸다.~~
저렴하다
➡ 상업지의 평균 지가는 도심이 주변 지역보다 비싸다.

03 부산의 도심과 주변 지역의 상대적 특징

자료 분석 | 부산에서 상대적으로 (가) 지역은 지가가 저렴하고,
(나) 지역은 지가가 비싸다. 접근성이 좋은 곳은 지대가 높고 지가
가 비싸다. 따라서 (가)는 주변 지역, (나)는 도심이다.

[선택지 분석]

 B
➡ 도심인 (나)는 주변 지역인 (가)에 비해 주간 인구 지수가 높고, 주
민들의 평균 통근 거리가 가까우며, 상업지의 평균 지가가 높다.

04 도심의 인구 공동화 현상

자료 분석 | 지도는 도심부에 있던 학교가 한강 남쪽으로 이전한 것
을 보여 준다. 서울의 성장 과정에서 도심은 상업 및 업무 기능이
집중하면서 주거 기능이 약화되었다. 반면 강남구와 서초구 등에는
대규모 주거 단지가 개발되면서 도심에서 강남구 및 서초구 등으로
학교 이전이 활발하게 나타났다.

[선택지 분석]

✘ 도심에 ~~대규모 공업 지역이 형성되었다.~~
상업 및 업무 기능이 집중되었다

ⓛ 주변(외곽) 지역에 주거 단지가 조성되었다.
→ 주택·학교 입지

ⓒ 도심에서 주거 기능의 이심 현상이 나타났다.
➡ 도시 성장으로 도심에 상업 및 업무 기능이 발달하면서 주거
기능의 이심 현상이 나타났다.

✘ 부도심의 성장으로 도심의 기능이 ~~쇠퇴하였다.~~
쇠퇴한 것은 아니다
➡ 부도심은 도심의 기능을 분담한다. 부도심의 성장으로 도심의
기능이 쇠퇴하는 것은 아니다.

05 대도시권의 지역별 특징

자료 분석 | (가)는 통근·통학 유입 인구가 통근·통학 유출 인구보
다 많으므로 지역 내에 일자리가 많은 도시이다. 경기도 서남부 해
안 지역의 도시들은 공업이 발달하여 일자리가 많기 때문에 주간
인구 지수가 100보다 크다. 따라서 (가)는 경기도 서남부에 위치한
화성(C)이다. (나)는 통근·통학 유입 인구가 통근·통학 유출 인구
보다 적으므로 지역 내에 일자리가 적은 도시이다. 이러한 도시는
서울과 인접하고 서울의 주거 기능을 분담하는 도시이다. 따라서
(나)는 서울과 인접한 의정부(B)이다. (다)는 상주인구가 나머지 두
지역에 비해 매우 적으므로 가평(A)이다.

[선택지 분석]

✔ (가)는 통근·통학 순 유입 인구가 '+'이므로 화성(C),
(나)는 통근·통학 순 유입 인구가 '−'이므로 의정부
(B), (다)는 상주인구가 적으므로 가평(A)이다.

06 서울 대도시권 교외 지역의 특성

자료 분석 | 인구가 증가하고 경지 면적은 감소한 서울 주변의 도시
로, 실제로 고양시의 자료이다.

[선택지 분석]

✘ 1차 산업 종사자 비중이 ~~높아졌을~~ 것이다.
낮아

ⓛ 인접한 대도시로 통근하는 인구가 많아졌을 것이다.
➡ 근래에 서울과 인접한 도시에서 인구가 빠르게 증가한 것은 서
울의 인구 기능을 분담하면서 성장한 것과 관계가 깊다. 따라
서 서울로 통근하는 인구가 증가하게 된다.

ⓒ 겸업농가 비중이 높아지고 가구당 경지 면적은 감소했
을 것이다.
→ 2·3차 산업 종사자가 증가하면서 겸업농가의 비중이 높아짐

ⓔ 주민들의 직업 구성이 다양해지고 공동체 의식이 약화
되었을 것이다. → 과거에 비해 다양한 직업에 종사함

07 도시 재개발 방식

자료 분석 | (가)는 철거 재개발, (나)는 수복 재개발 방식이다.

[선택지 분석]

✘ (가)는 ~~수복~~ 재개발에 해당한다.
철거

ⓛ (가)는 (나)보다 개발 전 대비 개발 후 건물의 평균 층
수가 높다. → 철거 재개발은 주로 건물을 고층화하는 개발이 진행됨

✘ (나)는 (가)보다 투입되는 자본의 규모가 ~~크다.~~
작다

ⓔ (나)는 (가)보다 원거주민이 안정적으로 생활할 수 있다.
→ 수복 재개발은 건물을 새로 짓는 것이 아니고 주거 환경을 개선하는 것이므로 원거주민의 재정착률이 높음

08 도심의 특징

⑴ 주간 인구 지수가 가장 높은 지역: 서울의 중구, 주간 인구 지수가 가장 낮은 지역: 광주의 동구

⑵ [예시 답안] 도심에 상주인구 대비 주간 인구가 많아진 것은 도심이 접근성이 좋기 때문에 상업·업무 기능이 집중되었고, 이 과정에서 지대 지불 능력이 낮은 주거 기능은 주변 지역으로 이전하였기 때문이다. 이와 같은 현상으로 출퇴근 시 도심에 교통 혼잡 문제가 발생한다.

채점기준	상	원인과 문제점을 모두 정확하게 서술한 경우
	중	원인과 문제점 중 한 가지만 정확하게 서술한 경우
	하	원인과 문제점 중 한 가지만 서술하였고, 일부 틀린 내용을 포함하여 서술한 경우

도전! 실력 올리기　　　　　140~141쪽

01 ③　**02** ⑤　**03** ②　**04** ④　**05** ⑤　**06** ⑤　**07** ③
08 ④

01 대도시의 도시 내부 구조

자료 분석 | ○○시는 구가 25개이고 도심의 주간 인구 지수가 매우 높아 도시 내부 구조의 분화 현상이 뚜렷한 서울, △△시는 부산이다.

[선택지 분석]

① ○○시는 △△시보다 도시의 내부 구조가 뚜렷하다.
　➡ 소도시보다는 대도시가 기능에 따른 내부 구조의 분화 현상이 뚜렷하다. 서울이 부산보다 도시 규모가 크기 때문에 도시의 내부 구조 분화 역시 서울이 부산보다 뚜렷하다.

② A는 C보다 생산자 서비스업 종사자 수가 많다.
　➡ 생산자 서비스업은 대도시 도심에 집중되어 있다.

③ ~~B는 A보다~~ 인구 공동화 현상이 뚜렷하다.
　A는 B보다
　➡ 인구 공동화 현상은 상업 및 업무 기능이 집중된 도심에서 뚜렷하다.

④ B는 D보다 출근 시간대에 순 유출 인구가 많다.
　➡ B와 D는 주간 인구 지수가 비슷한데, 상주인구는 B가 많으므로 출근 시간대 순 유출 인구는 B가 D보다 많다.

⑤ C는 D보다 상업 및 업무 기능의 집심 현상이 뚜렷하다.
　➡ C는 주간 인구 지수가 높은 것으로 보아 D보다 상업 및 업무 기능의 집심 현상이 뚜렷하다.

02 부산의 도시 내부 구조

자료 분석 | 세 지역 중에서 A는 제조업이 발달하여 통근 시간대에 인구가 유입되는 지역, B는 다른 두 지역에 비해 산업 발달이 미약

하고 주거 기능이 발달한 지역, C는 3차 산업(제조업 이외의 산업 종사자 수가 많음)이 발달하여 통근 시간대에 유입 인구가 많은 지역이다.

[선택지 분석]

✗ A는 B보다 주간 인구가 ~~많다.~~
　적다
　➡ 주간 인구는 상주인구에 통근·통학 순 이동자 수를 합한 값이다. A는 B보다 통근·통학 순 이동자 수가 많지만 B에 비해 상주인구가 매우 적기 때문에 주간 인구가 적다.

✗ ~~B는 C보다~~ 인구 공동화 현상이 뚜렷하다.
　C는 B보다
　➡ 인구 공동화 현상은 상업 및 업무 기능이 발달한 도심 지역에서 뚜렷하게 나타난다. B는 주거 기능이 발달한 지역이기 때문에 인구 공동화 현상이 나타나지 않는다.

ⓒ C는 A보다 구(區) 내 상업 용지의 면적 비율이 높다.
　➡ A는 제조업이 발달한 지역, C는 3차 산업이 발달한 도심이므로 구(區) 내 상업 용지의 면적 비율은 C가 A보다 높다.

ⓔ C는 B보다 생산자 서비스업 종사자 비중이 높다.
　➡ 생산자 서비스업은 도심에서 발달한다. 따라서 도심인 C는 생산자 서비스업 종사자 비중이 높다.

03 도시 내부 구조

[선택지 분석]

① 갑 – ㉠은 접근성과 지대의 차이 때문에 발생해요.
　➡ 도심과 같이 접근성이 좋은 지역은 지대가 높고 지가가 비싸기 때문에 주로 상업 및 업무 기능이 집중하게 된다. 반면 주변 지역은 소비자 확보가 어렵기 때문에 상업 및 업무 기능은 지대 지불 능력이 낮아진다. 이와 같이 접근성과 지대의 차이에 따라 기능 지역이 분화된다.

② 을 – ㉡은 도심에서 주거 기능이 상업 기능보다 대체로 ~~높아요.~~
　낮다
　➡ 도심에서는 상업 및 업무 기능이 주거 기능보다 지대 지불 능력이 높다.

③ 병 – ㉢으로는 대기업 본사나 금융 기관의 본점 등이 있어요.
　→ 도심은 중추 관리 기능과 고급 서비스업 및 상업 기능이 집중하여 중심 업무 지구를 형성함

④ 정 – ㉣은 도심에서 주변 지역으로 기능이 이전하는 현상이에요.
　➡ 이심 현상은 도심에서 주변 지역으로 기능이 이전하는 현상이다. 도심은 접근성이 좋아 지대가 높기 때문에 주거 기능이 입지하기 어렵다. 그래서 주거 기능은 주변 지역으로 이전한다. 이와 같이 도심에 있던 기능이 주변 지역으로 이전하는 현상을 이심 현상이라고 한다.

⑤ 무 – ㉤은 도심의 상주인구가 감소하고 주간 인구가 증가하는 현상이에요. → 인구 공동화 현상

04 대구의 도심과 주변 지역의 특징

자료 분석 | (가)는 두 시기 모두 통근·통학 순 유입 인구가 '+'의 값인 반면, (나)는 두 시기 모두 통근·통학 순 유입 인구가 '-'의 값이다. 상주인구는 두 시기 모두 (나)가 (가)보다 많다. 따라서 (가)는 도심, (나)는 주변 지역이다.

[선택지 분석]

① (가)는 출근 시간대에 유입 인구가 유출 인구보다 많다.

➡ (가)는 통근·통학 순 유입 인구가 '+'의 값이므로 출근 시간대에 유입 인구가 유출 인구보다 많다.

② (가)에서는 주거 및 공업 기능의 이심 현상이 나타난다.

➡ (가)는 대구에서 통근·통학 순 유입 인구가 가장 많은 지역이고, 1995~2015년에 통근·통학 순 유입 인구가 감소했으므로 주거 및 공업 기능의 이심 현상이 나타났다.

③ (나)는 상업 및 업무 기능보다 주거 기능이 우세하다.

➡ 상주인구가 많고 1995~2015년에 상주인구가 증가했으므로 주거 기능이 우세한 지역이다.

☑ (가)는 (나)보다 1995~2015년에 인구 증가율이 ~~높았다~~. (낮았다)

➡ (가)는 상주인구가 감소했고, (나)는 상주인구가 증가했으므로 인구 증가율은 (나)가 (가)보다 높다.

⑤ (나)는 (가)보다 주간 인구 지수가 낮다.

→ 통근·통학 순 유입 인구가 '+'인 (가)가 '-'인 (나)보다 주간 인구 지수가 높다.

05 대도시권의 공간 구조

자료 분석 | 대도시권의 규모가 클수록 대도시권의 공간 구조가 뚜렷하게 나타나기 때문에 총인구에서 도심의 인구가 차지하는 비중이 낮고, 인구의 교외화 현상에 따른 주변 지역의 인구 증가 현상이 뚜렷하다. 수도권, 부산권, 광주권 중에서 인구는 수도권>부산권>광주권 순으로 많다. A는 도심의 인구 비중이 가장 낮고 주변 지역의 인구 증가 현상이 뚜렷하므로 대도시권의 공간 구조가 뚜렷하게 발달한 수도권이다. B는 C보다 주변 지역의 인구 증가 현상이 나타나므로 인구의 교외화 현상이 뚜렷하게 나타나는 부산권, C는 광주권이다.

[선택지 분석]

① A의 중심 도시는 B의 중심 도시보다 주간 인구 지수가 높을 것이다.

➡ 수도권이 부산권보다 총인구에서 주변 지역의 인구가 차지하는 비중이 높기 때문에 인구의 교외화로 주변 지역의 인구가 빠르게 증가했다는 것을 알 수 있다. 따라서 주간 인구 지수는 수도권이 부산권보다 높다.

② A는 C보다 인구 교외화 현상이 뚜렷할 것이다.

➡ 인구 교외화 현상은 중심 도시의 인구가 주변 지역으로 이주하는 현상으로, 세 지역 중에서 수도권이 가장 뚜렷하다.

③ B는 A보다 인구 교외화로 인한 중심 도시의 인구 감소 현상이 늦게 나타났을 것이다.

➡ 부산권은 수도권보다 인구 교외화로 인한 중심 도시의 인구 감소 현상이 늦게 나타났다.

④ B는 C보다 중심 도시로의 통근자 수가 많을 것이다.

➡ 부산권이 광주권보다 인구 규모도 크고 총인구에서 차지하는 주변 지역의 인구 비중도 높으므로 부산권이 광주권보다 대도시권의 통근자 수가 많다.

☑ C는 A보다 중심 도시의 기능별 지역 분화 현상이 ~~뚜렷하게 나타날 것이다.~~ (뚜렷하지 않다)

➡ 대도시권의 규모가 큰 서울권이 광주권보다 중심 도시의 내부

06 대도시권의 공간 구조

자료 분석 | ㉠은 중심 도시, ㉡은 교외 지역, ㉢은 대도시 영향권, ㉣은 배후 농촌 지역이다.

[선택지 분석]

✗ ㉠의 인구가 대도시권 인구에서 차지하는 비중은 대도시권이 확대될수록 ~~높아진다~~. (낮아진다)

㉡ ㉣의 범위는 교통이 발달할수록 확대되는 경향이 나타난다.

➡ 배후 농촌 지역의 범위는 교통이 발달할수록 확대되는 경향이 나타난다.

㉢ ㉡은 ㉢보다 도시적 경관이 뚜렷하고 겸업농가 비중이 높다.

➡ 중심 도시와 가까운 교외 지역은 대도시 영향권보다 도시적 경관이 뚜렷하고 겸업농가 비중이 높다.

㉣ ㉣은 ㉡보다 대도시와의 거리가 멀고 주간 인구 지수가 높다.

➡ 배후 농촌 지역은 대도시와의 거리가 멀어 대도시로 출퇴근하는 인구가 교외 지역보다 적다. 따라서 배후 농촌 지역이 교외 지역보다 주간 인구 지수가 높다.

07 대도시권의 공간 구조

자료 분석 | (가)는 남양주, (나)는 여주이다. (가)는 (나)보다 서울과 가깝고, 서울로의 통근·통학 비율과 인구 밀도가 높다.

[선택지 분석]

☑ 서울과 가까운 남양주(가)는 여주(나)보다 인구수가 많으며, 농업 종사자 비율과 경지 면적 비율은 낮고, 상업지 평균 지가는 높다.

08 도시 재개발

자료 분석 | 도시 재개발로 공업 시설이 감소하고 고층 주택과 상업 업무지가 증가하였다.

[선택지 분석]

㉠ 인구 밀도가 높아졌을 것이다. → 고층 주택, 상업 업무지 증가

㉡ 건축물의 평균 층수가 높아졌을 것이다. → 고층 주택 증가

✗ 2차 산업 종사자 수 비중이 ~~높아졌을~~ 것이다. (낮아졌을)

➡ 공업 시설 용지 면적이 감소하였으므로 2차 산업 종사자 수 비중은 낮아지게 된다.

㉣ 상업 업무지의 면적 비중이 증가하였을 것이다.

→ 상업 업무지 증가

03 ~ 지역 개발과 공간 불평등

콕콕! 개념 확인하기　　147쪽

01 (1) 불 (2) 균 (3) 불 (4) 불 (5) 균 (6) 불 (7) 균
02 (1) 제3차, 제4차 (2) 제1차 (3) 제3차 (4) 제2차 (5) 제4차
03 (1) 대불 산업 단지, 광주 첨단 국가 산업 단지, 섬진강 댐 건설, 영산강 하굿둑 건설, 새만금 종합 개발 사업 등
　　(2) 대덕 연구 단지, 대청 댐 건설
04 (1) 님비 현상 (2) 환경 불평등 (3) 지속 가능한 발전 (4) 울산 (5) 혁신 도시 (6) 기업 도시

01 (1) 불균형 개발 방식은 주로 하향식으로 이루어지고, 균형 개발 방식은 주로 상향식으로 이루어진다.
(2) 불균형 개발 방식은 주로 개발 도상국, 균형 개발 방식은 주로 선진국에서 채택한다.

02 제1차 국토 종합 개발 계획은 성장 거점 개발 방식, 제2차 국토 종합 개발 계획은 광역 개발 방식, 제3차 국토 종합 개발 계획과 제4차 국토 종합 계획은 균형 개발 방식을 채택하였다.

탄탄! 내신 다지기　　148~149쪽

01 ① **02** ⑤ **03** ⑤ **04** ① **05** ③ **06** ④ **07** ②
08 해설 참조

01 불균형 개발 방식과 균형 개발 방식의 특징

자료 분석 | (가)는 불균형 개발 방식인 성장 거점 개발 방식, (나)는 균형 개발 방식이다.

[선택지 분석]

ㄱ (가)는 선진국보다는 주로 투자 재원이 부족한 개발 도상국에서 채택된다.
　➡ 불균형 개발 방식은 선진국보다는 주로 투자 재원이 부족한 개발 도상국에서 채택된다.

ㄴ (가)는 자원의 효율적 투자가 가능하여 경제적 효율성이 높다.
　➡ 불균형 개발 방식은 성장 잠재력이 큰 지역에 투자를 집중하여 경제적 효율성을 극대화할 수 있다.

✗ (나)는 주로 중앙 정부가 개발 계획을 수립하여 집행한
　（지방 정부나 지역 주민）
　다.

✗ (나)는 파급 효과보다 역류 효과가 클 때 지역 격차가
　（가）불균형 개발 방식
　심화되는 단점이 있다.

02 우리나라 국토 종합 개발 계획의 특징

자료 분석 | (가)는 제3차 국토 종합 개발 계획, (나)는 제1차 국토 종합 개발 계획이다.

[선택지 분석]

① (가) 서카에 개발 제한 구역을 처음으로 설정하였다.
　（1971년에）
② (나) 시기에 기업 도시, 혁신 도시 정책을 추진하였다.
　（제4차 국토 종합 계획）
③ (가)는 (나)보다 시행 시기가 이르다.
　（늦다）
④ (나)는 (가)보다 경제적 형평성을 중시한다.
　（효율성）
✓ (가) 시기에는 균형 개발 방식, (나) 시기에는 성장 거점 개발 방식을 채택하였다.
　➡ 제3차 국토 종합 개발 계획(가) 시기에는 균형 개발 방식, 제1차 국토 종합 개발 계획(나) 시기에는 성장 거점 개발 방식을 채택하였다.

03 제4차 국토 종합 계획의 특징

자료 분석 | 자료는 제4차 국토 종합 계획의 비전, 목표, 추진 전략을 나타낸 것이다.

[선택지 분석]

① 세계로 열린 신성장 해양 국토 조성 → 제4차
② 자연 친화적이고 안전한 국토 공간 조성 → 제4차
③ 쾌적하고 문화적인 도시·주거 환경 조성 → 제4차
④ 녹색 교통·국토 정보 통합 네트워크 구축 → 제4차
✓ 사회 간접 자본 확충을 통한 생산적인 국토 조성 → 제1차
　➡ 사회 간접 자본 확충, 생산 기반 조성 등은 제1차 국토 종합 개발 계획에 대한 것이다.

04 지역 격차 파악

자료 분석 | (가)는 두 시기 모두 지역 내 총생산 비중이 가장 높고, 1985~2016년에 지역 내 총생산 비중이 증가하였으므로 수도권, (나)는 두 시기 모두 지역 내 총생산 비중이 수도권 다음으로 높고, 1985~2016년에 지역 내 총생산 비중이 감소하였으므로 영남권, (다)는 수도권에서 분산되는 공업이 입지하는 등 빠르게 발전하고 있는 충청권이다.

[선택지 분석]

✓ 2016년 기준 지역 내 총생산 비중이 (가)>(나)>(다)>호남권>강원·제주권 순으로 나타나므로, (가)는 수도권, (다)는 영남권, (다)는 충청권이다.

05 도시와 농촌의 소득 격차

자료 분석 | 도시 근로자 가구 소득과 농가 소득은 지속적으로 증가하고 있지만, 도시 근로자 가구 대비 농촌 가구의 소득 비율은 1990년 이후 감소하는 경향이 나타나고 있다.

[선택지 분석]

✗ 1990~2015년에 우리나라의 농가 소득은 지속적으로 감소하였다.
　（증가）
　➡ 농가 소득은 1990년 이후 지속적으로 증가하고 있다.

ㄴ 1990~2015년에 우리나라의 가구당 근로 소득은 지속적으로 증가하였다.
　→ 도시 근로자 가구 소득과 농가 소득 모두 증가

ⓒ 1990년보다 2015년에 도시 근로자 가구와 농촌 근로자 가구의 소득 격차가 크다. 1990년<2015년

✕ 도시 근로자 가구 소득과 농촌 근로자 가구 소득액의 격차는 ~~2000년~~이 가장 크다.
　　　　　　　　　　　　2015년

➡ 도시 근로자 가구 대비 농촌 가구의 소득 비율을 보면 1990년에는 97.2%로 큰 차이가 없었으나, 2015년에는 64.4%로 소득 격차가 크게 나타난다.

06 혁신 도시와 기업 도시의 정책 추진 목적

자료 분석 | 공공 기관의 지방 이전을 통해 지역의 성장을 도모하는 것은 혁신 도시, 특정 기업이 주체적으로 지역을 개발하는 것은 기업 도시이다. 혁신 도시와 기업 도시 정책의 추진은 수도권 이외의 지역에서 이루어지며, 이는 수도권과 수도권 이외의 지역 간 성장 격차를 완화하려는 목적이 담겨 있다.

[선택지 분석]

① 도시와 농촌 간의 소득 격차를 감소시킨다.
　➡ 혁신 도시와 기업 도시 모두 도시에 건설되는 것이므로 도시와 농촌 간의 소득 격차 감소 정책은 아니다.

② 농촌 지역에 투자를 확대하여 농촌의 경쟁력을 높인다.
　➡ 농공 단지 건설 등이 이에 해당한다.

③ 촌락의 노동력 부족과 노동력 고령화 문제를 완화한다.
　➡ 자료는 도시와 농촌 간의 지역 격차를 해결하기 위한 노력이 아니다.

✔수도권과 수도권 이외의 지역 간 경제적 격차를 줄인다.

⑤ 거점 개발을 통해 광역 행정권 중심 도시의 경제 성장을 추구한다.
　➡ 광역 개발은 제2차 국토 종합 개발 계획의 개발 방식에 해당한다.

07 지역 격차

[선택지 분석]

① ㉠으로 수도권에서는 집값 상승, 교통 혼잡 등 집적 불이익 문제가 발생한다.
　➡ 수도권에 다양한 기능과 인구가 집중하면서 집값 상승, 교통 혼잡 등 집적 불이익 문제가 발생한다.

✔㉡은 수도권 성장에 따른 ~~파급~~ 효과에 해당한다.
　　　　　　　　　　　　역류
　➡ 지역 개발의 결과 비수도권에서 수도권으로 인구와 자본이 유출되는 것은 역류 효과에 해당한다.

③ ㉢으로 도시화율이 빠르게 높아지게 되었다.
　➡ 도시화율은 총인구에서 도시 인구가 차지하는 비율이다. 산업화 과정에서 도시화율이 빠르게 높아지게 되었다.

④ ㉣로 인해 농촌에서 노동력 부족, 노동력 고령화 등의 문제가 심화되었다.
　➡ 농촌에서는 청장년층 중심의 인구 유출로 노동력 부족, 노동력 고령화 등의 문제가 심화되었다.

⑤ ㉤은 환경을 매개로 하여 특정 지역, 혹은 사회 계층이 겪는 불평등이다. → 환경 불평등

08 파급 효과와 역류 효과

⑴ ㉠ 파급 효과, ㉡ 역류 효과

⑵ [예시 답안] 성장 거점 지역으로 선정된 지역과 그 외의 지역 간에 성장 격차가 확대된다.

채점기준		
	상	역류 효과로 인한 문제점을 정확하게 서술한 경우
	하	일부 틀린 내용을 포함하여 서술한 경우

도전! 실력 올리기　　　　　150~151쪽

01 ②　**02** ②　**03** ④　**04** ③　**05** ②　**06** ①　**07** ①
08 ①

01 우리나라의 제1차～제3차 국토 종합 개발 계획

[선택지 분석]

㉠ (가)는 투자 효과가 큰 지역을 선정하여 집중 투자하는 방식이다.
　➡ (가)는 성장 거점 개발 방식에 해당된다. 성장 거점 개발 방식은 투자 효과가 큰 지역을 선정하여 집중 투자하는 방식이다.

✕ (나)를 달성하기 위해 이 시기에 기업 도시와 혁신 도시를 육성하였다.
　➡ (나)는 개발 가능성의 전국적 확대 등이 해당된다. 기업 도시와 혁신 도시는 제4차 국토 종합 계획 시기에 추진된 정책이다.

㉢ (다)는 (가)보다 지역 간 성장의 형평성을 강조한다.
　➡ (다)는 균형 개발이다. 균형 개발은 성장 거점 개발(가)보다 지역 간 성장의 형평성을 강조한다.

✕ (라)의 일환으로 이 시기에 중화학 공업 육성을 위한 대규모 남동 임해 공업 지역이 조성되었다.
　➡ (라)에는 수도권 집중 억제, 남북 교류 지역의 개발 관리 등이 해당된다. 중화학 공업 육성을 위한 대규모 남동 임해 공업 지역이 조성된 것은 제1차 국토 종합 개발 계획 시기이다.

02 성장 거점 개발 방식의 특징

자료 분석 | 그림에서 1단계는 중심 지역의 투자를 통해 생산된 제품을 수출하고, 2단계에서는 처음 투자된 지역의 성장이 중심 지역의 성장을 이끌고, 3단계는 중심 지역이 성장한 영향으로 주변 지역이 성장하는 것을 보여준다. 이러한 개발 방식은 성장 거점 개발 방식이다. 성장 거점 개발 방식은 중심 지역 투자를 통한 성장이 주변에 파급되어 주변 지역도 성장하는 것을 추구한다.

[선택지 분석]

① ~~균형 개발 방식~~에 해당한다.
　불균형 개발 방식
　➡ 성장 거점 개발 방식은 성장 가능성이 높은 곳에 집중 투자하므로 불균형 개발 방식이다.

✔투자의 형평성보다 효율성을 강조한다.
　➡ 투자의 형평성을 중시하는 개발 방식은 낙후된 지역에 우선적으로 투자하는 균형 개발 방식이다.

③ 주로 ~~선진국~~에서 채택하는 개발 방식이다.
　　　　개발 도상국

④ ~~제3차 국토 종합 개발 계획~~에서 채택 및 시행되었다.
　제1차 국토 종합 개발 계획

⑤ 주로 ~~지방 자치 단체와 주민들의 동의를 얻어~~ 진행한다.
　　　중앙 정부의 주도로

⊶ 39 ⊶

03 제1차 및 제3차 국토 종합 개발 계획

자료 분석 | (가)는 생산 기반 조성을 중시하고 있으므로 **제1차 국토 종합 개발 계획**, (나)는 수도권 집중 억제를 중시하고 있으므로 **제3차 국토 종합 개발 계획**이다.

[선택지 분석]

① (가) 시기에는 수출 주도형 공업화가 이루어졌다.
- ➡ 제1차 국토 종합 개발 계획 시기에 남동 임해 지역의 항만을 중심으로 많은 공업 단지가 조성되었고, 이 공업 단지를 중심으로 원료 수입과 제품 수출에 유리한 공업이 발달하였다.

② (나) 시기에는 지방 분산형 국토 골격 형성이 목표였다.
- ➡ 수도권 집중 문제를 해결하고 낙후된 지방을 개발하기 위하여 지방 분산형 국토 개발을 실시하였다.

③ (가) 시기는 (나) 시기보다 역류 효과의 발생 가능성이 높은 개발 방식이 채택되었다.
- ➡ 제1차 국토 종합 개발 계획 시기는 제3차 국토 종합 개발 계획 시기보다 역류 효과의 발생 가능성이 높은 성장 거점 개발 방식이 채택되었다.

④ ✓ (나) 시기는 (가) 시기보다 인구와 각종 시설의 수도권 집중도가 ~~낮았다~~. 〔높았다〕
- ➡ 우리나라는 인구의 수도권 집중도가 지속적으로 높아져 현재는 약 50%의 인구가 수도권에 거주하고 있다.

⑤ (가) 시기에는 성장 거점 개발 방식, (나) 시기에는 균형 개발 방식을 채택하였다.
- ➡ 제1차 국토 종합 개발 계획 시기에는 성장 거점 개발 방식, 제3차 국토 종합 개발 계획 시기에는 균형 개발 방식을 채택하였다.

04 제1차~제4차 국토 종합 (개발) 계획의 특징

자료 분석 | (가)는 균형 개발이고, (나)에는 대규모 공업 기반 구축, 교통과 통신 및 물 자원 공급 등의 정비, (다)에는 국토의 다핵 구조 형성과 지역 생활권 조성, (라)에는 지방 육성과 수도권 집중 억제 등이 해당된다.

[선택지 분석]

✗ (가)－투자 효과가 큰 지역을 선정하여 집중 투자하는 방식이다. → 불균형 개발 방식
- ➡ 균형 개발 방식은 낙후 지역에 우선적으로 투자하는 방식이다.

ㄴ (나)－고속 국도, 항만, 다목적 댐 등을 건설하여 산업 기반을 조성하였다.
- ➡ 제1차 국토 종합 개발 계획 시기에 생산 기반 조성을 위한 개발이 활발하게 이루어졌다.

ㄷ (다)－지방의 주요 도시와 배후 지역을 포함한 지역 생활권을 설정하였다.
- ➡ 지방이 수도권에 대응하여 자립 경제권과 자족적 생활권으로 발전할 수 있도록 대도시와 배후 지역을 하나의 광역권으로 설정하고, 권역 내 기능 분담과 연계 개발을 도모하는 장기적인 종합 개발 방법이다.

✗ (라)－혁신 도시와 기업 도시를 지정 및 육성하였다.
- ➡ 제3차 국토 종합 개발 계획 시기에는 서해안 신산업 지대와 지방 도시를 육성하는 정책을 실시하였다. 제4차 국토 종합 계획 시기에 혁신 도시와 기업 도시를 지정 및 육성하였다.

05 우리나라의 주요 국토 개발 사업

자료 분석 | 그림은 주요 지역 개발을 시기 및 내용별로 정리한 것이다. A는 제조업 생산 기반 조성과 관련된 개발, B는 주거지 개발 및 제주 국제 자유 도시 지정, C는 용수 확보 및 간척 등과 관련된 개발이다.

[선택지 분석]

ㄱ A에서 제1차 국토 종합 개발 계획의 시기에 시작된 것은 대덕 연구 단지와 반월 안산 국가 산업 단지이다.
- ➡ 제1차 국토 종합 개발 계획은 1972~1981년에 시행되었다.

✗ B에는 ~~수도권 집중도를 완화하기 위한~~ 개발이 대부분이다. 〔서울의 인구 과밀 현상을 완화〕
- ➡ 수도권 내에서의 개발은 수도권 집중도를 낮추는 데 도움이 되지 않는다.

✗ C의 개발을 통해 주요 하천의 수질이 ~~개선~~되었다. 〔악화〕
- ➡ 댐이나 하굿둑을 건설하게 되면 물의 흐름이 정체되어 수질이 악화되기 쉽다.

ㄹ 대덕 연구 단지와 대청 댐 건설은 충청권 개발에 해당한다.
- ➡ 대덕 연구 단지는 대전, 대청 댐은 대전광역시 대덕구와 충청북도 청주시 사이의 금강 본류를 가로지르는 댐이다. 대전의 앞글자와 청주의 앞글자를 따서 대청 댐이라고 이름지었다.

06 환경 불평등

자료 분석 | 국토 개발로 인하여 공업화된 지역이나 도시 지역에서 환경 오염 물질이 발생하였고, 이것이 인근 지역으로 확산하는 현상이 나타났다. 특히 대기 오염 물질이나 오염된 물은 바람이나 하천을 따라 이동하기 때문에 지역 간 갈등의 원인이 되기 쉽다.

[선택지 분석]

ㄱ ㉠은 환경 불평등 발생의 원인이 될 수 있다.
- ➡ 화력 발전소가 건설되면 운영 과정에서 오염 물질이 배출될 수 있고, 이러한 피해는 인접한 지역에서도 받을 가능성이 높기 때문에 환경 불평등 발생의 원인이 될 수 있다.

ㄴ ㉡에 속하는 주민들은 발전소 건설이 지역 상권 활성화에 도움이 된다고 판단했을 것이다.
- ➡ 화력 발전소 건설에 찬성하는 입장으로는 '취업난 해소에 도움을 줄 수 있고, 상주인구가 증가하고 주민을 위한 지원 사업이 활성화될 수 있음' 등을 들 수 있다.

✗ ㉢에 속하는 주민들은 ~~환경 보호보다 경제적 이익을~~ 우선시했을 것이다. 〔경제적 이익보다 환경 보호를〕
- ➡ 반대하는 입장에서는 생태계 파괴, 아름다운 자연을 찾는 관광객 감소 등을 이유로 들 수 있다.

✗ ㉣의 영향으로 ~~거주자 면적이 줄어들어 영흥도의 상주인구가 감소했을 것이다~~. 〔발전소의 일자리가 증가하면서 상주인구가 증가〕
- ➡ 새로운 산업 시설이 입지하면 그곳에 일자리가 생기게 되어 상주인구가 증가하게 된다.

07 지역 개발 정책의 특징

자료 분석 | '강원 에듀 버스 정책'은 학교 통폐합에 따른 학생의 통

학 여건 개선인데, 학교 통폐합은 주로 촌락에서 발생하므로 촌락의 교육 여건 개선에 해당한다. '스마트 두레 공동체' 사업과 '행복 택시' 정책도 촌락에서 이루어지는 것이다.

[선택지 분석]

✔ 농어촌 지역 주민의 삶의 질을 높인다.

➡ 제시된 사업들은 모두 촌락의 정주 기반 기능을 높이기 위한 정책이다.

② 도시와 농촌 간의 상호 보완성을 높인다.

➡ 도시와 촌락의 자매 결연 등과 같은 정책이 해당된다.

③ 도시와 촌락의 환경 불평등 문제를 해결한다.

➡ 환경 불평등 문제는 제시되어 있지 않다.

④ 촌락의 생산 기반 조성을 통해 소득을 향상시킨다.

➡ 촌락의 생산 기반 조성 사업에는 지역 농산물을 활용한 축제 개최, 체험 마을 운영 등이 있다.

⑤ 촌락 간의 상호 보완적 개발을 통해 주민 복지를 향상시킨다.

➡ 촌락 간의 상호 보완적 개발 내용은 제시되어 있지 않다.

08 혁신 도시

자료 분석 | 지도는 혁신 도시를 나타낸 것이다.

[선택지 분석]

㉠ 정책 목표는 수도권 과밀 해소, 낙후된 지방 경제 활성화이다. → 혁신 도시

㉡ 공공 기관 청사 및 이와 관련된 기업, 대학, 연구소 등이 함께 입지하도록 계획되었다. → 혁신 도시

✘ 민간 기업이 주도적으로 개발하며 특정 산업 중심의 자급자족형 복합 도시를 추구한다.

➡ 기업 도시에 대한 내용이다.

✘ 제2차 국토 종합 개발 계획 때부터 추진되었으며 지역
　제4차 국토 종합 계획
생활권의 중심 도시를 육성하기 위한 정책이다.

한번에 끝내는 대단원 문제　154~157쪽

| 01 ① | 02 ⑤ | 03 ③ | 04 ② | 05 ⑤ | 06 ① | 07 ③ |
| 08 ⑤ | 09 ④ | 10 ⑤ | 11 ② | 12 ① |

13 ~ 16 해설 참조

01 촌락의 입지 특징

[선택지 분석]

✔ ㉠ - 범람원에서는 생활용수를 확보하기 위해 자연 제
　　　　　　　　홍수 시 침수 피해를 줄이기 위해
방에 취락이 입지한다.

➡ 범람원에서 자연 제방에 취락이 입지하는 것은 생활용수를 확보하기 위해서가 아니라 홍수 시 침수 피해를 줄이기 위해서이다.

② ㉠ - 제주도에서는 지표수가 부족하기 때문에 용천이 분포하는 해안 지역에 취락이 입지한다.
→ 제주도 해안의 용천대

③ ㉡ - 하천 중·상류의 침식 분지는 전통 사회의 주요 거주지였다. → 일찍부터 주거 및 농경 중심지로 발달

④ ㉢ - 구릉지에서는 북서풍을 막을 수 있고, 일사량이 풍부한 남향 사면에 취락이 입지한다. → 배산임수 입지

⑤ ㉣ - 농업 활동에 종사하는 주민의 비중이 높았기 때문이다.

➡ 촌락의 입지에서 경지가 중요했던 것은 농업 활동에 종사하는 주민의 비중이 높았기 때문이다.

02 촌락의 변화

자료 분석 | (가)는 노인 인구 비중이 빠르게 높아진 구례, (나)는 청장년층 인구 비중이 높아진 여수이다.

[선택지 분석]

① (가)는 1970 ~ 2016년에 폐교되는 초등학교가 나타났다. → 유소년층 감소로 초등학교가 폐교됨

② (나)는 1970년에 비해 2016년에 농업 외 소득 비중이 높아졌다.

➡ 도시와 인접한 촌락은 도시에서 먼 촌락보다 겸업농가 비중이 높은 경향이 나타나며 이로 인해 농업 외 소득 비중도 높다.

③ (가)는 (나)보다 1970 ~ 2016년에 청장년층 인구 유출이 활발했다. → (가)는 청장년층 중심의 인구 유출이 활발했음

④ (나)는 (가)보다 2·3차 산업 종사자 수 비중이 높다.
→ (가)는 1차 산업 종사자 수 비중이 높음

✔ (나)는 (가)보다 2016년에 농가 호당 경지 면적이 넓다.
　　　　　　　　　　　　　　　　　　　　　　　　좁다

➡ 인구 유출이 활발한 (가)가 (나)보다 농가 호당 경지 면적이 넓다.

03 경기와 전남의 농가 인구 구조

자료 분석 | 경기와 전남 모두 농가 인구의 고령화 현상이 뚜렷하지만 상대적으로 경기는 전남에 비해 서울과 인접하여 노년 인구 비중이 낮은 편이다. 따라서 (가)는 경기, (나)는 전남이다.

[선택지 분석]

✘ (가)는 (나)보다 농가 호당 경지 면적이 넓다.
　　　　　　　　　　　　　　　　　　　좁다

㉡ (가)는 (나)보다 겸업농가 비중이 높다.

➡ 겸업농가 비중은 서울과 인접한 경기가 대도시에서 먼 전남보다 높다.

㉢ (나)는 (가)보다 논 면적의 비율이 높다.

➡ 전남은 경기보다는 논 면적의 비율이 높다.

✘ (가), (나) 모두 농가 인구의 노령화 지수는 ~~100~~ 미만이다.
　　　　　　　　　　　　　　　　　　　　　100 이상

➡ 노령화 지수는 노년 인구(65세 이상 인구)를 유소년 인구(15세 미만)로 나눈 후 100을 곱한 값이다. 경기와 전남 모두 노년 인구 비중이 유소년 인구 비중보다 높으므로 노령화 지수는 100 이상이다.

04 도시 성장의 지역적 차이

자료 분석 | 지도의 A는 용인, B는 목포, C는 포항이다. 용인은 서울 대도시권에 해당하고, 목포는 근대의 개항 도시로 성장하다 정체되고 있으며, 포항은 공업 도시로 성장하다가 정체되고 있다.

[선택지 분석]

✔️ 그래프에서 (가)는 1990년대 이후 빠르게 성장하였으므로 서울 대도시권에 위치한 용인(A)이다. 용인은 서울의 인구 교외화 현상으로 빠르게 성장하였다. (나)는 1970년~1995년에 빠르게 성장한 이후 정체되고 있는 포항(C), (다)는 지속적으로 성장이 정체되고 있는 목포(B)이다.

05 우리나라의 도시 순위 변화

[선택지 분석]

① 네 시기 모두 종주 도시화 현상이 나타났다.
  ➡️ 종주 도시화 현상은 수위 도시의 인구가 2위 도시의 인구보다 2배 이상 많은 현상이다. 네 시기 모두 수위 도시인 서울의 인구가 2위 도시인 부산의 인구보다 2배 이상 많았다.

② 10대 도시의 총인구는 지속적으로 증가하였다.
  → 총인구 증가

③ 1960~2015년에 수도권의 10대 도시 수가 증가하였다.
  ➡️ 1960년 수도권에 위치하는 10대 도시는 서울, 인천, 수원의 3개였는데, 2015년에는 서울, 인천, 수원, 고양의 4개이므로 증가하였다.

④ 1960~2015년에 인천은 대구보다 인구 증가율이 높았다.
  ➡️ 1960년에는 대구가 인천보다 인구가 많았으나 2015년에는 인천이 대구보다 인구가 많다. 따라서 인천이 대구보다 인구 증가율이 높았다.

✔️ 1960~1980년은 1980~2015년보다 위성 도시의 인구 증가율이 높았다.
  낮았다
  ➡️ 자료에서 위성 도시는 고양, 수원 등이다. 이들 도시의 성장률은 1980~2015년이 1960~1980년보다 높았다.

06 도시 내부 구조의 특징

자료 분석 | 지도의 세 구는 중구, 종로구, 은평구이다. A는 세 지역 중 인구와 사업체 수가 두 번째로 많으므로 종로구, B는 인구는 가장 적은데, 사업체 수는 가장 많으므로 도심인 중구, C는 인구는 가장 많지만 사업체 수는 가장 적으므로 주변 지역인 은평구이다.

[선택지 분석]

ㄱ A는 C보다 시가지의 형성 시기가 이르다.
  ➡️ 시가지는 도심에서 주변 지역으로 확장한다. 도심이 위치하는 종로구는 주변 지역인 은평구보다 시가지의 형성 시기가 이르다.

ㄴ B는 C보다 거주자의 평균 통근 거리가 가깝다.
  ➡️ 도심인 중구는 주변 지역인 은평구보다 거주자의 평균 통근 거리가 가깝다.

✖️ C는 A보다 서울에서 접근성이 좋은 곳에 위치한다.
  A는 C보다

✖️ C>A>B 순으로 주간 인구 지수가 높다.
  B>A>C
  ➡️ 주간 인구 지수는 도심에 위치한 중구가 가장 높다.

07 부산의 도시 내부 구조

자료 분석 | (가)는 (나)보다 사업체 수 비율이 낮고 종사자 수가 적

으며 위치도 변두리이므로 주변 지역이다. (나)는 (가)보다 사업체 수 비율이 높고 종사자 수도 많으므로 도심이다.

[선택지 분석]

✖️ (가)는 (나)보다 상업지의 평균 지가가 높다.
  도심(나)은 주변 지역(가)보다

ㄴ (가)는 (나)보다 거주자의 평균 통근 거리가 멀다.
  → 주변 지역(가)은 직장과의 거리가 멀어 거주자의 평균 통근 거리가 멂

ㄷ (나)는 (가)보다 거주자 대비 일자리 수가 많다.
  → 도심(나)에는 상업·업무 기능이 집중되어 있어 일자리 수가 많음

✖️ (나)는 (가)보다 상업 용지 대비 주거 용지의 비율이 높다.
  주변 지역(가)은 도심(나)보다

08 대도시 주변 지역의 변화

자료 분석 | 두 시기 모두 청장년층 인구 비중이 높은 도시의 인구 구조 특징이 나타난다. 토지 이용 변화에서 임야, 논은 감소하고, 대지, 도로 등은 증가하였다. 경기도에 위치하는 시에서 경지가 감소하고 대지가 증가하였다는 것은 주거지가 증가하였다는 것을 의미한다.

[선택지 분석]

① 시가지 면적이 넓어졌을 것이다.
  ➡️ 대지가 증가하였으므로 시가지 면적은 넓어졌다.

② 겸업농가 비중이 높아졌을 것이다.
  ➡️ 경지가 감소하고 대지가 증가하였다는 것은 도시화가 진행되었다는 것을 의미하므로 겸업농가 비중은 높아지게 된다.

③ 아파트 거주 인구 비율이 높아졌을 것이다.
  ➡️ 경기도에서 도시화가 진행된 지역은 주로 대규모의 아파트 단지가 건설되었다.

④ 지역 내의 일자리 수가 증가하였을 것이다.
  ➡️ 공장 용지가 증가하였으므로 일자리가 증가하였을 것이다.

✔️ 주곡 작물의 재배 면적 비중이 높아졌을 것이다.
  낮아졌을
  ➡️ 도시 근교는 소득이 높은 상업적 작물을 재배하는 경향이 크다.

09 대도시권의 공간 구조

자료 분석 | 그림에서 A는 위성 도시, B는 중심 도시, C는 교외 지역, D는 배후 농촌 지역이다.

[선택지 분석]

✖️ A는 B의 도심 기능을 분담한다.
  중심 도시의 기능
  ➡️ 위성 도시는 중심 도시의 기능을 분담한다. 도심의 기능을 분담하는 것은 부도심이다.

ㄴ C는 D보다 중심 도시로 통근하는 비율이 높다.
  ➡️ 중심 도시에서 멀어질수록 중심 도시로 통근하는 비율이 감소하는 경향이 나타난다. 따라서 교외 지역은 배후 농촌 지역보다 중심 도시로 통근하는 비율이 높다.

✖️ D의 범위는 교통이 발달할수록 줄어드는 경향이 나타난다.
  확대되는

ㄹ 대도시권이 확대될수록 B의 주간 인구 지수는 높아지는 경향이 나타난다.
  ➡️ 대도시권이 확대되면 대도시권에서 중심 도시가 차지하는 인구 비중이 낮아지고 중심 도시로 통근하는 사람은 증가하므로 중심 도시의 주간 인구 지수는 높아지게 된다.

10 도시 재개발 방식

자료 분석 | (가)는 철거 재개발, (나)는 수복 재개발이다.

[선택지 분석]

✗ 투입 자본의 규모가 크다.
(작다)
➡ 투입 자본의 규모는 철거 재개발이 수복 재개발보다 크다.

✗ 기존 건물의 활용도가 낮다.
(높다)
➡ 철거 재개발은 기존 건물을 모두 철거한 후 개발하는 것이므로 재활용도가 매우 낮다.

ⓒ 원거주민의 재정착률이 높다.
➡ 건물을 새로 짓는 것이 아니라 주거 환경을 개선하는 것이므로 원거주민의 재정착률이 높다.

ⓔ 주민의 공동체 문화가 잘 유지된다.
➡ 원거주민의 재정착률이 높아 주민의 공동체 문화가 잘 유지된다.

11 우리나라의 지역 개발 방식

[선택지 분석]

ⓖ ㉠ – 수도권과 남동 연안 지역을 중심으로 제조업이 발달하게 되었다.
➡ 1970년대에 성장 거점 개발 계획을 추진하면서 수도권과 남동 연안 지역을 중심으로 제조업이 발달하게 되었다.

✗ ㉡ – 수도 서울의 경쟁력 향상을 위해 집중적 투자를 유도하는 방법이다.
➡ 수도권 정비 계획법은 수도권에 과도하게 집중된 인구와 산업을 적정하게 배치하도록 유도하여 수도권을 질서 있게 정비하고 균형 있게 발전시키는 것을 목적으로 한다.

ⓒ ㉢ – 낙후된 지역에 투자를 하여 지역 간 성장 불균형을 완화하는 정책이다.
➡ 균형 개발은 낙후된 지역에 투자를 하여 불균형을 완화하고자 한다.

✗ ㉣ – 대규모 토목 건설을 통한 국토 경쟁력 향상을 목표로 하였다.
➡ 제1차 국토 종합 개발 계획에 대한 내용이다.

12 지역 격차 현황

자료 분석 | 농림어업 생산량 비중은 영남권>호남권>충청권>수도권 순으로 높고, 제조업 생산량 비중은 수도권>영남권>충청권>호남권 순으로 높다.

[선택지 분석]

✔ 수도권, 영남권, 호남권 중에서 농림어업 생산량 비중이 가장 낮고 제조업 생산량 비중이 가장 높은 곳은 수도권, 농림어업 생산량 비중이 가장 높고 제조업 생산량 비중이 수도권 다음으로 높은 곳은 영남권, 농림어업 생산량 비중이 영남권 다음으로 높고 제조업 생산량 비중이 가장 낮은 곳은 호남권이다. 따라서 (가)는 수도권, (나)는 영남권, (다)는 호남권이다.

13 이촌 향도가 활발한 촌락의 특징

(1) [예시 답안] 청장년층 중심의 인구 유출이 활발했기 때문

이다.

(2) [예시 답안] 노동력이 부족하고 고령화 문제가 발생했으며, 초등학교 및 생필품 판매점과 같은 생활 기반 시설이 감소하여 정주 기반이 약화되었을 것이다.

채점기준		
	상	노동력 부족, 고령화, 정주 기반 약화 등의 측면에서 모두 정확하게 서술한 경우
	하	노동력 부족, 고령화, 정주 기반 약화 중 한 가지만 정확하게 서술한 경우

14 접근성과 지대 변화와의 관계

(1) (가) 상업·업무 기능, (나) 공업 기능, (다) 주거 기능

(2) [예시 답안] 상업·업무 기능은 접근성이 높은 곳에 입지해야 많은 소비자를 확보할 수 있으므로 다른 기능보다 접근성에 민감하며 접근성이 낮아질수록 지대가 급격하게 감소한다. 따라서 도심에서 주변 지역으로 갈수록 지대 지불 능력이 빠르게 감소한다.

채점기준		
	상	상업·업무 기능과 접근성의 관계, 주변 지역으로 가면서 지대 지불 능력이 감소하는 이유를 모두 서술한 경우
	하	상업·업무 기능과 접근성의 관계, 주변 지역으로 가면서 지대 지불 능력이 감소하는 이유를 한 가지만 서술한 경우

15 수도권 인구의 증감

(1) [예시 답안] 서울은 인구가 감소한 반면 서울과 인접한 지역은 대부분 인구가 증가하였다.

(2) [예시 답안] 서울에 인구와 기능이 집중되면서 나타나게 된 문제를 해결하는 과정에서 신도시가 건설되고, 교통망이 확충되었다. 이로 인해 인구 및 시설의 교외화가 활발해지면서 대도시권이 확대되었다.

채점기준		
	상	서울에 집중된 인구와 기능의 분산, 신도시 건설, 교통 발달, 교외화 등의 측면에서 모두 정확하게 서술한 경우
	중	서울에 집중된 인구와 기능의 분산, 신도시 건설, 교통 발달, 교외화 등의 측면 중 두 가지만 정확하게 서술한 경우
	하	서울에 집중된 인구와 기능의 분산, 신도시 건설, 교통 발달, 교외화 등의 측면 중 한 가지만 정확하게 서술한 경우

16 지역 개발 방식 이해

(1) (가) 성장 거점 개발 방식, (나) 균형 개발 방식

(2) [예시 답안] 성장 거점 개발 방식은 투자 효과가 큰 지역을 선정하여 집중 투자하는 개발 방식으로 추진 방식은 하향식 개발이다. 주로 투자 재원이 부족한 개발 도상국에서 채택한다. 자원의 효율적 투자가 가능하지만, 지역 주민의 참여도가 낮고 역류 효과가 발생할 가능성이 높다.

채점기준		
	상	제시된 조건 4개를 모두 포함하여 정확하게 서술한 경우
	중	제시된 조건 4개 중 3개를 포함하여 정확하게 서술한 경우
	하	제시된 조건 4개 중 1~2개를 포함하여 서술한 경우

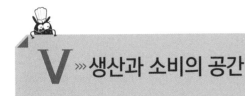

V >> 생산과 소비의 공간

01 ~ 자원의 의미와 자원 문제

콕콕! 개념 확인하기
165쪽

01 (1) 가변성 (2) 편재성 (3) 유한성
02 (1) 철광석 (2) 고령토 (3) 석회석
03 (1) ⓒ (2) ⓐ (3) ⓑ
04 (1) (가) 풍력, (나) 조력, (다) 태양광 (2) ⓐ-(가), ⓑ-(나), ⓒ-(다)

03 (1) 1차 에너지별 발전량 비중 순위는 석탄>원자력>천연 가스>석유 순으로 나타난다.
(2) 1차 에너지별 소비량 비중 순위는 석유>석탄>천연가 스>원자력 순으로 나타난다.
04 고산 지역과 해안 지역에 분포한 (가)는 풍력, 시화호에 건 설되어 있는 (나)는 조력, 일조량이 풍부한 지역에 분포한 (다)는 태양광이다.

탄탄! 내신 다지기
166~167쪽

01 ② **02** ① **03** ⑤ **04** ③ **05** ④ **06** ③ **07** ⑤
08 해설 참조

01 자원의 재생 가능성에 따른 분류

자료 분석 | (가)는 고갈 가능성이 가장 높은 자원이므로 석유, 석 탄, 천연가스와 같은 화석 에너지이다. (나)는 비금속 광물과 함께 자원의 사용량과 투자 정도에 따라 재생 수준이 달라지는 자원이므 로 금속 광물이다. (다)는 재생 가능성이 가장 높은 자원이므로 재 생 에너지에 해당한다.

[선택지 분석]
✔화석 에너지(가)의 사례로는 석유, 석탄, 천연가스를 들 수 있고, 금속 광물(나)의 사례로는 철광석, 구리 등을 들 수 있으며, 재생 에너지(다)의 사례로는 조력, 풍력, 태양광, 수력 등을 들 수 있다.

02 화석 에너지, 금속 광물, 재생 에너지의 특징 비교

자료 분석 | (가)는 화석 에너지, (나)는 금속 광물, (다)는 재생 에너 지에 해당한다.

[선택지 분석]
ⓐ (가)는 (나)보다 재생 가능성이 낮다. → (가)는 비재생 자원임
ⓑ (다)는 (가)보다 세계의 총 소비량이 적다.
➡ 석탄, 석유와 같은 화석 에너지는 세계의 총 소비량 비중이 매 우 높다.

✗ (가)~(다) 중에서 상용화된 시기는 (다)가 가장 ~~어르다~~. 늦다
✗ 풍력은 ~~(카)~~, 석탄은 ~~(타)~~에 해당한다. (다) (가)

03 광물 자원의 분포

[선택지 분석]
✔ 대부분 강원도에서 생산되는 (가)는 철광석이고 조선 누층군이 분포하는 강원도와 충청북도에서 주로 생산 되는 (나)는 석회석이며, 경상남도에서 주로 생산되는 (다)는 고령토이다.

04 주요 광물 자원의 특징

자료 분석 | 대부분 강원도에서 생산되는 (가)는 철광석이고, 조선 누층군이 분포하는 강원도와 충청북도에서 주로 생산되는 (나)는 석 회석이며, 강원도, 경상남도에서 주로 생산되는 (다)는 고령토이다.

[선택지 분석]
① ~~(카)~~는 주로 고생대 조선 누층군에 분포한다. (나)
② (나)는 대부분 ~~재철~~ 공업의 원료로 이용된다. 시멘트
✔(다)는 주로 도자기 및 내화 벽돌, 종이, 화장품의 원료 로 이용된다. → 고령토
④ (나)는 (가)보다 해외 의존도가 ~~높다~~. 낮다
⑤ ~~(카), (나)~~는 비금속 광물, ~~(타)~~는 금속 광물에 해당한다. (나), (다) (가)
➡ 철광석은 금속 광물이고, 석회석과 고령토는 비금속 광물이다.

05 1차 에너지 자원의 특징

자료 분석 | 2015년 현재 우리나라의 1차 에너지 소비 구조에서 차 지하는 비중이 (가)>(나)>(다)>(라)>(마) 순으로 높으므로 (가)는 석유, (나)는 석탄, (다)는 천연가스, (라)는 원자력, (마)는 수력이다.

[선택지 분석]
① (가)는 (나)보다 연소 시 대기 오염 물질 배출량이 ~~많다~~. 적다
② (나)는 (다)보다 우리나라에서 상용화된 시기가 ~~늦다~~. 이르다
③ (다)는 (라)보다 우리나라의 총 발전량에서 차지하는 비 중이 ~~높다~~. 낮다
✔(라)는 (마)보다 발전에 이용 시 발전량이 기후 조건의 영향을 적게 받는다.
➡ 수력은 기후 조건의 영향을 크게 받는 반면, 원자력은 수력보다 발전에 이용 시 발전량이 기후 조건의 영향을 크게 받지 않는다.
⑤ (마)는 (가)보다 자원의 해외 의존도가 ~~높다~~. 낮다

06 발전 방식별 특징

자료 분석 | 대하천의 중·상류 지역에서 발전 설비 용량이 나타나 는 (가)는 수력 발전 방식이고 발전 설비 용량이 가장 많은 (나)는 화력 발전 방식이며, 울진, 경주, 부산, 영광에서만 발전 설비 용량 이 나타나는 (다)는 원자력 발전 방식이다. 2015년 기준 발전량 비 중이 A>B>C>D>E 순으로 높으므로 A는 석탄, B는 원자력, C는 천연가스, D는 석유, E는 수력이다.

① (가)는 (나)보다 발전 시 온실가스 배출량이 ~~많다.~~
   적다

② (나)는 (다)보다 우리나라의 총 발전량에서 차지하는 비중이 ~~낮다.~~
   높다

☑ A는 (나), B는 (다)의 발전 에너지원으로 이용된다.
   ➡ 석탄(A)은 화력(나), 원자력(B)은 원자력(다)의 발전 에너지원으로 이용된다.

④ C는 D보다 우리나라의 1차 에너지 소비 구조에서 차지하는 비중이 ~~높다.~~
   낮다

⑤ E는 A보다 자원의 고갈 가능성이 ~~높다.~~
   낮다

07 주요 신·재생 에너지의 특징

자료 분석 | 제주도에 발전소가 많이 분포하는 **(가)는 풍력**이고, 경기도 안산의 시화호에만 발전소가 분포하는 **(나)는 조력**이다. 전라도 해안 지방에 발전소가 많이 분포하는 **(다)는 태양광**이다.

✘ ~~(가)~~는 조차가 큰 해안 지역에서 발전 잠재력이 높게 나타난다.
   (나)
   ➡ 조차가 큰 해안 지역에서 발전 잠재력이 높게 나타나는 것은 조력 발전이다.

✘ (나)의 발전소 입지 선정 시 가장 중요한 정보는 ~~풍향과 풍속~~이다.
   조차
   ➡ 발전소 입지 선정 시 풍향과 풍속이 가장 중요한 발전은 풍력 발전이다.

ⓒ (나)는 (다)보다 밤 시간대 발전량 대비 낮 시간대 발전량 비중이 낮다.
   ➡ 태양광은 낮 시간대 발전량 비중이 높다.

ⓔ (다)는 (가)보다 발전 시 소음 발생량이 적다.
   ➡ 풍력은 발전 시 소음 발생량이 크다.

08 자원 문제와 대책

[예시 답안] 자원 절약 및 재활용 생활화, 자원 절약형 산업 육성, 해외 자원 개발 및 수입국 다변화를 통한 자원의 안정적 확보, 신·재생 에너지 개발 확대 등이 있다.

[채점 기준]

채점기준	
상	자원 문제에 대한 대책을 두 가지 모두 정확하게 서술한 경우
중	자원 문제에 대한 대책을 한 가지만 정확하게 서술한 경우
하	자원 문제에 대한 대책을 일부 틀린 내용을 포함하여 한 가지만 서술한 경우

도전! 실력 올리기   168~169쪽

01 ⑤ 02 ④ 03 ⑤ 04 ③ 05 ⑤ 06 ③ 07 ②
08 ③

01 자원의 유형 변화

자료 분석 | **(가)는 재생 수준이 가변적인 자원**인 텅스텐이 기술적 의미의 자원에서 경제적 의미의 자원으로 변화된 사례이고, **(나)는 사용량과 무관한 재생 가능한 자원**인 파력이 기술적 의미의 자원에서 경제적 의미의 자원으로 변화된 사례이다.

☑ 재생 수준이 가변적인 자원인 텅스텐이 기술적 의미의 자원에서 경제적 의미의 자원으로 변화된 사례인 (가)는 D에서 C로 변화한 것에 해당한다. 사용량과 무관한 재생 가능한 자원인 파력이 기술적 의미의 자원에서 경제적 의미의 자원으로 변화된 사례인 (나)는 F에서 E로 변화한 사례에 해당한다.

02 주요 광물 자원의 특징

자료 분석 | 강원에서 대부분 생산되고 있는 **(가)는 철광석**이고 강원, 경남에서 많이 생산되는 **(나)는 고령토**이며, 강원, 충북에서 주로 생산되는 **(다)는 석회석**이다.

① (가)는 대부분 ~~시멘트~~ 공업의 주원료로 이용된다.
   제철
   ➡ 철광석은 주로 제철 공업의 주원료로 이용된다. 시멘트 공업의 주원료로 이용되는 광물 자원은 석회석이다.

② (나)는 주로 고생대 조선 누층군에 분포한다.
   ➡ 주로 고생대 조선 누층군에 분포하는 광물 자원은 석회석이다.

③ (다)는 주로 특수강 및 합금용 원료로 이용된다.
   ➡ 주로 특수강 및 합금용 원료로 이용되는 광물 자원은 텅스텐이다.

☑ (가)는 (나)보다 가채 연수가 짧다.
   ➡ 철광석은 국내 매장량이 매우 적어 가채 연수가 짧은 반면 고령토는 국내 매장량이 풍부하여 가채 연수도 길다.

⑤ ~~(가), (나)~~는 비금속 광물, ~~(다)~~는 금속 광물에 해당한다.
   (나), (다)   (가)
   ➡ 철광석은 금속 광물에 해당하고, 고령토와 석회석은 비금속 광물에 해당한다.

03 권역별 1차 에너지 공급 구조

자료 분석 | 제시된 권역 모두에서 공급량이 많은 A는 석유이고, 두 권역에서만 공급되는 B는 원자력이다. 원자력 공급량이 많은 **(가)는 영남권**이고 **(라)는 호남권**이다. 영남권과 호남권에서 상대적으로 공급량이 많은 C는 석탄이고, 나머지 **D는 천연가스**이다. 석탄의 공급량이 가장 많은 **(나)는 충청권**, 천연가스의 공급량이 상대적으로 많은 **(다)는 수도권**이다. 따라서 A는 석유, B는 원자력, C는 석탄, D는 천연가스이고, (가)는 영남권, (나)는 충청권, (다)는 수도권, (라)는 호남권이다.

① (가)의 주변 해역에서는 D가 생산되고 있다.
   ➡ 천연가스는 2004년부터 울산 앞바다의 '동해-1·2 가스전'에서 생산되고 있다.

② (나)는 충청권, (다)는 수도권이다.
   ➡ (가)는 영남권, (나)는 충청권, (다)는 수도권, (라)는 호남권이다.

③ A는 C보다 우리나라 1차 에너지 공급에서 차지하는 비중이 높다.
➡ 석유(A)는 석탄(C)보다 우리나라 1차 에너지 공급에서 차지하는 비중이 높다.
④ C는 D보다 발전 시 대기 오염 물질의 배출량이 많다.
➡ 석탄(C)은 천연가스(D)보다 발전 시 대기 오염 물질 배출량이 많다.
✅ 우리나라 1차 에너지원별 발전량은 A>B>D>C 순이다.
➡ 우리나라 1차 에너지원별 발전량 비중은 석탄(C)>원자력(B)>천연가스(D)>석유(A) 순으로 높다.

04 시·도별 1차 에너지 공급량 비중

자료 분석 | 대규모 화력 발전소와 제철소가 위치한 충남에서 공급량 비중이 높은 (가)는 석탄이다. 석유 화학 공업이 발달한 울산에서 공급량 비중이 높은 (나)는 석유이다. 서울, 대구와 같은 대도시에서 공급량 비중이 높은 (다)는 천연가스이다. 다른 지역에 비해 강원에서 공급량 비중이 높은 (라)는 수력이다. 원자력 발전소가 위치한 부산, 경북, 전남에서만 공급량 비중이 나타나는 (마)는 원자력이다.

[선택지 분석]

① (가)는 (나)보다 수송용으로 이용되는 비중이 높다. (낮다)
➡ 석유는 수송용으로 이용되는 비중이 가장 높은 에너지이다.
② (나)는 (다)보다 우리나라의 1차 에너지 소비 구조에서 차지하는 비중이 낮다. (높다)
➡ 석유는 우리나라의 1차 에너지 소비 구조에서 차지하는 비중이 가장 높다.
✅ (다)는 (라)보다 자원의 해외 의존도가 높다.
➡ 천연가스는 국내에서 소량 생산되고 있으나 대부분은 수입에 의존하고 있다.
④ (라)는 (마)보다 상업적 발전에 이용되기 시작한 시기가 늦다. (이르다)
➡ 수력은 원자력보다 상업적 발전에 먼저 이용되기 시작하였다.
⑤ (마)는 (가)보다 발전에 이용 시 온실가스 배출량이 많다. (적다)
➡ 원자력은 발전에 이용 시 온실가스가 거의 배출되지 않는 반면 화석 에너지인 석탄은 발전에 이용 시 다량의 온실가스가 배출된다.

05 우리나라의 1차 에너지 생산

자료 분석 | 1차 에너지의 국내 생산 비중은 원자력>신·재생>수력>석탄>천연가스 순이다. 따라서 (가)는 원자력, (나)는 수력, (다)는 석탄, (라)는 천연가스이다. 지역별 생산 비중을 통해서도 경북(울진, 경주), 전남(영광), 부산에서만 생산되는 (가)는 원자력, 대부분 지역에서 생산되고 있는 (나)는 수력, 강원도에서 대부분 생산되고 있는 (다)는 석탄, 울산 앞바다에서만 생산되고 있는 (라)는 천연가스이다.

[선택지 분석]

① (가)는 주로 내륙 지역에서 생산된다. (해안)
➡ (가)는 원자력으로 발전 시 많은 양의 냉각수를 필요로 하기 때문에 해안에 입지한다.

---

② (나)는 (다)보다 에너지 생산 시 대기 오염 물질 배출량이 많다. (적다)
➡ 수력(나)은 석탄(다)보다 에너지 생산 시 대기 오염 물질의 배출량이 적다. 석탄은 화석 연료 중에서도 대기 오염 물질의 배출량이 가장 많다.
③ (라)는 (다)보다 상용화된 시기가 이르다. (늦다)
➡ 천연가스(라)는 1990년대 이후 본격적으로 사용되기 시작하였으므로 석탄(다)보다 상용화된 시기가 늦다.
④ 1차 에너지의 생산량은 석탄이 수력보다 많다. (적다)
➡ '1차 에너지의 유형별 생산 비중' 그래프를 통해 1차 에너지의 생산량은 수력(나)이 석탄(다)보다 많음을 알 수 있다.
✅ 1차 에너지의 생산량이 가장 많은 지역은 경북이다.
➡ 우리나라에서 생산되는 1차 에너지의 74.2%가 원자력이며 그중에서도 경북 지역이 원자력 생산의 44.4%를 생산하고 있다. 경북은 수력의 생산량 또한 가장 많다. 따라서 1차 에너지의 생산량이 가장 많은 지역은 경북이다.

06 주요 에너지 자원의 시·도별 생산량

[선택지 분석]

✅ (가)는 수력, (나)는 석탄, (다)는 원자력, (라)는 천연가스이다.
➡ 거의 대부분 지역에서 생산되는 (가)는 수력, 강원과 전남에서 주로 생산되는 (나)는 석탄, 부산, 전남, 경북에서만 생산되는 (다)는 원자력, 울산에서만 생산되는 (라)는 천연가스이다.

07 주요 발전 방식별 특징

자료 분석 | 세 발전 방식 중 전국의 설비 용량이 가장 많은 (가)는 화력 발전 방식이다. 경북, 전남에서만 설비 용량이 나타나는 (나)는 원자력 발전 방식이다. 한강 중·상류, 낙동강 중·상류 지역과 같은 대하천의 중·상류 지역이 속한 강원, 경기, 충북, 경북 등에서 설비 용량이 많은 (다)는 수력 발전 방식이다.

[선택지 분석]

① (가)는 (나)보다 방사성 폐기물 처리 비용이 많이 든다.
➡ 방사성 폐기물 처리 비용이 발생하는 발전 방식은 원자력 발전 방식이다.
✅ (나)는 (다)보다 상업적 발전이 시작된 시기가 늦다.
➡ 원자력 발전 방식은 수력 발전 방식보다 상업적 발전이 시작된 시기가 늦다.
③ (다)는 (가)보다 발전 에너지원의 고갈 가능성이 높다. (낮다)
➡ 재생 에너지인 수력을 이용하는 수력 발전 방식은 화석 에너지를 이용하는 화력 발전 방식보다 발전 에너지원의 고갈 가능성이 낮다.
④ 전국의 발전량은 (나)>(가)>(다) 순으로 많다. ((가)>(나)>(다))
➡ 전국의 발전량은 화력>원자력>수력 순으로 많다.
⑤ (가)~(다) 중에서 발전 시 온실가스 배출량은 (다)가 가장 많다. ((가))
➡ 발전 시 온실가스 배출량이 가장 많은 발전 방식은 화석 에너지를 발전 에너지원으로 이용하는 화력 발전 방식이다.

08 주요 신·재생 에너지별 특징

자료 분석 | 경기에서만 생산되는 (가)는 조력이다. 강원, 충북에서 생산량 비중이 높은 (나)는 수력이고, 제주에서 생산량 비중이 높은 (다)는 풍력이며, 전북과 전남에서 생산량 비중이 높은 (라)는 태양광이다.

[선택지 분석]

✘ (가)는 (나)보다 발전량이 기후 조건의 영향을 ~~많이~~ 적게 받는다.

　➡ 조차를 이용하는 조력은 기후 조건의 영향을 적게 받는다.

Ⓛ (나)는 (다)보다 상업적 발전이 시작된 시기가 이르다.

　➡ 수력은 풍력보다 상업적 발전이 먼저 시작되었다.

Ⓒ (다)는 (라)보다 발전 시 소음 발생량이 많다.

　➡ 대규모 날개를 바람의 힘으로 돌리면서 전력을 생산하는 풍력 발전은 태양광 발전보다 발전 시 소음 발생량이 많다.

✘ (라)는 (가)보다 전국의 발전량이 ~~적다.~~ 많다.

　➡ 태양광은 조력보다 전국의 발전량이 많다.

---

02 ~ 농업의 변화와 농촌 문제

콕콕! 개념 확인하기
173쪽

01 (1) 청장년층 (2) 유소년층, 노년층 (3) 감소, 증가 (4) 경북, 경북

02 (1) 맥류 (2) 쌀 (3) 원예

03 (1) (가) 벼, (나) 맥류, (다) 채소, (라) 과수 (2) 제주도 (3) 강원도

04 (1) Ⓒ (2) Ⓛ (3) ㉠

03 충남·전북·전남과 같이 평야가 발달한 지역에서 재배 면적 비중이 높은 (가)는 벼이고, 전북·전남이 다른 지역에 비해 재배 면적 비중이 높은 (나)는 맥류이다. 강원과 제주에서 재배 면적 비중이 높은 (다)는 채소이고, 경북과 제주에서 재배 면적 비중이 높은 (라)는 과수이다.

04 (1) 장소 마케팅, 지리적 표시제, 농산물의 브랜드화를 통해 농촌의 소득 증대를 가져올 수 있다.

(2) 친환경 농업 방식의 보급·확대가 이루어지면 농약과 비료 사용을 줄일 수 있다.

(3) 직거래 확대, 로컬 푸드 운동을 통해 복잡한 농산물 유통 구조를 개선할 수 있다.

탄탄! 내신 다지기
174~175쪽

01 ④　**02** ③　**03** ①　**04** ⑤　**05** ④　**06** ②　**07** ⑤

08 해설 참조

---

01 우리나라 농가 인구 및 연령층별 농가 인구 비중 변화

자료 분석 | 모든 시기에 인구 비중이 가장 높은 (가)는 15~64세(청장년층) 인구이고, 1970년 이후 인구 비중이 증가하고 있는 (나)는 65세 이상(노년층) 인구이며, 인구 비중이 감소하고 있는 (다)는 14세 이하(유소년층) 인구이다.

[선택지 분석]

✘ 1970년 이후 청장년층 농가 인구 비중은 꾸준히 증가하였다.

　➡ 2000년 이후에는 청장년층 농가 인구 비중이 감소하였다.

Ⓛ 2015년에는 유소년층 농가 인구보다 노년층 농가 인구가 많다. → (다)보다 (나)가 높으므로 노년층 인구가 많음

✘ 1970년보다 2015년에 유소년층 농가 인구가 ~~많다.~~ 적다.

Ⓔ 1970년보다 2015년에 농가 인구의 중위 연령이 높다.

　➡ 중위 연령은 노년층 인구 비중이 높을수록 높게 나타난다. 1970년보다 2015년에 노년층 농가 인구 비중이 높으므로 중위 연령이 높게 나타난다.

02 근교 농업 지역과 전통 농업 지역

자료 분석 | (가)는 (나)보다 단독 주택 거주 농가 비중이 낮은 반면 아파트 거주 농가 비중이 높다. 따라서 (가)는 근교 농업 지역인 하남시이고, (나)는 전통 농업 지역인 김제시이다. A는 B보다 농가당 경지 면적이 넓으므로 A는 전통 농업 지역인 김제시, B는 근교 농업 지역인 하남시이다.

[선택지 분석]

① (가)는 (나)보다 1차 산업 종사자 수 비중이 ~~높다.~~ 낮다

② (나)는 (가)보다 서울과의 접근성이 ~~높다.~~ 낮다

☑ A는 B보다 단독 주택에 거주하는 농가 수 비중이 높다.

　➡ 김제시((나), A)는 하남시((가), B)보다 단독 주택에 거주하는 농가 수 비중이 높다.

④ B는 A보다 농가당 경지 면적이 ~~넓다.~~ 좁다

⑤ (가)와 A, (나)와 B는 서로 동일한 지역이다.

　➡ (가)와 B는 하남시, (나)와 A는 김제시에 해당한다.

03 작물별 재배 면적 비중의 변화

[선택지 분석]

☑ 모든 시기에 재배 면적 비중이 가장 높은 (가)는 벼이다. 1975~2015년에 재배 면적 비중이 급격히 감소한 (나)는 맥류이고, 재배 면적 비중이 증가한 (다)는 채소·과수이다.

04 주요 작물별 특징

자료 분석 | (가)는 벼, (나)는 맥류, (다)는 채소·과수이다.

[선택지 분석]

① (가)는 ~~논보다 밭에서~~ 밭보다 논에서 많이 재배된다.

② ~~(나)~~ (가)벼는 식량 작물 중에서 자급률이 가장 높다.

　➡ 식량 작물 중에서 자급률이 가장 높은 작물은 벼이다.

③ (다)는 최근 1인당 소비량이 <del>감소</del> 추세에 있다.
　　　　　　　　　　　　　증가

④ (나)는 주로 (<del>타</del>)의 그루갈이 작물로 재배된다.
　　　　　　　(가)벼

✔️ 제주에서는 (다)의 재배 면적보다 (가)의 재배 면적이
좁다. → 제주는 화산 지형의 특성상 논농사가 어려움

05 우리나라 농업 구조의 변화

자료 분석 | 1970년 이후 경지 면적과 경지 이용률은 꾸준히 감소하고 있고, 농가 호당 경지 면적은 증가하고 있다.

[선택지 분석]

✗ 경지 면적은 1970년 이후 꾸준히 <del>증가</del>하였다.
　　　　　　　　　　　　　　　감소

Ⓛ 경지 이용률은 1970년에 비해 2015년에 낮아졌다.
→ 1970년은 142.1%, 2015년은 100.1%

✗ 농가 호당 경지 면적은 1970년보다 2015년에 <del>두 배 이</del>
<del>상 넓다.</del>
　　두 배 미만이다

Ⓔ 1970~2015년에 농가 수의 감소율은 경지 면적의 감소율보다 크다.

➡ 농가 호당 경지 면적이 증가했으므로 1970~2015년에 농가 수의 감소율이 경지 면적의 감소율보다 더 크게 나타났음을 알 수 있다.

06 지역별 농업 특징

[선택지 분석]

✔️ 벼와 함께 채소의 재배 면적 비중이 높은 (가)는 A(강원), 벼의 재배 면적 비중이 매우 낮은 (나)는 C(제주), 과수의 재배 면적 비중이 높은 (다)는 B(경북)이다.

07 우리나라 농업 문제와 해결 방안

[선택지 분석]

✗ (가)에는 농약 및 비료 사용량 확대를 통한 농업 생산량 증가가 들어갈 수 있다.

➡ 농약 및 비료의 사용 증가로 농촌의 생태 환경이 파괴되고 있다. 따라서 농약 및 비료 사용으로 농업 생산량을 늘려서 농가의 소득을 증대하는 것은 바람직하지 않다.

✗ (나)에는 지리적 표시제, 농산물 브랜드화 등을 통한 농촌 소득 증대가 들어갈 수 있다.

➡ 복잡한 유통 구조 및 불안정한 가격은 직거래 확대, 로컬 푸드 운동 등이 해결 방안이 될 수 있다.

Ⓒ (다)에는 친환경 농업 방식의 보급 및 확대가 들어갈 수 있다.
→ 친환경 농업은 농촌의 생태 환경 파괴에 대한 해결 방안임

Ⓔ (라)에는 농산물의 고급화를 통한 농업 경쟁력 강화가 들어갈 수 있다.
→ 농산물 고급화는 농산물 수입 개방에 대한 해결 방안임

08 농산물 소비량의 변화

[예시 답안] 국민 소득의 증가, 생활 수준의 향상, 식생활의

변화로 인해 쌀과 같은 곡물 소비량은 줄어들고 채소, 과일, 축산 육류의 소비량은 늘어났다.

도전! 실력 올리기 　　　　　　　176~177쪽

01 ④　02 ①　03 ⑤　04 ⑤　05 ③　06 ③　07 ③
08 ⑤

01 지역별 농업 특징

[선택지 분석]

✔️ (가)는 C, (나)는 A, (다)는 B이다.

➡ 농가 인구 비율과 과수 재배 면적 비율이 가장 높은 (가)는 C(경북)이고, 겸업농가 비율이 가장 높은 (나)는 A(경기)이며, 나머지 (다)는 B(전북)이다. 경북은 전국의 시·도 중에서 농가 인구가 가장 많고 과수 재배 면적도 가장 넓다. 대도시가 많은 경기는 겸업농가 비율이 높은 편이다.

02 주요 작물별 특징

자료 분석 | 강원과 제주 내에서 재배 면적 비중이 높게 나타나는 (가)는 채소이다. 충남, 전북, 전남과 같이 평야가 넓게 발달한 지역 내에서 재배 면적 비중이 높게 나타나는 (나)는 벼이다. 제주와 경북 내에서 재배 면적 비중이 높게 나타나는 (다)는 과수이다.

[선택지 분석]

Ⓖ (가)는 (나)보다 전국의 재배 면적이 좁다.

➡ 벼는 모든 작물 중에서 전국의 재배 면적이 가장 넓다. 따라서 채소는 벼보다 전국의 재배 면적이 좁다.

Ⓛ (나)는 (다)보다 영농의 기계화에 유리하다.

➡ 벼는 과수보다 영농의 기계화에 유리하다.

✗ (가)는 밭에서, (다)는 <del>논</del>에서 주로 재배된다.
　　　　　　　　　　　　밭

➡ 채소와 과수는 모두 밭에서 주로 재배된다. 주로 논에서 재배되는 작물은 벼이다.

✗ (가)~(다) 중에서 시설 재배 면적은 (나)가 가장 넓다.

➡ 벼는 주로 노지 재배 방식으로 이루어진다.

03 지역별·작물별 농업 특징

자료 분석 | 전업농가의 비율이 가장 높은 (다)는 경북이다. 경북은 과실 재배 면적이 가장 넓기 때문에 C는 과실이다. 밭의 비율이 가장 낮은 (가)는 논의 비율이 가장 높은 충남이다. 논의 비율이 충남에 이어 두 번째로 높으며, 경북에 이어 전업농가의 비율이 두 번째로 높은 (나)는 전북이다. 쌀은 전남, 충남, 전북에서 재배 면적 비중이 높기 때문에 A는 쌀이다. 전남, 전북과 같이 겨울철 기온이 상대적으로 높은 남부 지방에서 재배 면적 비중이 높은 B는 맥류이다.

[선택지 분석]

① 경북의 맥류 재배 면적은 전북보다 <del>넓다</del>. 좁다

　➡ 경북은 전북보다 맥류 재배 면적 비중이 낮으므로, 맥류 재배 면적이 좁다.

② 전북의 과실 재배 면적은 충북보다 <del>넓다</del>. 좁다

　➡ 전북은 충북보다 과실 재배 면적 비중이 낮으므로, 과실 재배 면적이 좁다.

③ 경지 면적 중 논의 비율은 전북이 충남보다 <del>높다</del>. 낮다

　➡ 논의 비율은 밭의 비율과 반비례한다. 따라서 밭의 비율이 가장 낮은 충남은 전북보다 경지 면적 중 논의 비율이 높다.

④ 밭의 비율이 가장 낮은 도는 전국에서 쌀의 재배 면적이 가장 넓다.

　➡ 밭의 비율이 가장 낮은 도는 충남이며, 전국에서 쌀의 재배 면적이 가장 넓은 도는 전남이다.

☑ 전업농가의 비율이 가장 높은 도는 전국에서 과실 재배 면적이 가장 넓다.

　➡ 전업농가의 비율이 가장 높은 도는 경북이며, 경북은 전국에서 과실 재배 면적이 가장 넓다.

04 도별 농업 특징

자료 분석 | (가)~(라)는 강원, 충남, 전남, 제주 중 하나이다. 네 지역 중 총 경지 면적이 가장 좁고 밭 면적 비중이 매우 높은 (라)는 제주이다. 제주 다음으로 밭 면적 비중이 높은 (가)는 강원이다. (다)는 (나)보다 총 경지 면적이 넓으므로 (다)는 전남, (나)는 충남이다.

[선택지 분석]

✘ (가)는 (다)보다 쌀 생산량이 <del>많다</del>. 적다

　➡ 산지가 많은 강원은 평야가 넓게 발달한 전남보다 쌀 생산량이 적다.

✘ (다)는 (라)보다 겸업농가의 비중이 <del>높다</del>. 낮다

　➡ 전남은 관광 산업이 발달한 제주보다 겸업농가의 비중이 낮다.

ⓒ (라)는 (나)보다 농가 수가 적다.

　➡ 제주는 모든 도 중에서 농가 수가 가장 적다.

ⓔ (가), (나)는 경기도와 지리적으로 서로 맞닿아 있다.

　➡ 강원과 충남은 경기도와 지리적으로 서로 맞닿아 있다.

05 도별 농업 특징

자료 분석 | 전남은 우리나라 광역 자치 단체 중 작물 재배 면적이 가장 넓고, 농가 수는 경북에 이어 두 번째로 많다. 따라서 (가)는 전남이다. 전남은 벼의 재배 면적 비중이 가장 높고, 채소의 재배 면적 비중이 두 번째로 높다. 따라서 A는 채소이다. 산지의 비중이 높은 충북과 강원에서는 재배 면적 비중이 극히 낮지만, 전남에서는 상대적으로 비중이 높은 B는 주로 논에서 벼의 그루갈이 작물로 재배되는 맥류이다. 따라서 나머지는 C는 과수이다. 충북과 강원은 산지의 비중이 높아 벼의 재배 면적 비중이 낮은 편이다. (나), (다) 중에서 상대적으로 벼의 재배 면적 비중은 낮고, 채소의 재배 면적 비중이 높은 (다)는 강원이다. 전남과 강원보다 과수의 재배 면적 비중이 상대적으로 높은 (나)는 충북이다.

[선택지 분석]

① (가)는 전남, (나)는 <del>강원</del>이다. 충북

② 농가당 작물 재배 면적은 (다)가 (가)보다 <del>넓다</del>. 좁다

　➡ 농가당 작물 재배 면적은 작물 재배 면적을 농가 수로 나누어 구할 수 있으므로, (가)는 340(천 ha) / 150(천 가구), (다)는 100(천 ha) / 70(천 가구)이다. 따라서 농가당 작물 재배 면적은 (가)가 (다)보다 넓다.

☑ (가)~(다) 중 채소 재배 면적은 전남이 가장 넓다.

　➡ 전남은 채소 재배 면적 비중이 강원보다 낮지만, 작물 재배 면적이 4배 이상 넓으므로 채소 재배 면적은 전남이 가장 넓다.

④ 도내 과수 재배 면적 비중은 강원이 충북보다 <del>높다</del>. 낮다

　➡ 도내 과수 재배 면적 비중은 충북이 13.9%, 강원이 3.2%로 충북의 과수 재배 면적 비중이 높다.

⑤ 도내 맥류 재배 면적 비중은 충북이 전남보다 <del>높다</del>. 낮다

　➡ 도내 맥류 재배 면적 비중은 충북이 0.2%, 전남이 5.8%로 전남의 맥류 재배 면적 비중이 높다.

06 도별 농업 특징

자료 분석 | 총 농가 수가 가장 많은 (가)는 C(경북)이고, 겸업농가 비중이 가장 높은 (나)는 A(경기)이다. 총 농가 수가 가장 적고 겸업농가 비중이 경기 다음으로 높은 (라)는 D(제주)이고, 나머지 (다)는 B(강원)이다.

07 시설 농업 지역과 전통 농업 지역

자료 분석 | (가)는 (나)보다 농가당 경지 규모가 크고 식량 작물을 재배하는 농가 수 비중이 높다. 따라서 (가)는 전통 농업 지역이고, (나)는 시설 농업 지역이다.

[선택지 분석]

☑ C

　➡ 전통 농업 지역인 (가)는 시설 농업 지역인 (나)보다 농가당 경지 면적이 넓고 전업농가의 비중이 높으며, 단위 면적당 지가가 낮다.

08 우리나라 농촌의 문제점과 대책

[선택지 분석]

① ㉠은 청장년층 인구를 중심으로 이촌 향도 현상이 발생했기 때문이다.

　➡ 청장년층 인구를 중심으로 이촌 향도 현상이 발생하여 농업 인구가 크게 감소하였다.

② ㉡은 산업화, 도시화로 인해 경지의 용도 전환이 이루어졌기 때문이다.

　➡ 산업화, 도시화로 인해 농경지가 도로, 건물 용지, 상업 용지 등으로 전환되면서 경지 면적이 크게 감소하였다.

③ ㉢의 해결을 위해 영농의 기계화가 추진되고 있다.

　➡ 농업 노동력 부족 문제를 해결하기 위해 영농의 기계화가 추진되고 있다.

④ ㉣의 사례로 직거래 확대, 로컬 푸드 운동 실시 등을 들
수 있다.

➡ 직거래 확대, 로컬 푸드 운동 실시 등은 농산물 유통 구조 개선
을 위한 대책에 해당한다.

✔㉤의 해결을 위해서 지리적 표시제를 확대해야 한다.

➡ 수질 오염, 토양 오염 등의 해결을 위해서는 친환경 농법을 도
입해야 한다.

03 ~ 공업 발달과 지역 변화

콕콕! 개념 확인하기   181쪽

01 (1) ㉢ (2) ㉡ (3) ㉠
02 (1) 고도화 (2) 편재 (3) 가공 (4) 이중 (5) 중소기업, 공업
분산
03 (1) 원료 (2) 제철 (3) 자동차 (4) 시장
04 (1) (가) (2) (바) (3) (나) (4) (마) (5) (다) (6) (라)

02 (1) 우리나라는 노동 집약적 경공업에서 자본 집약적 중화
학 공업, 지식·기술 집약적 첨단 산업 중심으로 공업
구조가 고도화되었다.

04 지도의 (가)는 수도권 공업 지역, (나)는 태백산 공업 지역,
(다)는 충청 공업 지역, (라)는 영남 내륙 공업 지역, (마)는
호남 공업 지역, (바)는 남동 임해 공업 지역이다.

탄탄! 내신 다지기   182~183쪽

01 ④ **02** ② **03** ① **04** ① **05** ① **06** ② **07** ⑤
08 해설 참조

01 우리나라 공업 구조의 변화

자료 분석 | 자본 집약적인 중화학 공업이 발달한 (가) 시기는
1970~1980년대이다. 지식·기술 집약적인 첨단 산업이 발달한
(나) 시기는 1990년대 이후이다. 노동 집약적 경공업이 발달한 (다)
시기는 1960년대이다.

02 우리나라의 시기별 공업 구조

자료 분석 | 우리나라의 공업화 초기에 종사자 수 비중이 높았던
(가)는 섬유 제조업이고, 현재 종사자 수 비중이 가장 높은 (나)는
기계·조립 금속 제조업이다.

[선택지 분석]

✔B

➡ 기계·조립 금속 제조업인 (나)는 섬유 제조업인 (가)보다 최종
제품의 무게가 무겁고 우리나라의 공업 발달을 선도한 시기가
늦으며, 총 생산비에서 노동비가 차지하는 비중이 낮다.

03 공업의 이중 구조

[선택지 분석]

✔(가)는 소기업, (나)는 중기업, (다)는 대기업이다.

➡ 사업체 수의 80% 이상을 차지하고 있는 (가)는 소기업이고, 사
업체 수는 적으나 출하액이 60% 이상을 차지하고 있는 (다)는
대기업이며, 나머지 (나)는 중기업이다.

04 공업의 이중 구조와 대책

자료 분석 | 그래프를 보면 소수의 대기업이 출하액의 절반 이상을
차지하고 있어 공업의 이중 구조가 나타난다는 것을 알 수 있다.

[선택지 분석]

✔공업의 이중 구조를 해결하기 위한 대책으로 중소기업
육성을 들 수 있다.

➡ 공업의 이중 구조를 해결하기 위해서는 중소기업에 대한 지원
을 강화하고 육성하는 정책을 시행해야 한다.

05 공업의 지역적 편재

자료 분석 | 사업체 수는 (가)>(나)>(다) 순으로 많으므로, (가)는
수도권, (나)는 영남권, (다)는 충청권이다.

[선택지 분석]

㉠ (나)는 (가)보다 사업체당 출하액이 많다.

➡ 영남권은 수도권보다 사업체 수는 적고 출하액은 많으므로 사
업체당 출하액이 많다.

㉡ (나)의 사업체 수는 (다)의 사업체 수보다 2배 이상 많다.

➡ 영남권의 사업체 수는 충청권의 사업체 수보다 2배 이상 많다.

✗ (가)와 (나)의 출하액 비중의 합은 사업체 수 비중의 합
보다 크다.
　　　　　　　　　　　　작다

✗ (가)는 영남권, (나)는 수도권, (다)는 충청권이다.
　　　수도권　　　　영남권

06 우리나라의 주요 공업 지역

자료 분석 | (가)는 수도권 공업 지역, (나)는 남동 임해 공업 지역에
해당한다. 지도의 A는 수도권 공업 지역, B는 충청 공업 지역, C는
호남 공업 지역, D는 남동 임해 공업 지역이다.

[선택지 분석]

✔(가)는 A, (나)는 D이다.

➡ 수도권 공업 지역(가)은 지도의 A에 해당하고, 남동 임해 공업
지역(나)은 지도의 D에 해당한다.

07 주요 공업의 특징

자료 분석 | 경기, 경북, 대구의 생산액이 많은 (가)는 섬유 공업이
다. 경북, 전남, 충남의 생산액이 많은 (나)는 1차 금속 공업이다. 경
기, 울산, 충남의 생산액이 많은 (다)는 자동차 공업이다.

[선택지 분석]

① (가)는 관련 공업의 집적이 크게 이루어지는 종합 조립
　(다)
공업이다.

➡ 자동차 공업에 대한 설명이다.

② (나)는 총 생산비에서 노동비가 차지하는 비중이 가장
　(가)

높다.

➡ 1차 금속 공업은 원료비의 비중이 높은 편이다.

③ (다)는 1960년대 우리나라의 공업 발달을 선도하였다.
(가)

➡ 섬유 공업과 같은 노동 집약적 경공업에 대한 설명이다.

④ (가)는 (다)보다 최종 제품의 무게가 무겁고 부피가 크다.
~~무겁고~~ 가볍고　~~크다~~ 작다

☑ (나)의 최종 제품은 (다)의 생산에 원료로 이용된다.

➡ 1차 금속 공업의 최종 제품인 철강 제품은 자동차 공업의 생산에 원료로 이용된다.

08 공업의 입지 유형

[예시 답안] (가)는 적환지 지향형 공업이고, 적환지 지향형 공업의 사례로는 제철, 정유 공업을 들 수 있다. (나)는 원료 지향형 공업이고, 원료 지향형 공업의 사례로는 시멘트, 통조림 공업을 들 수 있다. (다)는 시장 지향형 공업이고, 시장 지향형 공업의 사례로는 가구, 제빙, 인쇄 공업을 들 수 있다.

채점기준	
상	(가)~(다)에 들어갈 입지 유형과 해당 공업의 사례를 모두 정확하게 서술한 경우
중	(가)~(다)에 들어갈 입지 유형과 해당 공업의 사례 중 두 가지만 정확하게 서술한 경우
하	(가)~(다)에 들어갈 입지 유형과 해당 공업의 사례 중 한 가지만 정확하게 서술한 경우

도전! 실력 올리기　184~185쪽

01 ①　02 ①　03 ④　04 ⑤　05 ④　06 ④　07 ③
08 ③

01 우리나라 공업의 특징

자료 분석 | (가)에는 공업의 이중 구조에 대한 조사 내용, (나)에는 공업의 지역적 편재에 대한 조사 내용, (다)에는 공업의 집적 이익에 대한 조사 내용이 들어가야 한다.

[선택지 분석]

☑ (가)는 ㄱ, (나)는 ㄴ, (다)는 ㄷ에 해당한다.

➡ 공업의 이중 구조에 대한 조사 내용으로는 기업 규모별 제조업 사업체 수, 종사자 수, 출하액이 적절하다. 공업의 지역적 편재에 대한 조사 내용으로는 권역별 제조업의 전국 대비 사업체 수, 출하액 비중이 적절하다. 공업의 집적 이익에 대한 조사 내용으로는 울산시 자동차 부품 제조업체 간 지역 내 정보 교환 및 협업 현황이 적절하다.

02 공업의 지역적 편재

자료 분석 | 제조업 사업체 수와 종사자 수가 가장 많은 (가)는 수도권, 제조업 출하액이 가장 많은 (나)는 영남권이다. (다)는 (라)보다 제조업 사업체 수, 종사자 수, 출하액이 많으므로 (다)는 충청권, (라)는 호남권이다.

03 주요 제조업별 특징

자료 분석 | 경기, 경북, 충남의 생산액 비중이 높은 (가)는 전자 부품, 컴퓨터, 영상, 음향 및 통신 장비 제조업이다. 경기, 울산, 충남의 생산액 비중이 높은 (나)는 자동차 및 트레일러 제조업이다. 경북, 충남, 전남의 생산액 비중이 높은 (다)는 1차 금속 제조업이다.

[선택지 분석]

① (가)는 한 가지 원료로 여러 제품을 생산하는 계열화된 공업이다.

➡ 1차 금속은 제철이 가장 대표적이며, 철광석, 역청탄 등의 주요 원료를 해외에서 수입하기 때문에 운송비를 줄일 수 있는 항구에 공장이 위치하는 경우가 대부분이다. 이러한 공업을 적환지 지향형 공업이라고 한다. 한 가지 원료로 여러 제품을 생산하는 계열화된 공업은 석유 화학 공업이 가장 대표적이다.

② (나)는 최종 제품의 제조 과정에서 주요 원료의 무게와 부피가 감소하는 공업이다.

➡ 최종 제품의 제조 과정에서 주요 원료의 무게와 부피가 감소하는 공업의 경우 원료 산지에 공장이 위치하며, 시멘트 공업이 가장 대표적이다.

③ (가)는 (다)보다 총생산액이 적다.
~~적다~~ 많다

➡ (가)의 총생산액은 약 130조 원, 1차 금속 제조업(다)의 총생산액은 약 115조 원으로 (가)는 (다)보다 총생산액이 많다.

☑ (나)는 (다)보다 종사자 1인당 생산액이 적다.

➡ 종사자 1인당 생산액은 생산액을 종사자 수로 나누어 구할 수 있으며, 자동차 및 트레일러 제조업(나)은 1차 금속 제조업(다)에 비해 종사자 수와 생산액이 모두 많지만, 종사자 1인당 생산액은 1차 금속 제조업에 비해 적다.

⑤ (나)에서 생산된 제품은 (다)의 주요 재료로 이용된다.

➡ 일반적으로 1차 금속 제조업(다)의 생산품이 자동차 및 트레일러 제조업(나)과 기타 운송 장비(조선 포함) 제조업의 주요 재료로 이용된다.

04 지역별 제조업 특징

[선택지 분석]

☑ (가)는 C, (나)는 D, (다)는 A에 해당한다.

➡ 화학 물질 및 화학 제품 제조업, 코크스, 연탄 및 석유 정제품 제조업과 같은 석유 화학 공업의 출하액 비중이 높은 (가)는 C(전남)이다. (나), (다)는 모두 전자 부품, 컴퓨터, 영상, 음향 및 통신 장비 제조업의 출하액 비중이 가장 높은데 (나)는 1차 금속 제조업의 출하액 비중이 2위를 차지하고 있으므로 포항이 속한 D(경북)이다. (다)는 자동차 및 트레일러 제조업의 출하액 비중이 2위를 차지하고 있으므로 A(경기)이다.

05 주요 제조업별 특징

자료 분석 | 자료에서 (가)의 출하액은 A, 서울, 부산 등이 많으며, 종사자 수와 사업체 수도 A, 서울, 부산이 많다. 서울과 부산의 출하액 비중이 높은 것은 섬유(의복 제외) 제조업이며, 가장 비중이 높은 A는 대구에 해당한다. 반면, (나)의 출하액은 B, 광주, 인천 등이 많고, 종사자 수는 B, 인천, A, 광주가 많으며, 사업체 수는 B, A, 부산, 인천이 많다. 이것은 자동차 및 트레일러 제조업이며, 가장 비중이 높은 B는 울산이다.

[선택지 분석]

✗ A는 울산, B는 ~~태구~~이다.
　　　대구　　울산

ㄴ (가)의 종사자 1인당 출하액은 서울이 부산보다 많다.

➡ 서울과 부산의 섬유(의복 제외) 제조업 출하액은 비슷하지만, 부산이 서울보다 종사자 수가 많다. 따라서 서울은 부산보다 종사자 1인당 출하액이 많다.

✗ (나)의 사업체당 종사자 수는 광주가 가장 많다.

➡ 울산은 광주보다 자동차 및 트레일러 제조업의 사업체 수 대비 종사자 수 비중이 높다. 따라서 사업체당 종사자 수는 광주가 가장 많다고 할 수 없다.

ㄹ (가)는 (나)보다 우리나라 공업화를 주도한 시기가 이르다.

➡ 섬유(의복 제외) 제조업은 1960~1970년대, 자동차 및 트레일러 제조업은 1990년대 이후 우리나라 공업화를 주도하였다.

06 주요 지역별 공업 특징

자료 분석 | 다른 두 지역에 비해 전자 부품, 컴퓨터, 영상, 음향 및 통신 장비 제조업의 생산액 비중이 높은 (가)는 아산이 속한 충남이다. (나), (다)는 울산, 전남 중 하나인데, (나)는 (다)보다 자동차 및 트레일러 제조업의 생산액 비중이 높은 반면 1차 금속 제조업의 생산액 비중이 낮다. 따라서 (나)는 울산, (다)는 전남이다.

[선택지 분석]

✗ (가)는 (나)보다 2차 산업 종사자 수 비중이 ~~높다~~.
　　　　　　　　　　　　　　　　　　　낮다

➡ 우리나라의 대표적인 공업 도시인 울산은 전국의 시·도 중에서 2차 산업 종사자 수 비중이 가장 높다. 따라서 충남은 울산보다 2차 산업 종사자 수 비중이 낮다.

ㄴ (나)는 (다)보다 제조업 출하액이 많다.

➡ 울산은 경기 다음으로 제조업 출하액이 많은 지역이다. 따라서 울산은 전남보다 제조업 출하액이 많다.

✗ (다)는 (가)보다 수도권과의 지리적 접근성이 ~~높다~~.
　　　　　　　　　　　　　　　　　　　　　　낮다

➡ 충남은 수도권과 지리적으로 서로 맞닿아 있다. 따라서 전남은 충남보다 수도권과의 지리적 접근성이 낮다.

ㄹ (가), (다)는 도(道), (나)는 광역시에 해당한다.

➡ 충남과 전남은 도, 울산은 광역시에 해당한다.

07 주요 제조업의 특징

자료 분석 | 거제가 속한 경상남도의 생산액이 가장 많은 (가)는 조선 공업이다. 경기도를 비롯한 수도권의 생산액이 많고 종사자 수 비중도 높게 나타나는 (나)는 전자 공업이다.

[선택지 분석]

☑ C

➡ 전자 공업인 (나)는 조선 공업인 (가)보다 주문 생산의 비중이 낮고 최종 제품의 무게가 가벼우며 남성 노동자의 비중이 낮다.

08 우리나라의 공업 지역

자료 분석 | (가)는 수도권 공업 지역, (나)는 태백산 공업 지역, (다)는 충청 공업 지역, (라)는 호남 공업 지역, (마)는 남동 임해 공업 지역이다.

[선택지 분석]

① (가) – 우리나라 최대의 중화학 공업 지역이다.

➡ 남동 임해 공업 지역에 대한 설명이다.

② (나) – 대중국 교역의 거점이라는 이점을 바탕으로 임해 지역을 중심으로 공업 입지가 활발하다.

➡ 호남 공업 지역에 대한 설명이다.

☑ (다) – 수도권에서 분산되는 공업이 입지하면서 수도권과 인접한 지역을 중심으로 빠르게 성장하고 있다.

➡ 충청 공업 지역은 수도권에서 분산되는 공업이 입지하면서 빠르게 성장하고 있다.

④ (라) – 우리나라 최대의 종합 공업 지역으로 첨단 산업이 발달하고 있다.

➡ 수도권 공업 지역에 대한 설명이다.

⑤ (마) – 풍부한 지하자원을 바탕으로 시멘트 공업과 같은 원료 지향형 공업이 발달해 있다.

➡ 태백산 공업 지역에 대한 설명이다.

---

04 ~ 서비스업의 변화와 교통·통신의 발달

콕콕! 개념 확인하기 　　　　　　　　　191쪽

01 (1) 최소 요구치 (2) 재화의 도달 범위 (3) 최소 요구치의 범위, 재화의 도달 범위

02 (1) 편의점 (2) 전자 상거래

03 (1) ㄱ, ㄷ (2) ㄴ, ㄹ

04 (1) (가) 철도, (나) 지하철, (다) 도로, (라) 해운, (마) 항공
(2) (다) (3) (마)

03 서비스업은 수요 주체에 따라 소비자 서비스업과 생산자 서비스업으로 분류된다. 소비자 서비스업은 주로 개인 소비자가 이용하고, 소매업, 숙박 및 음식점업 등이 있다. 생산자 서비스업은 주로 기업이 이용하고, 대도시의 도심 또는 부도심에 입지하며, 금융업, 보험업, 부동산업, 전문 서비스업 등이 있다.

탄탄! 내신 다지기 　　　　　　　　192~193쪽

01 ② **02** ④ **03** ② **04** ① **05** ① **06** ⑤ **07** ②
08 해설 참조

01 최소 요구치와 재화의 도달 범위

자료 분석 | 중심지나 상점의 기능이 영향을 미치는 최대의 공간 범위를 재화의 도달 범위라고 하고, 중심지나 상점이 기능을 유지하는 데 필요한 최소한의 수요를 최소 요구치라고 한다.

✅ 재화의 도달 범위는 교통이 발달하면 확대되고, 최소 요구치는 인구 밀도가 높아지면 축소된다. 중심지의 기능이 유지되기 위해서는 재화의 도달 범위보다 최소 요구치의 범위가 같거나 작아야 한다.

02 정기 시장의 상설 시장화

자료 분석 | 자료를 보면 정기 시장이 상설 시장으로 변화했음을 알 수 있다.

[선택지 분석]

❌ 행상의 증가

➡ 행상의 증가는 정기 시장의 상설 시장화와 관련이 없다. 행상이 감소하면서 정기 시장이 증가하였고, 다시 정기 시장이 감소하면서 상설 시장이 증가하였다.

ㄴ 교통의 발달 → 재화의 도달 범위 확대

❌ 인구 밀도의 감소
　　　　　　　　증가

ㄹ 소비자의 소득 수준 향상 → 최소 요구치의 범위 축소

03 소매 업태별 사업체 수와 종사자 수

[선택지 분석]

✅ 사업체 수가 가장 적은 (가)는 백화점이고, 가장 많은 (라)는 편의점이다. (나)는 (다)보다 사업체당 종사자 수가 많으므로 (나)는 대형 마트, (다)는 슈퍼마켓이다.

04 소매 업태별 특징

자료 분석 | (가)는 백화점, (나)는 대형 마트, (다)는 슈퍼마켓, (라)는 편의점이다.

[선택지 분석]

✅ (가)는 (나)보다 일상생활 용품의 판매 비중이 낮다.

→ 백화점은 대형 마트보다 고급 전문 상품의 판매 비중이 높음

② (나)는 (다)보다 사업체당 종사자 수가 적다.
　　　　　　　　　　　　　　　　　　　　많다

③ (다)는 (라)보다 일평균 영업시간이 길다.
　　　　　　　　　　　　　　　　　　짧다

④ (라)는 (가)보다 대도시 도심 집중도가 높다.
　　　　　　　　　　　　　　　　　　낮다

⑤ (가)~(라) 중에서 매출액은 (카)가 가장 많다.
　　　　　　　　　　　　　　　　(나)

05 오프라인 유통 구조와 온라인 유통 구조의 특징

자료 분석 | 제조 공장 → 도매상 → 소매상 → 소비자로 상품이 이동하는 (가)는 기존의 오프라인 유통 구조이고, 제조 공장 → 유통 센터 → 소비자로 상품이 이동하는 (나)는 온라인 유통 구조이다.

[선택지 분석]

ㄱ 최근 10년간 매출액 증가율이 높다.

→ 정보 통신 기술과 교통의 발달로 빠르게 증가

ㄴ 택배업의 발달에 끼친 영향이 크다.

→ 물건 배송을 위한 택배업이 함께 성장함

❌ 상품 구매 활동의 시간적 제약이 크다.
　　　　　　　　　　　　　　　　작다

❌ 소비자와 판매자 간의 물리적 접촉 빈도가 높다.
　　　　　　　　　　　　　　　　　　　　낮다

06 우리나라의 산업 구조 변화

자료 분석 | 1966년 이후 종사자 수 비중이 점차 증가하여 2016년 현재 종사자 수 비중이 가장 높은 (가)는 3차 산업이다. 1966년 이후 종사자 수 비중이 점차 감소하여 2016년 현재 종사자 수 비중이 가장 낮은 (다)는 1차 산업이고, 나머지 (나)는 2차 산업이다.

07 교통수단별 특징

자료 분석 | 국내 여객 및 화물 수송 분담률이 가장 높은 (가)는 도로이다. 도로 다음으로 국내 여객 수송 분담률이 높은 (마)는 지하철이고, 지하철 다음으로 국내 여객 수송 분담률이 높은 (나)는 철도이다. 도로 다음으로 국내 화물 수송 분담률이 높은 (다)는 해운이고, 나머지 (라)는 항공이다.

[선택지 분석]

① (가)는 (나)보다 정시성과 안전성이 우수하다.
　　　　　　　　　　　　　　　　　　낮다

✅ (나)는 (다)보다 운행 시 기상 조건의 영향을 적게 받는다.

→ 해운은 운행 시 기상 조건의 영향을 많이 받음

③ (다)는 (라)보다 국제 여객 수송 분담률이 높다.
　　　　　　　　　　　　　　　　　　　낮다

④ (라)는 (마)보다 주행 비용 증가율이 낮다.
　　　　　　　　　　　　　　　　　　높다

⑤ (마)는 (가)보다 운행이 최초로 시작된 시기가 이르다.
　　　　　　　　　　　　　　　　　　　　　늦다

08 생산자 서비스업과 소비자 서비스업의 특징

[예시 답안] 전문 서비스업인 (나)는 소매업인 (가)보다 기업과의 거래액 비중이 높고 사업체당 매출액이 많으며, 최근 10년간 매출액 증가율이 높다.

채점기준		
상	소매업과 비교한 전문 서비스업의 상대적 특징을 제시된 세 가지 측면에서 모두 정확하게 서술한 경우	
중	소매업과 비교한 전문 서비스업의 상대적 특징을 두 가지 측면에서 정확하게 서술한 경우	
하	소매업과 비교한 전문 서비스업의 상대적 특징을 한 가지 측면에서 정확하게 서술한 경우	

도전! 실력 올리기　　　　　　194~195쪽

01 ④　**02** ②　**03** ①　**04** ④　**05** ①　**06** ③　**07** ⑤
08 ③

01 주요 소매 업태별 특징

자료 분석 | 판매액이 가장 많은 A는 대형 마트이고, 사업체 수가 가장 적은 B는 백화점이며, 사업체 수가 가장 많은 C는 편의점이다.

[선택지 분석]

❌ A는 B보다 도심에 입지하는 경향이 강하다.
　　　　　　　　　　　　　　　　　약하다

➡ 백화점은 도심에 입지하는 경향이 강하다.

ㄴ B는 C보다 고가 제품의 판매 비중이 높다.

➡ 고차 중심지인 백화점은 저차 중심지인 편의점보다 고가 제품의 판매 비중이 높다.

✗ C는 A보다 자가용 이용 고객의 비율이 <s>높다</s> 낮다.

➡ 편의점은 대규모 주차장과 매장을 갖춘 대형 마트보다 자가용 이용 고객의 비율이 낮다.

㉣ A~C 중 재화의 도달 범위가 가장 좁은 것은 C이다.

➡ 세 소매 업태 중 재화의 도달 범위가 가장 좁은 것은 저차 중심지인 편의점이다.

02 주요 소매 업태별 특징

자료 분석 | (가)는 (나)보다 매출액이 많고, 매출액의 서울 집중도가 낮다. 따라서 (가)는 대형 마트이고, (나)는 백화점이다.

[선택지 분석]

㉠ (나)는 수도권의 매출액이 비수도권의 매출액보다 많다.

➡ 서울, 경기, 인천의 백화점 매출액 비중의 합이 50%를 넘으므로 백화점은 수도권의 매출액이 비수도권의 매출액보다 많다.

✗ (가)는 (나)보다 대도시 도심 집중도가 <s>높다</s> 낮다.

➡ 대형 마트는 백화점보다 대도시 도심에 입지하는 경향이 낮다.

㉢ (가)는 (나)보다 고급 전문 상품의 판매 비중이 낮다.

➡ 대형 마트는 백화점보다 고급 전문 상품의 판매 비중이 낮은 반면, 일상생활 용품의 판매 비중이 높다.

✗ (나)는 (가)보다 전국의 사업체 수가 <s>많다</s> 적다.

➡ 백화점은 대형 마트보다 전국의 사업체 수가 적다.

03 주요 소매 업태별 특징

자료 분석 | 사업체 수가 가장 적은 (가)는 백화점이고, 사업체당 종사자 수가 가장 적은 (나)는 편의점이다. 종사자 수가 가장 많고, 2014년 기준 매출액이 가장 많은 (다)는 무점포 소매업체이다.

[선택지 분석]

☑ (가)는 (나)보다 사업체 간 평균 거리가 멀다.

➡ 백화점은 편의점보다 사업체 수가 적으므로 사업체 간 평균 거리가 멀다.

② (가)는 (다)보다 2008년부터 2014년까지 매출액 증가율이 <s>높다</s> 낮다.

➡ 그래프를 보면 백화점은 무점포 소매업체보다 2008~2014년의 매출액 증가율이 낮다.

③ (나)는 (가)보다 고가 제품의 판매 비중이 <s>높다</s> 낮다.

➡ 편의점은 주로 일상생활 용품을 판매하고, 백화점은 고가의 전문 상품을 주로 판매한다.

④ (나) 사업체는 (가) 사업체보다 2014년에 전국 대비 특별·광역시에 분포하는 비중이 <s>높다</s> 낮다.

➡ 백화점은 특별·광역시와 같은 대도시의 도심에 입지하는 경향이 강하다.

⑤ (가)~(다) 중 2014년에 종사자당 매출액은 <s>(다)</s> (가)가 가장 많다.

➡ 종사자당 매출액은 백화점이 가장 많다.

04 시·도별 산업 구조 특징

자료 분석 | 1차 산업 취업자 비중이 가장 높은 (가)는 전남이고, 지

역 내 총생산이 세 지역 중 가장 많은 (나)는 서울이다. 2차 산업 취업자 비중이 가장 높은 (다)는 울산이다.

05 주요 지역의 산업 구조 특징

자료 분석 | 전국의 산업별 취업자 수 비중은 (다)>(나)>(가) 순으로 높다. 따라서 (가)는 1차 산업, (나)는 2차 산업, (다)는 3차 산업이다. 네 지역 중 3차 산업의 취업자 수 비중이 가장 높은 A는 서울, 2차 산업의 취업자 수 비중이 가장 높은 B는 대표적인 공업 도시인 울산이다. 1차 산업의 취업자 수 비중이 가장 높은 C는 전남이고, 2차 산업의 취업자 수 비중이 가장 낮은 D는 제주이다.

[선택지 분석]

☑ A는 B보다 제조업 출하액이 적다.

➡ 서울은 공업 도시인 울산보다 제조업 출하액이 적다.

② B는 C보다 1차 산업 취업자 수 비중이 <s>높다</s> 낮다.

➡ 울산은 전남보다 1차 산업 취업자 수 비중이 낮다.

③ C는 D보다 지역 내 총생산이 <s>적다</s> 많다.

➡ 제주는 전국의 시·도 중에서 지역 내 총생산이 가장 적다.

④ <s>A, C</s> A, B는 특별·광역시이고, <s>B, D</s> C, D는 도(道)이다.

➡ 서울은 특별시, 울산은 광역시, 전남과 제주는 도(道)이다.

⑤ (가)는 <s>3차</s> 1차 산업, (나)는 2차 산업, (다)는 <s>1차</s> 3차 산업이다.

06 생산자 서비스업과 소비자 서비스업

자료 분석 | (가)는 (나)보다 모든 시·도에서 종사자 수가 많다. (나)는 우리나라의 최고차 중심 도시인 서울에서 종사자 수 비중이 상대적으로 높은 편이다. 따라서 (가)는 소비자 서비스업, (나)는 생산자 서비스업이다.

[선택지 분석]

☑ C

➡ 생산자 서비스업은 소비자 서비스업보다 기업과의 거래액 비중이 높고 전국의 사업체 수가 적으며, 사업체당 종사자 수가 많다.

07 교통수단별 특징

자료 분석 | 기종점 비용이 가장 비싼 (가)는 항공, 가장 저렴한 (나)는 도로이다. 주행 비용 증가율이 가장 낮은 (라)는 해운이고, 나머지 (다)는 철도이다. 국내 화물 수송 분담률이 가장 높은 B는 도로이고 도로 다음으로 국내 화물 수송 분담률이 높은 C는 해운이며, 나머지 A는 철도이다.

[선택지 분석]

① (가)는 (나)보다 국내 화물 수송 분담률이 <s>높다</s> 낮다.

➡ 도로는 국내 화물 수송 분담률이 가장 높은 교통수단이다.

② (다)는 (라)보다 운행 시 기상 조건의 제약을 <s>많이</s> 적게 받는다.

➡ 레일 위를 운행하는 철도는 해운보다 운행 시 기상 조건의 영향을 적게 받는다.

③ A는 B보다 문전 연결성이 <s>우수하다</s> 약하다.

➡ 도로는 문전 연결성이 가장 우수한 교통수단이다.

④ B는 C보다 대량 화물의 장거리 수송에 ~~유리하다.~~
　　불리하다
　　➡ 도로는 해운보다 주행 비용 증가율이 높으므로 대량 화물의 장
　　　거리 수송에 불리하다.
☑️ (나)와 B, (다)와 A, (라)와 C는 서로 동일한 교통수단
　이다.
　　➡ (나)와 B는 도로, (다)와 A는 철도, (라)와 C는 해운이다.

08 교통수단별 특징

자료 분석 | 장거리의 단위 거리당 운송비가 (가)>(나)>(다) 순으로 비싸므로 (가)는 도로, (나)는 철도, (다)는 해운이다. 2013년 기준 국내 화물 수송 분담률이 A>C>B 순으로 높으므로 A는 도로, B는 철도, C는 해운이다.

[선택지 분석]

① (가)는 (나)보다 정시성과 안전성이 ~~우수하다.~~
　　　　　　　　　　　　　　　　　낮다
　　➡ 도로는 철도보다 정시성과 안전성이 낮다.

② (나)는 (다)보다 국내 화물 수송 분담률이 ~~높다.~~
　　　　　　　　　　　　　　　　　　　낮다
　　➡ 철도는 해운보다 국내 화물 수송 분담률이 낮다.

☑️ A는 C보다 주행 비용 증가율이 높다.
　　➡ 도로는 해운보다 주행 비용 증가율이 높다.

④ B는 C보다 국내 여객 수송 분담률이 ~~낮다.~~
　　　　　　　　　　　　　　　　　높다
　　➡ 철도는 해운보다 국내 여객 수송 분담률이 높다.

⑤ (가)와 A, (나)와 C~, (다)와 B는 서로 동일한 교통수단
　　　　　　　　　　B　　　 C
　이다.
　　➡ (가)와 A는 도로, (나)와 B는 철도, (다)와 C는 해운이다.

01 주요 광물 자원의 분포와 특징

자료 분석 | 주로 강원도 일대에 분포하는 (가)는 철광석이고, 조선 누층군 일대에 많이 분포하는 (나)는 석회석이다. 경남 하동 일대에 분포하는 (다)는 고령토이다.

[선택지 분석]

① (가)는 도자기 및 내화 벽돌, 종이, 화장품의 원료로 주로 이용된다. → 고령토

② (나)는 주로 고생대 ~~평안 누층군~~에 분포한다.
　　　　　　　　　　조선 누층군

③ (다)는 대부분 제철 공업의 원료로 이용된다. → 철광석

☑️ (가)는 (나)보다 수입 의존도가 높다.
　　➡ 철광석은 오스트레일리아, 브라질 등지에서 대부분 수입하고
　　　있다.

⑤ ~~(가)~~, (나)는 비금속 광물, ~~(다)~~는 금속 광물에 해당한다.
　　(나), (다)　　　　　　　　　　(가)
　　➡ 철광석은 금속 광물이고, 석회석과 고령토는 비금속 광물이다.

02 도별 1차 에너지 공급량 특징

자료 분석 | 대규모 화력 발전소와 제철소가 입지한 충남에서 공급량 비중이 높은 (가)는 석탄이다. 제주와 석유 화학 공업이 발달한 전남에서 공급량 비중이 높은 (나)는 석유이다. 도시가스 망이 잘 갖춰진 수도권에 속한 경기에서 공급량 비중이 높은 (다)는 천연가스이고, 원자력 발전소가 입지한 전남, 경북에서 공급량 비중이 나타나는 (라)는 원자력이다.

[선택지 분석]

① (가)는 (나)보다 연소 시 대기 오염 물질 배출량이 ~~적다.~~
　　　　　　　　　　　　　　　　　　　　　　　　　많다
　　➡ 석탄은 석유보다 연소 시 대기 오염 물질 배출량이 많다.

☑️ (나)는 (다)보다 수송용으로 이용되는 비중이 높다.
　　➡ 석유는 천연가스보다 수송용으로 이용되는 비중이 높다.

③ (다)는 (라)보다 총 발전량에서 차지하는 비중이 ~~높다.~~
　　　　　　　　　　　　　　　　　　　　　　　　낮다
　　➡ 천연가스는 원자력보다 총 발전량에서 차지하는 비중이 낮다.

④ (라)는 (가)보다 상업적 발전에 이용되기 시작한 시기가
　~~이르다.~~
　늦다
　　➡ 원자력은 석탄보다 상업적 발전에 이용되기 시작한 시기가 늦다.

⑤ 우리나라의 1차 에너지 소비 구조에서 차지하는 비중은
　~~(나)>(다)>(가)>(라)~~ 순으로 높다.
　(나)>(가)>(다)>(라)
　　➡ 우리나라의 1차 에너지 소비 구조에서 차지하는 비중은 석유>
　　　석탄>천연가스>원자력 순으로 높다.

03 신·재생 에너지의 특징

자료 분석 | 전남, 전북에서 생산량이 많은 (가)는 태양광이고 강원, 제주에서 생산량이 많은 (나)는 풍력이다. 강원, 경기 등에서 생산량이 많은 (다)는 수력이고, 경기에서만 생산되는 (라)는 조력이다.

04 신·재생 에너지별 특징

자료 분석 | (가)는 태양광, (나)는 풍력, (다)는 수력, (라)는 조력이다.

[선택지 분석]

❌ (가)는 (나)보다 발전 시 소음 발생량이 ~~많다.~~
　　　　　　　　　　　　　　　　　　　　　적다

Ⓛ (나)는 (다)보다 상업적 발전이 시작된 시기가 늦다.
　→ 수력은 일찍부터 상업적 발전이 시작됨

Ⓒ (다)는 (라)보다 생산량이 기후 조건의 영향을 많이 받는다. → 수력은 기후의 영향을 많이 받음

❌ (라)는 (가)보다 신·재생 에너지의 총 생산량에서 차지하는 비중이 ~~높다.~~
　　　　　　　　　낮다

05 주요 작물별 특징

자료 분석 | 경북과 제주에서 생산량이 많은 (가)는 과실이다. 전남, 충남, 전북에서 생산량이 많은 (나)는 쌀이다. 전남과 전북에서 50% 이상 생산되고 있는 (다)는 맥류이다.

[선택지 분석]

❌ (가)는 (나)보다 영농의 기계화에 ~~유리하다.~~
　　　　　　　　　　　　　　　　　불리하다

Ⓛ (나)는 (다)보다 자급률이 높다.
　→ 쌀은 식량 작물 중 자급률이 가장 높음

✗ (다)는 주로 (가)의 그루갈이 작물로 재배된다.
    (나)
ㄹ (가)~(다) 중에서 전국의 재배 면적은 (나)가 가장 넓다.
  ➡ 쌀은 모든 작물 중에서 전국의 재배 면적이 가장 넓다.

06 도별 농업 특징

자료 분석 | 시설 재배 면적 비중과 겸업농가 비중이 높은 (가), (나)는 제주, 경기 중 하나인데, (가)는 (나)보다 농가 수가 적다. 따라서 (가)는 제주, (나)는 경기이다. 시설 재배 면적 비중과 겸업농가 비중이 낮은 (다)는 전남이다.

[선택지 분석]

(가)	(나)	(다)
✔ 제주	경기	전남

07 공업의 지역적 편재

자료 분석 | 제조업 사업체 수와 출하액이 수도권과 영남권에 집중되어 있다. 이를 통해 공업이 지역적으로 편재되어 있음을 알 수 있다.

[선택지 분석]

	공업의 특징	대책
①	공업의 이중 구조	중소기업 육성

  ➡ 공업의 이중 구조는 대기업과 중소기업 간의 격차가 크게 나서 소수의 대기업이 산업 생산의 절반 이상을 차지하는 현상을 말한다. 이러한 문제를 해결하기 위해서는 중소기업에 대한 지원과 육성을 강화해야 한다.

| ② | 공업의 이중 구조 | 공업의 지방 분산 |
| ③ | 공업 구조의 고도화 | 첨단 산업 육성 |

  ➡ 공업 구조의 고도화란 노동 집약적 경공업 중심에서 자본 집약적 중화학 공업, 기술·지식 집약적 첨산 산업 중심으로 변화되는 것을 말한다.

| ④ | 공업의 지역적 편재 | 중소기업 육성 |
| ⑤ | 공업의 지역적 편재 | 공업의 지방 분산 | ✓

08 주요 제조업의 특징

자료 분석 | 경기, 경북, 대구의 출하액 비중이 높은 (가)는 섬유 제품(의복 제외) 제조업이다. 울산, 전남, 충남의 출하액 비중이 높은 (나)는 화학 물질 및 화학 제품(의약품 제외) 제조업이다. 경북, 전남, 충남의 출하액 비중이 높은 (다)는 1차 금속 제조업이다.

[선택지 분석]

① (가)는 관련 공업의 집적이 크게 이루어진 종합 조립 공업이다. → 자동차 및 트레일러 제조업

② (나)는 1960년대 우리나라의 공업 발달을 선도하였다.

  ➡ 섬유 제품(의복 제외) 제조업과 같은 노동 집약적 경공업에 대한 설명이다.

③ (다)의 최종 생산품은 (가)의 생산에 주원료로 이용된다.

  ➡ 1차 금속 제조업의 철강 제품이 섬유 제품(의복 제외) 제조업의 생산에 주원료로 이용된다고 볼 수 없다. 철강 제품은 주로 자동차 및 트레일러 제조업, 조선 공업 등의 생산에 주원료로 이용된다.

④ (나)는 (가)보다 총 생산비에서 노동비가 차지하는 비중이 높다.
   낮다

⑤ (다)는 (가)보다 최종 제품의 무게가 무겁고 부피가 크다. → 철강 제품이 섬유 제품보다 무겁고 큼 ✓

09 생산자 서비스업과 소비자 서비스업의 특징

자료 분석 | 특정 지역의 사업체 수 비중이 매우 높게 나타나는 (나)는 생산자 서비스업인 전문 서비스업이고, 전문 서비스업의 사업체 수 비중이 매우 높은 B는 서울이다. 나머지 (가)는 소비자 서비스업인 소매업이고, 소매업의 사업체 수 비중이 가장 높은 A는 인구 규모가 가장 큰 경기이다.

[선택지 분석]

① (가)는 (나)보다 기업과의 거래액 비중이 높다.
   낮다

② (가)는 (나)보다 사업체당 매출액이 적다. ✓

③ (나)는 (가)보다 전국의 사업체 수가 많다.
   적다

④ A는 서울, B는 경기에 해당한다.
   경기   서울

⑤ A는 B보다 3차 산업 취업자 수 비중이 높다.
   낮다

  ➡ 서울은 전국의 시·도 중에서 3차 산업 취업자 수 비중이 가장 높다.

10 우리나라의 산업 구조 변화

자료 분석 | 취업자 수 비중과 생산액 비중이 점차 감소하는 (가)는 1차 산업이고, 비중이 점차 증가하는 (다)는 3차 산업이며, 나머지 (나)는 2차 산업이다.

[선택지 분석]

(가)	(나)	(다)
✔ 1차	2차	3차

11 주요 시·도의 산업 구조 특징

자료 분석 | 1차 산업 취업자 수 비중이 가장 높은 A는 전남이고, 2차 산업 취업자 수 비중이 가장 낮은 B는 제주이다. 1차 산업 취업자 수 비중이 가장 낮은 C는 서울이고, 2차 산업 취업자 수 비중이 가장 높은 D는 울산이다.

[선택지 분석]

ㄱ A는 B보다 농가 수가 많다. → 전남은 제주보다 농가 수가 많음

✗ B는 C보다 3차 산업 취업자 수 비중이 높다.
   낮다

  ➡ 서울은 전국의 시·도 중에서 3차 산업 취업자 수 비중이 가장 높다.

ㄷ C는 D보다 제조업 출하액이 적다.

  ➡ 서울은 공업 도시인 울산보다 제조업 출하액이 적다.

✗ B, C는 특별·광역시, A, D는 도(道)에 해당한다.
   C, D   A, B

  ➡ 제주, 전남은 도(道), 서울은 특별시, 울산은 광역시에 해당한다.

12 주요 교통수단별 특징

자료 분석 | (가)는 도로, (나)는 지하철, (다)는 철도, (라)는 해운, (마)는 항공이다.

[선택지 분석]

① (가)는 (나)보다 정시성과 안전성이 ~~우수하다.~~
낮다
➡ 도로는 지하철보다 정시성과 안전성이 낮다.

② (나)는 (다)보다 국내 화물 수송 분담률이 높다.
➡ 지하철은 국내 화물 수송에 이용되지 않는다.

③ (다)는 (라)보다 운행 시 기상 조건의 제약을 적게 받는다.
➡ 레일 위를 운행하는 철도는 해운보다 운행 시 기상 조건의 제약을 적게 받는다.

④ (라)는 (마)보다 대량 화물의 장거리 수송에 ~~불리하다.~~
유리하다
➡ 해운은 항공보다 주행 비용 증가율이 낮으므로 대량 화물의 장거리 수송에 유리하다.

⑤ (마)는 (가)보다 기종점 비용이 ~~저렴하다.~~
비싸다
➡ 항공은 교통수단 중 기종점 비용이 가장 비싸다.

13 1차 에너지의 월별 소비량

(1) (가) 석탄, (나) 석유, (다) 천연가스

(2) [예시 답안] 연소 시 대기 오염 물질 배출량은 석탄>석유>천연가스 순으로 많다. 총 발전량에서 차지하는 비중은 석탄>천연가스>석유 순으로 높다. 수송용으로 이용되는 비중은 석유>천연가스>석탄 순으로 높다.

채점기준		
상	석유, 석탄, 천연가스의 상대적 특징을 제시된 세 가지 측면에서 모두 정확하게 서술한 경우	
중	석유, 석탄, 천연가스의 상대적 특징을 두 가지 측면에서 정확하게 서술한 경우	
하	석유, 석탄, 천연가스의 상대적 특징을 한 가지 측면에서 정확하게 서술한 경우	

14 우리나라의 농촌 인구 변화

(1) (가) 청장년층, (나) 유소년층, (다) 노년층

(2) [예시 답안] 우리나라 농촌 인구는 1975년보다 2015년에 중위 연령이 높고 농가당 인구가 적으며, 농업 노동력이 감소하였다.

채점기준		
상	1975년과 비교한 2015년의 우리나라 농촌 인구의 상대적 특징을 세 가지 측면에서 모두 정확하게 서술한 경우	
중	1975년과 비교한 2015년의 우리나라 농촌 인구의 상대적 특징을 두 가지 측면에서 정확하게 서술한 경우	
하	1975년과 비교한 2015년의 우리나라 농촌 인구의 상대적 특징을 한 가지 측면에서 정확하게 서술한 경우	

15 공업의 이중 구조

(1) 공업의 이중 구조

(2) [예시 답안] 중소기업에 대한 지원을 확대한다.

채점기준		
상	공업의 이중 구조에 대한 해결 방안을 정확하게 서술한 경우	
하	공업의 이중 구조에 대한 해결 방안을 서술하였으나, 일부 틀린 내용을 포함하여 서술한 경우	

16 소매 업태별 특징

(1) (가) 백화점, (나) 편의점

(2) [예시 답안] 편의점은 백화점보다 고급 전문 상품의 판매 비중이 낮고, 일평균 영업시간이 길며, 사업체당 종사자 수가 적다.

채점기준		
상	백화점과 비교한 편의점의 상대적 특징을 세 가지 측면에서 모두 정확하게 서술한 경우	
중	백화점과 비교한 편의점의 상대적 특징을 두 가지 측면에서 정확하게 서술한 경우	
하	백화점과 비교한 편의점의 상대적 특징을 한 가지 측면에서 정확하게 서술한 경우	

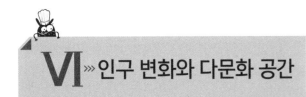

VI ≫ 인구 변화와 다문화 공간

01 ~ 인구 분포와 인구 문제

01 (1) 광복~1960년대 초에 출산 붐(Baby Boom) 현상이 나타난 이유는 전쟁 후 사회가 안정을 되찾았기 때문이다.

03 (1) 총 부양비는 유소년 부양비와 노년 부양비의 합으로도 구할 수 있다.

04 (2) 1960년에 비해 2015년은 유소년층 인구 비중은 감소하고, 노년층 인구 비중은 증가했으므로 노령화 지수는 높아졌다. 또한, 유소년층 인구의 감소로 출산 장려 정책의 필요성이 높아졌다.

탄탄! 내신 다지기

211~213쪽

01 ④ **02** ① **03** ④ **04** ④ **05** ⑤ **06** ② **07** ③
08 ④ **09** ② **10** ③ **11** ② **12** 해설 참조

01 우리나라의 시기별 인구 성장

자료 분석 | 저출산·고령화 현상이 나타난 (가)는 1990년대 이후, 해외 동포의 귀국과 북한 주민의 월남으로 사회적 증가가 뚜렷했으며 출산 붐 현상이 나타난 (나)는 광복~1960년대 초이다. 가족계획이 추진되면서 합계 출산율이 빠르게 낮아지기 시작한 (다)는 1960년대 중반~1980년대이고, 사망률이 높았던 (라)는 조선 시대 이전이다.

[선택지 분석]

☑ (가)~(라)를 시기가 이른 것부터 순서대로 나열하면 (라) → (나) → (다) → (가)의 순이다.

02 우리나라의 인구 분포

자료 분석 | 산업화·도시화로 인해 대도시와 공업 지역을 중심으로 인구가 증가하였다. 따라서 수도권을 비롯한 대도시, 남동 임해 지역에 인구가 밀집해 있다.

[선택지 분석]

㉠ 수도권의 인구 집중도가 높다.

➡ 지도를 보면 수도권의 인구 밀도가 높은 것을 알 수 있다.

㉡ 영남권 인구가 호남권 인구보다 많다.

➡ 영남권의 남동 임해 지역은 인구 밀도가 높게 나타난다.

✗ 태백산맥 일대에 인구가 밀집해 있다.
　　　　　　　　　　　　희박하다

✗ 충청권에서는 <s>세종</s>의 인구 밀도가 가장 높다.
　　　　　　　　대전

03 이촌 향도와 교외화

자료 분석 | 촌락의 인구가 도시로 이동하는 (가)는 이촌 향도이고, 대도시 인구가 외곽으로 이동하는 (나)는 교외화이다.

04 시기별 인구 이동

자료 분석 | 수도권으로의 인구 이동이 더 뚜렷하게 나타나는 (가)는 1980년이고, 서울의 교외화 현상도 나타나는 (나)는 2000년이다.

[선택지 분석]

✗ (가) 시기는 (나) 시기보다 총인구가 <s>많다.</s>
　　　　　　　　　　　　　　　적다

㉡ (나) 시기는 (가) 시기보다 교외화 현상이 뚜렷하게 나타난다.

➡ 2000년대 이후에는 교외화와 역도시화 현상이 지역적으로 나타난다.

✗ (나) 시기는 (가) 시기보다 수도권으로의 인구 이동이
<s>활발하다.</s> → 2000년에는 수도권으로의 인구 유입이 줄어듦
활발하지 못하다

㉣ (가) 시기는 1980년, (나) 시기는 2000년이다.

05 주요 인구 지표의 분포

자료 분석 | (가)는 촌락보다 도시에서 수치가 높게 나타나고, (나)는 도시보다 촌락에서 수치가 높게 나타나고 있다.

[선택지 분석]

☑ 촌락보다 도시에서 수치가 높게 나타나는 (가)는 유소년층 인구 비중이고, 도시보다 촌락에서 수치가 높게 나타나는 (나)는 노년층 인구 비중이다.

06 성비 분포

자료 분석 | 지도를 보면 군사 분계선과 인접한 지역이나 남성 노동력을 필요로 하는 중화학 공업 발달 지역에서 수치가 높게 나타난다. 따라서 이 지도의 인구 지표는 성비이다.

[선택지 분석]

① 유소년 부양비 + 노년 부양비 → 총 부양비

☑ (남자의 수 ÷ 여자의 수) × 100 → 성비

③ (노년층 인구 ÷ 유소년층 인구) × 100 → 노령화 지수

④ (노년층 인구 ÷ 청장년층 인구) × 100 → 노년 부양비

⑤ (유소년층 인구 ÷ 청장년층 인구) × 100 → 유소년 부양비

07 우리나라의 인구 구조 변화

자료 분석 | 2015년은 1960년보다 유소년층 인구 비중이 낮은 반면 노년층 인구 비중이 높다.

[선택지 분석]

☑ ㄷ

➡ 2015년은 1960년보다 중위 연령이 높고 노령화 지수가 높으며, 유소년층 인구 비중은 낮다.

08 시·도별 인구 부양비

[선택지 분석]

① 부산은 광주보다 중위 연령이 ~~낮다~~. 높다

② 경북은 충남보다 유소년 부양비가 ~~높다~~. 낮다

③ 경기는 제주보다 노년층 인구 비중이 ~~높다~~. 낮다

✓ 울산은 세종보다 청장년층 인구 비중이 높다.
➡ 총 부양비와 청장년층 인구 비중은 반비례 관계이다. 울산은 세종보다 총 부양비가 낮으므로 청장년층 인구 비중이 높다.

⑤ ~~모든 도(道)~~는 전국 평균보다 노년 부양비가 높다.
경기는 전국 평균보다 노년 부양비가 낮음

09 우리나라의 연령별 인구 비중 변화

자료 분석 | 연령별 인구 비중을 나타낸 그래프는 0~14세의 유소년층, 15~64세의 청장년층, 65세 이상의 노년층으로 구분하여 표현한다.

[선택지 분석]

✓ (가)는 노년층, (나)는 청장년층, (다)는 유소년층이다.
➡ 1965년 이후 인구 비중이 늘어날 것으로 예상되는 (가)는 노년층, 인구 비중이 감소할 것으로 예상되는 (다)는 유소년층이고, 나머지 (나)는 청장년층이다.

10 우리나라의 인구 구조 변화

자료 분석 | (가)는 노년층, (나)는 청장년층, (다)는 유소년층이다. 1965년 이후 유소년층 인구 비율은 계속 감소하고, 노년층 인구 비율은 계속 증가하고 있다.

[선택지 분석]

① 2015년에 노령화 지수는 100 미만이다.
➡ 2015년에 유소년층 인구 비율보다 노년층 인구 비율이 낮으므로 노령화 지수는 100 미만이다.

② 1995년보다 2015년에 총 부양비가 낮다.
➡ 총 부양비는 청장년층 인구 비율과 반비례 관계이다. 1995년보다 2015년에 청장년층 인구 비율이 높으므로 총 부양비가 낮다.

✓ 2015년 이후 노령화 지수는 ~~감소~~할 것으로 예상된다. 증가

④ 1965년 이후 유소년층 인구 비율은 감소 추세에 있다.
→ 계속 감소함

⑤ 그래프와 같은 경향이 지속되면 저출산·고령화 문제가 심각해진다.
→ 유소년층 인구 비율은 감소, 노년층 인구 비율은 증가

11 저출산 문제와 해결 방안

자료 분석 | 그래프와 같은 현상이 심화될 경우 저출산 문제가 나타날 것이다.

[선택지 분석]

① 직장 내 보육 시설을 활성화한다.
→ 출산과 양육에 대한 부담 감소

✓ 연금 제도를 활성화하고 임금 피크제를 도입한다.
→ 고령화 문제에 대한 해결 방안

③ 여성의 출산 휴가 및 육아 휴직과 남성의 육아 휴직을 보장한다.
→ 여성이 가정과 직장 생활을 병행할 수 있는 환경 조성

④ 신혼부부의 주택 마련 지원 등 결혼을 장려하는 정책을 시행한다. → 결혼 장려 정책

⑤ 양성평등 의식을 확대하고, 가족 친화적인 사회 분위기를 조성한다. → 저출산 문제 해결을 위한 사회 변화와 지원

12 우리나라의 인구 부양비 변화

[예시 답안] (가)는 노년 부양비, (나)는 유소년 부양비이다. 노년 부양비(가)의 계산식은 '(노년층 인구÷청장년층 인구)×100'이고, 유소년 부양비(나)의 계산식은 '(유소년층 인구÷청장년층 인구)×100'이다.

채점기준		
상	(가), (나)가 무엇인지 정확하게 쓰고, 각 부양비의 계산식을 모두 정확하게 서술한 경우
중	(가), (나)가 무엇인지 쓰지 못했으나, 각 부양비의 계산식을 정확하게 서술한 경우
하	(가), (나)가 무엇인지 정확하게 썼으나, 각 부양비의 계산식을 잘못 서술한 경우

도전! 실력 올리기
214~215쪽

01 ① **02** ③ **03** ① **04** ② **05** ④ **06** ① **07** ⑤
08 ①

01 권역별 인구 이동

자료 분석 | (가)는 세 지역 중에서 전입·전출 인구가 가장 많으므로 수도권이다. 수도권에서 (나)로 이동한 인구가 (나)에서 수도권으로 이동한 인구보다 많으므로 (나)는 충청권이다. 나머지 (다)는 영남권이다.

[선택지 분석]

✓ (가)는 (나)보다 지역 내 총생산이 많다.
➡ 수도권은 모든 권역 중에서 지역 내 총생산이 가장 많다.

② (나)는 (다)보다 제조업 출하액이 ~~많다~~. 적다
➡ 충청권은 영남권보다 제조업 출하액이 적다.

③ (다)는 (가)보다 3차 산업 종사자 수 비중이 ~~높다~~. 낮다
➡ 영남권은 수도권보다 3차 산업 종사자 수 비중이 낮다.

④ (가), (나)는 전입 인구보다 전출 인구가 ~~많다~~. 적다
➡ 충청권은 전출 인구보다 전입 인구가 많다.

⑤ 총인구는 ~~(가)>(나)>(다)~~ 순으로 많다. (가)>(다)>(나)
➡ 총인구는 수도권>영남권>충청권 순으로 많다.

02 시·도별 인구 구조 분석

자료 분석 | 유소년층 인구 비중과 노년층 인구 비중을 알면 청장년층 인구 비중(100-유소년층 인구 비중-노년층 인구 비중)을 계산

할 수 있으며, 이를 바탕으로 유소년 부양비, 노년 부양비, 총 부양비, 노령화 지수를 구할 수 있다.

[선택지 분석]

① 세종은 총 부양비가 가장 높다.
> ➡ 세종은 전남보다 청장년층 인구 비중이 높다. 따라서 세종은 청장년층 인구 비중이 가장 낮은 지역이 아니므로 총 부양비가 가장 높다고 볼 수 없다.

② 전남은 노년 부양비가 가장 낮다.
> ➡ 전남은 노년층 인구 비중이 가장 높으므로 노년 부양비가 가장 낮다고 볼 수 없다.

☑③ 부산은 충북보다 유소년 부양비가 낮다.
> ➡ 부산은 충북보다 유소년층 인구 비중이 낮고 청장년층 인구 비중이 높으므로 유소년 부양비가 낮다.

④ 경기는 울산보다 청장년층 인구 비중이 높다.
낮다
> ➡ 경기는 울산보다 유소년층 인구 비중과 노년층 인구 비중의 합이 크다. 따라서 경기는 울산보다 청장년층 인구 비중이 낮다.

⑤ 모든 광역시는 전국보다 노령화 지수가 높다.
낮다
> ➡ 울산은 전국보다 유소년층 인구 비중이 높은 반면 노년층 인구 비중은 낮으므로 노령화 지수가 낮다.

03 지역별 인구 특징

자료 분석 | 청장년층 인구 비중이 가장 높은 (가)는 울산이고, 유소년층 인구 비중이 가장 높은 (라)는 경기이다. (나), (다)는 충북과 전남 중 하나인데, (나)는 (다)보다 유소년 인구 비중과 청장년층 인구 비중이 높다. 따라서 (나)는 충북, (다)는 전남이다.

[선택지 분석]

㉠ (가)는 울산, (나)는 충북이다.
> ➡ (가)는 울산, (나)는 충북, (다)는 전남, (라)는 경기이다.

㉡ 총 부양비는 (다)가 가장 높다.
> ➡ (다)는 청장년층 인구 비중이 가장 낮으므로 총 부양비가 가장 높다.

✕ (가)는 (라)보다 유소년 부양비가 높다.
낮다
> ➡ (가)는 (라)보다 유소년층 인구 비중이 낮은 반면 청장년층 인구 비중이 높으므로 유소년 부양비가 낮다.

✕ (다)는 (라)보다 노령화 지수가 낮다.
높다
> ➡ (다)는 (라)보다 유소년층 인구 비중과 청장년층 인구 비중이 낮으므로 노년층 인구 비중이 높다. 따라서 (다)는 (라)보다 노령화 지수가 높다.

04 도시와 촌락의 인구 구조 비교

자료 분석 | (가)는 (나)보다 노년층 인구 비중이 높은 반면 유소년층 인구 비중이 낮다. 따라서 (가)는 촌락이 많은 전라남도이고, (나)는 광역시인 광주광역시이다.

[선택지 분석]

① (가)는 (나)보다 1차 산업 종사자 수 비중이 낮다.
높다
> ➡ 전라남도는 광주광역시보다 1차 산업 종사자 수 비중이 높다.

☑② (가)는 (나)보다 중위 연령이 높다.
> ➡ 전라남도는 광주광역시보다 유소년층 인구 비중이 낮은 반면

노년층 인구 비중이 높으므로 중위 연령이 높다.

③ (나)는 (가)보다 인구 밀도가 낮다.
높다
> ➡ 광역시인 광주광역시가 전라남도보다 인구 밀도가 높다.

④ (가), (나)는 모두 노령화 지수가 100을 넘는다.
> ➡ 광주광역시는 유소년층 인구보다 노년층 인구가 적으므로 노령화 지수가 100 미만이다.

⑤ (가), (나)는 모두 유소년층 인구의 성비가 100 미만이다.
100 이상
> ➡ 두 지역 모두 유소년층에서 남자가 여자보다 많으므로 성비가 100을 넘는다.

05 시·도별 인구 구조의 특징

자료 분석 | 생산 가능 인구 비율은 청장년층 인구 비율을 의미한다. 총 부양비는 청장년층 인구 비율과 반비례 관계이다.

[선택지 분석]

☑ (가)는 C, (나)는 D, (다)는 B, (라)는 A이다.
> ➡ 시·도별 중위 연령 및 생산 가능 인구 비율을 나타낸 그래프를 보면 생산 가능 인구 비율(청장년층 인구 비율)은 (라)>(나)>(다)>(가) 순으로 높다. 따라서 총 부양비는 (가)>(다)>(나)>(라) 순으로 높다. 시·도별 인구 부양비를 나타낸 그래프를 보면 총 부양비는 C>B>D>A 순으로 높으므로 (가)는 C, (나)는 D, (다)는 B, (라)는 A가 된다.

06 시와 군 지역의 인구 구조

자료 분석 | (가)는 (나)보다 유소년 인구 비중이 낮은 반면 노년층 인구 비중이 높다. 따라서 (가)는 군, (나)는 시에 해당한다.

[선택지 분석]

㉠ (가)는 (나)보다 중위 연령이 높다.
> ➡ (가)는 (나)보다 유소년층 인구 비중이 낮은 반면 노년층 인구 비중이 높으므로 중위 연령이 높다.

㉡ (나)는 (가)보다 총 부양비가 낮다.
> ➡ (나)는 (가)보다 청장년층 인구 비중이 높으므로 총 부양비가 낮다.

✕ (가), (나)는 모두 노령화 지수가 100을 넘는다.
> ➡ (나)는 유소년층 인구가 노년층 인구보다 많으므로 노령화 지수가 100 미만이다.

✕ (가)는 시(市), (나)는 군(郡)에 해당한다.
군(郡)   시(市)

07 시와 도 지역의 인구 구조

자료 분석 | (가)는 (나)보다 유소년층 인구 비중이 높고 노년층 인구 비중이 낮다. 또한 (가)는 청장년층 인구가 증가하였지만, (나)는 청장년층 인구가 감소하였다. 따라서 (가)는 시, (나)는 도에 해당한다.

[선택지 분석]

✕ (가)는 2005~2010년에 유소년 부양비가 높아졌다.
낮아졌다
> ➡ (가)는 2005~2010년에 청장년층 인구는 증가하였지만 유소년층 인구는 감소하였다. 유소년 부양비는 '(유소년층 인구÷청장년층 인구)×100'으로 구하므로, (가)는 2005~2010년에 유소년 부양비가 낮아졌다.

✕ (나)는 2000~2005년에 노령화 지수가 낮아졌다.
높아졌다

➡ (나)는 2000~2005년에 유소년층 인구가 감소한 반면 노년층 인구가 증가하였으므로 노령화 지수가 높아졌다.

ⓒ (가)는 (나)보다 3차 산업 종사자 수 비중이 높다.

➡ 시 지역인 (가)는 도 지역인 (나)보다 3차 산업 종사자 수 비중이 높다.

ⓔ (나)는 (가)보다 2015년에 중위 연령이 높다.

➡ (나)는 (가)보다 유소년층 인구 비중이 낮고 노년층 인구 비중이 높으므로 중위 연령이 높다.

08 우리나라의 인구 구조 변화

자료 분석 | 1980년 이후 감소 추세에 있는 (가)는 유소년층 인구 비율이고, 증가 추세에 있는 (나)는 노년층 인구 비율이다.

[선택지 분석]

✅ 저출산 현상의 심화로 (가)와 같은 변화가 나타나게 되었다.

➡ 출산율 감소는 유소년층 인구 비율의 감소로 이어져 상대적으로 노년층 인구 비율이 증가하는 데 영향을 주었다.

② 1980년은 2010년보다 총 부양비가 ~~낮다.~~ 높다

➡ 1980년은 2010년보다 유소년층 인구 비율과 노년층 인구 비율을 합한 값이 크므로 총 부양비가 높다.

③ 1980년은 2050년보다 유소년층 인구 비율이 ~~낮을~~ 것이다. 높을

④ 2010년과 2020년은 모두 노령화 지수가 100을 넘을 것이다.

➡ 2010년은 노년층 인구 비율보다 유소년층 인구 비율이 높으므로 노령화 지수가 100 미만이다.

⑤ 2020~2050년에 중위 연령은 ~~낮아질~~ 것이다. 높아질

---

02 ~ 외국인 이주와 다문화 공간

콕콕! 개념 확인하기   219쪽

01 (1) 증가 (2) 저임금 노동력 (3) 중국 (4) 촌락, 도시
02 (1) 3D (2) 다문화 (3) 다문화 수용성 (4) 문화 상대주의
03 (1) (가) 결혼 이민자, (나) 단순 기능 인력 (2) 광업·제조업
    (3) 결혼 적령기 인구의 성비 불균형이 심각하기 때문이다.
04 (1) ㉠, ㉢ (2) ㉡, ㉣

01 (3) 외국인의 국적별 비중을 보면 중국의 비중이 50%를 넘는데, 이는 한국계 중국인(조선족)의 유입이 활발하기 때문이다.

(4) 국제결혼 건수는 도시가 촌락보다 많은데, 이는 도시가 촌락보다 외국인 수가 많기 때문이다.

03 (1) 국내 체류 외국인 현황을 보면 단순 기능 인력(노동자)이 가장 많고, 다음으로 결혼 이민자가 많다.

| 01 ④ | 02 ⑤ | 03 ① | 04 ④ | 05 ③ | 06 ② | 07 ③ |

08 해설 참조

01 국내 체류 외국인 현황

자료 분석 | (나) > (가) > (다) 순으로 비중이 크게 나타나고 있다.

[선택지 분석]

✅ (가)는 결혼 이민자, (나)는 단순 기능 인력, (다)는 전문 인력이다.

➡ 국내 체류 외국인은 단순 기능 인력이 가장 많고, 그다음으로 결혼 이민자가 많다.

02 외국인 이주자의 유입 배경

자료 분석 | (가)에는 외국인 이주자의 유입 배경이 들어가야 한다.

[선택지 분석]

✖ 민족주의와 인종주의의 심화
  → 다문화 사회의 부정적 영향에 해당한다.

✖ 농촌에서 결혼 적령기 인구의 성비 불균형 현상 ~~완화~~
                                         심화

ⓒ 3D 업종에 대한 기피 현상 심화로 인한 노동력 부족
  → 1990년대 이후 유입 배경

ⓔ 다국적 기업의 국내 진출 및 국내 기업의 해외 진출 활성화 → 최근의 유입 배경

03 산업별 외국인 근로자 수

자료 분석 | 외국인 근로자는 광업·제조업에 취업한 경우가 많다.

[선택지 분석]

✅ (가)는 농림어업, (나)는 광업·제조업, (다)는 도소매 및 숙박·음식점업이다.

➡ 외국인이 가장 많이 취업한 산업 분야는 광업·제조업이다.

04 지역 내 인구 대비 외국인 비중

자료 분석 | 수도권에서 수치가 높게 나타나므로 지도 표현의 기준이 된 항목은 지역 내 인구 대비 외국인 비중이다.

05 시·도별 국제결혼 건수

자료 분석 | 국제결혼 건수가 가장 많은 (나)는 경기이고, 경기 다음으로 국제결혼 건수가 많은 (가)는 서울이다. 국제결혼 건수가 가장 적은 (다)는 전남이다.

[선택지 분석]

✅ (가)는 서울, (나)는 경기, (다)는 전남이다.

➡ 우리나라의 시·도별 국제결혼 건수를 살펴보면 국제결혼 건수가 가장 많은 지역은 경기이다.

06 시·도별 국제결혼 건수 분석

자료 분석 | (가)는 서울, (나)는 경기, (다)는 전남이다.

㉠ 국제결혼 건수가 가장 많은 지역은 수도권에 속한다.

➡ 국제결혼 건수가 가장 많은 지역은 경기로, 경기는 수도권에 속한다.

✗ 국제결혼 건수가 가장 적은 지역은 ~~도(道) 지역에 해당~~ 한다.
   세종이므로 시(市)에 해당

㉢ 한국인 남편과 외국인 아내가 결혼한 건수는 한국인 아내와 외국인 남편이 결혼한 건수보다 많다.

→ 그래프를 통해 알 수 있음

✗ 서울은 전남보다 전체 국제결혼 건수 대비 한국인 남편과 외국인 아내가 결혼한 건수의 비중이 ~~높다~~.
   낮다

07 대표적인 다문화 공간인 안산

✅ C(안산)

➡ 전국의 시·군·구 중에서 외국인 근로자가 가장 많이 거주하고 있고, 대표적인 다문화 공간인 '국경 없는 마을'이 있는 (가)는 C(안산)이다.

08 다문화 사회

[예시 답안] (가)는 다문화 사회이다. 다문화 사회의 긍정적인 영향으로는 노동력 유입으로 인한 경제 성장, 다양한 문화적 자산 공유 및 초국가적 네트워크 형성 등을 들 수 있다. 다문화 사회의 부정적 영향으로는 외국인 근로자와 국내 근로자 간의 일자리 경쟁, 민족주의와 인종주의에 따른 사회적 편견과 차별, 다문화 가정 자녀의 정체성 혼란과 사회 부적응 등을 들 수 있다.

채점기준		
상	(가)의 명칭과 다문화 사회의 긍정적·부정적 영향을 모두 정확하게 서술한 경우	
중	(가)의 명칭은 쓰지 못했으나, 다문화 사회의 긍정적·부정적 영향은 정확하게 서술한 경우	
하	(가)의 명칭은 정확하게 썼으나, 다문화 사회의 긍정적·부정적 영향은 잘못 서술한 경우	

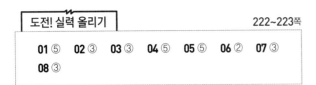

도전! 실력 올리기   222~223쪽

01 ⑤ 02 ③ 03 ③ 04 ⑤ 05 ⑤ 06 ② 07 ③
08 ③

01 인구 관련 지표의 분포

자료 분석 | (가)는 수도권 지역 및 충청도 일대의 공업 지역에서 수치가 높게 나타나고, (나)는 도시 지역에서는 수치가 낮고 촌락 지역에서는 수치가 높게 나타난다.

✅ (가)는 등록 외국인 비율이고, (나)는 노령화 지수이다.

➡ (가)에서는 수도권 지역 및 충청도 일대의 공업 지역에서 수치가 높게 나타난다. 이들 지역은 우리나라로 유입해 온 외국인

근로자들이 많이 분포하고 있다. 따라서 (가)는 등록 외국인 비율이다. (나)는 수도권을 비롯한 도시 지역에서는 수치가 낮은 반면 촌락 지역에서는 수치가 높으므로 노령화 지수이다.

02 국제결혼 이민자의 지역별 현황

자료 분석 | (가)는 (나)보다 국제결혼 건수가 많으므로 (가)는 남성, (나)는 여성이다.

✗ (가)는 ~~여성~~, (나)는 ~~남성~~이다.
   남성   여성

㉡ 도시는 촌락보다 국제결혼 건수가 많다.

➡ 표를 보면 도시 지역에 속하는 동부가 촌락 지역에 속하는 면부보다 국제결혼 건수가 많다. 따라서 도시는 촌락보다 국제결혼 건수가 많다.

㉢ 촌락은 도시보다 국제결혼 비중이 높다.

➡ 표를 보면 촌락 지역에 속하는 면부는 도시 지역에 속하는 동부보다 남성과 여성의 국제결혼 비중을 합한 수치가 높다. 따라서 촌락은 도시보다 국제결혼 비중이 높다.

✗ 촌락은 도시보다 결혼 이민자의 성비가 ~~높다~~.
   낮다

➡ 촌락은 도시보다 한국 여성의 국제결혼 건수 대비 한국 남성의 국제결혼 건수가 많다. 따라서 촌락은 도시보다 결혼 이민자에서 여성이 차지하는 비중이 높으므로 성비가 낮다.

03 주요 인구 지표의 분포 및 특징

자료 분석 | (가)의 상위 5개 지역(A)은 촌락 지역에 해당하고, (가)의 하위 5개 지역(B)은 도시 지역에 해당한다. 따라서 (가)는 노년 부양비이다. (나)의 상위 5개 지역(C)은 도시 지역에 해당하고, (나)의 하위 5개 지역(D)은 촌락 지역에 해당한다. 따라서 (나)는 유소년 부양비이다.

① (가)는 ~~유소년 부양비~~, (나)는 ~~노년 부양비~~이다.
   노년 부양비   유소년 부양비

② A는 B보다 3차 산업 종사자 비율이 ~~높다~~.
   낮다

➡ 촌락 지역인 A는 도시 지역인 B보다 3차 산업 종사자 비율이 낮다.

✅ B는 D보다 외국인 근로자 수가 많다.

➡ 도시 지역인 B는 촌락 지역인 D보다 외국인 근로자 수가 많다.

④ C는 A보다 중위 연령이 ~~높다~~.
   낮다

➡ 도시 지역인 C는 촌락 지역인 A보다 노년층 인구 비중이 낮으므로 중위 연령이 낮다.

⑤ D는 C보다 청장년층 인구 비중이 ~~높다~~.
   낮다

➡ 촌락 지역인 D는 도시 지역인 C보다 청장년층 인구 비중이 낮다.

04 결혼 이민자의 분포

자료 분석 | 도시보다 촌락 지역에서 수치가 높게 나타난다.

① 총인구 → 수도권에서 높게 나타남

② 외국인 수 → 도시에서 높게 나타남

③ 국제결혼 건수 → 도시에서 높게 나타남

④ 유소년층 인구 비중
→ 서울, 부산 등 대도시 주변 지역에서 높게 나타남

☑ 외국인 중 결혼 이민자 비중

➡ 지도를 보면 촌락 지역에서 수치가 높게 나타나므로 지도 표현의 기준이 된 항목은 외국인 중 결혼 이민자 비중이다.

05 국제결혼의 유형

자료 분석 | (가)는 한국인 남편과 결혼한 외국인 아내가 가장 많은 국가이고, (다)는 한국인 아내와 결혼한 외국인 남편이 가장 많은 국가이다. (나)는 두 경우 모두 두 번째로 높게 나타난다.

[선택지 분석]

☑ (가)는 베트남, (나)는 중국, (다)는 미국이다.

➡ 한국인 남편과 결혼한 외국인 아내의 국적은 베트남이 가장 많고, 한국인 아내와 결혼한 외국인 남편의 국적은 미국이 가장 많다.

06 결혼 이민자와 외국인 근로자 현황

자료 분석 | (가)는 (나)보다 인구가 많으므로 (가)는 외국인 근로자, (나)는 결혼 이민자이다. 외국인 근로자는 B의 비중이 높은 반면 결혼 이민자는 A의 비중이 높다. 따라서 A는 여성, B는 남성이다.

[선택지 분석]

㉠ (가)는 개발 도상국 출신이 대부분이다.
➡ 외국인 근로자는 개발 도상국 출신이 대부분이다.

✕ 인구 대비 (나)의 비중은 ~~촌락~~보다 도시에서 높다.
　　　　　　　　　　　　　　　　　　　　낮다
➡ 인구 대비 결혼 이민자 비중은 도시보다 촌락에서 높게 나타난다.

㉢ (가)는 (나)보다 성비가 높다.
➡ 외국인 근로자는 결혼 이민자보다 남성의 비중이 높으므로 성비가 높다.

✕ (가)는 ~~결혼 이민자~~, (나)는 ~~외국인 근로자~~이다.
　　　 외국인 근로자　　　　　　결혼 이민자

07 외국인의 인구 구조

[선택지 분석]

✕ 외국인의 총 부양비는 ~~50을 넘는다.~~
　　　　　　　　　　　　　50을 넘지 않는다
➡ 총 부양비는 '{(유소년층 인구+노년층 인구)÷청장년층 인구}×100'으로 구한다. 외국인의 청장년층 인구 비중은 유소년층 인구 비중과 노년층 인구 비중을 합한 값의 두 배가 넘으므로 외국인의 총 부양비는 50 미만이다.

㉡ 외국인의 노령화 지수는 100 미만이다.
➡ 외국인의 유소년층 인구 비중은 노년층 인구 비중보다 높으므로 노령화 지수는 100 미만이다.

㉢ 외국인은 내국인보다 중위 연령이 낮다.
➡ 외국인은 청장년층 인구 비중이 매우 높게 나타나므로, 내국인보다 중위 연령이 낮다.

✕ 청장년층 외국인은 남성보다 여성이 ~~많다.~~
　　　　　　　　　　　　　　　　　　　　적다
➡ 청장년층 외국인의 성비가 100을 훨씬 넘으므로 청장년층 외국인은 여성보다 남성이 많다.

08 지속 가능한 다문화 사회

자료 분석 | 지속 가능한 다문화 사회를 만들기 위한 다양한 노력에는 무엇이 있는지 생각해 봐야 한다.

[선택지 분석]

① 지방 정부의 다문화 공간 조성
➡ 지속 가능한 다문화 사회를 만들기 위한 국가적 차원의 노력에 해당한다.

② 정부의 다문화 가족 지원법 제정
➡ 지속 가능한 다문화 사회를 만들기 위한 국가적 차원의 노력에 해당한다.

☑ 민족주의 의식을 높이는 교육 확대
➡ 민족주의 의식을 높이는 교육은 인종(민족) 간 차별을 조장할 수 있으므로 지속 가능한 다문화 사회를 만들기 위한 노력으로 적절하지 않다.

④ 외국인 이주자들의 자율 방범대 조직
➡ 지속 가능한 다문화 사회를 만들기 위한 외국인 이주자들의 노력에 해당한다.

⑤ 시민 단체의 다문화 가정 자녀를 위한 교육 지원
➡ 지속 가능한 다문화 사회를 만들기 위한 시민 단체의 노력에 해당한다.

한번에 끝내는 대단원 문제　　　　226~229쪽

01 ②　**02** ⑤　**03** ①　**04** ③　**05** ①　**06** ③　**07** ①
08 ②　**09** ③　**10** ①　**11** ④　**12** ①
13~16 해설 참조

01 우리나라의 시기별 인구 구조 변화

자료 분석 | (가)는 (나)보다 유소년층 인구 비중이 낮고 노년층 인구 비중이 높은 것으로 보아 (가)는 2015년, (나)는 1960년이다.

[선택지 분석]

㉠ (가)는 (나)보다 중위 연령이 높다.
➡ (가)는 (나)보다 유소년층 인구 비중은 낮고 노년층 인구 비중이 높으므로 중위 연령이 높다.

✕ (가)는 (나)보다 합계 출산율이 ~~높다.~~
　　　　　　　　　　　　　　　　낮다
㉢ (나)는 (가)보다 유소년 부양비가 높다.
➡ (나)는 (가)보다 유소년층 인구 비중이 매우 높으므로 유소년 부양비가 높다.

✕ (가)는 ~~1960년~~, (나)는 ~~2015년~~이다.
　　　 2015년　　　　　　1960년

02 지역별 인구 구조 비교

자료 분석 | (나)는 (가)보다 유소년층 인구 비중이 높은 반면 노년층 인구 비중이 낮다. 따라서 (가)는 촌락, (나)는 도시에 해당한다.

[선택지 분석]

☑ E
➡ 도시(나)는 촌락(가)보다 중위 연령이 낮고 노령화 지수가 낮으며, 유소년층 인구 비중이 높다.

03 시·도별 인구 부양비

자료 분석 | 모든 시에서 (가)보다 (나)의 값이 크므로 (가)는 노년 부양비, (나)는 총 부양비이다. A는 우리나라 시·도 중에서 노년 부양비가 가장 높고, D는 노년 부양비와 총 부양비가 가장 낮은 지역이다. B는 도 지역 중에서 총 부양비와 노년 부양비가 가장 낮게 나타나고, C는 시 지역 중에서 총 부양비가 가장 높게 나타나는 지역이다.

[선택지 분석]

☑ A는 전남, B는 경기, C는 세종, D는 울산이다.

➡ 노년 부양비가 가장 높은 A는 전남이고, 도 중에서 노년 부양비가 가장 낮은 B는 경기이다. 시 중에서 총 부양비가 가장 높은 C는 세종이고, 시·도 중에서 노년 부양비가 가장 낮은 D는 울산이다.

04 시·도별 인구 부양비 특징

자료 분석 | A는 전남, B는 경기, C는 세종, D는 울산이다. 총 부양비에서 노년 부양비를 빼면 유소년 부양비를 구할 수 있다.

[선택지 분석]

✗ A는 B보다 청장년층 인구의 비중이 높다.
　　　　　　　　　　　　　　　　　　낮다

➡ 총 부양비와 청장년층 인구 비중은 반비례 관계이다. A는 B보다 총 부양비가 높으므로 청장년층 인구 비중이 낮다.

ⓛ B는 C보다 노령화 지수가 높다.

➡ 노령화 지수는 노년 부양비를 유소년 부양비로 나눈 후 100을 곱하여 구한다. B와 C는 노년 부양비가 비슷하지만 B는 C보다 총 부양비가 작으므로 유소년 부양비가 낮다. 따라서 B는 C보다 노령화 지수가 높다.

ⓔ C는 D보다 유소년 부양비가 높다.

➡ 유소년 부양비는 총 부양비에서 노년 부양비를 빼면 구할 수 있다. C의 유소년 부양비는 약 28(=43-15)이고, D의 유소년 부양비는 약 20(=32-12)이다. 따라서 C는 D보다 유소년 부양비가 높다.

✗ D는 A보다 중위 연령이 높다.
　　　　　　　　　　　　　　낮다

➡ D는 A보다 노년 부양비가 낮다. 또한 D는 A보다 총 부양비도 낮으므로 청장년층 인구 비중이 높다. 따라서 D는 A보다 중위 연령이 낮다.

05 주요 인구 지표의 분포

자료 분석 | (가)는 군사 지역과 중화학 공업이 발달한 지역에서 높게 나타나고, (나)는 촌락 지역에서 높게 나타나는 인구 지표이다.

[선택지 분석]

☑ (가)는 성비, (나)는 중위 연령이다.

➡ (가)의 상위 10개 지역에는 군사 분계선과 인접한 지역과 중화학 공업이 발달한 지역이 포함되어 있으므로 (가)는 성비이다. (나)의 상위 10개 지역은 노년층 비중이 높고 유소년층 인구 비중이 낮은 촌락에 해당하므로 (나)는 중위 연령이다.

06 노년층 인구 비중의 분포

자료 분석 | 지도를 보면 수도권을 비롯한 도시 지역에서는 수치가 낮은 반면, 촌락 지역에서는 수치가 높게 나타난다. 따라서 지도 표

현의 기준이 된 인구 지표는 노년층 인구 비중이다.

[선택지 분석]

① 유소년 부양비 + 노년 부양비 → 총 부양비

② (남자의 수 ÷ 여자의 수) × 100 → 성비

☑ (노년층 인구 ÷ 총인구) × 100 → 노년층 인구 비중

④ (유소년층 인구 ÷ 총인구) × 100 → 유소년층 인구 비중

⑤ (유소년층 인구 ÷ 청장년층 인구) × 100 → 유소년 부양비

07 우리나라의 부양비 변화

자료 분석 | (나)는 증가 추세, (다)는 감소 추세에 있고, (가)는 (나)와 (다)를 합한 값이다.

[선택지 분석]

☑ (가)는 총 부양비, (나)는 노년 부양비, (다)는 유소년 부양비이다.

➡ (가)는 (나)와 (다)를 합한 값이므로 총 부양비이다. 2015년 이후 증가 추세에 있는 (나)는 노년 부양비이고, 1965년 이후 감소 추세에 있는 (다)는 유소년 부양비이다.

08 우리나라의 부양비 변화

자료 분석 | (가)는 총 부양비, (나)는 노년 부양비, (다)는 유소년 부양비이다.

[선택지 분석]

ⓖ 2015년에 노령화 지수는 100 미만이다.

➡ 2015년에 유소년 부양비는 19, 노년 부양비는 18이다. 노령화 지수는 노년 부양비를 유소년 부양비로 나눈 후 100을 곱하여 구한다. 따라서 유소년 부양비가 노년 부양비보다 크므로 노령화 지수는 100 미만이다.

✗ 2015년은 1985년보다 합계 출산율이 높다.
　　　　　　　　　　　　　　　　　　　　　낮다

➡ 2015년은 1985년보다 유소년 부양비가 낮으므로 합계 출산율이 낮다.

ⓔ 2065년은 2015년보다 중위 연령이 높을 것이다.

➡ 2065년은 2015년보다 유소년 부양비가 낮고 노년 부양비가 높으므로 중위 연령이 높을 것이다.

✗ 1965년은 2015년보다 청장년층 인구 비중이 높다.
　　　　　　　　　　　　　　　　　　　　　　　낮다

➡ 1965년은 2015년보다 총 부양비가 높으므로 청장년층 인구 비중이 낮다.

09 초혼 연령의 상승과 저출산

자료 분석 | 그래프를 통해 우리나라의 초혼 연령이 높아지고 있다는 것을 알 수 있다.

[선택지 분석]

✗ 사망률이 상승하였다.

➡ 초혼 연령의 상승과 사망률 상승은 관련이 없다.

ⓛ 합계 출산율이 하락하였다.

➡ 초혼 연령이 늦어지면 초산이 늦어져 합계 출산율이 낮아진다.

ⓔ 노년층 인구 비중이 높아졌다.

➡ 초혼 연령이 늦어지면 출산율이 감소하여 유소년층 인구 비중이 낮아지며, 상대적으로 노년층 인구 비중은 높아진다.

✗ 출산 억제 정책의 필요성이 커졌다.
　　　장려

10 주요 인구 지표의 분포

자료 분석 | (가)는 수도권과 충청 지방에서 수치가 높게 나타나고, (나)는 촌락에서 수치가 높게 나타난다.

[선택지 분석]

☑ (가)는 등록 외국인 수, (나)는 결혼 이민자 비중이다.

　➡ 안산을 비롯한 수도권에서 수치가 높게 나타나는 (가)는 등록 외국인 수이고, 촌락에서 수치가 높게 나타나는 (나)는 결혼 이민자 비중이다.

11 결혼 이민자와 외국인 근로자의 특징

자료 분석 | 국적별 외국인 비중에서 가장 높은 비중을 차지하고 있는 (가)는 중국이고, 중국 다음으로 비중이 높은 (나)는 미국이다. 유형별 외국인 수에서 가장 많은 수를 차지하는 A는 외국인 근로자이고, B는 결혼 이민자이다.

[선택지 분석]

① (가)는 우리나라보다 평균 임금 수준이 높다.
　　　　　　　　　　　　　　　　　　낮다

② (나)는 아시아에 위치한 개발도상국이다.
　　　　　선진국

③ B는 주로 선진국에서 유입되었다.
　　　　　개발 도상국

☑ A는 B보다 성비가 높다.

　➡ 외국인 근로자는 남성이 여성보다 많고, 결혼 이민자는 여성이 남성보다 많다.

⑤ A는 B보다 평균 체류 기간이 길다.
　　　　　　　　　　　　　짧다

12 국제결혼의 증가 배경과 분포 특징

[선택지 분석]

㉠ 농촌에서 결혼 적령기 인구의 성비 불균형이 심화됨

　➡ 농촌에서 결혼 적령기 인구의 성비 불균형이 심화되면서, 국제결혼이 증가하고 있다.

㉡ 다문화 가정이 증가

　➡ 최근 국내 거주 외국인 증가, 외국인에 대한 거부감 감소, 결혼에 대한 가치관 변화 등으로 다문화 가정이 증가하고 있다.

✗ 인구 대비 국제결혼 비중은 도시가 촌락보다 높음
　　　　　　　　　　　　　　　　　낮음

✗ 국제결혼 건수는 촌락이 도시보다 많음
　　　　　　　　　　　　　　적음

13 우리나라의 시기별 인구 이동

(1) 이촌 향도

(2) [예시 답안] 수도권 인구 과밀로 인한 국토 불균형 문제가 심화되었다.

채점기준		
상	인구 이동으로 인해 나타나게 된 문제점을 정확하게 서술한 경우	
중	인구 이동으로 인해 나타나게 된 문제점을 일부 틀린 내용을 포함하여 서술한 경우	
하	인구 이동으로 인해 나타나게 된 문제점을 잘못 서술한 경우	

14 우리나라의 인구 변화

(1) (가) 출생률, (나) 사망률

(2) [예시 답안] 1960～1980년대에 출생률이 급격하게 하락하게 된 이유는 정부 주도의 적극적인 출산 억제 정책 때문이다.

채점기준		
상	1960～1980년대에 출생률이 급격하게 하락한 이유를 정확하게 서술한 경우	
중	1960～1980년대에 출생률이 급격하게 하락한 이유를 일부 틀린 내용을 포함하여 서술한 경우	
하	1960～1980년대에 출생률이 급격하게 하락한 이유를 잘못 서술한 경우	

15 도시와 촌락의 인구 특징 비교

(1) (가) 면부, (나) 동부

(2) [예시 답안] 출생률이 감소하면서 유소년층 인구 비중은 감소하는 반면 평균 수명이 늘어나면서 노년층 인구 비중은 증가했기 때문이다.

채점기준		
상	중위 연령이 상승하게 된 이유를 정확하게 서술한 경우	
중	중위 연령이 상승하게 된 이유를 일부 틀린 내용을 포함하여 서술한 경우	
하	중위 연령이 상승하게 된 이유를 잘못 서술한 경우	

16 저출산 문제의 해결 방안

(1) 저출산

(2) [예시 답안] 저출산 문제를 해결하기 위한 방안으로는 여성의 출산 휴가 및 육아 휴직과 남성의 육아 휴직 보장, 직장 내 보육 시설 활성화, 신혼부부의 주택 마련 지원, 양성평등 문화 확립, 가족 친화적 사회 분위기 조성, 출산과 양육에 대한 가치관 변화 등을 들 수 있다.

채점기준		
상	저출산 문제에 대한 해결 방안을 두 가지 모두 정확하게 서술한 경우	
중	저출산 문제에 대한 해결 방안을 한 가지만 정확하게 서술한 경우	
하	저출산 문제에 대한 해결 방안을 한 가지만 서술하였고, 일부 틀린 내용을 포함하여 서술한 경우	

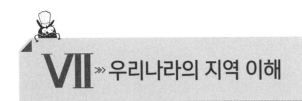

VII ≫ 우리나라의 지역 이해

01 ~ 지역의 의미와 지역 구분·북한 지역의 특성과 통일 국토의 미래

콕콕! 개념 확인하기 237쪽

01 (1) 동질 지역 (2) (가) (3) (가)와 (나) 모두 (4) 있다
02 (1) (가): 화력, (나): 수력 (2) A: 쌀, B: 옥수수
03 (1) 나선 경제특구 (2) 신의주 특별 행정구 (3) 개성 공업
　　 지구

03 (1) 나선 경제특구는 북한 최초의 개방 지역이다.
　 (2) 신의주 특별 행정구는 홍콩을 모델로 경제 개발을 추진
　　 하고 있는 개방 지역이다.
　 (3) 개성 공업 지구는 남북한의 경제 협력 지역이다.

탄탄! 내신 다지기 238~239쪽

01 ④　**02** ③　**03** ④　**04** ④　**05** ⑤　**06** ①　**07** ③
08 해설 참조

---

01 동질 지역과 기능 지역

자료 분석 | (가)는 동질 지역, (나)는 기능 지역이다.

[선택지 분석]

① (가)는 중심지와 배후지로 지역이 구분된다 → 기능 지역
② (나)는 동일한 지리적 현상이 나타나는 범위를 나타낸
　 다. → 동질 지역
③ (가)는 (나)보다 교통로 발달이 범위에 미치는 영향이
　 크다. → 교통로 발달이 범위에 미치는 영향이 큰 지역은 기능 지역임
✔ (나)는 (가)보다 지역 간 상호 작용을 파악하기에 유리
　 하다.
⑤ (가), (나) 모두 점이 지대가 나타나지 않는다.
　　　　 → (가), (나) 모두 점이 지대가 나타남

02 지역의 유형

자료 분석 | 동질 지역은 동일한 지리적 현상이 나타나는 공간 범위
로, 기후 지역, 농업 지역, 문화 지역 등이 해당된다. 기능 지역은 중
심 지역과 그 중심지의 영향을 받는 배후 지역 간의 기능적 결합 관
계를 나타낸 공간 범위로, 상권, 통근권, 통학권 등이 해당된다. 점
이 지대는 인접한 두 지역의 특징이 혼재되어 나타나는 지역 범위
로, 기능 지역과 동일 지역에서 모두 나타날 수 있다.

[선택지 분석]

(가)	(나)	(다)
✔ 동질 지역	기능 지역	점이 지대

---

03 전통적인 지역 구분

[선택지 분석]

✘ A: 백두대간에 해당하는 산맥이다.
　 → 낭림 산맥은 백두대간이 아님
◯ B: C보다 기온의 연교차가 크다.
✘ C: B보다 인구 밀도가 낮다.
　　　　　　　　　　　 높다
◯ D: 호강의 남쪽이라 하여 호남 지방으로 불린다.

04 북한의 전력 생산

자료 분석 | (가)는 화력 발전, (나)는 수력 발전이다.

[선택지 분석]

① (가)는 하천의 중·상류 구간에 주로 입지한다. → 수력
② (나)는 주로 석탄을 이용하여 전력을 생산한다. → 화력
③ (가)는 (나)보다 북한에서의 발전량이 더 많다.
　　 → 수력이 더 많음
✔ (나)는 (가)보다 발전량의 계절 차가 크다. → 수력의 특징
⑤ (나)는 (가)보다 발전 과정에서 대기 오염 물질의 배출
　 량이 더 많다. → 화력의 특징

05 북한의 산업 구조

자료 분석 | 북한은 군수 산업 위주의 중화학 공업이 발달하면서 2
차 산업의 비중이 남한에 비해 상대적으로 높다. 그러나 1980년 이
후 3차 산업의 비중이 빠르게 증가하고 있다. 1차 산업의 비중은
20% 내외로 남한에 비해 상당히 높은 편이다.

[선택지 분석]

(가)	(나)	(다)
✔ 3차 산업	2차 산업	1차 산업

06 북한의 개방 지역

자료 분석 | A는 신의주 특별 행정구, B는 개성 공업 지구, C는 금
강산 관광 지구, D는 나선 경제특구이다.

[선택지 분석]

◯ A – 홍콩을 모델로 한 경제 개방 정책이 추진되고 있
　 다.
◯ B – 남북 경제 협력 지구로, 현재는 협력 사업이 중단
　 된 상태이다.
✘ C – 북한 최초의 개방 지역이다. → 나선 지역(D)
✘ D – 남한과 일본의 관광객 유치를 위해 설치한 개방 지
　 역이다. → 금강산 관광 지구(C)

07 북한의 주요 지형

[선택지 분석]

① ㉠ – 남북 방향으로 뻗어 있다.
② ㉡ – 신생대 제3기 경동성 요곡 운동의 영향으로 형성되
　 었다.
✔ ㉢ – 관광객 유치를 위해 관광특구로 지정되었다.
　　 → 금강산 관광 지구

④ ㉣ – 관북 지방과 관서 지방의 경계가 된다.

⑤ ㉤ – 한반도의 지붕으로 불린다.

08 남북한 교역 현황

[예시 답안] 남한과 북한은 전자 전기 제품, 섬유류 등의 공산품을 위탁 가공 교역하고 있다.

채점기준		
상	주요 교역 품목이 공산품이고, 교역 형태가 위탁 가공 교역임을 정확하게 서술한 경우	
중	주요 교역 품목(공산품)과 교역 형태(위탁 가공 교역) 중 한 가지만 정확하게 서술한 경우	
하	주요 교역 품목(공산품)과 교역 형태(위탁 가공 교역)의 특징을 정확하게 파악하지 못한 서술을 한 경우	

도전! 실력 올리기
240~241쪽

01 ①　02 ②　03 ②　04 ①　05 ②　06 ①　07 ③
08 ④

01 관서 지방의 특징

자료 분석 | 고려 시대 때 철령관은 낭림산맥에 위치한 관문이었다. 이 관문을 기준으로 서쪽은 관서 지방, 북쪽은 관북 지방으로 불리었다. 현재의 관서 지방은 평안도에 해당하는 곳으로 평야 지대를 중심으로 농업 및 공업이 발달하였으며, 평양을 비롯한 북한의 주요 도시가 위치해 있다. 지도의 A는 관서 지방, B는 관북 지방(현재의 함경도), C는 경기 지방, D는 관동 지방(현재의 강원도), E는 호서 지방(현재의 충청도)이다.

[선택지 분석]

✓ A → 관서 지방

02 기능 지역 및 동질 지역

자료 분석 | (가)는 기능 지역, (나)는 동질 지역이다.

[선택지 분석]

㉠ (가)는 중심지와 배후지로 구분된다.
➡ (가)는 기능 지역으로 중심지와 중심지의 영향을 받는 배후지로 구분된다.

✗ (나)의 지역 유형 사례로는 통근권, 상권 등이 있다.
➡ 통근권, 상권은 기능 지역의 사례에 해당한다.

㉢ (가)는 (나)보다 지역 간 계층 구조를 파악하기에 유리하다.
➡ 기능 지역은 중심지와 배후지 간의 상호 작용을 통해 지역 간의 계층 구조를 파악할 수 있다.

✗ (가)는 동질 지역, (나)는 기능 지역에 해당한다.
➡ (가)는 기능 지역, (나)는 동질 지역이다.

03 북한 주요 지역의 기후

자료 분석 | 북한은 지역에 따라 기후의 차이가 크다. (가)는 여름철 평균 기온이 15℃ 정도로 매우 낮은 것으로 보아 마천령산맥에 위치한 해발 고도가 높은 산지 지역인 B이다. (나)는 (가), (다)에 비해

여름철 기온이 높고 강수량이 많은 신의주(A)이다. (다)는 강수량이 적은 것으로 보아 청진(C)이다. 청진은 지형과 한류의 영향으로 강수량이 적다.

[선택지 분석]

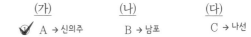

(가)	(나)	(다)
✓ B	A	C

04 북한 여러 지역의 특징

자료 분석 | 지도의 A는 신의주, B는 남포, C는 나선, D는 원산이다. (가)는 홍콩식 경제 개발을 추진하고 있으며, 경의선의 종착지로 철도 교통의 요지인 신의주이므로 A이다. (나)는 북한의 특별시이며, 서해 갑문이 설치된 남포이다. 따라서 B이다. (다)는 유엔 개발 계획의 지원을 받는 북한 최초의 경제특구로, 국제 교류의 거점 지역인 나선이다. 따라서 C이다. D는 북한 최대의 다우지이며, 명사십리 해수욕장을 비롯한 관광 자원이 풍부하여 관광 산업이 발달한 원산이다. 원산은 북한의 대표적인 공업 도시이기도 하다.

[선택지 분석]

(가)	(나)	(다)
✓ A → 신의주	B → 남포	C → 나선

05 북한 여러 지역의 특징

자료 분석 | 지도의 A는 나선, B는 백두산, C는 신의주, D는 원산, E는 개성이다. (가)는 화산 활동으로 형성되었으며, 정상에 칼데라호인 '천지'가 있는 백두산이다. 따라서 B이다. (나)는 경원선의 종착지이며, 북한의 대표적인 공업 도시인 원산이다. 따라서 D이다. (다)는 홍콩을 모델로 경제 개발을 추진하고 있는 신의주이다. 따라서 C이다.

[선택지 분석]

(가)	(나)	(다)
✓ B → 백두산	D → 원산	C → 신의주

06 북한의 교통 발달 현황

자료 분석 | A는 도로, B는 해운, C는 철도, D는 항공, E는 지하철이다. (가)는 도로, (나)는 철도, (다)는 지하철이다.

[선택지 분석]

㉠ A의 여객 수송 분담률은 남한이 북한보다 높다.
➡ A는 도로 교통이다. 남한은 도로 교통의 수송 분담률이 매우 높은 반면 북한은 철도 교통 분담률이 상대적으로 높아 도로 교통 분담률이 남한보다 낮다.

㉡ B, D는 C, E보다 기상 악화에 따른 운행 제약이 크다.
➡ B는 해운, D는 항공 교통으로 C 철도와 E 지하철에 비해 기상 상태의 제약을 많이 받는다.

✗ 북한의 화물 수송 분담률은 (나)를 이용하는 교통수단보다 (가)를 이용하는 교통수단이 높다.
➡ 북한의 화물 수송 분담률은 철도가 도로 교통보다 높다.

✗ (가)는 A, (나)는 B, (다)는 C가 이용하는 교통로이다.
➡ (가)는 도로 교통인 A, (나)는 철도 교통인 C, (다)는 지하철 교통인 E이다.

07 북한 여러 지역의 특징

자료 분석 | 지도의 A는 나선, B는 신의주, C는 남포, D는 원산, E는 개성이다. (가)는 경의선의 종착지이며 홍콩을 모델로 한 경제 개방 정책을 추진하고 있는 신의주이다. 따라서 B이다. (나)는 북한의 최다우지이며, 금강산을 관광하기 위한 관문 도시에 해당하는 원산이다. 따라서 D이다. (다)는 유엔 개발 계획의 지원 하에 개발되고 있는 북한 최초의 경제특구인 나선이다. 따라서 A이다.

[선택지 분석]

☑ (가)	(나)	(다)
B → 신의주	D → 원산	A → 나선

08 남북한의 식량 작물 생산 현황

자료 분석 | (가)는 남한, (나)는 북한이며, A는 쌀, B는 옥수수이다.

[선택지 분석]

✗ (가)는 북한, (나)는 남한이다.
➡ (가)는 재배 면적 대비 생산량이 많은 남한이며, (나)는 재배 면적에 비해 생산량이 (가)보다 적은 북한이다.

ⓛ (가)는 (나)보다 토지 생산성이 높다.
➡ 토지 생산성은 단위 면적당 생산량을 통해 파악할 수 있다. (가)는 (나)보다 재배 면적은 좁지만 생산량이 많으므로 토지 생산성이 높다고 볼 수 있다.

✗ A는 B보다 사료용으로 이용되는 비중이 높다.
➡ A는 쌀, B는 북한에서 생산량이 많은 옥수수이다. 사료용으로 이용되는 비중은 옥수수가 쌀보다 높다.

ⓔ 남한에서 B는 A보다 수입 비중이 높다.
➡ 남한에서의 수입 비중은 옥수수가 쌀보다 높다.

02 ~ 인구와 기능이 집중된 수도권

콕콕! 개념 확인하기   245쪽

01 (1) ㉠, ㉣ (2) ㉡, ㉢ (3) ㉤, ㉥
02 (1) 수도권 (2) 인천 (3) 경기 (4) 서울
03 (1) (가): 서울, (나): 인천, (다): 경기 (2) (가) (3) (가) (4) (다)
04 (1) 증가, 감소 (2) 상승, 심화 (3) 세종특별자치시

탄탄! 내신 다지기   246쪽

01 ①   **02** ②   **03** ③   **04** 해설 참조

01 수도권의 산업 구조

자료 분석 | 1차 산업 종사자 수 비중이 다른 두 지역에 비해 높은 (가)는 경기이고, 3차 산업 종사자 수 비중이 가장 높은 (나)는 서울이며, 나머지 (다)는 인천이다.

[선택지 분석]

㉠ (가)는 (다)보다 지역 내 총생산이 많다.

㉡ (나)는 (가)보다 면적이 좁다.

✗ (가), (다)는 특별·광역시, (나)는 도(道)에 해당한다.
➡ (가) 경기는 도(道)이고, (나) 서울, (다) 인천은 특별·광역시이다.

✗ 총인구는 (나)>(가)>(다) 순으로 많다.
   (가)>(나)>(다)

02 수도권 시도 간 전입 및 전출

[선택지 분석]

☑ (가)	(나)	(다)
서울	경기	인천

➡ 전입 및 전출 인구 규모가 가장 작은 (다)는 인천이다. (가)에서 (나)로 이동한 인구는 (나)에서 (가)로 이동한 인구보다 많아서 (가)는 인구의 순 유출이 발생하고 있다. 따라서 (가)는 서울이고, (나)는 경기이다

03 수도권의 정보 통신 기술 산업

자료 분석 | ICT 서비스업의 사업체 수 비중이 가장 높은 (가)는 서울, ICT 제조업의 사업체 수 비중이 가장 높은 (다)는 경기이고 나머지 (나)는 인천이다.

[선택지 분석]

✗ (가)는 (나)보다 총인구가 적다.
                          많다

ⓛ (나)는 (다)보다 제조업 출하액이 적다.

ⓒ (다)는 (가)보다 3차 산업 종사자 수 비중이 낮다.

✗ (가)~(다) 중에서 생산자 서비스업의 업체 수는 (나)가 가장 많다.
                                    (가) 서울

04 수도권 문제의 해결 방안

[예시 답안] 그래프를 통해 수도권의 과밀화 문제를 파악할 수 있다. 수도권의 과밀화 문제 해결을 위해서는 과밀 부담금 제도, 수도권 공장 총량제 등의 정책을 시행하고, 세종특별자치시로 중앙 행정 기관을 이전하며, 지방으로의 공공 기관 이전을 통한 혁신 도시 건설을 추진해야 한다.

채점기준		
상	수도권의 문제와 해결 방안을 모두 정확하게 서술한 경우
중	수도권의 문제와 해결 방안 중 한 가지만 정확하게 서술한 경우
하	수도권의 문제와 해결 방안을 모두 정확하게 서술하지 못한 경우

도전! 실력 올리기   247쪽

01 ①   **02** ④   **03** ②   **04** ⑤

01 수도권 시·도별 통근·통학 인구

자료 분석 | 주간 인구 지수가 가장 높은 ㄱ이 서울이다. 그리고 주간 인구 지수가 가장 낮은 ㄷ은 경기이다. 경기는 위성 도시와 신도

시가 발달하였지만, 대부분 침상 도시로 서울로 출퇴근하는 사람이 많기 때문이다. 나머지 ㄴ은 인천이다.

[선택지 분석]

ㄱ	ㄴ	ㄷ
✓ A	B	C

➡ 통근·통학 인구가 가장 적은 B는 인구 규모가 가장 작은 인천이다. A, C는 서울, 경기 중 하나인데, A에서 C로의 통근·통학 인구보다 C에서 A로의 통근·통학 인구가 많으므로 A는 서울, C는 경기이다. 따라서 ㄱ(서울)은 A, ㄴ(인천)은 B, ㄷ(경기)은 C가 된다.

02 수도권 시·도별 산업 구조

[선택지 분석]

(가)	(나)	(다)
✓ 경기	서울	인천

➡ 부가 가치 비중은 매우 낮지만 상대적으로 다른 두 지역에 비해 1차 산업의 부가 가치 비중이 높은 (가)는 경기이다. 서울, 인천, 경기 중에서 1인당 지역 내 총생산이 가장 많고 3차 산업의 부가 가치 비중이 가장 높은 (나)는 서울이다. 나머지 (다)는 인천이다.

03 수도권 시·도별 산업 구조

자료 분석 | 제조업의 부가 가치 비중이 가장 높은 (가)는 경기, 사업 서비스업의 부가 가치 비중이 가장 높은 (나)는 서울, 나머지 (다)는 인천이다.

[선택지 분석]

ㄱ (가)는 주간 인구 지수가 100 미만이다.
➡ 경기(가)는 서울로 통근·통학하는 인구가 많아 주간 인구 지수가 100 미만이다.

✗ (나)는 전국의 시도 중에서 인구가 가장 많다.
➡ 전국의 시도 중에서 인구가 가장 많은 지역은 경기(가)이다.

ㄷ (다)에는 국제공항과 국제항이 있다.
➡ 인천(다)에는 인천 국제공항과 인천항이 있어 서울의 관문 역할을 한다.

✗ (가)~(다) 중에서 3차 산업 종사자 수 비중은 (가)가 가장 높다.
➡ (가)~(다) 중에서 3차 산업 종사자 수 비중은 우리나라 최고차 중심 도시인 서울(나)이 가장 높다.

04 수도권 시도 간 전입·전출

자료 분석 | 전입 및 전출 인구가 가장 적은 (다)는 인구 규모가 가장 작은 인천이다. (가), (나)는 서울, 경기 중 하나인데 (가)에서 (나)로 전출 간 인구는 (나)에서 (가)로 전출 간 인구보다 많다. 따라서 (가)는 교외화 현상으로 인해 많은 인구가 경기도로 유출되고 있는 서울이고, (나)는 경기이다.

[선택지 분석]

① 인구: (나)>(가)>(다)
➡ 인구는 경기(나)>서울(가)>인천(다) 순으로 많다.

② 면적: (나)>(다)>(가)

➡ 면적은 경기(나)>인천(다)>서울(가) 순으로 넓다.

③ 제조업 출하액: (나)>(다)>(가)
➡ 제조업 출하액은 경기(나)>인천(다)>서울(가) 순으로 많다.

④ 지역 내 총생산: (나)>(가)>(다)
➡ 지역 내 총생산은 경기(나)>서울(가)>인천(다) 순으로 많다.

✓ 3차 산업 종사자 비중: (나)>(가)>(다)
➡ 3차 산업 종사자 비중은 서울(가)>경기(나)>인천(다) 순으로 높다.

03 ~ 동서의 차이가 뚜렷한 강원 지방과 빠르게 성장하는 충청 지방

콕콕! 개념 확인하기   254쪽

01 (1) E, 영월 (2) A, 춘천 (3) D, 원주 (4) B, 평창 (5) C, 강릉
(6) F, 태백

02 (1) D, 태안 (2) B, 당진 (3) F, 대전 (4) G, 청주 (5) A, 서산
(6) E, 세종 (7) C, 아산

탄탄! 내신 다지기   255~257쪽

01 ①	02 ⑤	03 ②	04 ⑤	05 ⑤	06 ③	07 ②
08 ⑤	09 ①	10 ⑤	11 해설 참조			

01 영동 지방과 영서 지방의 기온 차이

자료 분석 | 영동 지방은 태백산맥이 북서풍을 막아주고 동해의 영향을 많이 받아 영서 지방에 비해 겨울에 따뜻하고 여름에 덜 덥다.

[선택지 분석]

ㄱ 홍천은 강릉보다 기온의 연교차가 크다.
➡ 영서 지방에 위치하는 홍천은 영동 지방에 위치하는 강릉에 비해 겨울에 기온이 낮아 기온의 연교차가 크다.

ㄴ 대관령은 해발 고도가 높아 주변 지역에 비해 기온이 낮다.
➡ 해발 고도가 높은 대관령은 주변 지역에 비해 기온이 낮다.

✗ 1월 평균 기온의 지역 간 차이는 영서 지방이 영동 지방 _{영동} _{영서}
보다 크다.
➡ 지도에서 영서 지방은 −5℃~−8℃의 등온선이 분포하지만 영동 지방은 1℃~−8℃까지의 등온선이 분포한다.

✗ 8월은 1월에 비해 강원도에서 월평균 기온의 지역 간 _{1월} _{8월}
차이가 크다.
➡ 8월에 강원도에 그려진 등온선은 20℃~24℃이고, 1월에는 1℃~−8℃이므로 1월이 8월보다 월평균 기온의 지역 간 차이가 크다.

02 강원도의 각 지역별 특징

자료 분석 | 남북으로 길게 뻗은 강원도는 지역에 따라 농업, 임업, 광업 등 주요 산업의 차이가 크다. (가)는 삼척, 영월, 동해 등 광업이 발달한 지역에서 비중이 높으므로 석회석 생산량이다. (나)는 지역 간 차이가 크지 않고 평창, 홍천 등지의 비중이 높으므로 밭 면적이다. 평창은 강원도에서 밭 면적 비율이 가장 높은 곳이다. (다)는 원주, 춘천, 강릉 등 강원도 주요 도시의 비중이 높으므로 인구수이다.

[선택지 분석]

	(가)	(나)	(다)
✔	석회석 생산량	밭 면적	인구수
	→ 삼척, 영월, 동해	→ 평창, 홍천	→ 원주, 춘천, 강릉

03 영동 지방과 영서 지방의 차이

자료 분석 | (가)는 태백산맥의 서쪽에 위치하므로 영서 지방, (나)는 태백산맥의 동쪽에 위치하므로 영동 지방이다.

[선택지 분석]

ㄱ (가)는 (나)보다 여름철 강수 집중률이 높다.
➡ 영동 지방은 겨울철에 눈이 많이 내리고, 영서 지방은 여름에 집중 호우가 많기 때문에 여름철 강수 집중률은 영서 지방이 영동 지방보다 높다.

✗ (가)의 방언은 (나)의 방언보다 관북 해안 지방과의 유
  (나)   (가)
사성이 크다.
➡ 영동 지방은 해안을 통해 관북 해안 지역 및 영남 지방 동해안 지역과의 교류가 활발하였기 때문에 영동 지방의 방언은 영서 지방에 비해 관북 해안 지역과의 유사성이 크다.

ㄷ (나)는 (가)보다 높새바람이 불 때 습도가 높다.
➡ 높새바람이 불면 영동 지방은 바람받이가 되어 강수 확률이 높아진다. 반면 영서 지방은 푄 현상으로 인해 고온 건조해진다.

✗ (나)는 (가)보다 북동 기류가 유입될 때 강수 확률이 ~~낮다.~~
                                            높다
➡ 북동 기류가 유입될 때는 영동 지방이 영서 지방보다 강수 확률이 높다.

04 강원도의 산업별 취업자 수 변화

자료 분석 | 강원도의 주요 산업별 취업자 수를 보면 서비스업의 비중이 높고 광업 및 제조업의 비중이 낮다. 서비스업 중에서는 사업·개인·공공 기타 서비스의 비중이 높고 관광 산업이 발달하여 도·소매 및 음식·숙박업의 비중도 높다. 강원도는 우리나라의 산업화 과정에서 농림어업의 비중이 큰 폭으로 감소하였는데, 석탄 산업 합리화 정책의 영향으로 폐광되는 석탄 광산이 증가함에 따라 광업 및 제조업의 취업자 수 비중도 감소하였다. 따라서 (가)는 도·소매 및 음식·숙박업, (나)는 농림어업, (다)는 광업·제조업이다.

[선택지 분석]

	(가)	(나)	(다)
✔	ㄷ	ㄱ	ㄴ
	→ 도·소매 및 음식·숙박업	→ 농림어업	→ 광업·제조업

05 강원도 주요 지역의 특색

자료 분석 | 지도에서 A-춘천, B-원주, C-평창, D-태백, E-삼척이다. 춘천은 강원도의 도청 소재지이고 영서 북부 지방의 중심지이다. 최근 서울과 전철로 연결되면서 많은 변화가 나타났다. 원주는 영서 남부 지방의 중심지로 강원도에서는 제조업이 발달한 지역이고 혁신 도시 및 기업 도시로 지정되었다. 평창은 고위 평탄면이 발달하였으며 이러한 지형은 피서지, 고랭지 배추 재배, 목축지 등으로 이용된다. 태백은 석탄 생산량이 많았던 지역이다. 삼척은 석회석 생산량이 많다. 정동진 해안 단구, 오죽헌 등의 관광지는 강릉에 있다.

[선택지 분석]

✔ E - 정동진 해안 단구, 오죽헌 등의 관광 자원이 있다.
➡ E는 삼척이다. 정동진 해안 단구, 오죽헌 등의 관광지는 강릉에 있다.

06 충청 지방의 산업별 생산액 비중 변화

자료 분석 | (가)는 1차 산업 생산액 비중이 세 지역 중에서 가장 낮으므로 대전, (나)는 (다)에 비해 제조업 생산액 비중이 낮으므로 충북이다. (다)는 세 지역 중에서 제조업 생산액 비중이 가장 높은 충남이다. 충남은 근래 수도권에서 제조업이 유입되고, 북서 해안 지역을 중심으로 제조업이 발달하면서 세 지역 중에서 광업·제조업의 생산액 비중이 가장 높다.

[선택지 분석]

① (가)는 대전, (나)는 충북이다.
② (가)는 (나)보다 생산자 서비스업이 발달하였다.
➡ 생산자 서비스업은 기업에 서비스를 제공하는 산업으로, 대도시를 중심으로 발달한다. 대전이 충북보다 생산자 서비스업이 발달하였다.
✔③ (가)는 (다)보다 지역 내 총생산액이 많다.
➡ 지역 내 총생산액은 충남(다)>충북(나)>대전(가) 순으로 많다.
④ (나)는 (가)보다 제조업 출하액이 많다.
⑤ (다)는 (나)보다 농림어업 생산액이 많다.
➡ 충남(다)은 충북(나)보다 경지 면적이 넓고 시설 재배도 활발하여 농림어업 생산액이 많다.

07 충남 북서 해안 지역의 공업 발달 특징

자료 분석 | (가)는 석유 화학 공업의 출하액의 비중이 높으므로 서산(A), (나)는 전자 부품, 컴퓨터, 영상, 음향 및 통신 장비와 자동차 및 트레일러의 출하액 비중이 높으므로 아산(C), (다)는 1차 금속의 출하액 비중이 높으므로 당진(B)이다.

[선택지 분석]

	(가)	(나)	(다)
✔	A → 서산	C → 아산	B → 당진

08 태안과 충주의 공통점

자료 분석 | 지도에 표시된 지역은 충주와 태안으로, 이곳에는 기업 도시가 입지하고 있다. 충주는 지식 기반형 기업 도시가, 태안은 관광 레저형 기업 도시가 조성되고 있다. 기업 도시란 산업 입지와 경

제 활동을 위하여 민간 기업이 산업·연구·관광·레저·업무 등의 주된 기능과 주거·교육·의료·문화 등의 자족적 복합 기능을 고루 갖추도록 개발하는 도시이다.

[선택지 분석]

① 각 지역이 속한 도(道)의 도청이 입지하였다.
➡ 대전에 있던 충남도청이 이전한 곳은 충남 홍성·예산의 내포 신도시이다. 충북도청은 청주에 위치한다.

② 석탄 산업이 쇠퇴하면서 탄광 시설이 관광 자원으로 활용되고 있다.
➡ 충청남도 보령에 대한 설명이다.

③ 수도권에 있던 공공 기관이 이전해 오면서 지역 경제가 활성화되고 있다.
➡ 충청북도 진천·음성군에 대한 설명이다.

④ 우리나라의 중앙 행정 기능의 일부를 담당하는 복합 도시로 발달하고 있다.
➡ 세종특별자치시에 대한 설명이다.

☑ 민간 기업이 주도적으로 개발한 특정 산업 중심의 자급자족형 복합 기능 도시가 입지하였다.

09 충청 지방의 제조업 출하액과 지역 내 총생산액

자료 분석 | (가)는 북서 해안 지역의 아산, 서산, 당진 등과 함께 청주 등지에서 크게 나타나므로 제조업 출하액, (나)는 인구 규모가 큰 대전, 천안 등지에서 크게 나타나므로 지역 내 총생산액이다.

[선택지 분석]

(가)	(나)
☑ 제조업 출하액	지역 내 총생산액

10 충청 지방의 인구 증감과 제조업 사업체 수 증가율 변화

자료 분석 | 충청 지방의 지역별 발전 수준은 수도권과의 인접성, 교통의 편리성 등의 차이로 인해 지역마다 다르게 나타난다.

[선택지 분석]

✗ 인구가 감소한 지역은 제조업 사업체 수도 감소하였다.
➡ 인구가 감소한 지역 중에서도 제조업체 수가 증가한 지역이 많다.

✗ 시 지역은 인구가 증가하고 군 지역은 인구가 감소하였다.
➡ 군 지역 중에서도 홍성군, 음성군과 같이 인구가 증가한 지역이 있다.

ⓒ 수도권과 인접한 지역은 수도권과 먼 지역보다 인구 증가율이 높다.
➡ 수도권과 인접한 지역을 중심으로 인구가 크게 증가하였다.

ⓔ 제조업 사업체 수가 10% 이상 증가한 지역이 10% 미만 증가한 지역보다 많다.
➡ 대부분의 지역에서 제조업 사업체 수가 10% 이상 증가하였다.

11 충청 지방에서 인구가 증가한 요인

[예시 답안] 당진, 아산, 천안은 수도권에 인접하여 접근성이 좋고 제조업이 발달하면서 인구가 증가하였다. 특히 천안

과 아산은 수도권과 지방을 잇는 주요 교통수단이 통과하고 고속 철도 역사가 위치하는 등의 교통 발달이 인구 증가에 크게 영향을 미쳤다. 세종특별자치시는 수도권에 집중된 행정 기능을 분담하는 행정 중심 복합 도시로 성장하면서 인구가 증가하였다.

채점 기준		
상	충청 지방에서 인구가 20% 이상 증가한 지역과 인구가 증가한 요인을 모두 잘 서술한 경우	
중	충청 지방에서 인구가 20% 이상 증가한 지역과 인구가 증가한 요인 중 한 가지 서술이 미흡한 경우	
하	충청 지방에서 인구가 20% 이상 증가한 지역과 인구가 증가한 요인중 한 가지만 서술한 경우	

도전! 실력 올리기 258~259쪽

01 ④ **02** ⑤ **03** ② **04** ② **05** ③ **06** ② **07** ②
08 ③

01 강원도의 시·군별 지역 내 총생산 비중

자료 분석 | (가)는 (나)와 (다)보다 지역 간 비중 차이가 작고 농업이 발달한 횡성, 홍천, 철원 등의 비중이 상대적으로 높으므로 농림어업, (나)는 원주에서 특히 높으므로 제조업, (다)는 삼척, 영월 등 강원도에서 광산 개발이 활발한 지역에서 높으므로 광업이다.

[선택지 분석]

(가)	(나)	(다)
☑ 농림어업	제조업	광업

02 강원도의 지역별 특색

자료 분석 | 지도의 A는 춘천, B는 인제, C는 강릉, D는 태백, E는 원주이다.

[선택지 분석]

① A－천연기념물로 지정된 석회 동굴을 활용한 지역 홍보 방안
➡ 춘천에는 석회 동굴이 없다. 천연 기념물로 지정된 석회 동굴을 활용한 홍보 방안은 강원 남부 지역의 삼척, 영월 등지에서 활용할 수 있다.

② B－석탄 산업 쇠퇴 후 폐광의 관광 자원화 현황
➡ 인제에는 석탄 광산이 없다. 석탄 산업 쇠퇴 후 폐광의 관광 자원화 현상을 탐구하기 적절한 지역은 태백(D)이다.

③ C－조력 발전소 건설 이후 해양 생태계의 변화
➡ 강릉은 정동진 해안 단구, 오죽헌, 사빈 등을 관광 자원으로 활용하고 있다. 조력 발전소는 경기도 시화에 건설되어 있다.

④ D－국토 정중앙 테마 공원 조성을 통한 관광객 유치 방안
➡ 태백은 석탄 생산이 활발했던 곳이다. 국토 정중앙 테마 공원 조성을 통한 관광객 유치는 양구에서 실시하고 있다.

☑ E－기업 도시 조성 현황과 첨단 의료 복합 도시로의 성장 방안
➡ 원주는 기업 도시로 조성되고 있고, 첨단 의료 복합 도시로 지정되어 앞으로 성장이 기대되는 도시이다.

03 강원도 원주와 화천의 특징

자료 분석 | 원주(가)는 제조업이 발달하고 있는 지역이고 화천(나)은 인구 유출이 활발한 촌락이다. 화천에서 20대 연령층에서 여성보다 남성이 매우 많은 것은 촌락이어서 여성이 남성보다 인구 유출이 활발하였고 군부대가 주둔하여 남성이 많기 때문이다.

[선택지 분석]

✅ 1차 산업 종사자 비율: 화천(나) > 원주(가)

농가당 경지 면적: 화천(나) > 원주(가)

상업지의 평균 지가: 원주(가) > 화천(나)

제조업 종사자 수: 원주(가) > 화천(나)

04 춘천과 태백의 특징

자료 분석 | (가) 강원도의 도청 소재지이고 서울과 전철로 연결되며 침식 분지에 자리잡고 있는 곳은 춘천(A)이다. (나) 한강의 발원지인 검룡소가 있으며, 석탄 산업 합리화 정책 실시 이전까지 석탄 생산이 많았던 지역으로 광업 종사자 비중이 높았던 지역은 태백(C)이다. 태백(C)에는 낙동강의 발원지인 황지 연못도 있다. 지도에서 A-춘천, B-강릉, C-태백이다.

[선택지 분석]

(가)	(나)
✅ A → 춘천	C → 태백

05 대전, 세종, 충북·충남의 인구 구조 및 산업별 종사자 비중

자료 분석 | (가)는 세 지역 중에서 15세 미만 인구 비중이 가장 높으므로 세종, (나)는 세 지역 중 65세 이상 인구 비중이 가장 높고 제조업 종사자 비중이 가장 높으므로 충북·충남이며, (다)는 세 지역 중 생산자 서비스업에 해당하는 전문·과학 및 기술 서비스업의 종사자 비중이 가장 높으므로 대전이다.

[선택지 분석]

❌ (가)는 <s>충북·충남</s>, (나)는 <s>세종</s>이다.
　　　세종　　　　　　　충북·충남

Ⓛ 대전은 세종보다 유소년 부양비가 낮다.

　➡ 세종은 유소년층 인구 비중이 높으므로 유소년 부양비가 높다.

Ⓒ 세종은 충북·충남보다 노령화 지수가 낮다.

　➡ 충북·충남은 노년층 인구 비중이 높으므로 세종에 비해 노령화 지수가 높다.

❌ 충북·충남은 대전보다 제조업 종사자 비중이 <s>낮다</s>.
　　　　　　　　　　　　　　　　　　　　　높다

　➡ 그래프의 (나)가 충북·충남이다. 따라서 충북·충남은 대전보다 제조업 종사자 비중이 높다.

06 대전, 강원, 충북, 충남의 경제 활동별 지역 내 부가 가치 생산액

자료 분석 | 대전, 강원, 충북, 충남 네 지역 중에서 경제 활동별 지역 내 부가 가치 생산액은 충남>충북>강원>대전 순으로 많다. 따라서 (가)는 충남, (나)는 충북, (다)는 강원, (라)는 대전이다.

[선택지 분석]

Ⓙ (가)는 충남, (라)는 대전이다.

❌ <s>(나)</s>는 <s>(가)</s>보다 농림어업의 부가 가치 생산액이 많다.
　　(가)　　　(나)

➡ 충남(가)이 충북(나)보다 농림어업의 부가 가치 생산액이 많다. 충남(가)은 충북(나)보다 평야가 넓고 시설 재배가 활발하여 농업이 발달하였다.

❌ <s>(나)</s>는 <s>(다)</s>보다 밭 면적 비율이 높다.
　　(다)　　　(나)

➡ 산지가 많은 강원(다)이 충북(나)보다 밭 면적 비율이 높다. 도(道) 중에서 밭 면적 비율은 제주>강원>충북 등의 순으로 높다.

Ⓡ (나)는 (다)보다 제조업의 부가 가치 생산액이 많다.

➡ 충북(나)과 강원(다) 중에서 상대적으로 제조업은 충북(나)이, 서비스업 및 기타는 강원(다)이 더 발달하였다.

07 충청 지역의 주요 지역별 특징

자료 분석 | 지도에서 A-서산, B-아산, C-세종이다. 이 중에서 (가) 대규모 석유 화학 단지가 입지한 곳은 서산(A), (나) 우리나라의 주요 행정 기능을 담당하는 복합 도시는 세종(C), (다) 2015년 충청 지방에서 제조업 생산액이 가장 많으며, 수도권과 전철로 연결된 곳은 아산(B)이다.

[선택지 분석]

(가)	(나)	(다)
✅ A → 서산	C → 세종	B → 아산

08 충청 지방의 지역별 발전 차이

자료 분석 | (가)는 인구가 빠르게 증가한 지역, (나)는 인구가 정체되고 있는 지역, (다)는 인구가 감소한 지역이다. 지도에서 A는 충청북도의 전통적 중심 도시로 인구가 정체되고 있는 충주, B는 수도권과 인접하고 교통이 편리하여 근래 빠르게 성장하고 있는 천안, C는 수도권에서 멀고 제조업 발달 수준도 미약하여 인구 유출이 활발한 괴산이다. 따라서 (가)는 천안(B), (나)는 충주(A), (다)는 괴산(C)이다.

[선택지 분석]

(가)	(나)	(다)
✅ B → 천안	A → 충주	C → 괴산

---

04 ~ 다양한 산업이 발전하는 호남 지방과 공업과 함께 발달한 영남 지방

콕콕! 개념 확인하기　　　266쪽

01 (1) × (2) ×

02 (가) 여수, (나) 광양, (다) 군산, (라) 광주

03 (1) 국가, 일반 (2) 영남 내륙, 남동 임해 (3) 섬유 (4) 조선 (5) 울산

04 (1) Ⓛ (2) Ⓡ (3) Ⓒ (4) Ⓙ

01 ③	02 ①	03 ④	04 ①	05 ③	06 ⑤	07 ③
08 ②	09 ①	10 ④	11 ⑤	12 해설 참조		

01 호남 지방의 지리적 특색

[선택지 분석]

① 전통적으로 호남 지방이라고 불린다.
　→ 호강(금강)의 남쪽을 의미함

② 농경지가 넓고 식량 작물 생산이 활발하다.
　→ 호남평야와 나주평야 발달

③ 북쪽 경계는 영산강이고, 동쪽 경계는 소백산맥이다.
　　　　　　　금강

④ 전통 음식, 판소리, 민속놀이 등 다양한 문화가 발달하
　였다. → 문화의 고장으로 알려져 있음

⑤ 동부의 산지, 서남부의 평야 및 도서 지역으로 이루어
　져 있다. → 소백 산지+평야+많은 섬

02 김제의 지리적 특색

자료 분석 | 전라북도 김제는 호남평야를 배경으로 발달한 지역으
로 평야가 넓어 농업 활동이 활발한 것이 특징이다. 이와 관련하여
김제에서는 지평선 축제가 열리기도 한다.

[선택지 분석]

① A → 전북 김제, 호남평야, 벽골제

② B → 전남 함평, 나비 축제

③ C → 전남 해남, 땅끝 마을, 공룡 발자국 화석, 겨울 배추 생산

④ D → 전남 보성, 녹차-지리적 표시제

⑤ E → 전남 여수, 석유 화학 공업

03 호남권과 영남권의 농업

[선택지 분석]

㉠ A는 B보다 맥류 생산량이 많다.
　➡ 전남과 전북의 맥류 생산량이 많다.

㉡ A는 B보다 지역 내 총인구가 많다.
　　　　　　　　　　　　　　　적다
　➡ 2015년 호남권의 인구는 전국 대비 약 10.0%, 영남권은 약
　　25.6%를 차지한다.

㉢ B는 A보다 광역시의 수가 많다.
　➡ 영남권에는 대구·부산·울산광역시가 있고, 호남권에는 광주
　　광역시가 있다.

㉣ B는 A보다 과수 재배 면적이 넓다.
　➡ 과수 재배 면적은 경북과 경남을 포함하고 있는 영남권이 가장
　　넓다.

04 호남 지방의 지역별 제조업

[선택지 분석]

(가)	(나)	(다)
① A → 광주	B → 여수	C → 광양

➡ 자동차 공업이 발달한 (가)는 광주, 석유 화학 공업이 발달한
　(나)는 여수, 1차 금속 공업이 발달한 (다)는 광양이다.

05 남원과 함평의 지역 축제

[선택지 분석]

	(가) 남원 춘향제	(나) 함평 나비 축제
①	A → 정읍	B
②	A	D → 보성
③	B → 남원	C → 함평

➡ 춘향제는 남원에서 열리고, 나비 축제는 함평에서 열린다.

06 혁신 도시 건설에 따른 지역 변화

자료 분석 | 혁신 도시란 수도권에 위치하던 공공 기관을 지방으로
분산, 배치하면서 공공 기관과 기업체, 대학, 연구소 등을 연계하여
지역 발전의 거점으로 삼기 위해 조성하고 있는 도시이다. 전남·광
주 지역에서는 나주에 혁신 도시가 조성되고 있다.

[선택지 분석]

① 상주인구가 증가하였다. → 공공 기관의 유입으로 인구가 증가함

② 각종 편의 시설이 증가하였다. → 인구 증가로 편의 시설이 증가

③ 고속철의 운행 횟수가 증가하였다.
　→ 지역 간 교류가 늘어나면서 고속철의 운행 횟수가 증가함

④ 지방세 등 세수(稅收)가 증가하였다.
　→ 인구 증가로 세금 수입이 증가함

⑤ 거주민의 평균 거주 연수가 증가하였다.
　　　　　　　　　　　　　　　감소
　→ 새롭게 이주한 사람들이 증가하면서 거주민의 평균 거주 연수는 감소함

07 전국 및 영남 지방의 제조업

자료 분석 | 영남권은 수도권에 비해 사업체 수 비중과 종사자 수
비중은 낮지만, 출하액 비중은 높다. 이는 영남권에 위치한 기업의
공장들의 평균 규모가 큰 것을 의미한다.

[선택지 분석]

① 우리나라는 공업의 지역적 편재가 심하다.
　➡ 수도권과 영남권에 전체 제조업 사업체의 약 80% 이상이 분포
　　한다.

② 영남권은 경공업보다 중화학 공업의 생산액이 많다.
　➡ 비금속 금속 기계, 자동차 운송 장비, 석유 화학 등의 공업이
　　중화학 공업에 해당한다.

③ 영남권은 수도권보다 제조업 사업체당 종사자 수가 적다.
　　　　　　　　　　　　　　　　　　　　　　　　많다
　➡ 영남권이 수도권보다 사업체당 종사자 수가 많다.

④ 영남권은 수도권보다 제조업 종사자 1인당 출하액이 많
　다.
　➡ 영남권이 수도권보다 제조업 종사자 1인당 출하액이 많다.

⑤ 영남권의 제조업 출하액은 충청권과 호남권을 합친 것
　보다 많다.
　➡ 영남권은 전국 대비 출하액 비중이 38.8%이고, 충청권과 호남
　　권을 합친 출하액 비중은 30.9%이다.

08 영남 지방의 지역별 제조업 발달

[선택지 분석]

(가)	(나)	(다)
✓ A → 구미	C → 거제	B → 울산

➡ (가)는 전자 공업이 발달한 구미(A), (나)는 조선 공업이 발달한 거제(C), (다)는 석유 화학·자동차·조선 공업이 발달한 울산(B)이다.

09 영남 지방의 시·도별 제조업 발달

자료 분석 | 기타 운송 장비 제조업은 조선 공업이고, 영남권에서 조선 공업은 경남(거제), 울산, 부산의 순서로 제조업 출하액이 많다. 따라서 A는 경남, B는 울산, C는 부산이다. 울산의 경우 코크스·연탄 및 석유 정제품 제조업, 즉 정유 공업이 크게 발달했다.

[선택지 분석]

ㄱ A는 B보다 상주인구가 많다.

➡ 경남(2015년, 약 333만 명)이 울산(약 117만 명)보다 상주인구가 많다.

ㄴ B는 A보다 1인당 지역 내 총생산액이 많다.

➡ 울산은 전국에서 1인당 지역 내 총생산액이 가장 많다.

✗ B는 C보다 항만의 컨테이너 운송량이 많다.
　　　　　　　　　　　　　　　　　　　　　적다

➡ 부산이 울산보다 항만의 컨테이너 운송량이 많다.

✗ C는 B보다 석유 공급량이 많다.

➡ 울산은 석유 화학 공업이 발달한 곳으로, 석유 공급량이 많다.

10 영남 지방의 여러 도시

자료 분석 | A는 부산, B는 대구, C는 울산, D는 창원이다. 창원은 과거의 창원, 마산, 진해를 합쳐서 새롭게 탄생한 통합시이다.

[선택지 분석]

ㄱ A – 해마다 국제 영화제가 열린다.

➡ 부산에서는 매년 국제 영화제가 열린다.

✗ B – 최근 다른 공업에 비해 섬유 공업 종사자 수가 많아졌다.

➡ 최근에는 기계 공업이나 자동차 공업의 종사자 수가 더 많다.

ㄷ C – 석유 화학, 자동차, 조선 공업이 발달하였다.

➡ 울산에서는 석유 화학, 자동차, 조선 공업이 발달하였다.

ㄹ D – 옛날 '마산' 지역을 포함하고 있다.

➡ 창원은 옛날 마산, 창원, 진해 지역을 포함한다.

11 대구광역시의 지리적 특색

자료 분석 | 대도시로 도심 지역에 근대 역사 문화유산을 잘 보존하고 있는 곳은 대구광역시이다. 대구시는 이를 관광 자원화하여 전국으로부터 많은 관광객을 불러모으고 있다.

[선택지 분석]

① 최근 도청이 이 도시로 이전하였다.

➡ 경북도청이 안동으로 이전하였다.

② 이웃한 대표적인 도시로 김해와 양산이 있다.

➡ 김해와 양산은 부산의 위성 도시이다.

③ 우리나라에서 가장 큰 규모의 국제 영화제가 개최된다.

➡ 부산에 대한 설명이다.

④ 우리나라의 광역 자치 단체 중 1인당 지역 내 총생산액이 가장 많다.

➡ 울산에 대한 설명이다.

✓ 내륙에 위치한 도시로 폭염이 잦아 최근 '대프리카'라고 불리기도 한다.

➡ 대구는 남부 내륙에 위치한 도시로 폭염이 잦다(대구+아프리카 = 대프리카).

12 부산과 대구의 제조업 변화

[예시 답안] 과거 부산에서는 신발 공업, 대구에서는 섬유 공업이 발달했으나, 경공업이 쇠퇴하면서 산업의 부가 가치를 높이기 위해 노력하고 있다. 최근 두 지역에서는 자동차 공업 등이 발달하고 있다.

채점 기준		
상	부산과 대구의 제조업 구조상의 변화를 과거와 오늘날의 관점에서 모두 잘 서술한 경우
중	부산과 대구의 제조업 구조상의 변화를 과거나 오늘날 중 한가지 측면의 서술이 미흡한 경우
하	부산과 대구의 제조업 구조상의 변화를 과거나 오늘날 중 한가지 측면만 서술한 경우

도전! 실력 올리기 　　　　　　 270~271쪽

01 ③ 　**02** ⑤ 　**03** ④ 　**04** ① 　**05** ① 　**06** ② 　**07** ④

08 ④

01 새만금 간척 사업에 따른 지역 변화

[선택지 분석]

✗ 해안선의 길이가 길어진다.
　　　　　　　　　짧아진다

➡ 방조제 건설로 해안선의 길이가 짧아진다. 대신 새로운 해안선이 생겨난다.

ㄴ 지역을 찾는 관광객이 증가한다.

➡ 관광·레저 지구가 증가함으로써 지역을 찾는 관광객이 증가한다.

✗ 만경강, 동진강에서 감조 구간이 길어진다.
　　　　　　　　　　　　　　　　　　사라진다

➡ 만경강과 동진강이 호수로 흘러드는 하천이 되면서 감조 구간이 사라진다.

ㄹ 새로운 도시가 조성되어 상주인구가 증가한다.

➡ 주거 기능으로 계획된 지역에 새로운 도시가 조성되면서 상주인구가 증가한다.

02 광양의 변화

자료 분석 | 호남 지방에서 대규모 제철 공장이 들어서면서 지역 변화가 나타난 곳은 광양이다. 광양에서는 금호도 일대를 간척 및 매립하면서 제철 공장이 들어서게 되었다.

[선택지 분석]

① A → 전북 김제로, 농업이 주를 이루는 지역

② B → 전남 함평으로, 농업이 주를 이루는 지역

③ C → 전남 해남으로, 농업과 어업이 주를 이루는 지역

④ D → 전남 보성으로, 농업이 주를 이루는 지역

✔ E

➡ 전남 광양으로, 경북 포항, 충남 당진 등과 함께 철강 공업이 발달한 지역이다.

03 호남 지방의 제조업

자료 분석 | 여수에서 발달한 A는 석유 화학 공업, 광양에서 발달한 B는 철강 공업, 광주에서 발달한 C는 자동차 공업이다.

[선택지 분석]

✗ A는 많은 부품을 필요로 하는 조립형 공업이다.

➡ A의 석유 화학 공업은 대규모 장치 공업으로 계열화의 특성을 잘 보여 주는 공업이다. 조립형 공업의 대표적인 사례로는 자동차 공업을 들 수 있다.

ㄴ B의 출하액은 광양이 광주보다 많다.

➡ 광양이 광주보다 전체 출하액이 다소 적지만, 전체 출하액에서 B가 차지하는 비중은 광양이 광주보다 월등히 높으므로, 철강 공업(B)의 출하액은 광양이 광주보다 많다.

✗ C의 제품은 1960~1970년대 주력 수출 상품이었다.

➡ 자동차의 수출은 1990년대부터 본격적으로 이루어졌다. 1960~1970년대 주력 수출 상품은 섬유 제품이다.

ㄹ B의 완제품은 C의 주요 재료로 이용된다.

➡ 제철 공업의 완제품인 철강 제품은 자동차 공업의 주요 재료로 이용된다.

04 호남 지방의 축제

[선택지 분석]

| (가) | (나) | (다) |

✔ A → 지평선 축제-김제   B → 춘향제-남원   C → 녹차 대축제-보성

➡ 지평선 축제는 김제(A)에서 열리며, 목기가 특산품이며 춘향제가 열리는 곳은 남원(B), 녹차 관련 축제인 다향 대축제는 보성(C)에서 열린다.

05 영남과 호남 지방의 지역별 공통점

[선택지 분석]

지역	학습 주제
✔ A – ㅁ → 군산-부산	하굿둑 건설이 환경에 미친 영향 군산에는 금강 하굿둑, 부산에는 낙동강 하굿둑이 설치되어 있음
② B – ㄹ → 전주-창녕	람사르 등록 습지의 생태학적 의미 경남 창녕의 우포늪이 람사르 등록 습지
③ C – ㄷ → 영광-포항	원자력 발전소가 가져온 지역 변화 전남 영광에 원자력 발전소가 있을 뿐 포항에는 원자력 발전소가 없음
④ D – ㄴ → 보성-안동	세계 문화유산으로 등재된 전통 마을 조사 경북 안동에 전통 마을인 하회 마을이 있음
⑤ E – ㄱ → 광양-울진	철강 공업이 청장년층 성비에 미친 영향 전남 광양에서 철강 공업이 발달, 울진은 철강 공업이 발달한 지역이 아님

06 대구, 울산, 포항의 제조업

자료 분석 | 섬유 제품(의복 제외) 제조업이 발달한 (가)는 대구이고, 코크스 및 석유 정제품 제조업이 발달한 (나)는 울산이며, 1차 금속 제조업이 발달한 (다)는 포항이다.

[선택지 분석]

① (가)는 (나)보다 광역시 승격(개편) 연도가 이르다.

➡ 대구(가)는 1981년에 직할시로 승격된 후, 1995년 광역시로 개편된 반면, 울산(나)은 1997년 광역시로 승격되었다.

✔ (가)는 (다)보다 저차 중심지이다.
   고차

➡ 대구(가)가 포항(다)보다 고차 중심지이다.

③ (나)는 (가)보다 제조업 종사자 수 비중이 높다.

➡ 울산(나)이 대구(가)보다 제조업 종사자 수 비중이 높다.

④ (나)는 (다)보다 총인구가 많다.

➡ 울산(나)이 포항(다)보다 인구가 더 많다.

⑤ (다)는 (가)보다 특정 기업에 대한 경제 의존도가 높다.

➡ 포항(다)은 대구(가)보다 철강 기업인 특정 기업에 대한 경제 의존도가 높다.

07 김해시의 특징

[선택지 분석]

① A
→ 경산-대구의 광역화로 성장하고 있는 도시, 이웃에 인구 100만 명 이상의 도시(대구)가 하나밖에 없음

② B → 경주-대도시의 주거 기능 분담 현상이 뚜렷하지 않음

③ C → 창녕-대도시의 주거 기능 분담 현상이 뚜렷하지 않음

✔ D
→ 김해-부산의 교외 지역에 위치하고 있는 도시로, 인구 100만 명 이상인 부산, 창원에 접해 있음, 대규모 택지 개발로 2015년 인구 50만 명이 넘는 도시로 성장하였음

⑤ E → 창원-대도시의 주거 기능 분담 현상이 뚜렷하지 않음

08 부산권의 여러 도시

자료 분석 | (다)는 총인구가 가장 많은 부산광역시이고, (가)와 (나)는 부산의 교외화로 성장한 김해(가)와 양산(나)이다. 김해가 양산보다 인구가 많다.

[선택지 분석]

① (가)는 (다)보다 고차 중심지이다.
   저차

➡ 인구가 많은 부산(다)이 김해(가)보다 고차 중심지이다.

② (나)는 (다)보다 1995~2015년의 순유입 인구가 적다.
   많다

➡ 양산(나)은 인구 순유입, 부산(다)은 인구 순유출이 나타났다.

③ (나), (다)는 (가)의 위성 도시에 해당한다.

➡ 김해(가)와 양산(나)이 부산(다)의 위성 도시이다.

✔ (다)의 교외화 현상은 (가), (나)의 성장에 영향을 주었다.

➡ 부산(다)의 교외화 과정에서 이웃한 김해(가)와 양산(나)의 인구가 증가하였다.

⑤ (가)-(나) 간 통학·통근 인구보다 (가)-(다) 간 통학·통근 인구가 적다.
   많다

➡ 김해(가)-부산(다) 간 통학·통근 인구가 김해(가)-양산(나) 간 통학·통근 인구보다 많다.

05 ~ 세계적인 관광지로 발전하는 제주도

콕콕! 개념 확인하기   275쪽

01 (1) 생물권 보전 지역 (2) 세계 자연 유산 (3) 세계 지질 공원

02 (1) ○ (2) × (3) × (4) ○

03 (1) ○ (2) ○ (3) ○

04 국제 자유 도시

탄탄! 내신 다지기   276쪽

01 ①   **02** ⑤   **03** ②   **04** 해설 참조

01 제주도의 지리적 특색

[선택지 분석]

ㄱ 도시화율은 100%이다.

➡ 제주도는 제주시와 서귀포시로 이루어져 있다.

ㄴ 하천은 대체로 건천(乾川)을 이룬다.

➡ 절리가 발달하여 물이 지하로 스며들어 건천을 이룬다.

✕ 외교 및 국방 부문의 자치권을 지닌다.

➡ 외교, 국방 부문은 자치권을 지니지 않는다.

✕ 제주는 서귀포보다 연평균 기온이 <del>높다</del>. 낮다

➡ 한라산 남쪽에 위치한 서귀포가 한라산 북쪽에 위치한 제주보다 연평균 기온이 높다.

02 제주도의 경관

[선택지 분석]

① A에는 '<del>눈</del>'이 들어갈 수 있다. 바람

➡ 유선형 지붕과 돌담은 강한 바람을 극복하기 위한 것이다.

② 지붕의 재료로 <del>벼농사의 부산물을 이용</del>하였다. 새(갈대의 일종)를 이용

➡ 제주도에서는 벼농사가 거의 이루어지지 않는다.

③ 제주도의 전통 가옥은 <del>중산간 지역</del>에 주로 위치한다. 해안 지역

➡ 제주도의 전통 취락은 해안의 용천대를 따라서 발달한다.

④ 돌하르방은 점성이 <del>큰</del> 용암이 굳어져 만든 암석으로 만들었다. 작은

➡ 돌하르방은 점성이 작은 용암이 굳어져 만들어진 현무암을 이용하여 만들었다.

✔ 제주도의 전통 마을 주변에서는 상록 활엽수를 많이 볼 수 있다.

➡ 겨울이 온화하므로 상록 활엽수를 많이 볼 수 있다.

03 제주도의 권역별 발전 계획

자료 분석 | 제주도는 제주시 발전 권역, 서귀포시 발전 권역, 서부 발전 권역, 동부 발전 권역으로 구분한 후 지역 특색에 맞는 핵심 기능들을 육성하고 있다.

[선택지 분석]

(가)서부 발전 권역   (나)서귀포시 발전 권역   (다)제주시 발전 권역

✔ A → 서부   C → 서귀포시   B → 제주시

➡ 서부 발전 권역(가)은 국제 교육 도시 기능, 서귀포시 발전 권역(나)은 국제회의 및 의료 관광 기능, 제주시 발전 권역은(다)은 행정·교육·업무 기능을 지닌다.

04 제주도의 관광 산업

[모범 답안] 아름다운 화산 지형, 온화한 기후, 독특한 섬 문화 등

채점기준		
상	제주도가 지니고 있는 관광지로서의 매력을 자연과 인문 환경적인 측면에서 잘 서술한 경우	
중	제주도가 지니고 있는 관광지로서의 매력을 자연환경적인 측면에서만 서술한 경우	
하	제주도가 지니고 있는 관광지로서의 매력을 잘 드러나게 서술하지 못한 경우	

도전! 실력 올리기   277쪽

01 ①   **02** ①   **03** ④   **04** ⑤

01 주상 절리와 화강암

자료 분석 | (가)는 제주도 남쪽 해안 지역에서 볼 수 있는 **주상 절리**로, 주상 절리는 화산 활동으로 형성된 현무암으로 이루어져 있다. (나)는 **서울 북한산의 인수봉을 이루는 바위**로, 화강암으로 이루어져 있다.

[선택지 분석]

ㄱ (가)는 신생대 화산 활동으로 형성되었다.

➡ 주상 절리를 이루는 현무암은 신생대 화산 활동으로 형성되었다.

✕ (나)는 <del>오랜 퇴적 과정을 거쳐 형성되었다</del>. 오랜 기간의 침식 기간을 거쳐 지표 위로 드러남

➡ 화강암은 마그마가 지하에서 굳으면서 만들어졌으며, 이후 오랜 기간의 침식 작용을 거쳐 지표 위로 드러난 암석이다.

ㄷ (가)는 (나)보다 동굴이 분포할 가능성이 높다.

➡ 현무암 지대가 화강암 지대보다 동굴이 분포할 가능성이 높다.

✕ (가), (나) 모두 <del>지하수의 용식 작용을 잘 받는다</del>. 지하수의 용식 작용과 무관함

➡ 현무암과 화강암은 물에 녹지 않는다.

02 제주도의 산업 구조

자료 분석 | 자료는 2, 3차 산업의 종사자 비율과 지역 내 총생산의 분포를 표현한 것으로, 지역별 산업 구조의 특징을 파악하는 데 유용한 자료이다.

[선택지 분석]

A	B	C	D
✔ 제주	서울	경기	울산

➡ A는 2차 산업 종사자가 가장 작고 3차 산업 종사자 비율은 전

국 평균에 약간 못 미치는 수준이며, 지역 내 총생산은 가장 적다. 인구가 다른 시도에 비해 뚜렷하게 적고 제조업 발달이 미약한 제주도가 이에 해당한다. B는 서울로, 지역 내 총생산과 3차 산업 종사자 비율이 최고이다. D는 1인당 지역 내 총생산이 최고이며, 2차 산업 종사자 비율이 가장 높은 곳으로 울산이다.

03 제주도의 발전 계획

[선택지 분석]

① A – 고급 인력의 유입이 증가할 것이다.
- ➡ 첨단 과학 기술 단지가 들어오면, 제주도로 고급 인력의 유입이 증가하게 된다.

② B – 화석 연료에 대한 의존도가 낮아질 것이다.
- ➡ 풍력 발전 등 신·재생 에너지의 개발이 확대되면 화석 연료에 대한 의존도가 낮아지게 된다.

③ C – 제주도를 찾는 외국인 관광객이 증가할 것이다.
- ➡ 국제 의료 특구가 생겨나면 질병 치료와 관광을 함께 하고자 하는 외국인 관광 수요가 증가할 것이다.

✔ D – ~~서울에 위치하던 중앙 행정 기능~~의 유입이 증가할
     수도권   공공 기관
 것이다.
- ➡ 혁신 도시는 수도권에 위치하던 공공 기관이 유입되면서 형성되는 도시이다.

⑤ E – 초등 및 중·고등학생의 해외 유학을 줄일 수 있을 것이다.
- ➡ 영어 교육 도시를 조성하면 학생들의 해외 유학이 줄어들 것이다.

04 제주도의 탄소 제로 프로젝트

[선택지 분석]

✗ ㉠은 우리나라 ~~최동단~~에 위치한 섬이다.
              최동단의 섬은 독도
- ➡ ㉠은 제주도이다. 제주도에 포함된 마라도가 우리나라 최남단에 위치한 섬이다.

✗ ㉣은 발전 방식에 따라 ~~하루에 두 번 또는 네 번 발전이 가능하다.~~
                파도가 강할 때 발전이 가능
- ➡ 파력 발전은 파도가 강할 때 많은 에너지를 얻을 수 있다.

✔ ㉢ ㉤에 따른 변화로 대기 오염 물질 배출량이 줄어든다.
- ➡ 차량을 전기차로 바꾸면 대기 오염 물질의 배출량이 줄어든다.

✔ ㉣ ㉡은 ㉢보다 발전기 가동 시 소음이 많이 발생한다.
- ➡ 풍력 발전이 태양광 발전보다 발전기 가동 시 소음이 많이 발생한다.

┌──────────────────────────────────┐

한번에 끝내는 대단원 문제   282~287쪽 ▶

01 ⑤	02 ①	03 ②	04 ②	05 ②	06 ⑤	07 ⑤
08 ②	09 ⑤	10 ②	11 ⑤	12 ⑤	13 ②	14 ④
15 ①	16 ①	17 ⑤	18 ②	19 ⑤	20 ③	

21 ~ 24 해설 참조

└──────────────────────────────────┘

01 지역의 구분

[선택지 분석]

① ㉠ – 동일한 장소라도 구분 기준에 따라 지역의 경계가

달라진다.
- ➡ 지역의 경계는 동일한 장소라도 구분 기준에 따라 달라질 수 있다.

② ㉡ – 고정되어 있지 않고 시간의 흐름, 교통과 통신의 발달에 따라 끊임없이 변한다.
- ➡ 지역성은 시간이 지나면서 여러 가지 요인에 따라 항상 변하는데 특히 지역성의 변화 요인에 교통과 통신이 큰 영향을 미친다.

③ ㉢ – 각 지역은 서로 대등한 관계이다.
- ➡ 동질 지역의 지역 구분에서 각 지역은 대등한 관계이지만 기능 지역은 계층적 구조를 갖는다.

④ ㉣ – 대체로 각 지역의 모양은 중심지로부터 동심원상을 이룬다.
- ➡ 기능 지역은 중심지에서 기능이 미치는 범위를 나타낸 것이기 때문에 일반적으로는 동심원의 형태로 나타난다. 하지만 교통이나 자연환경 요인에 의해 형태가 달라질 수는 있다.

✔ ⑤ ㉤ – 서로 인접한 양쪽 지역의 특성이 명확하게 구분된다.
- ➡ 점이 지대는 각 지역의 경계 부분에서 양쪽 지역의 특성이 명확하게 구분되지 않고 혼재하는 곳이다.

02 전통적인 지역 구분

자료 분석 | 우리나라의 전통적인 지역 구분에서 철령의 북쪽인 함경남도·함경북도 지역은 관북 지방, 철령의 서쪽인 평안남도·평안북도 지역은 관서 지방이라 한다. 소백산맥 남쪽은 영남 지방. 금강 남쪽은 호남 지방에 해당한다. 따라서 (가)는 관서 지방, (나)는 영남 지방, (다)는 호남 지방이다.

[선택지 분석]

(가)	(나)	(다)
✔ 관서	영남	호남

03 북한 주요 지역의 특징

자료 분석 | 지도의 A는 신의주, B는 남포, C는 개성이다. (가)는 중국과의 접경 지역으로 홍콩식 경제 개방 정책을 추진하고 있는 신의주이다. 따라서 A이다. (나)는 남북 합작의 공업 지구가 위치한 개성이다. 따라서 C이다.

[선택지 분석]

	(가)	(나)
①	A	B → 남포
✔	A → 신의주	C → 개성

04 북한의 주요 식량 작물

자료 분석 | (가)는 해발 고도가 높은 산지 지역이며, (나)는 저평한 남서 해안 지역이다. 따라서 (가)는 벼농사 비중이 낮고 감자나 옥수수 재배 비중이 높은 반면, (나)는 넓은 평야 지대에서 벼농사를 주로 하므로 벼농사 재배 비중이 높다. 따라서 (나)에서 높은 비중을 차지하고 있는 A는 벼이며, 벼 다음으로 두 지역에서 모두 많은 양이 생산되고 있는 B는 옥수수이다. 해발 고도가 높은 산지 지역의 서늘한 기후에서 주로 재배되는 C는 감자이다.

05 수도권 시·도별 산업 구조

[선택지 분석]

(가)	(나)	(다)
✔ 인천	경기	서울

➡ 농림어업과 제조업의 생산액이 가장 많은 (나)는 경기, 사업 서비스업의 생산액이 가장 많은 (다)는 서울이고, 나머지 (가)는 인천이다.

06 수도권 시·도별 산업 구조

[선택지 분석]

✘ (가)는 (나)보다 지역 내 총생산이 <del>많다.</del>
　　적다.

✘ (나)는 (다)보다 생산자 서비스업의 발달 수준이 <del>높다.</del>
　　　　　　낮다

㉢ (다)는 (가)보다 3차 산업 종사자 수 비중이 높다.

➡ 서울은 전국의 시도 중에서 3차 산업 종사자 수 비중이 가장 높다.

㉣ (가), (다)는 특별·광역시, (나)는 도(道)에 해당한다.

07 수도권 시도 간 통근·통학

자료 분석 | 통근·통학 유입 및 유출 인구가 가장 적은 (다)는 인천이다. 통근·통학 유입 인구보다 유출 인구가 더 많은 (가)는 경기이고, 통근·통학 유출 인구보다 유입 인구가 더 많은 (나)는 서울이다.

[선택지 분석]

① (가)는 (나)보다 면적이 좁다.

➡ 경기는 서울보다 면적이 넓다.

② (나)는 (다)보다 인구가 적다.

➡ 서울은 인천보다 인구가 많다.

③ (다)는 (가)보다 제조업 출하액이 많다.

➡ 인천은 경기보다 제조업 출하액이 적다.

④ 지역 내 총생산은 (나)>(가)>(다) 순으로 많다.

➡ 지역 내 총생산은 경기>서울>인천 순으로 많다.

✔ (가)~(다) 중에서 주간 인구 지수는 (나)가 가장 높다.

➡ 세 지역 중에서 주간 인구 지수는 통근·통학 유출 인구보다 유입 인구가 더 많아 주간 인구 지수가 100을 넘는 (나) 서울이 가장 높다.

08 강원도 주요 지역의 특징

자료 분석 | 지도에서 A는 철원, B는 삼척, C는 강릉이다. (가) 용암의 열하 분출로 형성된 용암 대지에서 벼농사가 이루어지고, 하천 양안에 주상 절리가 분포하는 곳은 철원(A)이다. (나) 경포호, 정동진 해안 단구, 오죽헌 등이 있는 곳은 강릉(C)이다. (다) 석회암이 분포하여 석회 동굴과 시멘트 공장이 있는 곳은 삼척(B)이다.

09 철원, 평창, 삼척의 특징

자료 분석 | 지도에서 A는 넓은 용암 대지에서 벼농사가 활발한 철원, B는 고위 평탄면을 중심으로 고랭지 채소 재배가 활발하고 피서지로 각광 받고 있으며, 겨울에는 눈이 많이 오고 적설 기간이 길어 관광업이 발달한 평창, C는 고생대 지층이 넓게 분포하여 석회석 생산이 활발한 삼척이다. (가)는 세 지역 중에서 광업 생산액이 가장 많으므로 삼척(C), (나)는 논 면적이 가장 좁고 밭 면적은 넓으며 숙박 및 음식점업 생산액이 가장 높으므로 평창(B), (다)는 논 면적이 가장 높으므로 철원(A)이다.

[선택지 분석]

(가)	(나)	(다)
✔ C → 삼척	B → 평창	A → 철원

10 강릉, 철원, 대관령의 기후 특징

자료 분석 | (가)는 세 지역 중에서 기온의 연교차가 가장 크고 여름철 강수 집중률이 가장 높으므로 철원(A)이다. 기온의 연교차는 내륙 해안 지역보다 크고 여름철 강수 집중률은 여름에 집중 호우가 많은 한강 중·상류 지역에서 높다. (나)는 세 지역 중에서 연 강수량이 가장 많은 대관령(B)이다. (다)는 세 지역 중에서 동해안에 위치하여 기온의 연교차가 가장 작고 겨울에 눈이 많이 내려 여름철 강수 집중률이 가장 낮은 강릉(C)이다.

[선택지 분석]

㉠ A는 C보다 겨울 강수량이 적다.

➡ 철원은 강릉보다 연 강수량이 적고 여름철 강수 집중률이 높으므로 겨울 강수량은 적다. 중부 내륙 지역은 겨울에 강수량이 적은 반면 강원도 영동 지역의 강릉은 겨울에 눈이 많이 내린다.

✘ B는 A보다 연평균 기온이 높다.

➡ 대관령은 해발 고도가 높아 철원보다 연평균 기온이 낮다.

㉢ B는 C보다 해발 고도가 높다.

➡ 세 지역 중에서 해발 고도는 대관령>철원>강릉 순으로 높다.

✘ 여름철 강수량은 (가)가 가장 많다.

➡ 여름철 강수량은 연 강수량에 여름 강수 집중률을 곱하여 구할 수 있다. 대관령(나)>철원(가)>강릉(다) 순으로 많다.

11 충청남도의 시·군별 특징

자료 분석 | (가)는 제조업이 발달한 충남 북부 지역의 아산, 서산, 천안, 당진의 비중이 대부분을 차지하므로 제조업 출하액, (나) 천안, 아산 등 도시가 높은 비중을 차지하므로 인구수, (다)는 당진, 천안 등의 순위가 높지만 지역 간 비중 차이가 (가), (나)에 비해 크지 않으므로 농가 인구수이다.

[선택지 분석]

(가)	(나)	(다)
✔ 제조업 출하액	인구수	농가 인구수

12 충청 지방의 지역 특징

자료 분석 | (가)는 기반암이 용식 작용을 받아 형성된 카르스트 지형이 분포하는 곳을 중심으로 관광지가 조성되었고 특산물로는 마늘이 유명하므로 단양(C), (나)는 도청 소재지이고 생명 과학 단지(오창)가 입지하고 있으므로 청주(B), (다)는 충청 지방 최대의 석유 화학 산업 단지가 위치하고 서해안 고속 국도의 개통으로 교통 여건이 개선되면서 산업과 인구가 증가하고 있는 서산(A)이다.

[선택지 분석]

(가)	(나)	(다)
☑ C → 단양	B → 청주	A → 서산

13 강원과 충북 지역의 특징

자료 분석 | 지도에서 A는 진천·음성, B는 충주, C는 청주, D는 춘천, E는 원주, F는 삼척이다.

[선택지 분석]

① 갑: A와 E는 혁신 도시입니다.
➡ 원주와 진천·음성은 혁신 도시로 지정되었다.

☑ 을: B와 D는 각 도(道)에서 제조업 출하액이 가장 많습니다.
➡ 강원도에서 제조업 출하액이 가장 많은 곳은 원주, 충청북도에서 제조업 출하액이 가장 많은 곳은 청주이다.

③ 병: B와 E는 기업 도시입니다.
➡ 원주와 충주는 모두 기업 도시로 지정되었다.

④ 정: B와 F에서는 석회암 지층이 발견됩니다.
➡ 강원 남부의 삼척과 충북 북동부의 충주는 석회암 지층이 발견되는 지역이다. 이외에도 석회암 지층이 발견되는 지역으로는 강원 영월, 충북 단양 등이 있다.

⑤ 무: C와 D는 도청 소재지입니다.
➡ 강원도의 도청 소재지는 춘천, 충청북도의 도청 소재지는 청주이다.

14 강원과 충청 지방의 특징

자료 분석 | (가)의 강원도 원주, 충청북도 진천·음성은 혁신 도시이고, 세종은 행정 중심 복합 도시이다. (나)의 강원도 원주, 충청북도 충주, 충청남도 태안은 기업 도시이다. 혁신 도시와 세종시에는 수도권에 있던 공공 기관이 이전해 왔고, 기업 도시는 민간 기업이 주도적으로 개발하는 도시이다. 혁신 도시와 기업 도시 중에서 제조업 중심의 성장을 기대하는 곳은 기업 도시이다. 혁신 도시에 주로 이전된 공공 기관은 주로 서비스업에 해당한다.

[선택지 분석]

✗ (가)는 제조업 중심의 성장이 이루어지고 있다.
➡ (가) 혁신 도시는 수도권에 있던 공공 기관이 이전하여 조성된 곳이다.

ⓛ (가)는 수도권의 공공 기관이 이전해 온 지역이다.

✗ (나)는 도청 소재지이다.
➡ (나)는 기업 도시이다.

ⓔ (나)는 민간 기업이 주도적으로 개발하는 도시가 위치한다.

15 호남 지방의 지역별 지리적 특색

[선택지 분석]

☑ A－세계 문화유산으로 등재된 한옥 마을이 지역 경제에 미치는 영향
→ 전주 한옥 마을은 세계 문화유산이 아님, 전주는 슬로시티로 등록되어 있음

② B－춘향제의 역사와 축제 행사 구성
→ 남원－춘향전의 배경이 됨

③ C－호남 지방에서 인구 제1의 도시로 성장한 배경
→ 광주광역시－호남에서 인구가 가장 많음

④ D－녹차의 지리적 표시제 등록이 지역 경제에 미치는 영향
→ 보성－녹차의 본고장

⑤ E－석유 화학 공업 발달에 따른 지역의 산업 구조 변화
→ 여수－석유 화학 공업 발달

16 새만금·군산권 지역과 광양만권

[선택지 분석]

ⓖ 국내 기업의 투자를 적극적으로 유치하고 있다.
➡ 새만금·군산권과 광양만권은 공장 부지가 넓은 지역으로 국내 기업의 투자를 적극적으로 유치하고 있다.

ⓛ 각종 용지 확보를 위해 간척 사업이 이루어졌다.
➡ 새만금·군산권에서는 새만금 간척 사업을 비롯하여 여러 간척 사업이 이루어졌거나 진행 중이다. 광양만권의 광양 제철소는 간척지에 세워졌다.

✗ 혁신 도시의 건설로 공공 기관이 유입되고 있다.
➡ 호남권의 혁신 도시는 전주·완주와 나주 등에 위치한다.

✗ 슬로푸드를 바탕으로 슬로시티로 등록되어 있다.
➡ 호남 지방에서 슬로시티로 등록된 지역은 전주시, 전남 신안군 증도면, 전남 완도군 청산면 등이다.

17 영남 지방의 지역별 인구 지표

자료 분석 | 지도에서 의성군, 군위군, 합천군, 남해군, 의령군이 상위 5개 지역이고, 구미시, 거제시, 김해시, 울산시, 창원시가 하위 5개 지역인 것은 전체 인구에서 65세 이상 인구가 차지하는 비중, 즉 노년 인구 비중이다.

[선택지 분석]

① 여성 100명당 남성의 수
→ 성비, 중화학 공업이 발달한 지역에서 높음

② 유입 인구에서 유출 인구를 뺀 수
→ 인구 순 유입, 김해·경산 등의 대도시 주변에 위치한 도시에서 높은 편임

③ 가임 여성 1명이 평생 동안 낳는 아이의 수
→ 합계 출산율, 지역 간 차이가 뚜렷하지 않음

④ 전체 인구에서 15～64세 인구가 차지하는 비중
→ 청장년층 인구 비중, 도시 지역에서 높음

☑ 전체 인구에서 65세 이상 인구가 차지하는 비중
→ 노년층 인구 비중, 촌락 지역에서 높음

18 영남 지방의 도시 인구 규모 변화

자료 분석 | A는 부산, B는 대구, C는 창원이다.

[선택지 분석]

㉠ A는 김해, 울산에 인접해 있다.

➡ 부산(A)은 김해, 울산, 양산에 인접해 있다.

✗ C는 내륙에 위치한 광역시이다.

➡ 창원(C)은 마산, 진해와 통합된 도시로 남해안에 접해 있으며, 인구가 100만 명이 넘지만 아직 광역시로 승격하지 못한 상태이다.

㉢ 1980～2015년 B가 A보다 인구 성장률이 높다.

➡ 그래프를 통해 대구(B)가 부산(A)보다 인구 성장률이 높은 것을 알 수 있다.

✗ 2015년 영남 지방에서는 종주 도시화 현상이 나타난다.

➡ 2015년 부산(A) 인구가 대구(B) 인구의 두 배가 되지 않는다.

19 광주와 대구의 제조업

자료 분석 | (가)는 광주, (나)는 대구인데, 두 지역에서 모두 ~~출하액 비중이 가장 높은 A는 자동차 및 트레일러 제조업이다.~~ 자동차의 출하액 비중이 더 높은 (가)는 광주이고, 나머지 (나)는 대구이다. 대구에서만 나타나는 B는 섬유 제품(의류 제외) 제조업이다.

[선택지 분석]

① (가)는 영남 지방, (나)는 호남 지방에 위치한다.
　　　　　　호남　　　　　　　영남

② (가)는 (나)보다 총인구가 ~~많다.~~
　　　　　　　　　　　　적다

➡ 대구(나)가 광주(가)보다 총인구가 더 많다.

③ B의 출하액이 가장 많은 시·도는 ~~경상남도이다.~~
　　　　　　　　　　　　　　　　경기도

➡ 섬유 제품(의류 제외) 제조업의 출하액이 가장 많은 곳은 경기도이다. 경상남도에서 가장 발달한 제조업은 기타 운송 장비 제조업, 즉 조선 공업이다.

④ B는 A보다 우리나라의 연구 개발비 규모가 ~~크다.~~
　　　　　　　　　　　　　　　　　　　작다

➡ 우리나라 전체의 연구 개발비는 자동차 및 트레일러 제조업이 섬유 제품(의류 제외) 제조업보다 많다.

⑤ A의 출하액은 (가)가 (나)의 두 배 이상이 된다.

➡ (가)의 출하액이 (나)보다 많은데, 출하액에서 A가 차지하는 비중은 (가)가 (나)의 두 배 이상이므로, A의 출하액은 (가)가 (나)의 두 배 이상이 된다.

20 제주도의 자연환경

[선택지 분석]

✗ 한라산에는 화구 함몰로 형성된 ~~칼데라호가~~ 있어요.
　　　　　　　　　　　　　　　화구호

➡ 한라산에서 볼 수 있는 백록담은 칼데라호가 아닌 화구호이다.

㉡ 마라도에서는 우리 국토의 가장 남쪽 지역임을 알리는 비석을 볼 수 있어요.

➡ 마라도는 우리 국토의 최남단으로, 국토 최남단비가 세워져 있다.

㉣ 성산 일출봉은 과거 섬이었으나, 사주의 발달로 육지가 되었어요.

➡ 성산 일출봉은 해저에서 용암이 분출하여 형성된 기생 화산으로 원래는 섬이었으나, 육계사주가 발달하면서 육지가 된 육계도에 해당한다.

✗ 비자림을 이루는 나무는 ~~대부분 침엽수였어요.~~
　　　　　　　　　　　　　침엽수는 잘 나타나지 않음

➡ 비자림에서는 난대성 식물인 상록 활엽수를 많이 볼 수 있다.

21 북한 지역의 강수 특성

(1) (가): 다우지, (나): 소우지

(2) [예시 답안] (가)는 청천강 중·상류 지역으로 바람받이 사면에 해당되어 다습한 기류가 산맥에 부딪쳐 비가 많이 내리는 다우지가 되었다. (나)는 대동강 하류의 평야 지역으로 지형이 낮고 평탄하여 상승 기류가 발생하기 어려워서 소우지가 되었다.

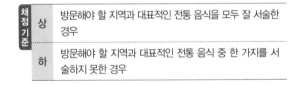

채점기준		
	상	다우지, 소우지의 구분과 그 원인을 모두 정확하게 서술한 경우
	하	다우지, 소우지만 정확하게 구분하고, 그 원인을 서술하지 못한 경우

22 영동·영서 지방의 기온 차

[예시 답안] 영동 지방은 영서 지방에 비해 겨울 기온이 높다. 왜냐하면 영동 지방은 태백산맥이 한랭한 북서 계절풍을 막아주고 수심이 깊은 동해 바다가 찬 공기를 데워주기 때문이다.

채점기준		
	상	영동·영서 지방의 기온 차와 그 원인을 모두 정확하게 서술한 경우
	하	영동·영서 지방의 기온 차만 서술하고, 그 원인은 서술하지 못한 경우

23 전주의 지역 특색

(1) 전주

(2) [예시 답안] 전주에는 오래된 한옥들이 잘 정비되어 있는 한옥 마을이 있고, 전주를 대표하는 전통 음식으로는 비빔밥이 있다.

채점기준		
	상	방문해야 할 지역과 대표적인 전통 음식을 모두 잘 서술한 경우
	하	방문해야 할 지역과 대표적인 전통 음식 중 한 가지를 서술하지 못한 경우

24 제주도의 전통 풍습

[예시 답안] 과거 제주도의 전통 가옥에는 대문이 없는 대신 정낭이 있었는데, 집에 사람이 있는지를 나무막대 표시로 알린 것을 통해 도둑이 없었음을 알 수 있다.

채점기준		
	상	정낭을 '삼무의 섬' 중 대문, 도둑과 연결지어 잘 서술한 경우
	하	정낭을 '삼무의 섬'과 연결지어 서술하지 못한 경우

개념 학습과 정리가 한번에 끝나는 기본서

한국지리

사과탐 성적 향상 전략

개념 학습은 개념풀

사과탐 실력의 기본은 개념,
개념을 알기 쉽게 풀어 이해가 쉬운
개념풀 기본서로 개념을 완성하세요.

사회 통합사회, 한국사, 생활과 윤리, 윤리와 사상,
한국지리, 세계지리, 정치와 법, 사회·문화

과학 통합과학, 물리학 I, 화학 I, 생명과학 I, 지구과학 I
화학 II, 생명과학 II

시험 대비는 핵심큐

빠르게 내신 실력을 올리는 전략,
내신기출문제를 철저히 분석하여 구성한
핵심큐 문제집으로 내신 만점에 도전하세요.

사회 통합사회, 한국지리, 사회·문화, 생활과 윤리, 정치와 법
과학 통합과학, 물리학 I, 화학 I, 생명과학 I, 지구과학 I

지학사 서포터즈 모집안내

모집 분야

개념 학습과 정리가 한번에 끝나는 기본서 **개념풀**	수학을 쉽게 만들어 주는 자 **풍산자**
● **대상** 고등학생(1~2학년) ● **모집 시기** 매년 3월, 12월	● **대상** 중·고등학생(1~3학년) ● **모집 시기** 매년 2월, 8월

활동 내용

❶ 교재 리뷰 작성 ❷ 홍보 미션 수행

혜택

❶ 해당 시리즈 교재 중 1권 증정 ❷ 미션 수행자에게 푸짐한 선물 증정

상기 모집 내용 및 일정은 사정에 따라 변동될 수 있습니다. 자세한 사항은 지학사 홈페이지 (www.jihak.co.kr)를 통해 공지됩니다.

개념 학습과 정리가 한번에 끝나는 기본서

개념풀
한국지리

발 행 인 권준구

발 행 처 (주)지학사 (등록번호 : 1957.3.18 제 13–11호) 04056 서울시 마포구 신촌로6길 5

발 행 일 2018년 10월 31일 [초판 1쇄]   2021년 10월 15일 [2판 1쇄]

구입 문의 TEL 02-330-5300 | FAX 02-325-8010 구입 후에는 철회되지 않으며, 잘못된 제품은 구입처에서 교환해 드립니다.

내용 문의 www.jihak.co.kr 전화번호는 홈페이지 〈고객센터 → 담당자 안내〉에 있습니다.

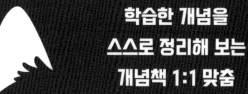

학습한 개념을
스스로 정리해 보는
개념책 1:1 맞춤

정리 노트

개념풀

한국지리

의 노트

개념과 정리가 한번에 끝나는 기본서

개념풀

── 한국지리 ──

개념책 1:1맞춤

정리노트

c o n t e n t s

학습한 개념을 단권화 할 수 있는
개념풀 정리노트 사용법

정리노트를 작성하기 전 대단원의 흐름을 살펴보면서 워밍업을 해 보세요.

기억이 잘 안난다구요?
기억이 나지 않아도 걱정 마세요.
이제부터 시작이니까요.

❶ 대단원의 흐름을 한번에 훑어 보세요. 공부했던 내용들의 흐름이 기억날 거예요.

중단원별 중요 내용의 구조를 보고, 개념을 정리하세요.

❷ 선배들이 개념책을 보고 중단원 전체의 내용 구조를 정리했어요.

무엇이 중요하고
무엇을 꼭 정리해 놓고
공부해야 하는지 알 수
있어요.

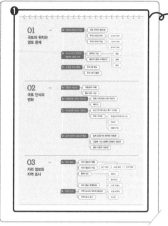

❸ 어디서부터 어떻게 정리해야 할지 모른다구요? 개념책을 펴 보세요. 흐름이 같지요? 개념책의 내용을 나만의 스타일로 정리해 보세요.

대단원별 그림으로 정리하기와 마인드맵으로 단원의 내용을 확실하게 정리하세요.

❹ 대단원별 중요한 지도와 그래프에 자시만의 설명문을 적어 보세요. 단원의 핵심 자료를 확실하게 정리할 수 있어요.

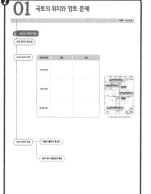

❺ 자신만의 마인드 맵을 만들어 보세요. 단원의 핵심 내용이 머릿속에 쏙!

정리노트 사용하는 2가지 방법

1. 개념책이나 교과서를 펴 놓고 중요 자료를 보면서 정리하기!

2. 외웠던 것을 스스로 확인하는 차원에서 정리해 보기!

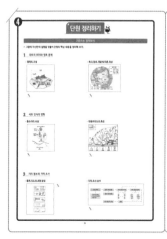

수능 1등급 받은
선배들의 정리노트 이야기

정리노트를 작성하기가 막막하다면?
정리노트를 다시 쓰고 싶다면?
지학사 홈페이지(www.jihak.co.kr)에 들어오면,
빈노트와 선배들의 정리노트를 다운받을 수 있어!

선배들이 직접 들려주는
정리노트 노하우!

"개념풀 정리노트는 단원의 전체 흐름과 중요한 세부 내용까지 모두 볼 수 있도록 구성되어 있어. 그동안 공부했던 걸 시험 전날 정리노트에 채워 보고 가면 그 시험은 만점 예약!"

◀ 동영상 바로보기

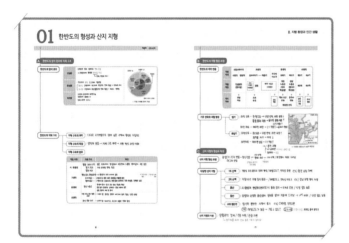

김민진 고려대 재학생

"개념풀 정리노트는 단원의 전체 흐름은 어떤지, 어떤 개념이 중요한지 한눈에 알 수 있도록 구성되어 있어. 직접 그리기 어려운 지도나 그래프의 자료가 제시되어 있어서 정리하기 편해!"

◀ 김민진 학생의 노트 바로가기

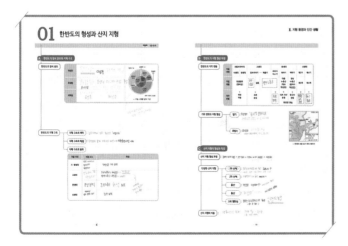

정솔 고려대 재학생

"시험 기간에 노트 정리를 하며 공부하려고 하면 막상 빈 노트에 무엇부터 써야 하는지 막막하잖아. 개념풀 정리노트는 빈 노트에 정리하기 두려운 친구들에게 조금이나마 도움이 될 거야!"

◀ 정솔 학생의 노트 바로가기

》선배들이 작성한 정리노트 바로가기

I
국토 인식과
지리 정보

01
국토의 위치와 영토 문제

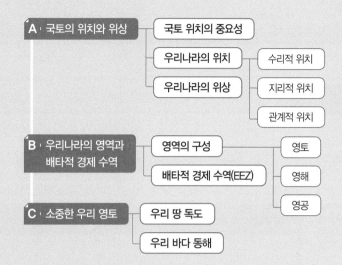

A · 국토의 위치와 위상
- 국토 위치의 중요성
- 우리나라의 위치
  - 수리적 위치
  - 지리적 위치
  - 관계적 위치
- 우리나라의 위상

B · 우리나라의 영역과 배타적 경제 수역
- 영역의 구성
  - 영토
  - 영해
  - 영공
- 배타적 경제 수역(EEZ)

C · 소중한 우리 영토
- 우리 땅 독도
- 우리 바다 동해

02
국토 인식의 변화

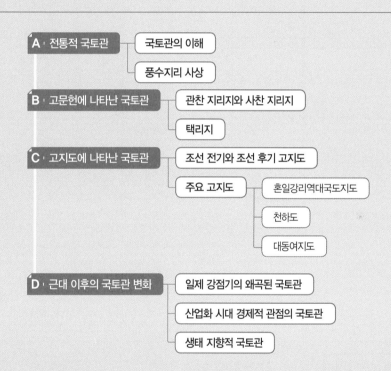

A · 전통적 국토관
- 국토관의 이해
- 풍수지리 사상

B · 고문헌에 나타난 국토관
- 관찬 지리지와 사찬 지리지
- 택리지

C · 고지도에 나타난 국토관
- 조선 전기와 조선 후기 고지도
- 주요 고지도
  - 혼일강리역대국도지도
  - 천하도
  - 대동여지도

D · 근대 이후의 국토관 변화
- 일제 강점기의 왜곡된 국토관
- 산업화 시대 경제적 관점의 국토관
- 생태 지향적 국토관

03
지리 정보와 지역 조사

A · 지리 정보
- 지리 정보의 유형
  - 공간 정보
  - 속성 정보
  - 관계 정보
- 지리 정보의 수집
- 통계 지도
  - 점묘도
  - 등치선도
  - 단계 구분도
  - 도형 표현도
  - 유선도
- 지리 정보 체계(GIS)

B · 지역 조사
- 지역 조사의 의미와 필요성
- 지역 조사 순서

01 국토의 위치와 영토 문제

개념책 12~15 쪽

A 국토의 위치와 위상

국토 위치의 중요성 :

우리나라의 위치

위치의 종류	개념	특징
수리적 위치		
지리적 위치		
관계적 위치		

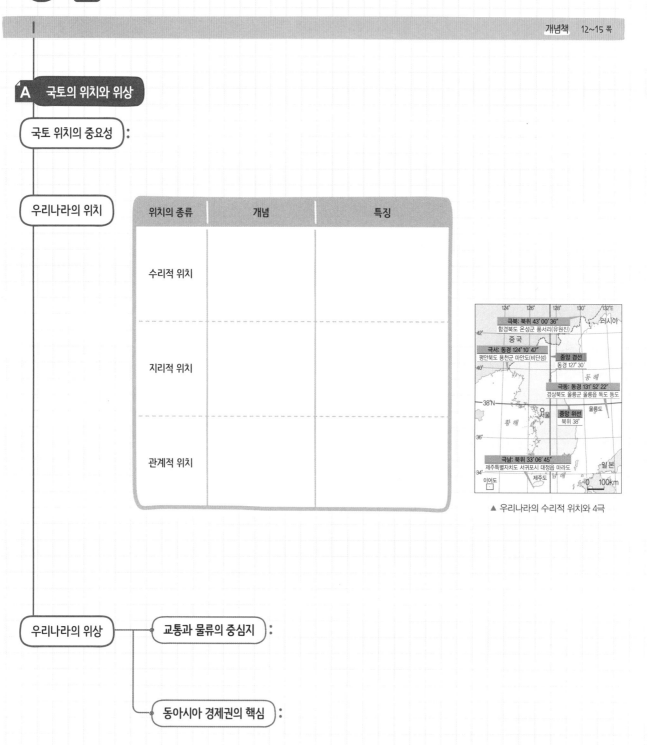

▲ 우리나라의 수리적 위치와 4극

우리나라의 위상 ── 교통과 물류의 중심지 :

── 동아시아 경제권의 핵심 :

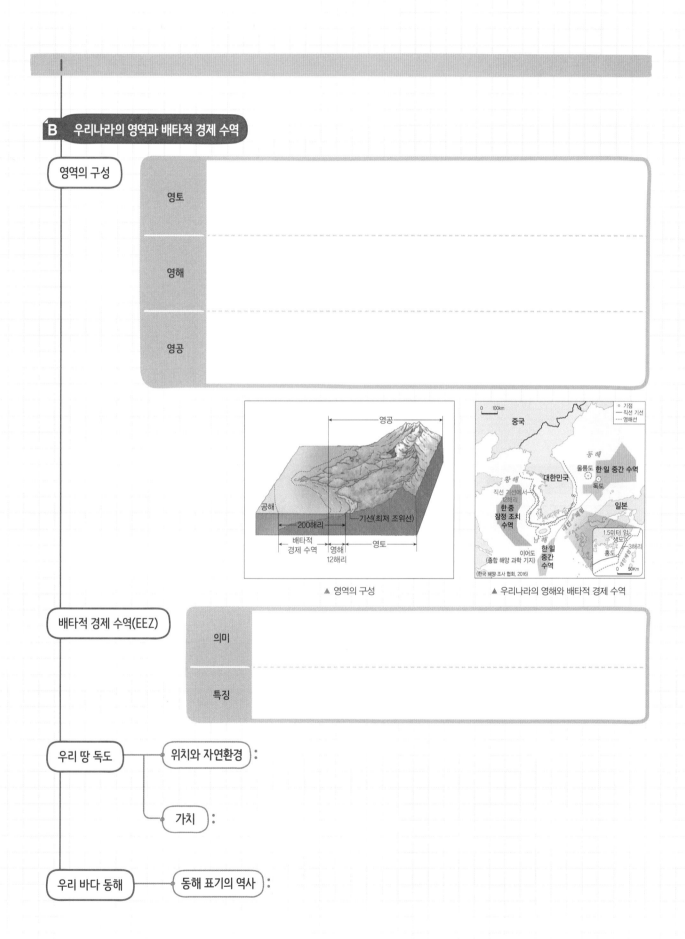

B 우리나라의 영역과 배타적 경제 수역

영역의 구성

영토	
영해	
영공	

▲ 영역의 구성

▲ 우리나라의 영해와 배타적 경제 수역

배타적 경제 수역(EEZ)

의미	
특징	

우리 땅 독도 — 위치와 자연환경 :

가치 :

우리 바다 동해 — 동해 표기의 역사 :

02 국토 인식의 변화

A 전통적 국토관

국토관의 이해
- 의미 :
- 중요성 :

풍수지리 사상

의미	
형성 배경	
영향	

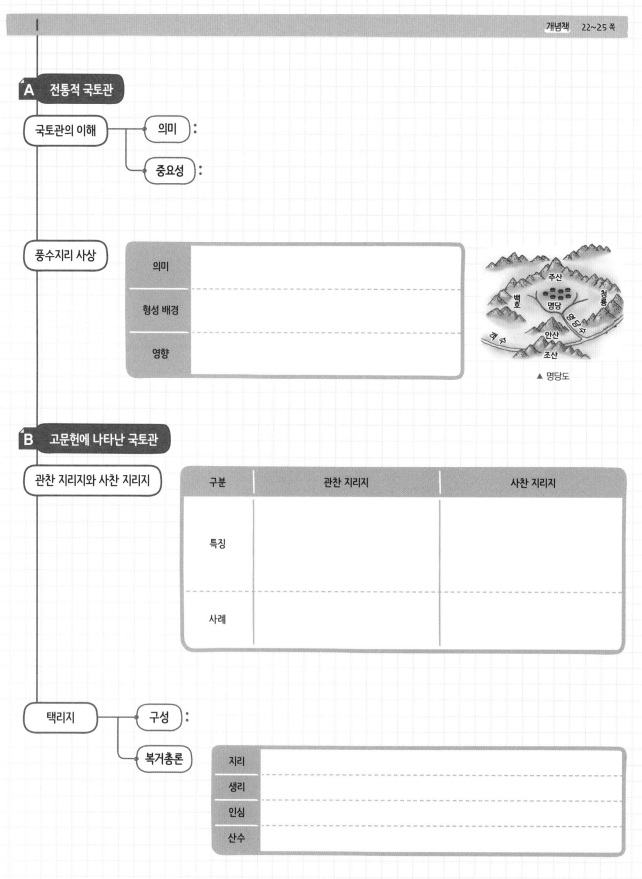

▲ 명당도

B 고문헌에 나타난 국토관

관찬 지리지와 사찬 지리지

구분	관찬 지리지	사찬 지리지
특징		
사례		

택리지
- 구성 :
- 복거총론

지리	
생리	
인심	
산수	

C 고지도에 나타난 국토관

조선 전기와 조선 후기의 고지도

구분	조선 전기	조선 후기
특징		
사례		

주요 고지도 ── 혼일강리역대국도지도 :

천하도 :

대동여지도 :

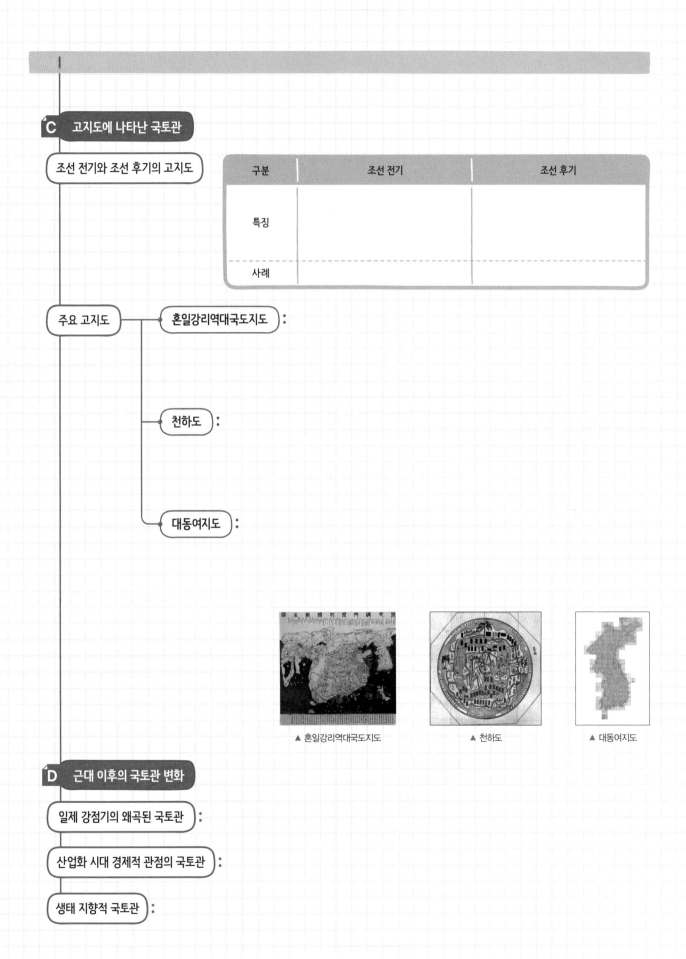

▲ 혼일강리역대국도지도　　　　▲ 천하도　　　　▲ 대동여지도

D 근대 이후의 국토관 변화

일제 강점기의 왜곡된 국토관 :

산업화 시대 경제적 관점의 국토관 :

생태 지향적 국토관 :

03 지리 정보와 지역 조사

A 지리 정보

지리 정보의 유형

공간 정보	
속성 정보	
관계 정보	

지리 정보의 수집 :

통계 지도의 종류

종류					
표현 방법					
사례	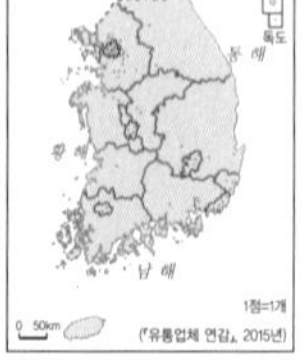 백화점 분포	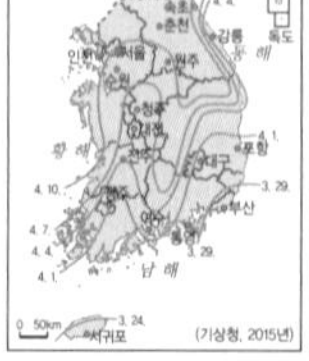 벚꽃 개화일	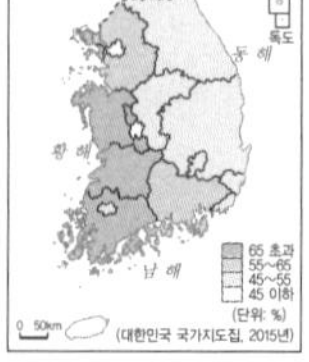 경지 이용률	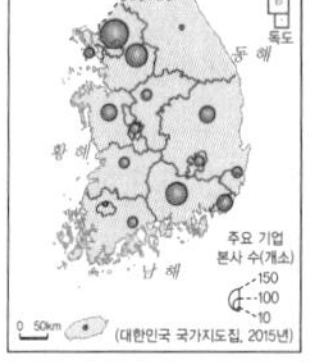 주요 기업 본사 수	 수도권 전출자

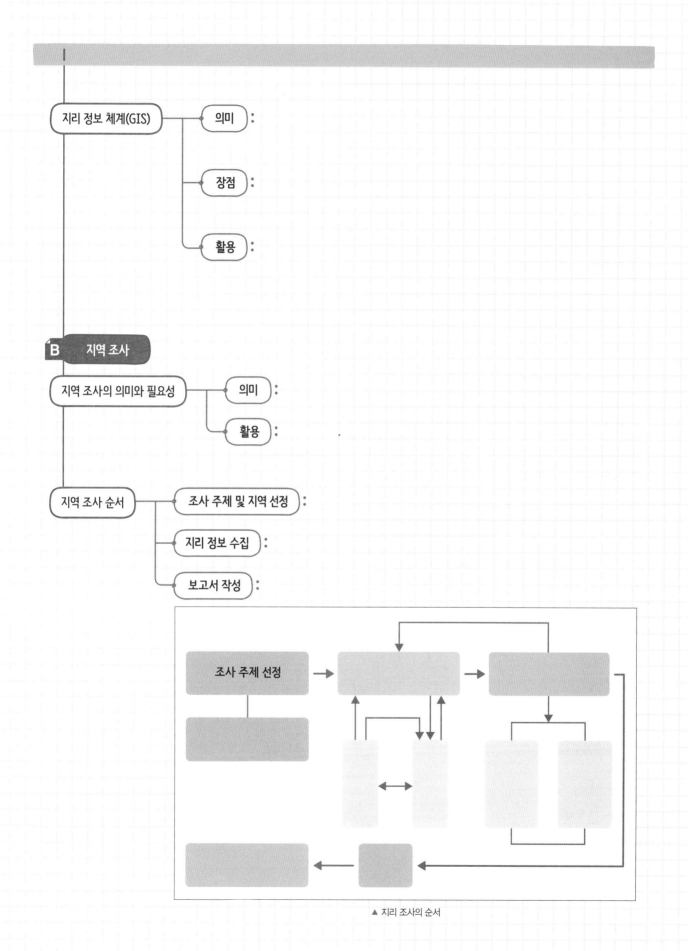

지리 정보 체계(GIS)
- 의미 :
- 장점 :
- 활용 :

B　지역 조사

지역 조사의 의미와 필요성
- 의미 :
- 활용 :

지역 조사 순서
- 조사 주제 및 지역 선정 :
- 지리 정보 수집 :
- 보고서 작성 :

조사 주제 선정

▲ 지리 조사의 순서

단원 정리하기

● 그림에 자신만의 설명을 덧붙여 단원의 핵심 내용을 정리해 보자.

1 국토의 위치와 영토 문제

• 영역의 구성

• 북극 항로 개발에 따른 위상

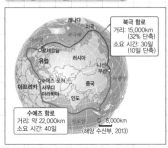

2 국토 인식의 변화

• 풍수지리 사상

• 대동여지도의 특징

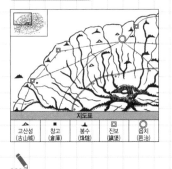

3 지리 정보와 지역 조사

• 통계 지도의 표현 방법

• 지역 조사 순서

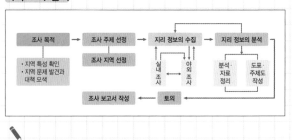

마인드맵으로 정리하기

◉ 자신만의 마인드맵을 만들어 단원의 핵심 내용을 정리해 보자.

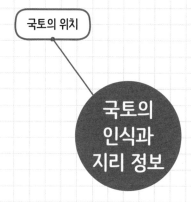

국토의 위치

국토의
인식과
지리 정보

오옷!
잘 그리는데!

» 선배들이 작성한 정리노트 바로가기

II
지형 환경과
인간 생활

01
한반도의 형성과 산지 지형

>>>

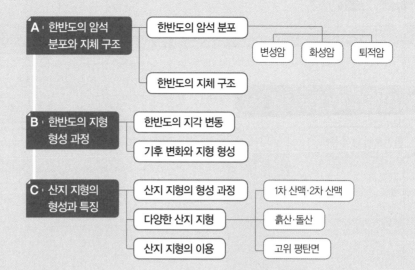

- **A** 한반도의 암석 분포와 지체 구조
  - 한반도의 암석 분포
    - 변성암
    - 화성암
    - 퇴적암
  - 한반도의 지체 구조
- **B** 한반도의 지형 형성 과정
  - 한반도의 지각 변동
  - 기후 변화와 지형 형성
- **C** 산지 지형의 형성과 특징
  - 산지 지형의 형성 과정
    - 1차 산맥·2차 산맥
  - 다양한 산지 지형
    - 흙산·돌산
  - 산지 지형의 이용
    - 고위 평탄면

02
하천 지형과 해안 지형

>>>

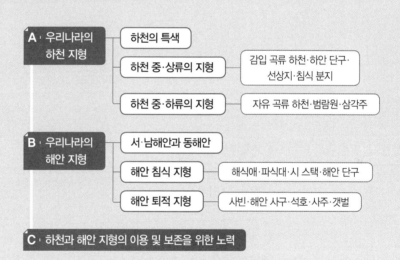

- **A** 우리나라의 하천 지형
  - 하천의 특색
  - 하천 중·상류의 지형
    - 감입 곡류 하천·하안 단구·선상지·침식 분지
  - 하천 중·하류의 지형
    - 자유 곡류 하천·범람원·삼각주
- **B** 우리나라의 해안 지형
  - 서·남해안과 동해안
  - 해안 침식 지형
    - 해식애·파식대·시 스택·해안 단구
  - 해안 퇴적 지형
    - 사빈·해안 사구·석호·사주·갯벌
- **C** 하천과 해안 지형의 이용 및 보존을 위한 노력

03
화산 지형과 카르스트 지형

>>>

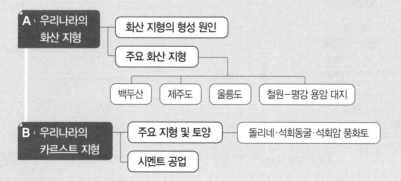

- **A** 우리나라의 화산 지형
  - 화산 지형의 형성 원인
  - 주요 화산 지형
    - 백두산
    - 제주도
    - 울릉도
    - 철원-평강 용암 대지
- **B** 우리나라의 카르스트 지형
  - 주요 지형 및 토양
    - 돌리네·석회동굴·석회암 풍화토
  - 시멘트 공업

01 한반도의 형성과 산지 지형

개념책 48~53쪽

A 한반도의 암석 분포와 지체 구조

한반도의 암석 분포

변성암	
화성암	
퇴적암	

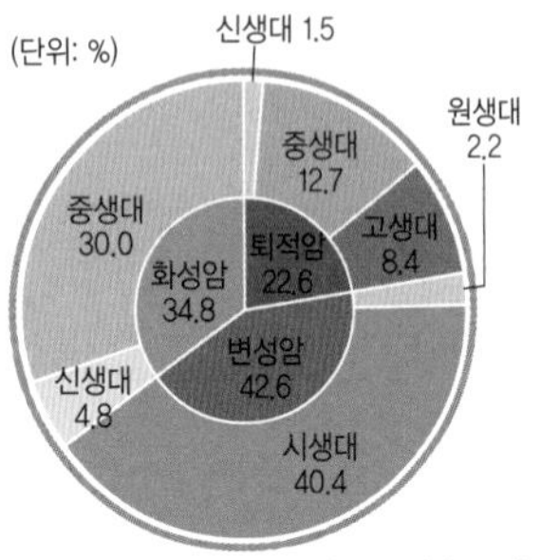

(단위: %)

신생대 1.5
원생대 2.2
중생대 12.7
고생대 8.4
퇴적암 22.6
화성암 34.8
중생대 30.0
변성암 42.6
신생대 4.8
시생대 40.4

(한국 지리지, 2008)

▲ 지질 시대별 암석 구성

한반도의 지체 구조
- 지체 구조의 의미 :
- 지체 구조의 특징 :
- 지체 구조의 분포

두만 지괴
길주·명천 지괴
평북·개마 지괴
평남 분지
경기 지괴
동 해
울릉도
독도
옥천 습곡대
영남 지괴
경상 분지
황 해
남 해
0 100km

(한국 지리지, 2008)

▲ 한반도의 지체 구조

지질 시대	지체 구조	특징
시·원생대		
고생대		
중생대		
신생대		

B 한반도의 지형 형성 과정

한반도의 지각 변동

지질 시대	선캄브리아대		고생대		중생대			신생대	
	시생대	원생대	캄브리아기 …… 페름기		트라이 아스기	쥐라기	백악기	제3기	제4기
지질 계통	변성암류 (편마암)			결층		대동 누층군 (대보 화강암)	경상 누층군 (불국사 화강암)	제3계	제4계
지각 변동	↑ 변성 작용		↑ 조륙 운동		↑	↑ 대보 조산 운동	↑ 불국사 변동	↑	↑
						화강암 관입			

기후 변화와 지형 형성 ── 빙기 :

── 후빙기 :

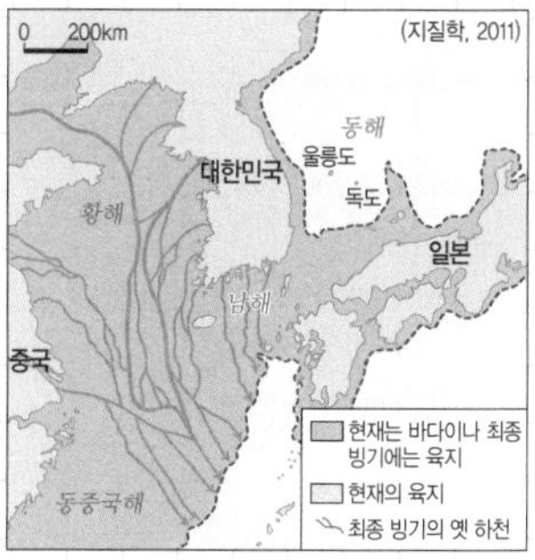

▲ 현재와 최종 빙기 때의 해안선

C 산지 지형의 형성과 특징

산지 지형 형성 과정 :

다양한 산지 지형 ── 1차 산맥 :

── 2차 산맥 :

── 흙산 :

── 돌산 :

── 고위 평탄면 :

산지 지형의 이용 :

02 하천 지형과 해안 지형

A 우리나라의 하천 지형

하천의 특색

— 황해와 남해로 흐르는 주요 하천 ——————————

— 유량 변화가 큰 하천 ——————————

— 바닷물이 역류하는 감조 하천 ——————————

하천 중·상류의 지형

- 감입 곡류 하천 :
- 하안 단구 :
- 선상지 :
- 침식 분지 :

하천 중·하류의 지형

- 자유 곡류 하천 :
- 범람원 :
- 삼각주 :

B 우리나라의 해안 지형

서·남해안과 동해안의 특색

- 서·남해안 :
- 동해안 :

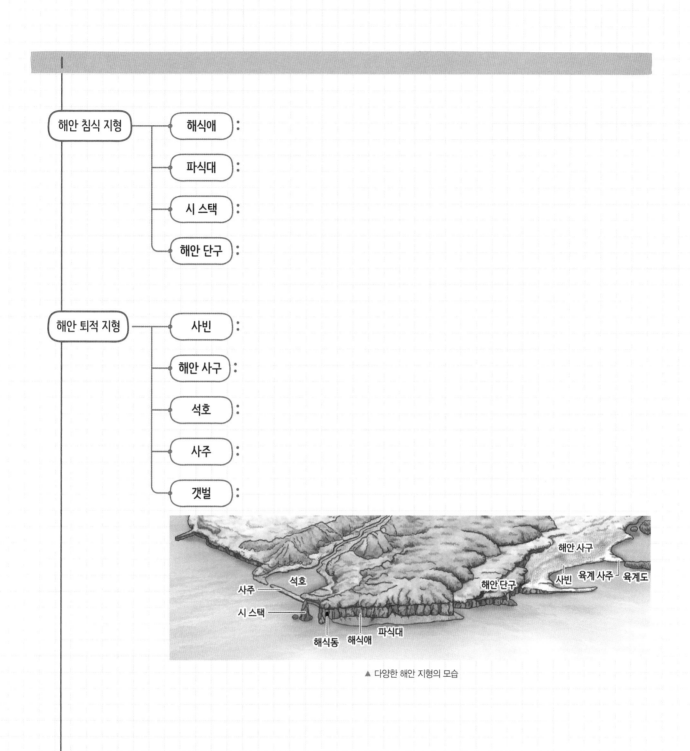

해안 침식 지형
- 해식애 :
- 파식대 :
- 시 스택 :
- 해안 단구 :

해안 퇴적 지형
- 사빈 :
- 해안 사구 :
- 석호 :
- 사주 :
- 갯벌 :

▲ 다양한 해안 지형의 모습

C 하천과 해안 지형의 이용 및 보존을 위한 노력

하천 지형의 이용과 보존을 위한 노력 :

해안 지형의 이용과 보존을 위한 노력 :

03 화산 지형과 카르스트 지형

A 우리나라의 화산 지형

화산 지형의 형성 원인 :

주요 화산 지형

백두산	
제주도	
울릉도	
독도	
철원 - 평강 용암 대지	

▲ 제주도의 화산 지형

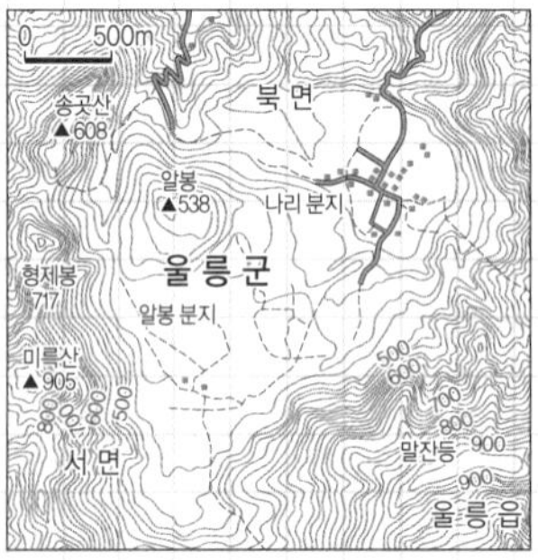

▲ 울릉도의 화산 지형

▲ 철원 일대의 용암 대지

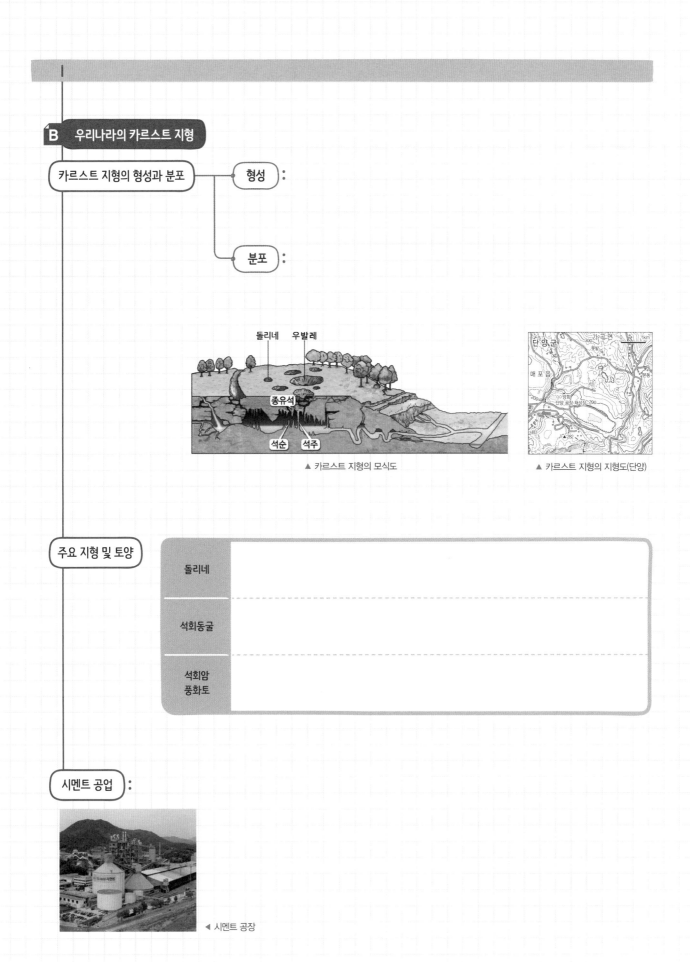

B   우리나라의 카르스트 지형

카르스트 지형의 형성과 분포 ─┬─ 형성 :

                            └─ 분포 :

돌리네   우발레

종유석

석순   석주

▲ 카르스트 지형의 모식도

▲ 카르스트 지형의 지형도(단양)

주요 지형 및 토양

돌리네	
석회동굴	
석회암 풍화토	

시멘트 공업 :

◀ 시멘트 공장

단원 정리하기

그림으로 정리하기

그림에 자신만의 설명을 덧붙여 단원의 핵심 내용을 정리해 보자.

01 한반도의 형성과 산지 지형

• 경동성 요곡 운동

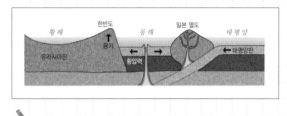

• 기후 변화와 지형 형성

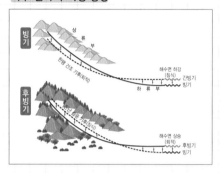

02 하천 지형과 해안 지형

• 하상계수가 큰 우리나라의 하천

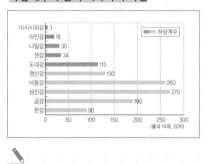

• 곶과 만에서 발달하는 해안 지형

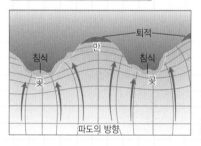

03 화산 지형과 카르스트 지형

• 석회동굴의 형성 과정

마인드맵으로 정리하기

●자신만의 마인드맵을 만들어 단원의 핵심 내용을 정리해 보자.

한반도의 암석 분포

지형 환경과
인간 생활

오옷!
잘 그리는데!

» 선배들이 작성한 정리노트 바로가기

III
기후 환경과
인간 생활

01

>>>

우리나라의 기후와 주민 생활

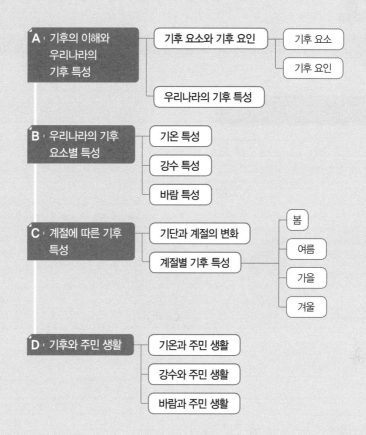

A 기후의 이해와 우리나라의 기후 특성 — 기후 요소와 기후 요인 — 기후 요소
　　　　　　　　　　　　　　　　　　　　　　　　　　　　　　└ 기후 요인
　　　　　　　　　　　　　　　　└ 우리나라의 기후 특성

B 우리나라의 기후 요소별 특성 — 기온 특성
　　　　　　　　　　　　　　├ 강수 특성
　　　　　　　　　　　　　　└ 바람 특성

C 계절에 따른 기후 특성 — 기단과 계절의 변화
　　　　　　　　　　　　　└ 계절별 기후 특성 — 봄 / 여름 / 가을 / 겨울

D 기후와 주민 생활 — 기온과 주민 생활
　　　　　　　　　　├ 강수와 주민 생활
　　　　　　　　　　└ 바람과 주민 생활

02

>>>

자연재해와 기후 변화

A 우리나라의 자연재해 — 기후적 요인의 자연재해 — 홍수 / 태풍 / 대설 / 가뭄
　　　　　　　　　　└ 지형적 요인의 자연재해 — 지진 / 화산 활동

B 우리나라의 기후 변화 — 기후 변화의 원인
　　　　　　　　　　　├ 기후 변화의 영향
　　　　　　　　　　　└ 기후 변화의 대책

C 우리나라의 자연 생태계와 인간 활동 — 식생 분포
　　　　　　　　　　　　　　　　├ 토양 분포
　　　　　　　　　　　　　　　　└ 인간 활동과 자연 생태계

01 우리나라의 기후와 주민 생활

A 기후의 이해와 우리나라의 기후 특성

기후 요소와 기후 요인 ─── 기후 요소 :

─── 기후 요인 :

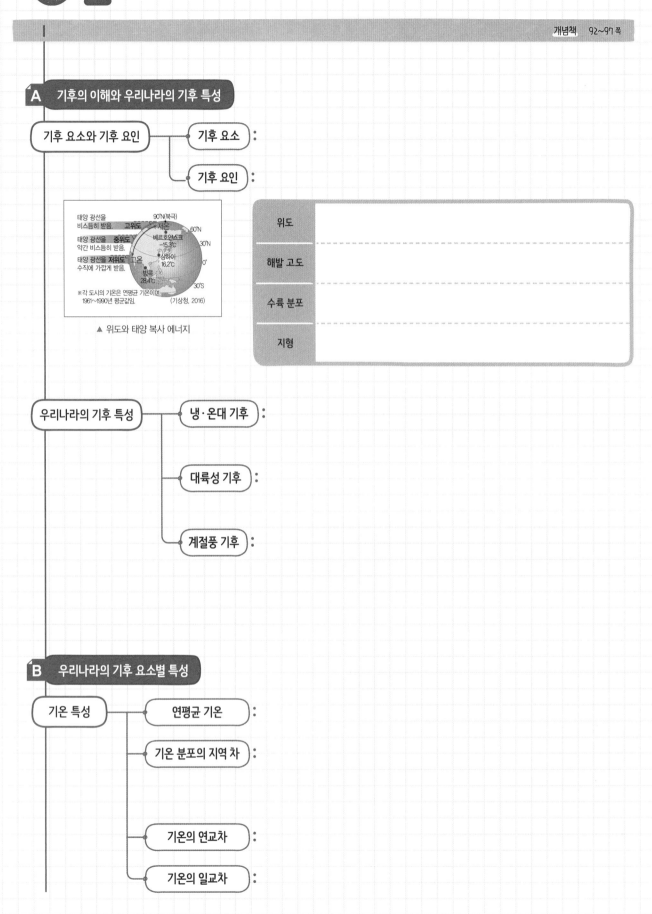

```
태양 광선을
비스듬히 받음.    고위도        저온    90°N(북극)
                                          60°N
태양 광선을    중위도         베르호얀스크
약간 비스듬히 받음.           -15.3℃      30°N
태양 광선을 저위도  고온     상하이
수직에 가깝게 받음.          16.2℃       0°

                            방콕        30°S
                            28.4℃
※각 도시의 기온은 연평균 기온이며,
1961~1990년 평균값임.           (기상청, 2016)
```

▲ 위도와 태양 복사 에너지

위도	
해발 고도	
수륙 분포	
지형	

우리나라의 기후 특성 ─── 냉·온대 기후 :

─── 대륙성 기후 :

─── 계절풍 기후 :

B 우리나라의 기후 요소별 특성

기온 특성 ─── 연평균 기온 :

─── 기온 분포의 지역 차 :

─── 기온의 연교차 :

─── 기온의 일교차 :

| |

강수 특성 :

바람 특성 :

C 계절에 따른 기후 특성

기단과 계절의 변화

기단	성질	시기	영향
시베리아 기단			
오호츠크해 기단			
북태평양 기단			
적도 기단			

계절별 기후 특성

봄 :

여름 :

가을 :

겨울 :

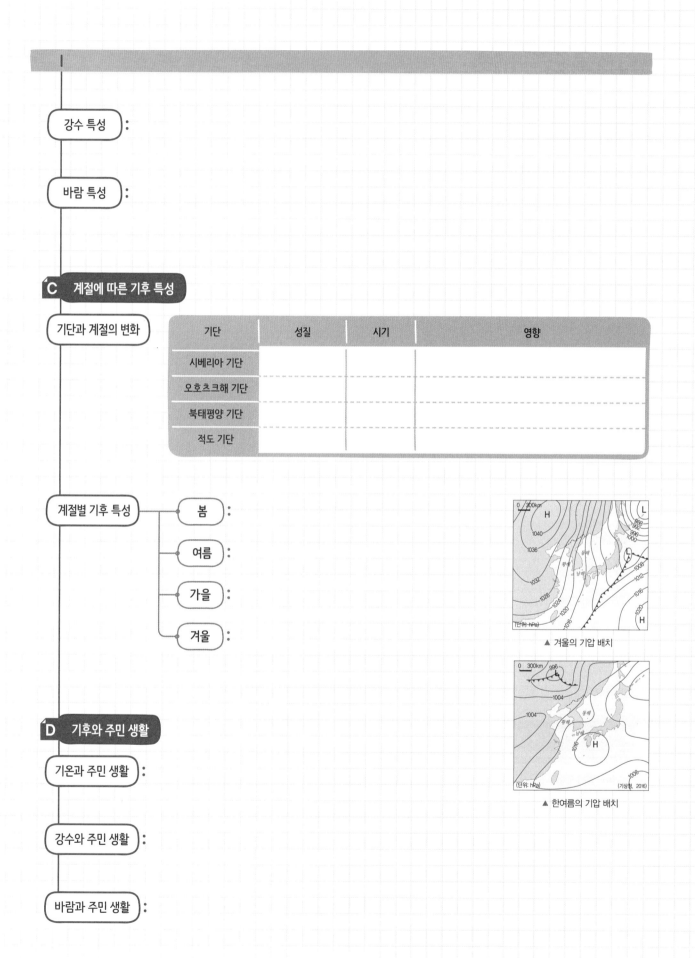

▲ 겨울의 기압 배치

▲ 한여름의 기압 배치

D 기후와 주민 생활

기온과 주민 생활 :

강수와 주민 생활 :

바람과 주민 생활 :

02 자연재해와 기후 변화

A 우리나라의 자연재해

기후적 요인의 자연재해 ── 홍수 :

── 태풍 :

── 대설 :

── 가뭄 :

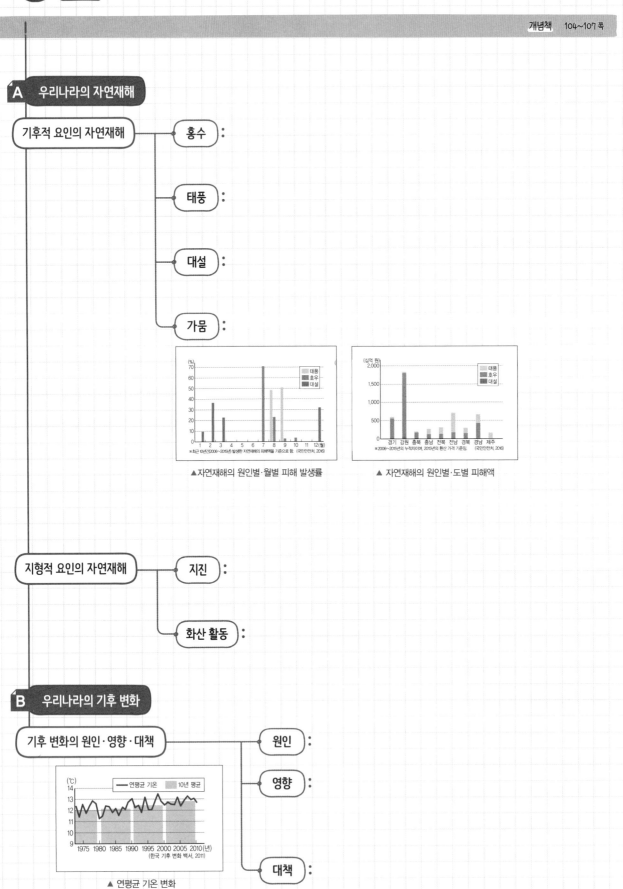

▲ 자연재해의 원인별·월별 피해 발생률

▲ 자연재해의 원인별·도별 피해액

지형적 요인의 자연재해 ── 지진 :

── 화산 활동 :

B 우리나라의 기후 변화

기후 변화의 원인·영향·대책 ── 원인 :

── 영향 :

── 대책 :

▲ 연평균 기온 변화

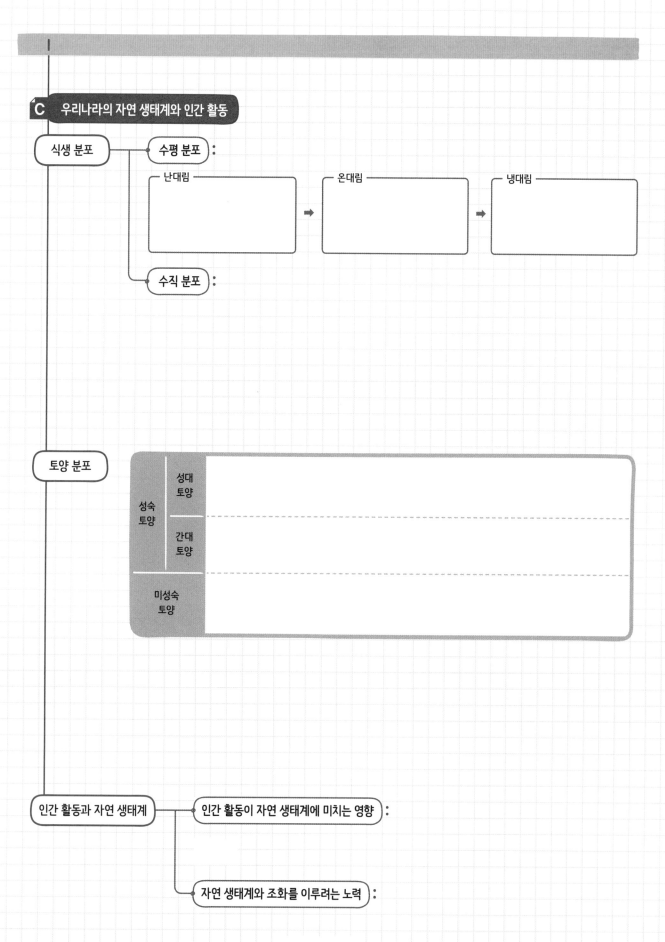

C 우리나라의 자연 생태계와 인간 활동

식생 분포

수평 분포 :

난대림

온대림

냉대림

수직 분포 :

토양 분포

성숙 토양

성대 토양

간대 토양

미성숙 토양

인간 활동과 자연 생태계

인간 활동이 자연 생태계에 미치는 영향 :

자연 생태계와 조화를 이루려는 노력 :

단원 정리하기

그림으로 정리하기

● 그림에 자신만의 설명을 덧붙여 단원의 핵심 내용을 정리해 보자.

01 우리나라의 기후와 주민 생활

• 1월 강수량 · 8월 강수량 · 연 강수량

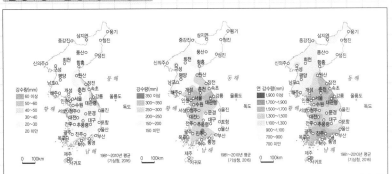

• 지역별 전통 가옥

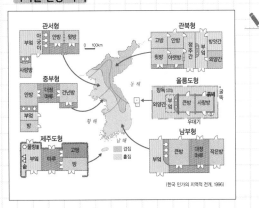

02 자연재해와 기후 변화

• 계절 길이의 변화

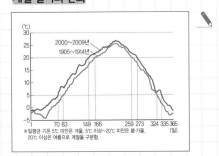

마인드맵으로 정리하기

◉자신만의 마인드맵을 만들어 단원의 핵심 내용을 정리해 보자.

기후 요소와 기후 요인

기후 환경과
인간 생활

오옷!
잘 그리는데!

» 선배들이 작성한 정리노트 바로가기

IV

거주 공간의 변화와
지역 개발

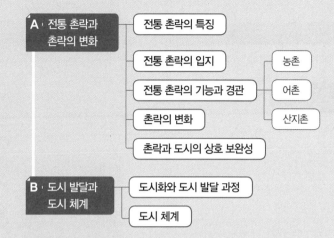
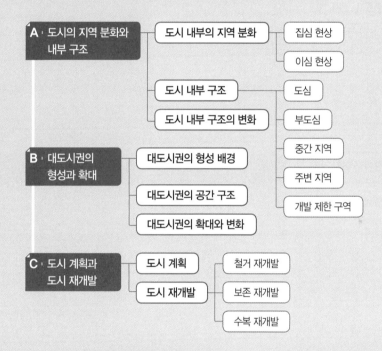
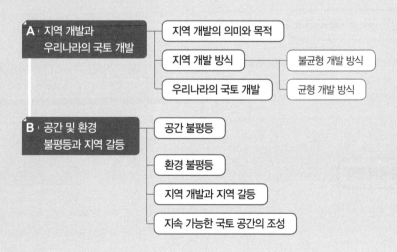

01 촌락의 변화와 도시 발달

개념책 122~125 쪽

A 전통 촌락과 촌락의 변화

전통 촌락의 특징 :

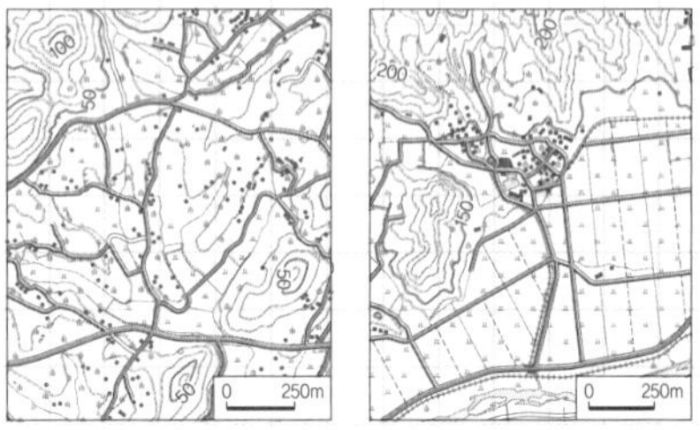

▲ 산촌과 집촌

전통 촌락의 입지 :

입지 요인과 입지 장소

입지 요인		입지 장소

전통 촌락의 기능과 경관
- **농촌** :
- **어촌** :
- **산지촌** :

촌락의 변화 :

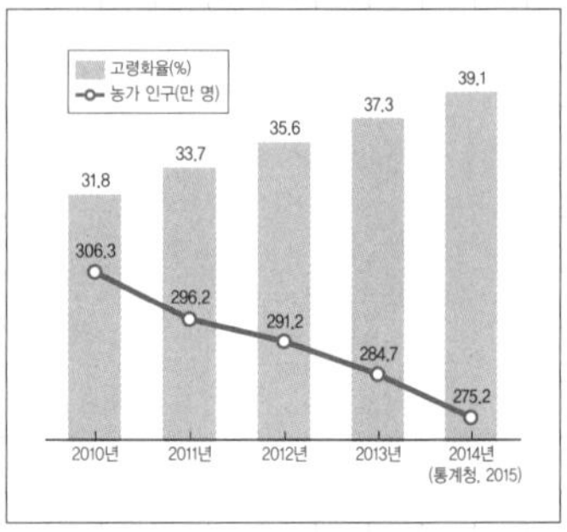

▲ 촌락의 인구 감소와 고령화

촌락과 도시의 상호 보완성 :

B 도시 발달과 도시 체계

도시화와 도시 발달 과정 ── 도시화 :

└ 우리나라의 도시 발달 과정 :

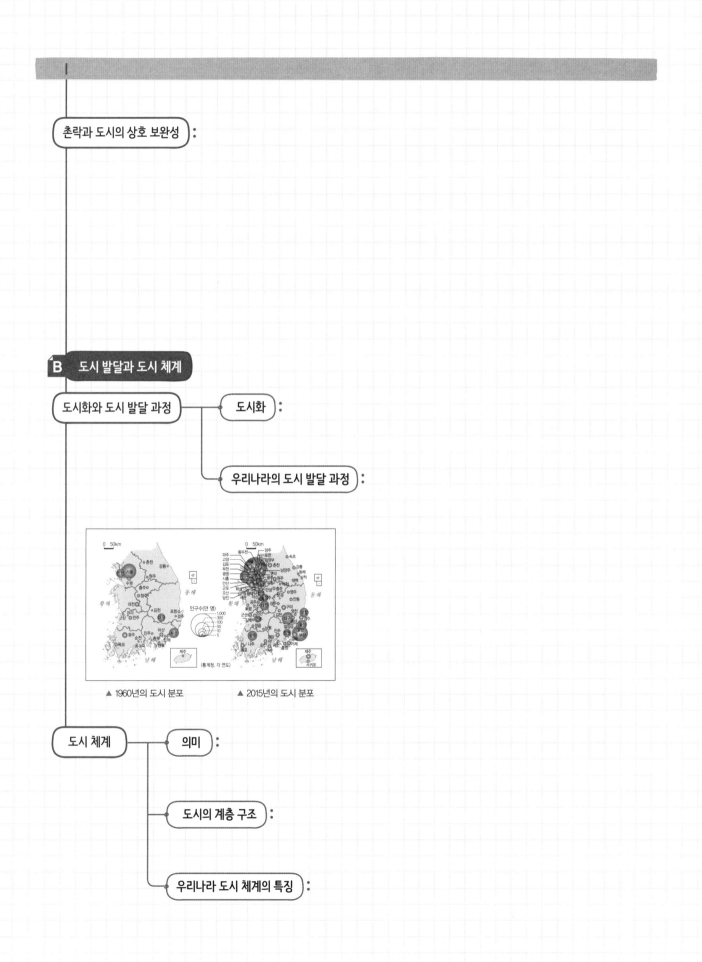

▲ 1960년의 도시 분포   ▲ 2015년의 도시 분포

도시 체계 ── 의미 :

├ 도시의 계층 구조 :

└ 우리나라 도시 체계의 특징 :

02 도시 구조와 도시 계획

개념책 132~135 쪽

A 도시의 지역 분화와 내부 구조

도시 내부의 지역 분화 ── 의미 :

── 요인 :

── 과정 :

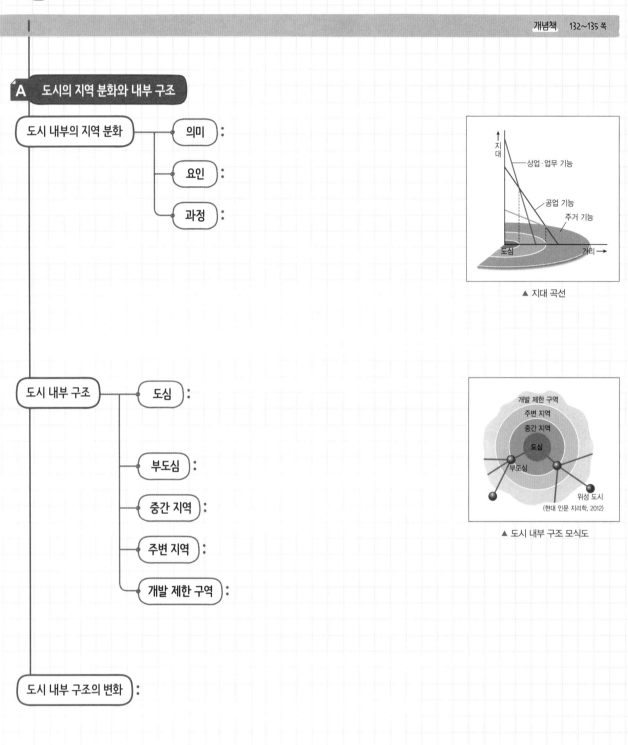

▲ 지대 곡선

도시 내부 구조 ── 도심 :

── 부도심 :

── 중간 지역 :

── 주변 지역 :

── 개발 제한 구역 :

▲ 도시 내부 구조 모식도

도시 내부 구조의 변화 :

B 대도시권의 형성과 확대

대도시권의 의미와 형성 배경 ── 의미 :

── 형성 배경 :

대도시권의 공간 구조 :

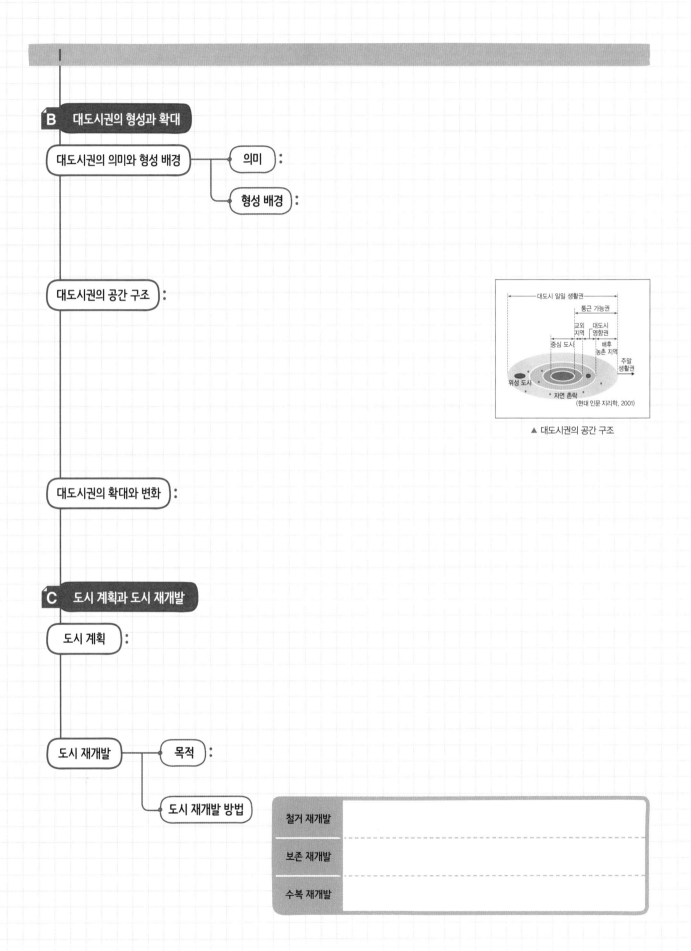

▲ 대도시권의 공간 구조

대도시권의 확대와 변화 :

C 도시 계획과 도시 재개발

도시 계획 :

도시 재개발 ── 목적 :

── 도시 재개발 방법

철거 재개발	
보존 재개발	
수복 재개발	

03 지역 개발과 공간 불평등

A 지역 개발과 우리나라의 국토 개발

지역 개발의 의미와 목적 :

지역 개발 방식

구분	불균형 개발 방식(성장 검점 개발 방식)	균형 개발 방식

우리나라의 국토 개발

구분	특징	주요 정책
제1차 국토 종합 개발 계획		
제2차 국토 종합 개발 계획		
제3차 국토 종합 개발 계획		
제4차 국토 종합 계획 (2000~2020년)		
제4차 국토 종합 계획 수 정 계획(2011~2020년)		

B　공간 및 환경 불평등과 지역 갈등

공간 불평등 ┬ 수도권과 비수도권의 격차 :

　　　　　 └ 도시와 농촌의 격차 :

▲ 도·농 인구 변화

환경 불평등 :

지역 개발에 따른 지역 갈등 :

지속 가능한 국토 공간의 조성 :

단원 정리하기

● 그림에 자신만의 설명을 덧붙여 단원의 핵심 내용을 정리해 보자.

01 촌락의 변화와 도시 발달

• 촌락의 변화

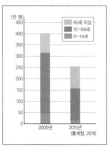

▲ 농가 인구 및 인구 구조

• 지역별 도시 체계

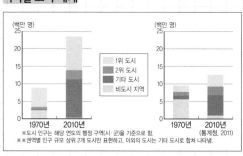

※도시 인구는 해당 연도의 행정 구역(시·군)을 기준으로 함.
※※권역별 인구 규모 상위 2개 도시만 표현하고, 이외의 도시는 기타 도시로 합쳐 나타냄.

▲ 수도권   ▲ 영남권

02 도시 구조와 도시 계획

• 인구 공동화 현상

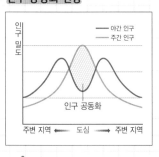

• 인구와 도시 내부 구조의 관계

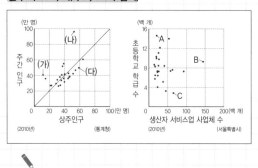

03 지역 개발과 공간 불평등

• 주요 국토 개발 사업

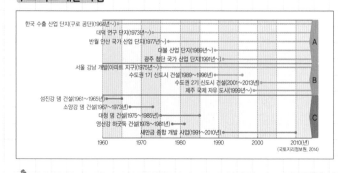

• 파급 효과와 역류 효과

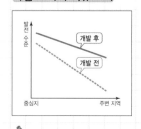

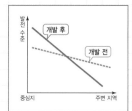

마인드맵으로 정리하기

●자신만의 마인드맵을 만들어 단원의 핵심 내용을 정리해 보자.

촌락의 변화와 도시 발달

거주 공간의
변화와
지역 개발

오옷!
잘 그리는데!

» 선배들이 작성한 정리노트 바로가기

V
생산과
소비의 공간

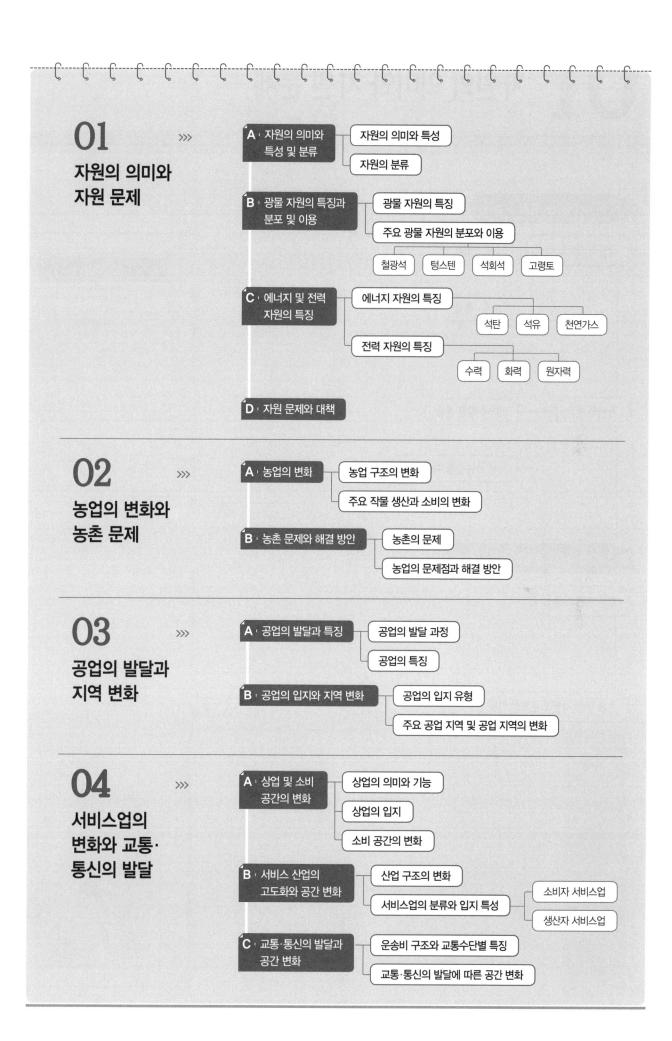

01
자원의 의미와 자원 문제

A · 자원의 의미와 특성 및 분류
- 자원의 의미와 특성
- 자원의 분류

B · 광물 자원의 특징과 분포 및 이용
- 광물 자원의 특징
- 주요 광물 자원의 분포와 이용
  - 철광석
  - 텅스텐
  - 석회석
  - 고령토

C · 에너지 및 전력 자원의 특징
- 에너지 자원의 특징
  - 석탄
  - 석유
  - 천연가스
- 전력 자원의 특징
  - 수력
  - 화력
  - 원자력

D · 자원 문제와 대책

02
농업의 변화와 농촌 문제

A · 농업의 변화
- 농업 구조의 변화
- 주요 작물 생산과 소비의 변화

B · 농촌 문제와 해결 방안
- 농촌의 문제
- 농업의 문제점과 해결 방안

03
공업의 발달과 지역 변화

A · 공업의 발달과 특징
- 공업의 발달 과정
- 공업의 특징

B · 공업의 입지와 지역 변화
- 공업의 입지 유형
- 주요 공업 지역 및 공업 지역의 변화

04
서비스업의 변화와 교통·통신의 발달

A · 상업 및 소비 공간의 변화
- 상업의 의미와 기능
- 상업의 입지
- 소비 공간의 변화

B · 서비스 산업의 고도화와 공간 변화
- 산업 구조의 변화
- 서비스업의 분류와 입지 특성
  - 소비자 서비스업
  - 생산자 서비스업

C · 교통·통신의 발달과 공간 변화
- 운송비 구조와 교통수단별 특징
- 교통·통신의 발달에 따른 공간 변화

01 자원의 의미와 자원 문제

A 자원의 의미와 특성 및 분류

자원의 의미와 특성 ─── 의미 :

특성 :

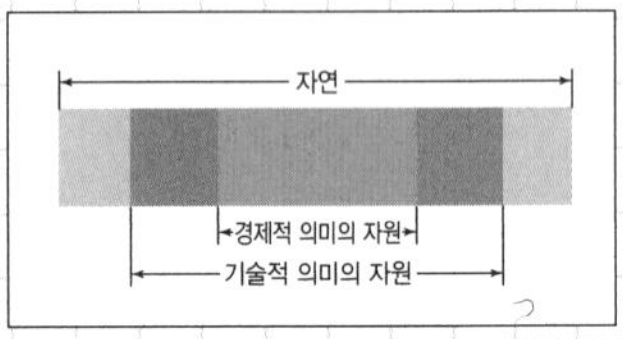

▲ 자원의 의미

자원의 분류 ─── 의미에 따른 분류 :

재생 가능성에 따른 분류 :

B 광물 자원의 특징과 분포 및 이용

광물 자원의 특징 :

주요 광물 자원의 분포와 이용

철광석	
텅스텐	
석회석	
고령토	

▲ 주요 광물 자원의 분포

C 에너지 및 전력 자원의 특징

에너지 자원의 특징 ──┬── 1차 에너지 소비량 비중 :

└── 주요 에너지 자원의 특징 :

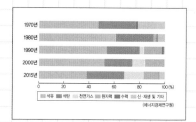

▲ 1차 에너지 소비 구조의 변화

전력 자원의 특징

구분	수력	화력	원자력
입지			
장점			
단점			

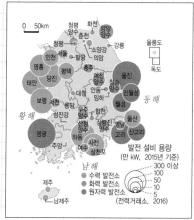

▲ 주요 발전 설비 분포

D 자원 문제와 대책

자원 문제 :

대책 :

▲ 주요 신·재생 에너지의 분포

O2 농업의 변화와 농촌 문제

개념책 170~171 쪽

A   농업의 변화

농업 구조의 변화 ── 농촌 인구의 변화 :

── 경지의 변화 :

── 영농 방식의 변화 :

── 농업 환경의 변화 :

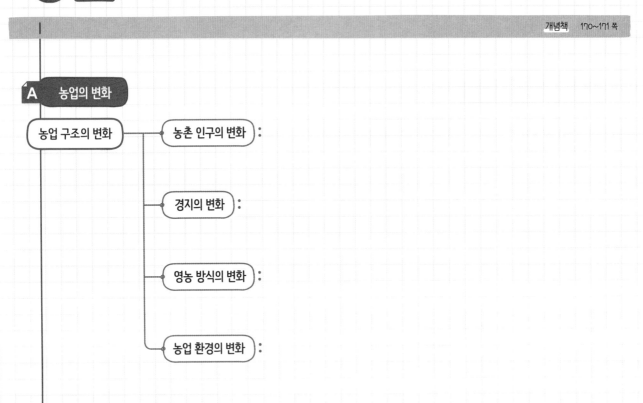

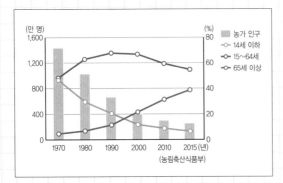

▲ 농가 인구 및 연령층별 농가 인구 비중 변화

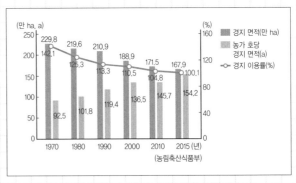

▲ 경지 면적, 농가 호당 경지 면적, 경지 이용률 변화

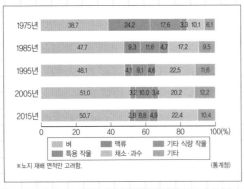

▲ 작물별 재배 면적 비중의 변화

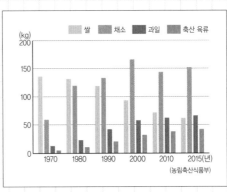

▲ 1인당 연간 농산물 소비량의 변화

주요 작물의 생산과 소비의 변화 ─┬─ 쌀(벼) :

├─ 맥류 :

├─ 원예 작물 :

└─ 목축업 :

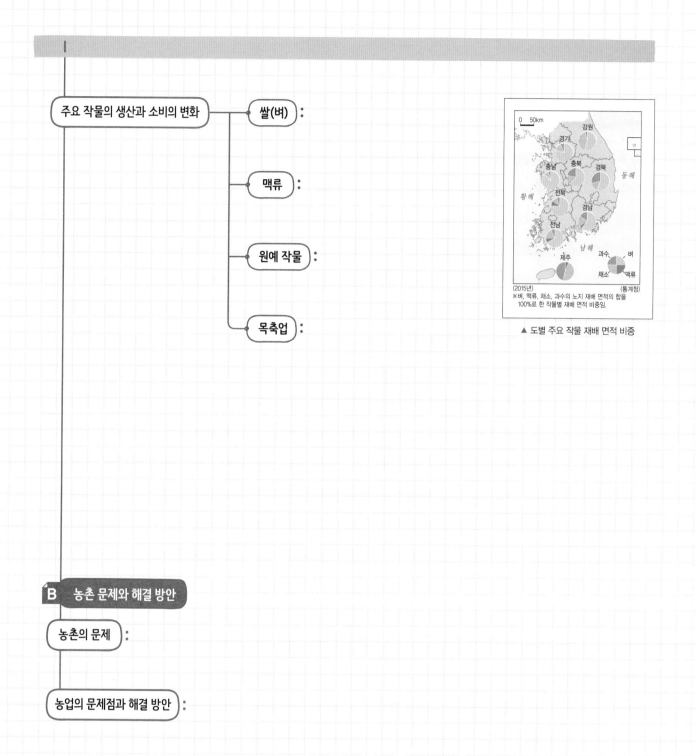

▲ 도별 주요 작물 재배 면적 비중

B 농촌 문제와 해결 방안

농촌의 문제 :

농업의 문제점과 해결 방안 :

03 공업의 발달과 지역 변화

개념책 178~179 쪽

A 공업의 발달과 특징

공업의 발달 과정

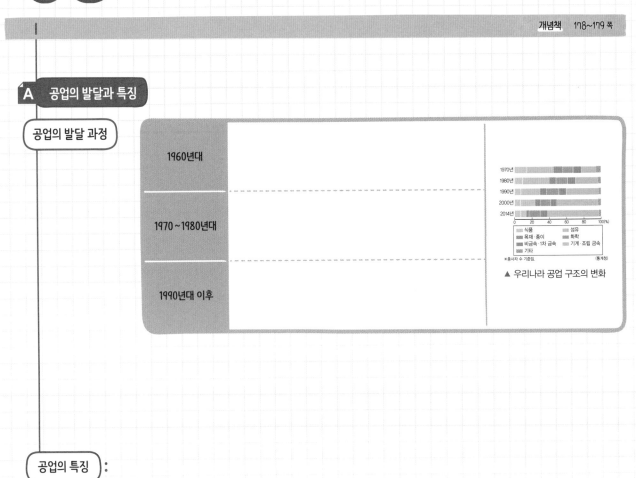

1960년대	
1970~1980년대	
1990년대 이후	

▲ 우리나라 공업 구조의 변화

공업의 특징 :

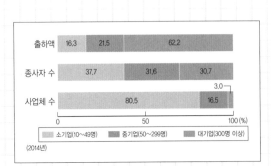

▲ 기업 규모별 제조업 출하액, 종사자 수, 사업체 수 비중

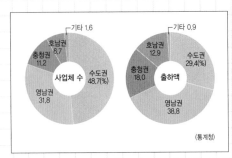

▲ 지역별 제조업 사업체 수, 출하액 비중

B 공업의 입지와 지역 변화

공업의 입지 유형

유형	특징

주요 공업 지역 및 공업 지역의 변화 :

▲ 우리나라의 주요 공업 지역

04 서비스업의 변화와 교통·통신의 발달

개념책 186~189 쪽

A 상업 및 소비 공간의 변화

상업의 의미와 기능 :

상업의 입지 :

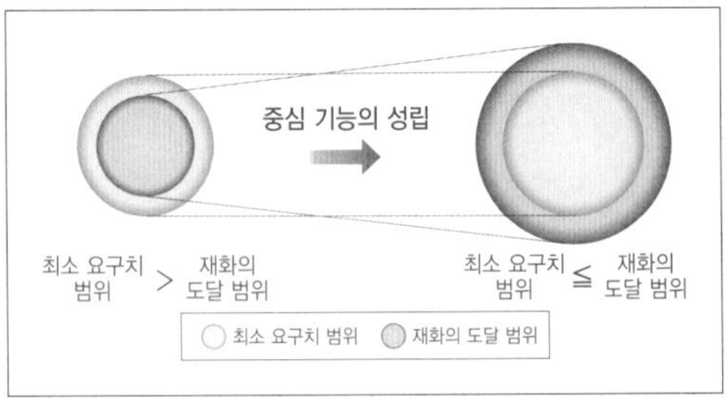

▲ 최소 요구치와 재화의 도달 범위

소비 공간의 변화 :

B 서비스 산업의 고도화와 공간 변화

우리나라의 산업 구조 변화 :

서비스업의 분류와 입지 특성 :

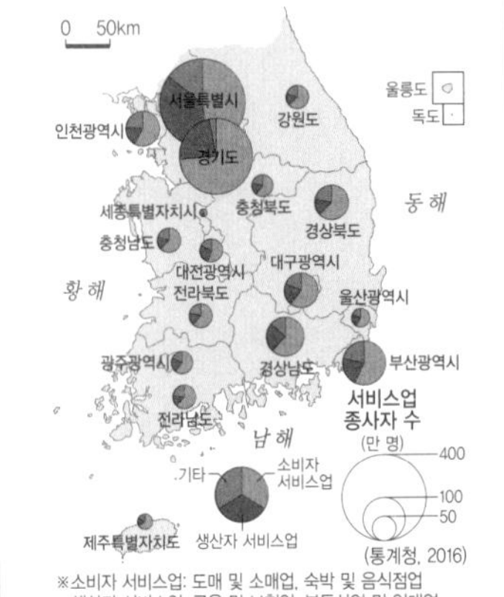

※ 소비자 서비스업: 도매 및 소매업, 숙박 및 음식점업
※ 생산자 서비스업: 금융 및 보험업, 부동산업 및 임대업, 전문·과학 및 기술 서비스업, 사업 시설 관리 및 사업 지원 서비스업

▲ 생산자 서비스업과 소비자 서비스업의 분포

소비자 서비스업	
생산자 서비스업	

C 교통·통신의 발달과 공간 변화

운송비 구조와 교통수단별 특징

총 운송비 :

교통수단별 특징

교통수단	특징

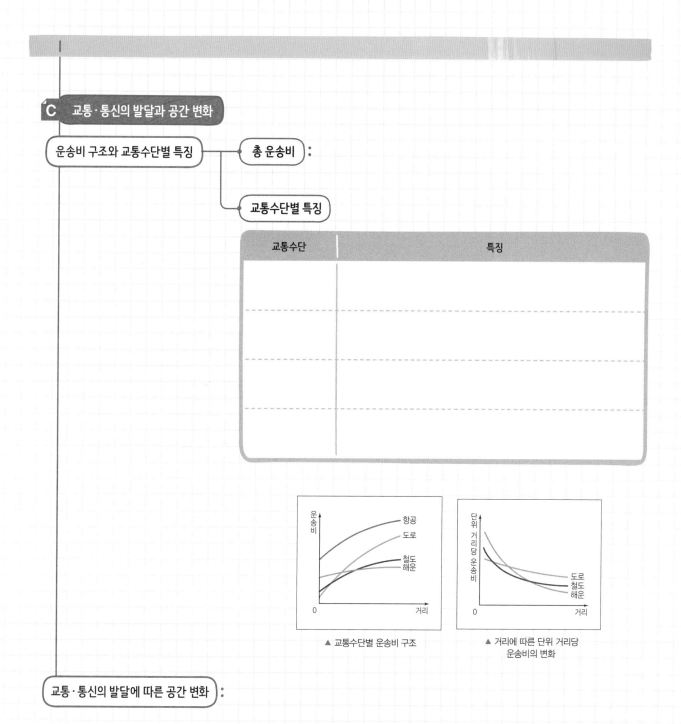

▲ 교통수단별 운송비 구조

▲ 거리에 따른 단위 거리당
운송비의 변화

교통·통신의 발달에 따른 공간 변화 :

그림으로 정리하기

● 그림에 자신만의 설명을 덧붙여 단원의 핵심 내용을 정리해 보자.

01 자원의 의미와 자원 문제

• 주요 광물 자원의 지역별 생산량 비중

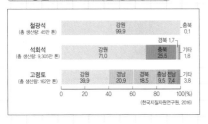

• 1차 에너지의 지역별 생산량 비중

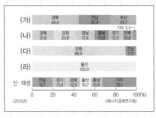

02 농업의 변화와 농촌 문제

• 도별 전업농가 및 밭 비율

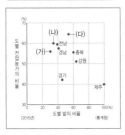

• 주요 작물의 도별 재배 면적 비중

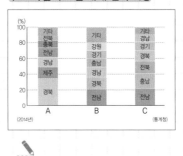

03 공업의 발달과 지역 변화

• 주요 제조업의 시·도별 생산액 비중

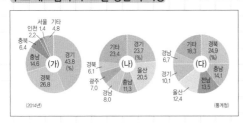

• 주요 제조업의 특징

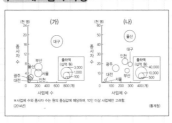

04 서비스업의 변화와 교통·통신의 발달

• 주요 소매 업태별 특징

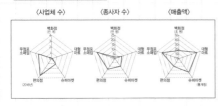

• 국내 여객 및 화물 수송 분담률

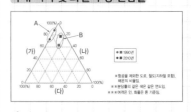

◉자신만의 마인드맵을 만들어 단원의 핵심 내용을 정리해 보자.

자원의 의미와 자원 문제

생산과
소비의 공간

오옷!
잘 그리는데!

》선배들이 작성한 정리노트 바로가기

VI

인구 변화와
다문화 공간

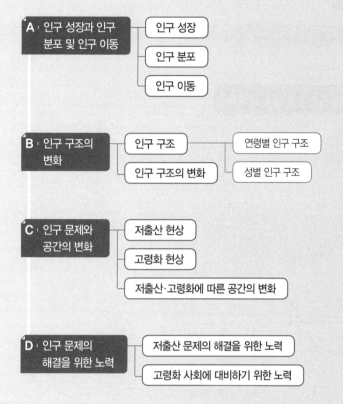

01
인구 분포와
인구 문제

A ┊ 인구 성장과 인구 분포 및 인구 이동
- 인구 성장
- 인구 분포
- 인구 이동

B ┊ 인구 구조의 변화
- 인구 구조
  - 연령별 인구 구조
  - 성별 인구 구조
- 인구 구조의 변화

C ┊ 인구 문제와 공간의 변화
- 저출산 현상
- 고령화 현상
- 저출산·고령화에 따른 공간의 변화

D ┊ 인구 문제의 해결을 위한 노력
- 저출산 문제의 해결을 위한 노력
- 고령화 사회에 대비하기 위한 노력

02
외국인 이주와
다문화 공간

A ┊ 외국인 근로자의 유입과 다문화 가정의 증가
- 외국인 근로자의 유입
- 국제결혼에 따른 다문화 가정의 증가

B ┊ 지속 가능한 다문화 사회를 위한 노력
- 다문화 사회의 영향
- 다문화 사회의 발전을 위한 노력

01 인구 분포와 인구 문제

A 인구 성장과 인구 분포 및 인구 이동

인구 성장 :

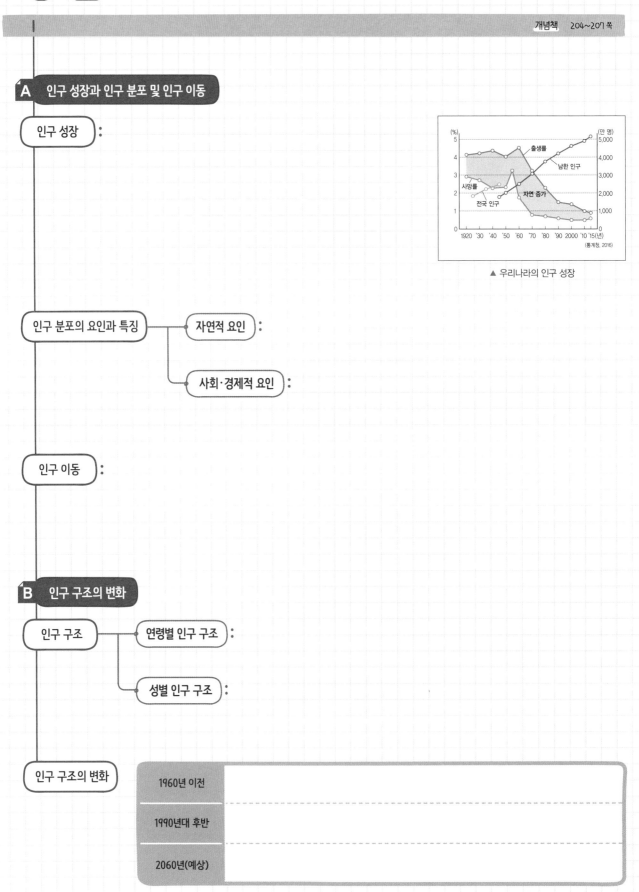

▲ 우리나라의 인구 성장

인구 분포의 요인과 특징 ── 자연적 요인 :

── 사회·경제적 요인 :

인구 이동 :

B 인구 구조의 변화

인구 구조 ── 연령별 인구 구조 :

── 성별 인구 구조 :

인구 구조의 변화

1960년 이전	
1990년대 후반	
2060년(예상)	

C 인구 문제와 공간의 변화

저출산 현상 :

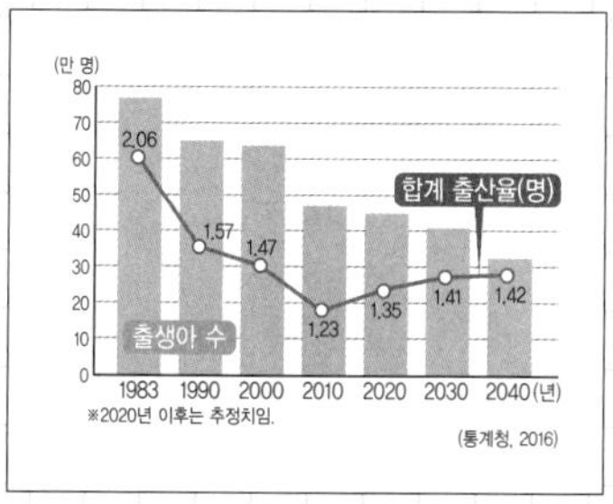

▲ 우리나라 출생아 수 및 합계 출산율 변화

고령화 현상 :

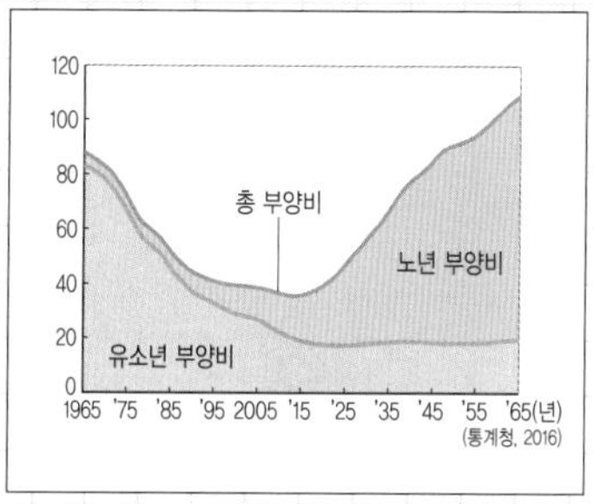

▲ 인구 부양비 변화

저출산·고령화 현상에 따른 공간의 변화 :

D 인구 문제의 해결을 위한 노력

저출산 문제의 해결을 위한 노력 :

고령화 사회에 대비하기 위한 노력 :

02 외국인 이주와 다문화 공간

A 외국인 근로자의 유입과 다문화 가정의 증가

외국인 근로자의 유입 ── 유입 배경 :

── 유입 외국인의 구성 :

▲ 행정 구역별 외국인 분포와 비중

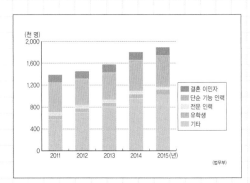

▲ 국내 체류 외국인 현황

국제결혼에 따른 다문화 가정의 증가 ── 국제결혼의 증가 배경 :

── 국제결혼의 분포 특징 :

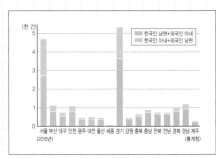

▲ 시·도별 국제결혼 건수

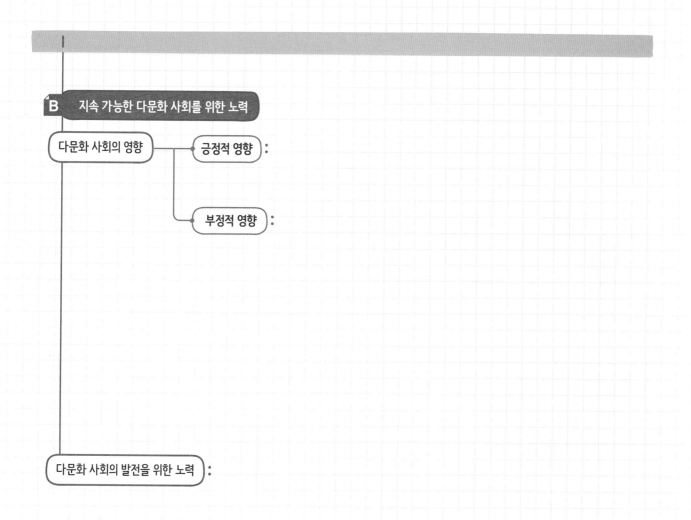

B 지속 가능한 다문화 사회를 위한 노력

다문화 사회의 영향 ── 긍정적 영향 :

부정적 영향 :

다문화 사회의 발전을 위한 노력 :

● 그림에 자신만의 설명을 덧붙여 단원의 핵심 내용을 정리해 보자.

01 인구 분포와 인구 문제

- 인구 구조의 시기별 변화

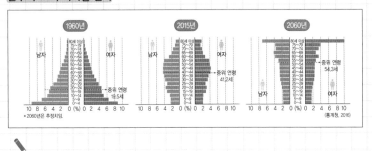

- 연령별 인구 구성비의 변화

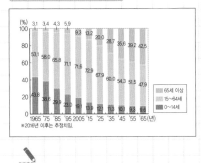

- 노년 부양비와 유소년 부양비의 지역별 분포

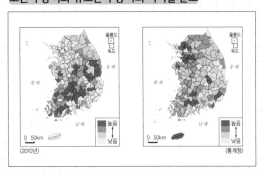

02 외국인 이주와 다문화 공간

- 등록 외국인 비율과 결혼 이민자 비중

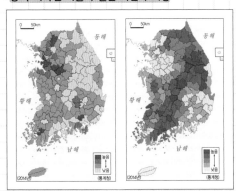

- 지역별 외국인 취업자 수

마인드맵으로 정리하기

●자신만의 마인드맵을 만들어 단원의 핵심 내용을 정리해 보자.

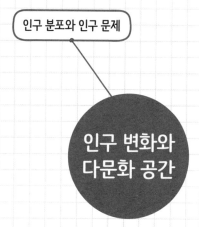

인구 분포와 인구 문제

인구 변화와
다문화 공간

오옷!
잘 그리는데!

» 선배들이 작성한 정리노트 바로가기

VII
우리나라의 지역 이해

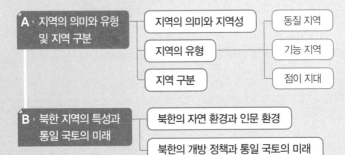

01
>>>

지역의 의미와
지역 구분·
북한 지역의 특성과
통일 국토의 미래

A 지역의 의미와 유형
및 지역 구분

- 지역의 의미와 지역성 ─ 동질 지역
- 지역의 유형 ─ 기능 지역
- 지역 구분 ─ 점이 지대

B 북한 지역의 특성과
통일 국토의 미래

- 북한의 자연 환경과 인문 환경
- 북한의 개방 정책과 통일 국토의 미래

02
>>>

인구와 기능이
집중된 수도권

A 수도권의 특성과
공간 구조 변화

- 수도권의 특성
- 수도권의 공간 구조 변화

B 수도권의 문제와
해결 방안

- 수도권의 문제
- 수도권 문제의 해결 방안

03

>>>

동서의 차이가
뚜렷한 강원 지방과
빠르게 성장하는
충청 지방

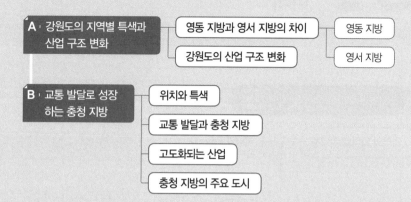

A 강원도의 지역별 특색과
산업 구조 변화

- 영동 지방과 영서 지방의 차이 — 영동 지방 / 영서 지방
- 강원도의 산업 구조 변화

B 교통 발달로 성장
하는 충청 지방

- 위치와 특색
- 교통 발달과 충청 지방
- 고도화되는 산업
- 충청 지방의 주요 도시

04

다양한 산업이
발전하는 호남
지방과 공업과
함께 발달한
영남 지방

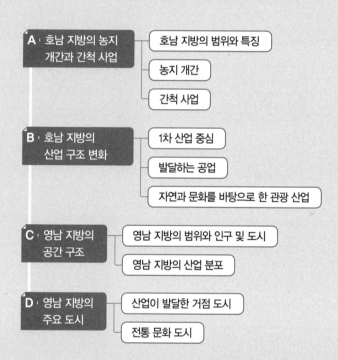

A 호남 지방의 농지
개간과 간척 사업

- 호남 지방의 범위와 특징
- 농지 개간
- 간척 사업

B 호남 지방의
산업 구조 변화

- 1차 산업 중심
- 발달하는 공업
- 자연과 문화를 바탕으로 한 관광 산업

C 영남 지방의
공간 구조

- 영남 지방의 범위와 인구 및 도시
- 영남 지방의 산업 분포

D 영남 지방의
주요 도시

- 산업이 발달한 거점 도시
- 전통 문화 도시

05

>>>

세계적인 관광지로
발전하는 제주도

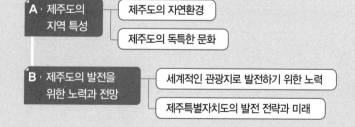

A 제주도의
지역 특성

- 제주도의 자연환경
- 제주도의 독특한 문화

B 제주도의 발전을
위한 노력과 전망

- 세계적인 관광지로 발전하기 위한 노력
- 제주특별자치도의 발전 전략과 미래

01 지역의 의미와 지역 구분 · 북한 지역의 특성과 통일 국토의 미래

개념책 232~235 쪽

A 지역의 의미와 유형 및 지역 구분

지역의 의미와 지역성
- 지역의 의미 :
- 지역성 :

지역의 유형
- 동질 지역 :
- 기능 지역 :
- 점이 지대 :

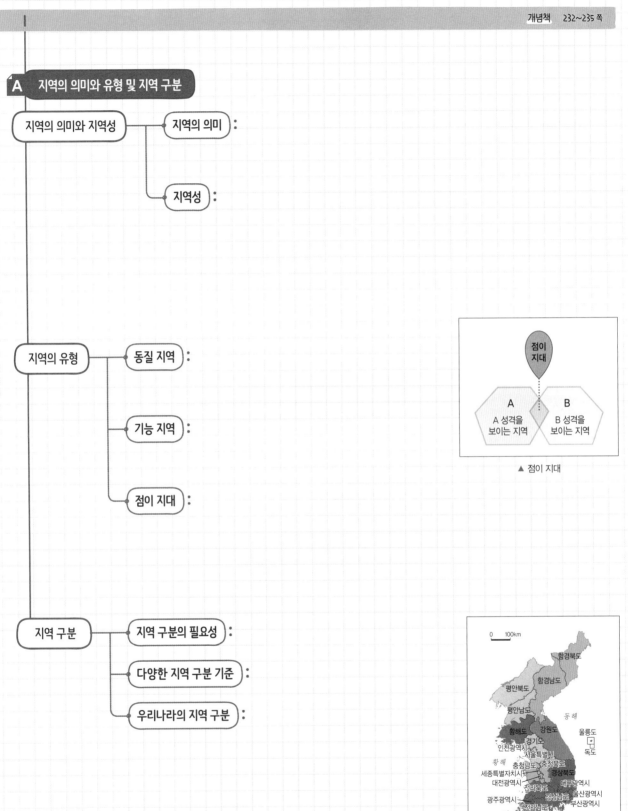

▲ 점이 지대

지역 구분
- 지역 구분의 필요성 :
- 다양한 지역 구분 기준 :
- 우리나라의 지역 구분 :

▲ 우리나라의 행정 구역

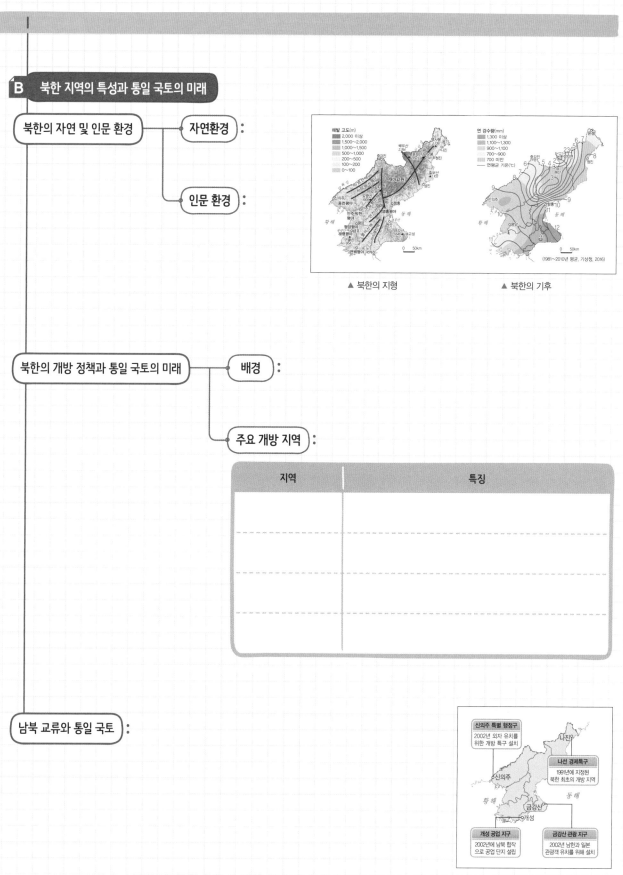

B 북한 지역의 특성과 통일 국토의 미래

북한의 자연 및 인문 환경 ── 자연환경 :

인문 환경 :

▲ 북한의 지형   ▲ 북한의 기후

북한의 개방 정책과 통일 국토의 미래 ── 배경 :

주요 개방 지역 :

지역	특징

남북 교류와 통일 국토 :

신의주 특별 행정구
2002년 외자 유치를
위한 개방 특구 설치

나선 경제특구
1991년에 지정된
북한 최초의 개방 지역

개성 공업 지구
2002년에 남북 합작
으로 공업 단지 설립

금강산 관광 지구
2002년 남한과 일본
관광객 유치를 위해 설치

▲ 북한의 주요 개방 지역

02 인구와 기능이 집중된 수도권

개념책 242~243 쪽

A 수도권의 특성과 공간 구조 변화

수도권의 특성

지역	특징
서울	
인천	
경기	

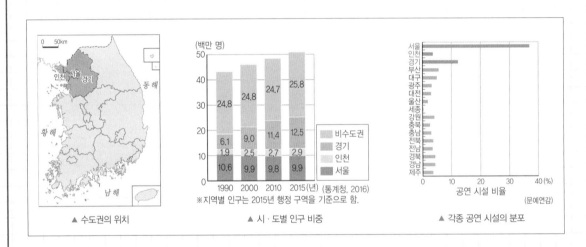

▲ 수도권의 위치

▲ 시·도별 인구 비중

※지역별 인구는 2015년 행정 구역을 기준으로 함.

(통계청, 2016)

▲ 각종 공연 시설의 분포

(문예연감)

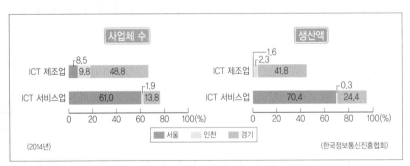

▲ 정보 통신 기술(ICT) 산업의 수도권 비중

수도권의 공간 구조 변화 ─ 지역 구조의 변화 :

산업 구조의 변화 :

문화 산업의 육성 :

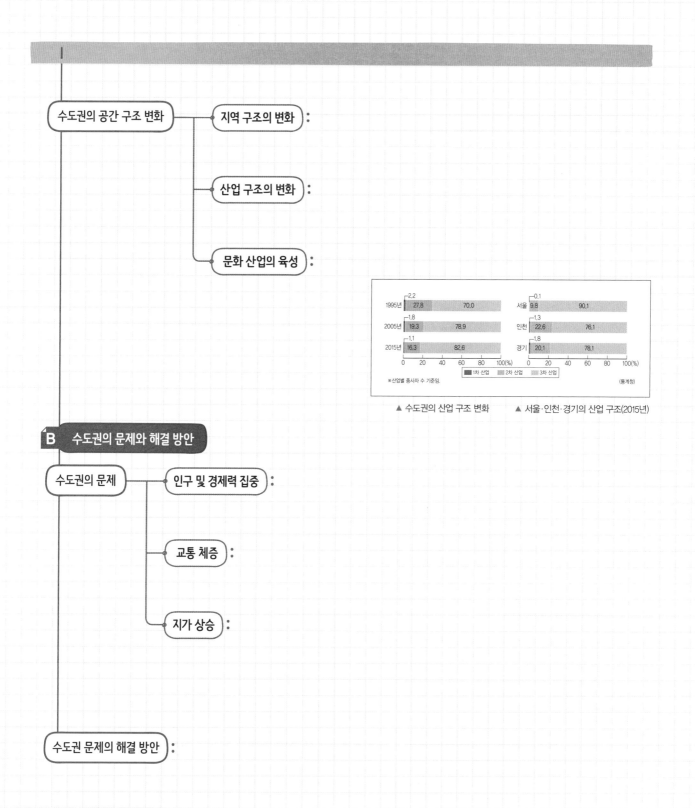

	1995년 27.8 70.0 (-2.2)	서울 9.8 90.1 (-0.1)
2005년 19.3 78.9 (-1.8)	인천 22.6 76.1 (-1.3)
2015년 16.3 82.6 (-1.1)	경기 20.1 78.1 (-1.8)

※산업별 종사자 수 기준임. (통계청)

■1차 산업 ■2차 산업 ■3차 산업

▲ 수도권의 산업 구조 변화   ▲ 서울·인천·경기의 산업 구조(2015년)

B 수도권의 문제와 해결 방안

수도권의 문제 ─ 인구 및 경제력 집중 :

교통 체증 :

지가 상승 :

수도권 문제의 해결 방안 :

03 동서의 차이가 뚜렷한 강원 지방과 빠르게 성장하는 충청 지방

개념책 248~251 쪽

A 강원도의 지역별 특색과 산업 구조 변화

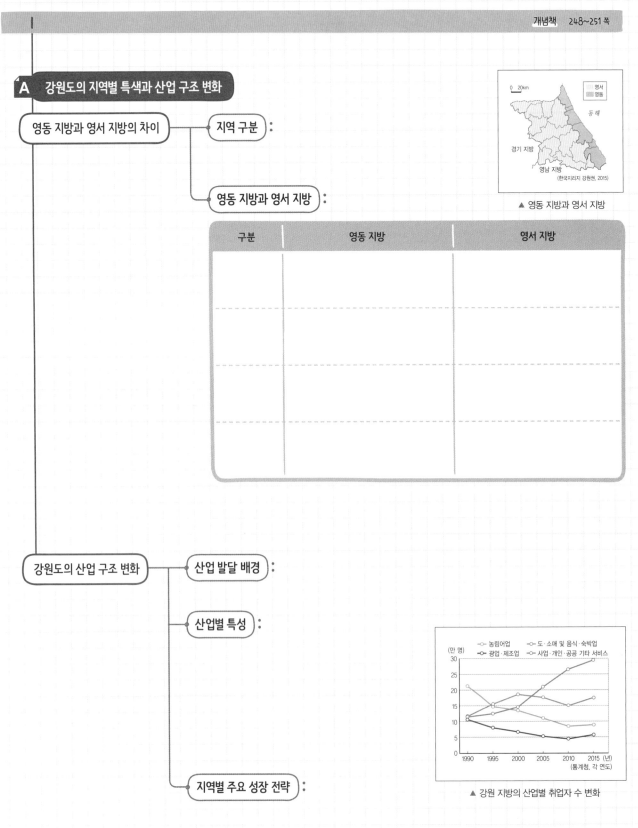

▲ 영동 지방과 영서 지방

영동 지방과 영서 지방의 차이

지역 구분 :

영동 지방과 영서 지방 :

구분	영동 지방	영서 지방

강원도의 산업 구조 변화

산업 발달 배경 :

산업별 특성 :

지역별 주요 성장 전략 :

▲ 강원 지방의 산업별 취업자 수 변화

B 교통 발달로 성장하는 충청 지방

위치와 지역 특색 :

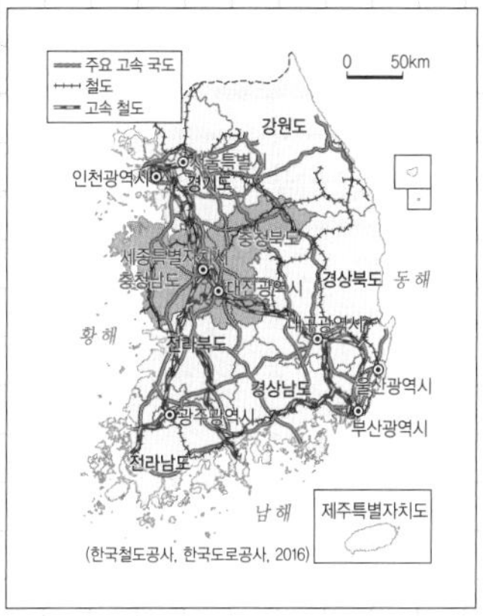

(한국철도공사, 한국도로공사, 2016)

▲ 우리나라의 주요 교통망

교통의 발달과 충청 지방 :

고도화되는 산업 :

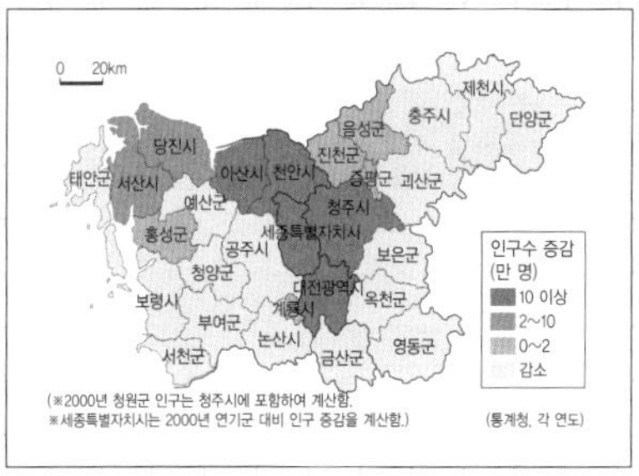

▲ 충청 지방의 인구 증감(2000~2015년)

충청 지방의 주요 도시

도시	특징
세종특별자치시	
대전광역시	
충남 홍성·예산 내포 신도시	
충남 태안 · 충북 충주	
충북 진천·음성	
충남 당진·아산	

04 다양한 산업이 발전하는 호남 지방과 공업과 함께 발달한 영남 지방

A 호남 지방의 농지 개간과 간척 사업

호남 지방의 범위와 특징 :

농지 개간 :

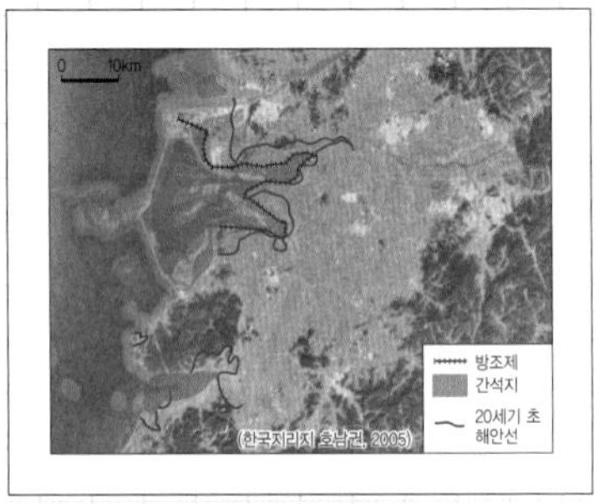

간척 사업 :

▲ 계화도 간척과 농업용수 확보

B 호남 지방의 산업 구조 변화

1차 산업 중심 :

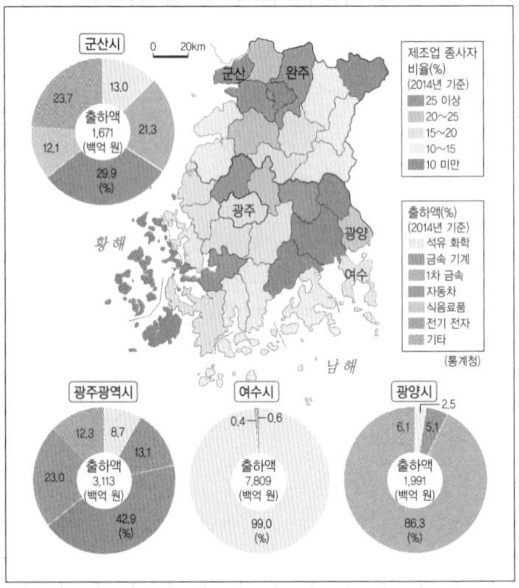

발달하는 공업 :

자연과 문화를 바탕으로 한 관광 산업 :

▲ 호남 지방의 제조업

C 영남 지방의 공간 구조

범위와 인구 및 도시 :

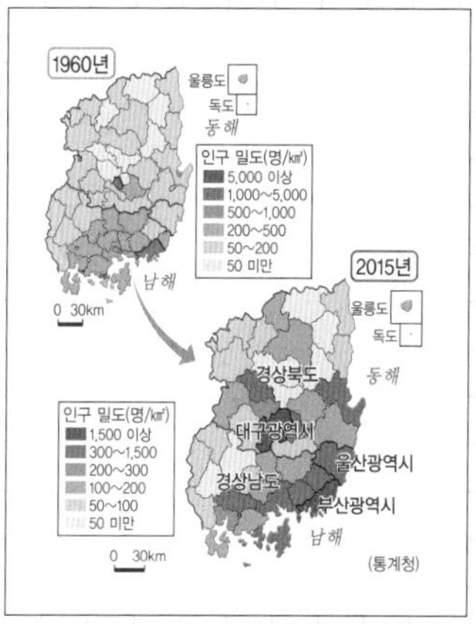

▲ 영남 지방의 인구 분포 변화

산업 분포 :

D 영남 지방의 주요 도시

산업이 발달한 거점 도시

부산 :

대구 :

울산 :

창원 :

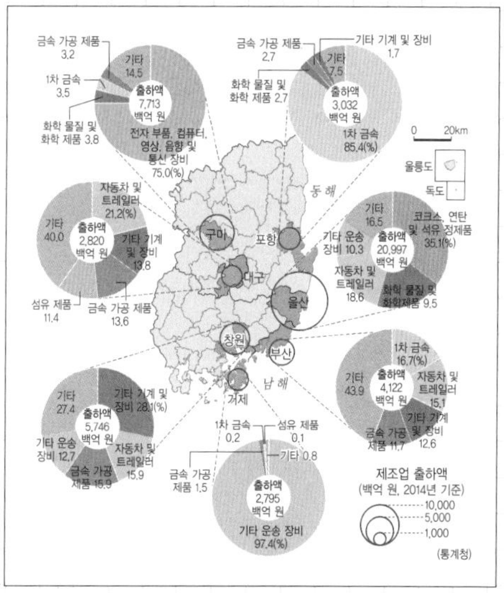

▲ 영남 지방의 제조업

전통 문화 도시

안동 :

경주 :

05 세계적인 관광지로 발전하는 제주도

개념책 272~273 쪽

A 제주도의 지역 특성

자연환경 :

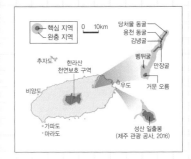

▲ 제주도의 세계 자연 유산

독특한 문화 :

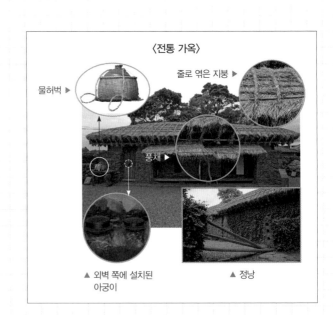

〈전통 가옥〉

물허벅 ▶

줄로 엮은 지붕 ▶

풍채 ▶

▲ 외벽 쪽에 설치된 아궁이

▲ 정낭

나만의 정리

B 제주도의 발전을 위한 노력과 전망

세계적인 관광지로 발전하기 위한 노력 :

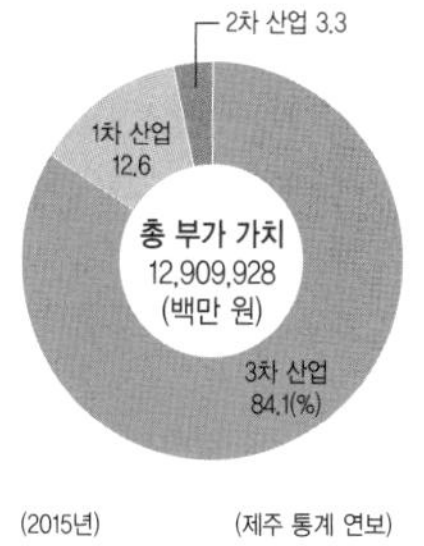

2차 산업 3.3

1차 산업
12.6

총 부가 가치
12,909,928
(백만 원)

3차 산업
84.1(%)

(2015년)　(제주 통계 연보)

(만 명)
1,500
1,200
900
600
300
0

내국인　외국인

2000 2005 2010 2011 2012 2013 2014 2015(년)

(2016년)　(제주특별자치도 관광 협회)

▲ 제주도의 산업 구조
(부가 가치 기준)

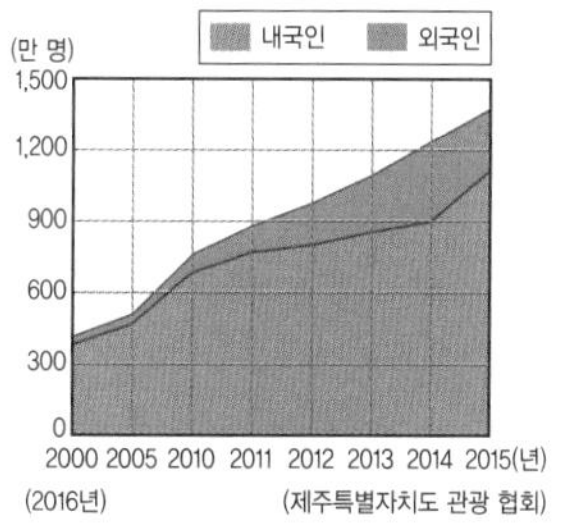

▲ 제주도의 방문객 수 변화

발전 전략과 미래 :

나만의 정리

단원 정리하기

그림으로 정리하기

● 그림에 자신만의 설명을 덧붙여 단원의 핵심 내용을 정리해 보자.

01 지역의 의미와 지역 구분·북한 지역의 특성과 통일 국토의 미래

• 동질 지역과 기능 지역

(가)   (나)

*2014년 기준이며, 지역별 주택 유형 비율을 기준으로 50% 이상 점유 주택을 선정함. (통계청)

서울로의 통근자 수(백 명)
━ 1,000 이상
━ 500~1,000
━ 200~500
━ 200 미만

서울로의 통근율(%)
■ 30 이상
■ 20~30
■ 10~20
□ 10 미만
*2010년 기준 (통계청)

• **북한의 산업 구조**

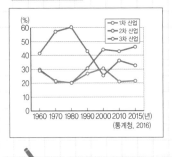

• **북한의 1차 에너지 소비 구조 변화**

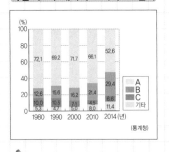

• **남한과 북한의 발전량 비중**

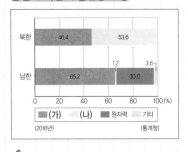

• **북한의 인문 환경**

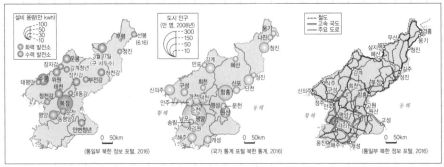

▲ 북한의 전력 생산   ▲ 북한 주요 도시의 인구   ▲ 북한의 교통망

- 74 -

그림으로 정리하기

02 인구와 기능이 집중된 수도권

• 수도권의 집중도

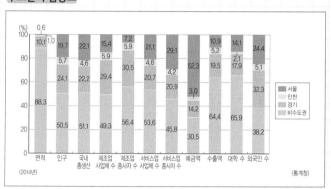

(2014년)   (통계청)

• 지역 내 총생산 및 산업별 부가 가치

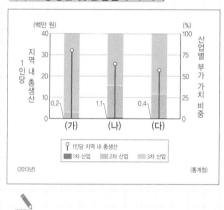

(2013년)   (통계청)

• 주거·인구의 지역별 특색

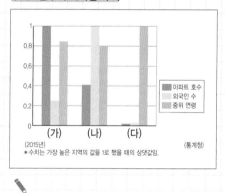

(2015년)   (통계청)
＊수치는 가장 높은 지역의 값을 1로 했을 때의 상댓값임.

• 서울, 인천, 경기 간 통근·통학 인구

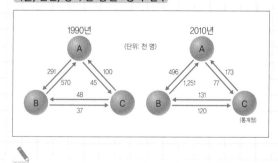

• 수도권 시·도별 주간 인구 지수

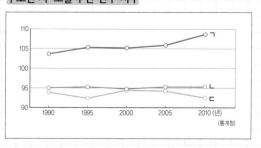

03 동서의 차이가 뚜렷한 강원 지방과 빠르게 성장하는 충청 지방

• 영동 지방과 영서 지방의 기후

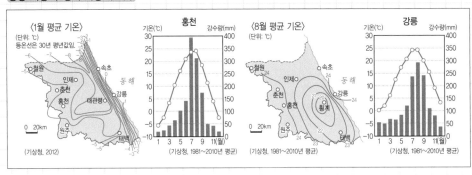

• 충청 지방의 지역 내 총생산 및 산업 단지 분포

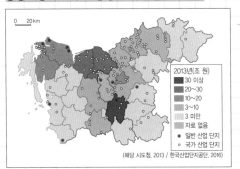

• 충청 지방의 총 종사자 수와 제조업 종사자 수

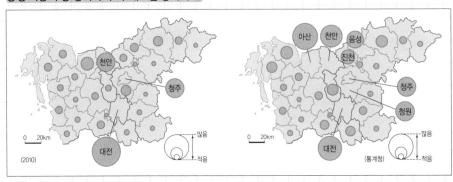

그림으로 정리하기

04 다양한 산업이 발전하는 호남 지방과 공업과 함께 발달한 영남 지방

• 호남 지방의 지리적 특색

임금님 수라상에 올랐던 굴비

조차를 극복하기 위한 뜬다리 부두 시설

전통 가옥 양식을 간직한 한옥 마을

청정한 환경을 이용한 반딧불이 축제

지리적 표시제로 등록된 녹차의 생산지

• 여수, 광양, 광주의 제조업

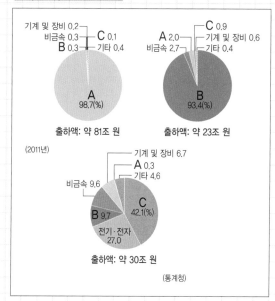

기계 및 장비 0.2
비금속 0.3
B 0.3
C 0.1
기타 0.4
A 98.7(%)
출하액: 약 81조 원

A 2.0
비금속 2.7
C 0.9
기계 및 장비 0.6
기타 0.4
B 93.4(%)
출하액: 약 23조 원

(2011년)

기계 및 장비 6.7
A 0.3
기타 4.6
비금속 9.6
C 42.1(%)
B 9.7
전기·전자 27.0
출하액: 약 30조 원

(통계청)

• 영남 지방의 주요 도시와 특화 산업

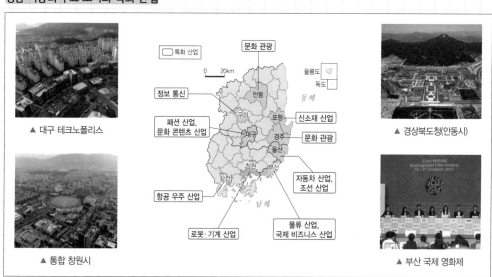

특화 산업

문화 관광

정보 통신

패션 산업, 문화 콘텐츠 산업

항공 우주 산업

로봇·기계 산업

신소재 산업

문화 관광

자동차 산업, 조선 산업

물류 산업, 국제 비즈니스 산업

▲ 대구 테크노폴리스

▲ 통합 창원시

▲ 경상북도청(안동시)

▲ 부산 국제 영화제

단원 정리하기

05 세계적인 관광지로 발전하는 제주도

• 제주도의 지형 특색

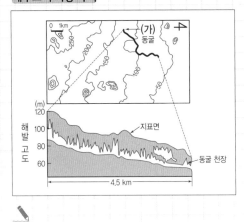

• 제주도의 기후 특색

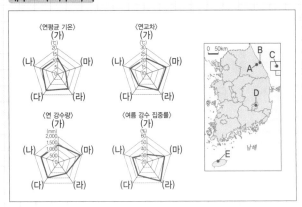

• 제주도 자연환경의 가치

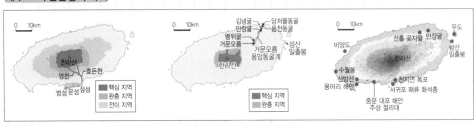

• 제주도의 인문 특색

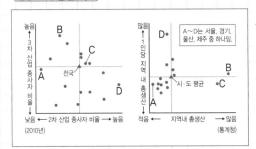

▲ 시·도별 산업 구조화 지역 내 총생산

마인드맵으로 정리하기

◉자신만의 마인드맵을 만들어 단원의 핵심 내용을 정리해 보자.

지역의 의미와 지역 구분
·
북한 지역의 특성과 통일 국토의 미래

우리나라의
지역 이해

오옷!
잘 그리는데!

● 지도의 빈칸에 알맞은 지명을 적어 보자.

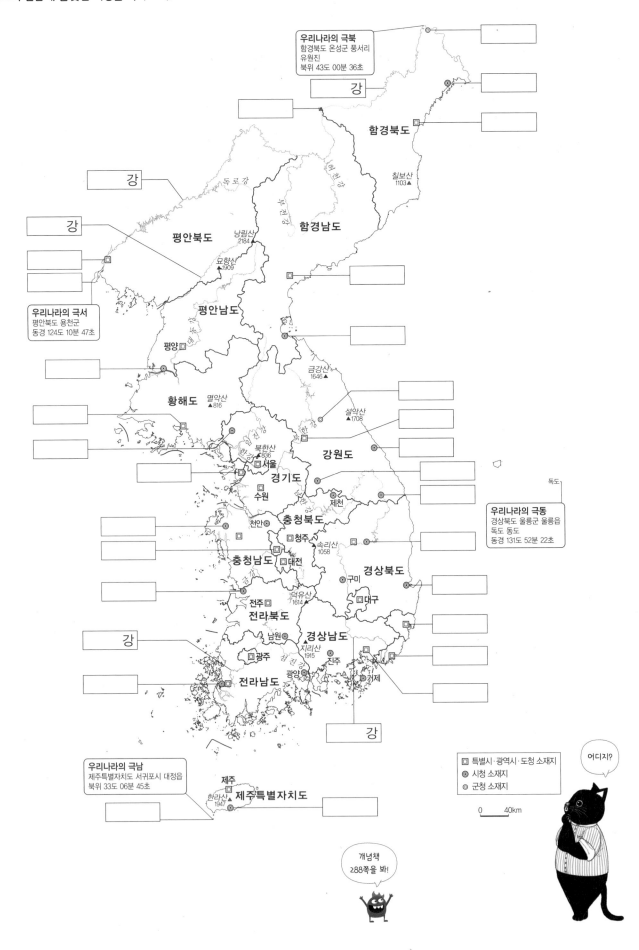

우리나라의 극북
함경북도 온성군 풍서리
유원진
북위 43도 00분 36초

강

함경북도

칠보산
1103▲

강

함경남도

평안북도

낭림산
2184▲

묘향산
▲1909

평안남도

우리나라의 극서
평안북도 용천군
동경 124도 10분 47초

평양

금강산
1646▲

황해도

멸악산
▲816

설악산
▲1708

북한산
836

서울

강원도

경기도

수원

제천

천안

충청북도

청주

속리산
1058

우리나라의 극동
경상북도 울릉군 울릉읍
독도 동도
동경 131도 52분 22초

독도

충청남도

대전

경상북도

구미

덕유산
1614▲

대구

전주

전라북도

남원

경상남도

지리산
1915

강

광주

진주

전라남도

광양

거제

강

□ 특별시·광역시·도청 소재지
◎ 시청 소재지
○ 군청 소재지

어디지?

우리나라의 극남
제주특별자치도 서귀포시 대정읍
북위 33도 06분 45초

제주

한라산
1947

제주특별자치도

0   40km

개념책
288쪽을 봐!

나만의 레시피

개념 학습과 정리가 한번에 끝나는 기본서

개념풀

한국지리